# O Livre Arbítrio

Agostinho

# O Livre Arbítrio

*Editor* | Edson Manoel de Oliveira Filho

*Produção editorial* | Editora Filocalia

*Projeto gráfico, capa e diagramação* | Mauricio Nisi / Nine Design Gráfico

*Revisão* | Frank de Oliveira

*Ilustração da capa* | Gervasio Troche



Dados Internacionais de Catalogação na Publicação (CIP)
de acordo com ISBD

A2751

Agostinho, Santo, Bispo de Hipona, 354-430
O livre arbítrio: livro 3 / Santo Agostinho, Bispo de Hipona ; organizado por Ricardo Taurisano. - São Paulo, SP : Editora Filocalia, 2021.
744 p. ; 16cm x 23cm.

ISBN: 978-85-69677-35-2

1. Livre arbítrio. 2. Determinismo. 3. Filosofia. I. Taurisano, Ricardo. III. Título.

2019-2404 CDD 233-7
CDU 123

Elaborado por Vagner Rodolfo da Silva - CRB-8/9410
Índice para catálogo sistemático:
1. Filosofia : Agostinho 233-7
2. Filosofia : Livre arbítrio 123

Editora Filocalia Ltda.
Rua França Pinto, 509 · São Paulo SP · 04016-032
Telefone: (5511) 5572 5363
atendimento@filocalia.com.br · www.editorafilocalia.com.br

Este livro foi impresso pela Pancrom Indústria Gráfica em janeiro de 2021.
Os tipos são da família ITC New Baskerville, ITC Stone Sans e Fat Flamingo.
O papel do miolo é o Lux Cream 70 g, e o da capa cuchê fosco 150 g.

Agostinho

# O Livre Arbítrio

LIVRO 3

RICARDO TAURISANO

tradução, introdução, notas, comentários e léxico de termos técnicos

FILOCALIA

*Nada é desordenado no universo e nada é injusto;*
*quer o saibamos nós, quer o ignoremos.*

*Portanto nada no mundo acontece ao acaso.*
*Isto posto, parece seguir-se que qualquer coisa que se faz no mundo*
*em parte se faça por meio da ação divina, em parte por meio de nossa vontade.*

Agostinho[1]

*Se aceitamos os bens da mão do Senhor,*
*por que não aceitaríamos os males?*

*Portanto não reproves a increpação do Senhor,*
*porque ele mesmo causa e pensa as feridas; ele fere e suas mãos curam.*

O Livro de Jó[2]

---

1 (A.) *83 Questões diversas, Q. 27: "Nihil inordinatum in uniuerso nihilque iniustum est; siue scientibus siue nescientibus nobis"; Q. 24: "Nihil igitur casu fit in mundo. hoc constituto consequens uidetur ut quidquid in mundo geritur partim diuinitus geratur partim nostra uoluntate".*

2 Jó 2,10: "*Si bona suscepimus de manu domini, quare mala non suscipiamus?*" // *Ibid.* 5,17-18 (discurso de Elifaz): "*Increpationem ergo domini ne reprobes, quia ipse uulnerat et medetur, percutit et manus eius sanabunt*".

O meu reconhecimento a todos os que, de um modo ou de outro, querendo ou sem querer, me subsidiaram ao longo desta odisseia, sem cujo apoio jamais teria aportado, e entre os quais é imperioso destacar: Carla, *adamata uxor sociaque*, paciente e incansável apoiadora desde o primeiro até ao último pensamento; Walter, *percarissimus pater*, que não apenas me deu a vida *ad utendum omnibus* mas também de tudo *ad fruendum uita*; Edna e Diego, *dilecti ex corde fratres*, cujas palavras afetuosas enfunaram-me as velas da esperança; e por fim, Edson de Oliveira, *audax editor*, que com abraâmia fé neste engenho e nesta arte acreditou. Pois, como vaticinou o poeta, quando "Deus quer, o homem sonha, a obra nasce".

# sumário

# Avrelii Avgvstini
# DE LIBERO ARBITRIO

# Aurélio Agostinho
# O LIVRE ARBÍTRIO

# LIBER TERTIVS

1,1 **1.** EVODIVS – Quoniam satis mihi manifestatum est inter bona, et ea quidem non minima, numerandam esse liberam uoluntatem, ex quo etiam fateri cogimur eam diuinitus datam esse darique oportuisse, iam si opportunum existimas, cupio per te cognoscere unde ille motus existat, quo ipsa uoluntas auertitur a communi atque incommutabili bono et ad propria, uel aliena, uel infima, atque omnia commutabilia bona, conuertitur.

**2.** AVGVSTINVS – Quid enim opus est hoc scire?

E – Quia, si ita data est, ut naturalem habeat istum motum, iam necessitate ad haec conuertitur, neque ulla culpa deprehendi potest ubi natura necessitasque dominatur.

A – Placetne tibi iste motus an displicet?

E – Displicet.

A – Reprehendis ergo eum.

E – Vtique reprehendo.

A – Reprehendis igitur animi motum inculpabilem.

E – Inculpabilem animi motum non reprehendo, sed nescio an ulla culpa sit relicto incommutabili bono ad commutabilia conuerti.

A – Reprehendis ergo quod nescis.

E – Noli uerbo premere! ita enim dixi: "nescio an ulla culpa sit", ut intellegi uoluerim sine dubio culpam esse. nam hoc uerbo quod dixi: "nescio", satis profecto inrisi dubitationem de re manifesta.

**3.** A – Vide quid sit certissima ueritas, quae te coegit tam cito obliuisci quod paulo ante dixisti. si enim natura uel necessitate iste motus existit, culpabilis esse nullo pacto potest. tu uero esse culpabilem ita firmissime tenes ut dubitationem de hac re tam certa etiam inridendam putaueris. cur ergo tibi uel adfirmandum uel certe cum aliqua dubitatione dicendum uisum est, quod

# LIVRO TERCEIRO

1,1 **1.** EVÓDIO – Visto ter ficado para mim suficientemente manifesto que entre os bens, e por certo não os mínimos, se deve enumerar aquela vontade livre, a partir do que também somos forçados a reconhecer que ela foi divinamente dada e que conveio ter sido dada, se estimas agora oportuno, desejo conhecer por ti de onde é que aquele movimento se origina, pelo qual a própria vontade se averte do Bem comum e absolutamente imutável e converte-se para os bens próprios, quer alheios, quer ínfimos, entretanto todos completamente mutáveis.

**2.** AGOSTINHO – E por que é preciso ter ciência disto?

E – Porque, se assim lhe foi dada, de modo que possua esse movimento [como] natural, então é por necessidade que o homem se converte para estas coisas, e nenhuma culpa pode ser depreendida onde a natureza e a necessidade dominam.

A – Apraz-te esse movimento ou te desapraz?

E – Desapraz-me.

A – Logo tu o repreendes.

E – Invariavelmente o repreendo.

A – Portanto tu repreendes um movimento inculpável do espírito?

E – Não repreendo um movimento inculpável do espírito, mas desconheço se existe alguma culpa em, tendo deixado o bem absolutamente imutável, converter-se para os bens completamente mutáveis.

A – Logo tu repreendes aquilo que desconheces.

E – Não me premas com as palavras! Pois eu disse: "desconheço se existe alguma culpa", porque quis que se inteligisse sem nenhuma dúvida existir culpa. Com efeito, com esta palavra que disse: "desconheço", de modo suficientemente inequívoco ri-me da dúvida acerca de algo manifesto.

**3.** A – Vê que coisa perfeitamente certa é a verdade, que te coagiu tão rapidamente a olvidar o que pouco antes disseste. Pois, se é por natureza ou por necessidade que se origina esse movimento, não pode ser de modo nenhum culpável. E no entanto tu manténs que ele seja culpável assim tão firmemente, de modo que até tenhas pensado que se devia rir da dúvida acerca desta afirmação tão certa. Logo por que te pareceu que se deveria afirmar, ou dizer, certamente com alguma

perspicue falsum esse ipse conuincis? **4.** Dixisti enim: "Si ita data est uoluntas libera, ut naturalem habeat istum motum, iam necessitate ad haec conuertitur, neque ulla culpa deprehendi potest ubi natura necessitasque dominatur". nullo modo autem dubitare debuisti non esse ita datam, quando istum motum culpabilem esse non dubitas.

**5.** E – Ego ipsum motum culpabilem dixi et ideo mihi displicere; et reprehendendum esse dubitare non possum. animam uero, quae isto motu ab incommutabili bono ad commutabilia detrahitur, nego esse culpandam, si eius natura talis est, ut eo necessario moueatur.

1,2 **6.** A – Cuius est iste motus, quem profecto culpandum esse concedis?

E – In animo eum uideo[1], sed cuius sit, nescio.

A – Numquid negas eo motu animum moueri?

E – Non nego.

A – Negas ergo motum quo mouetur lapis motum esse lapidis? neque enim illum dico motum quo eum nos mouemus, uel aliqua ui aliena mouetur, ueluti cum in coelum iacitur, sed eum[2] quo ad terram nutu suo uergit et cadit.

**7.** E – Non equidem nego motum quo ita, ut dicis, inclinatur et ima petit, motum esse lapidis, sed naturalem. si autem hoc modo etiam illum motum habet anima, profecto etiam ipse naturalis est, nec ex eo quod naturaliter mouetur recte uituperari potest, quia etiam si ad perniciem mouetur, naturae suae tamen necessitate conpellitur. porro quia istum motum non dubitamus esse culpabilem, omnimodo negandum est esse naturalem, et ideo non est similis illi motui quo naturaliter mouetur lapis.

**8.** A – Egimusne aliquid superioribus duabus disputationibus?

E – Egimus sane.

A – Credo ergo meminisse te in prima disputatione satis esse compertum nulla re fieri mentem seruam libidinis, nisi propria uoluntate. nam neque a superiore, neque ab aequali eam posse ad hoc dedecus cogi, quia iniustum est; neque ab inferiore, quia non potest. **9.** restat igitur ut eius sit proprius iste motus, quo fruendi uoluntatem ad creaturam a creatore conuertit. qui motus si culpae deputatur – unde qui dubitat

hesitação, aquilo que tu próprio me estás convencendo de ser perspicuamente falso? **4.** Pois disseste: "Se assim lhe foi dada a vontade livre, de modo que possua esse movimento [como] natural, então é por necessidade que ele se converte para estas coisas, e nenhuma culpa pode ser depreendida onde a natureza e a necessidade dominam". Porém não devias de modo nenhum ter duvidado de que ela não foi dada assim dessa maneira, quando não duvidas de que esse movimento é culpável.

**5.** E – Eu mesmo disse que esse movimento era culpável e que por essa razão me desaprazia; e que deve ser repreendido, não o posso duvidar. E no entanto a alma, que é por esse movimento subtraída do Bem absolutamente imutável para os completamente mutáveis, nego que se deve inculpá-la, se a natureza dela é tal, que seja por ele movida de modo necessário.

**1,2** **6.** A – De quem é esse movimento, que tu concedes se deve certamente inculpar?

E – Eu o vejo no espírito, mas de quem seja, desconheço.

A – Por acaso negas que o espírito seja movido por esse movimento?

E – Não o nego.

A – Logo tu negas que o movimento pelo qual uma pedra é movida seja um movimento da pedra? Por certo não me refiro àquele movimento pelo qual nós a movemos, ou que por alguma outra força estranha ela é movida, como quando é lançada para o céu, mas àquele pelo qual ela verga por sua própria inclinação em direção à terra e cai.

**7.** E – Por certo não nego o movimento pelo qual, como dizes, ela assim se inclina e busca as partes inferiores, movimento que é da pedra, mas natural. Porém, se é deste modo que a alma possui também aquele [referido] movimento, certamente ele mesmo também é natural, e não é por mover-se naturalmente que pode ser vituperado retamente, porque, ainda que seja movido para a perníci, contudo é pela necessidade de sua natureza que é compelido. No entanto, porque não duvidamos que esse movimento é culpável, deve-se de todos os modos negar que seja natural, e por isso não é semelhante àquele movimento pelo qual a pedra é movida naturalmente.

**8.** A – Realizamos alguma coisa nas duas disputas dialéticas anteriores?

E – Realizamos, sem dúvida.

A – Então creio que tu estejas lembrado de que na primeira disputa ficou suficientemente constatado que por coisa nenhuma a mente se torna serva da inclinação sensual, a não ser por sua própria vontade. De fato, nem por meio de uma [natureza qualquer] superior, nem por uma igual pode ela ser coagida para esta indecorosidade, porque isso é injusto; e nem por uma inferior, porque isso não é possível. **9.** Portanto resta que esse movimento seja próprio dela, pelo qual ela converte, do Criador para a criatura, a sua vontade de fruir. Movimento que, se se lhe imputa culpa – de onde aquele

inrisione dignus tibi uisus est –, non est utique naturalis, sed uoluntarius, in eoque similis est illi motui quo deorsum uersus lapis fertur, quod, sicut iste proprius est lapidis, sic ille animi; uerum tamen in eo dissimilis, quod in potestate non habet lapis cohibere motum quo fertur inferius, animus uero dum non uult non ita mouetur ut superioribus desertis inferiora diligat. **10.** et ideo lapidi naturalis est ille motus, animo uero iste uoluntarius. hinc est quod, lapidem si quis dicat peccare, quod pondere suo tendit in infima, non dicam ipso lapide stolidior sed profecto demens iudicatur; animum uero peccati arguimus, cum eum conuincimus superioribus desertis ad fruendum inferiora praeponere. **11.** propterea, quid opus est quaerere unde iste motus existat, quo uoluntas auertitur ab incommutabili bono ad commutabile bonum, cum eum non nisi animi et uoluntarium, et ob hoc culpabilem esse fateamur, omnisque de hac re disciplina utilis ad id ualeat, ut, eo motu inprobato atque cohibito, uoluntatem nostram ad fruendum sempiterno bono a lapsu temporalium conuertamus?

**1,3** **12.** E – Video et quodam modo tango ac teneo uera esse quae dicis. non enim quicquam tam firme atque intime sentio quam me habere uoluntatem eaque me moueri ad aliquid fruendum; quid autem "meum" dicam prorsus non inuenio, si uoluntas qua uolo et nolo non est mea. quapropter cui tribuendum est, si quid per illam male facio, nisi mihi? cum enim bonus deus me fecerit, nec bene aliquid faciam nisi per uoluntatem, ad hoc potius datam esse a bono deo satis adparet. **13.** motus autem quo huc aut illuc uoluntas conuertitur, nisi esset uoluntarius atque in nostra positus potestate, neque laudandus, cum ad superiora, neque culpandus homo esset, cum ad inferiora detorquet, quasi quemdam cardinem uoluntatis; neque omnino monendus esset, ut istis neglectis aeterna uellet adipisci, atque ut male nollet uiuere, uellet autem bene. hoc autem monendum non esse hominem quisquis existimat, de hominum numero exterminandus est.

**2,4** **14.** Quae cum ita sint, ineffabiliter me mouet quo modo fieri possit ut et deus praescius sit omnium futurorum et nos nulla necessitate peccemus. quisquis enim dixerit aliter euenire aliquid posse, quam deus ante praesciuit,

que duvida te pareceu digno de irrisão –, não é absolutamente natural, mas voluntário, e nisso é semelhante àquele movimento pelo qual a pedra é levada para baixo, porque, assim como esse é próprio da pedra, assim também aquele, do espírito; contudo é dessemelhante nisso, pelo fato de que a pedra não tem em seu poder [a capacidade de] coibir o movimento pelo qual é levada para baixo, ao passo que o espírito, enquanto não quer, não se move assim, de modo que, tendo desertado dos bens superiores, ame com diligência os inferiores. **10.** E por isso a pedra possui o movimento natural, porém o espírito, o voluntário. Daí o porquê, se alguém diga que a pedra peca, porque por seu peso tende para as regiões inferiores, não direi que seja mais estólido do que a própria pedra, mas sem dúvida é considerado um dementado; na verdade acusamos o espírito de pecado, quando nos convencemos de que ele prefere, aos bens superiores desertados, os inferiores, para deles fruir. **11.** Por isso, por que motivo é preciso investigar de onde se origina esse movimento, pelo qual a vontade é avertida do Bem absolutamente imutável para o bem completamente mutável, quando reconhecemos que ele não é senão do espírito e voluntário, e por causa disso culpável, e que toda aprendizagem útil acerca deste assunto vale para isso, a saber, tendo desaprovado e coibido esse movimento, que convertamos a nossa vontade para fruir do Bem sempiterno, a partir do lapso dos bens temporais?

**1,3** **12.** E – Vejo e de certo modo alcanço e tenho como verdadeiras essas coisas que dizes. Pois não sinto nada de modo tão firme e íntimo quanto que possuo uma vontade e que por ela eu sou movido para fruir de algo; porém não encontro o que dizer verdadeiramente "meu", se a vontade pela qual quero e não quero não é minha. Por isso a quem se deve atribuir, se algo por meio dela eu faço mal, a não ser a mim mesmo? Pois, visto ter sido o bom Deus que me fez, e que eu não posso fazer bem alguma coisa, a não ser por meio da vontade, parece suficientemente claro que foi de preferência para isto que ela foi dada pelo bom Deus. **13.** Porém o movimento pelo qual a vontade se converte para aqui ou ali, se não fosse voluntário e posto em nosso poder, nem se deveria louvar o homem, quando [o dobra] para os bens superiores, nem inculpá-lo, quando o desdobra para os inferiores, como se fosse um certo gonzo da vontade; e absolutamente não se deveria recomendar, depois de negligenciados esses bens [inferiores], que se quisesse adquirir os eternos, e que não se quisesse viver mal, ao contrário, que se quisesse viver bem. Porém aquele que considera que isto não deve ser recomendado ao homem, esse deve ser exterminado do número dos homens.

**2,4** **14.** Visto que assim seja, inefavelmente me incomoda de que modo possa ser possível que Deus seja presciente de todos os eventos futuros e que nós não pequemos por nenhuma necessidade. Pois todo aquele que disser que algo pode acontecer

praescientiam dei destruere insanissima impietate molitur. **15.** quapropter, si praesciuit deus peccaturum esse bonum hominem – quod necesse est concedat mihi quisquis mecum omnium futurorum praescium fatetur deum –, si ergo ita est, non dico non eum faceret – bonum enim fecit, nec obesse quicquam deo posset peccatum eius[3] quem bonum ipse fecit, immo[4] in quo faciendo bonitatem suam ostenderat, ostendit etiam in puniendo iustitiam, et liberando misericordiam –, non itaque dico non eum faceret, sed hoc dico: quoniam peccaturum esse praesciuerat, necesse erat id fieri quod futurum esse praesciebat deus. quo modo est igitur uoluntas libera, ubi tam ineuitabilis adparet necessitas?

**2,5** **16.** A – Pulsasti uehementer misericordiam dei. adsit aperiatque pulsantibus. uerumtamen maximam partem hominum ista quaestione torqueri non ob aliud crediderim, nisi quia non pie quaerunt, uelocioresque sunt ad excusationem quam ad confessionem peccatorum suorum. **17.** aut enim nullam diuinam prouidentiam praeesse rebus humanis libenter opinantur, dumque fortuitis committunt casibus, et animos et corpora sua tradunt, se feriendos et dilaniandos libidinibus, diuina iudicia negantes, humana fallentes; eos a quibus accusantur, fortunae patrocinio propulsare se putant, quam tamen caecam effingere ac pingere consuerunt, ut aut meliores ea sint, a qua se regi arbitrantur aut se quoque cum eadem caecitate et sentire ista fateantur et dicere. nec enim talibus absurde etiam conceditur casibus eos agere omnia, quando agendo cadunt. sed aduersus hanc opinionem plenam stultissimi ac dementissimi erroris satis, ut arbitror, secunda nostra sermocinatione dissertum est. **18.** alii uero quamquam negare non audeant praesidere humanae uitae prouidentiam dei, malunt tamen eam uel infirmam, uel iniustam, uel malam nefario errore credere, quam sua peccata pietate supplici confiteri. **19.** qui omnes, si persuaderi sibi paterentur ut – cum de optimo et iustissimo et potentissimo cogitant –, bonitatem et iustitiam et potentiam dei longe maiorem superioremque esse crederent quam quicquid cogitatione concipiunt, considerantesque semetipsos gratias deo se debere intellegerent, etiam si aliquid inferius eos uoluisset esse quam sunt, omnibusque ossibus et medullis conscientiae suae clamarent: *Ego dixi, domine, miserere mei, cura animam meam, quia peccaui tibi,* ita certis itineribus

diferentemente do que Deus conheceu antes, de modo antecipado, esforça-se por destruir a presciência de Deus com a mais insana impiedade. **15.** Por isso, se Deus conheceu antecipadamente que o homem bom haveria de pecar – o que é necessário que me conceda todo aquele que comigo reconhece que Deus é presciente de todos os eventos futuros –, logo, se assim é, não digo que ele não o fizesse – pois o fez bom, e nem poderia ser contra Deus pecado algum daquele que ele próprio fez bom, pelo contrário, se ao fazê-lo mostrara sua bondade, agora também mostra a sua justiça, ao puni-lo, e a sua misericórdia, ao libertá-lo –, e assim, não digo que ele não o fizesse, mas o que estou dizendo é isto: visto que ele conhecera antecipadamente que o homem havia de pecar, era necessário que ocorresse aquilo mesmo que Deus antecipadamente sabia que haveria de ser [no futuro]. Portanto de que modo é livre a vontade, onde é aparente uma tão inevitável necessidade?

**2,5** **16.** A – Bateste veementemente à porta da Misericórdia de Deus. Que ele se faça presente e abra-a aos que batem[1]. No entanto eu estaria inclinado a crer que a maior parte dos homens se contorce por essa questão não por outro motivo, senão porque não a investigam piedosamente, e porque são mais velozes para a escusa do que para a confissão de seus pecados. **17.** Ou então porque opinam prazerosamente que nenhuma Providência divina está à frente dos assuntos humanos, e enquanto se cometem aos acasos fortuitos, entregam não apenas seus espíritos, mas também seus corpos, para serem feridos e dilacerados pelas inclinações sensuais, negando os juízos divinos, enganando os humanos; [e] aqueles pelos quais são acusados, pensam eles [que podem] repelir pelo patrocínio da fortuna, a qual, contudo, costumaram esculpir e pintar como cega, de modo que, ou sejam melhores do que ela, pela qual julgam que são regidos, ou reconheçam igualmente que não apenas sentem, mas que também dizem essas coisas com a mesma cegueira. E nem se concede como absurdo que segundo tais acasos conduzam os seus interesses todos, quando [se vê que] ao conduzi-los caem em desgraça. Porém contra esta opinião, plena do erro mais estulto e dementado, em nossa segunda conversação, como julgo, foi suficientemente discutido. **18.** Outros, por sua vez, embora não ousem negar que a Providência de Deus presida à vida humana, contudo preferem crer, por meio de um erro nefário, que ela ou é fraca, ou injusta, ou má, em vez de confessar seus pecados com uma piedade súplice. **19.** Todos aqueles que, se estivessem abertos a ser persuadidos – quando cogitam a respeito daquele que é o melhor, o mais justo e o mais potente – a que cressem não apenas que a bondade, mas também a justiça e a potência de Deus é de longe maior e está acima de qualquer coisa que concebem por meio de sua cogitação, e ao considerar a si próprios, a que inteligissem que deviam dar graças a Deus, ainda se ele tivesse querido que eles fossem algo inferior ao que são, e a

diuinae misericordiae in sapientiam ducerentur, ut neque inuentis rebus inflati, neque non inuentis turbulenti, et cognoscendo instructiores fierent ad uidendum et ad quaerendum ignorando mitiores. **20.** tibi uero, cui hoc iam persuasum esse non dubito, uide quam facile de tam magna quaestione respondeam, cum prior [*mihi*] interroganti pauca responderis.

**3,6** **21.** Certe enim hoc te mouet et hoc miraris, quo modo non sint contraria et repugnantia, ut et deus praescius sit omnium futurorum, et nos non necessitate, sed uoluntate peccemus. si enim praescius est deus, inquis, peccaturum esse hominem, necesse est ut peccet; si autem necesse est, non ergo est in peccando uoluntatis arbitrium, sed potius ineuitabilis et fixa necessitas. **22.** qua ratiocinatione hoc uidelicet ne conficiatur times, ut aut deus futurorum omnium praescius impie negetur, aut, si hoc negare non possumus, fateamur non uoluntate, sed necessitate peccari. an aliquid aliud te mouet?

E – Nihil interim aliud.

A – Res ergo uniuersas quarum deus est praescius, non uoluntate, sed necessitate fieri putas.

E – Omnino ita puto.

**23.** A – Expergiscere tandem teque ipsum paululum intuere et dic mihi, si potes, qualem sis habiturus cras uoluntatem, utrum peccandi, an recte faciendi.

E – Nescio.

A – Quid? deum itidem nescire hoc putas?

E – Nullo modo id putauerim.

A – Si ergo uoluntatem tuam crastinam nouit, et omnium hominum, siue qui sunt, siue qui futuri sunt, et futuras praeuidet uoluntates, multo magis praeuidet quid de iustis impiisque facturus sit.

E – Prorsus si meorum operum praescium deum dico, multo fidentius eum dixerim praescire opera sua, et quid sit facturus certissime praeuidere.

**24.** A – Nonne igitur caues ne tibi dicatur etiam ipsum quaecumque facturus est non uoluntate sed necessitate facturum, si omnia quorum praescius deus est necessitate fiunt, non uoluntate?

que clamassem com todos os seus ossos e as medulas de sua consciência: "Eu disse, Senhor, tem misericórdia de mim, cura a minha alma, porque pequei contra ti!"[2], seriam assim conduzidos pelos itinerários seguros da divina Misericórdia para a Sabedoria, de modo que nem se inflassem de orgulho pelas coisas descobertas, nem se perturbassem pelas não descobertas, e não apenas conhecendo se fizessem mais edificados para viver, mas também ignorando, mais mansos para investigar. **20.** E a ti, que agora já não duvido ter sido persuadido disto, vê quão facilmente acerca de uma tão grande questão eu responderei, quando primeiro me responder a umas poucas interrogações que farei.

**3,6** **21.** Pois certamente isto te perturba e com isto te admiras, o modo como não sejam contrárias e antagônicas [estas duas afirmações], que Deus seja presciente de todos os eventos futuros, e que nós pequemos, não por necessidade, e sim por meio da vontade. Pois, dizes, se Deus é presciente de que o homem há de pecar, é necessário que ele peque; porém, se é necessário, logo não há, em seu pecar, arbítrio da vontade, mas antes uma inevitável e fixa necessidade. **22.** Sem dúvida temes com esse raciocínio que se conclua [uma de duas alternativas:] ou que se negue impiamente que Deus seja presciente dos eventos futuros, ou então, se não podemos negar isto, que reconheçamos que se peca, não pela vontade, mas por necessidade. Por acaso alguma outra coisa te perturba?

E – Nenhuma outra, por ora.

A – Logo tu pensas que as coisas todas, de que Deus é presciente, não se façam pela vontade, mas por necessidade.

E – Exatamente assim é que penso.

**23.** A – Desperta então e considera um pouquinho a ti mesmo e, se podes, diz-me qual gênero de vontade hás de ter amanhã, se de pecar, ou de agir retamente.

E – Não tenho ciência.

A – Pois bem, pensas que Deus também não tenha ciência disto?

E – De modo nenhum eu o pensaria.

A – Logo, se ele conhece a tua vontade crástina, e a de todos os homens, seja os que existem, seja os que hão de existir, e prevê as vontades futuras, muito mais ainda prevê o que a respeito dos justos e dos ímpios há de fazer.

E – Precisamente, se digo que Deus é presciente de minhas obras, com muito mais confiança direi que ele conhece por antecipação as suas próprias obras, e que prevê com certeza absoluta o que há de fazer.

**24.** A – Não cuidas neste caso que te seja dito também que tudo o que ele há de fazer, não pela vontade, mas por necessidade há de fazer, se todas as coisas de que Deus é presciente se fazem por necessidade, não pela vontade?

E – Ego, cum dicerem necessitate uniuersa fieri quae deus futura praesciuit, ea sola intuebar quae in creatura eius fiunt, non autem quae in ipso. non enim ea fiunt, sed sunt sempiterna.

A – Nihil ergo in sua creatura operatur deus.

**25.** E – Iam semel statuit quem ad modum feratur ordo eius uniuersitatis, quam condidit; neque enim aliquid noua uoluntate administrat.

A – Numquid neminem beatum facit?

E – Facit, uero.

A – Tunc utique facit, quando ille fit.

E – Ita est.

A – Si, igitur, uerbi gratia, post annum beatus futurus es, post annum te beatum facturus est.

E – Etiam.

A – Iam ergo praescit hodie quod post annum facturus est.

E – Semper hoc praesciuit; nunc quoque hoc eum praescire consentio, si est ita futurum.

3,7 **26.** A – Dic, quaeso, num tu creatura eius non es, aut tua beatitudo non in te fiet?

E – Immo et creatura eius sum, et in me fiet, quod beatus ero.

A – Non ergo uoluntate, sed necessitate in te fiet beatitudo tua, deo faciente.

E – Voluntas illius mihi est necessitas.

A – Tu itaque inuitus beatus eris.

E – Mihi si esset potestas ut essem beatus, iam profecto essem. uolo enim etiam nunc et non sum, quia non ego, sed ille me beatum facit.

**27.** A – Optime de te ueritas clamat. non enim posses aliud sentire esse in potestate nostra, nisi quod, cum uolumus, facimus. quapropter nihil tam in nostra potestate quam ipsa uoluntas est. ea enim prorsus, nullo interuallo, mox ut uolumus, praesto est. et ideo recte possumus dicere non uoluntate senescimus, sed necessitate; aut non uoluntate infirmamur, sed necessitate; aut non uoluntate morimur, sed necessitate, et si quid aliud huius modi; non uoluntate autem uolumus, quis uel delirus audeat dicere? **28.** quam ob

E – Eu, como dissesse que por necessidade se fazem as coisas todas que Deus conheceu antecipadamente que haveriam de ser, considerava somente aquelas que se fazem na criação dele, não, porém, as que [se encontram] nele próprio. Porquanto essas não se fazem, mas são sempiternas.

A – Logo Deus não realiza nada em sua criação.

**25.** E – Desde logo e de uma vez para sempre estatuiu de que modo se deve manter a ordem de sua universalidade, a qual fundou; pois não administra nada por meio de uma vontade nova.

A – Por acaso ele não faz ninguém feliz?

E – Na verdade, faz.

A – Então sem dúvida o faz, quando alguém se faz [feliz].

E – É assim mesmo.

A – Portanto, se daqui a um ano, por exemplo, tu hás de ser feliz, daqui a um ano ele te há de fazer feliz.

E – De fato.

A – Logo ele já conhece antecipadamente hoje o que daqui a um ano há de fazer.

E – Ele sempre conheceu isto antecipadamente; consinto que ele agora também o conheça antecipadamente, se isto há de ser assim [no futuro].

**3,7** **26.** A – Diz-me, eu te peço, se tu não és uma criatura dele, ou se tua felicidade não se fará em ti mesmo.

E – Pelo contrário, não apenas sou uma criatura dele, como também é em mim que isso se fará, que serei feliz.

A – Logo, Deus te fazendo [feliz], não é pela tua vontade, mas por necessidade que se fará em ti a tua felicidade.

E – A vontade dele para mim é uma necessidade.

A – Em sendo assim, invito é que tu serás feliz.

E – Se eu possuísse o poder para que fosse feliz, agora então sem dúvida o seria. Pois quero também agora e não o sou, porque não sou eu, mas ele é quem me faz feliz.

**27.** A – A verdade clama perfeitamente de ti. Pois tu não poderias sentir que existisse em nosso poder outra coisa senão o que, quando queremos, fazemos. Pelo que nada está tanto em nosso poder quanto a própria vontade. Pois ela diretamente, sem nenhum intervalo [de tempo], logo que queremos, está à disposição. E por isso é com retidão que podemos dizer que não é pela vontade que envelhecemos, mas por necessidade; ou, então, que não é pela vontade que ficamos enfermos, mas por necessidade; ou, ainda, que não é pela vontade que morremos, mas por necessidade, e outra qualquer [afirmação]

rem, quamuis praesciat deus nostras uoluntates futuras, non ex eo tamen conficitur ut non uoluntate aliquid uelimus. nam et de beatitudine quod dixisti, non abs te ipso beatum fieri, ita dixisti quasi hoc ego negauerim; sed dico, cum futurus es beatus, non te inuitum, sed uolentem futurum. cum igitur praescius sit deus futurae beatitudinis tuae nec aliter aliquid fieri possit quam ille praesciuit, alioquin nulla praescientia est, non tamen ex eo cogimur sentire, quod absurdissimum est et longe a ueritate seclusum, non te uolentem beatum futurum. **29.** sicut autem uoluntatem beatitudinis, cum esse coeperis beatus, non tibi aufert praescientia dei, quae hodieque de tua futura beatitudine certa est, sic etiam uoluntas culpabilis, si qua in te futura est, non propterea uoluntas non erit, quoniam deus eam futuram esse praesciuit.

**3,8** **30.** Adtende enim, quaeso, quanta caecitate dicatur: "Si praesciuit deus futuram uoluntatem meam, quoniam nihil potest aliter fieri quam praesciuit, necesse est ut uelim quod ille praesciuit; si autem necesse est, non iam uoluntate, sed necessitate id me uelle fatendum est". o stultitiam singularem! quo modo ergo non potest aliud fieri quam praesciuit deus, si uoluntas non erit quam uoluntatem futuram ille praesciuerit? **31.** omitto illud aeque monstruosum, quod paulo ante dixi eundem hominem dicere: "Necesse est ut ita uelim"; qui necessitate supposita auferre nititur uoluntatem. si enim necesse est ut uelit, unde uolet, cum uoluntas non erit?

**32.** Quod si non hoc modo dixerit, sed dixerit se – quia necesse est ut uelit – ipsam uoluntatem in potestate non habere, occurretur ex eo quod ipse dixisti, cum quaererem utrum inuitus beatus futurus sis. respondisti enim quod iam esses beatus, si potestas esset, uelle enim te, sed nondum posse, dixisti. ubi ego subieci de te clamasse ueritatem. non enim negare possumus habere nos potestatem, nisi dum nobis non adest quod uolumus; dum autem uolumus, si uoluntas ipsa deest nobis, non utique uolumus. **33.** quod si fieri non potest ut, dum uolumus, non uelimus, adest utique uoluntas uolentibus, nec aliud quicquam est in potestate, nisi quod uolentibus adest. uoluntas igitur nostra nec uoluntas esset, nisi esset in nostra potestate. porro, quia est in potestate, libera est nobis. non

deste mesmo gênero; porém, que não é pela vontade que queremos, quem, a não ser um delirante, ousaria dizê-lo? **28.** Por essa razão, ainda que Deus conheça antecipadamente as nossas vontades futuras, não é por causa disso, contudo, que se conclui que não é pela vontade que queiramos algo. Pois também o que disseste com respeito à felicidade, que não é por ti próprio que és feito feliz, assim o disseste como se eu o fosse negar; porém eu digo que, quando hás de ser feliz, não é invito, e sim querendo que tu hás de sê-lo. Portanto, conquanto seja Deus presciente de tua felicidade futura, e nem se possa fazer algo diferente do que ele conheceu antecipadamente, do contrário nenhuma presciência existe, contudo não somos, por causa disso, coagidos a sentir, o que é completamente absurdo e está muito longe da verdade, que não é querendo que tu hás de ser feliz. **29.** Porém assim como, quando começares a ser feliz, a presciência de Deus não te retira a vontade da felicidade, a qual mesmo hoje está certa a respeito da tua felicidade futura, assim também a vontade culpável, que, se em ti há de existir, não por esse motivo não será vontade, porque Deus conheceu antecipadamente que ela há de existir.

**3,8** **30.** Pois considera, eu te peço, com quanta cegueira se diga: "Se conheceu Deus antecipadamente a minha vontade futura, visto que nada se pode fazer diferentemente do que ele conheceu antecipadamente, é necessário que eu queira aquilo que ele conheceu antecipadamente; porém, se é necessário, já não é pela vontade, mas por necessidade que se deve reconhecer que eu o quero". Ó estultícia singular! De que modo, pois, não se pode fazer outra coisa diferente do que Deus conheceu antecipadamente, se não há de existir uma vontade além da vontade futura que ele terá conhecido antecipadamente? **31.** Omito igualmente aquela monstruosidade, que pouco antes eu disse que o mesmo homem costuma dizer: "É necessário que assim eu o queira"; o qual, por uma suposta necessidade, esforça-se por retirar-lhe a vontade. Pois, se é necessário que o queira, de onde é que há de querer, quando não lhe existir uma vontade?

**32.** Agora, caso ele não tenha dito deste modo, mas se tenha dito – porque é necessário que queira – que ele não possui a própria vontade em seu poder, decorrerá disso o que tu próprio disseste, quando eu te perguntei se havias de ser feliz invito. Respondeste que já serias feliz, se possuísses o poder, pois disseste que tu querias, mas que ainda não podias. Quando então acrescentei que a verdade havia clamado a partir de ti. Pois não podemos negar que nós possuímos poder, a não ser enquanto não nos está presente aquilo que queremos; porém enquanto queremos, se a própria vontade nos falta, invariavelmente não queremos. **33.** Agora, se não é possível que, enquanto queremos, não queiramos, invariavelmente a vontade está presente aos que querem, e nenhuma outra coisa qualquer está em seu poder, a não ser aquilo que está presente aos que querem. Portanto a nossa vontade nem seria vontade, se não estivesse em nosso

enim est nobis liberum quod in potestate non habemus, aut potest non esse quod habemus.

**34.** Ita fit ut et deum non negemus esse praescium omnium futurorum, et nos tamen uelimus quod uolumus. cum enim sit praescius uoluntatis nostrae, cuius est praescius ipsa erit. uoluntas ergo erit, quia uoluntatis est praescius. nec uoluntas esse poterit, si in potestate non erit. ergo et potestatis est praescius. **35.** non igitur per eius praescientiam mihi potestas adimitur, quae propterea mihi certior aderit, quia ille cuius praescientia non fallitur, adfuturam mihi esse praesciuit.

E – Ecce iam non nego ita necesse esse fieri quaecumque praesciuit deus, et ita eum peccata nostra praescire, ut maneat tamen nobis uoluntas libera, atque in nostra posita potestate.

**4,9** **36.** A – Quid ergo te mouet? an forte oblitus quid prima disputatio nostra peregit? negabis, nullo cogente, aut superiore, aut inferiore, aut aequali, sed ea nos uoluntate peccare?

**37.** E – Nihil horum prorsus audeo negare. sed tamen, fateor, nondum uideo quo modo sibi non aduersentur haec duo, praescientia dei de peccatis nostris, et nostrum in peccando liberum arbitrium. nam et iustum deum necesse est fateamur et praescium. sed scire uellem qua iustitia puniat peccata, quae necesse est fieri; aut quo modo non sit necesse fieri, quae futura esse praesciuit; aut quo modo non creatori deputandum est quicquid in eius creatura fieri necesse est.

**4,10** **38.** A – Vnde tibi uidetur aduersum esse liberum arbitrium nostrum praescientiae dei? quia praescientia est, an quia dei praescientia est?

E – Quia dei potius.

A – Quid?! ergo, si tu praescires peccaturum esse aliquem, non esset necesse ut peccaret?

E – Immo necesse esset ut peccaret. non enim aliter esset praescientia mea, nisi certa praescirem.

A – Non igitur, quia dei praescientia est, necesse est fieri quae praescierit, sed tantum modo quia praescientia est, quae, si non certa praenoscit, utique nulla est.

poder. E mais, porque está em nosso poder, ela é livre para nós. Pois não é livre para nós aquilo que não possuímos em nosso poder, ou que pode não ser o que possuímos.

**34.** Disso decorre que não apenas não neguemos que Deus seja presciente de todos os eventos futuros, mas também que nós queiramos o que queremos. De fato, ainda que seja presciente de nossa vontade, ela própria existirá, da qual ele é presciente. Logo existirá a vontade, porque ele é presciente da vontade. E nem poderá existir uma vontade, se não estiver em poder [de algum querente]. Logo também do poder ele é presciente. **35.** Portanto não é por causa da presciência dele que me é retirado o poder, o qual por isso mesmo me estará presente de modo mais certo, porque aquele, cuja presciência não se engana, conheceu antecipadamente que o poder me haveria de estar presente.

E – Eis que já não nego mais ser assim necessário que se faça tudo o que Deus conheceu antecipadamente, e assim também que ele conheça antecipadamente os nossos pecados, de tal modo, contudo, que se nos mantenha livre a vontade, e posta em nosso poder.

**4,9** **36.** A – Então o que é que te perturba? Ou talvez estejas esquecido do que a nossa primeira disputa concluiu? Negarás que, ninguém nos coagindo, seja superior, seja inferior, seja igual, pelo contrário, que é por meio da vontade que nós pecamos?

**37.** E – Não ouso negar diretamente nada disto. Mas reconheço, contudo, que ainda não vejo de que modo não se oponham reciprocamente estas duas coisas, a presciência de Deus acerca dos nossos pecados, e o nosso livre arbítrio, ao pecar. Pois é necessário reconheçamos que Deus não apenas é justo, como também presciente. Porém eu gostaria de saber com que justiça pune os pecados, os quais é necessário que se cometam; ou de que modo não é necessário que aconteçam os eventos futuros, que ele conheceu antecipadamente haveriam de acontecer; ou de que modo não se deve imputar ao Criador tudo aquilo que em sua criação é necessário que aconteça.

**4,10** **38.** A – De onde é que te parece que o nosso livre arbítrio seja contrário à presciência de Deus? Porque é presciência, ou porque é presciência de Deus?

E – Porque é de Deus, de preferência.

A – Então?! Se tu conhecesses antecipadamente que alguém haveria de pecar, logo não seria necessário que pecasse?

E – Por certo seria necessário que pecasse. Pois de outro modo não haveria uma presciência minha, se eu não conhecesse antecipadamente eventos certos.

A – Portanto não é porque a presciência é de Deus que é necessário aconteçam os eventos que ela tenha conhecido antecipadamente, mas somente porque é presciência, a qual, se não sabe antecipadamente coisas certas, sem dúvida é nula.

E – Consentio, sed quorsum ista?

**39.** A – Quia, nisi fallor, non continuo tu peccare cogeres quem peccaturum esse praescires, neque ipsa praescientia tua peccare eum cogeret, quamuis sine dubio peccaturus esset, non enim aliter id futurum esse praescires. sicut itaque non sibi aduersantur haec duo, ut tu praescientia tua noueris quod alius sua uoluntate facturus est, ita deus, neminem ad peccandum cogens, praeuidet tamen eos qui propria uoluntate peccabunt.

**4,11** **40.** Cur ergo non uindicet iustus, quae fieri non cogit praescius? sicut enim tu memoria tua non cogis facta esse quae praeterierunt, sic deus praescientia sua non cogit facienda quae futura sunt. et sicut tu quaedam quae fecisti meministi, nec tamen quae meministi omnia fecisti; ita deus omnia quorum ipse auctor est praescit, nec tamen omnium quae praescit ipse auctor est. quorum autem non est malus auctor, iustus est ultor. hinc ergo iam intellege qua iustitia deus peccata puniat, quia quae nouit futura non facit! **41.** nam, si propterea non debet retribuere supplicium peccantibus, quia praeuidet peccaturos, nec recte facientibus debet praemia retribuere, quia et recte facturos nihilominus praeuidet. immo uero fateamur et ad praescientiam eius pertinere ne quid eum lateat futurorum, et ad iustitiam ut peccatum, quia uoluntate committitur, ita iudicio eius inpune non fiat, sicut praescientia non cogitur fieri.

**5,12** **42.** Iam illud quod tertio loco posuisti, quo modo non creatori deputandum sit quicquid in eius creatura fieri necesse est, "regulam" illam "pietatis" facile non mouebit[5], quam meminisse nos conuenit, gratiarum actionem nos debere creatori nostro, cuius profecto largissima bonitas iustissime laudaretur, etiamsi aliquo inferiore creaturae gradu nos condidisset. **43.** quamuis enim anima nostra peccatis tabefacta sit, sublimior est tamen et melior quam si in hanc lucem uisibilem uerteretur. et uides profecto, de huius lucis eminentia, quantum laudent animae deum, etiam corporis sensibus deditae. quapropter non te iam moueat quod uituperantur animae peccatrices, ut dicas in corde tuo melius fuisse si non essent. **44.** in sui enim conparatione uituperantur, dum cogitatur quales essent, si peccare noluissent. institutor

E – Consinto, mas aonde leva isso?

**39.** A – Porque, se não estou enganado, tu não coagirias de imediato alguém a pecar, que antecipadamente conhecesses que haveria de pecar, e nem a tua própria presciência o coagiria a pecar, ainda que sem dúvida ele houvesse de pecar, pois de outro modo não conhecerias antecipadamente que isso haveria de ser assim. E deste modo, assim como não se opõem reciprocamente estas duas coisas, como tu com a tua presciência terás conhecido o que um outro por sua vontade há de fazer, assim também Deus, não coagindo ninguém a pecar, prevê, contudo, os que por sua própria vontade pecarão.

4,11 **40.** Logo por que, sendo justo, não há de punir aquilo que, sendo presciente, não coage a que se faça? Pois, assim como por tua memória tu não coages a que tenham sido feitas as coisas que se passaram, assim também por sua presciência Deus não coage a que sejam feitas as coisas futuras. E assim como tu estás lembrado das coisas que fizeste, contudo não fizeste todas as coisas de que estás lembrado; assim também Deus conhece antecipadamente todas as coisas de que ele próprio é o autor, contudo ele próprio não é o autor de todas as coisas que conhece antecipadamente. Porém daquilo de que não é o mau autor, é o justo ultor. Logo intelige agora, de aqui em diante, com que justiça Deus pune os pecados, porque ele não faz as coisas futuras que conhece! **41.** De fato, se por esse motivo ele não deve retribuir o castigo aos que pecam, porque prevê que eles vão pecar, tampouco deve retribuir prêmios aos que agem retamente, porque não prevê menos os que também vão agir retamente. Mas, ao invés, reconheçamos não somente pertencer à presciência dele que coisa alguma dos eventos futuros lhe escape, como também, à sua justiça, que o pecado – porque é cometido pela vontade – não fique impune por seu juízo, assim como não é coagido a praticar-se por sua presciência.

5,12 **42.** Agora aquilo que puseste em terceiro lugar, de que modo não se deva imputar ao Criador tudo o que em sua criação é necessário aconteça, não há de perturbar[3] facilmente aquela "regra de piedade", de que convém estarmos lembrados, que nós devemos ação de graças ao nosso Criador, cuja bondade, sem dúvida larguíssima, seria louvada do modo mais justo, mesmo se ele nos tivesse fundado em algum grau inferior da criação. **43.** De fato, ainda que nossa alma tenha sido putrefeita pelos pecados, contudo é mais sublime e melhor do que se fosse convertida nessa luz visível. E vês, sem dúvida, no que tange à eminência desta luz, quanto louvariam a Deus as almas, mesmo entregues aos sentidos do corpo. Por isso não te perturbe agora pelo fato de serem vituperadas as almas pecadoras, de modo que digas em teu coração que teria sido melhor se não existissem. **44.** Pois são vituperadas em comparação consigo mesmas, quando se cogita de que qualidade seriam, se não tivessem querido pecar. Contudo o Instituidor

tamen earum, deus, praeclarissime pro humana facultate laudandus est, non solum quoniam peccantes eas iuste ordinat, sed etiam quia tales instituit, ut etiam peccatis sordidatae, nullo modo lucis corporalis dignitate superentur, de qua tamen [6] laudatur.

5,13 **45.** Illud quoque moneo caueas, ne forte non dicas quidem melius fuisse ut non essent, sed dicas aliter fieri eas debuisse. quicquid enim tibi uera ratione melius occurrerit, scias fecisse deum tanquam bonorum omnium conditorem. non est autem uera ratio, sed inuida infirmitas, cum aliquid melius faciendum fuisse cogitaueris, iam nihil aliud inferius uelle fieri, tanquam si perspecto coelo nolles terram factam esse – inique omnino! **46.** recte enim reprehenderes, si praetermisso coelo terram factam uideres, quoniam diceres ita eam fieri debuisse, sicuti posses cogitare coelum. cum ergo etiam illud, ad cuius speciem uolebas terram perducere, factum esse perspiceres, non autem hoc terram, sed coelum uocari, credo, quod re meliore non fraudatus, ut inferior quoque aliqua fieret et terra esset, nequaquam inuidere deberes. **47.** in qua terra rursus secundum partes eius tanta est uarietas, ut nihil quod ad terrae pertinet speciem cogitanti occurrat, quod non in tota eius mole deus omnium conditor fecerit. namque a terra feracissima et amoenissima usque ad salsissimam et infecundissimam ita gradatim per medias peruenitur, ut nullam reprehendere audeas, nisi in conparatione melioris, atque ita per omnes gradus laudis ascendas, ut quod summum genus terrae inueneris, [A] solum[7] tamen esse nolis. **48.** iam uero inter totam terram et coelum quanta distantia est! interponuntur enim umida[8] flabilisque natura, atque ex his quattuor elementis aliae innumerabiles nobis, numeratae autem deo, rerum species formaeque uariantur.

**49.** Potest ergo esse aliquid in rerum natura quod tua ratione non cogitas. non esse autem quod uera ratione cogitas non potest. neque enim tu potes aliquid melius in creatura cogitare quod creaturae artificem fugerit. humana quippe anima naturaliter diuinis ex quibus pendet connexa rationibus, cum dicit: "Melius hoc fieret quam illud" – si uerum dicit et uidet quod dicit, in illis quibus conexa est rationibus uidet. **50.** credat ergo deum fecisse quod uera ratione ab eo faciendum fuisse cognouit, etiam si hoc in rebus factis non

delas, Deus, de modo gloriosíssimo por causa desta faculdade humana deve ser louvado, não somente porque ordena justamente as almas que pecam, mas também porque as instituiu de tal maneira, que, mesmo sórdidas pelos pecados, de nenhum modo fossem superadas pela dignidade da luz corporal, pela qual, contudo, ele é louvado[4].

5,13 **45.** Admoesto-te também a que te acauteles contra isso, que não digas que teria sido certamente melhor que [as almas] não existissem, mas digas que elas deveriam ter sido feitas de outro modo. Pois qualquer coisa melhor, que por uma razão verdadeira te houver ocorrido, tenhas tu ciência de que Deus as fez como o Fundador de todos os bens. Porém não é uma razão verdadeira, mas uma ínvida enfermidade, não querer agora que nenhuma outra coisa inferior se faça, porque tenhas cogitado que algo melhor deveria ter sido feito, como se, depois de examinar o céu, tu não quisesses que a terra tivesse sido feita – de modo iníquo, absolutamente! **46.** Agora tu repreenderias retamente [a criação divina], se o céu tivesse sido deixado de lado e visses que a terra tinha sido feita, porque poderias dizer que ela deveria ter sido feita assim, do modo como pudesses cogitar o céu. No entanto, como percebesses que também aquilo, a cuja aparência querias conduzir a terra, havia sido feito, porém que isto não é chamado de “terra”, mas de “céu”, creio, pelo fato de tu não teres sido defraudado de algo melhor, que de modo nenhum deverias invejar que se fizesse também outra coisa inferior, e que fosse a terra. **47.** Terra, em compensação, em que tanta é a variedade, segundo suas partes, que não ocorra àquele que cogita nenhuma aparência que pertence à terra, que em toda sua mole não tenha feito Deus, o Fundador de todas as coisas. E na verdade vai-se desde a terra mais feraz e amena até a mais salsa e infecunda, gradativamente, por meio das intermediárias, de modo que não ouses repreender nenhuma delas, senão em comparação com uma melhor, e assim ascendas por todos os graus do louvor, até que tenhas encontrado o gênero supremo de terra, [A] ainda que não queiras que ele exista por si só[5]. **48.** E depois, entre toda a terra e o céu, quanta distância existe! Pois interpõem-se as naturezas úmida e aérea, e a partir destes quatro elementos [têm origem] outras variadas aparências e formas, inumeráveis para nós, porém numeradas para Deus.

**49.** Logo pode existir algo na natureza das coisas que tu não cogitas com a tua razão. Porém não existir aquilo que tu cogitas com a razão verdadeira, isso não pode. E tampouco podes cogitar algo melhor na criação, que tenha escapado ao Artífice da criação. Sem dúvida a alma humana se encontra conectada naturalmente às divinas razões, das quais pende, quando diz: “Melhor que isto fosse feito do que aquilo” – se diz algo verdadeiro e vê o que diz –, vê naquelas razões, às quais está conectada. **50.** Logo creia ela que Deus fez aquilo que com a razão verdadeira ela

uidet, quia etiam si coelum oculis uidere non posset et tamen ratione uera tale aliquid faciendum fuisse conligeret, credere debuit factum esse, quamuis id oculis non uideret. non enim cogitatione uideret fuisse faciendum, nisi in his rationibus, quibus facta sunt omnia. quod autem ibi non est, [B] *tam* nemo potest ueraci[9] cogitatione uidere quam non est uerum[10].

5,14 **51.** In eo plerique homines errant, quia meliora cum mente conspexerint, non in sedibus congruis ea oculis quaerunt, uelut si quisquam perfectam rotunditatem ratione conprehendens, stomachetur quod talem nucem non inuenit, si nullum unquam rotundum corpus praeter huiusce modi poma conspexit. **52.** nam ita quidam, cum ratione uerissima uideant meliorem esse creaturam, quae, quamuis habeat liberam uoluntatem, deo tamen semper infixa, nunquam peccauerit, intuentes peccata hominum, non ut peccare desinant, sed quia facti sunt dolent, dicentes: "Tales nos faceret, ut semper incommutabili eius ueritate perfrui; nunquam autem peccare uellemus!". **53.** non clament! non suscenseant! quia neque ipsos ideo coegit peccare, quia fecit, quibus potestatem utrum uellent dedit; et sunt tales angeli quidam qui neque peccauerunt unquam, neque peccaturi sunt. quam ob rem, si te delectat creatura quae perseuerantissima uoluntate non peccat, non est dubitandum quod eam peccanti recta ratione praeponas. **54.** sed sicut eam tu cogitatione praeponis, sic eam creator deus ordinatione praeposuit. crede esse talem in superioribus sedibus et in sublimitate coelorum! quia, si bonitatem conditor praebuit ad eam condendam, cuius praeuidit futura peccata, nullo modo non praeberet eam bonitatem ut creaturam conderet quam peccaturam non esse praesciuit.

5,15 **55.** Habet enim illa sublimis perpetuam beatitudinem suam, in perpetuum fruens creatore suo, quam perpetua tenendae iustitiae uoluntate promeretur. habet deinde ordinem suum etiam ista peccatrix, amissa in peccatis beatitudine, sed non dimissa recuperandae beatitudinis facultate. quae profecto superat eam, quam peccandi perpetua uoluntas tenet; inter quam et illam priorem permanentem in uoluntate iustitiae haec medietatem quandam demonstrat, quae poenitendi humilitate altitudinem suam recipit.

conheceu que deveria ser feito por ele, e ainda que não veja isto nas coisas feitas, porque ainda que não pudesse ver o céu com seus olhos, e contudo com a razão verdadeira coligisse que algo de tal magnitude devesse ser feito, deveria crer que foi feito, ainda que não o visse com os olhos. Pois não é por meio de cogitação que ela veria que isso deveria ter sido feito, senão nestas [divinas] razões, pelas quais todas as coisas foram feitas. Porém o que ali não existe, [B] contudo ninguém pode ver por uma cogitação veraz, na medida em que não é verdadeiro[6].

5,14 **51.** Nisso em grande parte erram os homens, porque, como tenham observado as melhores coisas com a mente, não as procuram com os olhos nos lugares congruentes, como se alguém, compreendendo a redondez perfeita com a razão, se agastasse porque não encontra uma noz de tal qualidade, se nenhum corpo redondo além dos pomos deste gênero jamais observou. **52.** Pois assim também [erram] alguns, porque veem com a razão mais verdadeira que é melhor a criatura que nunca tenha pecado, ainda que possua a vontade livre, contudo sempre fixada em Deus, ao considerar os pecados dos homens, não para deixar de pecar, mas porque lamentam que foram criados, dizendo: "Oxalá ele nos fizesse tais, para que pudéssemos fruir sempre de sua Verdade absolutamente imutável; porém que nunca quiséssemos pecar!". **53.** Não reclamem! Não se incandesçam! Porque ele não os coagiu a pecar por isso, porque os fez, aos quais deu o poder, se acaso quisessem; e tais são alguns anjos, que nem pecaram jamais, nem hão de pecar. Por isso, se te deleita a criatura que por uma vontade absolutamente perseverante não peca, não há dúvida de que, segundo a reta razão, tu a anteponhas à que peca. **54.** Mas assim como por tua cogitação tu a antepões [às pecadoras], assim também Deus, o Criador, por sua ordenação a antepôs-lhes. Crê que exista uma tal criatura nas moradas superiores e na sublimidade dos céus! Porque, se o Fundador outorgou sua bondade para que se fundasse aquela criatura, cujos pecados futuros previu, de nenhum modo não outorgaria sua bondade para que se fundasse aquela outra, que conheceu antecipadamente que não haveria de pecar.

5,15 **55.** Pois aquela sublime criatura possui sua felicidade perpétua, fruindo perpetuamente de seu Criador, felicidade que faz por merecer por causa de sua perpétua vontade de manter a justiça. Depois dela possui a sua ordem também essa criatura pecadora, após ter sido perdida a sua felicidade nos pecados, mas não ter sido dispensada a sua faculdade de recuperar a felicidade. Criatura que sem dúvida supera aquela outra, que uma perpétua vontade de pecar retém consigo; entre esta última e aquela primeira, que permanece na vontade da justiça, demonstra essa um certo meio-termo, a qual, pela humildade de penitenciar-se, recebe de volta sua elevação. **56.** Porquanto

**56.** nam neque ab illa creatura, quam praesciuit deus non solum peccaturam, sed etiam in peccandi uoluntate mansuram, abstinuit largitatem bonitatis suae, ut eam non conderet. sicut enim melior est uel aberrans[11] equus quam lapis, propterea non aberrans[11], quia proprio motu et sensu caret, ita est excellentior creatura quae libera uoluntate peccat quam quae propterea non peccat quia non habet liberam uoluntatem. **57.** et sicut laudarem uinum in suo genere bonum, in quo uino inebriatum hominem uituperarem, et tamen eumdem hominem, iam uituperatum et adhuc ebrium, laudato illi uino, de quo ebrius factus est, anteponerem; ita corporalis creatura in suo gradu iure laudanda est, cum illi uituperandi sint, qui eius inmoderato usu a ueritatis perceptione auertuntur; quamuis idem[12] rursus iam peruersi et quodam modo temulenti, eidem creaturae in ordine suo laudabili, cuius auiditate euanuerunt, non iam merito uitiorum, sed adhuc naturae dignitate praeferuntur.

**5,16** **58.** Quia igitur omnis anima omni corpore est melior, omnisque peccatrix anima, quocumque ceciderit, nulla commutatione corpus efficitur, nec omnino illi aufertur quod anima est, et ideo nullo pacto amittit quod corpore est melior – in corporibus autem lux tenet primum locum –, consequens est ut primo corpori anima extrema praeponatur, fierique possit ut corpori alicuius animae aliquod aliud corpus anteferatur, ut autem ipsi animae, nullo modo. **59.** cur ergo non laudetur deus, et ineffabili praedicatione laudetur, qui, cum fecerit eas, quae in legibus essent iustitiae permansurae, fecit etiam alias animas, quas uel peccaturas uel in peccatis etiam perseueraturas esse praeuidebat? cum adhuc et tales meliores sint eis quae, quoniam nullum habent rationale ac liberum uoluntatis arbitrium, peccare non possunt. quae tamen adhuc etiam ipsae meliores sunt quam corporum quorumlibet quamlibet splendidissimus fulgor, quem pro ipsius summi dei substantia quidam, quamuis cum magno errore, uenerantur. **60.** quod si in ordine corporearum creaturarum, ab ipsis sidereis choris usque ad numerum capillorum nostrorum, ita gradatim bonarum rerum pulchritudo contexitur, ut inperitissime dicatur: “Quid est hoc? Vtquid hoc?” – omnia enim ordine suo creata sunt –, quanto inperitius de quacumque anima dicitur, quae, ad quantamlibet sui decoris deminutionem defectumque peruenerit, omnium corporum dignitatem sine ulla dubitatione superabit[13]!

nem aquela criatura, que Deus conheceu antecipadamente que não somente iria pecar, mas também que iria permanecer na vontade de pecar, absteve ele da largueza de sua bondade, de modo a não fundá-la. Pois assim como é melhor um corcel que se perde do que uma pedra que não se perde, porque carece de movimento próprio e de sentido, assim também é mais excelente a criatura que peca por sua livre vontade do que a que não peca porque não possui a vontade livre. **57.** E assim como eu louvaria o vinho bom, em seu gênero, [embora] vituperasse o homem que nesse vinho se inebriasse, e contudo anteporia o mesmo homem, agora vituperado e ainda ébrio, àquele vinho louvado, de que ele se fez ébrio; assim também deve a criatura corpórea, de direito, em seu respectivo grau, ser louvada, conquanto se devam vituperar os que se avertem da percepção da verdade pelo uso imoderado dela. O mesmo se segue, embora [os homens sejam] perversos e como que temulentos, eles são preferíveis a essa mesma criatura [corpórea], louvável em sua respectiva ordem, por cuja avidez evanesceram, agora não pelo mérito de seus vícios, mas apenas pela dignidade de sua natureza.

**5,16** **58.** Portanto, porque toda alma é melhor do que todo corpo, e toda alma pecadora, não importa aonde quer que tenha caído, por mutação nenhuma torna-se um corpo, nem absolutamente lhe é subtraído o fato de ser uma alma, e por isso não perde de modo nenhum a condição de ser melhor do que o corpo – e entre os corpos a luz mantém o primeiro lugar –, é consequência disso que à frente do primeiro corpo seja posta a alma extrema, e que seja possível que algum outro corpo seja considerado antes do corpo de alguma alma, porém que [seja anteposto] à própria alma, de modo nenhum. **59.** Logo, por que não se deve louvar a Deus, e louvá-lo por meio de uma prédica inefável, a ele, que, ainda que as tenha feito, aquelas almas que haveriam de permanecer nas Leis da Justiça, fez ainda outras, as quais previa que haveriam de pecar, ou então que haveriam de perseverar nos pecados? Porque também essas tais ainda são melhores do que aquelas, as quais, por não possuírem nenhum arbítrio racional e livre da vontade, não podem pecar. Contudo também elas próprias ainda são melhores do que o fulgor o mais esplêndido de qualquer um dos corpos, o qual alguns veneram, posto que com enorme erro, como a substância do próprio Deus supremo. **60.** Pelo que, se na ordem das criaturas corpóreas, desde os próprios coros sidéreos até ao número de nossos cabelos, de grau em grau a beleza das coisas boas assim se entrelaça, de modo que se diga com a mais absoluta imperícia: "O que é isto? Por que isto?" – pois todas as coisas foram criadas em sua ordem apropriada –, com muito mais imperícia se o diz acerca de toda e qualquer alma, que, por maior seja a diminuição de sua beleza e o defeito a que tenha chegado, sem dúvida alguma superará[7] a dignidade de todos os corpos!

5,17 **61.** Aliter enim aestimat ratio aliter usus. ratio aestimat luce ueritatis, ut recto iudicio subdat minora maioribus; usus autem consuetudine commoditatis plerumque inclinatur, ut ea pluris aestimet quae ueritas minora esse conuincit. cum enim corpora coelestia corporibus terrestribus magna differentia ratio praeponat, quis tamen carnalium hominum non mallet uel plura deesse in coelo sidera quam unam arbusculam in agro suo aut uaccam in armento? **62.** sed sicut aetate maiores homines uel omnino contemnunt uel certe patienter corrigenda exspectant iudicia paruulorum, qui, exceptis quibusdam quorum amore laetantur, quemlibet hominum caeterorum mori malunt quam passerem suum – et multo magis si homo sit ille terribilis, passer autem canorus et pulcher – ita hi[14] qui prouectu animi ad sapientiam profecerunt, inperitos rerum aestimatores cum inuenerint, deum laudantes in creaturis minoribus, qui eas carnalibus suis sensibus accommodatius adhibent, in superioribus uero atque melioribus partim eum non laudantes, minusue laudantes, partim etiam uituperare aut emendare conantes, partim non credentes quod earum ille sit conditor, talium iudicia uel omnino contemnere, si corrigere nequeunt, uel donec corrigant aequo animo tolerare ac sustinere consuescant.

6,18 **63.** Quae cum ita sese habeant, tantum abest a uero quod creatori deputanda existimantur peccata creaturae, quamuis necesse est fiant quae ipse futura praesciuit, ut, cum tu dixeris non te inuenire quomodo non ei deputetur quicquid in eius creatura fieri necesse est, ego contra non inueniam modum – neque inueniri posse atque omnino non esse confirmem – quo ei deputetur quicquid in eius creatura ita fieri necesse est, ut uoluntate peccantium fiat.

**64.** Si enim quis dixerit: "Non esse quam miserum esse me mallem", respondebo: "Mentiris, nam et nunc miser es, nec ob aliud mori non uis, nisi ut sis; ita, cum miser nolis esse, esse uis tamen. age igitur gratias ex eo quod es uolens, ut quod inuitus es auferatur. uolens enim es, et miser inuitus es. quod si ingratus es in eo quod esse uis, iure cogeris esse quod non uis. ex illo igitur, quod etiam ingratus habes quod uis, creatoris laudo bonitatem; ex illo autem, quod ingratus pateris quod non uis, ordinatoris laudo iustitiam".

5,17 **61.** Pois de um modo estima a razão, de outro diferente, o uso. A razão estima pela luz da verdade, de modo que por um reto juízo ela submeta as coisas menores às maiores; porém o uso, na maior parte das vezes, inclina-se pelo costume da comodidade, de modo que estime com mais apreço aquelas coisas que a verdade convence sejam menores. Pois, embora a razão situe com grande diferença os corpos celestes à frente dos terrestres, contudo quem dentre os homens carnais não preferiria antes que faltassem muitos astros no céu a um único arbusto em seu campo, ou uma vaca em seu armento? **62.** Mas, assim como os homens maiores de idade os desprezam completamente, ou certamente esperam com paciência que sejam corrigidos os juízos dos pequeninos, os quais, com exceção de alguns, com cujo amor se alegram, preferem antes que qualquer um dos demais homens morra a que seu passarinho – e muito mais se esse homem seja terrível; enquanto que o passarinho, canoro e belo – assim também estes, que por um avanço de seu espírito se aperfeiçoaram em direção à sabedoria, como tenham encontrado estimadores imperitos das coisas, louvando a Deus nas criaturas menores, as quais empregam mais comodamente por meio de seus sentidos carnais, porém nas superiores e melhores em parte não o louvando, ou louvando-o menos, em parte se esforçando também por vituperar ou emendar-*lhe* [a obra], em parte não crendo que ele seja o Fundador delas, que desprezem totalmente os juízos de tais homens, se não podem corrigi-los, ou então, até que os corrijam com espírito equânime, que se acostumem a tolerá-los e suportá-los.

6,18 **63.** Visto que assim se considerem essas coisas, está tão distante da verdade estimar-se que se devam imputar ao Criador os pecados da criatura, ainda que seja necessário aconteçam os eventos futuros que ele mesmo conheceu antecipadamente, de modo que, embora tenhas dito não descobrir como não se lhe impute qualquer coisa que é necessário aconteça em sua criação, eu, pelo contrário, não descubro de que modo – e afirmo que nem se pode encontrá-lo, e que absolutamente não existe –, se lhe impute qualquer coisa que em sua criatura é necessário aconteça, como aquilo que se faz pela vontade dos que pecam.

**64.** Pois, se alguém disser: "Eu preferiria não ser a ser infeliz", eu lhe responderei: "Estás mentindo, pois ainda agora és infeliz, e por nenhum outro motivo não queres morrer, senão a fim de que sejas; assim, ainda que não queiras ser infeliz, contudo queres ser. Então dá graças por isso que tu és querendo, para que aquilo que és invito te seja subtraído! Pois tu és querendo; e és infeliz invito. E se és ingrato naquilo que queres ser, de direito serás forçado a ser aquilo que não queres. Portanto, ainda que tu sejas ingrato, pelo fato de possuir o que queres, eu louvo a bondade do Criador; porém, sendo tu ingrato, pelo fato de padecer o que não queres, eu louvo a justiça do Ordenador".

6,19 **65.** Si dixerit: “Non ideo mori nolo, quod malim miser esse quam omnino non esse, sed ne post mortem miserior sim”, respondebo: “Si hoc iniustum est, non sic eris; si autem hoc iustum est, laudemus eum cuius legibus sic eris”. si dixerit: “Vnde praesumam quod, si hoc iniustum est, non sic ero?”, respondebo: “Quia si eris in tua potestate, aut miser non eris, aut tu ipse te iniuste regendo iuste eris miser. **66.** aut uolendo et non ualendo te iuste regere, non eris in tua potestate, et aut in nullius eris, aut in alterius; si in nullius, aut inuitus, aut uolens; sed inuitus esse nihil potes, nisi te uis aliqua superauerit; porro nulla ui superari potest qui est in nullius potestate; si autem uolens in nullius eris potestate, ad hoc ratio recurrit, ut sis in tua et aut te iniuste regendo iuste miser sis, aut quoniam quodlibet uolens eris, habes adhuc unde gratias agas bonitati conditoris tui. **67.** quod si in tua potestate non eris, aut potentior profecto, aut infirmior, te habebit in potestate. quod si infirmior, tua culpa et iusta miseria, poteris enim infirmiorem superare si uoles; si autem potentior, te infirmiorem habebit in potestate, nullo modo tam rectam ordinationem recte iniustam putabis”. uerissime igitur dictum est: “Si hoc iniustum est, non sic eris; si autem iustum, laudemus eum cuius legibus sic eris”.

7,20 **68.** Si dixerit: “Ideo magis uolo uel miser esse quam omnino non esse quia iam sum; si autem priusquam essem, possem consuli, eligerem non esse potius quam ut essem miser. nunc enim quod timeo, non esse, cum miser sim, ad ipsam miseriam pertinet qua non id uolo quod uelle deberem, magis enim non esse quam miser esse uelle deberem. **69.** nunc uero fateor me quidem malle uel miserum esse quam nihil; sed tanto stultius id uolo quanto miserius, tanto autem miserius quanto uerius uideo non hoc me uelle debuisse”, respondebo: “Caue potius ne hic erres ubi te uidere uerum putas! nam si beatus esses, utique esse quam non esse malles; et nunc miser cum sis, mauis tamen esse uel miser quam omnino non esse, cum esse nolis miser. **70.** considera igitur, quantum potes, quam magnum bonum sit ipsum ‘esse’, quod et beati et miseri uolunt. nam si hoc bene consideraueris, uidebis in tantum te esse miserum in quantum non propinquas ei quod summe est; in tantum autem putare melius esse, ut quisque non sit quam ut miser sit, in

6,19 **65.** Se disser: "Não quero morrer por esse motivo, porque *eu* prefira ser infeliz a absolutamente não ser, mas para que não seja mais infeliz após a morte", eu responderei: "Se isto é injusto, tu não serás assim; porém, se isto é justo, louvemos aquele por cujas Leis tu serás assim". Se disser: "De onde presumiria eu, que, se isto é injusto, não serei assim?", responderei: "Porque, se estiveres em teu poder, ou não serás infeliz, ou tu próprio, regendo-te injustamente, serás justamente infeliz. **66.** Ou então, querendo e não podendo reger-te justamente, não estarás em teu poder, e assim, ou não estarás em poder de nenhum outro, ou em poder de outrem; se [não estiveres] em poder de nenhum outro, ou [estarás assim] invito, ou querendo; mas de modo nenhum podes estar assim invito, a não ser que alguma outra força te supere; mas por nenhuma força pode ser superado aquele que não está em poder de nenhum outro; porém, se não estiveres em poder de nenhum outro, querendo, o raciocínio retorna de imediato para isto: que estejas em teu poder, e que, regendo-te injustamente, sejas justamente infeliz, ou então, porque serás, querendo, seja o que for, possuis ainda motivo por que dar graças à bondade do teu Fundador. **67.** Agora, se não estiveres em teu poder, ou alguém sem dúvida mais potente, ou mais fraco, te possuirá em seu poder. Mas se é mais fraco, a culpa é tua, e justa a tua infelicidade, pois poderás superar alguém mais fraco, se quiseres; porém, se é mais potente, ele te possuirá em seu poder, sendo tu mais fraco, e de modo nenhum tu reputarás retamente como injusta uma tão reta ordenação". Com a mais absoluta verdade, portanto, é que foi dito: "Se isto é injusto, tu não serás assim; porém se é justo, louvemos aquele por cujas Leis tu serás assim".

7,20 **68.** Se disser: "Por isso é que eu quero mais até mesmo ser infeliz a não ser em absoluto, porque agora eu sou; porém, se antes que fosse, pudesse ser consultado, de preferência elegeria não ser a ser infeliz. Com efeito, o que agora temo, não ser, ainda que eu seja infeliz, pertence à própria infelicidade, na qual não quero aquilo que deveria querer, pois deveria querer mais não ser a ser infeliz. **69.** Agora, contudo, confesso sem dúvida que prefiro até mesmo ser infeliz a não [ser] nada; mas isso eu quero de modo tão mais estulto quanto infeliz, porém vejo de modo tão mais infeliz quanto verdadeiro que eu não deveria querer isto", responderei: "Toma cuidado para que tu não erres aqui onde pensas ver a verdade! Pois, se fosses feliz, preferirias invariavelmente ser a não ser; e agora, ainda que sejas infeliz, contudo preferes até mesmo ser infeliz a não ser em absoluto, ainda que não queiras ser infeliz. **70.** Portanto, quanto podes, considera quão grande bem seja o próprio 'ser', que não apenas os felizes querem, mas também os infelizes. Pois, se considerares bem isto, verás que tu és tanto mais infeliz quanto mais não te aproximes dele, que é de modo supremo; porém que pensas tanto mais que é melhor que alguém não seja do que seja infeliz, quanto mais

quantum non uides quod summe est, et ideo tamen esse te uelle, quoniam ab illo es qui summe est".

7,21 **71.** Si uis itaque miseriam fugere, ama in te hoc ipsum, quia esse uis. si enim magis magisque esse uolueris, ei quod summe est propinquabis. et gratias age nunc, quia es! quamuis enim sis beatis inferior, superior tamen es quam ea quae non habent uel beatitudinis uoluntatem, quorum tamen multa etiam a miseris laudantur. omnia tamen, eo ipso quo sunt, iure laudanda sunt, quia eo ipso quo sunt, bona sunt. **72.** quanto enim amplius esse amaueris, tanto amplius uitam aeternam desiderabis teque ita formari exoptabis, ut adfectiones tuae non sint temporales, de temporalium rerum amoribus inustae et inpressae. quae temporalia et antequam sint, non sunt; et cum sunt, fugiunt; et cum fugerint, non erunt; itaque cum futura sunt, nondum sunt; cum autem praeterita sunt, iam non sunt. **73.** quo modo igitur tenebuntur ut maneant, quibus hoc est incipere ut sint, quod est pergere ut non sint? qui autem amat esse probat ista, in quantum sunt, et amat quod semper est. et si uariabatur in amore istorum, munitur in illius; et si diffluebat in amore transeuntium, in permanentis amore solidabitur, et stabit, et optinebit ipsum esse, quod uolebat, cum timebat non esse et stare non poterat inretitus amore fugientium. **74.** non ergo[15] tibi displiceat, immo maxime placeat, quod mauis esse uel miser quam propterea miser non esse, quia nihil eris. huic enim exordio, quo esse uis, si adicias magis magisque esse, consurgis atque exstrueris in id quod summe est; atque ita te ab omni labe cohibebis, qua transit ut non sit quod infime est, et secum amantis uires subruit. **75.** hinc fiet ut, qui mauult non esse, ne miser sit, quia non esse non potest, restet[16] ut miser sit; qui autem plus amat esse quam odit miser esse, adiciendo ad id quod amat, quod odit excludat. cum enim, in suo genere, perfecte esse coeperit, miser non erit.

8,22 **76.** Nam illud uide quam absurde et inconuenienter dicatur: "Mallem non esse quam miser esse". qui enim dicit: "Mallem hoc quam illud", eligit aliquid. non esse autem non est aliquid, sed nihil, et ideo nullo pacto potes recte eligere, quando quod eligas non est. dicis uelle te quidem esse, cum sis miser, sed non hoc uelle debuisse. quid igitur uelle debuisti? "Non esse", inquis,

não vês aquilo que é de modo supremo; e que por isso, pois, é que tu queres ser, visto que tu és a partir daquele que é de modo supremo".

7,21 **71.** E assim, se queres evitar a infelicidade, ama em ti precisamente isto, o fato de que tu queres ser. Pois, se mais e mais quiseres ser, aproximar-te-ás dele, que é de modo supremo. Então dá graças agora, porque tu és! Pois, ainda que sejas inferior aos felizes, contudo és superior àquelas coisas que não possuem nem mesmo a vontade da felicidade, muitas das quais, contudo, são louvadas também pelos infelizes. No entanto todas elas, exatamente por isso, porque são, de direito devem ser louvadas, pois exatamente por isso, porque são, é que são boas. **72.** Pois quanto mais amares ser, tanto mais desejarás a vida eterna e ansiarás que tu sejas formado, para que tuas disposições não sejam temporais, marcadas a fogo e impressas pelos amores das coisas temporais. Coisas temporais, que, antes que sejam, não são; e quando são, fogem; e quando houverem fugido, não serão; e assim, quando são futuras, ainda não são; porém quando são pretéritas, já não são. **73.** De que modo, portanto, serão elas retidas, a fim de que permaneçam, às quais começar a ser é o mesmo que continuar a não ser? Porém aquele que ama ser aprova essas coisas [temporais], enquanto são, e ama aquilo que é sempre. E se era inconstante no amor delas, [agora] está munido [no amor] daquilo [que é sempre]; e se difluía no amor das coisas transitórias, no amor do permanente será solidificado, e ficará estável, e manterá o próprio ser, aquilo mesmo que queria, quando temia não ser, e não podia ficar estável, enredado no amor das coisas fugidias. **74.** Portanto não te desagrade, ao contrário, te agrade muitíssimo que prefiras ser até mesmo infeliz do que não ser infeliz, porque serás nada. Pois a este exórdio, em que tu queres ser, se adiciones mais e mais "ser", te elevas e te constróis em direção ao que é de modo supremo; e assim tu hás de coibir-te de toda ruína, em que aquilo que é de modo ínfimo transita [em direção] a que não seja, fazendo ruir consigo as forças do seu amante. **75.** Decorrerá disso que, quem prefere não ser, a fim de que não seja infeliz, porque não pode não ser, resta-lhe que seja infeliz; porém quem ama mais o ser do que odeia ser infeliz, ao adicionar ao que ama, exclui aquilo que odeia. Pois quando começar a ser de modo perfeito, em seu gênero apropriado, não será infeliz.

8,22 **76.** Vê, pois, de que modo tão absurdo e inconsistente se diga aquilo: "Preferiria não ser a ser infeliz". Pois quem diz: "Preferia isto àquilo", elege alguma coisa. Porém não ser não é alguma coisa, mas nada, e por isso tu não podes de modo nenhum eleger retamente, quando o que elejas não é. Tu dizes que certamente queres ser, embora sejas infeliz, mas que não deverias querer isto. Então o que deverias querer? "Não ser, de preferência", dizes. Se isto é o que deverias querer, isto é melhor.

"potius". si hoc uelle debuisti, hoc est melius. **77.** quod autem non est melius esse non potest, non ergo id uelle debuisti, ueraciorque sensus est, quo id non uis, quam opinatio, per quam te id uelle debuisse arbitraris. deinde quod quisque recte eligit adpetendum, cum ad id peruenerit, necesse est melior fiat. melior autem esse non poterit qui non erit, nemo igitur recte potest eligere ut non sit. **78.** neque enim moueri nos oportet eorum iudicio qui urguente[17] miseria sese interemerunt. aut enim eo confugerunt, ubi melius fore sibi putarunt, et non est contrarium rationi nostrae, quoquo modo putauerint, aut, si nullos se futuros omnino crediderunt, multo minus falsa electio nihil eligentium commouebit. quo modo enim sequar eligentem, a quo, si quaeram quid eligat, respondebit: "Nihil"? nam qui eligit non esse, profecto se nihil eligere, etiam si hoc nolit respondere, conuincitur.

**8,23** **79.** Verum tamen, ut de hac tota re, si potero, dicam quod sentio, nemo mihi uidetur, cum seipsum necat, aut quolibet modo emori cupit, habere in sensu quod post mortem non sit futurus, tametsi aliquantum hoc in opinione habeat. nam opinio aut in errore, aut in ueritate ratiocinantis est, uel credentis, sensus autem aut consuetudine, aut natura ualet. **80.** posse autem fieri, ut aliud sit in opinione, aliud in sensu; uel ex hoc cognoscere facile est, quod plerumque aliud faciendum esse credimus, et aliud facere delectat. et aliquando ueracior est sensus quam opinio, si illa de errore, ille de natura est, uelut cum aeger plerumque aqua frigida conducibiliter delectatur, quam tamen credit, si biberit, esse nocituram. **81.** aliquando ueracior opinio quam sensus, si credat arti medicinae obesse frigidam, cum re uera oberit, et tamen bibere delectet. aliquando utrumque in ueritate est, cum id, quod prodest, non solum ita creditur, sed etiam libet; aliquando utrumque in errore, cum id, quod nocet, et prodesse creditur, et libere non desinet[18]. **82.** solet autem et recta opinio prauam corrigere consuetudinem et praua opinio rectam deprauare naturam, tanta uis est in dominatu et principatu rationis. cum ergo quisque credens quod post mortem non erit, intolerabilibus tamen molestiis ad totam cupiditatem mortis impellitur, et decernit atque arripit mortem, in opinione habet errorem omnimodae defectionis, in sensu autem naturale desiderium quietis. **83.** quod autem

**77.** Porém o que não é não pode ser melhor, logo não deverias querê-lo, e mais veraz é o sentimento, pelo qual tu não o queres, do que a opinião, pela qual tu julgas que deverias querê-lo. Depois, quando alguém houver alcançado o que retamente elege que deve ser procurado, é necessário que ele se torne melhor. Porém aquele que não será não poderá ser melhor, portanto ninguém pode retamente eleger que não seja. **78.** E nem convém que nós nos perturbemos pelo juízo dos que por uma infelicidade urgente se mataram. Pois ou eles se refugiaram ali, onde pensaram que seria melhor para si, e não é contrário à nossa razão, seja como for que tenham pensado, ou então, se eles creram que não haviam de ser absolutamente coisa nenhuma, muito menos a falsa eleição dos que elegem o nada nos há de perturbar. Pois de que modo seguiria eu aquele que elege, de quem, se eu queira saber o que está elegendo, responderá: "Nada"? Com efeito, quem escolhe não ser, sem dúvida está comprovado que não elege nada, mesmo se ele não queira responder isto.

**8,23** **79.** Em verdade, pois, para dizer o que sinto, se eu puder, acerca de todo este assunto, parece-me que ninguém, quando mata-se a si próprio, ou de algum modo deseja morrer, possui no sentimento que após a morte não será, ainda que o tenha em alguma medida na opinião. Porque a opinião está ou no erro, ou na verdade daquele que raciocina, ou crê, porém o sentimento tem seu valor segundo o costume, ou a natureza. **80.** Porém pode acontecer que uma coisa esteja na opinião, outra, no sentimento; por exemplo, é fácil conhecê-lo a partir deste fato, que na maior parte do tempo cremos que se deve fazer uma coisa, e deleita-nos fazer outra. E por vezes mais veraz é o sentimento do que a opinião, se esta decorre do erro, aquele, da natureza, como, por exemplo, quando o doente deleita-se de maneira proveitosa com a água fria, a qual, contudo, crê que, se vier a beber, ser-lhe-á nociva. **81.** Outras vezes a opinião é mais veraz do que o sentimento, se se creia na arte da medicina, [que sustenta que a água] fria é prejudicial, quando por um motivo verdadeiro lhe há de ser prejudicial, ainda que bebê-la o deleite. Às vezes ambos estão com a verdade, quando o que é útil não apenas assim se crê, mas também apraz; outras vezes estão ambos em erro, quando o que prejudica não apenas crê-se que seja útil, mas também não deixará de aprazer. **82.** Porém sói ocorrer que não apenas uma opinião reta corrija um costume depravado, mas também que uma opinião depravada deprave uma natureza reta, tamanha força existe no domínio e principado da razão. Logo, quando alguém, que crê que após a morte não será mais, contudo por intoleráveis moléstias é impelido a um completo desejo da morte, decide e provoca a própria morte, tem na opinião um erro de absoluta defecção; porém no sentimento, um anseio natural de quietude. **83.** Porém o que está quieto não é um nada; pelo contrário, é ainda mais do que aquilo

quietum est non est nihil; immo etiam magis est quam id quod inquietum est. inquietudo enim uariat adfectiones, ut altera alteram perimat; quies autem habet constantiam, in qua maxime intellegitur quod dicitur[19] est. omnis itaque ille adpetitus, in uoluntate mortis, non ut qui moritur non sit, sed ut requiescat intenditur. **84.** ita, cum errore credat non se futurum, natura tamen quietus esse, hoc est, magis esse desiderat. quapropter sicut nullo pacto fieri potest ut non esse aliquem libeat, ita nullo pacto fieri oportet ut, ex eo, quod est, quisque bonitati creatoris ingratus sit.

**9,24** **85.** Si dixerit: "Non erat tamen difficile aut laboriosum omnipotenti deo ut omnia quaecumque fecit sic haberent ordinem suum, ut nulla creatura usque ad miseriam perueniret; non enim hoc aut omnipotens non potuit, aut bonus inuidit", respondebo ordinem creaturarum a summa usque ad infimam gradibus iustis ita decurrere ut ille inuideat qui dixerit: "Ista non esset", inuideat etiam ille qui dixerit: "Ista talis esset". **86.** si enim talem uult esse qualis est superior, iam illa est, et tanta est, ut addi ei[20] non oporteat, quia perfecta est. qui ergo dicit: "Etiam ista talis esset", aut perfectae superiori uult addere et erit immoderatus et iniustus aut istam uult interimere et erit malus et inuidus. **87.** qui autem dixerit: "Ista non esset", nihilominus erit malus atque inuidus, cum eam non uult esse, quam inferiorem laudare adhuc cogitur. uelut si dicat: "Non esset luna", cum etiam lucernae claritatem, longe inferiorem, in suo tamen genere pulchram, et terrenis tenebris esse decoram atque aptam nocturnis usibus atque in his omnibus pro suo modulo utique laudabilem – aut fateatur aut stultissime uel contentiose neget. **88.** quo modo ergo recte dicere audebit: "Luna non esset in rebus", qui, si diceret: "Lucerna non esset", deridendum se esse sentiret? quod si non dicit: "Luna non esset", sed qualem solem uidet talem dicit lunam esse debuisse, non intellegit nihil aliud se dicere quam: "Non esset luna, sed essent soles duo". in quo dupliciter errat, quod rerum perfectioni et addere aliquid cupit, cum desiderat alterum solem, et minuere, cum lunam uult detrahi.

**9,25** **89.** Hic fortasse dicat ideo nihil se de luna conqueri, quia splendor eius ita minor est, ut miser non sit, de animarum autem non obscuritate, sed

que está inquieto. Porque a inquietude faz variar as disposições, de modo que uma aniquile a outra; porém a quietude possui a constância, na qual se intelige no mais alto grau aquilo que se diz "é". Portanto todo aquele apetite, [existente] na vontade de morte, não é tencionado para que aquele que morre não seja, mas para que alcance a quietude. **84.** Assim, conquanto creia, segundo seu erro, que não será, contudo, segundo a natureza, deseja estar quieto, isto é, deseja ser mais. Por isso, assim como de nenhum modo pode acontecer que apraza a alguém "não ser", assim também de nenhum modo convém acontecer que, por causa disso, ou seja, porque é, seja alguém ingrato para com a bondade do Criador.

**9,24** **85.** Se disser: "Contudo não era difícil ou laborioso a Deus onipotente que todas as coisas que fez possuíssem de tal modo a sua ordem, que nenhuma criatura chegasse até à infelicidade; pois nem não pôde isto, sendo onipotente, nem foi ínvido, sendo bom", responderei que a ordem das criaturas, desde a suprema até à ínfima, corre de cima para baixo por graus justos, de modo que seja ínvido aquele que disser: "Essa [criatura inferior] não deveria existir", e seja ínvido também aquele outro que disser: "Essa [criatura superior] deveria ser de tal maneira". **86.** Pois, se quer que a [inferior] seja tal qual aquela que é superior, então aquela é, e é de tal modo que não convém se lhe adicione [coisa alguma], porque é perfeita. Logo aquele que diz: "Essa também deveria ser de tal maneira", ou quer adicionar algo à criatura superior perfeita, e estará sendo imoderado e injusto, ou então quer destruí-la, e estará sendo mau e ínvido. **87.** Porém aquele que disser: "Essa não deveria existir", nada obstante será mau e ínvido, porque não quer que ela exista, [criatura] inferior que é também coagido a louvar. É como se dissesse: "Não deveria existir a Lua", embora reconheça igualmente que a claridade de uma lucerna, de longe inferior, contudo bela em seu gênero, é conveniente às trevas terrenas e apta para os usos noturnos, e em todas estas coisas sempre louvável, na proporção de sua pequena medida – ou então o negue de modo absolutamente estulto ou mesmo contencioso. **88.** Logo de que modo ousará dizer retamente: "A Lua não deveria existir no conjunto da criação", aquele que, se dissesse: "A lucerna não deveria existir", sentiria que devia ser posto em ridículo? Porque, se não diz: "A Luz não deveria existir", mas vê o Sol tal qual diz que a Lua deveria ser, não intelige estar dizendo nenhuma outra coisa, senão que: "Não deveria existir a Lua, mas deveriam existir dois Sóis". Nisso erra duplamente, porque deseja não apenas adicionar algo à perfeição das coisas, quando pretende um outro Sol, mas também diminuir, quando quer subtrair a Lua.

**9,25** **89.** Aqui talvez ele diga que nada se queixa acerca da Lua, pelo fato de o esplendor dela ser menor, [mas] de modo que ela não seja infeliz, porém que não é a

miseria se dolere. sedulo cogitet ita lunae splendorem non esse miserum, ut nec splendor solis sit beatus. **90.** quamuis enim corpora coelestia sint, corpora sunt tamen, quantum ad lucem istam pertinet, quae per oculos corporeos sentiri potest. nulla autem corpora, quantum ad sese adtinet, uel beata possunt esse uel misera, quamquam beatorum aut miserorum corpora possint esse. **91.** sed de illis luminibus similitudo adhibita id docet, ut, quem ad modum corporum differentias contemplando, uidens alia clariora, iniuste petis auferri quae obscuriora conspexeris, aut clarioribus adaequari, sed ad perfectionem uniuersitatis referens omnia, quanto magis minusue inter se clara sunt, tanto magis cernis esse omnia, nec tibi occurrit perfecta uniuersitas, nisi ubi maiora sic praesto sunt, ut minora non desint; sic etiam differentias animarum cogites, in quibus hoc quoque inuenies, ut miseriam quam doles ad id quoque ualere cognoscas, ut uniuersitatis perfectioni nec illae desint animae quae miserae fieri debuerunt, quia peccatrices esse uoluerunt. tantumque abest ut deus tales facere non debuerit, ut etiam caeteras creaturas laudabiliter fecerit longe inferiores animis miseris.

9,26 **92.** Sed adhuc uidetur minus intellegens quod dictum est habere quod contradicat. dicit enim: “Si uniuersitatis perfectionem conplet etiam nostra miseria, defuisset aliquid huic perfectioni, si beati semper essemus. quapropter, si ad miseriam, nisi peccando, non peruenit anima, etiam peccata nostra necessaria sunt perfectioni uniuersitatis quam condidit deus. quo modo ergo iuste punit peccata, quae si defuissent, creatura eius plena et perfecta non esset?”. **93.** hic respondetur non ipsa peccata uel ipsam miseriam perfectioni uniuersitatis esse necessaria, sed animas in quantum animae sunt, quae, si uelint, peccant; si peccauerint, miserae fiunt. si enim, peccatis earum detractis, miseria perseuerat, aut etiam peccata praecedat[21], recte deformari dicitur ordo atque administratio uniuersitatis. rursus, si peccata fiant, et desit miseria, nihilominus dehonestat ordinem iniquitas. **94.** cum autem non peccantibus adest beatitudo, perfecta est uniuersitas; cum uero peccantibus adest miseria, nihilominus perfecta est uniuersitas. quod autem ipsae non desunt animae, quas uel peccantes sequitur miseria, uel recte facientes beatitudo, semper naturis omnibus uniuersitas plena

obscuridade das almas, mas sua infelicidade o que lhe dói. Que cogite com atenção [e entenda] que o esplendor da Lua não é infeliz, assim como o esplendor do Sol tampouco é feliz. **90.** Pois ainda que sejam corpos celestes, contudo são corpos, no que se refere a essa luz, que pode ser sentida através dos olhos corpóreos. Porém nenhuns corpos, no que lhes toca a si mesmos, podem ser felizes ou infelizes, ainda que possam ser corpos de pessoas felizes ou infelizes. **91.** Porém acerca de suas luzes o símile aplicado nos ensina isso, que, assim como ao contemplar as diferenças dos corpos, vendo outros mais claros, injustamente é que pedes que sejam subtraídos os mais obscuros que tenhas observado, ou que eles sejam igualados aos mais claros, mas referindo todas as coisas à perfeição da universalidade [da criação], quanto mais ou menos claras são entre si, tanto mais distingues que todas elas são, e nem te ocorreria uma universalidade perfeita, a não ser onde as criaturas maiores estão de tal modo disponíveis, que as menores não estejam ausentes; assim também é que deves cogitar das diferenças das almas, nas quais descobrirás isto, a fim de que conheças que a sua infelicidade, que te causa dor, também vale para isso, que nem aquelas almas, que tiveram de tornar-se infelizes, porque quiseram ser pecadoras, nem elas deixam de contribuir para a perfeição da universalidade. E que se afaste totalmente [de ti o pensamento] que Deus não devia ter feito a essas tais, se fez de modo louvável também as restantes criaturas, de longe inferiores às almas infelizes.

**9,26** **92.** Mas parece ainda que aquele que não intelige o que foi dito possui algo que nos contradiga. Pois ele diz: "Se também a nossa infelicidade completa a perfeição da universalidade, faltaria algo a esta perfeição, se fôssemos sempre felizes. Por isso, se a alma não chega à infelicidade, a não ser por meio do pecar, também os nossos pecados são necessários à perfeição da universalidade que Deus fundou. Logo como pune ele de modo justo os pecados, os quais, se faltassem, a sua criação não seria plena e perfeita?". **93.** Responde-se aqui não serem os próprios pecados ou a própria infelicidade necessários à perfeição da universalidade, mas as almas, enquanto são almas, as quais, se queiram, pecam; se pecarem, tornam-se infelizes. Pois, subtraídos os pecados delas, se a sua infelicidade [ainda assim] persiste, ou mesmo se [acaso] preceda os pecados, retamente é que se diz que a ordem e a administração da universalidade estão sendo deformadas. Por outro lado, se se cometam pecados, e a infelicidade esteja ausente, uma iniquidade [deste tipo] não desonra menos a ordem. **94.** Porém, quando a felicidade não está presente nos que pecam, a universalidade está perfeita; por sua vez, quando a infelicidade está presente nos que pecam, a universalidade não está menos perfeita. Porém, porque não faltam as almas, as quais, quando pecam, segue-se a infelicidade, quando agem retamente, a felicidade,

atque perfecta est. non enim peccatum et supplicium peccati naturae sunt quaedam, sed adfectiones naturarum: illa uoluntaria, ista poenalis. **95.** sed uoluntaria, quae in peccato fit, turpis adfectio est. cui propterea poenalis adhibetur, ut ordinet eam, ubi talem esse non turpe sit, et decori uniuersitatis congruere cogat, ut peccati dedecus emendet poena peccati.

**9,27** **96.** Hinc fit ut peccans creatura superior creaturis inferioribus puniatur, quia illae tam sunt infimae, ut ornari etiam a turpibus animis possint, atque ita decori uniuersitatis congruere. quid enim tam magnum in domo est quam homo? et quid tam abiectum et infimum quam cloaca domus? seruus tamen in tali peccato detectus, ut mundandae cloacae dignus habeatur, ornat eam etiam turpitudine sua. **97.** et utrumque horum, id est, turpitudo serui et mundatio cloacae, iam coniunctum et redactum in quandam sui generis unitatem, ita dispositae domui coaptatur atque subtexitur, ut eius uniuersitati ordinatissimo decore conueniat. qui tamen seruus si peccare noluisset, non defuisset domesticae disciplinae alia prouisio, qua necessaria mundarentur. quid itaque tam infimum in rebus quam corpus omne terrenum? **98.** hanc tamen corruptibilem carnem etiam peccatrix anima sic ornat, ut ei speciem decentissimam praebeat motumque uitalem. habitationi ergo coelesti talis anima non congruit per peccatum, terrestri autem congruit per supplicium, ut quodlibet elegerit, semper sit pulchra uniuersitas decentissimis partibus ordinata, cuius est conditor et administrator deus. **99.** namque optimae animae, cum in infimis creaturis habitant, non eas ornant miseria sua, quam non habent, sed usu earum bono. si autem peccatrices animae permittantur habitare in sublimibus locis, inhonestum est, quia non conueniunt illis, quibus nec bene uti possunt, nec ornamenti aliquid conferunt.

**9,28** **100.** Ideo, quamquam orbis iste terrenus rebus corruptibilibus deputatus sit, tamen seruans, quantum potest, imaginem superiorum, exempla nobis et indicia quaedam demonstrare non cessat. si enim bonum et magnum aliquem uirum, hortante honestatis officio, uideamus ignibus, quantum ad corpus adtinet, concremari, non hoc uocamus poenam peccati, sed fortitudinis et patientiae documentum; eumque magis diligimus, cum

a universalidade, em todas as naturezas, é sempre plena e perfeita. Pois o pecado e o castigo do pecado não são quaisquer naturezas, mas afecções das naturezas: aquela é voluntária; essa, penal. **95.** Porém a voluntária, que se dá no pecado, é uma afecção torpe. Por isso é que se lhe aplica a penal, para que a ordene, onde não seja torpe ser de tal modo, e a constranja a ser congruente com a beleza da universalidade, de modo que a pena do pecado emende a indecorosidade do pecado.

**9,27** **96.** Disso resulta que a criatura superior que peca seja punida pelas criaturas inferiores, porque elas são tão ínfimas, de modo que possam ser ornadas até mesmo por almas torpes, e assim ser congruentes com a beleza da universalidade. Pois o que há em uma casa de tão grande valor quanto o homem? E o que é tão abjeto e ínfimo quanto a cloaca da casa? Contudo um servo, descoberto em um pecado tamanho, que seja considerado digno de limpar a cloaca, orna-a também por meio de sua torpeza. **97.** E um e outro destes dois, isto é, a torpeza do servo e a limpeza da cloaca, agora conjungidos e reconduzidos a uma certa unidade, própria de seu gênero, são adaptados à casa bem disposta e nela subentretecidos, de modo que convenham à sua universalidade, por meio de uma beleza ordenadíssima. Contudo, se aquele servo não tivesse querido pecar, não faltaria à disciplina doméstica outra provisão, pela qual as coisas necessárias fossem limpas. E assim sendo, que é tão ínfimo, dentre as coisas [existentes], quanto todo e qualquer corpo terreno? **98.** Contudo a alma pecadora também orna esta carne corruptível, de modo a lhe fornecer uma aparência perfeitamente adequada e um movimento vital. Portanto uma alma de tal espécie não se faz congruente com a habitação celeste através do pecado, porém é congruente com a terrestre através do castigo, de modo que qualquer coisa que ela eleger, a bela universalidade esteja sempre ordenada em partes perfeitamente adequadas, cujo Fundador e Administrador é Deus. **99.** E na verdade as melhores almas, quando habitam em criaturas ínfimas, não as ornam por sua infelicidade, a qual não possuem, mas pelo bom uso delas. Porém, se as almas pecadoras fossem permitidas habitar nos lugares sublimes, isso seria indigno, porque eles não lhes convêm, dos quais nem podem usar bem, [aos quais] nem conferem ornamento algum.

**9,28** **100.** Por isso, conquanto esse orbe terreno tenha sido contado entre as coisas corruptíveis, contudo conservando, quanto pode, a imagem das superiores, não cessa de demonstrar-nos exemplos e certos indícios. Pois, se por acaso vejamos algum homem bom e nobre, quando exortado pelo dever da honra, ter seu corpo queimado no fogo, não chamamos a isto de "pena" [decorrente] do pecado, mas de "prova" de coragem e de paciência; e mais o amamos com dileção, conquanto uma corrupção

foedissima corruptio corporea membra eius absumat, quam si nihil eius modi[22] pateretur; miramur quippe animi naturam mutabilitate corporis non mutari. **101.** at uero crudelissimi latronis membra, cum tali supplicio confici aspicimus, adprobamus ordinem legum. ornant ergo ambo illa tormenta, sed ille merito uirtutis, iste peccati. at si post illos ignes, uel etiam ante illos, optimum illum uirum, commutatum ad congruentiam coelestis habitationis, ad sidera uideremus adtolli, utique laetaremur. si autem sceleratum latronem, siue ante supplicium, siue post supplicium, cum eadem malitia uoluntatis ad sedem honoris sempiternam leuari uideremus in coelum, quis non offenderetur? **102.** ita fit ut inferiores creaturas ambo ornare potuerint, superiores autem unus illorum. ex quo admonemur aduertere mortalitatem carnis huius et primum hominem ornasse, ut peccato poena congrueret, et dominum nostrum, ut a peccato misericordia liberaret. non autem sicut iustus potuit in ipsa iustitia permanens corpus habere mortale, ita iniquus potest, dum iniquus est, ad inmortalitatem peruenire sanctorum, scilicet sublimem et angelicam, non eorum angelorum de quibus apostolus ait: *Nescitis quia angelos sumus iudicaturi?*, sed eorum de quibus dominus ait: *Et erunt aequales angelis dei.* **103.** qui enim aequalitatem angelorum desiderant, propter inanem gloriam suam, non ideo uolunt aequales esse angelis, sed sibi. itaque, in tali uoluntate perseuerantes, aequabuntur supplicio praeuaricatoribus angelis, potestatem suam potius quam dei omnipotentis diligentibus. talibus enim ad sinistram constitutis, quia non quaesiuerunt deum per humilitatis ianuam, quam in se ipso dominus Iesus Christus ostendit, et inmisericorditer superbeque uixerunt, dicetur: *Ite in ignem aeternum, qui praeparatus est diabolo et angelis eius!*

**10,29 104.** Cum enim duae sint origines peccatorum, una spontanea cogitatione, alia persuasione alterius, quo pertinere arbitror quod propheta dicit: *Ab occultis meis munda me, domine, et ab alienis parce seruo tuo.* utrumque uoluntarium est quidem. nam sicut propria cogitatione non peccat inuitus, ita, dum consentit male suadenti, non utique, nisi uoluntate, consentit. sed tamen grauius est non solum nullo suadente propria cogitatione peccare, sed etiam peccatum alteri per inuidentiam dolumque suadere, quam ad

absolutamente hedionda consuma-lhe os membros corpóreos, do que se nada desse gênero sofresse; sem dúvida nós nos admiramos de que a natureza do espírito não seja mudada pela mutabilidade do corpo. **101.** Mas, pelo contrário, os membros de um salteador crudelíssimo, quando os vemos ser consumidos por um tal castigo, aprovamos a ordem das leis. Logo ambos ornam esses tormentos; todavia aquele [orna-os] pelo mérito de sua virtude; este, de seu pecado. Mas, se depois daquele fogo, ou mesmo antes dele, víssemos aquele homem excelente, completamente mudado em congruência com a habitação celeste, ser elevado até aos astros, sem dúvida nos alegraríamos. Porém, se víssemos o assassino celerado, seja antes de seu castigo, seja depois do castigo, com a mesma malícia da vontade, ser levantado em direção ao céu, para a sede da honra sempiterna, quem é que não ficaria ofendido? **102.** Ocorre assim que ambos tenham podido ornar as criaturas inferiores, porém as superiores, apenas um deles. A partir disso somos admoestados a voltar a atenção para o fato de que não apenas o primeiro homem tenha ornado a mortalidade desta carne, a fim de que estivesse congruente com o pecado, por meio de sua pena, mas também nosso Senhor, a fim de que o libertasse do pecado, por sua Misericórdia. Porém ao contrário do Justo, que, [embora] permanecendo na própria justiça, pôde possuir um corpo mortal, não pode o iníquo, enquanto é iníquo, alcançar a imortalidade dos santos, evidentemente sublime e angélica, não a daqueles anjos, a respeito dos quais diz o apóstolo: "Não sabeis que nós havemos de julgar os anjos?"[8], mas daqueles, a respeito dos quais diz o Senhor: "E serão iguais aos anjos de Deus"[9]. **103.** Pois aqueles que aspiram a igualdade dos anjos, por causa de sua glória inane, portanto não querem ser iguais aos anjos, mas a si mesmos. E assim, perseverando numa tal vontade, serão igualados pelo castigo aos anjos prevaricadores, que amam com mais diligência o seu próprio poder que o de Deus onipotente. Então, tendo esses tais sido estabelecidos à esquerda, porque não buscaram a Deus através da porta da humildade, a qual o Senhor Jesus Cristo mostrou em si mesmo, e viveram de modo imisericordioso e soberbo, ser-lhes-á dito: "Ide para o fogo eterno, que foi preparado para o diabo e para os seus anjos!"[10].

**10,29** **104.** Pois bem, visto que são duas as origens dos pecados: a primeira, pela cogitação espontânea; a segunda, pela persuasão de um outro, julgo por isso ser pertinente o que diz o profeta: "Limpa-me dos meus [delitos] ocultos, Senhor, e poupa o teu servo dos alheios"[11]. Decerto ambas são voluntárias. Com efeito, assim como por meio da própria cogitação não se peca invito, do mesmo modo, quando se consente com o que persuade [a agir] mal, sem dúvida não se consente a não ser por meio da vontade. Todavia é mais grave, não sendo persuadido por ninguém, não somente pecar por meio da própria cogitação, mas também persuadir um outro ao pecado

peccandum alterius suasione traduci. **105.** seruata est ergo in utroque peccato iustitia domini punientis. nam et illud adpensum est aequitatis examine, ut nec ipsius diaboli potestati negaretur homo, quem sibi, male suadendo, subiecerat. iniquum enim erat ut ei quem ceperat non dominaretur. nec fieri ullo modo potest ut dei summi et ueri perfecta iustitia, quae usquequaque pertenditur, deserat etiam ordinandas ruinas peccantium. **106.** et tamen, quia minus peccauerat homo quam diabolus, id ipsum ei ualuit ad reparandam salutem, quod principi huius mundi – partis rerum scilicet huius mortalis atque infimae –, hoc est, principi omnium peccatorum et praeposito mortis, usque ad mortalitatem carnis addictus est. **107.** ita enim, conscientia mortalitatis timidus, et a uilissimis et abiectissimis bestiis uel etiam minutissimis molestias atque interitum reformidans, incertusque futurorum, et inlicitas cohibere laetitias, et maxime superbiam, cuius persuasione deiectus est, et quo uno uitio misericordiae medicina respuitur, frangere consueuit. quid enim tam opus habens misericordia quam miser? et quid tam indignum misericordia quam superbus miser?

**10,30** **108.** Ex quo factum est ut illud dei uerbum, per quod facta sunt omnia, et quo fruitur omnis angelica beatitudo, usque ad miseriam nostram clementiam suam porrigeret, et uerbum caro fieret et habitaret in nobis. sic enim posset panem angelorum homo manducare, nondum angelis adaequatus, si panis ipse angelorum hominibus dignaretur aequari. **109.** nec sic descendit ad nos, ut illos desereret, sed simul integer illis, integer nobis: illos intrinsecus pascens per id quod deus est; nos, forinsecus admonens per id quod nos sumus, idoneos facit per fidem, quos per speciem pascat aequaliter. quia enim rationalis creatura uerbo illo tanquam optimo cibo suo pascitur, humana autem anima rationalis est – quae mortalibus uinculis peccati poena tenebatur, ad hoc deminutionis redacta[23], ut per coniecturas rerum uisibilium ad intellegenda inuisibilia niteretur –, cibus rationalis creaturae factus est uisibilis, non commutatione naturae suae, sed habitu nostrae, ut uisibilia sectantes ad se inuisibilem reuocaret. sic eum anima, quem superbiens intus reliquerat, foris humilem inuenit, imitatura eius humilitatem uisibilem et ad inuisibilem altitudinem reditura.

através de inveja e dolo, do que ser conduzido a pecar pela persuasão de outrem. **105.** Portanto fica preservada, em ambos os pecados, a Justiça do Senhor que pune. De fato, também foi ponderado no exame da equidade aquilo, a saber, que o homem não fosse negado ao poder do próprio diabo, que a si o submetera, persuadindo-o [a agir] mal. Pois era iníquo que [o diabo] não fosse senhor daquele que ele havia capturado. E não pode acontecer de modo nenhum que a perfeita Justiça do Deus supremo e verdadeiro, a qual se estende por toda a parte, deixe também de ordenar as ruínas dos que pecam. **106.** E contudo, porque o homem havia pecado menos do que o diabo, isso mesmo lhe valeu para recuperar sua salvação, porque ele foi adjudicado ao príncipe deste mundo – esta parte, obviamente, mortal e ínfima [da criação] –, isto é, ao príncipe de todos os pecadores e preposto da morte, [adjudicado] até à mortalidade da carne. **107.** Pois assim, intimidado pela consciência de sua mortalidade, temendo moléstias e destruição da parte de animais os mais vis e abjetos, e mesmo dos mais diminutos, e incerto dos eventos futuros, acostumou-se não apenas a coibir as alegrias ilícitas, mas principalmente a quebrar a soberba, por cuja persuasão foi precipitado, e vício único pelo qual a medicação da Misericórdia é cuspida. Pois o que é que tem tanta necessidade da Misericórdia quanto o infeliz? E que é tão indigno da Misericórdia quanto o infeliz soberbo?

**10,30 108.** Disso resultou que aquele Verbo de Deus, por que foram feitas todas as coisas[12], e de que frui toda felicidade angélica, até à nossa infelicidade estendesse sua clemência, e o Verbo se fizesse carne e habitasse entre nós[13]. Pois assim poderia o homem mastigar o Pão dos anjos, não igualado ainda aos anjos, se o próprio Pão dos anjos se dignasse igualar-se aos homens. **109.** E não desceu até nós assim, de modo que os desertasse, mas simultaneamente íntegro para eles, íntegro para nós: apascentando-os intrinsecamente através daquilo que Deus é; admoestando-nos extrinsecamente através daquilo que nós somos, nos torna idôneos através da fé, aqueles que ele venha a apascentar igualmente através da sua visão. Pois, porque a criatura racional é apascentada por aquele Verbo, como se por uma comida sua excelente, e também a alma humana é racional – a qual, por vínculos mortais, era retida pela pena do pecado, tendo sido reduzida [a uma condição] de diminuição, para que, através das conjecturas das coisas visíveis, se esforçasse por inteligir as invisíveis[14] –, a comida da criatura racional se fez visível, não por uma completa mutação de sua natureza, mas [assumindo] o hábito da nossa, para que os que perseguem as [naturezas] visíveis chamassem de volta para si a invisível. Assim, aquele que a alma havia abandonado internamente, ensoberbando-se, ela externamente o encontra, humilde, cuja humildade visível ela há de imitar e retornar à sua altitude invisível.

**10,31** **110.** Atque uerbum dei, unicus dei filius, diabolum, quem semper sub legibus suis habuit et habebit, homine indutus, etiam homini subiugauit, nihil ei extorquens uiolento dominatu, sed superans eum lege iustitiae, ut, quoniam femina decepta et deiecto per feminam uiro, omnem prolem primi hominis tanquam peccatricem legibus mortis malitiosa quidem nocendi cupiditate sed tamen iure aequissimo uindicabat, tam diu potestas eius ualeret, donec interficeret iustum, in quo nihil dignum morte posset ostendere, non solum quia sine crimine occisus est, sed etiam quia sine libidine natus, cui subiugauerat ille quos ceperat, ut quicquid inde nasceretur, tanquam suae arboris fructus, praua quidem habendi cupiditate, sed tamen non iniquo possidendi iure, retineret. **111.** iustissime itaque dimittere cogitur credentes in eum quem iniustissime occidit, ut, et quod temporaliter moriuntur debitum exsoluant, et quod semper uiuunt, in illo uiuant, qui pro eis quod non debebat exsoluit, quibus autem infidelitatis perseuerantiam persuasisset, iuste secum haberet in perpetua damnatione consortes. **112.** ita factum est, ut neque diabolo per uim eriperetur homo, quem nec ipse ui sed persuasione ceperat; et qui iuste plus humiliatus est, ut seruiret, cui ad malum consenserat, iuste per eum, cui ad bonum consensit, liberaretur, quia minus iste, in consentiendo, quam ille, in male suadendo, peccauerat.

**11,32** **113.** Naturas igitur omnes deus fecit, non solum in uirtute atque iustitia permansuras, sed etiam peccaturas, non ut peccarent, sed ut essent ornaturae uniuersum, siue peccare, siue non peccare uoluissent. si enim rebus deessent animae, quae ipsum fastigium ordinis in uniuersa creatura sic optinerent, ut, si peccare uoluissent, infirmaretur et labefactaretur uniuersitas, magnum quiddam deesset creaturae; illud enim deesset, quo remoto stabilitas rerum atque connexio turbaretur. **114.** tales sunt optimae et sanctae et sublimes creaturae coelestium uel supercoelestium potestatum, quibus solus deus imperat, uniuersus autem mundus subiectus est. sine istarum officiis iustis atque perfectis esse uniuersitas non potest. item, si deessent quae, siue peccarent, siue non peccarent, nihil uniuersitatis ordini minueretur, etiam sic plurimum deesset. animae sunt enim rationales, et illis superioribus officio

**10,31** **110.** E ademais o Verbo de Deus, Filho único de Deus, revestido de homem, subjugou também ao homem o diabo, o qual sempre teve sob suas leis e terá, nada lhe extorquindo por um domínio violento, mas superando-o pela lei da justiça, quando ele reivindicava para as leis da morte toda a prole do primeiro homem como pecadora, visto a mulher ter sido enganada e o homem precipitado por causa da mulher, sem dúvida com um malicioso desejo de prejudicar, contudo por um direito perfeitamente equânime, por tanto tempo quanto valesse o poder dele, até que matasse o Justo, no qual nada digno de morte pudesse fazer ver, não somente porque ele foi morto sem crime, mas também porque nasceu sem inclinação sensual, à qual o diabo havia subjugado os que havia capturado, de modo que retivesse qualquer coisa que nascesse dela, como se frutos de sua árvore, certamente por um desejo depravado de possuir, porém não por um direito iníquo de tomar posse. **111.** E assim [o diabo] é constrangido de maneira absolutamente justa a deixar ir os que creem naquele que ele matou de maneira absolutamente injusta, de tal modo que, quando morrem temporalmente, solvam seu débito, e quando vivem sempre, vivam naquele que por eles solveu o [débito] que não devia; os quais, [caso o diabo] tivesse persuadido à perseverança da infidelidade, [os] teria consigo de modo justo, [como] consortes na condenação perpétua. **112.** E deu-se assim, de modo que o homem não fosse arrebatado ao diabo através da força, o qual nem o próprio diabo havia capturado pela força, mas pela persuasão; homem que também de modo justo foi mais humilhado, para que servisse àquele, com quem havia consentido para o mal, [e] fosse libertado de modo justo por aquele, com quem consentiu para o bem, porque esse havia pecado menos, ao consentir, do que aquele, ao persuadir mal.

**11,32** **113.** Portanto Deus fez todas as naturezas, não somente as que haviam de permanecer na virtude e na justiça, mas também as que haviam de pecar, não para que pecassem, mas para que ornassem o universo, se quisessem pecar, ou não pecar. Pois se ao mundo faltassem as almas, as quais obtivessem o próprio fastígio da ordem na criação universal, de modo que, se tivessem querido pecar, a universalidade fosse enfraquecida e arruinada, algo grande faltaria à criação, pois faltaria aquilo que, tendo sido removido, a estabilidade das coisas e sua conexão seriam perturbadas. **114.** Tais almas são as melhores, não apenas santas, mas também criaturas sublimes dos poderes celestes ou supracelestes[15], sobre as quais só Deus exerce seu império, *às quais,* porém, o mundo inteiro está sujeito. Sem os seus ofícios justos e perfeitos a universalidade não pode existir. Outrossim, se faltassem aquelas, as quais, quer pecassem, quer não pecassem, nada seria diminuído à ordem da universalidade, ainda assim muitíssimo faltaria. Pois as almas são racionais, e sem dúvida desiguais em relação àquelas superiores pelo

quidem impares, sed natura pares, quibus adhuc inferiores sunt multi et tamen laudabiles a summo deo constitutarum rerum gradus.

**11,33** **115.** Illa ergo natura sublimioris officii est, quae, non solum si non esset, sed etiam si peccaret, minueret ordinem uniuersitatis. inferioris officii est ista, quae tantum modo si non esset, non autem si peccaret, aliquid minus haberet uniuersitas. illi data est potentia omnia continendi officio proprio, quod rerum ordini deesse non possit. nec ideo in bona uoluntate permanet, quia hoc accepit officium, sed ideo accepit, quoniam ab illo, qui dedit, permansura praeuisa est. **116.** nec tamen sua maiestate continet omnia, sed inhaerendo illius maiestati et eius imperiis deuotissime optemperando, a quo et per quem et in quo facta sunt omnia. huic autem datum est, quidem non peccanti, potentissimum officium continendi omnia, non tamen proprium, sed cum illa, tanquam ei quae peccatura praecognita est. **117.** habent sane spiritalia[24] quaeque inter se et coniunctionem sine cumulo et seiunctionem sine deminutione, ut neque adiuuaretur illa in actionis suae facilitate, cum haec sibi coniungeretur, neque difficilior illi actio fieret, si haec officium suum peccando desereret. non enim locis et mole corporum sed parilitate adfectuum iungi et disparilitate seiungi possunt creaturae spiritales[25], quamuis corpora sua quaeque possideant.

**11,34** **118.** In corporibus autem inferioribus atque mortalibus post peccatum ordinata, regit corpus suum, non omnimodo pro arbitrio, sed sicut leges uniuersitatis sinunt. nec ideo tamen talis anima inferior est corpore coelesti, cui corpori etiam corpora terrena subiecta sunt. pannosa quippe uestis damnati serui multo est inferior ueste bene meriti, et in honore magno apud dominum constituti, sed ipse seruus melior est qualibet ueste pretiosa, quia homo est. **119.** illa ergo inhaeret deo et in coelesti corpore angelica potestate etiam terrestre corpus ornat et regit, sicut iubet ille, cuius nutum ineffabiliter intuetur. ista uero mortalibus membris onerata uix hoc ipsum quo premitur administrat intrinsecus et tamen ornat quantum potest; caetera uero extrinsecus adiacentia longe infirmiore operatione extrinsecus adficit sicut potest.

ofício, mas iguais por natureza, almas em relação às quais existem ainda muitos graus inferiores, e contudo louváveis, dentre as coisas constituídas pelo Deus supremo.

**11,33** **115.** Logo aquela natureza é de ofício mais sublime, a qual, não somente se não existisse, mas também se pecasse, diminuiria a ordem da universalidade. De ofício inferior é essa, que, apenas se não existisse, porém não se pecasse, a universalidade possuiria algo de menos. Àquela foi dada a potência de manter todas as coisas por seu ofício próprio, o qual não poderia faltar à ordem das coisas. E não é por isso que permanece em sua boa vontade, porque recebeu este ofício, mas por isso é que o recebeu, porque foi previsto, por aquele que o deu, que haveria de permanecer nela. **116.** E contudo não é por sua majestade que mantém todas as coisas, mas aderindo à majestade daquele e obedecendo-lhe muitíssimo devotadamente aos imperativos, aquele, a partir do qual, através do qual e no qual foram feitas todas as coisas[16]. Porém a esta [inferior], seguramente à qual não está pecando, foi dado o potentíssimo ofício de manter todas as coisas, não de modo particular, contudo, mas na companhia daquela [superior], tanto quanto àquela foi conhecido antes que esta haveria de pecar. **117.** Por certo todas as [criaturas] espirituais possuem entre si não apenas uma conjunção sem acúmulo, mas também uma disjunção sem diminuição, de modo que nem aquela fosse ajudada na facilitação de sua atividade, quando esta estivesse a si conjungida, nem se fizesse àquela mais difícil a atividade, se esta desertasse de seu ofício, ao pecar. Pois não é segundo os lugares e a massa dos corpos, mas pela paridade de suas afeições que podem ser conjungidas as criaturas espirituais, e pela disparidade, disjungidas, ainda que algumas delas possuam os seus próprios corpos.

**11,34** **118.** Porém, tendo sido ordenada em corpos inferiores e mortais após o pecado, ela rege seu próprio corpo, não completamente em virtude de seu arbítrio, mas como as leis da universalidade o permitem. E nem por isso uma alma de tal qualidade é inferior ao corpo celeste, ao qual também os corpos terrenos estão sujeitos. E por certo a veste andrajosa de um servo condenado é muito inferior à veste daquele que mereceu ser bem [recompensado], e que foi constituído em grande honra ao lado de seu senhor, mas o próprio servo é melhor do que qualquer veste preciosa, porque é um homem. **119.** Logo aquela [alma superior] adere a Deus e, no corpo celeste, por meio de seu angélico poder, orna e rege também o corpo terrestre, assim como ordena aquele, cujo aceno ela considera de modo inefável. Essa [alma inferior], por sua vez, onerada por membros mortais, a duras penas administra intrinsecamente este próprio [corpo], pelo qual é premida, e contudo orna-o quanto pode; e os demais objetos que lhe são extrinsecamente adjacentes, por meio de uma operação de longe mais fraca é que ela os atinge extrinsecamente, assim como pode.

12,35 **120.** Vnde conligitur non defuturum fuisse ornatum congruentissimum infimae corporeae creaturae, etiam si ista peccare noluisset, quoniam quae totum potest regere, etiam partem regit, quae autem minus potest, non continuo potest ampliora. perfectus enim medicus etiam scabiem sanat efficaciter, at non continuo qui scabioso utiliter consulit uniuersae humanae ualetudini mederi potest. **121.** et ratio quidem si certa conspicitur, qua manifestum fiat esse oportuisse creaturam, quae nunquam peccauerit, nunquam peccatura, sit etiam illud eadem ratio renuntiat, a peccato illam libera uoluntate abstinere, neque coactam non peccare, sed sponte. **122.** uerum tamen etiam si peccaret – quamquam non peccauit, sicut eam non peccaturam praesciuit deus – tamen si etiam ipsa peccaret, sufficeret dei potestas ineffabilis potentiae ad regendam istam uniuersitatem, ut, omnibus congrua et condigna retribuens, nihil in toto imperio suo turpe atque indecorum esse permitteret, **123.** quia, siue per nullas ad hoc ipsum conditas potestates, si omnis angelica natura ab eius praeceptis peccando defecisset, maiestate sua decentissime atque optime regeret omnia – nec sic inuidens creaturae spiritali, ut esset, qui etiam corporalem peccantibus quoque spiritalibus longe inferiorem tanta largitate bonitatis instituit, ut nullus sit coelum terramque rationabiliter intuens omnesque naturas uisibiles in suis generibus moderatas, formatas, ordinatas, qui uel alium credat artificem omnium esse quam deum uel non eum ineffabiliter laudandum esse fateatur – siue nulla est melior rerum ordinatio, nisi potestas angelica naturae excellentia et bonitate uoluntatis in dispositione uniuersitatis superemineat, etiam si omnes peccassent[26] angeli, nullam inopiam facerent ad regendum imperium suum creatori angelorum. **124.** non enim uel bonitas eius quasi aliquo taedio uel omnipotentia difficultate deficeret ad creandos alios, quos in eis sedibus conlocaret, quas peccando alii deseruissent, aut creatura spiritalis, quantilibet numeri, si pro suis meritis damnaretur, angustare posset ordinem, qui conuenienter et decenter excipit quoscumque damnatas. quacumque se igitur consideratio nostra conuerterit, ineffabiliter laudandum inuenit deum naturarum omnium conditorem optimum et administratorem iustissimum. **[36] 125.** postremo, ut relinquamus contemplationem pulchritudinis rerum his[27], qui eam diuino

12,35 **120.** De onde se colige que não teria faltado ornamento perfeitamente congruente à ínfima criatura corpórea, mesmo se ela não tivesse querido pecar, visto que aquela que pode reger o todo também rege a parte, porém a que pode o menos não se segue de imediato que possa o mais. De fato, um médico perfeito também sana a escabiose de modo eficaz, mas não se segue de imediato que aquele que consulta com proveito um escabioso possa remediar a saúde humana universal. **121.** E se de fato se considera certa a razão, pela qual se torna manifesto que conveio existir uma criatura que nunca tenha pecado e nunca há de pecar, que o seja também aquilo que a mesma razão comunica, que ela se abstém do pecado por meio de sua vontade livre, e que não é coagida a que não peque, mas não o faça de modo espontâneo. **122.** No entanto, mesmo se ela pecasse – embora não tenha pecado, conforme conheceu Deus antecipadamente que ela não haveria de pecar –, contudo, se também ela própria pecasse, seria suficiente o poder da inefável potência de Deus para reger essa universalidade, de modo que, retribuindo a todos [recompensas] congruentes e condignas, nada permitisse em todo seu império que fosse torpe e indecoroso. **123.** Porque, ou se por nenhum dos poderes fundados precisamente para isto, se toda natureza angélica, pecando, houvesse operado a defecção de seus preceitos, por sua própria majestade ele regeria todas as coisas de maneira perfeitamente adequada e ótima – nem assim invejando a criatura espiritual, [a evitar] que ela existisse, ele, que por meio da enorme largueza de sua bondade também instituiu a criatura corporal, de longe inferior às espirituais que pecam, de modo que não exista ninguém que considere racionalmente o céu, a terra e todas as naturezas visíveis moderadas, formadas e ordenadas em seus respectivos gêneros, que, ou creia que seja outro, e não Deus, o Artífice de todas as coisas, ou que não reconheça que ele deve ser inefavelmente louvado –, ou se não existe nenhuma ordenação melhor das coisas, se o poder angélico, pela excelência de sua natureza e pela bondade de sua vontade, não se sobrelevasse na disposição da universalidade, mesmo se todos os anjos houvessem pecado, nenhuma inópia causariam ao Criador dos anjos, para que regesse o seu império. **124.** Pois nem a sua bondade, como se por algum desgosto, nem sua onipotência, por causa de dificuldade, [nenhuma delas] seria deficiente para criar outros [anjos], os quais ele colocaria em suas sedes [apropriadas], das quais, pecando, outros desertaram; ou mesmo a criatura espiritual, não importa em que número, se fosse condenada em virtude de seus méritos, [nem mesmo ela] poderia restringir a ordem, que de modo conveniente e adequado captura todas as [criaturas] condenadas. Portanto, por onde quer que nossa consideração se houver convertido, descobre ela que Deus deve ser louvado de modo inefável, o excelente Fundador de todas as naturezas e justíssimo administrador. **[36] 125.** Por último, que deixemos a contemplação da beleza das coisas àqueles que podem vê-la por

munere uidere possunt, nec eos [28] ad ineffabilia contuenda uerbis conemur adducere; et tamen propter loquaces aut infirmos aut insidiosos homines tantam quaestionem breuissima conplexione peragamus.

**13,36** **126.** Omnis natura, quae minus bona fieri potest, bona est; et omnis natura, dum corrumpitur, minus bona fit. aut enim non ei nocet corruptio et non corrumpitur, aut, si corrumpitur, nocet ei corruptio, et si nocet, minuit aliquid de bono eius et eam minus bonam facit. nam, si penitus eam priuat omni bono, quicquid eius remanebit, iam corrumpi non poterit, quia nullum erit bonum, cuius ademptione possit nocere corruptio. cui autem non potest nocere corruptio non corrumpitur. **127.** porro natura quae non corrumpitur incorruptibilis est. erit ergo natura – quod absurdissimum est dicere! – corruptione facta incorruptibilis. quapropter, quod uerissime dicitur, omnis natura, in quantum natura est, bona est, quia, si est incorruptibilis, melior est quam corruptibilis, si autem corruptibilis est, quoniam dum corrumpitur minus bona fit, sine dubitatione bona est. **128.** omnis autem natura aut corruptibilis est aut incorruptibilis. omnis ergo natura bona est. naturam uoco quae et substantia dici solet. omnis igitur substantia aut deus aut ex deo, quia omne bonum aut deus aut ex deo.

**13,37** **129.** Quibus constitutis atque firmatis, tanquam in capite ratiocinationis nostrae, adtende quod dicam. omnis natura rationalis, cum libero uoluntatis arbitrio condita, si manet in fruendo summo atque incommutabili bono, procul dubio laudanda est; et omnis quae tendit ut maneat etiam ipsa laudanda est. omnis autem quae non in eo manet et non uult agere ut maneat, in quantum ibi non est et in quantum non id agit ut ibi sit, uituperanda est. **130.** si ergo laudatur rationalis natura quae facta est, nemo dubitat laudandum esse qui fecit; et si uituperatur, nemo dubitat eius conditorem, in ipsa eius uituperatione, laudari. cum enim propterea uituperamus hanc, quoniam summo et incommutabili bono, id est, creatore suo, frui non uult, illum sine ulla dubitatione laudamus. quantum ergo bonum! et quam uel ineffabiliter linguis omnibus, uel ineffabiliter cogitationibus omnibus praedicandus et honorandus est creator omnium, deus, sine cuius laude nec laudari possumus, nec uituperari! **131.** non enim uituperari

dádiva divina, e não tentemos induzi-los[17] a considerar as coisas inefáveis por meio de palavras; e contudo, por causa dos homens loquazes, fracos ou insidiosos, percorramos tamanha questão por meio de um brevíssimo resumo.

**13,36** **126.** Toda natureza que pode tornar-se menos boa é boa; e toda natureza, enquanto se corrompe, torna-se menos boa. Pois ou não a prejudica a corrupção e não se corrompe, ou então, se se corrompe, prejudica-a a corrupção, e se prejudica, diminui algo de seu bem e torna-a menos boa. De fato, se a priva completamente de todo o seu bem, qualquer coisa que dela remanesça já não poderá corromper-se, porque nenhum bem existirá, por cuja retirada a corrupção possa prejudicá-la. Porém o que a corrupção não pode prejudicar não se corrompe. **127.** E depois, uma natureza que não se corrompe é incorruptível. Logo haverá uma natureza – o que é absurdíssimo dizer! – que se tornou incorruptível pela corrupção. Por causa disso é que se diz de modo absolutamente verdadeiro que toda natureza, enquanto é natureza, é boa, porque, se é incorruptível, é melhor do que a corruptível, porém, se é corruptível, visto que enquanto se corrompe se torna menos boa, sem dúvida é boa. **128.** Porém toda natureza ou é corruptível, ou é incorruptível. Logo toda natureza é boa. Chamo de "natureza" aquilo que costuma dizer-se também "substância". Portanto toda substância ou é Deus, ou é a partir de Deus, porque todo bem ou é Deus, ou é a partir de Deus.

**13,37** **129.** Tendo estabelecido e firmado essas coisas, como feito no início de nosso raciocínio, atenta ao que vou dizer. Toda natureza racional, tendo sido fundada com o arbítrio livre da vontade, se mantém-se na fruição do Bem supremo e absolutamente imutável, longe de dúvida deve ser louvada; e toda natureza que tende a manter-se [assim], também ela deve ser louvada. Porém toda natureza que não se mantém nele e que não quer agir para que se mantenha, enquanto ali não está e enquanto não age para que ali esteja, deve ser vituperada. **130.** Logo, se é louvada a criatura racional que foi feita, ninguém duvida que deve ser louvado aquele que a fez; e se é vituperada, ninguém duvida que o seu Fundador, na própria vituperação dela, seja louvado. Pois, quando vituperamos esta criatura, porque não quer fruir do Bem supremo e absolutamente imutável, isto é, de seu Criador, sem dúvida alguma o louvamos. Portanto que grande bem! e quão intensamente deve ser apregoado e honrado o Criador de todas as coisas, seja de modo inefável por todas as línguas, seja de modo inefável por todas as cogitações, Deus, sem cujo louvor nem podemos ser louvados, nem vituperados! **131.** Pois não podemos ser vituperados porque não nos mantemos nele, a não ser porque manter-se nele é nosso grande Bem, não

possumus, quia in eo non manemus, nisi quia magnum et summum et primum nostrum bonum est manere in illo. unde autem hoc, nisi quia ille ineffabile bonum est? quid ergo inueniri potest in nostris peccatis unde ille uituperetur, quando uituperatio peccatorum nostrorum nulla est, nisi ille laudetur?

**13,38** **132.** Quid, quod etiam in ipsis rebus quae uituperantur nullius uituperatur, nisi uitium? nullius autem uituperatur uitium, nisi cuius natura laudatur. aut enim secundum naturam est quod uituperas et non est uitium, tuque magis emendandus es, ut recte uituperare noueris, quam illud quod non recte uituperas, aut, si uitium est, ut recte uituperari possit, etiam contra naturam sit necesse est. **133.** omne quippe uitium, eo ipso quo uitium est, contra naturam est. si enim naturae non nocet, nec uitium est; si autem, quia nocet, ideo uitium est, ideo uitium est, quia contra naturam est. quod si non suo, sed alieno uitio aliqua natura corrumpitur, iniuste uituperatur, et quaerendum est utrum illa natura non corrumpatur uitio suo, cuius uitio potuit alia natura corrumpi. sed quid est aliud uitiari, nisi uitio corrumpi? **134.** porro natura quae non uitiatur caret uitio, cuius autem uitio alia[29] natura corrumpitur habet utique uitium. prior ergo uitiosa est et prior corrumpitur uitio suo, cuius uitio alia quoque corrumpi potest. ex quo conligitur contra naturam esse omne uitium, etiam eius rei cuius est uitium. quapropter, quoniam in quacumque re non uituperatur nisi uitium, ideo autem uitium est, quia contra naturam eius rei est, cuius est uitium, nullius rei recte uituperatur uitium nisi cuius natura laudatur. non enim tibi recte in uitio displicet, nisi quia uitiat quod in natura placet.

**14,39** **135.** Videndum est etiam illud, utrum uere dicatur aliquam naturam naturae alterius uitio corrumpi, nullo adiuncto uitio suo. si enim natura, quae accedit cum uitio suo ad aliam corrumpendam, non in ea corruptibile aliquid inuenit, non eam corrumpit; si autem inuenit, adiuncto eius uitio corruptionem eius operatur. potentior enim ab infirmiore si corrumpi nolit, non corrumpitur; si autem uelit, prius incipit suo uitio corrumpi quam alieno. aequalis autem ab aequali nihilominus corrumpi si nolit[30], non potest. **136.** nam quaecumque natura cum uitio ad eam, quae sine uitio est, ut corrumpat

apenas o supremo, mas também o primeiro. Porém de onde [se afirma] isto, senão porque ele é o Bem inefável? Logo, por que é que se poderia encontrar em nossos pecados [um motivo] a partir de onde ele devesse ser vituperado, quando a vituperação dos nossos pecados não é nenhuma outra coisa, senão que ele seja louvado?

**13,38** **132.** Pois então o que é que se vitupera também nas próprias coisas que são vituperadas, senão o vício de cada uma delas? Porém de nenhuma delas se vitupera o vício, senão daquela cuja natureza é louvada. Pois ou o que tu vituperas é segundo a natureza e não é um vício, e tu é que deves ser emendado, para que saibas vituperar retamente, em, vez daquilo que não vituperas retamente, ou então, se é um vício, para que possa ser retamente vituperado, é necessário também que seja contra a natureza. **133.** Sem dúvida todo vício, pelo próprio fato de que é um vício, é contra a natureza. Pois se não prejudica a natureza, não é um vício; porém se é um vício porque a prejudica, por isso é que é um vício, porque é contra a natureza. Agora, se alguma natureza não se corrompe pelo seu vício, mas pelo vício alheio, é vituperada injustamente, e deve-se investigar se acaso aquela natureza não seja corrompida por seu vício, por cujo vício outra natureza pôde ser corrompida. Mas que outra coisa é ser viciado, senão ser corrompido pelo vício? **134.** E depois, uma natureza que não é viciada carece de vício; porém aquela por cujo vício uma outra natureza é corrompida sempre possui vício. Logo a primeira é viciosa e é corrompida primeiro por seu vício, por cujo vício uma outra também pode ser corrompida. Do que se colige que todo vício seja contra a natureza, mesmo a daquela coisa de que é vício. Por causa disso, visto que em qualquer coisa não se vitupera senão o seu vício, porém por isso mesmo é que é vício, porque é contra a natureza daquela coisa, da qual é vício, de coisa nenhuma é retamente vituperado o vício, a não ser daquilo cuja natureza é louvada. Pois não te desapraz retamente no vício, senão o fato de que ele vicia aquilo que te apraz na natureza.

**14,39** **135.** Deve-se verificar também aquilo, se é de modo verdadeiro que se diz que uma dada natureza é corrompida pelo vício de outra natureza, nenhum vício seu tendo sido adjungido. Pois, se uma natureza, que com seu vício se aproxima de outra para corrompê-la, não encontra naquela algo corruptível, não a corrompe; porém, se encontra, tendo seu vício sido adjungido ao dela, opera-lhe a corrupção. Pois, se a mais potente não queira ser corrompida pela mais fraca, não é corrompida; porém, se o queira, primeiro começa a ser corrompida por seu próprio vício do que pelo alheio. E não menos uma igual por outra igual, se não queira ser corrompida, não o pode. **136.** Com efeito, uma qualquer natureza, com vício, que se aproxima de outra, que é sem vício, para corrompê-la, não se aproxima como uma igual, mas como uma mais fraca, por causa de

accedit, eo ipso non aequalis accedit sed infirmior uitio suo. si uero potentior inualidiorem corrumpit, aut utriusque uitio fit, si utriusque praua cupiditate fit, aut uitio potentioris, si naturae tanta praestantia est, ut inferiorem, quam corrumpit, etiam uitiosa praecedat. **137.** quis enim recte uituperauerit fructus terrae, quod homines [31] non utantur bene, corruptique uitio suo corrumpant eos, abutendo ad luxuriam, cum tamen dubitare dementis sit praestantiorem potentioremque esse hominis naturam etiam uitiosam, quam non uitiosas quasque fruges?

**14,40 138.** Potest etiam fieri ut aliquam inferiorem potentior natura corrumpat, et hoc nullius earum uitio fiat, si quidem uitium dicimus quod uituperatione dignum est. quis autem uel frugalem hominem, nihil aliud de frugibus quam supplementa naturae quaeritantem, uituperare audeat, aut easdem fruges, quod usu ciborum eius corrumpuntur? talis enim nec usitate corruptio dicitur, quia maxime uitii nomen solet esse corruptio. **139.** nam et illud in rebus facile animaduerti potest, quod plerumque in nullos usus explendae indigentiae suae natura potentior inferiorem corrumpit, uel iustitiae ordine, dum uindicat culpam – ex qua regula illud ab apostolo dictum est: *Si quis templum dei corruperit, corrumpit illum deus* –, uel ordine mutabilium rerum, sibi cedentium, secundum leges congruentissimas pro ualentia cuiusque partis uniuersitatis datas. **140.** neque enim, si cuiusquam oculos, pro naturae suae modulo ferendae lucis inualidos, sol fulgore corrumpat, aut ad explendam indigentiam sui luminis eos commutare putandus est, aut id facere ullo uitio suo, aut saltem ipsi oculi uituperandi sunt, quia et domino suo cesserunt ut contra lucem aperirentur et ipsi luci ut corrumperentur. **141.** omnium igitur corruptionum sola quae uitiosa est corruptio recte uituperatur, caeterae autem, aut ne corruptiones quidem dicendae sunt, aut certe, quia uitiosae non sunt, dignae uituperatione esse non possunt. nam et ipsa uituperatio, quod soli uitio parata, id est, apta et debita sit, inde traxisse uocabulum creditur, ut uituperatio diceretur.

**14,41 142.** Vitium autem, ut dicere coeperam, non aliunde malum est, nisi quia naturae aduersatur eius ipsius rei cuius est uitium. unde manifestum

seu vício. Por sua vez, se uma mais potente corrompe uma mais inválida, ou ambas se fazem corromper pelo vício, se ambas se fazem corromper por seu desejo depravado, ou então pelo vício da mais potente, se a excelência desta natureza é tamanha, que, ainda que viciosa, preceda a inferior, a qual corrompe. **137.** Pois quem há de vituperar retamente os frutos da terra porque os homens não usam bem deles e, corrompidos por seu vício, os corrompem, abusando deles para a luxúria, posto que, contudo, seja próprio de um dementado duvidar que a natureza do homem seja mais excelente e mais potente, ainda que viciosa, do que quaisquer produtos não viciosos da terra?

**14,40** **138.** Pode acontecer também que uma natureza mais potente corrompa alguma natureza inferior, e que isto não aconteça pelo vício de nenhuma delas, se de fato nos referimos ao vício que é digno de vituperação. Pois quem ousaria vituperar o homem frugal, que não pede dos produtos da terra nada além de um suplemento para a sua natureza, ou esses mesmos produtos da terra, porque são corrompidos pelo uso [no preparo] de seus alimentos? Pois uma tal coisa usualmente nem se diz "corrupção", porque acima de tudo o nome "corrupção" costuma ser próprio do vício. **139.** Com efeito, também nas coisas [comuns] se pode voltar facilmente a atenção ao fato de que na maior parte das vezes não é para nenhuns usos com o fim de suprir sua indigência que uma natureza mais potente corrompe uma inferior, seja conforme a ordem da justiça, quando pune uma falta – regra a partir da qual foi dito aquilo pelo apóstolo: "Se alguém houver corrompido o templo de Deus, Deus o corromperá"[18] –, seja conforme a ordem das coisas mutáveis, que cedem umas às outras, segundo as leis perfeitamente congruentes dadas, em virtude do valor de cada uma das partes da universalidade. **140.** Pois bem, se o Sol corrompa por seu fulgor os olhos de alguém, inválidos para suportar a luz por causa da pequena medida de sua natureza, nem se deve pensar que ele os mude completamente para suprir uma indigência de sua luz, nem que o faça por algum vício seu, nem mesmo que os próprios olhos devam ser vituperados, porque cederam não apenas ao seu senhor, de modo que contra a luz fossem abertos, mas também à própria luz, de modo que fossem corrompidos. **141.** Portanto, de todas as corrupções, somente a corrupção que é viciosa é retamente vituperada, porém as restantes, ou nem sequer devem dizer-se "corrupções", ou certamente, porque não são viciosas, não podem ser dignas de vituperação. Na verdade também a própria "vituperação", porque [seu étimo] seja: "preparada só para o vício", isto é, "adaptada" e "devida", crê-se daí ter sido o vocábulo derivado, de modo a que se dissesse "vituperação".

**14,41** **142.** Porém o vício, como eu havia começado a dizer, não é mau por outro motivo, a não ser porque se volta contra a natureza daquela própria coisa de que é um vício.

est hanc eandem rem, cuius uitium uituperatur, naturam[32] esse laudabilem, ita ut omnino hanc ipsam uituperationem uitiorum naturarum laudem esse fateamur, earum scilicet, quarum uitia uituperantur. quia enim uitium naturae aduersatur, tantum additur malitiae uitiorum, quantum naturarum integritati minuitur. **143.** cum ergo uituperas uitium, id profecto laudas cuius integritatem desideras. cuius autem, nisi naturae integritatem? natura enim perfecta non solum nulla uituperatione, sed etiam laude in suo genere digna est. quod ergo perfectioni naturae deesse perspexeris, id uocas uitium, satis tibi eam placere contestans, quam uituperatione imperfectionis eius uelles esse perfectam.

**15,42** **144.** Si igitur uituperatio uitiorum, ipsarum etiam quarum sunt uitia naturarum, decus dignitatemque commendat, quanto magis deus, conditor omnium naturarum, etiam in earum uitiis laudandus est! cum et hoc ab illo habeant, quod naturae sunt, et in tantum uitiosae sint, in quantum ab eius qua factae sunt arte discedunt, et in tantum [33] uituperentur, in quantum earum uituperator artem qua factae sunt uidet, ut hoc in eis uituperet, quod ibi non uidet. **145.** et si ars ipsa per quam facta sunt omnia, hoc est, summa et incommutabilis sapientia dei, uere summeque est, sicuti est, respice quo tendat quicquid ab illa discedit! qui tamen defectus non esset uituperatione dignus, nisi esset uoluntarius. adtende enim, quaeso, utrum recte uituperes quod ita est, sicuti esse debuit. non opinor, sed utique quod non ita est, ut debuit. nemo autem debet quod non accepit. et quisquis debet, cui debet, nisi a quo accepit, ut debeat? **146.** nam et quae redduntur tralegando ei redduntur qui tralegauerit[34], et quod creditorum iustis successoribus redditur, ipsis utique redditur, quibus isti iure succedunt; aliter non redditio, sed cessio uel amissio uel si quid aliud huius modi nominanda est. quapropter omnia temporalia, quae in hoc rerum ordine ita locata sunt ut, nisi deficiant, non possint praeteritis futura succedere, ut tota temporum in suo genere pulchritudo peragatur, absurdissime dicimus non debere deficere. **147.** quantum enim acceperunt, tantum agunt, et tantum reddunt ei, cui debent quod sunt, in quantumcumque sunt. qui enim dolet ea deficere, sermonem suum oportet adtendat, eum certe ipsum, quo ista conqueritur,

De onde está manifesto que esta mesma coisa, cujo vício é vituperado, é uma natureza louvável, assim como é preciso que reconheçamos completamente que esta própria vituperação dos vícios das naturezas é um louvor, daquelas, evidentemente, cujos vícios são vituperados. Pois, porque o vício se volta contra a natureza, o [mesmo] tanto que se adiciona à malícia dos vícios é o quanto se diminui da integridade das naturezas. **143.** Logo, quando vituperas o vício, sem dúvida louvas aquilo cuja integridade anseias. Porém a integridade de que coisa, a não ser a da natureza? Pois a natureza perfeita não somente não é digna de nenhuma vituperação, mas também é digna de louvor, em seu gênero [específico]. Logo, o que tenhas percebido faltar à perfeição de uma natureza, tu o chamas "vício", testemunhando que ela suficientemente te apraz, a qual, por meio da vituperação de sua imperfeição, [tu atestas que] querias que ela fosse perfeita.

**15,42** **144.** Portanto, se a vituperação dos vícios, até mesmo das próprias naturezas das quais são vícios, recomenda seu decoro e dignidade, quanto mais Deus, o Fundador de todas as naturezas, até mesmo nos vícios delas deve ser louvado! Porque não apenas tenham dele [recebido] isto, o fato de que são naturezas, mas também que sejam tanto mais viciosas quanto mais se afastam da arte dele, pela qual foram feitas, e que fossem tanto mais [19] vituperadas quanto mais o vituperador delas vê a arte pela qual foram feitas, de modo que vituperasse nelas aquilo mesmo que ali não vê. **145.** E se a própria arte, através da qual foram feitas todas as coisas, isto é, a suprema e absolutamente imutável Sabedoria de Deus, é de modo verdadeiro e supremo, como de fato o é, reconsidera para onde tenda qualquer coisa que se afasta dela! Contudo o defeito não seria digno de vituperação, se não fosse voluntário. Pois considera, eu te peço, se acaso vituperas retamente aquilo que é assim, do modo como devia ser; não o creio, mas sempre o que não é assim, do modo como devia. Porém ninguém deve o que não recebeu. E todo aquele que deve, a quem é que deve, a não ser *àquele* de quem recebeu, de modo que lhe fique devendo? **146.** Com efeito, não apenas as coisas que são restituídas, comunicando, são restituídas àquele que as tenha comunicado, mas também o que é restituído aos justos sucessores dos credores, aos próprios [credores] por certo é restituído, aos quais esses sucedem por direito; do contrário não se deve nomear "restituição", mas "cessão", ou "perda", ou alguma outra coisa do gênero. Por isso todas as criaturas temporais, as quais foram colocadas nesta ordem de coisas, de modo que, se elas não forem deficientes, as futuras não podem suceder às pretéritas, a fim de que toda a beleza dos tempos, em seu gênero, seja perfeitamente acabada, é do modo mais absurdo que dizemos que elas não devem ser deficientes. **147.** Pois tanto quanto receberam, realizam, e o mesmo tanto restituem àquele, a quem devem o que são, tanto quanto são. E àquele, a quem dói que elas sejam deficientes, convém que preste atenção ao seu discurso, ao próprio, por

si iustum et a prudentia profectum esse arbitratur. cuius sermonis – quod ad sonum eius adtinet – si quis unam particulam diligat, nec eam uelit caeteris deficiendo locum dare, quibus decedentibus et succedentibus totus sermo *ille* contexitur[35], mirabilis dementiae iudicabitur.

**15,43 148.** In his igitur rebus, quae ideo deficiunt, quia non ultra esse acceperunt, ut suis temporibus omnia peragantur, nemo defectum recte uituperat, quia nemo potest dicere: "Debuit permanere", cum acceptas metas transire non posset. **149.** in creaturis autem rationalibus, quibus, siue peccantibus, siue non peccantibus, uniuersalis pulchritudo modis congruentissimis terminatur, aut nulla peccata sunt – quod absurdissimum est dicere, peccat enim saltem qui uel damnat quasi peccata quae nulla sunt –, aut non sunt uituperanda peccata – quod nihilominus absurdum est, incipient quippe nec recte facta laudari, et tota turbabitur humanae mentis intentio, uitamque subuertet –, aut uituperabitur factum quod ita factum est ut debuit, et exsecrabilis insania, uel, ut mitius loquar, error miserrimus orietur; **150.** aut, si cogit uerissima ratio, sicuti cogit, ut et uituperentur peccata, et quicquid recte uituperatur ideo uituperetur, quia non est ita ut esse debuit, quaere quid debeat natura peccatrix, et inuenies recte factum; quaere cui debeat et inuenies deum. a quo enim accepit posse recte facere, cum uelit, ab eo accepit ut sit etiam misera, si non fecerit, et beata, si fecerit.

**15,44 151.** Quia enim nemo superat leges omnipotentis creatoris, non sinitur anima non reddere debitum. aut enim reddit bene utendo quod accepit, aut reddit amittendo quod uti noluit bene[36]. itaque si non reddit faciendo iustitiam, reddet patiendo miseriam, quia in utroque uerbum illud debiti sonat. hoc enim [37] modo dici potuit quod dictum est: "Si non reddet faciendo quod debet, reddet patiendo quod debet". **152.** nullo autem interuallo temporis ista diuiduntur, ut quasi alio tempore non faciat quod debet, et alio patiatur quod debet, ne uel puncto temporis uniuersalis pulchritudo turpetur, ut sit in ea peccati dedecus sine decore uindictae. sed in futurum iudicium seruatur – ad manifestationem atque ad acerrimum sensum miseriae – quicquid nunc occultissime uindicatur. **153.** sicut enim

certo, pelo qual se queixa dessas coisas, se julga ser justo e ter sido aperfeiçoado a partir da prudência. De cujo discurso – no que se refere ao seu som –, se alguém tiver amor diligente por uma única partícula, e não quiser que ela, por ser deficiente, dê lugar às restantes partículas, que cedem e sucedem [umas às outras], por meio das quais aquele discurso todo é tecido, [esse indivíduo] será julgado de uma admirável demência.

**15,43** **148.** Portanto nestas coisas, as quais são deficientes por isso, porque não receberam mais "ser", de tal modo que todas elas sejam completadas em seus respectivos tempos, ninguém vitupera o defeito retamente, porque ninguém pode dizer: "Devia permanecer", visto que não poderia ir além das metas recebidas. **149.** Porém nas criaturas racionais, nas quais, seja as que pecam, seja as que não pecam, a beleza universal é determinada por medidas as mais congruentes, ou nenhuns pecados existem – o que é um enorme absurdo dizer, pois no mínimo peca aquele que até mesmo condena como pecados as coisas que nada são –, ou os pecados não devem ser vituperados – o que não é menos absurdo, pois sem dúvida os atos retamente praticados começarão a não ser louvados, e todo intento da mente humana há de perturbar-se, e a vida se subverterá –, ou então se vituperará um ato que foi praticado do modo como devia, e uma insanidade execrável, ou, para dizer de modo mais brando, um erro muito infeliz surgirá; **150.** ou ainda, se a razão mais verdadeira coage, como de fato coage, não apenas a que se vituperem os pecados, mas também a que aquilo que se vitupera retamente se vitupere por isso, porque não é do modo como devia ser, procura saber o que é que a natureza pecadora deve, e encontrarás [como resposta] o ato retamente praticado; procura saber a quem é que ela o deve, e encontrarás Deus. Pois daquele de quem ela recebeu poder agir retamente, quando queira, dele recebeu também que seja infeliz, se não tiver agido, e feliz, se tiver agido.

**15,44** **151.** E assim, porque ninguém é superior às Leis do Criador onipotente, não é permitido que a alma não restitua seu débito. Pois ou restitui usando bem o que recebeu, ou restitui perdendo o que não quis usar bem. E assim, se não restitui fazendo a justiça, restitui padecendo a infelicidade, porque em ambos ressoa a palavra "débito". Na verdade, deste modo também[20] poderia ser dito o que se disse: "Se não restitui fazendo o que deve, restitui padecendo o que deve". **152.** Porém essas coisas não se separam por nenhum intervalo de tempo, como se em um determinado tempo a alma não faça o que deve, e em outro padeça o que deve, para que nem mesmo por um instante do tempo a beleza universal seja deturpada, de modo que nela exista a indecorosidade do pecado sem o decoro da reparação. No entanto está reservado para o juízo futuro – à manifestação e ao sentimento mais acre de infelicidade – tudo

qui non uigilat dormit, sic quisquis non facit quod debet sine interuallo patitur quod debet, quoniam tanta est beatitudo iustitiae, ut nemo ab ea, nisi ad miseriam, possit abscedere. in omnibus ergo defectibus aut non acceperunt ultra esse quae deficiunt, et nulla culpa est – sicut etiam cum sunt, quia non acceperunt amplius esse quam sunt, nihilominus nulla culpa est –, aut nolunt esse, quod, si uellent, esse acceperunt, et quia bonum est, reatus est, si nolint.

**16,45** **154.** Deus autem nulli debet aliquid, quia omnia gratuito praestat. et si quisquam dicet aliquid ab illo deberi meritis suis, certe, ut esset, non ei debebatur, non enim erat, cui deberetur. et tamen quod meritum est conuerti ad eum, ex quo es, ut ex ipso etiam melior sis, ex quo habes ut sis? quid ergo ei praerogas, ut tanquam debitum poscas? quando, si nolles ad eum conuerti, nihil ei deesset, tibi autem ipse, sine quo nihil esses, et ex quo ita es aliquid, ut, nisi, conuertendo te ad illum, reddideris ei quod ab ipso es, non quidem nihil, sed miser tamen eris. **155.** omnia ergo illi debent: primo quicquid sunt, in quantum naturae sunt; deinde quicquid melius possunt esse, si uelint quaecumque acceperunt, ut uelint; et quicquid oportet eas esse. ex eo igitur quod non accepit, nullus reus est; ex eo uero quod non facit quod debet, iuste reus est. debet autem, si accepit [38] uoluntatem liberam et sufficientissimam facultatem.

**16,46** **156.** Vsque adeo autem, dum non facit quisque quod debet, nulla culpa est conditoris, ut et laus sit, quoniam quod debet patitur, et in eo ipso quod uituperatur non faciendo quod debet, non nisi laudetur[39] ille cui debet. si enim tu laudaris uidendo quid facere debeas, cum id non uideas, nisi in illo qui est incommutabilis ueritas, quanto magis ille, qui et uelle praecepit, et posse praebuit, et non inpune nolle permisit! **157.** si enim hoc debet quisque quod accepit, et sic homo factus est, ut necessario peccet, hoc debet, ut peccet. cum ergo peccat, quod debet facit. quod, si scelus est dicere, neminem natura sua cogit ut peccet, sed nec aliena. non enim quisque, dum id quod non uult patitur, peccat. **158.** nam si iuste patitur, non in eo peccat quod patitur inuitus, sed in eo peccauit quod ita fecit uolens, ut quod nollet

aquilo que desde agora está sendo reparado da maneira mais oculta. **153.** Pois assim como aquele que não vigila dorme, assim também todo aquele que não faz o que deve padece sem nenhum intervalo [de tempo] aquilo que deve, visto ser tamanha a felicidade da Justiça, que ninguém, a não ser em direção à infelicidade, possa dela afastar-se. Logo, em todos os defeitos, ou as criaturas que são deficientes não receberam mais ser e nenhuma culpa existe – assim também quando são, tampouco nenhuma culpa existe, porque não receberam ser mais do que são –, ou então não querem ser, porque, se quisessem, receberam ser, e porque é bom, há reato, se não o queiram.

**16,45** **154.** Deus, porém, a ninguém deve coisa alguma, porque dispensa todas as coisas de modo gratuito. E se alguém disser que alguma coisa lhe seja devida por ele, à conta de seus méritos, que fosse, por certo, não lhe era devido, pois não era, ao qual se pudesse dever. E contudo que mérito há em converter-se para aquele, de quem tu és, para que dele próprio sejas ainda melhor, de quem tu possuis que sejas? Logo de que o interpelas por antecipação, como se reclamasses um débito? Quando, se não quisesses converter-te para ele, nada lhe faltaria, porém ele a ti, que sem ele nada serias, e de quem és assim alguma coisa, de modo que, a não ser que lhe restituas o que és a partir dele, convertendo-te para ele, seguramente não serás um nada, mas infeliz, contudo, serás. **155.** Logo todas as coisas lhe devem: primeiramente tudo o que são, enquanto são naturezas; depois tudo o que de melhor podem ser, se queiram as coisas todas que receberam, para que queiram; e [finalmente] tudo o que convém que elas sejam. Portanto daquilo que não recebeu, ninguém é réu; todavia do fato de que não faz o que deve, é réu justamente. Porém deve, se recebeu [21] a vontade livre e uma faculdade perfeitamente suficiente.

**16,46** **156.** Porém, à medida que cada qual não faz o que deve, nenhuma culpa é do Fundador, de modo que até mesmo lhe seja devido o louvor, visto que cada um padece aquilo que deve, mas também naquilo mesmo que é vituperado, ao não fazer o que deve, que não seja louvado senão aquele ao qual se deve. Pois, se tu és louvado ao ver o que deves fazer, ainda que não o vejas senão naquele que é a Verdade absolutamente imutável, quanto mais aquele, que não apenas prescreveu o querer, mas também outorgou o poder, e não permitiu impunemente o não querer! **157.** Pois, se cada um deve o que recebeu, e se o homem foi feito de modo tal, que peque necessariamente, o que deve é isto: que peque. Logo, quando peca, faz o que deve. O que, se é algo celerado de dizer, a ninguém sua própria natureza coage a que peque, e nem uma outra. Pois ninguém peca, enquanto padece aquilo que não quer. **158.** Com efeito, se padece justamente, não peca nisso que padece invito, mas pecou

iure pateretur. si autem iniuste patitur, quo modo peccat? non enim iniuste aliquid pati, sed iniuste aliquid facere peccatum est. quod si neque sua, neque aliena natura peccare quis cogitur, restat ut propria uoluntate peccetur. **159.** quod si tribuere uolueris conditori, peccantem purgabis, qui nihil praeter sui conditoris instituta commisit; qui si recte defenditur non peccauit; non ergo est quod tribuas conditori. laudemus ergo conditorem, si potest defendi peccator; laudemus, si non potest! si enim iuste defenditur, non est peccator; lauda ergo creatorem! si autem defendi non potest, in tantum peccator est, in quantum a creatore se auertit; lauda ergo creatorem! **160.** omnino igitur non inuenio nec inueniri posse et prorsus non esse confirmo quo modo tribuantur peccata nostra creatori nostro, deo, quando et in ipsis eum laudabilem inuenio, non solum quod ea punit, sed etiam quod tunc fiunt cum ab eius ueritate receditur.

E – Accipio ista libentissime ac probo; et omnino uerum esse consentio nullo modo fieri posse ut creatori nostro recte peccata nostra tribuantur.

**17,47** **161.** Sed tamen scire uellem, si fieri posset, quare illa natura non peccet, quam non peccaturam praesciuit deus, et quare ista peccet, quae ab illo peccatura praeuisa est. non enim iam puto ipsa dei praescientia uel illam non peccare uel istam peccare cogi[40]. **162.** sed tamen, si nulla causa esset, non ita dispertiretur creatura rationalis, ut alia nunquam peccet, et alia in peccando perseueret, alia quasi media inter utramque aliquando peccet, aliquando ad recte faciendum conuertatur. quae causa in has tres partes eam distribuit? **163.** sed nolo mihi respondeatur: "Voluntas", ego enim causam quaero ipsius uoluntatis. non enim sine causa nunquam uult illa peccare, nunquam ista non uult, quaedam uero aliquando uult, aliquando non uult, cum eiusdem generis omnes sint. hoc solum enim mihi uidere uideor, non sine causa esse istam tripartitam uoluntatem rationalis creaturae; sed quae causa sit, nescio.

**17,48** **164.** A – Quoniam uoluntas est causa peccati, tu autem causam ipsius uoluntatis inquiris; si hanc inuenire potuero, nonne causam etiam eius causae quae inuenta fuerit quaesiturus es? et quis [41] quaerendi modus, quis finis percontandi[42] ac disserendi, cum te ultra radicem quaerere nihil oporteat?

naquilo que fez querendo, de modo que padecesse de direito o que não queria. Porém, se padece injustamente, de que modo peca? Pois o pecado não é padecer algo injustamente, mas fazer algo injustamente. E se nem por sua, nem por outra natureza se é coagido a pecar, resta que se peque pela própria vontade. **159.** E se quiseres atribuir [o pecado] ao Fundador, purgarás aquele que peca, que não cometeu nada contrário às instituições de seu Fundador; o qual, se é retamente defendido, não pecou; logo não existe o que atribuas ao Fundador. Logo louvemos o Fundador, se pode ser defendido o pecador; louvemos, se não pode! Pois, se é defendido justamente, não é pecador logo louva o Criador! Porém, se não pode ser defendido, é tanto mais pecador quanto mais se averte do Criador; logo louva o Criador! **160.** Portanto eu não descubro absolutamente como, e confirmo que nem pode ser descoberto, e que completamente não existe um modo de atribuir os nossos pecados ao nosso Criador, Deus, quando até neles próprios o descubro louvável, não somente porque os pune, mas também porque são cometidos quando da sua Verdade alguém se afasta.

E – Acolho essas coisas com muitíssimo prazer e as aprovo; e consinto ser absolutamente verdadeiro que de modo nenhum pode acontecer que os nossos pecados sejam retamente atribuídos ao nosso Criador.

**17,47** **161.** Contudo eu ainda gostaria de ter ciência, se isso pudesse ser feito, do motivo por que aquela natureza não peca, a qual Deus conheceu antecipadamente que não haveria de pecar, e por que motivo essa peca, a qual foi prevista por ele que haveria de pecar. Pois já não penso que a própria Presciência de Deus coage aquela a não pecar, ou essa, a pecar[22]. **162.** Contudo, se nenhuma causa existisse, a criatura racional não se repartiria assim, de modo que uma nunca peque, e outra persevere no pecar, uma outra, como se no meio entre ambas, algumas vezes peque, outras converta-se para agir retamente. Que causa a distribui nestas três partes? **163.** Mas não quero que me seja respondido: "A vontade", pois eu estou procurando a causa da própria vontade. Pois não é sem causa que aquela criatura nunca quer pecar, essa nunca não quer, e que alguma outra às vezes quer, às vezes não quer, posto que todas elas sejam do mesmo gênero. Pois somente isto é o que me parece evidente, que não é sem causa que é tripartida essa vontade da criatura racional; mas qual seja a causa, desconheço.

**17,48** **164.** A – Visto que a vontade é a causa do pecado, agora inquires tu da causa da própria vontade; se puder descobri-la, não hás de procurar também a causa da causa que houver sido descoberta? E qual [23] a medida do teu procurar, qual o limite do perguntar e do discutir, quando não é necessário que procures

**165.** caue enim putes quicquam potuisse dici uerius quam id quod dictum est: *Radicem omnium malorum esse auaritiam*, hoc est, plus uelle quam sat est. tantum autem sat est, quantum sibi exigit naturae in suo genere conseruandae modus. **166.** auaritia enim, quae graece φιλαργυρία dicitur, non in solo argento uel in nummis magis, unde nomen duxisse, resonat – argento enim nummi aut mixto argento frequentius apud ueteres fiebant –, sed in omnibus rebus quae inmoderate cupiuntur intellegenda est, ubicumque omnino plus uult quisque quam sat est. haec autem auaritia cupiditas est, cupiditas porro inproba uoluntas est. **167.** ergo inproba uoluntas malorum omnium causa est; quae, si secundum naturam esset, conseruaret utique naturam nec ei perniciosa esset, et ideo non esset inproba. unde conligitur radicem omnium malorum non esse secundum naturam, quod sufficit aduersus omnes qui uolunt accusare naturas. tu autem si huius radicis causam requiris, quo modo erit ista radix omnium malorum? illa enim erit quae huius est causa; quam cum inueneris, ut dixi, etiam ipsius causam quaesiturus es, et quaerendi nullum habebis modum.

**17,49** **168.** Sed quae tandem esse poterit ante uoluntatem causa uoluntatis? aut enim et ipsa uoluntas est, et a radice ista uoluntatis non recedetur[43], aut non est uoluntas, et peccatum nullum habet. aut igitur [44] uoluntas est prima causa peccandi, aut nullum peccatum est prima causa peccandi. nec est cui recte inputetur peccatum nisi peccanti. **169.** non ergo est cui recte inputetur, nisi uolenti. sed nescio cur aliud te quaerere libeat. deinde, quaecumque illa causa est uoluntatis, aut iusta profecto est, aut iniusta. si iusta, quisquis ei optemperauerit non peccabit; si iniusta, non ei optemperet et non peccabit.

**18,50** **170.** [E[45]] – An forte uiolenta est et cogit inuitum?

A – Num eadem totiens replicaturi sumus!? reminiscere superiorum, quae a nobis tam multa de peccato et uoluntate libera dicta sunt! sed si laboriosum est omnia mandare memoriae, hoc breuissimum tene: quaecumque ista causa est uoluntatis, si non ei potest resisti, sine peccato ei ceditur; si autem potest, non ei cedatur et non peccabitur.

**171.** [E[46]] – An forte fallit incautum?

A – Ergo caueat ne fallatur!

nada além da raiz? **165.** Acautela-te, pois, para que não penses que algo poderia ser dito de modo mais verdadeiro do que o que se disse: "A raiz de todos os males é a avareza"[24], isto é, querer mais do que é suficiente. E "suficiente" é o quanto exige para si a medida da natureza, em seu gênero apropriado, para que seja conservada. **166.** Pois a avareza, que em grego se diz *philarguría*, não ressoa com mais intensidade apenas na prata ou nas moedas, de onde o nome foi tirado – pois entre os antigos as moedas eram feitas de prata, ou mais frequentemente de prata misturada –, mas deve ser inteligida em todas as coisas que são desejadas imoderadamente, em todo e qualquer lugar onde alguém quer mais do que é suficiente. Porém esta avareza é um desejo cúpido, e o desejo cúpido, por sua vez, é uma vontade ímproba. **167.** Logo a vontade ímproba é a causa de todos os males; a qual, se fosse segundo a natureza, conservaria invariavelmente a natureza e não lhe seria perniciosa, e por isso não seria ímproba. De onde se colige que a raiz de todos os males não seja segundo a natureza, o que é suficiente contra todos os que querem acusar as naturezas. Porém, se tu requeres a causa desta raiz, de que maneira será ela a raiz de todos os males? Pois ela é que será a causa desta; a qual, quando tiveres encontrado, como disse, também a causa dela própria hás de procurar, e não terás nenhuma medida em teu procurar.

**17,49** **168.** Mas afinal qual poderá ser a causa da vontade antes da vontade? Pois ou é a própria vontade, e ela não se afastará[25] da raiz dessa vontade, ou então não é vontade, e nenhum pecado possui. Portanto ou a [26] vontade é a causa primeira do pecar, ou nenhum pecado é a causa primeira do pecar. E não existe a quem se impute retamente o pecado, a não ser àquele que peca. **169.** Logo não existe a quem se o impute retamente, a não ser àquele que quer. Mas não sei por que te apraz procurar outra coisa. Depois, qualquer que seja a causa da vontade, ou sem dúvida é justa, ou injusta. Se justa, aquele que lhe houver obedecido não pecará; se injusta, não se lhe obedeça e não se há de pecar.

**18,50** **170.** [E[27]] – E se [essa causa] é violenta e coage invito?

A – Não teremos de desenrolar as mesmas coisas várias vezes, ou teremos!? Relembra-te das muitas coisas acima, que por nós se disseram acerca do pecado e da vontade! Mas, se é laborioso mandá-las todas para a memória, retém este brevíssimo [epítome]: qualquer que seja essa causa da vontade, se não se lhe pode resistir, sem pecado se lhe cede; porém, se se pode, não se lhe ceda e não pecará.

**171.** [E[28]] – E se ela engana o incauto?

A – Que se acautele, pois, para que não seja enganado!

[E[47]] – An tanta fallacia est, ut caueri omnino non possit?

A – Si ita est, nulla peccata sunt. quis enim peccat in eo quod nullo modo caueri potest? peccatur autem. caueri igitur potest.

**18,51** **172.** Et tamen etiam per ignorantiam facta quaedam inprobantur et corrigenda iudicantur, sicut in diuinis auctoritatibus legimus. ait enim apostolus: *Misericordiam consecutus sum, quia ignorans feci*; ait et propheta: *Delicta iuuentutis et ignorantiae meae ne memineris!* sunt etiam necessitate facta inprobanda, ubi uult homo recte facere et non potest. **173.** nam unde sunt illae uoces: *Non enim quod uolo facio bonum, sed quod odi*[48] *malum, hoc ago*; et illud: *Velle adiacet mihi, perficere autem bonum non inuenio*; et illud: *Caro concupiscit aduersus spiritum et spiritus* [49] *aduersus carnem; haec enim inuicem aduersantur, ut non ea quae uultis faciatis?* sed haec omnia hominum sunt ex illa mortis damnatione uenientium. nam si non est ista poena hominis, sed natura, nulla ista peccata sunt. **174.** si enim non receditur ab eo modo quo naturaliter factus est ita, ut melius esse non possit, ea quae debet facit, cum haec facit. si autem bonus homo esset, aliter esset. nunc autem, quia ita est, non est bonus, nec habet in potestate ut bonus sit, siue non uidendo qualis esse debeat, siue uidendo et non ualendo esse qualem debere esse se uidet. **175.** poenam istam esse quis dubitet? omnis autem poena, si iusta est, peccati poena est, et supplicium nominatur. si autem iniusta poena est, quoniam poenam esse nemo ambigit, iniusto aliquo dominante homini imposita est. porro quia de omnipotentia dei et iustitia dubitare dementis est, iusta haec poena est, et pro peccato aliquo penditur. **176.** non enim quisquam iniustus dominator aut subripere hominem potuit uelut ignoranti deo, aut extorquere inuito, tanquam inualidiori, uel terrendo, uel confligendo, ut hominem iniusta poena cruciaret. relinquitur ergo ut haec poena iusta de damnatione hominis ueniat.

**18,52** **177.** Nec mirandum est quod, uel ignorando, non habet arbitrium liberum uoluntatis ad eligendum quod recte faciat, uel resistente carnali consuetudine, quae uiolentia mortalis successionis quodam modo naturaliter inoleuit, uideat quid recte faciendum sit, et uelit, nec possit implere. **178.** illa est enim peccati poena iustissima, ut amittat quisque quod bene uti

[E[29]] – Se o engano é tamanho, que de modo nenhum possa acautelar-se?

A – Se é assim, não existem pecados nenhuns. Pois quem é que peca em algo contra o que não pode acautelar-se de modo nenhum? Porém peca-se. Portanto pode acautelar-se.

**18,51** **172.** E contudo até mesmo certos atos praticados por ignorância são reprovados e julgados que devam ser corrigidos, assim como lemos nas divinas autoridades. Pois diz o apóstolo: "Consegui misericórdia, porque fiz ignorando"[30]; e diz o profeta: "Não te lembres dos delitos de minha juventude e [dos delitos] de minha ignorância!"[31]. E mesmo os atos praticados por necessidade devem ser reprovados, onde o homem quer agir retamente e não o pode. **173.** Com efeito, de onde é que são aquelas vozes: "Pois não faço o bem que quero, mas o mal que odeio[32], isto é o que realizo"[33]; e aquilo: "O querer está próximo a mim, porém perfazer o bem, não descubro [como]"[34]; e aquilo: "A carne cobiça contra o espírito e o espírito [35], contra a carne; pois eles se voltam um contra o outro reciprocamente, de modo que não façais as coisas que quereis"[36]? Mas todas estas coisas próprias dos homens são provenientes daquela condenação de morte. Com efeito, se essa não é uma pena do homem, mas a natureza, essas coisas não são pecados nenhuns. **174.** Pois, se não se desvia do modo pelo qual naturalmente assim foi feito, de maneira que não possa ser melhor, faz o que deve, quando faz estas coisas. Porém, se o homem fosse bom, seria diferente. Mas agora, porque é assim, não é bom, nem possui em seu poder que seja bom, quer não vendo de que maneira deve ser, quer vendo e não tendo forças para ser da maneira como vê que deve ser. **175.** Que isso seja uma pena, quem é que duvidaria? Porém toda pena, se é justa, é pena de pecado, e se denomina "castigo". Contudo se a pena é injusta, já que ninguém duvida que seja uma pena, foi imposta ao homem por algum dominante injusto. E depois, porque é próprio de um dementado duvidar da onipotência de Deus e de sua Justiça, esta pena é justa, e pende [da balança da Justiça] em contrapartida a algum pecado. **176.** Pois não poderia algum injusto dominador surripiar o homem a Deus, como se ele o ignorasse, ou extorqui-lo [dele] invito, como se ele fosse mais inválido, seja aterrorizando, seja conflitando, de modo a que cruciasse o homem por meio de uma pena injusta. Logo resta que esta justa pena venha da condenação do homem.

**18,52** **177.** E nem se deve admirar que, ignorando, não possui o livre arbítrio da vontade para eleger o que retamente deva fazer, ou que, por causa do resistente costume carnal, que de certo modo natural implantou-se pela violência da sucessão mortal, veja o que retamente deva ser feito, e o queira, e não o possa implementar. **178.** Pois essa é uma pena justíssima do pecado, que cada um perca aquilo que não quis usar bem,

noluit, cum sine ulla posset difficultate, si uellet; id est, autem, ut qui sciens recte non facit, amittat scire quid rectum sit; et qui recte facere, cum posset, noluit, amittat posse, cum uelit. nam sunt re uera omni peccanti animae duo ista poenalia, ignorantia et difficultas. ex ignorantia dehonestat error, ex difficultate cruciatus adfligit. **179.** sed adprobare falsa pro ueris, ut erret inuitus, et resistente atque torquente dolore carnalis uinculi non posse a libidinosis operibus temperare, non est natura instituti hominis, sed poena damnati. cum autem de libera uoluntate recte faciendi loquimur, de illa scilicet in qua homo factus est loquimur.

**19,53 180.** Hic occurrit illa quaestio, quam inter se murmurantes homines rodere consuerunt, qui quodlibet aliud in peccando quam se accusare parati sunt. dicunt enim: "Si Adam et Eua peccauerunt, quid nos miseri fecimus, ut cum ignorantiae caecitate et difficultatis cruciatibus nasceremur, et primo erraremus, nescientes quid nobis esset faciendum, deinde, ubi nobis inciperent aperiri praecepta iustitiae, uellemus ea facere, et retinente carnalis concupiscentiae nescio qua necessitate non ualeremus?". **181.** quibus breuiter respondetur ut quiescant et aduersus deum murmurare desistant! recte enim fortasse quererentur, si erroris et libidinis nullus hominum uictor existeret. cum uero ubique sit praesens qui multis modis, per creaturam sibi domino seruientem, auersum uocet, doceat credentem, consoletur sperantem, diligentem adhortetur, conantem adiuuet, exaudiat deprecantem, non tibi deputatur ad culpam quod inuitus ignoras, sed quod negligis quaerere quod ignoras, neque illud quod uulnerata membra non conligis, sed quod uolentem sanare contemnis; ista tua propria peccata sunt. **182.** nulli enim homini ablatum est scire utiliter quaeri quod inutiliter ignoratur, et humiliter confitendam esse inbecillitatem, ut quaerenti et confitenti ille subueniat, qui nec errat dum subuenit, nec laborat.

**19,54 183.** Nam illud quod ignorans quisque non recte facit, et quod recte uolens facere non potest, ideo dicuntur peccata, quia de peccato illo liberae uoluntatis originem ducunt. illud enim praecedens meruit ista sequentia. **184.** nam sicut linguam dicimus non solum membrum quod mouemus in ore dum

embora pudesse sem dificuldade alguma, se o quisesse; isto é, que aquele que, tendo ciência, não age retamente, perca ter ciência do que seja reto; e que aquele que não quis agir retamente, embora pudesse, perca poder fazê-lo, ainda que o queira. De fato, toda alma que peca, na realidade, possui essas duas [deficiências] penais: ignorância e dificuldade. Em virtude da ignorância, o erro desonra; em virtude da dificuldade, aflige o tormento. **179.** Mas aprovar coisas falsas em lugar de verdadeiras, de modo que erre invito, e, devido à dor resistente e torturante do vínculo carnal, não poder temperar as obras das inclinações sensuais, não é a natureza do homem como instituído [na criação], mas a pena de um condenado. Porém, quando falamos da vontade livre de agir retamente, é daquela, evidentemente, na qual o homem foi feito, que estamos falando.

**19,53** **180.** Ocorre aqui aquela questão, que, murmurando entre si, os homens costumaram ficar remoendo, os quais, ao pecar, estão prontos a acusar qualquer outra coisa do que a si mesmos. Pois dizem: "Se Adão e Eva pecaram, que fizemos nós, infelizes, para que nascêssemos com a cegueira da ignorância e os tormentos da dificuldade, e primeiro errássemos, desconhecendo o que por nós deveria ser feito, depois, quando começassem a ser abertos para nós os preceitos da justiça, quiséssemos cumpri-los e não sei por que necessidade retentiva da concupiscência carnal não fôssemos capazes?". **181.** Aos quais brevemente se responde que fiquem quietos e desistam de murmurar contra Deus! Pois talvez se queixassem retamente, se nenhum dentre os homens saísse vencedor do erro e da inclinação sensual. Na verdade, porque seja ubiquamente presente aquele que de muitos modos, através da criação que o serve como seu Senhor, chame o avertido, ensine o crente, console o esperançoso, exorte o amante diligente, ajude o esforçado, atenda o deprecante, não se te imputa culpa pelo que ignoras invito, mas pelo fato de que negligencias buscar saber o que ignoras, nem porque não coliges os membros vulnerados, mas porque desprezas aquele que te quer sanar; esses são os teus próprios pecados. **182.** Pois a nenhum homem foi retirado que buscasse utilmente ter ciência do que inutilmente é ignorado, e humildemente confessasse sua fraqueza, para que ao que busca e confessa subvencione aquele, que nem erra enquanto subvenciona, nem labora [com dificuldade].

**19,54** **183.** Com efeito, aquilo que, ignorando, alguém não faz retamente, e o que, querendo retamente, não pode fazer, se dizem "pecados" por isso, porque derivam sua origem daquele pecado da vontade livre. Pois aquele precedente mereceu esses consequentes. **184.** De fato, assim como dizemos "língua" não somente o membro que movemos na boca enquanto falamos, mas também o que se segue ao movimento deste membro, isto é, a forma e o teor das palavras, segundo o qual modo se diz

loquimur, sed etiam illud quod huius membri motum consequitur, id est, formam tenoremque uerborum, secundum quem modum dicitur alia lingua Graeca, alia Latina, sic non solum peccatum illud dicimus quod proprie peccatum uocatur, libera enim uoluntate et ab sciente committitur, sed etiam illud quod iam de huius supplicio consequatur necesse est. **185.** sic etiam ipsam naturam aliter dicimus, cum proprie loquimur naturam hominis, in qua primum in suo genere inculpabilis factus est; aliter istam, in qua ex illius damnati poena et mortales, et ignari, et carni subditi nascimur, iuxta quem modum dicit apostolus: *Fuimus enim et nos naturaliter filii irae sicut et caeteri.*

**20,55 186.** Vt autem de illo primo coniugio et cum ignorantia, et cum difficultate, et cum mortalitate nascamur, quoniam illi, cum peccauissent, et in errorem, et in aerumnam, et in mortem praecipitati sunt, rerum moderatori [50], deo, iustissime placuit, ut et in ortu hominis originaliter adpareret iustitia punientis, et in prouectu misericordia liberantis. non enim damnato primo homini sic adempta est beatitudo, ut etiam fecunditas adimeretur, poterat enim et de prole eius, quamuis carnali et mortali, aliquod in suo genere fieri decus ornamentumque terrarum. **187.** iam uero ut meliores gigneret quam ipse esset non erat aequitatis. sed ex conuersione ad deum, ut uinceret quisque supplicium, quod origo eius ex auersione meruerat, non solum uolentem non prohiberi, sed etiam adiuuari oportebat. etiam sic enim rerum creator ostendit quanta facilitate potuisset homo, si uoluisset, retinere quod factus est, cum proles eius potuit etiam superare quod nata est.

**20,56 188.** Deinde, si una anima facta est, ex qua omnium hominum [51] trahuntur nascentium, quis potest dicere non se peccasse[52], cum primus ille peccauit? si autem singillatim fiunt in uno quoque nascentium, non est peruersum, immo conuenientissimum et ordinatissimum adparet ut malum meritum prioris natura sequentis sit et bonum meritum sequentis natura prioris sit. **189.** quid enim indignum, si etiam sic uoluit creator ostendere usque adeo excellere creaturis corporeis animae dignitatem, ut ab eo gradu possit esse ortus alterius, ad quem alterius est perductus occasus? nam cum ad ignorantiam difficultatemque peruenerit illa peccatrix, ideo poena recte

que uma língua é grega, outra, latina, assim também dizemos "pecado" não somente aquilo que é chamado propriamente de "pecado", porque é cometido através da vontade livre e por quem tem ciência, mas também o que agora é necessário seja a consequência do castigo dele. **185.** Assim também dizemos a própria "natureza" de um modo, quando falamos propriamente da natureza do homem, na qual primeiro, em seu gênero, ele foi feito inculpável; de outro modo esta, na qual, a partir da pena daquele condenado, nascemos não apenas mortais, mas também ignaros e súditos da carne, de acordo com o qual modo é que diz o apóstolo: "Pois fomos também nós naturalmente filhos da ira, assim como os restantes"[37].

**20,55** **186.** Porém, visto que nascemos daquele primeiro conúbio não apenas com ignorância, mas também com dificuldade e mortalidade, uma vez que eles, porque houvessem pecado, foram precipitados no erro, na provação e na morte, aprouve de modo justíssimo ao Moderador [38] das coisas, Deus, que não apenas no surgimento do homem originalmente aparecesse a Justiça do que pune, mas também no seu progresso, a Misericórdia do que liberta. Pois ao primeiro homem, condenado, não lhe foi retirada a felicidade, de modo que também se lhe retirasse a fecundidade, pois era possível também que algo da prole dele, em seu gênero, se bem que carnal e mortal, se fizesse decoro e ornamento do mundo terreno. **187.** E depois não era próprio da equidade que [o primeiro homem] gerasse [descendentes] melhores do que ele próprio fosse. Mas para que alguém vencesse, em virtude de sua conversão para Deus, o castigo que sua origem havia merecido, em virtude de sua aversão, convinha não somente que o querente não fosse proibido, mas também que fosse ajudado. Pois assim também o Criador das coisas mostra com quanta facilidade teria podido o homem, se tivesse querido, reter o [estado em] que foi feito, visto que a prole dele pôde também superar o [estado em] que nasceu.

**20,56** **188.** Depois, se uma única alma foi feita, a partir da qual são tiradas as almas [39] de todos os homens que nascem, quem é que pode dizer que não tenha pecado, quando aquele primeiro pecou? Porém, se são feitas uma a uma em cada um dos que nascem, não é perverso, pelo contrário, parece muitíssimo conveniente e ordenado, que o mérito mau do anterior seja por natureza do que se segue, e que o mérito bom do que se segue seja por natureza do anterior. **189.** Pois, por que seria indigno, se o Criador quis mostrar assim também até onde a dignidade da alma é mais excelente do que as criaturas corpóreas, de modo que o surgimento de uma possa dar-se a partir do grau ao qual conduziu-se o ocaso de outra? Com efeito, quando aquela pecadora chegar à ignorância e à dificuldade, diz-se retamente "pena", porque antes desta pena

dicitur, quia melior ante hanc poenam fuit. **190.** si ergo altera talis esse coepit, non solum ante peccatum, sed ante omnem uitam suam, qualis alia post uitam culpabilem facta est, non paruum bonum habet, unde conditori suo gratias agat, quia ipse ortus eius et inchoatio quouis perfecto corpore est melior. non enim mediocria bona sunt, non solum quod anima est, qua natura iam omne corpus praecedit, sed etiam quod facultatem habet, ut adiuuante creatore se ipsam excolat, et pio studio possit omnes adquirere et capere uirtutes, per quas et a difficultate cruciante, et ab ignorantia caecante liberetur. **191.** quod si ita est, non erit nascentibus animis ignorantia et difficultas supplicium peccati, sed proficiendi admonitio et perfectionis exordium. non enim ante omne meritum boni operis parum est accepisse naturale iudicium, quo sapientiam praeponat errori, et quietem difficultati, ut ad haec non nascendo, sed studendo perueniat. quod si agere noluerit, peccati rea iure tenebitur, tanquam quae non bene usa sit ea facultate quam accepit. **192.** quamquam enim in ignorantia et difficultate nata sit, non tamen ad permanendum in eo quod nata est aliqua necessitate conprimitur. neque omnino potuit, nisi deus omnipotens, esse etiam talium creator animarum, quas et non dilectus ipse faciat, et dilectus ipse perficiat, qui et non existentibus praestat ut sint et amantibus eum, a quo sunt, praestat ut beatae sint.

**20,57** **193.** Si uero in dei aliquo secreto iam existentes animae mittuntur ad inspiranda et regenda corpora singulorum quorumque nascentium, ad hoc utique mittuntur officium, ut corpus, quod de poena peccati, hoc est, mortalitate primi hominis, nascitur, bene administrando, id est, castigando per uirtutes, et ordinatissimae atque legitimae seruituti subiciendo, etiam ipsi conparent ordine ac tempore opportuno coelestis incorruptionis locum. **194.** quae cum introeunt in hanc uitam subeuntque gestanda membra mortalia, subeant etiam necesse est et obliuionem uitae prioris, et praesentis laborem; unde illa ignorantia et difficultas consequetur, quod in primo homine supplicium mortalitatis fuit ad animi expendendam miseriam, in istis autem ianua ministerii ad reparandam corporis incorruptionem. **195.** nam hoc quoque modo non dicuntur ista peccata, nisi quia caro de propagine ueniens peccatoris uenientibus ad se animis, hanc ignorantiam et difficultatem facit,

ela foi melhor. **190.** Logo, se uma alma começa a ser de um modo tal, não somente antes do pecado, mas também antes de sua vida toda, qual uma outra se fez depois de sua vida culpável, não é um bem pequeno que possui, de onde deve dar graças a seu Fundador, porque seu próprio surgimento e começo é melhor do que qualquer corpo perfeito. Pois [essas duas coisas] não são bens medíocres, não somente o fato de que *é* uma alma, natureza pela qual precede agora a todo corpo, mas também o fato de que possui uma faculdade, para que, com a ajuda do Criador, cultive [com zelo] a si própria, e por meio de um estudo piedoso possa adquirir e captar as virtudes todas, através das quais se liberte não apenas da dificuldade que crucia, mas também da ignorância que cega. **191.** O que, se é assim, a ignorância e a dificuldade não serão um castigo do pecado às almas nascentes, mas uma admoestação de proficiência e um exórdio de perfeição. Pois não é pouco ter recebido antes de todo mérito da boa obra um juízo natural, pelo qual preponha a sabedoria ao erro, a quietude à dificuldade, para que alcance estas coisas não nascendo, mas se esforçando. O que, se não quiser cumprir, será de direito considerada ré de pecado, como alguém não tenha usado bem da faculdade que recebeu. **192.** Pois, conquanto tenha nascido em ignorância e dificuldade, contudo ela não é comprimida por alguma necessidade a permanecer nesse estado em que nasceu. E nem de modo nenhum poderia ser outro também, a não ser Deus onipotente, o Criador de tais almas, as quais, [mesmo] não [sendo antes] amado com dileção, ele próprio as faz, [e se] amado com dileção, as aperfeiçoa, o qual também às que não existem concede que sejam, e às que o amam, a partir de quem elas são, concede que sejam felizes.

**20,57** **193.** Na verdade, se em algum recôndito secreto de Deus as almas, já existentes, são enviadas para insuflar [vida] e reger os corpos de cada um dos indivíduos que nascem, para este ofício é que invariavelmente são enviadas, para que preparem também para o próprio corpo, que nasce a partir da pena do pecado, isto é, da mortalidade do primeiro homem, ao administrá-lo bem, ou seja, ao castigá-lo por meio das virtudes e sujeitá-lo a uma servidão perfeitamente ordenada e legítima, na ordem e no tempo oportuno, o seu lugar da incorrupção celeste. **194.** As quais, quando entram nesta vida e se submetem para gerir os membros mortais, também é necessário que se submetam não apenas ao esquecimento da vida anterior, mas também ao labor da presente; de onde se seguirá aquela ignorância e a dificuldade, que no primeiro homem foi o castigo da mortalidade para contrapesar a infelicidade do espírito, porém nessas almas, a porta do ministério para reparar a incorrupção do corpo. **195.** Com efeito, segundo este modo [de pensar,] também essas coisas não se dizem "pecados", senão porque a carne, que vem da propagação do pecador às almas que vêm a si, faz [existir]

quae neque his neque creatori tanquam culpanda tribuatur. **196.** dedit enim ille et facultatem bene operandi in laboriosis officiis, et uiam fidei in obliuionis caecitate, iudicium illud uel maxime, quod anima omnis et quaerendum esse concedit quod inutiliter nescit, et perseueranter in officiosis laboribus enitendum ad euincendam recte faciendi difficultatem, et opem a creatore inplorandam, ut conantem adiuuet, qui uel extrinsecus lege, uel in intimis cordis adlocutione conandum esse praecepit, et praeparat ciuitatis beatissimae gloriam triumphantibus de illo, qui primum hominem ad istam miseriam perduxit,' uictum pessima suasione; quam miseriam isti suscipiunt ad eum uincendum optima fide. **197.** non enim paruae gloriae militia est diabolum uincere, eodem suscepto supplicio, quo se ille hominem uictum perduxisse gloriatur. quisquis autem hoc istius uitae captus amore neglexerit, nullo pacto iuste flagitium desertionis suae regis imperio deputabit, sed erit potius sub omnium domino, in eius partibus ordinatus, cuius turpe stipendium, ut castra sua desereret, adamauit.

**20,58** **198.** Si autem alibi animae constitutae non mittuntur a domino deo, sed sua sponte ad inhabitanda corpora ueniunt, facile est iam hoc uidere, quicquid ignorantiae difficultatisque secutum fuerit earum propriam uoluntatem, nullo modo creatorem hinc esse culpandum, quandoquidem, etiam si eas ipse misisset, quibus etiam in ipsa ignorantia et difficultate liberam uoluntatem petendi et quaerendi et conandi non abstulit, daturus petentibus, demonstraturus quaerentibus, pulsantibus aperturus, omnino extra culpam esset. **199.** hanc enim ignorantiam et difficultatem studiosis et beneuolis euincendam ad coronam gloriae ualere praestaret; negligentibus autem et peccata sua de infirmitate defendere uolentibus, non ipsam ignorantiam difficultatemque pro crimine obiceret, sed, quia in eis potius permanere quam studio quaerendi atque discendi et humilitate confitendi atque orandi ad ueritatem ac facilitatem peruenire uoluerunt, iusto supplicio uindicaret.

**21,59** **200.** Harum autem quattuor de anima sententiarum, utrum de propagine ueniant, an in singulis quibusque nascentibus nouae fiant, an in

esta ignorância e dificuldade, pelas quais não se deve atribuir culpa nem a elas, nem ao Criador. **196.** Pois ele lhes deu não apenas a faculdade de operar bem nos ofícios laboriosos, mas também a via da fé na cegueira do esquecimento, [dons que constituem] de modo especialíssimo aquele juízo [natural], porque toda alma não apenas concede que deve ser buscado aquilo que inutilmente desconhece, mas também que deve perseverantemente, nos oficiosos labores, fazer esforços para vencer a dificuldade de agir retamente, e implorar do Criador o recurso, a fim de que ele ajude aquele que se esforça, [Criador] que, seja extrinsecamente, por meio de sua Lei, seja no íntimo [de cada um], por meio de uma alocução do coração, prescreve que deva esforçar-se, e prepara a glória da felicíssima Cidade para os que triunfam daquele, que conduziu o primeiro homem a essa infelicidade, vencido por uma péssima persuasão; infelicidade que essas almas tomam sobre si a fim de vencê-lo, por meio de uma fé excelente. **197.** Pois não é uma milícia [digna] de pequena glória vencer o diabo, tendo tomado sobre si o mesmo castigo, para o qual ele se vangloria de ter conduzido o homem. Porém aquele que houver negligenciado isto, capturado pelo amor dessa vida, de modo nenhum imputará justamente o flagício de sua deserção ao império de seu Rei, mas estará antes sob o [império daquele] senhor de todas as coisas, ordenado a seu lado, cujo torpe estipêndio, de tal modo que desertasse do seu acampamento, muito amou.

**20,58** **198.** Porém, se as almas, constituídas em outro lugar, não são enviadas pelo Senhor Deus, mas vêm, espontaneamente, para habitar nos corpos, então é fácil ver isto, que qualquer [vestígio] de ignorância e de dificuldade que se houver seguido à sua própria vontade, de modo nenhum o Criador deve ser culpado por isso, quando, mesmo se ele próprio as houvesse enviado, das quais também na própria ignorância e dificuldade não retirou a vontade livre de pedir, de buscar e de esforçar-se, [ainda assim] ele haveria de dar aos que pedem, de demonstrar aos que buscam, e haveria de abrir aos que batem[40], estando absolutamente fora de culpa. **199.** Pois ele concederia aos estudiosos e benévolos que fossem capazes de vencer esta ignorância e dificuldade, para [receber] a coroa da glória[41]; porém aos negligentes, querendo defender também os seus pecados [com a desculpa] da fraqueza, não lhes objetaria essa mesma ignorância e dificuldade como crime, mas os puniria com um justo castigo, porque quiseram mais permanecer nelas do que chegar até à verdade e à facilidade por meio do esforço estudioso de buscar conhecer e de aprender, e da humildade de confessar e de orar.

**21,59** **200.** Porém destes quatro pensamentos acerca da alma, se acaso elas vêm da propagação [de uma única alma], ou se são criadas almas novas em cada um dos que

corpora nascentium iam alicubi existentes uel mittantur diuinitus uel sua sponte labantur, nullam temere adfirmare oportebit. aut enim nondum ista quaestio a diuinorum librorum catholicis tractatoribus, pro merito suae obscuritatis et perplexitatis, euoluta atque inlustrata est, aut si iam factum est, nondum in manus nostras huiuscemodi litterae peruenerunt. **201.** tantum adsit fides nihil de substantia creatoris falsum indignumque sentiendi. ad illum enim tendimus itinere pietatis. si ergo aliud de illo senserimus quam est, intentio nostra, non in beatitatem, sed in uanitatem nos ire conpellet. de creatura uero, si quid aliter quam sese habet senserimus, dummodo id non pro cognito perceptoque teneamus, nullum periculum est. **202.** non enim ad creaturam iubemur tendere, ut efficiamur beati, sed ad ipsum creatorem, de quo, si aliud quam oportet ac sese res habet nobis persuadetur, perniciosissimo errore decipimur. ad hoc enim pergendo, quod aut non est, aut, si est, non facit beatos, ad beatam uitam peruenire nullus potest.

**21,60** **203.** Sed ad contemplandam ueritatis aeternitatem, ut ea perfrui eique inhaerere ualeamus, infirmitati nostrae uia de temporalibus procurata est, ut, quantum itineri sufficit ad aeterna tendentium, praeterita et futura credamus; quae fidei disciplina, ut auctoritate praepolleat, diuina misericordia gubernatur. praesentia uero, quantum ad creaturam pertinet, in corporis et animi mutabilitate et mobilitate[53] quasi transeuntia sentiuntur, in quibus quicquid non experimur cognitione qualicumque tenere non possumus. **204.** quaecumque ergo nobis de quibuscumque creaturis, uel praeterita uel futura, diuina auctoritate credenda narrantur, quamuis partim, priusquam ea sentire potuerimus, praeterierint, partim [54] in nostros sensus peruenerint, tamen, quia plurimum ualent ad roborandam spem nostram et exhortandam dilectionem, dum nobis commendant per ordinatissimam temporum seriem[55], quam non negl*e*gat[56] liberationem nostram deus, sine ulla dubitatione credenda sunt. **205.** sed quisquis error personam sibi diuinae auctoritatis adsumit, ea maxime ratione refellitur: si aut aliquam uel mutabilem speciem praeter creaturam dei, aut aliquam mutabilem speciem in substantia dei credere aut adfirmare conuincitur, eamque substantiam dei uel plus uel minus quam trinitatem esse contendit – cui trinitati pie sobrieque

nascem, ou se, para os corpos dos que nascem, existindo elas já em algum lugar, são divinamente enviadas, ou precipitam-se de modo espontâneo, nenhum desses convirá afirmar temerariamente. Pois ou essa questão ainda não foi desenvolvida e esclarecida pelos intérpretes católicos dos Livros divinos, pelo mérito de sua obscuridade e de sua perplexidade, ou então, se isso já foi feito, ainda não chegaram às nossas mãos obras desta natureza. **201.** Que a fé apenas se nos faça presente, para que não pensemos nada de falso e de indigno acerca da substância do Criador. Pois é para ele que tendemos, pelo itinerário da piedade. Portanto, se pensarmos algo a seu respeito [diferente] do que ele é, nossa intenção nos compelirá a ir, não para a felicidade, mas para a vaidade. No entanto, acerca da criatura, se pensarmos algo diferente de como ela é constituída, contanto que não tenhamos isso como algo conhecido ou como um percepto, não há nenhum perigo. **202.** Pois não se nos ordena tender em direção às criaturas, para que nos tornemos felizes, mas em direção ao próprio Criador, acerca do qual, se nos é persuadido algo diferente do que convém e de como a sua substância é constituída, somos enganados por um erro dos mais perniciosos. Pois avançando para isto, que ou não é, ou então, se é, não nos faz felizes, ninguém pode chegar à vida feliz.

**21,60** **203.** Mas para contemplar a eternidade da Verdade, a fim de que sejamos capazes de fruir completamente dela e aderir-lhe, procurou-se para nossa fraqueza uma via [de saída] das coisas temporais, a fim de que, tanto quanto é suficiente para o itinerário dos que tendem para as coisas eternas, creiamos nas coisas pretéritas e futuras; via que é a disciplina da fé, governada pela divina Misericórdia, para que predomine por sua autoridade. No entanto as coisas presentes, tanto quanto isso pertence à criatura, são sentidas na mutabilidade e mobilidade do corpo e do espírito como transitórias, nas quais tudo aquilo que não experimentamos por meio da cognição, seja de que natureza for, não podemos reter. **204.** Logo todas as coisas que nos são narradas acerca de quaisquer criaturas, pretéritas ou futuras, devem ser cridas em virtude da autoridade divina, ainda que em parte elas tenham passado antes que tenhamos podido senti-las, em parte [42] tenham alcançado os nossos sentidos, contudo, porque valem muitíssimo para roborar a nossa esperança e exortar nossa dileção, enquanto recomendam para nós através da sucessão ordenadíssima dos tempos a nossa libertação, a qual Deus não negligencia, sem dúvida alguma devem ser cridas. **205.** Mas qualquer erro que assume para si a persona da autoridade divina, por meio da seguinte razão principalmente é repelido: se está convencido de que é possível crer ou afirmar alguma aparência, mesmo mutável, além da criação de Deus, ou se alguma aparência mutável na substância de Deus, e se se põe a contender que a substância de Deus é mais ou menos do que a Trindade – Trindade, que, para ser inteligida de

intellegendae omnis excubat uigilantia christiana, et omnis eius prouectus intenditur. **206.** de cuius trinitatis unitate, et aequalitate, et singularum in ea personarum quadam proprietate non hic locus est disserendi. nam commemorare quaedam de domino deo, auctore et formatore et ordinatore rerum omnium, quae ad saluberrimam fidem pertineant, et quibus lactens atque a terrenis in coelestia sese adtollere incipiens utiliter adminiculetur intentio, et factu facillimum et a plerisque iam factitatum est. **207.** pertractare autem totam istam atque ita uersare quaestionem, ut perspicuae rationi, quantum in hac uita datur, omnis humana intellegentia subiugetur, non modo eloquio, sed ne cogitatione quidem, uel cuiquam hominum, uel certe nobis, satis expeditum et facile adgrediendum uideri potest.

**21,60** **208.** Nunc ergo, ut quod instituimus, quantum adiuuamur et quantum sinimur, peragamus, quaecumque nobis, quantum ad creaturam pertinet, uel narrantur praeterita, uel praenuntiantur futura, quae ad commendandam ualeant integram religionem, excitando nos ad sincerissimam dilectionem dei et proximi, sine dubitatione credenda sunt. **209.** aduersus incredulos autem hactenus defendenda, ut uel mole auctoritatis infidelitas eorum obteratur, uel eis ostendatur, quantum potest: primo, quam non sit stultum talia credere, deinde, quam sit stultum talia non credere. uerum tamen falsam doctrinam, non tam de praeteritis et futuris, quam de praesentibus, et maxime de incommutabilibus, oportet refellere et, quantum datur, perspicua ratione conuincere.

**21,61** **210.** Sane in serie temporalium inquisitioni praeteritorum futurorum exspectatio praeferenda est, quandoquidem etiam in diuinis libris ea quae praeterita narrantur uel praefigurationem futurorum, uel pollicitationem, uel testificationem prae se gerunt. et re uera in his[57] etiam, quae ad hanc uitam pertinent, prosperis aduersisue[58] rebus, quid quisque fuerit non satis curat; in id uero, quod futurum speratur sese, omnis curarum aestus adglomerat. **211.** nescio quo quippe intimo naturalique sensu ea quae nobis acciderunt, quoniam transacta sunt, sic habentur ad momentum felicitatis et miseriae, quasi nunquam accidissent. quid ergo[59] mihi obest, si esse quando

modo pio e sóbrio, toda vigilância cristã se põe de sentinela, e para a qual faz tender todo o seu progresso. **206.** Trindade, acerca de cuja unidade, igualdade e uma certa propriedade de cada uma das pessoas nela aqui não é o lugar de dissertar. Com efeito, rememorar certas coisas acerca do Senhor Deus, Autor, Formador e Ordenador de todas as coisas, as quais pertencem à fé salubérrima, e nas quais utilmente o intento lactente e incipiente de elevar-se das coisas terrenas em direção às celestes se escora, não é apenas facílimo de fazer, mas também já foi feito por um grande número de pessoas, repetidas vezes. **207.** Porém tratar completamente de tudo isso e revolver assim a questão, de modo que, tanto quanto nos é dado nesta vida, toda a inteligência humana seja subjugada a uma razão perspícua, não pode parecer muito expedito e fácil de empreender, nem pelo discurso, nem sequer pela [simples] cogitação, seja a cada um dos homens, seja certamente para nós.

**21,60** **208.** Logo, para que concluamos agora o que estabelecemos, tanto quanto sejamos [divinamente] ajudados e permitidos, no que se refere à criação, [diga-se que] quaisquer coisas, sejam as pretéritas que nos são narradas, sejam as futuras que nos são prenunciadas, as quais têm valor para recomendar a religião íntegra, estimulando-nos à dileção absolutamente sincera de Deus e do próximo, sem dúvida devem ser cridas. **209.** Porém contra os incrédulos, para que pela massa imensa da autoridade sua infidelidade seja esmagada, ou que ela lhes seja mostrada, quanto possível, deve-se defender até aqui: primeiro, que não seria estulto crer em tais coisas; depois, que seria estulto não crer em tais coisas. Entretanto convém repelir a falsa doutrina, não tanto acerca das coisas pretéritas e futuras quanto acerca das presentes, mas principalmente acerca das absolutamente imutáveis, e, tanto quanto nos é dado, convencê-los por meio de uma razão perspícua.

**21,61** **210.** Sem dúvida, na série das coisas temporais, à investigação das pretéritas deve preferir-se a expectativa das futuras, visto que também nos Livros divinos as que são narradas como pretéritas trazem diante de si seja uma prefiguração das futuras, seja uma promessa, seja um testemunho. E com efeito, também nas coisas que pertencem a esta vida, prósperas ou adversas[43], o que cada um tenha sido não preocupa muito; no entanto, naquilo, que se espere que cada um há de ser, aglomera-se o fervilhar todo das preocupações. **211.** Não sei ao certo por que íntimo e natural sentido as coisas que nos aconteceram, uma vez transcorridas, são tidas assim por um momento de felicidade e de infelicidade, como se nunca houvessem acontecido. Logo, que me obsta, se desconheço quando comecei a ser, uma vez que eu sei que sou, e não me desespero de que serei? Pois não me inclino

coeperim nescio, cum esse me nouerim, nec futurum esse desperem? non enim in praeterita me adtendo, ut tanquam errorem perniciosissimum uerear, si aliter de his[60] sensero quam fuerunt, sed in id quod futurus sum cursum dirigo duce misericordia conditoris mei. **212.** de hoc igitur quod futurus sum, et de illo apud quem futurus sum, si aliter quam ueritas sese habet credidero aut sensero, uehementer cauendus est error, ne mihi aut necessaria non praeparem, aut ad eum ipsum finem propositi mei, dum aliud pro alio mihi uidetur, peruenire non possim. quam ob rem, sicut ad conparandam uestem nihil mihi obesset, si praeteritae hiemis oblitus essem, obesset autem, si futurum frigus inminere non crederem, ita nihil oberit animae meae, si oblita est quid forte pertulerit, si modo diligenter aduertat et teneat quo se deinceps parare moneatur. **213.** et sicut, uerbi gratia, Romam nauiganti nihil noceret, si excidisset animo a quo littore[61] nauem soluerit, dum tamen ab eo loco ubi esset non ignoraret quo proram dirigeret, nihil autem prodesset meminisse littoris[62] unde iter exorsus sit, si, de Romano portu falsum aliquid existimans, in saxa incidisset; ita neque, si non tenuero initium temporis uitae meae, quicquam mihi oberit, scienti quo fine requiescam, nec prodesset aliquid illa siue memoria, siue coniectura inchoatae uitae, si de ipso deo, qui unus laborum animae finis est, aliter quam dignum est opinatus, in scopulos erroris inruerem.

**21,62** **214.** Nec iste sermo ad id ualuerit, ut quisquam nos prohibere arbitretur ut quaerant qui poterunt, secundum scripturas diuinitus inspiratas, utrum anima de anima propagetur, an suo cuique animanti singulae in ipso fiant, an ad regendum animandumque corpus diuino nutu alicunde mittantur, uel propria uoluntate se insinuent, si uel alicuius expediendae necessariae quaestionis ratio flagitat ista considerare, atque discutere uel a rebus magis necessariis otium ad haec quaerenda et disserenda conceditur. **215.** uerum ad id potius ista dixerim, ne quis in re tali uel temere succenseat ei, qui suae opinioni humaniore fortasse dubitatione non cedit, aut etiam, si quid hinc certi quisquam et liquidi conprehenderit, ideo putet alium spem perdidisse futurorum quia praeterita exorsa non recolit.

para as coisas pretéritas, como se receie um erro perniciosíssimo, se pensar acerca delas de maneira diferente de como foram, mas para aquilo que hei de ser é que dirijo o meu curso[44], guiado pela Misericórdia do meu Fundador. **212.** Portanto devo acautelar-me com veemência contra o erro, se crer ou pensar de maneira diferente do que se constitui a verdade acerca disto que eu hei de ser, e acerca daquele diante de quem eu hei de ser, para que não deixe de preparar para mim as coisas necessárias, ou que não possa alcançar o próprio fim de meu propósito, enquanto se me afigure uma coisa em lugar de outra. Por isso, assim como, para preparar uma vestimenta, nada me obstaria, se me houvesse olvidado do inverno pretérito, porém me obstaria, se não cresse que o frio futuro fosse iminente, assim também nada obstará à minha alma, se se olvidou do que acaso tenha suportado, se imediata e diligentemente volte-se e retenha [o destino] para onde em seguida é admoestada a que se prepare. **213.** E assim como, por exemplo, ao que navega em direção a Roma nada prejudicaria, se lhe escapasse do espírito de que litoral tenha soltado sua nau às velas, desde que, contudo, do lugar onde estivesse não ignorasse para onde dirigiria a proa, porém nada lhe aproveitaria estar lembrado do litoral de onde tenha nascido seu itinerário, se, estimando algo falso acerca do porto romano, caísse de encontro às pedras; assim também, se não tiver [em mente] o início do tempo da minha vida, coisa nenhuma me obstará, tendo ciência do fim em que hei de alcançar a quietude, nem aproveitaria coisa alguma, seja aquela memória, seja a conjectura do começo da vida, se acerca do próprio Deus, que é o único fim dos labores da alma, tendo opinado de modo diferente do que é digno, eu vá de encontro aos escolhos do erro.

**21,62** **214.** E esse discurso não serviu para que se julgue que estamos proibindo que os que puderem investiguem, segundo as Escrituras divinamente inspiradas, se acaso uma alma seja propagada de outra alma, ou se sejam criadas uma a uma no próprio corpo que cada uma anima, ou se, para reger e animar o corpo, sejam enviadas de algum lugar por um aceno divino, ou se se insinuem pela própria vontade, se o raciocínio de alguma questão necessária, que se deve tornar expedita, exige que se considerem e analisem esses assuntos em detalhes, ou se é concedido o ócio para investigar e discutir isso em lugar de assuntos mais necessários. **215.** Na verdade eu disse essas coisas, de preferência, para que ninguém em tal assunto censure de modo temerário aquele que não cede à sua opinião, talvez por uma dúvida mais humana, ou ainda, se alguém vier a compreender daqui alguma coisa de modo líquido e certo, que não pense por isso que algum outro tenha perdido a esperança nas coisas futuras, porque não se recorda do começo das pretéritas.

**22,63 216.** Quoquo modo autem se istuc[63] habeat, siue omnino omittendum, siue nunc differendum, et alias considerandum sit, praesens tamen quaestio non inpeditur quominus adpareat, integerrima et iustissima et inconcussa atque incommutabili maiestate et substantia creatoris supplicia peccatorum suorum animas luere. quae peccata, ut iam diu disserimus, non nisi propriae uoluntati earum tribuenda sunt; nec ulla ulterior peccatorum causa quaerenda.

**22,64 217.** Ignorantia uero et difficultas si naturalis est, inde incipit anima proficere et ad cognitionem et requiem, donec in ea perficiatur uita beata, promoueri. quem profectum in studiis optimis atque pietate, quorum facultas ei non negata est, si propria uoluntate neglexerit, iuste in grauiorem, quae iam poenalis est, ignorantiam difficultatemque praecipitatur, decentissimo et conuenientissimo rerum moderamine in inferioribus ordinata. **218.** non enim quod naturaliter nescit et naturaliter non potest, hoc animae deputatur in reatum, sed quod scire non studuit et quod dignam facilitati conparandae ad recte faciendum operam non dedit. loqui enim non nosse atque non posse infanti naturale est, quae ignorantia difficultasque sermonis non modo inculpabilis sub grammaticorum legibus sed etiam humanis adfectibus blanda et grata est, non enim ullo uitio illam facultatem conparare neglexit, aut ullo uitio quam conpararat amisit. **219.** itaque si nobis in eloquentia esset beatitudo constituta, atque ita crimini duceretur cum peccatur in linguae sonis, quem ad modum cum peccatur in actibus uitae, nullus utique argueretur infantiae quod ab ea esset exorsus ad consequendam eloquentiam, sed plane merito damnaretur, si suae uoluntatis peruersitate uel ad eam recidisset, uel in ea remansisset. **220.** sic etiam nunc, si ignorantia ueri et difficultas recti naturalis est homini, unde incipiat in sapientiae quietisque beatitudinem surgere, nullus hanc ex initio naturali recte arguit; sed, si proficere noluerit aut a profectu retrorsum relabi uoluerit, iure meritoque poenas luet.

**22,65 221.** Creator uero eius ubique laudatur, uel quod ab ipsis exordiis ad summi boni capacitatem inchoauerit, uel quod eius profectum adiuuet, uel quod impleat proficientem atque perficiat, uel quod peccantem, id

**22,63** **216.** Porém seja como for que isso se dê, se se deva omiti-lo completamente, ou se se deva diferi-lo agora e considerá-lo em outra ocasião, contudo nada impede que a presente questão se aclare, que é por meio da integérrima e justíssima e inconcussa e também absolutamente imutável Majestade e Substância do Criador que as almas solvam os castigos de seus pecados. Os quais pecados, como dissertamos já por bastante tempo, não devem ser atribuídos senão à própria vontade delas; nem deve-se procurar causa alguma ulterior dos pecados.

**22,64** **217.** Na verdade, se a ignorância e a dificuldade é [condição] natural, a partir daí é que a alma começa a aperfeiçoar-se e mover-se adiante em direção à cognição e à quietude, até que nela se faça perfeita a vida feliz. O qual aperfeiçoamento, nos estudos mais excelentes e na piedade, para os quais a faculdade não lhe foi negada, se ela negligenciá-lo por vontade própria, [a alma] é precipitada justamente numa mais grave [condição de] ignorância e dificuldade, que agora é penal, sendo ordenada entre as criaturas inferiores por meio de um mecanismo moderador absolutamente adequado e conveniente das coisas. **218.** Pois o fato de que ela naturalmente desconhece e o fato de que naturalmente não pode, isso não se imputa à alma à conta de reato, mas o fato de que não se esforçou para ter ciência e o fato de que não teve um empenho digno para preparar a facilidade de agir retamente. Pois não saber e não poder falar é natural à criancinha, ignorância e dificuldade de fala que não somente é inculpável sob as leis dos gramáticos, mas que também é meiga e graciosa aos afetos humanos, pois não foi por causa de algum vício que negligenciou preparar aquela faculdade, ou por causa de algum vício que perdeu a faculdade que preparou. **219.** E se na eloquência nos tivesse sido constituída a felicidade, e assim se tomasse por crime quando se peca nos sons da língua, do mesmo modo como quando se peca nos atos da vida, seguramente ninguém repreenderia à infância o fato de que houvesse despontado dela para chegar à eloquência, mas sem dúvida ela seria merecidamente condenada, se, devido à perversidade de sua vontade, nela recaísse ou nela remanescesse. **220.** Assim também neste caso, se a ignorância da verdade e a dificuldade do reto [agir] é [condição] natural ao homem, de onde comece a soerguer-se em direção à felicidade da sabedoria e da quietude, ninguém repreende retamente esta [condição], por causa de seu início natural; mas, se não quiser aperfeiçoar-se, ou quiser retroceder em sentido inverso ao do aperfeiçoamento, de direito e por mérito solverá as penas [devidas].

**22,65** **221.** Na verdade o Criador da [alma] em qualquer parte é louvado, seja porque ela tenha começado a partir de seus próprios exórdios em direção à capacidade do Bem supremo, seja porque ele ajude o aperfeiçoamento dela, seja porque

est, aut ab initiis suis sese ad perfectionem adtollere recusantem, aut iam ex profectu aliquo relabentem, iustissima damnatione pro meritis ordinat. **222.** non enim propterea malam creauit, quia nondum tanta est, quanta ut proficiendo esse posset accepit, cum eius exordio perfectiones omnes corporum longe inferiores sint, quas tamen in suo genere laudabiles esse iudicat quisquis sanissime [64] iudicat. quod ergo ignorat quid sibi agendum sit ex eo est, quod nondum accepit; sed hoc quoque accipiet, si hoc quod accepit bene usa fuerit. accepit autem ut diligenter et pie quaerat, si uolet. et quod, agnoscens quid sibi agendum sit, non continuo ualet implere, hoc quoque nondum accepit. **223.** praecessit enim pars quaedam eius[65], sublimior ad sentiendum recte facti bonum, sed quaedam, tardior atque carnalis, non consequenter in sententiam ducitur, ut ex ipsa difficultate admoneatur eundem implorare adiutorem perfectionis suae, quem inchoationis sentit auctorem, ut ex hoc ei fiat carior, dum non suis uiribus, sed, cuius bonitate habet ut sit, eius misericordia subleuatur, ut beata sit. quanto autem carior illi est, a quo est, tanto in eo firmius[66] adquiescit[67], et tanto uberius eius aeternitate perfruitur. **224.** si enim arboris nouellum et rude uirgultum nullo modo recte sterile dicimus, quamuis aliquot aestates sine fructibus traiciat, donec opportuno tempore expromat feracitatem suam, cur non auctor animae debita pietate laudetur, si ei tale tribuit exordium, ut studendo ac proficiendo ad frugem sapientiae iustitiaeque perueniat, tantumque illi praestitit dignitatis, ut in eius etiam potestate poneret, si uellet, ad beatitudinem tendere?

**23,66 225.** Huic autem disputationi obici ab inperitis solet quaedam calumnia de mortibus paruulorum et de quibusdam cruciatibus corporis, quibus eos saepe uidemus adfligi. dicunt enim: "Quid opus erat ut nasceretur qui, antequam iniret ullum uitae meritum, excessit e uita? aut qualis in futuro iudicio deputabitur, cui neque inter iustos locus est, quoniam nihil recte fecit, neque inter malos, quoniam nihil peccauit?" **226.** Quibus respondetur ad uniuersitatis conplexum et totius creaturae uel per locos uel per tempora ordinatissimam connexionem non posse superfluum creari qualemcumque hominem, ubi folium arboris nullum superfluo crearetur, sed sane superfluo

complete aquela que se aperfeiçoa e a perfaça, seja porque ordena aquela que peca por meio de uma justíssima condenação em virtude de seus méritos, isto é, ou aquela que recusa elevar-se a si mesma desde seus inícios até à perfeição, ou aquela que agora retrocede de algum aperfeiçoamento [realizado]. **222.** Pois não a criou má por causa disso, porque ela ainda não é tanto quanto, aperfeiçoando-se, recebeu que pudesse ser, ainda que em seu exórdio as perfeições todas dos corpos lhe sejam de longe inferiores, as quais, contudo, todo aquele que julga do modo mais são [45] julga que são louváveis em seu gênero. Logo, se ela ignora o que deve fazer, isso se deve ao fato de que ainda não o recebeu; mas o receberá também, se usar bem isto que recebeu. Porém ela recebeu que investigue de modo diligente e pio, se quiser. E o fato de que, reconhecendo o que deve fazer, não é eficaz para cumpri-lo de imediato, isto ainda não recebeu também. **223.** Pois uma certa parte dela precedeu, mais sublime para sentir o bem do ato retamente praticado, mas uma outra, mais tarda e carnal, não é consequentemente conduzida em direção a esse sentimento, de modo que a partir da própria dificuldade seja admoestada a implorar àquele mesmo Adjutor de sua perfeição, o qual sente ser o Autor de seu começo, que a partir disto se lhe torne mais cara, até que, não por suas forças, mas pela Misericórdia dele, por cuja Bondade ela possui o "ser", seja sublevada, a fim de que seja feliz. Porém quanto mais cara é àquele, de quem é, tanto mais firmemente nele se aquieta, e de maneira tanto mais úbere frui plenamente de sua eternidade. **224.** Pois, se de modo nenhum dizemos retamente que é estéril o broto novelinho de uma árvore e sua rude ramagem, ainda que atravesse alguns verões sem frutos, até que no tempo oportuno desabroche sua fertilidade, por que não seria louvado o Autor da alma com a devida piedade, se lhe atribuiu um exórdio tal que, esforçando-se e aperfeiçoando-se, alcançasse plenamente o produto da sabedoria e da justiça, e se lhe concedeu um grau de dignidade tamanho, que poria ainda em seu poder, se quisesse, [a capacidade de] propender para a felicidade?

**23,66** **225.** Porém a esta disputa costuma ser objetada pelos imperitos uma certa calúnia acerca das mortes dos pequeninos e de certos tormentos do corpo, pelos quais vemo-los frequentemente ser afligidos[46]. Pois dizem eles: "Por que era preciso que nascesse aquele que, antes que obtivesse algum mérito de vida, foi-se embora da vida? Ou que qualidade de [retribuição] no juízo futuro será imputada àquele, que nem possui lugar entre os justos, visto que não agiu retamente, nem entre os maus, visto que não pecou?". **226.** Aos quais se responde, em conformidade com o complexo da universalidade e a conexão ordenadíssima de toda a criação, seja através dos lugares, seja através dos tempos, que não pode ser criado nenhum homem supérfluo, onde nenhuma folha de árvore seria criada de modo supérfluo[47], mas sem dúvida é de modo supérfluo que se

quaeri de meritis eius qui nihil meruerit. non enim metuendum est ne uita esse potuerit media quaedam inter recte factum atque peccatum et sententia iudicis media esse non possit inter praemium atque supplicium.

**23,67 227.** Quo loco etiam illud perscrutari homines solent sacramentum baptismi Christi quid paruulis prosit, cum, eo accepto, plerumque moriuntur priusquam ex eo quicquam cognoscere potuerint. qua in re satis pie recteque creditur prodesse paruulo eorum fidem a quibus consecrandus offertur. **228.** et hoc ecclesiae commendat saluberrima auctoritas, ut ex eo quisque sentiat quid sibi prosit fides sua, quando in aliorum quoque beneficium, qui propriam nondum habent, potest a te commodari[68]. quid enim filio uiduae profuit fides sua, quam utique mortuus non habebat, cui tamen profuit matris ut resurgeret? quanto ergo potius fides aliena potest consulere paruulo, cui sua perfidia non potest imputari!

**23,68 229.** De cruciatibus autem corporis, quibus adfliguntur paruuli, quorum per aetatem nulla peccata sunt, si animae, quibus animantur, non prius quam ipsi homines esse coeperunt, maior querela, et quasi misericors, deponi solet, cum dicitur: "Quid mali fecerunt ut ista paterentur?". quasi possit esse innocentiae meritum, antequam quisque nocere aliquid possit! **230.** cum autem boni aliquid operatur deus in emendatione maiorum, cum paruulorum suorum, qui eis cari sunt, doloribus ac mortibus flagellantur, cur ista non fiant, quando, cum transierint, pro non factis erunt in quibus facta sunt, propter quos autem facta sunt, aut meliores erunt, si, temporalibus incommodis emendati, rectius elegerint uiuere, aut excusationem in futuri iudicii supplicio non habebunt, si uitae huius angoribus ad aeternam uitam desiderium conuertere noluerunt? **231.** quis autem nouit quid paruulis, de quorum cruciatibus duritia maiorum contunditur, aut exercetur fides, aut misericordia probatur? quis ergo nouit quid ipsis paruulis in secreto iudiciorum suorum bonae conpensationis reseruet deus, quoniam, quamquam nihil recte fecerint, tamen nec peccantes aliquid ista perpessi sunt? non enim frustra etiam infantes illos, qui, cum dominus Iesus Christus necandus ab Herode quaereretur, occisi sunt, in honore[69] martyrum receptos, commendat ecclesia.

investiga acerca dos méritos daquele que nada tenha merecido. Pois não se deve recear que não seja possível existir uma certa vida média entre o ato retamente praticado e o pecado, e que a sentença do Juiz não possa ser uma média entre o prêmio e o castigo.

**23,67** **227.** Neste ponto também costumam perscrutar os homens que aproveitaria aos pequeninos o sacramento de Cristo, visto que, depois de tê-lo recebido, muitos morrem antes que tenham podido conhecer alguma coisa a partir dele. Nessa questão se crê de modo suficientemente pio e reto que ao pequenino aproveita a fé daqueles pelos quais ele é oferecido para que seja consagrado. **228.** E isto é o que recomenda a autoridade salubérrima da Igreja, para que cada um por isso sinta o que lhe aproveitaria a sua fé, quando também em benefício dos outros, que ainda não possuem a própria fé, ela pode ser dispensada por ti[48]. Pois que aproveitou ao filho da viúva a fé dela, que sem dúvida o morto não possuía, a quem, contudo, aproveitou a da mãe, a fim de que ressuscitasse?[49] Logo quanto melhor pode a fé alheia prover ao pequenino, ao qual sua perfídia não pode ser imputada!

**23,68** **229.** Porém acerca dos tormentos do corpo pelos quais são afligidos os pequeninos, dos quais, por causa da idade, não existem nenhuns pecados, se as almas, pelas quais [seus corpos] são animados, não começaram a existir antes dos próprios homens, costuma apresentar-se querela maior, e como se fosse misericordiosa, quando se diz: "Que fizeram de mau para que padecessem essas coisas?". Como se a inocência pudesse ter mérito, antes que qualquer um pudesse cometer algo de nocivo! **230.** Porém, quando Deus opera algo de bom na emenda dos maiores, quando são flagelados pelas dores e mortes de seus pequeninos, que lhes são caros, por que motivo não se fariam essas coisas, visto que, quando se houverem feito, elas serão naqueles em que se fizeram como se não houvessem sido feitas, porém aqueles, por causa dos quais elas se fizeram, ou serão melhores, se, emendados pelos incômodos temporais, elegerem viver mais retamente, ou então não terão escusa para o castigo do juízo futuro, se não quiseram converter o desejo dos anseios desta vida para a vida eterna? **231.** Porém quem é que sabe o que [está reservado] aos pequeninos, por cujos tormentos a dureza dos maiores é golpeada, ou sua fé exercitada, ou sua misericórdia provada? Logo quem é que sabe que boa compensação reserva Deus para os próprios pequeninos no segredo de seus juízos, porque, embora não tenham agido retamente, contudo não foi pecando em algo que padeceram essas coisas? Pois não é em vão que a Igreja recomenda também aquelas criancinhas, recebidas na honra dos mártires, as quais, como o Senhor Jesus Cristo estivesse sendo procurado por Herodes para ser morto[50], foram massacradas.

**23,69 232.** Quamquam isti calumniosi et talium quaestionum non studiosissimi examinatores sed loquacissimi uentilatores etiam de pecorum doloribus et laboribus solent minus eruditorum fidem sollicitare, cum dicunt: "Quid etiam pecora uel meruerunt mali, ut tanta patiantur incommoda, uel sperant boni, quia tantis exercentur incommodis?". **233.** sed haec dicunt uel sentiunt qui[70] iniquissime de rebus existimant, qui, cum summum bonum, quod et quantum sit, aspicere nequeant, talia uolunt esse omnia, quale putant esse summum bonum. praeter enim summa corpora, quae coelestia sunt minusque corruptioni subiacent, summum bonum cogitare non possunt, ideoque inordinatissime flagitant, ut nec mortem, nec ullam corruptionem patiantur corpora bestiarum, quasi non sint mortalia, cum sint infima, aut ideo mala sint, quia sunt coelestia meliora. **234.** dolor autem quem bestiae sentiunt animarum etiam bestialium uim quandam in suo genere mirabilem laudabilemque commendat. hoc ipso enim satis adparet in regendis animandisque suis corporibus quam sint adpetentes unitatis. quid est enim aliud dolor, nisi sensus [71] diuisionis, uel corruptionis inpatiens? **235.** unde luce clarius adparet quam sit illa anima in sui corporis uniuersitate auida unitatis et tenax, quae nec libenter nec indifferenter, sed potius renitenter et reluctanter intenditur in eam passionem corporis sui, qua eius unitatem atque integritatem labefactari moleste accipit. **236.** non ergo adpareret quantus inferioribus creaturis animalibus esset adpetitus unitatis, nisi dolore bestiarum. quod si non adpareret, minus quam opus esset admoneremur ab illa summa et sublimi et ineffabili unitate creatoris esse ista omnia constituta.

**23,70 237.** Et re uera, si pie ac diligenter adtendas, omnis creaturae species et motus, qui in animi humani considerationem cadit, eruditionem nostram loquitur diuersis motibus et adfectionibus, quasi quadam uarietate linguarum, undique clamans atque increpans cognoscendum esse creatorem. nulla enim res est earum, quae nec dolorem nec uoluptatem sentiunt, quae non aliqua unitate decus proprii generis adsequatur[72], uel omnino naturae suae qualemcumque stabilitatem. **238.** nulla item res est earum, quae uel doloris molestias uel blanditias sentiunt uoluptatis, quae

23,69 **232.** Ainda que esses caluniosos sejam examinadores não muitíssimo estudiosos de tais questões, mas ventiladores muitíssimo loquazes, também em relação às dores das reses e de seus labores costumam perturbar a fé dos menos instruídos, quando dizem: "Que mereceram de mau também as reses, para que padeçam tantos incômodos, ou que esperam de bom, visto serem exercitadas por tantos incômodos?". **233.** Mas dizem ou sentem estas [questões] aqueles que estimam de modo mais iníquo acerca das coisas, os quais, embora não sejam capazes de examinar o Bem supremo, o que e quão grande é, querem que todas as coisas sejam tais qual pensam ser o seu bem supremo. Pois para além dos corpos supremos, que são celestes e menos sujeitos à corrupção, não podem cogitar o Bem supremo, e por isso exigem, de modo absolutamente desordenado, que os corpos dos animais não padeçam nem a morte, nem corrupção alguma, como se não fossem mortais, posto que sejam ínfimos, ou que sejam maus por isso, porque os celestes são melhores. **234.** Porém a dor que os animais sentem indica uma certa força das almas animalescas também, admirável e louvável em seu gênero. Pois nisto mesmo se torna bastante aparente, ao reger e animar seus corpos, o quanto eles têm apetite pela unidade. Pois que outra coisa é a dor, senão um [51] sentido impaciente da divisão, ou da corrupção? **235.** De onde se torna aparente, de modo mais claro que a luz, o quanto aquela alma, na universalidade de seu corpo, é ávida de unidade, e tenaz, ela que nem prazerosa nem indiferentemente, mas antes renitente e relutantemente é inclinada em direção àquele padecimento de seu corpo, no qual aceita molestamente que sua unidade e integridade sejam arruinadas. **236.** Logo não se tornaria aparente quão grande apetite de unidade possuiriam as criaturas inferiores animadas, senão por meio da dor dos animais. O que, se não se tornasse aparente, seríamos menos admoestados do que seria preciso que foi por aquela suprema, sublime e inefável Unidade do Criador que essas coisas todas foram constituídas.

23,70 **237.** E na verdade, se prestes atenção de modo piedoso e diligente, [verás que] a aparência e o movimento de toda criatura que cai na consideração do espírito humano fala à nossa instrução por meio de seus diversos movimentos e disposições, como se por uma certa variedade de línguas, clamando e increpando por toda parte que se deve conhecer o Criador. Pois nenhuma criatura existe, dentre aquelas que não sentem nem dor nem prazer, que não atinja[52] por alguma unidade o decoro de seu próprio gênero, ou mesmo uma qualquer estabilidade de sua própria natureza. **238.** Igualmente nenhuma criatura existe, dentre as que sentem, sejam as moléstias da dor, sejam as blandícias do prazer, por isso mesmo, porque

non, eo ipso, quo dolorem fugiunt uoluptatemque adpetunt, diremptionem se fugere unitatemque adpetere fatentur. inque ipsis rationalibus animis omnis adpetitus cognitionis, qua illa natura laetatur, et ad unitatem refert omne quod percipit et, in errore, nihil fugit aliud quam inconprehensibili ambiguitate confundi. omne autem ambiguum unde molestum est, nisi quia certam non habet unitatem? **239.** ex quo adparet omnia, siue cum offendunt uel offenduntur, siue cum delectant uel delectantur, unitatem insinuare atque praedicare creatoris. si autem ignorantia et difficultas, a quibus istam uitam necesse est incipere, non sunt animis naturales, restat ut aut officio susceptae sint aut inrogatae[73] supplicio. de quibus iam satis esse arbitror disputatum.

**24,71 240.** Quapropter ipse primus homo qualis factus sit magis quaerendum est, quam quo modo eius posteritas propagata sit. multum enim sibi uidentur acute proponere quaestionem qui dicunt: "Si sapiens factus est primus homo, cur seductus est? si autem stultus factus est, quo modo non est deus auctor uitiorum, cum sit stultitia maximum uitium?". **241.** quasi uero natura humana, praeter stultitiam et sapientiam, nullam mediam recipiat adfectionem, quae nec stultitia nec sapientia dici possit. tunc enim homo incipit aut stultus esse, aut sapiens, ut alterum horum necessario appelletur, cum iam posset, nisi neglegeret[74], habere sapientiam, ut uitiosae stultitiae sit uoluntas rea. **242.** non enim quisquam ita desipit, ut stultum appellet infantem, quamuis sit absurdior si uelit appellare sapientem. ut ergo infans nec stultus, nec sapiens dici potest, quamuis iam homo sit – ex quo adparet naturam hominis recipere aliquid medium, quod neque stultitiam, neque sapientiam recte uocaris[75] –, ita etiam, si quisquam tali adfectione animatus esset, qualem habent illi qui per neglegentiam[76] sapientia carent, nemo eum stultum recte diceret, quem non uitio sed natura talem uideret. **243.** est enim stultitia rerum adpetendarum et uitandarum non quaelibet, sed uitiosa ignorantia. unde neque animal inrationale stultum dicimus, quia non accepit ut sapiens esse posset. appellamus tamen plerumque ex similitudine aliquid non proprie. nam et caecitas, cum maximum uitium sit oculorum, non tamen in catulis nascentibus uitium est nec proprie caecitas dici potest.

fogem à dor e perseguem o prazer, que não confessem que fujam à separação e que persigam a unidade. E nas próprias almas racionais todo apetite de cognição, com que aquela sua natureza se alegra, não apenas refere à unidade tudo o que percebe, mas também, no erro, não foge a nada além de ser confundido pela ambiguidade incompreensível. Porém todo o ambíguo, de onde é molesto, senão porque não possui uma unidade certa? **239.** Do que se torna aparente que, seja quando ofendem ou são ofendidas, seja quando deleitam ou são deleitadas, todas [as criaturas] insinuam e apregoam a Unidade do Criador. Porém se a ignorância e a dificuldade, a partir de que é necessário que essa vida comece, não são naturais às almas, resta que ou tenham sido tomadas como um ofício, ou irrogadas como um castigo. Acerca do que eu julgo que já se disputou de modo suficiente.

**24,71** **240.** Por isso deve-se investigar mais de que qualidade o próprio primeiro homem foi feito do que o modo como a posteridade dele foi propagada. Pois parecem a si mesmos propor a questão de maneira muito aguda os que dizem: "Se o primeiro homem foi feito sábio, por que foi seduzido? Porém, se foi feito estulto, de que modo não é Deus o autor dos vícios, visto que a estultícia é o vício máximo?". **241.** Na verdade, [dizem isso] como se a natureza humana, além da estultícia e da sabedoria, não aceitasse nenhuma disposição média, que não se possa dizer nem "estultícia", nem "sabedoria". Pois aí é que o homem começa ou a ser estulto, ou sábio, de modo que seja necessariamente chamado um destes dois, quando já pudesse possuir a sabedoria, se não a negligenciasse, de modo que a vontade seja ré da estultícia viciosa. **242.** Pois ninguém é assim tão insensato que denomine uma criancinha "estulta", ainda que seja mais absurdo se queira denominá-la "sábia". Logo, assim como uma criancinha não se pode dizer nem "estulta", nem "sábia", ainda que já seja um homem – do que se torna aparente que a natureza do homem aceita algo médio, que não terás chamado retamente nem "estultícia", nem "sabedoria" –, assim também, se alguém houvesse sido animado por uma disposição tal qual possuem aqueles que por causa de sua negligência carecem de sabedoria, ninguém retamente haveria de dizê-lo "estulto", a quem visse de tal modo, não por vício, mas por natureza. **243.** Pois a estultícia das coisas que se devem perseguir e evitar não é uma ignorância qualquer, mas viciosa. De onde também não dizemos "estulto" o animal irracional, porque não recebeu que pudesse ser sábio. Contudo na maior parte das vezes denominamos algo a partir de uma semelhança, não de modo próprio. Com efeito, também a cegueira, conquanto seja o vício máximo dos olhos, contudo nos cachorrinhos que nascem não é um vício, nem se pode dizer propriamente "cegueira".

24,72 **244.** Si ergo ita factus est homo, ut, quamuis sapiens nondum esset, praeceptum tamen posset accipere, cui utique optemperare deberet, nec illud iam mirum est quod seduci potuit, nec illud iniustum, quod, praecepto non optemperans, poenas luit, nec creator eius auctor uitiorum est, quia non habere sapientiam nondum erat uitium hominis, si nondum, ut habere posset, acceperat. **245.** sed tamen habebat aliquid, quo, si bene uti uellet, ad id quod non habebat ascenderet. aliud est enim esse rationalem, aliud esse sapientem. ratione fit quisque praecepti capax, cui fidem debet, ut quod praecipitur faciat. sicut autem natura rationis praeceptum capit, sic praecepti obseruatio sapientiam. quod est autem natura ad capiendum praeceptum, hoc est uoluntas ad obseruandum. **246.** et sicut rationalis natura tanquam meritum est praecepti accipiendi, sic praecepti obseruatio meritum est accipiendae sapientiae. ex quo autem incipit homo praecepti esse capax, ex illo incipit posse peccare. duobus autem modis peccat, antequam fiat sapiens: si aut non se accommodet ad accipiendum praeceptum, aut, cum acceperit, non obseruet. **247.** sapiens autem peccat, si se auerterit a sapientia. sicut enim praeceptum non est ab illo cui praecipitur, sed ab illo qui praecipit, sic et sapientia non est ab illo qui inluminatur, sed ab illo qui inluminat. quid ergo est unde non laudandus sit hominis creator? **248.** bonum est enim aliquod homo; et melius quam pecus ex eo, quod praecepti capax; et hoc melius, cum praeceptum iam cepit; rursus hoc melius, cum praecepto paruit; et his omnibus melius, cum aeterno lumine sapientiae beatus est. peccatum autem malum est in neglegentia[77], uel ad accipiendum[78] praeceptum, uel ad obseruandum uel ad custodiendam contemplationem sapientiae. **249.** ex quo intellegitur etiam, si sapiens primus homo factus est, potuisse tamen seduci, quod peccatum, cum esset in libero arbitrio, iustam diuina lege poenam[79] consecutam. ita dicit etiam apostolus Paulus: *Dicentes se esse sapientes, stulti facti sunt.* superbia enim auertit a sapientia, auersionem autem stultitia consequitur. stultitia quippe caecitas quaedam est, sicut idem dicit: *Et obscuratum est insipiens cor eorum.* **250.** unde autem haec obscuratio, nisi ex auersione a lumine sapientiae? unde autem haec auersio, nisi dum ille, cui bonum est deus, sibi ipse uult esse bonum suum, sicuti sibi est deus? itaque, *Ad me ipsum,* inquit, *conturbata est anima mea;* et: *Gustate et eritis sicut dii!*

24,72 **244.** Logo, se assim foi feito o homem, de modo que, conquanto ainda não fosse sábio, contudo pudesse receber um preceito, a que invariavelmente devesse obedecer, já não é admirável que pôde ser seduzido, nem injusto que, não obedecendo ao preceito, solveu a pena, e nem o Criador dele é o autor de seus vícios, porque não possuir a sabedoria ainda não era um vício do homem, se ele ainda não havia recebido que pudesse possuí-la. **245.** Contudo ainda possuía algo, de que, se quisesse usar bem, ascenderia em direção àquilo que não possuía. Pois uma coisa é ser racional, outra, ser sábio. Por meio da razão alguém se faz capaz de [receber] um preceito, no qual deve ter fé, para que faça o que é preceituado. Porém assim como a natureza da razão capta o preceito, assim também a observância do preceito, a sabedoria. Porém aquilo que é a natureza para captar o preceito, isto é a vontade para observá-lo. **246.** E assim como a natureza racional é como se fosse o "mérito" de receber o preceito, assim também a observância do preceito é o "mérito" de receber a sabedoria. Porém a partir do [instante em] que o homem começa a ser capaz do preceito, a partir daí começa a poder pecar. Porém ele peca de dois modos, antes que se faça sábio: se não se acomode para receber o preceito, ou então, uma vez que o recebeu, se não o observe. **247.** Porém o sábio peca, se se houver avertido da Sabedoria. Pois assim como o preceito não existe a partir daquele para o qual é preceituado, mas a partir daquele que o preceitua, assim também a Sabedoria não existe a partir daquele que é iluminado, mas a partir daquele que ilumina. Logo que motivo há para que não se deva louvar o Criador do homem? **248.** Pois o homem é algo bom; e algo melhor do que a rês por isso, porque é capaz do preceito; e algo melhor do que isto, quando já captou o preceito; e algo ainda melhor do que isto, quando atendeu ao preceito; e melhor do que estas coisas todas, quando é feliz na Luz eterna da Sabedoria. Porém o pecado é mau na negligência, seja para receber[53] o preceito, seja para observá-lo, seja para guardar a contemplação da Sabedoria. **249.** Do que se intelige ainda que, se o primeiro homem foi feito sábio, contudo pôde ser seduzido, porque ao pecado, visto que estava no seu arbítrio livre, seguiu-se uma pena justa, segundo a Lei divina. Assim diz também o apóstolo Paulo: "Dizendo-se sábios, se fizeram estultos"[54]. Pois a soberba averte da sabedoria; e depois, à aversão segue-se a estultícia. E de fato, a estultícia é uma certa cegueira, conforme diz o mesmo [apóstolo]: "E obscureceu-se o coração insipiente deles"[55]. **250.** Porém de onde [se origina] este obscurecimento, a não ser da aversão da Luz da Sabedoria? E depois, de onde esta aversão, a não ser quando aquele, para o qual o Bem é Deus, ele próprio para si quer ser o seu bem, assim como Deus o é para si? E assim, "Em mim mesmo", diz [o salmista], "conturbou-se a minha alma"[56]; e também: "Provai e sereis como deuses!"[57].

24,73 **251.** Turbat autem considerantes, quod ita quaerunt: "Stultitia[80] primus homo recessit a deo, an recedendo stultus factus est?". quia, si responderis eum stultitia recessisse a sapientia, uidebitur stultus fuisse antequam recederet a sapientia, ut stultitia illi esset causa recedendi. item, si responderis recedendo eum stultum esse factum, quaerunt utrum stulte an sapienter fecerit, quod recessit. "Si enim sapienter fecit, recte fecit nihilque peccauit; si stulte, iam erat", inquiunt, "in eo stultitia qua factum est ut recederet. non enim stulte aliquid sine stultitia facere poterat." **252.** ex quo adparet esse quiddam medium quo ad stultitiam a sapientia transitur, quod neque stulte neque sapienter factum dici potest, quod ab hominibus in hac uita constitutis non nisi ex contrario datur intellegi. **253.** sicut enim nullus mortalium fit sapiens, nisi ab stultitia in sapientiam transeat – ipse autem transitus, si stulte fit, non utique bene fit, quod dementissimum est dicere; si autem sapienter fit, iam erat sapientia in homine antequam transisset ad sapientiam, quod nihilominus absurdum est; ex quo intellegitur esse medium quod "neutrum" dici potest[81] –, ita et ex arce sapientiae, ut ad stultitiam primus homo transiret, nec stultus nec sapiens ille transitus fuit. **254.** uelut in somno et uigiliis neque id est dormire, quod obdormiscere, neque id est uigilare, quod expergisci, sed transitus quidam ex altero in alterum. uerum hoc interest, quod sine uoluntate plerumque ista fiunt, illa autem nunquam nisi per uoluntatem, unde iustissimae retributiones consequuntur[82].

25,74 **255.** Sed quia uoluntatem non allicit ad faciendum quodlibet, nisi aliquod uisum – quid autem quisque uel sumat uel respuat est in potestate, sed quo uiso tangatur nulla potestas est –, fatendum est et ex superioribus, et ex inferioribus uisis animum tangi, ut rationalis substantia ex utroque sumat, quod uoluerit, et ex merito sumendi uel miseria uel beatitas subsequatur. **256.** uelut in paradiso uisum [83] ex superioribus praeceptum dei, uisum ex inferioribus suggestio serpentis. nam neque quid sibi praeciperetur a domino, neque quid a serpente suggereretur fuit in hominis potestate. **257.** quam sit autem liberum et ab omnibus difficultatis uinculis expeditum, in ipsa sapientiae sanitate constituto, non cedere uisis inferioris illecebrae, uel hinc intellegi potest, quod etiam

24,73 **251.** Porém [uma questão] perturba os que a consideram, que assim perguntam: "Foi pela estultícia que o primeiro homem se afastou de Deus, ou foi ao afastar-se que ele se fez estulto?". Porque, se responderes que foi pela estultícia que ele se afastou da Sabedoria, parecerá ter sido estulto antes que se afastasse da Sabedoria, de modo que a estultícia lhe seria a causa do afastar-se. Igualmente, se responderes que foi ao se afastar que ele se fez estulto, perguntarão se foi estulta ou sabiamente que o fez, que se afastou. "Pois, se o fez sabiamente, fez retamente, e em nada pecou; se estultamente", dizem, "então existia nele a estultícia pela qual foi feito com que se afastasse. Pois estultamente coisa nenhuma poderia ter feito sem estultícia." **252.** Do que se torna aparente existir algo médio pelo qual se transita da Sabedoria para a estultícia, porque nem se pode dizer que foi feito estultamente, nem sabiamente, coisa que pelos homens constituídos nesta vida não é dado inteligir, a não ser a partir de seu contrário. **253.** Pois assim como nenhum dos mortais se faz sábio, a não ser que transite da estultícia em direção à Sabedoria – porém o próprio trânsito, se foi feito estultamente, sem dúvida não foi bem feito, o que é a coisa mais dementada de dizer; porém, se foi feito sabiamente, então existia sabedoria no homem, antes que ele houvesse transitado para a Sabedoria, o que não é menos absurdo; do que se intelige existir algo médio, que se pode dizer "neutro" –, assim, também da cidadela da Sabedoria, para que o primeiro homem transitasse para a estultícia, aquele trânsito não foi nem estulto, nem sábio. **254.** É como no sono e nas vigílias, [onde] dormir não é o mesmo que adormecer, nem vigilar o mesmo que despertar, mas um certo trânsito de um em direção ao outro. Mas na verdade a diferença está nisto, no fato de que é sem a vontade que a maior parte dessas coisas se fazem, porém aquelas, nunca, senão através da vontade, de onde se seguem as justíssimas retribuições.

25,72 **255.** Mas porque nada alicia a vontade para fazer qualquer coisa, a não ser alguma visão – porém o que cada um tome para si ou cuspa está em seu poder, mas na visão pela qual ele seja tocado nenhum poder existe –, deve-se reconhecer que o espírito é tocado não apenas por visões das coisas superiores, mas também das inferiores, de modo que a substância racional tome de uma e outra aquilo que quiser, e a partir do mérito desse tomar siga-se ou a infelicidade, ou a felicidade. **256.** Como, por exemplo, no paraíso o preceito de Deus era[58] a visão das coisas superiores, a sugestão da serpente, a visão das inferiores. E com efeito, nem o que lhe seria preceituado pelo Senhor, nem o que lhe seria sugerido pela serpente esteve em poder do homem. **257.** Porém, tendo sido constituído na sanidade da Sabedoria, o quanto seja livre e expedito de todos os vínculos da dificuldade não ceder às visões inferiores da sedução pode ser inteligido até mesmo a partir do fato de que também

stulti ea superant ad sapientiam transituri, etiam cum molestia carendi perniciosarum consuetudinum pestilentiosa dulcedine.

**25,75 258.** Quaeri autem hoc loco potest, si homini praesto fuerunt ex utraque parte uisa, unum ex praecepto dei, alterum ex suggestione serpentis, unde ipsi diabolo suggestum sit adpetendae impietatis consilium, quo de sublimibus sedibus laberetur. si enim nullo uiso tangeretur, non eligeret facere quod fecit. nam, si non ei aliquid uenisset in mentem, nullo modo intentionem conuertisset in nefas. **259.** unde igitur uenit in mentem quicquid illud est, quod uenit in mentem, ut ea moliretur quibus ex bono angelo diabolus fieret? qui enim uult, profecto aliquid uult, quod, nisi aut extrinsecus per sensum corporis admoneatur, aut occultis modis in mentem ueniat, uelle non potest. discernenda igitur sunt genera uisorum, quorum unum est quod proficiscitur a uoluntate suadentis, quale illud est diaboli, cui homo consentiendo peccauit, alterum a subiacentibus rebus, uel intentioni animi, uel sensibus corporis. **260.** intentioni animi subiacet – excepta incommutabilitate trinitatis, quae quidem non subiacet, sed eminet potius –, subiacet ergo intentioni animi prius ipse animus, unde nos etiam uiuere sentimus, deinde corpus quod administrat, unde ad quodlibet operandum membrum quod opus est, cum opus est, mouet. subiacent autem sensibus corporis quaecumque corporea.

**25,76 261.** Vt autem in contemplatione summae sapientiae, quae utique animus non est, nam est incommutabilis, etiam se ipsum, qui est commutabilis, animus intueatur, et sibi ipse quodam modo ueniat in mentem, non fit nisi differentia qua non est quod deus, et tamen aliquid est quod possit placere post deum. **262.** melior est autem cum obliuiscitur sui prae caritate incommutabilis dei, uel se ipsum penitus in illius conparatione contemnit. si autem, tanquam obuius, sibi placet[84] ad peruerse imitandum deum, ut potestate sua frui uelit, tanto fit minor quanto se cupit esse maiorem. **263.** et hoc est *Initium omnis peccati superbia* et *Initium superbiae hominis apostatare a deo.* superbiae autem diaboli accessit maleuolentissima inuidia, ut hanc superbiam homini persuaderet, per quam sentiebat se esse damnatum. **264.** unde factum est ut poena hominem

os estultos que hão de transitar para a Sabedoria a superam, mesmo com a moléstia de carecer da doçura pestilenciosa dos costumes perniciosos.

**25,75** **258.** Porém neste ponto pode-se indagar, se ao homem estiveram disponíveis as visões de uma e outra parte, uma do preceito de Deus, a outra da sugestão da serpente, de onde foi sugerido ao próprio diabo o conselho de apetecer a impiedade, pelo qual cairia das sedes sublimes. Pois, se ele não fosse tocado por nenhuma visão, não elegeria fazer o que fez. Com efeito, se nada lhe houvesse chegado à mente, de modo nenhum haveria convertido sua intenção para o nefasto. **259.** Portanto de onde lhe veio à mente aquilo, seja lá o que for que lhe veio à mente, para que realizasse aquelas coisas, por meio das quais de anjo bom se fizesse diabo? Pois aquele que quer, certamente quer alguma coisa, o que, se não lhe seja admoestado extrinsecamente através de um sentido do corpo, ou lhe venha à mente de modos ocultos, não pode querer. Portanto devem ser discernidos os gêneros de visão, dos quais um é o que procede da vontade daquele que persuade, qual é aquele do diabo, consentindo com o qual o homem pecou; o outro, das coisas subjacentes, seja a intenção do espírito, seja os sentidos do corpo. **260.** Subjaz à intenção do espírito – excetuada a absoluta imutabilidade da Trindade, que certamente não lhe subjaz, ao contrário, se lhe sobreleva –, subjaz à intenção do espírito, portanto, primeiro o próprio espírito, de onde nós também sentimos que vivemos, depois o corpo que ele administra, de onde move o que é preciso, quando é preciso, para operar qualquer membro. Por sua vez subjazem aos sentidos do corpo as coisas todas corpóreas.

**25,76** **261.** Porém, como na contemplação da suprema Sabedoria, que sem dúvida não é um espírito, pois é absolutamente imutável, também sucede que o espírito, que é completamente mutável, considere a si próprio, e a si ele próprio de certo modo venha à mente, senão com a diferença de que ele não é o que Deus é, e contudo é algo que possa aprazer, depois de Deus. **262.** Porém ele é melhor quando esquece de si diante da caridade do Deus absolutamente imutável, ou a si próprio despreza completamente, na comparação com ele. Porém, se ele, como se na contravia, apraz a si mesmo para imitar a Deus de modo perverso, porque queira fruir de seu próprio poder, ele se faz tanto menor quanto maior deseja ser. **263.** E isto é [o que significa:] "O início de todo pecado é a soberba"[59] e "O início da soberba do homem é o apostatar de Deus"[60]. Porém à soberba do diabo acresceu-se uma invídia malevolentíssima, de modo que persuadisse o homem desta soberba, pela qual sentia que havia sido condenado. **264.** De onde sucedeu que acometesse o homem uma pena reparadora, em vez de exterminadora, de modo que a ele, a quem o diabo se havia apresentado

susciperet emendatoria, potius quam interfectoria, ut, cui se diabolus ad imitationem superbiae praebuerat, ei se dominus ad imitationem humilitatis praeberet, per quem nobis aeterna uita promittitur, ut, praerogato nobis Christi sanguine, post labores miseriasque ineffabiles, tanta caritate, liberatori nostro adhaereamus, et tanta eius in eum claritate rapiamur, ut nulla nos uisa ex inferioribus a conspectu superiore detorqueant. quamquam et si aliquid hinc[85] intentioni nostrae suggereretur, ab adpetitu inferiorum sempiterna nos diaboli damnatio cruciatusque reuocarent.

**25,77** **265.** Tanta est autem pulchritudo iustitiae, tanta iocunditas lucis aeternae, hoc est, incommutabilis ueritatis atque sapientiae, ut, etiam si non liceret amplius in ea manere quam unius diei mora, propter hoc solum innumerabiles anni huius uitae, pleni deliciis, et circumfluentia temporalium bonorum, recte meritoque contemnerentur. **266.** non enim falso aut paruo adfectu dictum est: *Quoniam melior dies unus in atriis tuis super millia.* quamquam et alio sensu possit intellegi ut millia dierum in temporis mutabilitate intellegantur, unius autem diei nomine incommutabilitas aeternitatis uocetur.

**267.** Nescio me aliquid praetermisisse, quod, ex nostra responsione, quantum dominus praebere dignatus est, tuis interrogationibus desit. quamquam et si aliquid tibi occurrit, modus libri nos iam finem facere et ab hac disputatione requiescere aliquando conpellit.

EXPLICVIT
LIBER TERTIVS

### Adnotationes critici apparatus adbreuiatae

1 *Iam* animo eum uideo...
2 Sed *eo* quo...
3 Eis ?!
4 Imo.
5 Regula illa pietatis facile commonebit...
6 De qua tamen [iure] laudatur.
7 [A] *Coelum* tamen esse nolis...
8 Humida.

para a imitação da soberba, o Senhor se apresentasse para a imitação da humildade, através de quem nos é prometida a vida eterna, para que, tendo o sangue de Cristo resgatado por nós a dívida antecipadamente, depois de labores e infelicidades inefáveis, com caridade tamanha, adiramos ao nosso Libertador, e, por sua claridade tamanha, sejamos arrebatados em direção a ele, para que nenhumas visões das coisas inferiores nos desviem do conspecto superior. Todavia, mesmo que algo dessa procedência se sugerisse à nossa intenção, a condenação e as torturas sempiternas do diabo nos chamariam de volta do apetite das coisas inferiores.

**25,77** **265.** Porém tamanha é a beleza da Justiça, tamanha a jucundidade da eterna Luz, isto é, da absolutamente imutável Verdade e Sabedoria, que, mesmo que não fosse lícito nela permanecer mais do que a demora de um único dia, somente por causa disto os inumeráveis anos desta vida, plenos de delícias, e a circunfluência dos bens temporais seriam reta e merecidamente desprezados. **266.** Pois não foi com uma disposição falsa ou pequena que se disse: "Porque melhor é um único dia em teus átrios sobre milhares"[61]. Ainda que também em um outro sentido se possa inteligir [essa passagem], que é na mutabilidade do tempo que se inteligem "os milhares de dias", porém com a expressão "um único dia" seja referida [em vez disso] a imutabilidade absoluta da eternidade.

**267.** Não sei se deixei alguma coisa passar, que, na nossa resposta, tanto quanto o Senhor dignou-se mostrar-me, esteja faltando às tuas interrogações. Todavia, mesmo que algo te ocorra, a dimensão do livro nos compele agora a dar-lhe um fim e a descansar algum tempo desta disputa.

TERMINA
O LIVRO TERCEIRO

### Notas resumidas do aparato crítico e referências bíblicas

1 Cf. Mt 7,8.

2 Sl 40,5 (41,5).

3 Aquela "regra de piedade" facilmente *nos* há de rememorar...

4 Da qual ele é louvado [com justiça].

5 [A] Contudo não queiras que ele seja *o céu*.

6 [B] *Tanto que* ninguém pode ver, por uma cogitação verdadeira, *na medida em que* não é verdadeiro.

7 Superou // sempre superará.

9 Vera cogitatione.

10 [B] *Tamen* nemo potest ueraci cogitatione uidere quam non est uerum.

11 Oberrans.

12 Iidem.

13 Superauit // semper superabit.

14 Ii.

15 Igitur.

16 Restat.

17 Vrgente.

18 Desinit.

19 Dictum.

20 Adici.

21 Praecedit.

22 Huiusmodi.

23 Redacta est.

24 Spirit*ua*lia.

25 Spirit*ua*les.

26 Pecca*ui*ssent.

27 Iis.

28 Eos [qui non possunt] ad ineffabilia contuenda...

29 Aliena.

30 Nihilominus *si* corrumpi nolit...

31 Quod homines [eis] non utantur...

32 Natura.

33 Et in tantum [recte] uituperentur...

34 Translegauerat.

35 Totus *ille* sermo contexitur...

36 Quo bene uti noluit...

37 Hoc enim [etiam] modo...

38 Si accepit [*et*] uoluntatem liberam, *et* sufficientissimam facultatem.

39 Laudatur.

40 Vel istam peccare uel illam non pecare cogi.

41 Et quis [erit] quaerendi modus...?

42 Percunctandi.

43 Receditur.

44 Aut igitur [ipsa] uoluntas...

45 Euodio tribuunt Londinensis, Oxoniensis et Trecensis.

46 Euodio tribuit tantum Londiniensis.

47 Euodio tribuit tantum id. Lond.

48 Sed quod *nolo*...

49 Et spiritus [autem] aduersus...

50 Rerum moderatori [summo] deo...

51 Omnium hominum [animae] trahuntur...

52 Peca*ui*sse.

53 Mobilitate et mutabilitate.

8 1Cor 6,3.
9 Lc 20,36; Mt 22,30.
10 Mt 25,41.
11 Sl 18,13-14 (19,12-13).
12 Cf. Jo 1,3.
13 Cf. Jo 1,14.
14 Cf. Rm 1,20.
15 Cf. Col 1,16; Ef. 1,21.
16 Cf. Rm 11,36.
17 "Induzi-los [, aos que não podem,] a considerar as coisas inefáveis." (O trecho suprimido havia sido incluído pelos maurinos, a partir do códice Parisinus 15656, de par com outros dois.)
18 1Cor 3,17.
19 E que fossem tanto mais [retamente] vituperadas...
20 Pois deste modo [também]...
21 Se recebeu [*não apenas*] a vontade livre, *mas também* uma faculdade perfeitamente suficiente.
22 Ou coage essa a pecar, ou aquela, a não pecar.
23 E qual [será] a medida do procurar...?
24 1Tim 6,10.
25 Não se afasta.
26 Portanto ou a [própria] vontade...
27 Os manuscritos Londiniensis Brit. Mus. Add. 10940 e Oxoniensis Laud. Misc. 113, ambos do século X, de par com o Trecensis 40, séc. XII, interpretam esta pergunta como sendo de Evódio. Porém essa lição não encontra respaldo nas edições críticas mais reconhecidas.
28 Questão atribuída a Evódio pelo m. Londiniensis 10940.
29 Q. atrib. a Evódio pelo mesmo m. indicado *supra*.
30 1Tim 1,13.
31 Sl 24,7 (25,7).
32 Mas o que *não quero*...
33 Rm 7,19.
34 Rm 7,18.
35 O espírito [, porém,] contra...
36 Gl 5,17.
37 Ef 2,3.
38 Ao moderador [supremo] das coisas, Deus...
39 São tiradas [as almas] de todos os homens...
40 Cf. Mt 7,7-8.
41 Cf. 1Pd 5,4.
42 [Ainda não] alcançaram os nossos sentidos.
43 Prósperas *e* adversas.
44 Cf. Fil 3,13-14.
45 Todo aquele que julga do modo mais são [a respeito das coisas] julga...
46 Cf. *Ep.* 226,8.
47 Cf. Mt 10,29; Lc 12,7.
48 Pode a *fé* alheia ser dispensada.
49 Cf. Lc 7,12-15.

54 Partim [nondum] in nostros sensus...

55 Seriem temporum.

56 Negl*i*gat.

57 Iis.

58 Aduersis*que* rebus.

59 Igitur.

60 Iis.

61 Li*t*ore.

62 Li*t*oris.

63 Istud.

64 Quisquis sanissime [de rebus] iudicat...

65 Quaedam pars eius.

66 Firmis [sic].

67 Acquiescit.

68 Potest aliena commodari.

69 In honorem.

70 Quia... existimant.

71 Nisi sensus [quidam] diuisionis.

72 Quae non... adsequitur.

73 I*r*rogatae.

74 Negl*i*geret.

75 Vocaueris.

76 Negl*i*gentiam.

77 Negl*i*gentia.

78 Ad *capiendum* praeceptum.

79 Poena consecuta est.

80 Stultitia*ne*...

81 Possit.

82 Conse*c*untur.

83 Visum [est] ex superioribus praeceptum dei...

84 Obuius placet sibi.

85 Huic intentioni.

50 Mt 2,16-18.

51 Um [certo] sentido de divisão.

52 Que não... atinge.

53 Para *captar* o preceito.

54 Cf. Rm 1,22.

55 Cf. Rm 1,21.

56 Sl 41,7 (42,6).

57 Cf. Gn 3,5.

58 O preceito de Deus [é] a visão das coisas superiores...

59 Eclo 10,15 (*Vulg.*); 10,13 (LXX).

60 Eclo 10,14 (*Vulg.*); 10,12 (LXX).

61 Sl 83,11.

# NOTAS E COMENTÁRIOS

# parte A

Verei os céus, obras de teus dedos,
a Lua e as estrelas, as quais tu fundaste.
Que é o homem, que dele estejas lembrado,
ou o filho do homem, que o examines?
O fizeste menos um pouco que os anjos;
de glória e honra o coroaste;
e o estabeleceste acima das obras de tuas mãos;
subordinaste todas as coisas debaixo dos pés dele:
ovelhas e bois todos,
também os rebanhos das campinas,
as aves do céu e os peixes do mar,
que percorrem as sendas dos mares...

Sl 8,4-9[1]

---

1 ΨΑΛΜΟΣ 8,4-9: "...ὄψομαι τοὺς οὐρανούς, ἔργα τῶν δακτύλων σου, / σελήνην καὶ ἀστέρας, ἃ σὺ ἐθεμελίωσας. // τί ἐστιν ἄνθρωπος, ὅτι μιμνῄσκῃ αὐτοῦ, / ἢ υἱὸς ἀνθρώπου, ὅτι ἐπισκέπτῃ αὐτόν; // ἠλάττωσας αὐτὸν βραχύ τι παρ᾽ ἀγγέλους, / δόξῃ καὶ τιμῇ ἐστεφάνωσας αὐτόν, // καὶ κατέστησας αὐτὸν ἐπὶ τὰ ἔργα τῶν χειρῶν σου, / πάντα ὑπέταξας ὑποκάτω τῶν ποδῶν αὐτοῦ, // πρόβατα καὶ βόας πάσας, / ἔτι δὲ καὶ τὰ κτήνη τοῦ πεδίου, // τὰ πετεινὰ τοῦ οὐρανοῦ καὶ τοὺς ἰχθύας τῆς θαλάσσης, / τὰ διαπορευόμενα τρίβους θαλασσῶν".

# sumário às notas e comentários ao livro terceiro

## notas e comentários ao livro terceiro

### 3,1,1,1. Recapitulação do segundo livro

**1.** E – Visto ter ficado para mim suficientemente manifesto que entre os bens, e por certo não os mínimos, se deve enumerar aquela vontade livre, a partir do que também somos forçados a reconhecer que ela foi divinamente[1] dada e que conveio ter sido dada[2]...

Se o primeiro livro tratou principalmente da definição do malfazer[3] e de sua causa[4], cujas "soluções" foram, respectivamente, que o malfazer é averter-se das coisas eternas e converter-se para as temporais[5], e que sua causa situa-se no arbítrio livre da vontade humana[6]; o livro subsequente, por sua vez, procurou desatar os nós deixados pela argumentação precedente. Assim Agostinho e Evódio procuraram resolver três grandes problemas levantados pelas discussões do livro inaugural. Se a vontade havia sido dada à criatura pelo Criador, como não imputá-la, sendo a causa do mal, ao seu dador divino, ou então, por que motivo teria Deus dado ao homem aquilo por meio de que sabia que ele haveria de pecar? Para tanto era preciso saber primeiro se Deus havia dado ao homem a vontade livre; antes do que, porém, era preciso saber ainda se havia de fato um Deus capaz de fazê-lo. Consentida então a existência de Deus, que se precisava de algum modo provar, seria necessário igualmente estar certo de que todos os bens haviam sido criados por ele, enquanto bens, dentre os quais deveria necessariamente estar inclusa a própria vontade livre, a fim de que fosse não apenas considerada um dentre eles, mas que se admitisse ter sido dada ao homem de modo justo por Deus, que se crê sumamente bom, a fim de que a responsabilidade da prática do mal recaísse e permanecesse na liberdade do homem, jamais no ato criador. Logo foram essas as três grandes questões ou pilares sobre os quais se apoiaram as discussões do segundo

1 *Diuinitus*, liter. "de modo divino", o que equivale a dizer que foi dada por Deus.

2 Isto é, que era necessário que fosse dada.

3 Cf. 1,3,6,14: *"Quid sit male facere"*.

4 Cf. 1,2,4,10: *"Vnde male faciamus"*.

5 Cf. 1,16,35,116: *"Auertitur a diuinis [...] et ad mutabilia [...] conuertitur..."*.

6 Cf. 1,16,35,117: *"Ex libero uoluntatis arbitrio"*.

livro: [i] saber o motivo por que Deus teria dado ao homem o instrumento do malfazer, a vontade livre, para o que seria preciso saber se de fato havia um Ser superior, que estivesse acima daquilo que se considerava o melhor na constituição humana, a inteligência, a partir do qual Ser todas as coisas consideradas boas teriam tido sua existência; existência que não poderia não ser justa, sendo justo aquele que as fez existir[7]; [ii] depois, tendo sido provada a existência desse Ser supremo, saber se de fato todos os bens, enquanto bens, teriam sido por ele criados, numa palavra, se é Deus o criador de todas as naturezas[8]; [iii] por fim, saber se a própria vontade livre poderia ser contada entre os bens, a fim de que se pudesse dizer que foi dada por Deus com justa causa[9]; isso tudo, porque, se Deus existe, do modo como se postulou no princípio de piedade assentado logo no início do livro primeiro, que consiste em ter a melhor ideia possível acerca dele[10], ele não apenas deve ser justo, mas igualmente bom, sendo consequentemente justo e bom tudo o que faz. Pelo que não apenas tudo o que existe deveria de fato ser considerado bom, mas também a vontade livre, apontada como a causa de fazer mal, devia ser considerada um bem, dado com justiça por Deus ao homem, de modo que se lhe não tentasse imputar nenhuma responsabilidade pelos malfeitos através dela perpetrados. E de fato, se se provasse que todos os bens tinham sua origem em Deus, e que a vontade livre fazia parte do conjunto deles, seria necessário também admiti-la como tendo sido dada por Deus com justiça e inimputabilidade, recaindo alhures a responsabilidade do mal, o que foi feito com certo sucesso no segundo livro.

## 3,1,1,1. A causa da causa do pecado: proposta para o terceiro livro

**1.** E – [...] se estimas agora oportuno, desejo conhecer por ti[11] de onde é que aquele movimento se origina[12], pelo qual a própria vontade se averte do Bem comum e absolutamente imutável e converte-se para os bens *próprios*, quer *alheios*, quer *ínfimos*[13], entretanto todos completamente mutáveis.

---

[7] Cf. 2,3,7,20-15,40,157.

[8] Cf. **2**,16,41,161-17,46,177; **1**,2,5,12-13.

[9] Cf. 2,18,47,178-20,54,206.

[10] Cf. 1,2,5,12-13: *"optime namque de deo existimare uerissimum est pietatis exordium"*.

[11] Traduz o latim *per te*, "através de ti", "por teu intermédio".

[12] Traduz o latim *exsisto*, "surgir", "emergir", "aparecer" etc. Cf. *esse ex deo* no LÉXICO T-F.

[13] Cf. 2,19,53,199-200: *ad proprium, ad exterius, ad inferius*.

Restava ainda um pedaço solto do tecido que precisava ser cosido harmoniosamente à tessitura do todo, ou ao menos remendado, quanto possível. Se a vontade livre era a causa do movimento de aversão do Bem comum e imutável e consequente conversão aos bens próprios e mutáveis, a qual, contudo, comprovou-se ser um bem, dado com justiça por Deus, conquanto apenas de estatuto intermediário, visto que poderia também ser mal utilizada, embora fosse imprescindível para a prática do bem, restava grave dúvida quanto à origem, se não a desse próprio bem, ao menos do mal que era dele decorrente. Com efeito, se todos os bens têm origem em Deus, dentre os quais a vontade, que é um movimento do espírito, sendo o mal desprovido de substância própria, apenas a corrupção de alguma natureza, decorria forçosamente disso que outra coisa não poderia ser senão o desvio[14] desse movimento originalmente bom, desvio da conversão devida ao Ser, e que por isso mesmo se diz pecado. Em assim sendo, o movimento do espírito que se diz vontade, enquanto movimento de conversão ao Bem supremo e imutável, é bom, pois voltado para o Bem, que é sua finalidade original. Contudo o seu desvio, aquele movimento de aversão do Bem comum e imutável e de conversão aos bens próprios, é chamado de "pecado", ainda que em si mesmo, enquanto movimento, isto é, considerado apenas como simples potência de querer, mas não direcionado a nenhum objeto específico, resta sem dúvida um bem, pois dado por Deus, o Criador bom de tudo o que é bom, precisamente porque existe.

Portanto o movimento que se diz simplesmente "vontade" é um bem de estatuto ontológico médio, porque pode ser convertido tanto para fazer o bem como para fazer mal. Quando convertido para o bem, é bom; quando convertido para fazer mal, mau; embora em ambos os casos, enquanto simples movimento do espírito, resta apenas uma seta sem ponta, com o perdão da má metáfora, que neste caso, em si mesma, é invariavelmente um bem. Porém é daqui que decorre o problema, pois todo movimento, depreende-se, tem alguma origem, nem que seja em si mesmo, ao modo do semovente platônico. Qual seria, pois, a origem desse movimento, seja de conversão para o Bem, seja de aversão dele? Ora, sabendo-se que inexiste mérito fora da vontade[15], nenhum dos dois poderia ser bom, nem mau, se não decorressem de um impulso voluntário. Daí que sua origem, o movimento inicial que impulsiona tanto o movimento

---

14 Pode-se compreender esse "desvio" também como uma corrupção; neste caso, da direção original devida rumo ao Bem supremo.

15 Cf. 1,14,30,101.

de conversão como o de aversão, não poderia estar fora da própria vontade, de onde ser necessário concluir que a causa do movimento da vontade, seja em que direção for, não pode não ser, de algum modo, também ela mesma vontade. Destarte a causa da vontade deve estar na própria vontade, o que precipita a discussão numa circularidade inescapável, de caráter aparentemente aporético, pois estando a causa na causa, nunca se chega de fato à causa primeira de qualquer causa segunda. A grande questão, que permeará as discussões deste livro terceiro até ao final, outra não é, pois, senão saber o motivo por que a vontade se desvia do fim pretendido por Deus, corrompendo-se, fim que é a conversão do espírito para seu Criador. Se o movimento, enquanto bem, tem origem em Deus, movimento esse que é vontade, faculdade livre do espírito, sua direção acima (*sursum*) seria padrão, ou seja, ela vem "de fábrica", por assim dizê-lo; contudo o seu desvio defectivo para baixo (*deorsum*)[16], que se chama "aversão", ainda não se tem convicção da sua causa.

## 3,1,1,2. Natureza, necessidade e culpa I: querer e quereres

> **2.** E – Porque, se assim lhe foi dada[17], de modo que possua esse movimento [como] natural, então é por necessidade que o homem se converte para estas coisas, e nenhuma[18] culpa pode ser depreendida onde a natureza e a necessidade dominam.

Porém, se a causa da causa, que é movimento, é também ela mesma movimento, que necessidade haveria de se saber do movimento inicial, em havendo um, indaga o filósofo[19]. E de fato, vê-se que a discussão tende a transferir-se do "quê" para o "como", do objeto ou causa para a circunstância do movimento, pois o que Evódio parece estar querendo investigar é antes o modo como esse movimento, que foi dado reto ao homem por Deus, se permite entortar. Porém a pergunta do discípulo poderia ter sido mais bem formulada, se tivesse sido feita a necessária distinção entre o simples movimento, cuja causa é Deus e que se chama "vontade", um bem de estatuto ontológico médio, e sua dupla possibilidade de direcionamento "vertical", ascendente e descendente, que também constituem movimentos, ditos de conversão para o Bem comum, quando se voltam

---

16 Os advérbios "acima" e "abaixo" devem ser aqui compreendidos em sentido figurado, obviamente.

17 Se a vontade livre foi dada ao homem do seguinte modo...

18 Liter. "e não alguma culpa", ou seja, "nem uma única culpa...".

19 3,1,1,2: *"Quid enim opus est hoc scire?"*.

figuradamente para cima (*sursum*), e de aversão do Bem comum para os bens próprios, quando se voltam para baixo (*deorsum*). Contudo o movimento em si, que se diz "vontade", deve ser natural, pois dado por Deus no ato da criação. E mesmo que se quisesse anular a vontade, fosse isso possível, ainda assim esse esforço de aniquilamento se constituiria em si um ingente movimento da própria faculdade que se quisesse anular, pois, embora se imaginasse especiosamente estar tendendo para a sua completa cessação, essa pretensa supressão, fosse possível, não se faria senão por um enorme esforço da própria vontade, que se imaginava, equivocadamente, estar aniquilando; e que, ao fazê-lo, bastante ao contrário, se fortaleceria ainda mais. Logo não se pode não querer, pois mesmo quem quer não querer não o quer senão querendo, o que demanda esforço ainda maior da vontade do que quando se quer querer. Portanto a pergunta de Evódio carece de formulação distinta, pois não está na verdade procurando saber da origem do movimento simples que se diz vontade, movimento que, enquanto faculdade ou bem dado por Deus, é natural ao homem, que não pode não querer, pois, mesmo quando não quer nada, ainda assim quer alguma coisa, ainda que seja a negação do querer. O que quer saber, na verdade, é das circunstâncias desse movimento original, se naturais e necessárias, pois essas duas ideias se correspondem inextricavelmente, não da vontade em si; ou então, em outros termos, quer o discípulo saber acerca do desvio da vontade, numa palavra, da causa da sua aversão do Bem supremo e da conversão em sentido contrário, que implica antes a direção do movimento, quando não um determinado gênero distinto de movimento mal orientado, porém não quer saber do movimento em si[20], nem enquanto faculdade do espírito, cujo autor é sabidamente Deus[21].

---

20 Dizer que há algum movimento sem direção é sem dúvida absurdo, assim como absurdo é dizer que há vontade onde nada se quer. Logo nenhum movimento é possível sem direção. O que se está referindo aqui, em vez disso, é o movimento *simpliciter*, enquanto pura potência ou capacidade de querer, seja o que for que se queira querer.

21 Na verdade a questão não é nada simples, pois talvez seja apenas didática a distinção entre um querer bom e outro mau, visto que ambos nada mais são do que movimentos da mesma vontade. O que se procurou dizer, contudo, é que Evódio não parece estar buscando a vontade, enquanto faculdade do espírito, cuja causa é Deus, mas saber do desvio em si mesmo; numa palavra, da causa por que ela se averte do bem e se converte para o malfazer. Todavia o desvio é uma vontade desviada, defectiva, corrompida. Mas, se se isolá-la do desvio, do defeito, tem-se que a causa do malfazer, como ficou assente no livro anterior, é o próprio defeito, que em si mesmo não é nada. Portanto o que se quer saber, no fim, parece ser a causa do nada, não da vontade; o mesmo nada a partir "de onde" todas as criaturas foram criadas pela mão de Deus. Portanto ela se aproxima de sua causa eficiente, quando se converte para o Ser supremo, que

E com efeito, se querer é natural ao homem, uma faculdade que lhe foi dada por Deus, que é bom, que pecado haveria em fazer uso dela, querendo livremente? Se o homem não pode não querer, querendo pela necessidade que sua natureza lhe impõe, que mal pratica quando dá livre curso às faculdades que lhe foram conferidas, no momento de sua criação? No entanto o que é natural[22] assim se diz por ser necessário, não facultativo ou voluntário, algo inevitável, que prescinde do concurso racional do homem. Porém, se o movimento fosse de fato necessário, como poderia ser simultaneamente voluntário, sem que ferisse o princípio de não contradição? Seria como se se dissesse que a causa do movimento voluntário e livre era involuntária e obrigatória, o que seria absurdo. No entanto, se a vontade é natural e necessária, sendo impossível não querer, ainda que se pretenda anular o próprio querer, desde que se esteja em posse saudável de todas as faculdades mentais, enfim, se a vontade é necessária, o mesmo não se pode dizer do direcionamento dela, acima ou abaixo, convertendo-se ou avertendo-se, embora esses movimentos sejam, em alguma medida ainda não completamente compreendida, igualmente vontades. Embora não seja possível não querer, pode-se não querer averter-se ou converter-se, como se se dissesse que a vontade é uma potência que só não pode não ser utilizada, ao modo de uma aeronave cuja força de sustentação em altitude depende de seu movimento constante[23], ou ainda, com o perdão do mau exemplo, como uma partida de modalidade esportiva qualquer que não admitisse empate.

O que Evódio não percebe é que a causa da vontade, como movimento direcionado, não pode ser nem necessária, tampouco natural, sob pena de deixar de ser vontade[24]. A vontade, enquanto faculdade da alma, potência bruta, sem direção, pode-se dizer necessária, enquanto potência ou atributo humano,

---

é o seu Criador; e se aproxima de sua causa deficiente, quando se averte do Ser supremo, convertendo-se no sentido oposto, para o nada, "de onde" foi feita toda criatura. Numa palavra, parece estar a criatura a meio caminhar, numa disputa entre o ser e o não ser, entre a plenitude e o nada, entre a unidade e a multiplicidade, assim como entre o amor que une e o conflito que desune, na célebre cosmologia do agrigentino Empédocles.

22 Cf. verbetes *natura, naturalis* e *necessitas* no Léxico T-F.

23 Ela não pode diminuir a velocidade, muito menos parar, do contrário é destruída.

24 Interessa notar que o defeito, se considerado como o nada que "é", não pode ser investigado, contudo quando é defeito de algo, no caso "da vontade", pode, porém apenas enquanto ausência daquilo de que se constitui defeito. Assim pode ser investigado como ausência de vontade. Logo, quando se investiga o defeito da vontade, investiga-se aquilo de vontade que falta à sua plenitude, que seja vontade íntegra e sem defeito algum, como se se o estivesse investigando apofaticamente, por assim dizê-lo, através da "negação" daquilo de que é defeito. E de fato, se

ou bem de estatuto ontológico médio, se o queira; porém enquanto força aplicada, ou dirigida numa dada direção, só se mantém vontade se for voluntária, isto é, não necessária nem natural, no sentido de ser obrigatória e inevitável. De fato, se não se pode não querer, visto que essa suposta negação do querer é ainda e sempre querer *x* em detrimento de *y*, ou vice-versa. Nesse sentido o próprio objeto do querer, que determina a direção do movimento, ao que parece, é o que qualifica o movimento como bom ou mau, objeto esse que é julgado pela razão, em seu valor ou desvalor. Por outro lado, embora esteja absolutamente certo Evódio, ao dizer que não pode haver culpa onde impere a natureza e a necessidade, esquece-se de dizer que tampouco poderia haver mérito sem a vontade, num estado eticamente neutro, onde nem uma única ação sequer se poderia qualificar, fosse como boa, fosse como má. Logo o juízo qualitativo das ações se prende inextricavelmente aos conceitos de vontade e liberdade, sendo despropositado empreender uma investigação filosófica ética num universo povoado por seres cujo movimento motivador das ações fosse necessário e natural, ao invés de voluntário e consequentemente livre.

E se não se pode não querer, pode-se querer bem ou mal, segundo as disposições determinadas pela razão, como se depreende do livro primeiro. Porém restasse apenas e tão somente na razão toda a responsabilidade pelo bom ou mau querer, haveria um retorno ao racionalismo de tipo socrático, em que era bastante o conhecimento a fim de que se visse completamente apto a operar o bem que se quisesse; e mais, seria impossível o malfazer àquele que conhecesse o bem, assumindo-se que ninguém agiria contrariamente às determinações de sua reta razão. Num universo intelectualista de tal radicalidade, apenas o conhecimento de tipo científico (ἐπιστήμη) seria capaz de salvar o homem, conhecimento imprescindível para que as almas se convertessem ao seu Bem supremo e beatífico. Porém, ao contrário das pretensões racionalistas de Sócrates, foi percebido não muito tempo depois, por um epígono seu, discípulo de seu discípulo Platão, que a razão podia não ser tão suprema como supunha o mestre. De fato, Aristóteles admite já a ἀκρασία, ou fraqueza da vontade[25], como variável importante nesse complexo jogo de forças anímicas em maior ou menor descontrole, e algum tempo depois o judeu-romano helenizado Saulo de Tarso, convertido às portas de Damasco, em sua epístola à comunidade recém-fundada

---

o defeito é ausência, conhecer o defeito da vontade é conhecer sua ausência, ou "diferença", que se obtém subtraindo a vontade defeituosa da plena.

[25] Cf. *E.N.* 7, 1145b20-25.

de cristãos em Roma, confessa-se absolutamente incapaz de fazer valer sua vontade segundo as determinações de sua reta razão, reconhecendo ser incapaz do bem que queria e, ao contrário, vendo-se arrastado à prática do mal que repugnava[26]. Portanto a questão não parece tão simples quanto supunha o racionalismo do livro primeiro, herança socrática[27].

## 3,1,1,2-3. Premência da palavra

> **2.** A – Apraz-te esse movimento ou te desapraz? E – Desapraz-me. A – Logo tu o repreendes. E – Invariavelmente o repreendo. A – Portanto tu repreendes um movimento inculpável do espírito?[28]

O filósofo não necessitou muito mais do que a habilidade do rétor para fazer Evódio reconhecer a contradição de seu pensamento, conquanto não aceitasse admiti-lo de bom grado. Agostinho associa a aprazibilidade do movimento de aversão à repreensão que lhe é devida por esse desprazer: se o movimento desapraz, deve-se repreendê-lo; logo o que desapraz é repreensível; e o que é repreensível é culpável; logo o que é desaprazível é igualmente culpável. Porém se o movimento fosse necessário ou natural, como supõe Evódio, não poderia ser culpável, ainda que fosse considerado desaprazível, forçando o discípulo a admitir a repreensão daquilo que não merecesse reprimenda, ou seja, culpando aquilo que não merecesse culpa. Porém Evódio não admite a aporia, preferindo antes negar ter dito o que de fato disse.

> E – Não repreendo um movimento inculpável do espírito, mas desconheço se existe alguma culpa [...]. A – Logo tu repreendes aquilo que desconheces.

Evódio diz que não repreende um movimento inculpável do espírito, que seria o movimento de aversão do Bem comum e imutável e conversão para os bens próprios e mutáveis, mas que apenas "desconhece" se esse movimento é ou não culpável, abrindo a possibilidade da necessidade do movimento, o que lhe subtrairia toda culpa. Logo reconhece não estar repreendendo o movimento

---

26 Rm 7,19: "Não faço o bem que quero, mas o mal que não quero, eu o pratico" (οὐ γὰρ ὃ θέλω ποιῶ ἀγαθόν, ἀλλὰ ὃ οὐ θέλω κακὸν τοῦτο πράσσω). Cf. 1,2,4,10; 9,19,66-67; 11,22,77-78; 12,26,86-87.

27 O termo "socrático" aqui por certo se expande em abrangência das correntes helenísticas todas que se denominaram posteriormente "socráticos menores", como estoicos e cínicos, sem deixar de lado os neoacadêmicos, sem dúvida, que se destacavam, todos eles, pelo extremado racionalismo.

28 Se fosse de fato um movimento natural, não poderia ser culpável.

em si, tampouco dizendo que não seja passível de culpa, e sim que tem dúvidas quanto à sua culpabilidade – dúvida que pressupõe forçosamente sua naturalidade e consequente necessidade –, o que Agostinho, por sua vez, não admite perdoar, acusando o discípulo, corretamente, de ter recriminado algo que ainda desconhecia.

E – Não me premas com as palavras![29] Pois eu disse: "desconheço se existe alguma culpa", porque quis que se inteligisse sem nenhuma dúvida existir culpa...

Se é verdade que disse desconhecer se havia culpa no movimento de aversão, contudo não convence a sua justificativa, ao dizer que sua intenção foi o exato oposto do que Agostinho compreendeu. A escapada nada gloriosa de Evódio encontra sua porta de saída na presumível carga irônica que o verbo de caráter negativo "desconhecer", ou antes, "não ter ciência" (*ne* + *scire*), poderia conter em si, o que de modo algum se faz convincente[30]. Ironia de que Agostinho lança mão, desta vez de modo bastante apropriado, para rir-se de fato da escorregadela do discípulo:

**3.** A – Vê que coisa perfeitamente certa é a verdade, que te coagiu tão rapidamente a olvidar o que pouco antes disseste.

## 3,1,1,3-4. Natureza, necessidade e culpa II

**3.** A – [...] Pois, se é por natureza ou por necessidade que se origina esse movimento, não pode ser de modo nenhum culpável.

Que culpa pode ser atribuída aos movimentos naturais do espírito, em se considerando que o que é natural é necessário, ou seja, inevitável? Nenhuma, obviamente, a não ser que, na esteira ideológica dos maniqueus, se queira inculpar não aquele que é movido de modo necessário, o ser dotado de vontade, mas aquele que, ao contrário, lhe deu a própria vontade com sua capacidade de mover-se, Deus.

---

29 Liter.: "Não *me* queiras premer pela palavra" ou "pelo discurso". Evódio, exasperado com a dialética do mestre, implora-lhe que não o esmague com seus argumentos, apanhando toda e cada uma das contradições de seu pensamento, até conseguir obter dele o seu assentimento, ou a sua capitulação.

30 Vale notar, para além dos interesses puramente filosóficos, que esta breve passagem serve de testemunho inconteste da disputa dialética, na forma como foi recebida e acatada pela tradição, visto que nenhum argumento razoável justificaria sua inclusão na obra.

> **3.** A – E no entanto tu manténs que ele seja culpável [...]. Logo por que te pareceu que se deveria afirmar, ou dizer, certamente com alguma hesitação, aquilo que tu próprio me estás convencendo de ser perspicuamente falso?[31] **4.** Pois disseste: "[...] nenhuma culpa pode ser depreendida onde a natureza e a necessidade dominam".

Não apenas a contradição de Evódio se torna patente, mas também a consequente ironia do mestre. Com efeito, se o movimento livre da vontade, movimento de aversão do Bem supremo e conversão em sentido contrário, é considerado por Evódio de tal modo culpável que seria ridículo levantar qualquer dúvida acerca dessa mesma culpabilidade, por que motivo então o fez, isto é, por que levantou essa mesma dúvida que diz agora ser risível, sugerindo a possibilidade de que fosse de algum modo natural e necessário? Nenhum movimento pode ser livre se for necessário, assim como nenhum movimento pode ser voluntário se for inevitável. Logo ou a vontade não é vontade, ou não é nem natural, nem necessária. Todavia se está referindo aqui ao movimento dirigido da vontade, seja *sursum*, seja *deorsum*, acima ou abaixo, de aversão e conversão, e não à vontade em si mesma, enquanto simples movimento, ou melhor, capacidade de mover-se, um querer *simpliciter*, sem nenhuma qualificação ou objeto, como dito pouco antes[32].

## 3,1,1,3-4. Natureza, necessidade e culpa III

> **4.** A – [...] Porém não devias de modo nenhum ter duvidado de que ela não foi dada assim dessa maneira, quando não duvidas de que esse movimento é culpável.

Logo ou a vontade livre foi dada por Deus ao homem como movimento voluntário e livre, ou então não é vontade, não podendo de modo nenhum admitir-se que tenha sido dada de modo necessário e natural, como quis supor Evódio. Para Agostinho, ao que parece, ao menos nesse ponto, importa menos o fato óbvio de que ninguém pode ser obrigado a querer quando não quer, ainda que seja "convencido" a que queira, o que então fará livremente, depois de

---

31 Sintaxe dúbia, que talvez se compreenda melhor na seguinte ordem direta: "Por que, pois, a ti te pareceu [i] ou que se devia afirmar, [ii] ou que se devia dizer, seguramente com alguma hesitação, [iii] aquilo que tu mesmo estás convencido [iv] de ser claramente falso?" (*cur ergo tibi uisum est: [i] uel adfirmandum [ii] uel certe cum aliqua dubitatione dicendum, [iii] quod ipse conuincis [iv] perspicue falsum esse?*).

32 Cf. 3,1,1,2.

ter-se convencido de que devia de fato querer o que antes não queria, de onde a consequência ética decorrente do querer. E de fato, embora a vontade que não quer livremente não seja verdadeiramente vontade, importa mais para o filósofo o fato de que Deus pune os pecados, que para serem punidos com justiça devem ter sido praticados livremente, ou seja, pela vontade, sob pena de ou Deus ser injusto, ou inexistir, restando apenas o acaso ou, quando não, o caos. O movimento de aversão é voluntário e livre, o que implica sua inimputabilidade divina, porque, se não o fosse, não poderia ser mau, e, consequentemente, tampouco poderia ser culpável e repreensível, desmerecendo a punição divina.

A punição divina, por conseguinte, é fator primordial na lógica do filósofo, não apenas porque pressupõe a ideia de ordem tão decantada no livro primeiro e quase universalmente aceita no mundo antigo, mas principalmente por embasar o pilar central do pensamento cristão, pilar que se encorpa consideravelmente, ao modo dum feixe de colunas que se fundem numa só, quando se sustenta nas categorias platônicas e pitagóricas de unidade e organicidade matemáticas do universo, redundando na coluna central da própria ideia monoteísta, ao redor de que o resto todo paira de modo tão ordenado quanto se poderia conceber. Sem a noção de Justiça cósmica, de Ordem, como não descair no caos do acaso? O simples fato, empiricamente óbvio, de que a vontade que não quer livremente não se pode dizer "vontade", não sustenta de imediato as implicações necessárias aos propósitos desposados pelo filósofo. Com efeito, os animais igualmente possuem vontade, ou não? Não exatamente; pois parecem ter apenas instintos ou, se se queira, "impulsos", que são forças governadas pela necessidade inerente aos apetites de ordem sensorial, como sede, fome, sexo etc. A vontade, por sua vez, pressupõe algo mais, uma certa potência que a dirija e governe, a fim de que seja vontade. Poder-se-ia, talvez, operar uma distinção técnica entre apetite livre e desordenado, de ordem sensual, que não se quer dizer *libido* a fim de não causar confusão com o termo definido distintamente por Agostinho no livro primeiro, e apetite livre e desordenado, de ordem sensual ou não, mas que é governado por movimentos racionais. No primeiro caso dá-se livre curso aos apetites a fim de saciar as necessidades fisiológicas, cuja intensidade varia de indivíduo a indivíduo; no segundo caso os mesmos apetites, motivados pela necessidade, são controlados, reprimidos pela razão julgadora, segundo critérios morais, razão que "libera" os apetites tidos por bons e coíbe os considerados maus. Nesse sentido, pois – embora o exemplo seja bastante rudimentar –, diz-se livre apenas o apetite "regido" pela natureza, ao menos no

que tange às necessidades fisiológicas; a vontade ou o apetite "controlado" pela razão, esse não convém ser totalmente livre, sob pena de precipitar o seu possuidor num movimento de autodestruição. Contudo, embora a razão cerceie os movimentos selvagens desse querer, isto é, naturalmente livres, ainda assim ela, razão, seja como força do espírito, seja como sua própria identidade, não importa nesse momento, pode sempre querer não cercear os impulsos do querer, querendo querer livremente, o que é livre para fazer. E nesse sentido, mais livre que o próprio querer é o espírito, que pode cerceá-lo de algum modo, embora seja contestável se consiga de fato fazer com que não queira querer o que quer, ou seja, assumindo-se que *x* deseja *y*, o espírito de *x* pode ser autoindulgente e conceder-se a fruição de *y*, ou, ao contrário, pode ser continente e privar-se de *y*. Neste caso, contudo, resta saber se a privação eliminará o querer ou se apenas obstará a fruição, muita vez aumentando exponencialmente o próprio querer, restando *x* inflamado pelo desejo do *y* insatisfeito.

Por outro lado, embora isso seja passível de contestação, pode-se aventar a hipótese de que nem todo querer seja de fato motivado por apetites naturais, como fome e sede, e sim decorrência de outros fatores de ordem espiritual, como o desejo da fama, por exemplo, ou de poder, embora se possa encontrar na natureza algo que se assemelhe em muito com o que se compreende como desejo (ou instinto) de poder e de dominação, quer sobre outros da mesma espécie, quer sobre algum território. Seja como for, sendo esse desejo, ou apetite, natural e necessário, não pode ser voluntário, muito menos coibido pelos argumentos da razão, de onde não ser tampouco inculpável, precipitando o cosmo de volta ao estado dito natural, estado de liberdade original desordenada ou caótica, em que ninguém é juiz, seja de si mesmo, seja do outro, pois inexiste qualquer juízo, inexistindo qualquer pressuposto de valor. Logo vê-se que a noção de culpa se liga inextricavelmente à noção de valor, sem a qual nenhum juízo parece ser viável, ao menos no universo do homem antigo. E de fato, sem culpa, não há pecado; sem pecado, tampouco há virtude, que se lhe opõe; sem virtude, nenhum prêmio; e sem prêmio ou punição, que decorrem das noções de culpa ou responsabilidade, não há juízo; e sem juízo, nenhum valor; e sem valor, não há moral. Se para muitos dos contemporâneos pós-modernos isso parece ser um bem, para um homem do tempo de Agostinho, ao contrário, era impensável, pois, como se viu em comentários anteriores, as ideias de ordem, beleza e bem se prendiam de modo inextricável umas às outras, e a própria sociedade – ainda hoje, como se vê! – é impensável sem ao menos alguma ordem, cuja imposição e manutenção são

tarefas das leis, leis que convencionalmente dizem o certo do errado, atribuindo culpa aos seus infringentes. Do contrário tem-se o caos, o que não chega a causar espécie aos que habitam as megalópoles hodiernas.

Portanto não é por acaso que, ao tratar da vontade, o argumento do filósofo prioriza a culpa em detrimento da liberdade, noção essa quase perene de responsabilidade, embora prejudicada pela carga teológica que adquiriu no Medievo. Logo, se não há vontade livre sem liberdade, ou seja, se é inviável a conciliação da vontade livre com a necessidade e a natureza, muito menos possível seria a admissão de uma vontade livre que não fosse culpável, ou seja, sem a qual alguém pudesse agir bem ou mal. Isso, porque, como se viu logo no início do livro primeiro[33], duas são as espécies de mal, segundo a opinião vulgar: o que se padece e o que se pratica. Em sendo necessário e natural o movimento da vontade que se diz pecado, nenhum mal será possível. Pois o primeiro, o suposto mal de que padece o homem, apenas equivocadamente é que se considera um mal, visto tratar-se somente de expiação pelos malfeitos anteriormente perpetrados, expiação cuja autoria é da Providência divina. Logo, se não há culpa, por causa da necessidade do movimento, como explicar o sofrimento padecido como sendo oriundo da Justiça divina? Se o que se cometeu assim se o fez de modo inevitável, nem pode haver culpa, muito menos punição divina, que deve ser sempre justa. Logo o primeiro dos dois tipos de mal não é mal algum. Desnecessário discorrer sobre o segundo, visto ser causado pela vontade do praticante, que, fosse natural, não poderia ser culpável. Logo o segundo tipo de mal tampouco existiria enquanto mal.

## 3,1,2,5. Natureza, necessidade e culpa IV

> **5.** E – [...] E no entanto a alma, que é por esse movimento subtraída do Bem absolutamente imutável para os completamente mutáveis, nego que se deve inculpá-la, se a natureza dela é tal, que seja por ele[34] movida de modo necessário.

---

[33] Cf. 1,1,1,1.

[34] A partícula *eo* pode ser compreendida de dois modos: [i] adverbialmente, quando então indica a direção do movimento, que, no caso, se refere aos bens mutáveis, portanto um movimento vertical descendente; ou então, [ii] como agente da passiva, no ablativo, indicando o movimento da vontade pela ação de que a alma seria detraída do Bem imutável aos mutáveis e inferiores. Esta segunda opção, embora possa parecer um tanto pleonástica, quando a alma se "move pelo movimento", *eo... moueatur*, contudo é endossada por Agostinho na sequência (3,1,2,6): "Por acaso negas que o espírito seja movido por esse movimento?" (*numquid negas eo motu animum moueri?*).

Evódio admite que o movimento de aversão do Bem comum e conversão em sentido contrário seja culpável, o que implica responsabilidade, e por isso mesmo passível de recriminação, o que equivale a dizer punição. Contudo parece não perceber que um ato qualquer que mereça punição, por ser de responsabilidade de seu autor, se fosse natural e ainda assim passível de punição, ou o juiz seria injusto, ou a lei que ele aplicasse o seria, pois se estaria imputando a alguém crime de responsabilidade que não lhe poderia ser imputado com justiça, precisamente por não ser responsável por seus atos.

Sua dúvida, por outro lado, justifica-se. De fato, se todos os bens têm origem em Deus, sendo a vontade um deles, provou-se ter saído igualmente do criador esse movimento do espírito. Porém, se é próprio da vontade, dada por Deus, o querer, como é do olho, a visão, ou do ouvido, a audição, por que condená-la por seus movimentos naturais? Não é o querer natural à vontade, daí necessário, visto não haver vontade sem querer? E se o querer é natural e necessário, como imputar culpa ao dom que simplesmente faz aquilo que foi criado para fazer, querer? Por que um querer seria bom, outro mau? Seria apenas para justificar aquele primeiro tipo de mal, considerado assim equivocadamente[35], por ser apenas o sofrimento de que padece o homem por parte da Justiça divina, para manutenção da ordem universal? Numa palavra, por que um querer é bom, outro mau, se o querer em si mesmo é um bem, dado por Deus? E se o querer não é mau, pois a vontade é um bem médio, seria mau apenas o objeto desse querer? Mas se assim fosse, o mal existiria em si mesmo, na configuração do objeto, e a tese de que tudo o que há é bom, tendo sido criado pelo Ser supremo, que é supremamente bom e que confere o ser, que é bom em graus diversos, a tudo o que existe, cairia de imediato por terra. Não, o objeto em si mesmo tampouco é mau, porque tudo que existe deve ser bom, pois ser é bom e não ser simplesmente não é. Logo volta-se novamente ao movimento, um movimento que é mau, mas não enquanto movimento, apenas enquanto defeito do movimento. E assim o mal não é o movimento em si, e sim o desvio, o defeito, que em certo sentido acidental é também um movimento do espírito, mas cuja origem não se pode conhecer, porque simplesmente não é. Logo a dúvida de Evódio é lícita, de onde Agostinho dar-se ao trabalho de levá-la a sério e persistir nas investigações por mais um livro, o maior de todos os três.

---

[35] Cf. 1,1,1,1.

## Da origem do movimento

## 3,1,2,6-7. Movimentos extrínseco e intrínseco: da pedra ao espírito

**6.** A – De quem é esse movimento, que tu concedes se deve certamente inculpar? E – Eu o vejo no espírito, mas de quem seja, desconheço.

Em sendo a vontade um movimento do espírito, nenhuma dúvida de que, enquanto bem médio, divinamente concedido, esteja situada no próprio espírito de que se constitui uma faculdade intransferível. Contudo, enquanto desvio, movimento de movimento, por assim dizê-lo, ainda que se encontre no mesmo espírito, visto ser um defeito da vontade que ali se encontra, sua causa primeira é o que se quer investigar, se acaso esteja fora do espírito, ou nele mesmo.

## Espírito e vontade: quem move quem?

**6.** A – Por acaso negas que o espírito seja movido por esse movimento?

O próprio espírito, ou mente[36], por sua vez, é movido por esse movimento, movimento de aversão, movimento culpável. E isso chama a atenção, pois no homem ordenadíssimo, em conformidade com o que se disse no livro primeiro[37], o espírito é que deve reger os movimentos irracionais, e não o contrário. Logo depreende-se que esse espírito de que fala agora Agostinho seja um espírito desordenado, em algum grau. No entanto, conquanto se trate da vontade *simpliciter*, como dom divino, que é um bem de estatuto médio, uma potencialidade do espírito, movimento que pode ser direcionado para o bem ou para o malfazer, e que quando se converte para o Bem comum e imutável é boa, ainda assim tem-se que é ela que move o espírito, e não o contrário, como deveria ser, a partir do que se disse no livro primeiro. Se a vontade direcionada para o bem, que é movimento de movimento, depende do concurso da razão para que seja movimento bom de movimento bom, ou seja, vontade, bem médio, convertida para o Bem comum, como compreender agora que é ela, ao invés, que move o espírito? Parece que vontade e espírito ou mente se conjungem de maneira tão inextricável quanto incompreensível, pois a vontade move o espírito, vontade

---

36 Ambos são sinônimos neste *L.A.* Cf. 1,8,18,61; 9,19,68.

37 Cf. 1,8,18,61.

essa cujo movimento deve ser regulado pelo espírito a fim de que seja bom. Logo o espírito regula a vontade para que seja boa e mova a si mesmo, o próprio espírito, no sentido que o espírito programou, segundo sua origem divina. Seria então a vontade a mover o espírito, ou este a movê-la? Seria a vontade a escolher o que a mente pensa, ou a mente a decidir o que a vontade deve querer ou deixar de querer? Nesse passo, ao menos, Agostinho está dizendo que cabe à vontade má, ao movimento de aversão, a condução do espírito; do que talvez se pudesse depreender que: [i] quando o movimento é bom, movimento de conversão para o Bem comum e imutável e de aversão dos bens próprios e mutáveis, esse movimento é regido e dominado, segundo a ordem prescrita pela Razão suprema, pela mente, quando então ela exerce seu império sobre a vontade; [ii] por outro lado, quando o movimento é mau, de aversão do Bem comum e de conversão ao bem próprio, tem-se daí que a vontade em desalinho com a Ordem divina é que arrasta a mente para o caminho contrário daquele que poderia tornar o homem ordenadíssimo. Portanto, quando boa é a vontade, ela se permite conduzir pela reta razão; quando má, procura conduzi-la, ao entortá-la.

## Força de atração gravitacional ou movimento voluntário?

> **6.** A – [...] Logo tu negas que o movimento pelo qual uma pedra é movida seja um movimento da pedra? Por certo não me refiro àquele movimento pelo qual nós a movemos, ou que por alguma outra força estranha ela é movida, como quando é lançada para o céu, mas àquele pelo qual ela verga por sua própria inclinação[38] em direção à terra e cai. **7.** E – Por certo não nego o movimento pelo qual, como dizes, ela assim se inclina e busca as partes inferiores[39], movimento que é da pedra[40], mas natural.

Por ter admitido sua ignorância quanto à origem do movimento, que supunha residir no espírito, sem contudo saber de sua causa, Evódio é provocado

---

[38] A expressão latina é *nutu suo*, que, no caso da pedra, significa que ela se move sem sofrer nenhum impulso externo, mas não por sua própria iniciativa ou movimento, cuja expressão correspondente seria algo como *motu proprio*. O ablativo de *nutus*, que significa "inclinação da cabeça para baixo", em sinal de aprovação, exprime, por derivação, uma inclinação descendente em direção ao centro ou ao ponto mais baixo, que se poderia associar, obviamente *avant la lettre*, com a força da gravidade, desconhecida então como tal, uns bons séculos antes de Newton, embora se supusesse sem dúvida haver alguma força maior que sustentasse as colunas da abóbada celeste (firmamento) acima da Terra. Cf. o verbete *nutus* no Léxico T-F.

[39] Traduz *infimus* ou *imus*, superl. de *inferus*, liter.: "as partes mais fundas", "o extremo inferior".

[40] Refere-se ao movimento que supostamente pertence à pedra, quando não, que faz parte dela.

por Agostinho, numa passagem cujo interesse, não menor, é paralelo ao do escopo principal da obra. Se acaso o movimento de aversão, embora no espírito, tivesse causa extrínseca, seria então lícito supor, não sem uma dose de ironia, hoje imperceptível, que o movimento pelo qual uma pedra cai de modo espontâneo fosse também extrínseco à pedra. Embora o filósofo explique a que movimento se refere, a passagem carece de maior esclarecimento ao leitor contemporâneo, para o qual a gravidade já não é mais o mistério, como antes de Newton e Einstein, embora ainda levante questões ingentes. De fato, imaginar hoje que a causa do movimento de queda livre e espontânea de objeto inerte, como uma pedra, esteja também e de algum modo na própria pedra, em sua constituição natural[41], surpreende e parece mesmo revolucionário, ainda que seja uma ideia desprovida da necessária fundamentação científica, como se a exige e compreende hoje. Contudo faz todo sentido ao homem de ciência do século IV, cuja falta de observação de qualquer motivação estrangeira só poderia conduzir a investigação da causa do movimento ao próprio objeto movido, que, por mover-se aparentemente sem motivação externa, era visto de algum modo misterioso como um ser movente.

Agostinho refere dois movimentos que servem de contraste ao que pretende comparar com o movimento de aversão: [i] um extrínseco, motivado pela ação humana, ao arremessar-se uma pedra para longe, por exemplo; [ii] outro igualmente extrínseco, cuja motivação estrangeira deslocaria a pedra de seu lugar de repouso, podendo ser talvez um terremoto, gêiser, erupção vulcânica, ou outra força qualquer. Esses dois movimentos guardam em comum a característica específica de serem extrínsecos ao objeto movente, pois por qualquer um dos dois a pedra é movida passivamente, sem nenhuma participação de algum componente de sua natureza. Todavia o filósofo refere outro movimento, [iii] uma espécie de deslocamento espacial motivado por força ignota, agora ínsita ao objeto movente. Embora esse movimento seja ignoto, seus efeitos podiam ser observados numa avalanche ou deslizamento, por exemplo – sem causa aparente ao observador contemporâneo de Agostinho –, quando um rochedo ou parte dele vergava, pela ação natural do tempo, e se

---

41 Desde Newton, cuja lei da gravitação universal aparece formulada em seus *Philosophiae naturalis principia mathematica*, de 1687, sabe-se que os corpos materiais exercem atração mútua, uns sobre os outros. Já com Einstein a gravitação veio a ser reinterpretada como consequência da estrutura geométrica das coordenadas espaço-tempo, o que não exclui nem a luz de sofrer essa força de atração.

precipitava em direção à terra, todo ou em partes. Logo a pergunta do filósofo deixa entrever a hipótese de que esse movimento, hoje sabidamente atribuído à gravidade[42], fizesse parte de algum modo da constituição natural do objeto, sendo-lhe intrínseco e não extrínseco. Essa terceira hipótese, contudo, não apenas por ser contrastante com as duas primeiras, mas principalmente pela anuência de Evódio na sequência, deixa entrever a ideia de que o movimento dessa pseudogravidade, que impulsiona a pedra para baixo, ao contrário dos outros dois citados, de fonte externa, esteja por sua vez na própria pedra, conquanto esta fosse vista como sendo apenas uma massa de matéria inerte, simples *corpus,* ou seja, uma substância que apenas é (*esse*), não sendo dotada nem de vida (*uiuere*), nem de inteligência (*intellegere*). Todavia esse movimento gravitacional, diz Evódio, embora seja reconhecidamente "da pedra" (*esse lapidis*), é natural, não voluntário, a não ser que se imagine uma pedra pertencente ao terceiro grau da escada das naturezas, dotada de mente e de sua consequente capacidade de inteligir. Porém compará-lo ao movimento pelo qual a vontade se averte do Bem comum e imutável e converte-se para o bem próprio e mutável, isso talvez pareça inadequado, pois se fossem o mesmo movimento, ambos deveriam ser naturais e necessários, não podendo ser culpáveis, como ficou assente entre eles.

> **7.** E – [...] porque não duvidamos que esse movimento é culpável, deve-se de todos os modos negar que seja natural, e por isso não é semelhante àquele movimento pelo qual a pedra é movida naturalmente.

Um qualquer movimento, ainda que se movesse em direção à pernície, ainda assim, se fosse natural e não voluntário, não poderia com justiça ser censurado, pois o que se move por natureza, assim o faz por necessidade. Logo o movimento de aversão, refuta Evódio, não pode ser comparado ao movimento "gravitacional" da pedra, sob pena de serem obrigados, mestre e discípulo, a retroceder e admitir o pecado como necessário e não voluntário, embora ressalve Agostinho essa objeção frontal.

---

42 Sem dúvida depois de ter sido deflagrado por alguma causa natural, como deslizamento de terra, ação do vento, abalo sísmico, ou seja o que for que tenha causado a ruptura do equilíbrio. Porém o que importa não é o deslocamento da pedra em si, mas seu deslocamento para baixo, até encontrar novo patamar de repouso, visto que poderia simplesmente tremer e parar, ou deslocar-se alguns milímetros para o lado e tornar à condição de repouso.

## A força de gravidade do espírito: "meu peso, meu amor"

Essa força exercida sobre um dado corpo, hoje sabidamente pela atração gravitacional da Terra, que de modo vulgar se diz "peso" em vernáculo contemporâneo, termo que em latim se dizia *pondus*[43], ainda que assim se o dissesse de modo impróprio, pode ser remetida a duas interessantes passagens de *Confissões,* ainda que opostas quanto à direção do referido vocábulo. Na primeira delas[44], célebre passagem contemplativa, Agostinho interpreta metaforicamente essa suposta força de atração gravitacional, seu peso, a partir de referências bíblicas[45], como sendo "seu hábito carnal"[46], uma força de atração terrestre, literalmente, embora ínsita no espírito, que o prendia às criaturas, em detrimento de sua ascensão, de sua vontade tíbia, embora sincera, de contemplar e fruir espiritualmente do Criador, o Ser que é verdadeiramente. Trata-se, nesse caso, de um movimento vertical descendente (*deorsum*), uma força de certo modo análoga à força de atração gravitacional entre os corpos, força que mantém o homem preso à carne e distante de Deus, o puro inteligível e eterno. Na segunda passagem, já no final da obra[47], Agostinho recorre a nova metáfora, construída com o mesmo termo, *pondus,* mas desta vez com viés bastante mais sublime. Ora, se se aceite admitir que o peso seja uma força de atração gravitacional entre corpos, que se buscam, exercendo uma atração mútua, embora o mais forte prevaleça, arrastando o mais fraco para si, por que não expandir a metáfora para o campo espiritual, imaginando haver igualmente uma força de atração gravitacional entre corpos sutis, ou ainda melhor, entre o elemento incorpóreo, numa palavra, entre o Espírito supremo e os espíritos por ele criados, assim como entre os espíritos entre si? "Meu peso, meu amor", *pondus meum, amor meus,* diz o filósofo e rétor, de modo tão mais poético quanto verdadeiro, e cientificamente embasado – por que não dizê-lo também? – numa metáfora que costuma iludir[48] pelo ritmo e concisão. Com efeito, assim como a força de

---

43 O vernáculo "peso" não provém de *pondus,* mas de *pensum,* uma determinada medida de lã suficiente para ocupar um dia inteiro de trabalho ao escravo fiandeiro.

44 *Conf.* 7,17,23.

45 Sb 9,15.

46 *"Pondus hoc consuetudo carnalis."*

47 *Conf.* 13,9,10.

48 Como sói ocorrer com quase todas as figuras utilizadas por Agostinho, quando subestimadas como simples afetação retórica, passam despercebidas, e com a lamentável negligência escapa também sua pujança filosófica e espiritual.

atração gravitacional da pedra a impele para baixo, força que reside nela, que lhe é intrínseca, como próprio é também o decorrente movimento descendente, assim também o movimento de atração gravitacional do espírito do homem, que o atrai inevitavelmente para os demais espíritos que lhe são afins, porém exercendo nele, acima de todas essas forças atrativas, um arrasto inevitável e definitivo para Deus. Se a força de atração gravitacional que atrai os corpos se diz *pondus*, "peso", outro nome, contudo, deve ser dado à força de atração gravitacional que atrai os espíritos uns aos outros e, inexoravelmente, ao próprio Espírito supremo, força cujo nome não poderia ser outro senão "amor", fazendo eco ao que dissera o evangelista João[49].

Nos dois casos, portanto, pode-se pensar no termo *pondus*, não como simples peso, e sim como força de atração gravitacional. No primeiro, o movimento é *deorsum*, de cima para baixo, para o mais profundo, para o nada; no segundo, *sursum*, de baixo para cima, dos espíritos ao Espírito supremo, que simplesmente é. Pois a pedra desaba para sua ruína, enquanto o espírito é exaltado para a plenitude, sua "salvação". Os dois são movimentos, pelo que o termo "peso", embora metafórico, seja bastante adequado, porém não como se o compreende vulgar e equivocadamente, como massa corpórea, e sim como a "força exercida sobre um corpo pela atração gravitacional", cujo valor é dado pelo produto da massa do corpo pela magnitude da aceleração da gravidade, no caso do peso, e pelo produto da capacidade do espírito pela magnitude da aceleração de seu amor, no segundo.

### 3,1,2,8. Recapitulação mínima: direito legítimo

**8.** A – [...] na primeira disputa ficou suficientemente constatado que por coisa nenhuma a mente se torna serva da inclinação sensual, a não ser por sua própria vontade...

O movimento da vontade não pode ser necessário, o que resta claro, tendo em vista tudo o que se disse até então, sobremodo no livro primeiro[50], cuja tônica houve por bem Agostinho recapitular brevemente: nada pode predominar sobre a mente dotada de virtude. Isso, porque, se algo melhor ou equivalente intentar fazê-lo, corrompe de imediato sua própria natureza, ao ponto de ver-se rebaixado em relação a ela, e daí, por causa de sua inferioridade, torna-se doravante incapaz de perpetrar o almejado domínio perverso.

---

49 Cf. 1Jo 4,8: "ὅτι ὁ θεὸς ἀγάπη ἐστίν".

50 Cf. 1,10,20,71-11,21,76, esp. §73.

### 3,1,2,9. Gravidade: semelhanças e dessemelhanças

> **9.** A – Portanto resta que esse movimento seja próprio dela, pelo qual *ela* converte, do Criador para a criatura[51], a *sua* vontade de fruir. Movimento que, se se *lhe* imputa culpa[52] [...] não é absolutamente natural, mas voluntário...

O movimento de aversão da vontade desde o Bem comum e imutável para os bens mutáveis e particulares é próprio da mente, movimento que vai de um polo a outro, tendo por finalidade auferir a fruição desejada, apesar do erro ou acerto de suas escolhas. Esse movimento, não sendo nem natural, tampouco necessário, mas voluntário e livre, resulta culpável. Na verdade mais parece o oposto: não é culpável porque voluntário, e sim voluntário porque culpável, pois a argumentação parte da culpa ou responsabilidade para a voluntariedade e consequente liberdade da ação. Isso, porque desde o princípio do livro primeiro as discussões se assentaram sobre os pressupostos ditos "de piedade", dentre os quais elenca-se a Justiça divina, que não pode punir justamente um ato que não tenha sido cometido livremente. Portanto partiu-se do axioma piedoso que afirma que Deus é justo e que o mal sofrido é decorrente de sua justiça punitiva e equitativa, para então, a partir desse pressuposto inquestionável, chegar à conclusão de que deve ter dado ao homem a liberdade para agir, sob pena de ser considerado ou injusto ou inexistente, quando não impotente. E de fato, se o homem não pudesse agir livremente, não poderia ser castigado justamente, o que entraria em choque frontal com o piedoso axioma amiúde referido. Vale notar, contudo, que, ao destacar a culpabilidade, Agostinho não está exaltando a sede de vingança de uma divindade cruel, apenas salvaguardando uma das explicações para a existência do mal, que é perceptível no mundo na forma do sofrimento que acossa a toda gente indiscriminadamente, mal esse que desde o início do livro primeiro foi dito ser decorrente da Justiça divina, aplicada pela Providência, que atribui a cada um o que lhe cabe, ainda que a causa de cada infortúnio seja absolutamente desconhecida dos sofrentes.

> **9.** A – [...] e nisso é semelhante àquele movimento pelo qual a pedra é levada para baixo[53], porque, assim como esse é próprio da pedra, assim também aquele, do espírito; contudo é dessemelhante nisso, pelo fato de que a pedra não tem em seu poder [a capacidade de] coibir o movimento pelo qual é levada para baixo, ao passo que o espírito, enquanto não quer, não se move assim...

---

[51] Desde o Bem comum e imutável em direção aos bens próprios e mutáveis.

[52] Quer dizer, se se lhe atribui culpa.

[53] Cf. 3,1,2,6.

Nada obstante sua voluntariedade, esse movimento próprio do espírito supreendentemente guarda semelhança com o movimento da pedra, supradenominado, de modo figurado, movimento de atração gravitacional. E é semelhante precisamente nisso, pelo fato de serem movimentos próprios: um da pedra, outro do espírito. Com efeito, corroborando o cotejo, posto que distante, efetuado com o movimento de atração gravitacional, assim como se encontra intrínseco à pedra o movimento que a precipita para o fundo, assim também se encontra intrínseco ao espírito o movimento que o impele para baixo, para a fruição dos bens inferiores. Embora um destino esteja espacialmente no fundo, cujo limite é o centro da Terra, o outro diz-se "embaixo" em sentido figurado apenas, porque pertence ao degrau ontológico inferior na escada das naturezas, relativamente abaixo dos bens superiores ou incorpóreos, bens imutáveis. Todavia, se os dois movimentos se dizem semelhantes por serem próprios e não estranhos, ou seja, porque nem a pedra tampouco o espírito foram propelidos para baixo por agente externo, e sim independentemente, contudo diferem pelo fato de que a pedra, como corpo que é apenas, nem vive, nem intelige, não tendo a capacidade de coibir o movimento de queda, ao contrário do espírito, que só cai enquanto queira. Logo, embora o movimento dito de atração gravitacional esteja na pedra, assim como a vontade, no espírito, enquanto a pedra é incapaz de evitar sua queda e ruína, o espírito pode averter-se dos bens inferiores e procurar a fruição dos supremos, desde que assim o queira, munido da boa vontade. Portanto ambos são próprios, embora apenas a vontade se possa dizer livre, visto que o movimento da pedra é natural.

## 3,1,2,10. Peso natural e peso voluntário

**10.** A – E por isso a pedra possui o movimento natural, porém o espírito, o voluntário[54]. Daí o porquê, se alguém diga que a pedra peca, porque por seu peso[55] tende para as regiões inferiores, não direi que seja mais estólido do que a própria pedra, mas sem dúvida é considerado um

---

54 Trata-se de um dativo de posse, que costuma passar despercebido, mas cuja ênfase não deve ser desprezada; construção cuja tradução literal seria algo como: "e por isso, para a pedra há aquele movimento natural, mas para o espírito, esse voluntário". O latim não está dizendo apenas que o movimento de um é natural e o de outro, voluntário, e sim que a pedra *possui* um movimento natural, ao passo que o espírito *possui* um voluntário, o que é suficientemente distinto, pois em ambos os casos, como explicado acima pelo filósofo, o movimento *lhes* pertence, ou seja, o movimento natural é *próprio* da pedra, assim como o voluntário, *próprio* do espírito.

55 Esse *pondus* deve ser compreendido aqui como aquilo que se houve por bem denominar, anacrônica e figuradamente, "força de atração gravitacional", ínsita no objeto, ainda que não se tratasse de modo nenhum de um conceito cientificamente embasado, como viria a ser depois de Newton e Einstein.

dementado; na verdade acusamos o espírito de pecado, quando nos convencemos de que ele prefere, aos bens superiores desertados, os inferiores, para deles fruir[56].

Portanto o movimento que a pedra possui ínsito em si é de ordem natural e necessária, o que equivale a dizer inevitável, ao passo que o que possui o espírito, de ordem voluntária e consequentemente livre, o que equivale a dizer, evitável. Logo a pedra não pode evitar a sua queda em virtude de seu *pondus*, mas o espírito pode, pois nele se encontra a capacidade de voltar seu *pondus* para o alto, *sursum*, amando aquilo que deve amar, segundo determina o *ordo diuinus*, que preceitua que os bens superiores devam ser hierarquicamente situados acima dos inferiores, por meio da *summa ratio*.

Assim sendo, dizer que a pedra peca, apenas porque seu peso se lhe constitui um movimento, ou potência de movimento, inerente, não tendo sido movida por agente externo, seria tão estólido quanto imaginá-la dotada de livre arbítrio da vontade. Como assente desde o primeiro livro, não pode haver justa punição para ação que não tenha sido praticada voluntariamente[57], porque não se punem senão os pecados, nem se premiam senão as boas ações, duas vertentes absolutamente dependentes da mesma vontade[58], pois nela é que se encontra o mérito, isto é, o salário (*merces*), seja da boa, seja da má conduta, de acordo estrito com o que prescreve a Lei eterna[59]. E se a pedra é incapaz de escolher se quer ou não precipitar-se encosta abaixo, ainda que sem nenhuma motivação alheia, o espírito, muitíssimo ao contrário, pode decidir se converte sua vontade para o alto, para o Bem imutável e comum, ou se peca, avertendo seu amor do alto para as profundezas dos bens impermanentes e próprios, o que faz invariavelmente por meio de sua livre vontade, sendo por isso mesmo passível da consequente e proporcional punição, justa e obrigatória, ao contrário de seu ato, injusto e optativo.

## 3,1,2,11. Por que ir além?

**11.** A – [...] por que motivo é preciso investigar de onde se origina[60] esse movimento, pelo qual a vontade é avertida do Bem absolutamente imutável para o bem completamente mutável, quando reconhecemos que ele não é senão do espírito e voluntário, e por causa disso culpável...?

---

56 Isto é, que prefira fruir dos bens mutáveis e temporais, que são apenas meios, ao invés de fruir dos imutáveis e eternos, os quais desertou, e que constituem os verdadeiros fins.

57 Cf. 1,1,1,3: *"non enim iuste uindicarentur, nisi fierent uoluntate"*.

58 Cf. 2,1,3,7: *"non enim aut peccatum esset aut recte factum quod non fieret uoluntate"*.

59 Cf. 1,14,30,101: *"in uoluntate meritum sit"*.

60 Traduz o v. latino *exsisto*. Cf. 3,1,1,1.

Se se assente na voluntariedade e consequente culpabilidade do movimento de aversão, ciente de que não pertence senão ao espírito, assim como o peso, à pedra, motivo nenhum haveria para dar sequência às investigações, obtempera Agostinho. Pois é certo que se chegou aonde se pretendia, saber que a causa última do malfazer reside no arbítrio livre da vontade próprio ao espírito de cada agente, restando o Criador de todos absolutamente inimputável[61].

## Filosofia como *modus uiuendi*

> **11.** A – [...] toda aprendizagem útil acerca deste assunto vale para isso, a saber, tendo desaprovado e coibido esse movimento, que convertamos a nossa vontade para fruir do Bem sempiterno, a partir do lapso dos bens temporais.

E deste modo as discussões encetadas desde o livro primeiro até aqui deveriam servir a um único propósito, propedêutico: condenar e reprimir o movimento para os bens mutáveis e convertê-lo para o Bem supremo, Deus; Bem que se deve buscar fruir e contemplar em lugar dos bens decadentes e sujeitos à ação corruptora dos tempos. Isso, no princípio e no fim, é que é o escopo de toda aprendizagem filosófica, de toda prática dialética, que em última instância se constituem exercícios propedêuticos para a vida do espírito, bem ao modo dos projetos das escolas da era alexandrina: *exercitationes animi*, exercícios de purificação e preparação da mente em vista de um único fim, a Felicidade suprema, que para Agostinho é também o Bem supremo, Deus. Toda *disciplina* útil, portanto, sirva para elevar o espírito, desprendendo-o do gozo dos bens corpóreos e consequentemente transitórios, e voltá-lo definitivamente para a contemplação dos bens incorpóreos e eternos, acima e além dos quais resplandece o Bem último, cuja face se quer contemplar

---

61 Cf. *Étienne Gilson, Introduction a l'étude de saint Augustin.* Paris: Librarie Philosophique J. Vrin, 1987, p. 190-191: "A partir de então torna-se contraditório imaginar uma *causa positiva*, como Deus, para a origem do movimento de aversão pelo qual a vontade livre se desvia de Deus. Sem dúvida, ele a criou mestra de si mesma e capaz de aderir ao Bem supremo ou de se desviar dele [...]. Simples defeito, falta de ordem, e por consequência falta de ser, o movimento da queda original não tem outra origem que o nada, ou seja, o não ser. Como, não sendo nada, o pecado teria uma *causa eficiente?* É apenas acerca da *deficiência* da causa que se pode levantar alguma questão com respeito a isso. Procurar a causa de uma ausência, ou de um defeito do ser, é procurar uma causa positiva do silêncio ou das trevas. O silêncio é apenas uma ausência de som; as trevas são apenas uma ausência de luz (*Ciu. dei* 12,7); analogamente se poderia dizer que o pecado em nossa vontade não é senão uma ausência do amor de Deus".

em eterna beatitude. Trata-se, numa palavra, de um modo de vida pautado pela filosofia, um modo de vida cujo cerne é a contemplação, desde aqui, de maneira provisória, por meio da dialética ascendente, como a que se operou no livro segundo, por exemplo, tendo em vista a elevação do pensamento dos bens sensíveis aos inteligíveis, até que se possa chegar enfim à contemplação face a face[62], o que não é deste mundo, contudo. Por outra, nenhuma filosofia se admite que seja um fim em si mesma, uma vez que o amor que a define[63] não pode ser outro senão o amor da Sabedoria criadora de Deus, que não se quer apenas conhecer, como objeto de oca *curiositas*, mas amar e contemplar de modo definitivo e seguro, em sua eternidade gloriosa. Nesse sentido a filosofia só é um fim em si mesma se se volte para a Sabedoria de Deus, Cristo, pela qual criou o mundo, sob pena de descair em curiosidade sem proveito, típica da ciência que estufa[64], não da Verdade que ilumina. Logo, se há uma filosofia que se pode dizer propedêutica, instrumental, há também uma verdadeira Filosofia, que se constitui Fim em si mesma, pois ela é seu próprio objeto, a Sabedoria eterna de Deus, ciência além da qual nenhuma outra se pode almejar.

## 3,1,3,12-13. Transição: nova recapitulação e anuência de Evódio

> **12.** E – Vejo e de certo modo alcanço[65] e tenho como verdadeiras essas coisas que dizes. Pois não sinto nada de modo tão firme e íntimo quanto [i] que possuo uma vontade [ii] e que por ela eu sou movido para fruir de algo...

Essa breve interpelação de Evódio serve a dois propósitos: primeiro, recapitular o conteúdo apreendido; depois, efetuar a transição a questões propedêuticas e aparentemente paralelas à questão principal, da origem do movimento de aversão do Bem comum e imutável e de conversão para os bens próprios e mutáveis, remanescente das discussões do livro segundo e do início deste. Em suma, pois, Evódio assente [i] não apenas em que se possui uma vontade, [ii] mas em que é por meio dela que se move à fruição daquilo que se deseja fruir, ou seja, que é por meio dela que se quer e que se não quer.

---

62 1Cor 13,12: "πρόσωπον πρὸς πρόσωπον".

63 Ἡ φιλία τῆς σοφίας.

64 Cf. 1Cor 8,1: "ἡ γνῶσις φυσιοῖ, ἡ δὲ ἀγάπη οἰκοδομεῖ".

65 Liter.: "toco" (*tango*), seja com as mãos, seja com o entendimento.

**12.** E – [...] Por isso a quem se deve atribuir[66], [iii] se algo por meio dela eu faço mal, a não ser a mim mesmo? Pois, [iv] visto ter sido o bom Deus que me fez, [v] e que eu não posso fazer bem alguma coisa, a não ser por meio da vontade, parece suficientemente claro [vi] que foi de preferência para isto que ela foi dada pelo bom Deus.

Depois, assente [iii] em que aquele que possui a vontade é o responsável pelos atos que pratica por intermédio dela; [iv] em que o homem foi criado por um Deus, que é bom – do que decorre, embora não se diga aqui, que ele, enquanto homem, seja bom também, e boas as suas potencialidades, como a vontade livre –; [v] assente ainda em que nenhuma ação moral, seja boa, seja má, pode ser praticada sem o concurso da vontade, do contrário os segundo e terceiro itens acima seriam anulados; [vi] e também em que a vontade, dada por um Deus bom, não pode ter sido dada senão para o bem.

**13.** E – Porém [vii] o movimento pelo qual a vontade se converte para aqui ou ali, se não fosse voluntário e posto em nosso poder, [viii] nem se deveria louvar o homem, quando [o dobra] para os bens superiores, [ix] nem inculpá-lo, quando o desdobra para os inferiores, como se fosse um certo *gonzo* da vontade[67]; e absolutamente não se deveria recomendar, [x] depois de negligenciados esses bens [inferiores], [xi] que se quisesse adquirir os eternos, e [xii] que não se quisesse viver mal, ao contrário, [xiii] que se quisesse viver bem...

Por fim assente [vii] em que o movimento de conversão da vontade para os bens próprios e mutáveis ou de aversão dos bens comuns e imutáveis é voluntário e foi posto por Deus em seu poder; [viii] em que, como consequência do que se disse no quinto item, o homem não mereceria nenhum louvor por sua conversão ao Bem supremo, caso o movimento da vontade não fosse voluntário, ou seja, não teria mérito algum por qualquer ação boa que praticasse, não merecendo o correspondente salário; [ix] em que tampouco mereceria condenação justa, caso se avertesse do Bem supremo e se convertesse para os bens inferiores, se o movimento não fosse voluntário; [x-xiii] por fim, como consequência de tudo isso e do que se disse acima[68], assente em que toda filosofia deve voltar-se para a busca do Bem supremo, tornando-se um *modus uiuendi*, um modo de vida propedêutico-purificador, que admoesta a desprezar os bens inferiores, mutáveis todos,

---

66 A quem se deve atribuir "culpa", ou seja, quem é que deve ser responsabilizado?

67 "Dobrar" e "desdobrar" pretendem verter os latinos *torqueo* (subentendido) e *detorqueo*, imprescindíveis para a metáfora da "dobradiça" ou "gonzo", utilizada por Evódio a fim de ilustrar o movimento da vontade, "mecanismo" pivotante que se dobra e desdobra, de um lado a outro, em busca do prazer.

68 Cf. 3,1,2,11.

em benefício dos bens imutáveis, admoestação essa que seria não apenas vã, mas absolutamente irracional, caso o movimento da vontade não fosse voluntário.

## Necessidade e amoralidade

Esse último parágrafo é de suma importância e merece o devido destaque. Não se resume a investigação a uma desconstrução do maniqueísmo ou o seu contrário, uma apologia do cristianismo e de seus dogmas, dentre os quais a bondade e perfeição do Criador uno. Pois percebe muito bem o discípulo de Agostinho as implicações éticas de um tal movimento involuntário, quando não, perigosamente necessário. O determinismo da vontade, caso admitido, levaria a consequências desastrosas não apenas para o pensamento judeu-cristão, mas para toda uma ideia de vida *post mortem*, cuja origem se perde no tempo de algum túnel que certamente passou pelo Oriente, tendo renascido no Ocidente a partir do orfismo pitagórico adotado e racionalizado por Platão e seus epígonos, dentre os quais alguns dos padres da Igreja. Em não se admitindo uma justiça distributivamente equitativa no porvir, resta ao pensamento racional contentar-se com discursos consolatórios, bem ao modo dos estoicos, ou com a fuga espetacular da realidade, segundo o exemplo dos cínicos, ou com uma fuga mais suave, menos radical, ao modo dos epicuristas, a não dizer do neoplatonismo e de suas escapistas práticas teúrgicas. Nenhuma novidade em reconhecer a justiça ideal distante, em todas as épocas, especialmente aos desprovidos de recursos, fama ou poder. Porém, em não havendo uma responsabilização individual pelos atos cometidos, cada um por intermédio exclusivo de sua própria vontade, como admitir uma qualquer noção de justiça, por mínima e insuficiente seja? Além do mais as próprias noções de bem e mal se relativizariam e acomodariam em adaptação aos mais diversos sistemas políticos, segundo as leis temporais e a predominância dos poderes constituídos e seus interesses, mais ou menos mesquinhos. Portanto, sem a voluntariedade do movimento, nem louvor, tampouco vitupério, o que equivale a dizer, nem prêmio, nem punição, ao menos se se imagine alguma lei, seja humana, seja divina, regida por princípios, ainda que ínfimos, de alguma equidade, pois, como disse Agostinho no livro primeiro[69], uma lei que não seja justa não merece ser chamada de lei. Assim sendo, um universo regido pela necessidade seria um universo de autômatos, não de seres humanos. E ninguém em sã consciência louva ou vitupera um autômato por fazer aquilo que foi programado para fazer. O único,

---

[69] Cf. 1,5,11,33.

talvez, que gozasse de uma alegria, porém tão mais falsa quanto solitária, seria o próprio Criador, ao regozijar-se pelo sucesso de suas máquinas, se cumprissem à risca aquilo para o que houvessem sido programadas, embora ele não pudesse repartir sua alegria com nenhum, ainda que disso não carecesse, pois se diz desde sempre que se basta a si mesmo. Seja como for, o fato é que num tal universo automático, não apenas inexistiria qualquer justiça, tampouco retribuição, fosse prêmio, fosse castigo; e mais, nenhuma necessidade haveria de lei moral, fosse das leis dos homens, fosse da Lei divina, pois nenhuma recomendação faria sentido a autômatos, limitados a cumprir o programado: nem a que evitassem o mal, tampouco que buscassem o bem; nem que deixassem os vícios, tampouco que procurassem as virtudes; nem que se avertessem dos bens inferiores, tampouco que buscassem o Bem supremo. Isso, porque todos buscariam indefectivelmente o Bem supremo, se Deus assim o quisesse e houvesse no princípio programado, de uma vez para todo o sempre, suas máquinas para tanto. Uma brincadeira um tanto sem graça, é verdade, como quem jogasse pedrinhas ao alto e se limitasse apenas a esperar seu infalível retorno ao ponto de origem. Se não voltassem, a culpa recairia no jogador; porém como é perfeito, invariavelmente haviam de voltar. A voluntariedade, como se vê, era imprescindível não apenas para a desconstrução do maniqueísmo ou para a apologia da perfeição divina, mas para a própria existência da lei moral, divina ou humana, da qual derivam as ideias de certo ou errado e, em última instância, de bem e mal.

## Presciência e determinismo

## 3,2,4,14. Presciência divina e autonomia da vontade

**14.** E – [...] me incomoda de que modo possa ser possível que Deus seja presciente de todos os eventos futuros e que nós não pequemos por nenhuma necessidade. Pois todo aquele que disser que algo pode acontecer diferentemente do que Deus conheceu antes, de modo antecipado[70], esforça-se por destruir a presciência de Deus com a mais insana impiedade.

---

70 Traduz o latim: *deus ante praesciuit*, liter.: "de que Deus teve antes ciência antecipada" ou algo pleonasticamente do tipo: "preconheceu antes" ou "pressoube antes". Não se firmou em vernáculo nenhum verbo de origem latina que preservasse simultaneamente a raiz de *scio* e que também aceitasse um prefixo análogo a *prae-*. Tentou-se evitar o verbo "prever", a fim de manter a necessária distinção com o latino *prae-uideo* e com o cognato "providência" [< *pro-uideo*], pois para o homem uma coisa é "ver", outra, "conhecer", embora para Deus ambas sejam o mesmo. Demais, se se optasse por traduzir *praescire* por "prever", perder-se-ia a necessária distinção entre os termos: *praescire, praescientia, praeuidere, prouidentia, prouidere*. Cf. LÉXICO T-F.

Diante do que se disse nos parágrafos acima (§§12-13), resta manifesta a importância de manter-se a voluntariedade do movimento, não importando onde tenha obtido sua origem, a fim de preservar a noção de Justiça, e com ela a própria Lei moral. Contudo surge não se sabe bem de onde, a essa altura, a primeira grande objeção, não apenas à voluntariedade da ação, mas de modo geral a todo sistema ético cristão. Como dito, o terceiro livro desta obra foi encetado uns bons anos após o primeiro, escrito em Roma, em 388, logo após o batismo de Agostinho, em 387, mas antes que ele sequer imaginasse sua carreira eclesiástica. O segundo, não muito depois, quando o jovem filósofo ainda não era nem presbítero, muito menos bispo, a partir dos anos 389 ou 390, mas já em Tagasta, em sua África natal[71]. O terceiro, como dito, não encontrou sua conclusão antes de 395, cerca de sete anos depois do início do primeiro, portanto, quando já havia sido consagrado bispo coadjutor de Hipona. Esse lapso de tempo mostrou-se determinante para muitas das objeções apresentadas nessa última parte, que aparentam ser meras digressões, mas que se ligam inextricavelmente à questão posta no início, da origem do mal, e à sua problemática solução, o arbítrio livre da vontade. Com efeito, a primeira dessas objeções, tão viva hoje quanto no tempo de Agostinho, ou muito antes dele com Cícero, e ainda antes, com o estoico Zenão e seus epígonos, põe frente a frente duas mundividências irreparavelmente conflitantes: o determinismo decorrente da ideia de necessidade cósmica e a liberdade de querer que o homem julga possuir. Se, para os estoicos, por exemplo, a natureza – noção que se prendia, a não dizer confundia, com a de razão ou λόγος – estava concatenada irresistivelmente por uma rede de causas e efeitos (*nexus causarum*), num determinismo rígido, que permitia e admitia, não de modo místico, é bem verdade, a presciência dos eventos futuros, e consequentemente uma certa providência (πρόνοια), consistia desafio não dos menores, a não dizer insuperável, permitir que num tal sistema coexistisse a plena liberdade de ação, a despeito dessa rede rígida de causas e efeitos. E de fato, se todos os atos engendram consequências inevitáveis, sendo tudo o que ocorre consequência necessária de ato anterior, depreende-se que tudo o que ocorra em algum momento, embora se queria propugnar por sua livre iniciativa, esteja de algum modo preso a algum evento pretérito causador das circunstâncias atuais em que a suposta liberdade se vê imersa. O único ato absolutamente livre, seria lícito supor-se, num tal universo de causas e efeitos,

[71] É bem possível que a composição do segundo livro tenha se estendido para além de 391, quando Agostinho já estava em Hipona, depois de ter sido consagrado presbítero da cidade.

seria a princípio apenas e tão somente o primeiro, o ato inaugural, se fosse possível algo desse jaez num cosmo considerado eterno, que não teria sido determinado por evento nenhum que lhe houvesse sido anterior.

Pois bem, seja como for, o fato é que se admite, direta ou indiretamente, a partir do princípio de piedade apresentado no livro primeiro[72], que Deus é presciente dos eventos futuros, presciência que seria "insaníssima impiedade" procurar destruir, como assevera Evódio. Portanto, como axioma, tem-se que o Ser supremo, em seu eterno presente, sem passado nem futuro, tem diante de si todos os eventos que ocorrem no tempo: pretéritos, presentes e futuros, e todos eles num único átimo, que não foi, nem será, pois simplesmente é, como quem, com o perdão da metáfora empobrecida, assistisse do alto o escalar de uma montanha, ciente de todo percurso acima e abaixo, contudo de que o alpinista não teria sequer noção, obviamente, enquanto avançava a mínimas apalpadelas. Ou algo assim, na insuficiência da linguagem e do pensamento humanos para tentar entender a onisciência divina. E como consequência de todos os atos, pretéritos, presentes e futuros estarem inscritos na mente de Deus, por antecipação apenas em relação ao tempo em que se vê o homem submerso, mas não para ele, que não conhece nada de modo antecipado ou procrastinado, e sim de modo simultâneo, enfim, e como consequência dessa inscrição eterna, tem-se inevitavelmente, ao que parece a Evódio, e com ele a muitos outros, um inevitável império do determinismo no universo. Pois como conciliar um ato inscrito desde sempre na mente de Deus, que sabe de seu resultado antes que venha a ser praticado, com a ideia de que um tal ato possa ser praticado livremente, ou seja, que possa ter um resultado diferente daquele que Deus previu? De fato, se um dado evento E está previsto, cujo resultado é $R^e$, o qual está inscrito na mente divina, desde sempre, ou antes, desde sua eternidade imponderável, decorre disso a impossibilidade de $R^k$, do contrário haveria, na mente divina, espaço para o erro inaceitável. Ou então, imaginando que na mente divina houvesse dupla perspectiva, uma disjuntiva do tipo: *ou* $R^e$ *ou* $R^k$, o que dependeria da liberdade da vontade da criatura racional, ter-se-ia de admitir que ali, na mente de Deus, igualmente haveria lugar para a dúvida, o que arriscaria tanto a onisciência como a presciência divinas, pois nem mesmo ele haveria de saber *se* $R^e$ ou *se* $R^k$. Logo, se Deus conhece antecipadamente *que* $R^e$, que liberdade restaria ao homem, para que pudesse

---

72 Cf. 1,2,5,12-13.

pretender *que R*[k]? A dúvida de Evódio certamente ecoa objeções pré-cristãs à ideia de Providência, que em grego se dizia πρόνοια, muito provavelmente associada ao pensamento estoico, que, por sua vez, dada a origem semítica de Zenão[73], tem prováveis raízes orientais.

Portanto, antes de especular acerca da causa da causa da vontade, ou seja, da origem do movimento de aversão do Bem comum e imutável e conversão para os bens próprios e mutáveis, Agostinho e Evódio devem atacar de frente uma questão mais premente, acerca não da natureza desse movimento, mas de sua própria existência. Com efeito, como se afigura, ou existe a presciência divina ou a liberdade da vontade, pois os dois parecem ser inconciliáveis[74].

### 3,2,4,15. Bondade, Justiça e Misericórdia

> **15.** E – [...] se ao fazê-lo mostrara sua *bondade*, agora também mostra a sua *justiça*, ao puni-lo, e a sua *misericórdia*, ao libertá-lo...

Neste pequenino recorte, Evódio refere, conquanto tangencial e superficialmente, tema tão mais interessante quanto espinhoso, não apenas no que diz respeito aos pseudoatributos de Deus, dentre os quais elenca três, bondade, justiça e misericórdia, mas principalmente no desafio ingente em que se constitui sua conciliação harmoniosa. De fato, se numa tentativa de equilíbrio entre bondade e justiça se apoiaram os livros precedentes – quando se disse que a bondade de Deus era patente por castigar justamente os pecados e premiar os atos bons, o que seria prova inequívoca da origem divina do homem[75] –, enceta a disputa, posto que de modo embrionário, a dar-se conta da misericórdia, não apenas como herança teológica, mas como necessidade filosófica. Pode-se dizer, inclusive, que todo o arcabouço cristão sustenta-se nesse pilar triplo: bondade, justiça e misericórdia, que não apenas sintetiza, com alguma ênfase trinitária, sem dúvida, o que se pode pensar acerca de Deus, mas também toda a história da criação divina. Com efeito, se se pode dizer que o Pai seja bom, o Filho, o juiz justo que há de julgar a humanidade, e o Espírito, o

---

[73] Cítio, cidade natal do fundador da doutrina do Pórtico (Στοά), localizava-se na ilha de Chipre.

[74] E se a liberdade da vontade inexiste, onde prevalece o determinismo, ela não pode ser a causa do mal. Logo, se há determinismo no universo, ou Deus é o autor do mal, o que o tornaria absurdamente injusto e péssimo, ou alguma outra potência ainda desconhecida, fosse o antideus dos maniqueus, fosse outra qualquer.

[75] Cf. 2,1,2,3-4.

toque de misericórdia que salva, nada obstante o demérito humano, pode-se ir além e compreender ainda a Bondade do Pai tanto através da Sabedoria do Filho, na criação do homem à sua imagem e semelhança, como também através da Justiça inexorável da Lei eterna, que pesa com o devido equilíbrio os pecados, de cuja escravidão apenas a Misericórdia do Espírito de ambos poderia libertar os homens. Deus é bom, o que se comprovou pela razão no livro precedente, ao prová-lo existente e criador de todos os bens; é justo, pois pune com justiça os atos maus e premia de modo correspondente os contrários. Até aqui, tudo equilibrado, pois bondade e justiça se complementam, não se contrapõem. De fato, a Lei eterna prescreve de modo inexorável que os bens superiores devem ser antepostos aos inferiores, e que, ao fazê-lo, o homem se mantém perfeitamente ordenado e em harmonia com a Razão suprema que governa o universo, sendo consequentemente feliz, o que é justo. Porém, se peca contra a Lei, é punido também de modo justo, pois a Lei é justa e justa a correspondente punição. Ora, num universo tão racional e ordenado, os pesos e as medidas se encaixam à perfeição, como num tabuleiro de xadrez. Todavia, se assim é de fato, que lugar haveria para a Misericórdia divina e para o correspondente sacrifício de Cristo? Se um movimento desordenado desequilibrou a balança, somente outro movimento desequilibrado, em sentido contrário, poderia reequilibrá-la, supõe-se. Por outro lado, se em Adão todos pecaram, tornando-se injustos, decorre necessariamente disso que a humanidade toda está perdida, tendo Deus criado em vão, ou, o que é pior, tendo criado apenas para destruir, para condenar, o que não se coadunaria com a Bondade, tampouco com a Justiça desse Criador. Daí, pois, a necessidade da Misericórdia, como se fosse um ato aparentemente desordenado, divino contudo, cuja finalidade seria reordenar a desordem do homem. Contudo essa Misericórdia, tida pelos antigos, como os estoicos, por exemplo, não como uma virtude, e sim como uma fraqueza do espírito, enfim, essa Misericórdia divina cria desafios insolúveis à razão humana, que motivaram o correr de muita tinta no cadinho dos séculos. De fato, se Deus é justo, e se a Justiça premia o bem e pune o mal, como dizê-lo também misericordioso, se a Misericórdia é exatamente o perdão do pecado, o esquecimento do mal perpetrado, que devia ser punido de modo correspondente, mas não o é? Deus sacrifica seu Filho, que sofre punição injusta, a fim de que pela injustiça sofrida ele resgate o homem de sua justa punição, preço de sua livre adesão ao pecado e de sua submissão ao anjo caído. A Misericórdia, portanto, é uma

necessidade na economia da Salvação do homem operada por Deus, embora seja um desafio tão mais paradoxal quanto insolúvel ao pensamento filosófico, o que, em última instância, não foi um mal em si, e sim um grande bem, uma enorme provocação: como pode ser justo e misericordioso ao mesmo tempo, ainda que seja Deus? Precisamente por isso, *quia est deus.*

### 3,2,4,15. Existe, afinal, a vontade livre?

> **15.** E – [...] se Deus conheceu antecipadamente que o homem bom haveria de pecar[76] [...] era necessário que ocorresse aquilo mesmo que Deus antecipadamente sabia que haveria de ser [no futuro].

Se Deus é o bom criador de todos os bens, o que inclui o primeiro homem, Adão, que foi criado bom, diz Evódio, e se é presciente, o que significa dizer que tinha perfeita ciência de que sua criatura iria pecar, como não se deparar agora em franco retrocesso, de retorno ao princípio mesmo da disputa dialética, e não imputar a Deus a origem do pecado? Evódio é cuidadoso ao não acusar o Criador, depois de tudo o que se disse, pois o reconhece não apenas bom, mas boa sua obra, Adão, cuja criação deixa patente sua bondade, assim como manifesta sua justiça, ao punir os seus pecados, e sua misericórdia, ao perdoá-los. E ao contrário do que aventara no início do livro segundo, Evódio não sugere que Deus não devesse ter dado o arbítrio livre ao homem, tampouco que não devesse tê-lo criado. Sua dúvida é clara[77]: como abrir mão da necessidade, discutida nos parágrafos acima, admitindo a presciência divina? Se Deus sabia que Adão iria pecar, e aquilo que Deus conhece por antecipação inevitavelmente ocorre, pois é insanamente ímpio pôr em dúvida a presciência divina, no dizer do discípulo, como não atribuir seu pecado a essa mesma necessidade inevitável, que foi causada pelo ato criador de Deus? Demais, se Deus soubesse que ele iria pecar e ele não pecasse, que restaria da ideia grandiosa que se defendeu até aqui acerca desse mesmo Deus?

---

[76] Referência ao primeiro homem.

[77] E também muitíssimo atual, tendo em vista as correntes contemporâneas, estribadas nos avanços da genética e da neurociência, que propugnam pela absoluta inexistência do livre arbítrio, retornando a um determinismo bastante conhecido dos antigos, mas que parecia desde havia muito ultrapassado; determinismo que faz ressurgir, como era de esperar, o interesse no estoicismo, essa importante escola de pensamento da era dita “alexandrina”, que, como é notório, fez inúmeros adeptos, sobremodo em Roma, durante o “Império”.

**15.** E – [...] Portanto de que modo é livre a vontade, onde é aparente uma tão inevitável necessidade?

Logo, visto o consenso acerca da presciência divina, cuja negativa equivaleria à impiedade inaceitável, como admitir ou conciliar, num universo regido por necessidade tão inevitável, decorrente dessa mesma presciência, a própria liberdade da vontade? O que se quer saber, numa palavra, é se existe de fato liberdade da vontade, ou se, ao contrário, o ser humano apenas pensa que é livre, sendo regido inexoravelmente pela necessidade, que determina seu destino de modo indefectível, em virtude da própria presciência divina, o que, em última instância, traz à baila novamente a questão acerca da sua imputabilidade.

## 3,2,5,16. À porta da misericórdia

**16.** A – Bateste veementemente à porta da Misericórdia de Deus. Que ele se faça presente e abra-a aos que batem[78].

Como antecipado no parêntese aberto logo acima por Evódio[79], Agostinho pressente a dificuldade que se apresenta, como se antecipasse o percurso de toda uma vida de investigação dos mistérios insondáveis de Deus, que só ele poderia elucidar, porém não por mérito, apenas por sua própria misericórdia. E é a ela doravante que se há de recorrer, em cuja porta o discípulo supostamente batera, diz o mestre, conquanto tenha sido ele mesmo a dar-se conta de sua necessidade, única capaz de franquear o acesso estreito a uma tão esconsa vereda. Que se faça então presente, ela, cujo socorro é dado antes aos que se humilham, com mansuetude, não aos que se estufam de orgulho por sua pretensa ciência[80].

**16.** A – [...] eu estaria inclinado a crer[81] que a maior parte dos homens se contorce por essa questão não por outro motivo, senão porque não a investigam piedosamente, e porque são mais velozes para a escusa do que para a confissão de seus pecados.

Eis, portanto, um dos motivos por que a maior parte dos homens não chega à verdade acerca desta questão, diz, porque não se curvam com humildade

---

[78] Cf. Mt 7,8: "Pois todo aquele que pede, recebe; e aquele que busca, encontra; e ao que bate, será aberta" (πᾶς γὰρ ὁ αἰτῶν λαμβάνει καὶ ὁ ζητῶν εὑρίσκει καὶ τῷ κρούοντι ἀνοιγήσεται).

[79] Cf. 3,2,4,15.

[80] Cf. 1Cor 8,1.

[81] Subj. de suposição, *crediderim*. Liter.: "eu tenha crido".

diante dele, que é sua própria Misericórdia, confessando seus pecados, preferindo antes encontrar desculpas e justificativas para seus erros. Um outro motivo há, contudo, para o fracasso de suas investigações, motivo que se escora em seu próprio erro, acolhido e defendido *ad libitum*, a descrença na própria Providência divina e consequente aceitação do acaso ou fortuna.

## 3,2,5,17. O império cego da fortuna...

> **17.** A – [...] ou então porque opinam prazerosamente que nenhuma Providência divina está à frente dos assuntos humanos, e enquanto se cometem aos acasos fortuitos[82]...

Que outra alternativa haveria à ideia de uma Providência a reger os assuntos humanos, uma Potência divina e ordenadora do universo, sumamente racional, uma Lei imutavelmente eterna, numa palavra, o Deus uno, onisciente e onipotente, senão algo que lhe fosse contrário, quando não, a negação de seus atributos, expressa nas ideias coincidentes de não razão, não lei, não ordem, não providência e não presciência, negações que se podem expressar pelos termos semelhantes: "fortuna", "sorte" ou "acaso"? Logo os que não creem na Providência divina obviamente não creem nem em sua Justiça, tampouco nas noções de Ordem, de Lei eterna ou de punição, seja nesta ou numa outra vida, a ela estreitamente relacionadas e perfeitamente coincidentes. Por consequência, por não temerem nenhuma Lei suprema, por não crerem estarem sendo observados do alto por uma Potência onisciente e julgadora, sentem-se livres para entregar suas vidas aos prazeres, servindo *ad libitum* às suas inclinações sensuais.

## ...e a consequente escravidão da *libido*

> **17.** A – [...] entregam não apenas seus espíritos, mas também seus corpos, para serem feridos e dilacerados pelas inclinações sensuais, negando os juízos divinos, enganando os humanos[83]; [e] aqueles pelos quais são acusados, pensam eles [que podem] repelir pelo patrocínio da fortuna[84],

---

[82] Isto é, confiam na sorte, no acaso, numa palavra, que o destino lhes será favorável.

[83] Negam que exista um Juízo de Deus, enquanto simultaneamente procuram ludibriar os juízos dos homens (*humana iudicia*), burlando suas leis.

[84] Imaginam que a Fortuna – neste caso considerada como uma deusa, correspondência romana da Τύχη grega, cujos olhos, vendados, assim como os da Justiça, representavam a aleatoriedade de seus desígnios e consequentes distribuições – dará conta de protegê-los contra os homens que os acusam de seus delitos, afastando para longe os que lhes são contrários e evitando que sejam punidos por seus crimes.

a qual, contudo, costumaram esculpir e pintar como cega, de modo que, ou sejam melhores do que ela[85], pela qual julgam que são regidos [...]. Porém contra esta opinião [...] em nossa segunda conversação, como julgo, foi suficientemente discutido[86].

A descrença na Providência acarreta forçosamente a falta de fé numa lei moral e, consequentemente, num Juízo supremo, baseado este em noções absolutas de bem ou mal, certo ou errado. Os que não creem na Providência, diz Agostinho, não apenas negam o Juízo divino, mas também procuram enganar os juízos humanos, pensando que a sorte lhes irá sorrir sempre, afastando invariavelmente de seu destino as punições decorrentes das infrações que venham a cometer contra a lei dos homens. Embora o filósofo não justifique a associação feita, explicando o motivo por que haveriam de igualmente burlar a lei dos homens, os que descressem da divina, é possível depreender que esteja concluindo que todo aquele que se deixe reger pelo acaso, descrendo de qualquer juízo ético num porvir, viva de modo mais agonístico, procurando gozar nesta vida tanto mais quanto lhe seja possível, ciente de que seu gozo nasce com prazo de validade determinado, o que não permite devaneios ou procrastinações, muito menos aceita punições. De fato, um universo regido pelo acaso está mais propício ao império da solércia daquele que consiga para si mais benefícios, ainda que o faça não raro em detrimento dos demais, pois o prejuízo que cause aos outros não lhe traz nenhum sentimento de culpa ou dor de consciência, importando apenas que não seja pego, menos ainda punido. Há, portanto, por detrás da negação da Providência divina e da aceitação do acaso, uma ideia bastante vulgar – ainda hoje vigente – de que os homens, em não temendo o tribunal de um Juiz onisciente, que vê todos os pecados e os há de julgar indefectivelmente, procurarão de todos os modos perseguir seus interesses particulares, em detrimento dos coletivos, assim tanto mais quanto menos se vejam na iminência ou no risco de serem vistos pelos homens e consequentemente punidos por suas

85 Se ela é cega e se eles veem, sugere o rétor, não sem uma boa dose de ironia mordaz, que sejam melhores do que a própria deusa à qual confiam seus destinos e suas imprecações.

86 Nenhuma discussão foi empreendida no segundo livro acerca do tema da presciência divina e de sua relação com o arbítrio livre da vontade. Se em 2,17,45,174 Agostinho estabelece a coincidência entre a Forma imutável e a Providência divina, que governa todas as coisas, isso não redundou em sua relação com seus "atributos", como a presciência. Porém o filósofo, ao dizer que tratou deste tema no livro anterior, não está se referindo aqui senão à opinião "dementada e estulta" que inicia esse parágrafo (§17), de que não existe uma divina Providência ordenadora e administradora do Universo. Isso, contudo, foi discutido com riqueza de detalhes, e provado de modo aceitável, quanto possível, com argumentos bastante onerosos, porém claros.

leis. Pode-se supor algo análogo hodiernamente, quando crimes sem conta se praticam não apenas pelo destemor da punição, notoriamente branda ou ineficaz, a não dizer muita vez absolutamente desproporcional ao crime cometido, mas também pela perspectiva que os infratores guardam em si de não serem jamais surpreendidos pelos olhares alheios. Trata-se, pode-se dizê-lo, de uma "egoética", uma ética do eu, certamente em detrimento da alteridade, motivada também pelo medo da efemeridade da vida e dos prazeres limitados que ela possibilita, sem dúvida alguma insuficientes para todos, o que amiúde deflagra uma competição antropofágica, para cuja solução, como é notório, oferece-se a perspectiva de uma vida perfeita, abundante para todos, segura, sem fim, sem restrições, sem competições, em que nenhuma necessidade haveria para qualquer egoísmo, uma vez a felicidade ser plena e comum a todos; numa palavra, trata-se daquele Bem comum e imutável de que se discorreu em detalhes no livro anterior. Essa visão é corroborada, lembra bem o filósofo, pela própria "cegueira" da Fortuna, segundo as imagens que dela se esculpiam ou pintavam, a qual, ao ser a negação da Providência divina, o olhar providente do Deus justo e bom sobre todos os homens, por igual, transforma a vida num jogo de azar, cujo sucesso é invariavelmente pouco provável, o que remete, ainda que em contexto diverso, às célebres e proféticas palavras da Palavra divina: "Cegos são, guias de cegos, e se um cego guie outro cego, ambos cairão na cova"[87].

## 3,2,5,18. A providência improvidente dos maniqueus

> **18.** A – [...] Outros, por sua vez, embora não ousem negar que a Providência de Deus presida à vida humana, contudo preferem crer, por meio de um erro nefário, que ela ou é fraca[88], ou injusta, ou má, em vez de confessar seus pecados com uma piedade súplice.

Se se possa talvez associar a opinião do parágrafo anterior ao epicurismo, cujo atomismo, emprestado de Demócrito de Abdera[89], não poderia senão ser regido pelo acaso, estes, de que agora fala Agostinho, embora cressem numa providência, que contudo consideravam paradoxalmente improvidente, não

---

[87] Mt 15,14: "Deixai-os: são cegos, guias [de cegos]; pois se um cego venha a guiar outro cego, ambos cairão na cova!" (ἄφετε αὐτούς· τυφλοί εἰσιν ὁδηγοὶ [τυφλῶν]· τυφλὸς δὲ τυφλὸν ἐὰν ὁδηγῇ, ἀμφότεροι εἰς βόθυνον πεσοῦνται).

[88] No sentido de ser "incapaz".

[89] Apesar de ter sido contemporâneo de Sócrates, o célebre pensador da Trácia é comumente elencado entre os filósofos pré-socráticos (*c.* 460-370 a.C.).

podem ser identificados com a mesma facilidade. É bem verdade que Epicuro não cresse que os deuses participassem dos destinos humanos, embora se dissesse que neles de algum modo acreditasse, ainda que fosse para esquivar-se de conflito com os adeptos da religião oficial de seu tempo. Contudo não parece factível uma qualquer associação entre um atomismo absolutamente fortuito, por ele defendido, e uma qualquer ideia de providência, ainda que má ou injusta. Contudo é bem possível não sejam outros a que o filósofo se refira senão aos próprios maniqueus, cuja ideia de Deus, ou antes, do Deus do Antigo Testamento, era muito próxima desta descrita aqui por Agostinho, ideia de que, embora se tratasse de "deus", fosse um deus trevoso, ciumento, mau, injusto, ou mesmo impotente.

## 3,2,5,19-20. Três gêneros de confissão: inefabilidade, louvor e pecado

**19.** A – [...] que clamassem com todos os seus ossos e as medulas de sua consciência: "Eu disse, Senhor, tem misericórdia de mim, cura a minha alma, porque pequei contra ti!"[90].

Alguns dos "axiomas" de piedade expostos no início do livro primeiro[91] são agora retomados por Agostinho, como princípios fundamentais para todo aquele que se predisponha a especular acerca da Divindade, estatuindo as normas não apenas para uma hermenêutica, mas também para uma epistemologia de cunho sagrado. Assim sendo, todo o que se predisponha ou que esteja "aberto" a pensar a respeito de Deus, como sendo ele a suprema Bondade, Justiça e Potência, deve deixar-se persuadir – o que equivale a crer – igualmente que: [i] sua suprema bondade, justiça e poder estão muito acima de tudo aquilo que se possa pensar a seu respeito, o que, trocado em miúdos, equivale a dizer que Deus é inefável e mesmo inconcebível; [ii] e, como consequência do reconhecimento de uma grandeza de tal magnitude, o que se diz de modo absolutamente impróprio, estando como está acima de qualquer magnitude ou grandeza imaginável, por ser infinito, e por isso mesmo imensurável, enfim, por ser o que é, cabe ao homem confessar-se humildemente grato por existir, do modo como houve por bem a Deus conceder-lhe que viesse a ser; [iii] por fim, feita a confissão de louvor, cabe ao homem, diante desse Ser de magnitude incompreensível,

---

90 Sl 40,5 (*iuxta* LXX): "ἐγὼ εἶπα· κύριε, ἐλέησόν με, ἴασαι τὴν ψυχήν μου, ὅτι ἥμαρτόν σοι"; (*iuxta Vulgatam*): *"ego dixi: domine, miserere mei, sana animam meam, quoniam peccaui tibi!"*.

91 Cf. 1,2,5,12-13.

de Bondade, Justiça e Potência inefáveis e inconcebíveis, confessar-se pecador e implorar-lhe a misericórdia, pois, se se apoiasse confiante apenas em sua própria justiça, diante da Justiça divina estaria já condenado, visto que diante de Deus ninguém é justo, como advertira muito antes o salmista: "Não há quem faça o bem, nem mesmo um único"[92]. Por conseguinte, só lhe resta apelar à misericórdia do Criador, daquele que é sumamente bom, por ter criado o homem, sumamente justo, quando o condenou, e sumamente misericordioso, quando se apiedou dele e o libertou do mal, permitindo o sacrifício de seu Unigênito.

Esses três princípios, por assim dizê-los, podem ser reordenados em três gêneros de reconhecimento, ou melhor, de "confissão": [i] confissão de inefabilidade; [ii] confissão de louvor; [iii] confissão de pecado. No primeiro caso confessa-se a absoluta impotência do homem para dizer ou mesmo pensar Deus, seja como for, pois não apenas sua bondade, mas também sua justiça e potência são de longe acima de qualquer coisa que o homem possa conceber em seu pensamento. No segundo, confessa-se a necessidade de louvá-lo, embora ele seja inefável e inconcebível, o que se faz sobremodo a partir da contemplação de sua obra, de que o homem se constitui o pináculo; por fim confessa-se o próprio pecado, deixando de parte o orgulho e a presunção e reconhecendo-se criatura pecadora, carente da misericórdia divina e de modo nenhum credor meritório de alguma justiça, pois Deus não lhe deve nada; ao contrário, ele é que deve tudo ao Criador, desde o ter sido criado, pelo que não fez nada por merecer, até à salvação de sua alma da escravidão do pecado, operada não pela justiça, em si inexistente, e sim pela misericórdia daquele que o quis salvar, apenas porque quis e nada mais. Nesses três gêneros de confissão, o mínimo denominador comum outro não é senão a humildade exigida do homem, que lhe permite receber, não como dívida, nem por constituir moeda de troca ou carta de crédito, mas pela simples ação graciosa do Criador, enfim, humildade que lhe permite receber, se assim Deus o quiser, sua Graça, expressa por sua mesmíssima misericórdia. Embora se diga que a humildade seja uma espécie de condição *sine qua non* para que o homem receba gratuitamente a misericórdia salvífica de Deus, essa mesma misericórdia não lhe é dada, a não ser que o queira Deus, para cuja doação nada se faz requisito, senão que sua divina vontade assim o queira. Logo, se a humildade qualifica o homem, não o faz porque seja

[92] Sl 13/14,3: "Não há quem faça o bem, não há até mesmo um único" (οὐκ ἔστιν ποιῶν χρηστότητα, οὐκ ἔστιν ἕως ἑνός); cf. Rm 3,10: "está escrito que não há um justo, nem um sequer" (γέγραπται ὅτι οὐκ ἔστιν δίκαιος οὐδὲ εἷς).

condição suficiente, mas apenas necessária, a fim de que Deus seja gracioso para com ele. Por outra, ao deixar de ser humilde, o homem deixa de [i] reconhecer a supremacia infinita de Deus; [ii] deixa de confessar seu louvor e [iii] deixa de confessar-se pecador e necessitado de sua misericórdia, quando então ele, ao invés, é que volta as costas para o Criador, e não o contrário. Portanto o homem confessa a inefabilidade divina, confessa seu louvor e sua condição pecadora, implorando-lhe humildemente a misericórdia, porque isso lhe é condição necessária da Graça, porém jamais suficiente, quedando-se daí apenas e tão somente na expectativa de que Deus o ouça e queira ser misericordioso, o que pode não ocorrer, pois, como diz Paulo, Deus é misericordioso com quem quer ser misericordioso[93], não devendo nada a ninguém, do contrário não seria onipotente nem livre, e sim um devedor obrigado.

E quem assim se deixa conduzir pela Misericórdia[94], diz Agostinho, esse chega então à Sabedoria, pois não se inflou de orgulho pelas descobertas que presume ter feito, fruto de sua pouca ciência, tampouco se perturbou pelo que se viu incapaz de descobrir, de modo que, ao conhecer algo da Divindade incognoscível, se fizesse mais preparado para a vida feliz, desde aqui e agora; e ao ignorar o que não lhe era ainda dado conhecer, se fizesse mais humilde e manso de coração para seguir investigando, pois, como dirá alguns anos mais tarde, ao empreender especular acerca dos mistérios trinitários, "a fé procura, o intelecto encontra"[95].

**19.** A – [...] nem se inflassem de orgulho pelas coisas descobertas, nem se perturbassem pelas não descobertas, e não apenas conhecendo se fizessem mais edificados para viver, mas também ignorando, mais mansos para investigar.

Percebe-se, pois, que não apenas a misericórdia divina entra em cena, ao contrário da atitude bem mais autossuficiente dos livros precedentes, em que o termo não se emprega nem uma única vez[96], mas igualmente a humildade se

---

93 Rm 9,18: "ἄρα οὖν ὃν θέλει ἐλεεῖ".

94 Na verdade o termo "Misericórdia" deveria ser quase sempre escrito com inicial maiúscula, visto referir o próprio Deus, assim como todos os seus pseudoatributos, que assim se dizem, pseudoatributos, porque Deus é todos eles simultaneamente. No entanto, na tentativa infrutífera de operar uma distinção facilitadora à limitada inteligência humana, optou-se renitentemente por utilizar inicial minúscula para grafar os supostos nomes de Deus, quando tratados como se atributos apenas fossem.

95 *Trin.* 15,2,2: "*fides quaerit, intellectus inuenit*". O termo *intellectus* pode ser compreendido aqui como simples "entendimento", fruto do "inteligir" (*intellegere*).

96 Cf. verbetes *misericordia* e *misericors* no Léxico T-F.

faz peça-chave no projeto filosófico de Agostinho, humildade que será essencial na distinção entre a filosofia pagã e a cristã, onde os "presunçosos" neoplatônicos pecavam por apenas ver a meta como algo a contemplar, ao passo que os cristãos, cientes confessos de sua "incapacidade", viam-na como um "reino" a alcançar e "habitar", não apenas a conhecer intelectualmente[97]. Começa, pois, a ficar evidente que não basta mais apenas e tão somente a vontade, o querer ser sábio, ser virtuoso, elevar-se a Deus, o que não se logra atingir sem a Graça misericordiosa daquele mesmo que, sendo bom, o criou; sendo justo, o condenou; e sendo misericordioso, o pode libertar do mal.

**20.** A – [...] vê quão facilmente acerca de uma tão grande questão eu responderei, quando primeiro me responder a umas poucas interrogações que farei.

É ainda à dialética que recorrerá o filósofo para enfrentar a primeira grande objeção à liberdade, o conflito entre a presciência divina e a possibilidade de livre escolha que se crê possuir o homem, para o que, contudo, requer antes algumas respostas por parte de seu discípulo.

## 3,3,6,21-22. Exposição do problema: não existe vontade necessária

**21.** A – Pois certamente isto te perturba e com isto te admiras, o modo como não sejam contrárias e antagônicas [estas duas afirmações][98], [i] que Deus seja presciente de todos os eventos futuros, [ii] e que nós pequemos, não por necessidade, e sim por meio da vontade...

Tendo sido antes necessário o consentimento acerca da existência da Providência divina e de sua presciência, podem agora os interlocutores avançar para a primeira grande objeção que se põe diante deles, saber se de fato seja possível a coexistência pacífica entre a liberdade humana da vontade e

---

[97] *Conf.* 7,20,26: "[...] e que pelos teus dedos cuidadosos minhas feridas fossem sanadas, discernindo e distinguindo [a diferença] entre presunção e confissão, e entre aqueles que veem o lugar para onde se deve ir, mas não veem por onde [, e os que veem] o caminho que conduz à pátria da felicidade, [sabendo que ela] não deve apenas ser conhecida, mas também habitada" (*et curantibus digitis tuis contrectarentur uulnera mea, discernerem atque distinguirem, quid interesset inter praesumptionem et confessionem, inter uidentes quo eundum sit, nec uidentes qua, et [uidentes] uiam ducentem ad beatificam patriam non tantum cernendam sed et habidantam*).

[98] Contrárias por terem sentidos opostos, uma defendendo a liberdade, a outra, a necessidade inevitável; antagônicas ou *repugnantes*, por suas disposições mavórticas, uma pugnando com a outra, como duas ideias alegadamente excludentes.

a divina presciência dessa Providência, de que se não deve duvidar, sob pena de impiedade. O primeiro ponto, assente entre ambos, respeita à absoluta presciência da Providência, como facilmente se pode depreender, pois, se vê antecipadamente todos os eventos de que se faz cuidadora cautelosa, sendo simultaneamente previdente e providente, supõe-se igualmente que seja presciente, que tenha ciência antecipada de tudo aquilo que vê antes, a fim de prover a criação do devido ordenamento e cuidado. E disso é que deriva a questão: se Deus tem ciência antecipada do evento *x*, como seria possível que *x* não viesse a ser *x*, tornando-se *y*, ou outra coisa qualquer, ao sabor da livre vontade humana? Se Deus é desde sempre em sua eternidade sem começo nem fim, ele deve necessariamente ter sabido de uma vez por todas desde sempre – o que é tão mais desafiador exprimir quanto compreender – que *x* seria *x*, não *y*. Ora, se assim foi, como seria possível que um dado indivíduo *h* pudesse livremente mudar-lhe a ciência antecipada, num certo tempo *t*, sem dúvida posterior à presciência divina atemporal – do contrário não seria pré-ciência[99] – ao querer *y*, em lugar de *x*? De fato, se tudo na eternidade de Deus ocorre simultaneamente, fora do tempo, de uma vez por todas, como não imaginar que aquilo que Deus viu antes – em relação ao tempo[100], que obviamente também criou e viu – não seja necessário, uma vez ser impossível que tenha tido ciência de algo fora do tempo que não venha necessariamente ocorrer no tempo? E assim, se Deus criou – o que é igualmente um enigma à inteligência humana, pois dizer que "criou", no aspecto perfectivo, sugere não apenas ação concluída, mas obviamente um tempo pretérito –, enfim, se criou um indivíduo *h* que soube, no instante mesmo de sua criação *i*, que ele iria pecar, decorre disso que em sua eternidade Deus soube, sabe e saberá sempre e simultaneamente que *h* pecará no tempo, de modo inevitável e inexorável. Como então imaginá-lo, *h*, de algum modo livre para realizar algo, posto que *no* tempo, que na eternidade já não o tenha realizado? Como se pode perceber, pois, a questão toda envolve a dificuldade de equacionar a passagem da simultaneidade do não tempo da eternidade do Criador à linearidade do

[99] Toda a Ciência divina é anterior a quaisquer eventos temporais, visto que ela é anterior ao próprio tempo, criado num dado momento *m*, a partir do qual se desenrolou a sucessão temporal.

[100] O próprio termo "presciência" deve ser considerado *misleading*, pois em Deus não pode haver nenhuma ciência que se diga "antecipada", apenas onisciência, visto que ele se encontra fora do tempo. Logo diz-se "presciência" apenas em relação aos eventos que ocorrem no tempo; presciência esta que, em Deus, é suma e instantânea onisciência.

tempo da criação. O argumento pode ser desdobrado do seguinte modo tentativo, a fim de que se vislumbre o grande desafio que está posto:

1. Deus existe desde sempre, o que significa dizer que é eterno;

2. O que é eterno não tem começo nem fim;

3. Logo Deus não tem começo nem fim;

4. Deus, que é a Providência, vê e sabe de tudo em sua eternidade, o que significa dizer: desde sempre e para sempre, porém de uma vez por todas, pois na eternidade, como dito, não há começo nem fim, daí tampouco antes ou depois;

5. Deus cria o tempo, a partir de sua eternidade sem tempo;

6. Deus cria o homem *no* tempo;

7. Logo o homem passou a existir num dado momento $m_t$, depois que o tempo foi criado, quando não, simultaneamente com a criação do tempo; pois, se na eternidade não há começo nem fim, ou nenhuns eventos se fazem possíveis, ou são todos simultâneos; logo, ao criar o homem – que é um evento –, ou Deus criou com ele o tempo, ou o criou no tempo que já havia sido criado;

8. Todos os eventos, corpóreos ou incorpóreos, produzidos pelo homem, que se encontra no tempo, têm começo, meio e fim;

9. O homem só conhece, limitadamente, o que fez, no pretérito, e o que está fazendo, no presente;

10. O homem não conhece o que ainda não fez, no futuro, apenas o que quer fazer, ou seja, conhece sua vontade presente dos possíveis eventos futuros, os quais é capaz de prefigurar, não prever, mas não conhece sua vontade futura, que, para ele, ainda não existe;

11. Deus conhece tanto o pretérito do homem, como seu presente, porém ele conhece também sua vontade presente dos eventos futuros e sua vontade futura dos eventos que serão contemporâneos ou serôdios em relação a ela, vontade futura que o próprio homem desconhece; mas Deus conhece também o pretérito de sua ação futura, isto é, o resultado final do que o homem ainda não sabe se vai ou não fazer, e nem sequer sabe se terá vontade de fazê-lo; numa palavra, Deus sabe o futuro, os eventos que ainda não foram no tempo, visíveis e invisíveis, e que precisamente por isso ainda não existem para o homem, mas que para Deus, em sua eternidade, sempre existiram;

12. Logo aquilo que ainda não foi feito no tempo já ocorreu na eternidade sem tempo em que Deus simplesmente é;

13. Logo Deus conhece o que o homem ainda não fez e que nem sabe se vai fazer, nem mesmo se quer ou haverá um dia de querer fazê-lo; numa palavra, conhece o que, para o homem, é completamente inexistente;

14. Deus é imutável;

15. Logo o que está na mente de Deus deve ser igualmente imutável, do contrário haveria mudança e instabilidade em Deus, sendo possível que ora pensasse uma coisa, ora outra;

16. Logo o que já ocorreu na eternidade desde sempre – seja passado, seja presente, seja futuro, no tempo – é conhecido por Deus, ou seja, está em sua mente, de modo inalterável;

17. Logo o que está na mente de Deus de modo inalterável é irrevogável e necessário;

18. Logo o que já ocorreu na eternidade sem tempo de Deus, se é irrevogável e inalterável, deve ocorrer, no tempo, segundo uma necessidade indefectível;

19. Logo impera uma necessidade inevitável em todos os eventos temporais, o que implica um determinismo inexorável, ou seja, que todos os eventos que ocorrem no tempo estão absolutamente determinados;

20. O homem está no tempo;

21. A vontade do homem está no homem;

22. Logo a vontade do homem está no tempo, com o homem;

23. Logo a vontade do homem é um evento predeterminado, numa palavra, que se concebe e realiza de modo previamente estabelecido, visto ter estado desde sempre, e de modo irrevogável, na Mente divina;

24. Logo a vontade do homem não é livre; muitíssimo ao contrário, é regida por uma necessidade inevitável;

25. Porém nenhum movimento do espírito que não seja voluntário, *id est*, absolutamente livre, pode dizer-se propriamente "vontade", visto que ninguém quer sem querer, e que ninguém pode ser coagido a querer, se não quiser;

26. Logo toda vontade, enquanto vontade, deve ser livre;

27. Logo uma vontade determinada ou necessária não é propriamente "vontade";

28. Logo não é possível existir vontade, se de fato toda vontade do homem, no tempo, é determinada e necessária, desde a eternidade imutável de Deus;

29. Logo a vontade não é vontade, se é determinada e necessária; porém, se livre, não se sabe como possa coexistir com a presciência divina.

## Presciência inexistente ou pecado necessário

**22.** A – Sem dúvida temes com esse raciocínio que se conclua [uma de duas alternativas:] [i] ou que se negue impiamente que Deus seja presciente dos eventos futuros, [ii] ou então, se não podemos negar isto, que reconheçamos[101] que se peca, não pela vontade, mas por necessidade.

Não parece restar uma terceira via, ou o malfazer é necessário, daí inevitável, devendo Deus ser inculpado de sua existência, não sua criatura, que mais age como um autômato, condicionado que está pelo determinismo; ou não existe presciência em Deus, alternativa que Agostinho elimina *a priori*, acusando-a da mais alta impiedade, o que se compreende, pois não fosse presciente, Deus perderia um grande número, a não dizer todos os predicados que se lhe atribuíram no início, quando assentados os axiomas cristãos, segundo aquele princípio de piedade tantas vezes referido[102]. E assim fosse, seria difícil defender a fé num deus que não fosse Deus. Logo era preciso argumentar contra a segunda objeção[103], evitando pôr em pauta a primeira, ao menos por ora; porém não para evitar a discussão contra os antagonismos pagãos ou maniqueus, mas porque ficou provado, pelas discussões muito bem elaboradas e concluídas no livro anterior, que não apenas há um Deus, mas que ele é bom, e bom também tudo o que cria, o que inclui a vontade livre. Portanto Deus, que se provou existir, é presciente, pelo que resta provar que sua presciência não anula a vontade livre, que se provou um bem de estatuto médio, dado por ele ao homem, a fim de que dele se utilizasse bem, embora pudesse ser voltado também para o mal, contrariamente ao seu escopo originalmente divino.

## 3,3,6,23-25. Se Deus é presciente de sua própria vontade crástina

**23.** A – [...] diz-me qual gênero de vontade hás de ter amanhã, se de pecar, ou de agir retamente[104]. E – Não tenho ciência. A – Pois bem, pensas que Deus também não tenha ciência disto? [...] Logo, se ele conhece a tua vontade crástina[105] [...] e prevê as vontades futuras...

Embora o homem não saiba sua vontade crástina, se boa ou má, ao admitir-se a presciência divina se é levado a admitir que Deus o saiba, e não apenas

101 Quer dizer, "que sejamos obrigados a reconhecer".

102 Cf. 1,2,5,12-13.

103 Que o malfazer é necessário, não voluntário.

104 Liter.: "de fazer retamente", isto é, "de fazer o bem".

105 Lat. *crastinus*, liter. "de amanhã" [*cras*].

de um dado indivíduo, mas de todos os homens, criaturas suas. Isso, porque, como se viu acima, tudo o que se passou, passa ou passará, no tempo, constitui passado, ou antes, *perfectum*, por assim dizê-lo, no eterno presente de Deus. E se assim é, obtempera Agostinho, conclui-se que Deus saiba melhor ainda sua própria vontade, ou seja, o que ele mesmo haja de fazer. Obviamente que isso se diz de modo impróprio, pois em sua eternidade sem tempo, em que não se passam eventos, os quais têm começo, meio e fim, Deus não há de fazer nada que já não tenha feito, perfectivamente, uma vez ali não tenha havido, nem haja, tampouco haverá nunca nada a fazer, que são expressões dos tempos pretérito, presente e futuro. Embora se diga um eterno presente e pareça adequar-se melhor ao infinitivo verbal presente, forma nominal não determinada pelas marcas de pessoa ou de número, e de certo modo tampouco pelas de modo, aspecto e tempo, posto que se diga presente, contudo parece que o perfeito seja o tempo mais adequado para descrever, em linguagem humana, ainda que temporalmente imprópria, algo da eternidade divina. De fato, uma ação conhecida por Deus, antecipadamente apenas em relação ao tempo das criaturas, é conhecida perfectivamente, isto é, de modo concluído, acabado, mas também diretamente, sem nenhum intervalo e de imediato, como dirá na sequência o filósofo em relação ao querer da vontade[106]. Enfim, seja como for, ciente de que Agostinho não esteja de modo nenhum imaginando haver qualquer disposição crástina na eternidade sem tempo de Deus, resta claro que o seu argumento apenas procura destacar que, assim como tem ciência eterna da vontade humana temporal, muito mais ciência deve ter Deus de sua própria vontade eterna, não apenas por ser de natureza semelhante ou por estar em sua própria mente divina, mas também porque imutável.

## 3,3,6,24. A vontade divina é coagida pela necessidade?

> **24.** A – [...] se todas as coisas de que Deus é presciente se fazem por necessidade, não pela vontade?

De fato, a objeção de Agostinho faz todo sentido: se tudo o que Deus sabe por antecipação é necessário, decorre disso forçosamente que sua própria vontade *lhe* é necessária, ou seja, nem mesmo para ele é livre, e sim determinada. Nesse caso, sem dúvida alguma, Deus seria prisioneiro de si mesmo, ou antes, de

[106] Cf. 3,3,7,27: *"nullo interuallo mox"*.

sua própria presciência. Melhor seria se não fosse presciente, diria ele a si mesmo, como um Midas em perplexa aporia, pois, se tudo de que fico sabendo ou vejo se determina forçosamente, não quero ver nem ter ciência de mais nada, do contrário deixarei de ser livre e, o que é o pior, de ser Deus!

## Na eternidade não se faz nada

> **24.** E – [...] considerava somente aquelas que se fazem na criação dele, não, porém, as que [se encontram] nele próprio. Porquanto essas não se fazem, mas são sempiternas.

Evódio toca uma das questões mais complexas de toda a metafísica antiga, a passagem do uno ao múltiplo, que neste caso aponta especificamente para o problema da acomodação entre a eternidade sem tempo de Deus e o tempo dos eventos humanos. Duas dimensões aparentemente inconciliáveis, segundo as categorias com que opera a razão humana, predominantemente linear. De um lado o tempo sem tempo da eternidade, em que não se aceita a finitude ou as determinações impostas pelas categorias espaçotemporais. De outro a finitude predominante do tempo, em que se diz durar mais ou menos o que se sabe ter fim inevitável. Por um lado, para um Parmênides, e com ele Platão e o próprio Agostinho, *mutatis mutandis*, aquilo que dura mais ou menos, contudo que não perdura para sempre, não se pode dizer propriamente que seja, já que cedo ou tarde deixará de ser o que é, ou então, ao sofrer mutações, deixa de ser o que é para ser algo novo, que não era, mas que na verdade nunca é, pois sempre está deixando de ser uma forma para assumir outra, formas que não perduram, até que deixem de ser por completo. Por outro, aquilo que nunca muda, nunca deixa de ser o que é para ser algo distinto, e que jamais deixará de ser, isso e apenas isso é que se pode dizer existir propriamente. Porém, para os que pensam de modo contrário, isso nunca será de fato, pois nem existe, sendo simples produto da mente e da linguagem humanas. Seja como for, duas dimensões antitéticas, por assim dizê-lo, que mal se comunicam, mas que em Deus e em sua criação carecem de conciliar-se. Se na eternidade nada se faz, então Deus não criou, nem pensa, tampouco perdoa, salva ou condena. Ou então, diz Evódio, de algum modo tudo o que pensa e faz, pensa e faz de uma vez por todas e para sempre, o que, contudo, cria problemas os mais terríveis para que seu amor misericordioso seja aplicado no tempo e compreendido pela mente humana, e com isso crido, como ele mesmo o espera.

## 3,3,6,24-25. Porém em Deus nenhuma vontade é nova

**24.** A – Logo Deus não realiza nada em sua criação. **25.** E – Desde logo e de uma vez para sempre [...] pois não administra nada por meio de uma vontade nova.

Evódio parece ecoar uma concepção mais estoica do que cristã da Divindade[107]. Com efeito, para ele Deus parece antes um mecanismo autômato universal e eterno, ao modo de um relógio que nunca precisou ser acionado pelas tensões produzidas pelo desenrolar de uma corda de aço ou outro qualquer impulso inicial, mecanismo esse que – às vezes parecendo ser apenas uma Lei imutável – mantém a ordem do universo de modo estritamente racional, fazendo aplicar de modo automático os efeitos às causas correspondentes, com absoluta impessoalidade. Daí dizer que Deus não faz nada, como se tivesse feito tudo o que tinha para fazer, numa espécie de *Big Bang* original, para depois apenas "assistir" passivamente ao circo todo incendiar-se, se se pode de fato dizer que uma lei seja passível de "assistência". Porém não se pode em sã consciência recriminar Evódio, se de fato é assim que está pensando, o que suas próprias intervenções e o contexto em que vivia permitem supor. Isso, porque tampouco é fácil ou simples argumentar em contrário, haja vista a longa duração e apelo das próprias ideias estoicas, desde o século IV antes de Cristo, até época bem avançada na Antiguidade, que se diz tardia, a não dizer que muito de seu sistema tenha sobrevivido na própria mentalidade cristã, de modo mais ou menos adaptado. Seja como for, se em Deus nenhuma vontade é nova, ele não pode fazer nada de novo. E de fato, na eternidade não se cogita poder fazer coisa alguma, visto que os eventos, que podem ser considerados "feitos", implicam começo, meio e fim, conceitos estranhos à ideia de uma dimensão atemporal e aespacial, por assim dizê-lo. Logo, quando alguém se faz feliz, se se diz que é Deus quem causou sua felicidade, só se pode dizê-lo de modo impróprio, oblíquo, como se se dissesse apenas que ele houvesse permitido que alguém se

107 Embora o estoicismo tenha sido censurado por suas contradições, pode-se dizer que o cristianismo sempre esteve bastante mais imerso nelas, desde sua origem. Todavia, é lícito dizê-lo, é no próprio paradoxo que se fundamentam seus alicerces mais especiais, embebidos que estão no filtro de mistério insolúvel, assim como tudo o que se pode dizer e pensar, de modo impróprio, acerca da inefabilidade divina. E de fato, se as contradições estoicas constituíam um passivo para a doutrina do pórtico e seus apologistas, que se queriam puramente racionais, é exatamente no paradoxo que se esteia o valor dos ativos cristãos, tão mais preciosos quanto inefáveis se diz serem seus mistérios.

fizesse por si só feliz; ou então, como se diz na sequência, que faz alguém feliz quando alguém se torna feliz.

## Deus faz feliz quando alguém se torna feliz

**25.** A – [...] ele não faz ninguém feliz? [...] ele o faz, quando alguém se faz [feliz][108].

Muito se disse no livro anterior a respeito da felicidade, como por exemplo: [i] que se trata de uma disposição do espírito aderente ao Bem imutável; [ii] que a vida feliz da alma é Deus, assim como a do corpo, a própria alma; [iii] que é feliz quem frui do Bem supremo; [iv] que é sumamente feliz quem frui da Verdade inabalável e incomutável; ou quem a abraça, ou ainda quem se deixa inspirar por ela; [v] que ninguém é feliz senão no Bem supremo, que se discerne e possui naquela Verdade que se diz Sabedoria[109]. Em todos os casos, sem dúvida, seja como Bem supremo, seja como Verdade, seja como Sabedoria, se está referindo em última instância a Deus, o sumo Fim, na fruição do qual o homem deve, exclusivamente, buscar sua felicidade. Daí ser lícito dizer que Deus é que faz o homem feliz? Não parece, ao revés, bem ao modo aristotélico de conceber o movimento divino, que é o homem que, quando atraído por ele, a ele se move, como se a divindade fosse um Sol ou fonte de felicidade estática qualquer, de que dependesse apenas alcançar e fruir para ser feliz, bastante em conformidade com o que supôs Evódio logo acima? E não parece mesmo que Agostinho endosse uma tal suposição, ao dizer que Deus faz alguém feliz quando esse alguém se faz feliz? Infelizmente não avançam as discussões nesse sentido, o que permite somente supor que, se ao chegar a Deus o homem é feito feliz por ele, isso se dê porque Deus permite que o homem não apenas chegue até ele, mas que frua de si, fazendo-se feliz, por acréscimo de sua misericórdia, e não porque obteve algum mérito para tão inefável benefício. Seja como for, o que se diz é por si só bastante problemático, pois se o homem é feito feliz por

[108] Quer dizer, quando alguém "se torna feliz" ou "é feito feliz". Não se deve interpretar aqui o pronome "se" como índice de reflexividade, e sim de passividade. Assim Deus faz *x* feliz no momento em que *x* é feito feliz, ou seja, no momento em que *x* se torna feliz, ainda que isso levante graves questões acerca da relação entre a eternidade sem tempo e o tempo da humanidade. Seja como for que se interprete o tempo verbal, o fato é que nenhum agente da passiva é expresso de modo claro, permitindo supor, no mínimo, uma ação conjunta, entre Deus e aquele que se fez feliz, ainda que se tenha dito que em sua eternidade ele nada faz.

[109] Em sequência [i-v]: **2**,19,52,196; 16,14,162; 13,36,141; 13,35,137; 13,35,138; 13,35,139; 9,26,102.

Deus quando se torna feliz, tem-se, no mínimo, para além da questão da autonomia e da liberdade humanas, em contraste com o determinismo e a necessidade decorrentes da vontade divina, uma questão das mais graves, que já havia perturbado Platão, Aristóteles, Plotino e outros, da comunicação entre o Ser e os seres, entre a eternidade imutável de Deus e o tempo corruptível dos objetos corpóreos. De todo modo, para manter a simplicidade, parece que Evódio está dizendo apenas e tão somente que, quando o homem se torna feliz, isso se dá porque Deus o fez feliz, não por que ele tenha alcançado a felicidade por si só, e sim por acréscimo de sua misericórdia, divinamente gratuita.

> **25.** A – [...] se daqui a um ano, por exemplo, tu hás de ser feliz, daqui a um ano ele te há de fazer feliz. [...] Logo ele já conhece antecipadamente hoje o que daqui a um ano há de fazer[110].

Em verdade não importa por ora saber de que modo se faz feliz o homem em Deus, ou de que modo ele o faça feliz em si mesmo, uma vez a discussão estar voltada para a questão da presciência. Importa notar, contudo, que, no tempo, daqui a um ano, e somente daqui a um ano, em sendo feito por Deus feliz, ou fazendo-se feliz nele, a felicidade futura do homem é desde já, ou antes, desde sempre, conhecida por Deus em sua eternidade sem tempo. De fato, ele sabe não apenas que o homem será feliz daqui a um ano, mas, sendo ele mesmo que o faz feliz, sabe de sua própria vontade, que há de fazê-lo feliz daqui a um ano, no tempo. Sem dúvida causa espécie o fato de que Deus haverá de querer algo crástino, em sua eternidade sem tempo, assim como causa espécie que se diga conhecer algo antecipadamente, visto que o antes para ele nem existe. Como é possível que faça algo daqui a um ano, senão no tempo, ele que está fora do tempo? Seria por intermédio de seus mensageiros (ἄγγελοι), os anjos? Então estaria ele impossibilitado de algo, de entrar no próprio tempo que criou, sob pena de ter de submeter-se a ele, modificando-se? Porém isso ele já teria feito, em Cristo, quando nele se fez carne e habitou entre os homens[111], isto é, quando abdicou de sua eterna Forma em prol da humana. Porém nesse ponto

---

110 Deus soube por antecipação – sempre em relação ao tempo, diga-se – o que haverá de ocorrer, no tempo, o que implica dizer que agora igualmente sabe aquilo que há de ocorrer no tempo futuro, ainda que isso se refira a seus próprios atos ou pensamentos, os quais, contudo, nele são todos simultâneos, não antecipados, seja como for que isso se dê. Numa palavra, o que ele sabe agora que há de fazer no tempo futuro, em sua mente eterna não apenas já está feito, perfectivamente, mas sempre esteve.

111 Cf. Jo 1,14: "καὶ ὁ λόγος σὰρξ ἐγένετο καὶ ἐσκήνωσεν ἐν ἡμῖν".

não se trata dessas questões específicas, as quais, contudo, permanecem tão mais vivas quanto pulsantes.

### 3,3,7,26. A vontade de Deus é uma necessidade para o homem

> **26.** A – [...] Deus te fazendo [*feliz*], não é pela tua vontade, mas por necessidade que se fará em ti a tua felicidade. E – A vontade dele para mim é uma necessidade. A – Em sendo assim, invito é que tu serás feliz.

O homem é uma criatura de Deus, um bem em si mesmo, que é, vive e intelige, como ficou assente a partir das discussões do livro segundo, assim como é um bem a sua felicidade. No entanto, ao contrário da Sabedoria e da Verdade, bens comuns, a felicidade é um bem individual[112], como dito, uma vez que pela felicidade de um homem nenhum outro se faz feliz. Logo a felicidade se faz em cada um, individualmente, a partir de Deus, a suprema Felicidade, assim como o ser, o viver e o inteligir do homem derivam do mesmo Criador, o Ser, a Vida e a Inteligência supremos. Porém, se é Deus que faz feliz o homem, lhe tendo sido a felicidade concedida por ele e nenhum outro, não apenas não é por meio de sua própria vontade que o homem se faz feliz, mas igualmente por inevitável necessidade, numa palavra, por determinação irrevogável da vontade divina, o que equivale a dizer, em última instância, que o homem se faz feliz invito – provoca Agostinho. Com efeito, o homem não pediu para ser criado, porque antes de ter sido nem existia para que pudesse pedir, tendo sido criado por vontade divina; e tampouco se pode dizer que foi criado contra a sua própria vontade, pois não existia para que possuísse uma vontade que pudesse ser contrariada. Por outra, não parece ser razoável dizer que se faça feliz contra a própria vontade, pois, quando se diz "por necessidade", isso não significa necessariamente "contra a vontade", sendo possível que ambas coincidam, isto é, que se faça inevitavelmente feliz, mas querendo[113]. No entanto, se é Deus quem faz

[112] Cf. 2,19,52,197.

[113] Se é verdade haver uma distinção clara entre fazer-se feliz pela própria vontade e fazer-se feliz contra a própria vontade, que é o que o termo "invito" significa, não é menos verdade que fazer-se feliz pela vontade divina não significa necessariamente ser feito feliz invito, pois pode dar-se que alguém, ao ser feito feliz pela vontade de Deus, assim não se faça contrariado, quiçá apenas indiferente; ou então, como suprassugerido, que, embora se faça feliz querendo ser feliz, pelo fato de assim ser feito de modo necessário, isso não se dê pelo mérito de sua própria vontade.

o homem feliz, como dizê-lo livre, em sua vontade? Se a vontade divina é para o homem de fato uma necessidade, como diz Evódio, como, sendo ele feliz pela vontade necessária de Deus, pode ser feliz livremente? Isso, contudo, não significa que é contra a sua vontade que se fará feliz, porque, ao contrário, parece neste caso que o homem nem mesmo possui uma vontade, já que não se pode admitir como vontade uma vontade que seja necessária. De fato, se o que define a vontade é o querer livre, como imaginar que seja vontade a faculdade que não quer, sendo antes coagida a querer? Trata-se de um paradoxo inescapável; pois, se sou obrigado ou determinado a algo, não o sou por vontade, e sim por necessidade, como os movimentos necessários e automáticos de meu corpo, por exemplo, que não controlo, menos ainda escolho como hão de ser. Com efeito, nenhuma criança recém-nascida determina ou escolhe se seu coração há de bater ou não, pois esse movimento é necessário ou natural e, como consequência, involuntário. Não se pode, pois, imaginar uma vontade involuntária, que seria equivalente ao absurdo de imaginar uma visão que não veja[114], ou uma audição que não ouça; logo uma vontade involuntária seria como se se pudesse conceber um querer que não quisesse ou um ser que não fosse.

## A felicidade é dom de Deus

> **26.** E – Se eu possuísse o poder para que fosse feliz, agora então sem dúvida o seria. Pois quero também agora e não o sou, porque não sou eu, mas ele é quem me faz feliz.

Essa questão, que se desdobra nesta obra de modo periférico apenas, será de fundamental importância na sequência do pensamento do filósofo a respeito da Graça. Se Deus é quem faz feliz o homem, apenas quando "alguém se torna feliz"[115], como dito pouco antes, depreende-se que o homem não tem o poder de ser feliz por si só. Se se compreenda a passagem acima (§25) como se Deus o fizesse feliz apenas e somente quando o homem se fizesse feliz, ter-se-ia que o homem é que se faz feliz, de modo autônomo, mas com a permissão divina, quiçá após alguma ação meritória sua. Por outra, se se compreenda a passagem como se o homem só se fizesse feliz quando Deus assim o fizesse,

[114] Quando o órgão da visão, o olho, não vê, não se diz haver visão, mas ausência de visão, pois "visão" é o ato ou a faculdade de ver, não o de não ver. Logo, ao dizer que o ato de ver não é capaz de ver, isso contraria a lógica do pensamento.

[115] Cf. 3,3,6,25: "*Tunc utique facit quando ille fit*".

tem-se a mais completa dependência da Graça de Deus e uma absoluta falta de autonomia humana. Isso, porque o latim da passagem é um tanto dúbio, pois, ao dizer: *facit quando ille fit*, que traduzido literalmente fica: "faz quando ele é feito" ou "quando ele se faz", o que significa dizer, "faz feliz quando ele se torna feliz", permite ao leitor as duas interpretações; e o que diz agora Evódio deixa patente por qual das duas se deve de fato optar. O homem, induz Evódio a partir de seu exemplo pessoal, não tem a capacidade para ser feliz por si só, sem o auxílio divino, pois ele mesmo, enquanto homem, embora queira ser feliz nesse exato momento, reconhece não sê-lo. Logo o homem não tem o poder para ser feliz, conclui por indução, restando essa decisão na esfera do alvedrio divino. Todavia, se assim se desse de fato, que se faria doravante com o livre arbítrio humano e com tudo o que se disse desde o princípio das discussões, nos dois primeiros livros, como quando se disse que nada estaria tanto em poder do homem quanto a sua própria boa vontade[116], vontade essa que, quando boa, constituiria a própria felicidade[117]? Algo teria acontecido ao homem, em algum momento, no tempo, a partir de sua criação divina, desde a eternidade, criação que deu origem ao tempo ou que se fez concomitantemente com ele, enfim, algo deve ter ocorrido a esse homem, de modo que viesse a perder essa autonomia, essa eficácia da vontade[118]. Agostinho, a partir de sua vivência católica e de sua frequentação das epístolas paulinas, começará adiante a distanciar-se do pensamento clássico, predominantemente grego, buscando nas Escrituras os subsídios para a justificação que a pura razão parecia ser incapaz de dar a algumas questões mais prementes e complexas, embora o sistema herdado dos

---

[116] Cf. 1,12,26,86-87.

[117] Cf. 1,13,29,97-98.

[118] Talvez seja preciso esclarecer de modo mais apurado a distinção entre autonomia e capacidade ou eficácia. Isso, porque, se não se pode conceber uma vontade que não seja livre, pode-se concebê-la ineficaz ou incapaz de fazer valer o que quer. Quando se diz "autonomia", se está referindo aqui à sua inalienável liberdade, ou seja, sua capacidade de autodeterminar-se, de querer o que quiser, o que jamais foi tirado ao homem, porque, mesmo depois da queda original, ele ainda pode querer livremente, embora não queira bem, uma vez a eficácia de sua vontade ter restado corrompida. Não se quer penetrar essa discussão aqui, o que seria anacrônico e inadequado, pois nem o próprio filósofo ainda o achou por bem fazer. Vale notar apenas, a partir das discussões e conclusões do livro segundo, que essa mesma eficácia (*efficio*) perdida, que torna a vontade, que na origem era eficiente, doravante deficiente (*deficio*), visto que essa ausência, nomeadamente o quanto de eficácia que lhe falta para recobrar sua perfeição (*perficio*), isto é, para que seja novamente plena, "per-feita" (*perfectum*), é precisamente o que se constitui o seu defeito (*defectum*).

antigos em muitos pontos seduzisse e agradasse. De fato, se, com Cícero, na adolescência, percebe a necessidade de encontrar respostas racionais às suas dúvidas, o que fez com que se enamorasse da sabedoria, humana, diga-se, sua vivência menos ingênua e introspecção o levarão a reconhecer que a razão não parecia dar conta de operar as transformações éticas de que tanto necessitava e por que tanto ansiava, pois, embora a razão soubesse o que fazer, sua vontade, bastante rebelde, parecia recusar-se a querer o que deveria querer, isto é, cumprir o que a reta razão comumente deliberava fazer. Logo, como dissera Paulo no sétimo capítulo de sua epístola aos romanos, embora saiba o que deve querer, o homem, por alguma outra lei nele ínsita e potente, quer aquilo que conhece de acordo com reta razão que não deve querer, daí não sendo capaz de controlar sua vontade apenas com ela, a frágil mas pomposa razão, confessando-se carente e dependente da ajuda divina. Todavia essa questão ainda se encontra um tanto embrionária no pensamento do autor e por isso distante de suas preocupações nesta obra, que neste passo apenas repisa o que já havia sido dito, que nenhuma vontade pode ser vontade, se não puder querer.

## 3,3,7,27. Ninguém quer sem querer

**27.** A – A verdade clama perfeitamente de ti[119]. Pois tu não poderias sentir que existisse em nosso poder outra coisa, senão o que, quando queremos, fazemos. Pelo que nada está tanto em nosso poder quanto a própria vontade[120].

A verdade clama a partir de Evódio, diz Agostinho, seja a partir de seu interior, seja a seu respeito, porque, quando ele disse logo antes, sem dar-se conta: "Quero também agora e não o sou, porque não sou eu, mas ele é quem me faz feliz", estava admitindo haver em si a própria vontade, o que implica

---

119 A preposição latina *de* permite aqui duas interpretações, ambas coerentes com o contexto da discussão. [i] Ou se está dizendo que a Verdade clama *de dentro de* Evódio, quando ele reconhece que é Deus quem o torna feliz; [ii] ou então se está dizendo que clama *a respeito dele*, isto é, *no que lhe diz respeito, no que toca à sua condição.* Em ambos os casos, a ideia, para Agostinho verdadeira, de que é por sua Graça que Deus faz o homem feliz, não apenas saiu da boca de Evódio, como igualmente lhe diz respeito, pois trata-se de *sua* felicidade. Nada obstante restar claro que a opção primeira é a pretendida por Agostinho, como se vê na sequência (3,3,8,32 *ego subieci de te clamasse ueritatem*), preferiu-se uma espécie de tradução neutra, pois a preposição "de" em vernáculo significa tanto "origem" quanto algo "de que se trata" ou "a que se refere". A tradução literal seria algo como: "Otimamente de ti a verdade clama".

120 Cf. 1,12,26,86: *"quid enim tam in uoluntate quam ipsa uoluntas sita est?"*.

forçosamente o querer, e livre querer. Com efeito, se quer, não pode senão querer livremente, com a sua própria vontade, pois é da natureza dessa faculdade o querer livre, sem o que não seria vontade, assim como é da natureza da visão, que veja, e da audição, que ouça. Logo nada há mais propriamente do homem do que o seu querer, intransferivelmente seu, pois ninguém pode querer por ele, nem Deus, sob pena de subtrair-lhe a faculdade que ele mesmo lhe conferiu. E se é verdadeiramente do homem apenas e tão somente aquilo que está em seu poder, de modo inalienável, ou seja, que não lhe pode jamais ser tirado, ao contrário por exemplo dos bens corpóreos, que lhe podem ser surripiados a qualquer momento, contra a sua vontade, outro bem em si não há que se possa com retidão dizer mais seu do que a vontade, a qual não lhe pode ser tirada jamais, sob pena de deixar de ser homem[121]. Ainda que o homem, como diz Paulo, não faça o que quer, e sim o que não quer, nenhuma lei há em seu espírito que o obrigue a querer aquilo que não quer, embora possa ser levado a fazer o contrário. De fato, se se pode ser obrigado a fazer algo invito, não se pode por força alguma (ao menos natural e conhecida) ser obrigado a querê-lo invito. Logo, diz Agostinho, corroborando o que dissera antes[122], nada está tanto em poder do homem quanto o querer, pois nenhum intervalo de tempo ou espaço se pode conceber entre o querer e a vontade, pois assim que quer, de imediato se mostra a vontade, já que um e outro são a mesma coisa: não se quer senão com a vontade, cuja natureza é exatamente a de querer.

> **27.** A – [...] ela diretamente, sem nenhum intervalo [de tempo], logo que queremos, está à disposição [...] porém, que não é pela vontade que queremos, quem, a não ser um delirante, ousaria dizê-lo?

E como é possível que Evódio diga que, embora queira ser feliz, seu querer é necessário? Seria possível, sim, admitir que ninguém se faz feliz sem a ajuda divina. Contudo, dizer que alguém quer sem que queira, isso seria paradoxal,

---

[121] Agostinho não o diz, visto que a escada das naturezas herdada de Plotino refere apenas os três degraus suprarreferidos: o ser, a vida e a inteligência, mas seria por demais interessante se a vontade ocupasse aí algum posto relevante, visto que parece constituir-se uma *condicio sine qua non* da humanidade. E se é verdade que há pessoas portadoras de dificuldades especiais desprovidas (aparentemente) de vontade, não é menos verdade que há também as que carecem do inteligir. Sem pretender alongar-se nisso, parece que apenas o ser e a vida são de fato condições necessárias e suficientes da humanidade, se se queira de fato contemplar todas as possibilidades notáveis.

[122] Cf. 1,12,26,86-87.

dito esse cuja consequência seria a anulação da própria vontade. Logo, dizer que ninguém quer o mal que pratica pela vontade, e sim de modo necessário, ou seja, dizer que se pratica o mal não querendo, seria como imputá-lo não ao praticante, e sim àquele por cuja necessidade veio a praticar o mal, Deus. Portanto era preciso defender até às últimas consequências a vontade, sob pena de não apenas destruir as conclusões dos livros precedentes, retrocedendo ao ponto de partida, mas também, com isso, destruir a própria liberdade humana e com ela a noção de responsabilidade moral, o que, no fim, daria a palma da vitória ao dualismo maniqueu. Portanto ninguém quer sem querer.

## 3,3,7,28. Presciência e vontade livre não são excludentes

**28.** A – [...] ainda que Deus conheça antecipadamente as nossas vontades futuras, não é por causa disso[123], contudo, que se conclui que não é pela vontade que queiramos algo.

Alguns pontos devem restar claros aqui, embora esse tema não tenha uma conclusão pacífica. Em primeiro lugar há que se operar a distinção entre o que diz Evódio e o que está dizendo Agostinho com respeito à felicidade. Evódio diz que não está em seu poder ser feliz, porém Agostinho diz que está, mas não exatamente o ser feliz, e sim o querer sê-lo. De fato, Evódio reconhece querer ser feliz, embora não o seja, o que o leva a concluir que, a despeito de seu querer, não pode sê-lo por si só, pois é Deus quem o faz feliz – quando e se vier de fato, um dia, a sê-lo. Agostinho concorda com isso, como fica claro nesse parágrafo (§28), quando diz: "disseste como se eu o fosse negar". Porém quer ressaltar um ponto essencial para a finalidade da obra, a distinção entre não lograr o que se quer e querer o que se quer, ou seja, entre pôr em prática o que se quer e a existência do querer, essencial para preservar a liberdade humana e a consequente responsabilidade moral no pecado. Posto que Evódio não diga que não quer ser feliz, mas apenas que não consegue, não se pode esquecer, contudo, que essa primeira objeção tem por finalidade provar se existe de fato a vontade livre, pois havia sido levantada a possibilidade de que o homem pecasse não por ela, mas por necessidade. O que Agostinho está mostrando, em vez disso, é que não é possível haver vontade necessária, pois ou a vontade é livre, liberdade que é condição imprescindível de sua própria natureza, ou não é vontade, devendo ser considerada nula, porque não é possível dizer que

[123] Lat. *ex eo*, liter. "a partir disso", *id est*, "em consequência disso".

alguém queira sem querer. Desse modo, pois, é impossível dizer Evódio que quer ser feliz sem querer, o que equivaleria a dizer que tem vontade não a tendo, uma contradição inescapável. Logo, se quer ser feliz, decorre forçosamente disso que tem uma vontade; e se tem uma vontade, ela não pode não ser livre, do contrário não seria vontade. Por conseguinte, se quer ser feliz, o quer por sua livre vontade, e não por necessidade; e assim sendo, ninguém é feliz por necessidade, apenas por meio de sua vontade, obrigatoriamente livre, mesmo que tenha de ser divinamente ajudado para tanto, pois a Graça de Deus, diz-se, não viola a vontade a nenhum[124].

## Nenhuma vontade não é livre

> **28.** [...] eu digo que, quando *fores* feliz[125], não é invito, e sim querendo que tu hás de sê-lo. Portanto, conquanto seja Deus presciente de tua felicidade futura, e nem se possa fazer algo diferente do que ele conheceu antecipadamente, do contrário nenhuma presciência existe, contudo não somos, por causa disso[126], coagidos a sentir, o que é completamente absurdo e está muito longe da verdade, que não é querendo que tu hás de ser feliz.

Portanto não se pode negar a vontade, pois ninguém quer sem querer, o que não se faz senão querendo, isto é, livremente. Esse argumento se torna imprescindível para provar compatibilidade entre vontade livre e presciência divina. Isso, porque a existência da liberdade da vontade se prova exatamente pela presciência divina, uma vez não ser possível não existir aquilo de que tenha

---

124 Mesmo que querer ser feliz seja uma coisa, sê-lo, outra distinta, deve-se lembrar que, sendo a felicidade um estado do espírito (ou mente) reservado às criaturas racionais livres – porque os animais nem espírito (mente) possuem –, à parte a questão da Graça, há subentendido nesse equilíbrio de forças o mérito pessoal, que, se não é suficiente, contudo é *sine dubio* necessário para a felicidade da alma. Pois, mesmo que Deus faça feliz a quem ele queira, *gratia sui*, por sua própria Graça, não o faz a quem não queira, como se o obrigasse à felicidade, o que seria sem dúvida injusto de sua parte, em havendo tantos querentes dispostos a receber dom tamanho. Logo, ainda que o homem seja feliz *gratia dei*, através do dom gracioso de Deus, ainda assim o candidato deve estar preparado pela *bona uoluntas*, sua boa vontade, condição necessária, posto que insuficiente, de sua factível felicidade futura.

125 A *consecutio temporum* latina não se harmoniza com a sequência dos tempos verbais do português. Tentou-se manter o modo original de cada verbo, uma vez crer-se que os valores contrastantes do subjuntivo e do indicativo não devem ser negligenciados. A tradução literal restaria algo assim: "Pois o que disseste acerca da felicidade, que não por ti próprio é que és feito feliz, assim disseste como se isto eu o terei negado; mas digo, quando hás de ser feliz, não contra a vontade, mas querente hás de ser".

126 *Id.*, lat. *ex eo.*

tido ciência Deus e, em existindo, não pode não ser segundo a sua própria natureza, que é livre:

1. Deus conhece todas as suas obras desde a sua eternidade sem tempo, o que equivale a dizer que conhece tudo o que foi, é e será, no tempo;
2. Deus é perfeito e nele não há erro;
3. Logo Deus não pode conhecer o que não existe[127] ou desconhecer o que existe;
4. Logo o que Deus conhece necessariamente deve existir, seja de modo visível, seja de modo invisível;
5. Deus conhece desde a sua eternidade sem tempo, mas também antecipadamente, o que se diz apenas em relação ao tempo, o querer do homem;
6. Logo o querer do homem existe, cuja faculdade se denomina "vontade";
7. Ninguém quer não querendo, ou seja, ninguém quer invito;
8. Logo ninguém quer o que não quer, assim como só se quer o que se quer;
9. Logo o querer é livre, sendo de sua própria natureza que assim o queira, de modo espontâneo;
10. Logo Deus conhece em sua eternidade sem tempo e antecipadamente, segundo o tempo, o querer livre do homem, cuja faculdade é a vontade;
11. O que Deus conhece desde sua eternidade sem tempo e antecipadamente, em relação ao tempo, ocorre por necessidade;
12. Logo é por necessidade que Deus conhece o querer livre do homem, cuja faculdade se denomina "vontade";
13. Logo o querer livre do homem, que se diz "vontade livre", existe necessariamente, coadunando-se com a presciência divina, ou melhor, precisamente por causa da presciência divina, cuja ciência antecipada, é lícito dizê-lo, tenha "causado" a própria vontade livre[128].

Nada obstante a justeza do argumento, seria bem mais fácil negar a presciência divina do que a liberdade da vontade. Isso, porque, se a liberdade pode ser argumentada de certo modo empírico, a presciência não o pode, o que faz com que a argumentação seja levada a enfunar suas velas com a brisa

---

127 Se não existe, não foi nem concebido em sua Mente divina, muito menos criado. Logo não pode ser conhecido aquilo que jamais foi pensado por Deus.

128 Neste sentido toda obra da criação tem origem na Mente de Deus, que é também – o que se diz apenas em relação ao tempo – sua própria presciência.

suave de um princípio piedoso, não com os fortes e decididos ventos da convicção, ainda que se diga constituir impiedade inominável a descrença. No entanto, se se admita com o filósofo o caráter axiomático de sua premissa, é-se obrigado a admitir igualmente que não apenas conhece Deus o que o homem há de querer antecipadamente, mas precisamente por isso, porque é divinamente conhecido, é que o homem tem preservado o seu livre querer, uma vez ter sido argumentado não apenas que ninguém quer não querendo, mas que deve necessariamente existir aquilo que é conhecido por Deus[129]. Logo, se o homem quer ser feliz, e se vier a sê-lo, veio a sê-lo porque o quis, o que não pôde senão ocorrer livremente, uma vez ter sido provado que não se pode querer senão querendo livremente. Contudo, ainda que ninguém venha a ser feliz sem que o queira, porque, se quis ser feliz e veio a ser, como dito, só veio a ser porque quis – pois sua vontade foi conhecida por Deus, presença na Mente divina que lhe confere chancela inexorável –, isso não significa que logrou sê-lo sem nenhuma ajuda divina[130], e sim que não o seria se não o quisesse, pois Deus sempre soube que ele havia de querer ser feliz, o que não faria sem que quisesse livremente, já que ninguém quer contra a própria vontade. Deve-se ressaltar que "contra a vontade" ou "invito" não equivale necessariamente a dizer por necessidade, pois ambas, vontade e necessidade, é possível muita vez coincidam, como apontado antes[131]. Com efeito, pode-se querer *x* e ser levado a *x* por necessidade, embora, nesse caso, não se possa dizer que se alcançou *x* sem vontade. Na verdade, o que Agostinho quer dizer, quando diz "invito" ou "contra a vontade", respeita antes à oposição entre necessidade e vontade, entre a existência ou não da vontade livre, o que havia sido posto em questão por Evódio no início desta argumentação[132].

Essa questão, contudo, se se opte por duvidar da premissa piedosamente axiomática que afirma a existência da Presciência divina, torna-se excessivamente desafiadora, a não dizer insolúvel, pois, se não se pode admitir algo contrário ao que Deus, em sua onisciência, conhece desde sempre, não se pode conciliar racionalmente a liberdade humana, de fazer ou desfazer, *ad libitum*, algo diferente do que Deus previu; porque, se previu *x*, nenhuma liberdade haverá para o homem de fazer qualquer outra coisa que não *x*, do contrário

129 Ou que foi conhecido antecipadamente, o que se diz apenas em relação ao tempo.

130 Pois aqui não se trata de argumento *pro gratia*, apenas da existência da vontade livre.

131 Cf. 3,3,7,26.

132 Cf. 3,2,4,14.

Deus devia ter previsto isso, que o homem havia de fazer não *x*, ou nenhuma presciência poder-se-ia dizer de fato existir. Numa palavra, a questão que se tem por insolúvel refere-se à possibilidade de algo pré-determinado ser, ou não ser, livre. Ao dizer que a vontade livre existe, nada obstante ter sido pré-conhecida por Deus, Agostinho a está considerando em seu valor nominal apenas, como se se pudesse substituir a locução "vontade livre" por *v* e estivesse resolvido o problema. Assim, ao argumentar que *v* existe porque tudo o que conhece Deus em sua eternidade sem tempo existe por necessidade, conquanto no tempo *v* ainda não tenha vindo a ser, ignora-se que *v*, que significa a vontade, deve obrigatoriamente ser predicado de *l*, que significa o qualificador "livre", que implica forçosamente indeterminação, pois o que é livre pode ser modificado, porém o que está determinado, não. Numa palavra, é como se se dissesse que o indeterminado pudesse ser determinado e ainda assim manter-se indeterminado. E de fato, se Deus sabe, antes da escolha, qual modificação será operada livremente, esta modificação operada livremente está determinada antes que ocorra, não podendo então ocorrer de modo indeterminado, ou seja, livre. E mesmo se se mude de ideia no ato, inesperadamente, ainda assim, por ter sido conhecido antes qual o resultado do pseudoinesperado da escolha futura, uma tal escolha deixa de ser escolha livre, passando a ser determinada. Em suma, a grande questão não pode ser resolvida antes que se possa equacionar adequadamente as duas grandes variáveis, eternidade e tempo, pois se estão comparando duas dimensões racionalmente incomunicáveis. Na verdade não se pode dizer com propriedade que Deus conheça algo antecipadamente, pois não há antecipação, tampouco procrastinação, na eternidade, porque nenhum tempo ali existe. Logo Deus não conhece nada antecipadamente, a não ser que se refira exclusivamente ao tempo dos eventos humanos, o que, neste caso, levantaria outras questões tão ou mais complexas acerca da eternidade. Todavia Deus está fora do tempo e seu conhecimento se dá de modo simultâneo, como o próprio Agostinho tenta entender nas belas e perplexas páginas de seu tratado acerca dos mistérios trinitários:

> Quem, pois, dentre os homens, pode compreender essa sabedoria pela qual conhece Deus todas as coisas, de modo que nem as coisas que se dizem pretéritas ali passem, nem as que se dizem futuras (como se não existissem) sejam esperadas a fim de que venham a ser; e tanto as coisas pretéritas como as futuras, juntamente com as presentes, sejam todas elas presentes, e não sejam pensadas cada uma delas separadamente, e que

ao pensar não se passe de umas às outras, mas num único conspecto[133] sejam todas as coisas presentes simultaneamente? Quem, digo, dentre os homens, compreende essa sabedoria, ela mesma não apenas presciência como também ciência, quando nem a nossa é por nós compreendida?[134]

Seria compreensível aceitar que em sua eternidade sem tempo, em que não há eventos, em que tudo é conhecido simultaneamente e de uma vez por todas na mente de um Deus imutável, seja conhecido aquilo que o homem instável está por pensar, querer ou fazer – se de fato vier a pensá-lo, querê-lo e concretizá-lo –, sem que esse mesmo conhecimento estável e inexorável presente na Mente divina venha a aniquilar o aspecto imponderável e indeterminado, que não apenas qualifica, mas principalmente constitui a essência da liberdade, e com isso a própria vontade? Se o querer livre parece inquestionável, a partir do empirismo que se lhe pode associar, a presciência divina, por sua vez, e com ela a eternidade e seus mistérios, se são imponderáveis, contudo não o são em seu detrimento, por assim dizê-lo, e sim em seu benefício, constituindo uma das grandes riquezas da filosofia, de modo especial da que se debruça sobre o ser e tudo o que a ele respeita, esse oceano paradoxal e infinito de possibilidades que, ao contrário do que se costuma pensar, não apenas não obsta o exercício da razão, mas, ao invés, a impulsiona cada vez mais alto, numa ascensão tão ilimitada quanto o ilimitado de seus objetos de especulação, quando então filosofia e poética confluem para desaguar nesse oceano infinito de possibilidades. No que tange à conclusão do parágrafo, quando Agostinho diz que nada está mais apartado da verdade do que crer que alguém haja de ser feliz sem querer, subentende-se que tenha querido antes, embora fosse até possível, em tese, ser feliz sem querê-lo. Porém deve ser lembrado que, para o filósofo, não se admite a possibilidade de que alguém possa não querer ser feliz[135]. Logo, quando diz que ninguém se torna

---

[133] Traduz *conspectus*, "visão", de que Agostinho se utiliza para referir a visão de Deus. Cf. **2**,16,43,170; **3**,25,76,264. Ver os verbetes *conspectus* e *conspicio* no LÉXICO T-F.

[134] *Trin.* 15,7,13: *"Quis ergo hominum potest istam sapientiam, qua nouit deus omnia, ita ut nec ea quae dicuntur praeterita ibi praetereant nec ea, quae dicuntur futura, quasi desint, exspectentur ut ueniant, sed et praeterita et futura cum praesentibus sint cuncta praesentia, nec singula cogitentur, et ab aliis ad alia cogitando transeatur, sed in uno conspecto simul praesto sint uniuersa? quis, inquam, hominum comprehendit istam sapientiam eandemque prudentiam eandemque scientiam, quandoquidem a nobis nec nostra comprehenditur?".*

[135] Cf. 1,14,30,99: "A – [...] Mas pensas haver alguém dentre os homens que não queira e escolha por todos os meios a vida feliz? E – Quem duvida que todo homem a queira?".

feliz sem querer, deve-se aceitar como subentendido que todos o queiram, de onde conclui-se que, se querem, não é sem querer que o querem, o que prova que não podem ser felizes sem a vontade, embora se possa objetar, anacronicamente, que lhe seja necessária a ajuda divina para sua vontade, a fim de que realmente consiga alcançar aquilo que quer alcançar. Porém essa ajuda divina, que se dirá "Graça", ainda não está em pauta, pois Agostinho não se está referindo especificamente à eficácia da vontade, como dada originalmente por Deus antes da queda, e sim à sua existência, que, caso não fosse livre, não poderia ser considerada propriamente vontade.

## 3,3,7,29. Portanto o mal não é necessário

> **29.** A – [...] assim como [...] a presciência de Deus não te retira a vontade da felicidade [...] assim também a vontade culpável [...] não por esse motivo não será vontade, porque Deus conheceu antecipadamente que ela há de existir.

Depois de tudo o que se disse, natural que se retorne a argumentação para o escopo principal da obra, que não é nem a liberdade, tampouco a felicidade, e sim a causa primeira do malfazer humano[136]. Se ninguém quer não querendo, ninguém quererá ser feliz contra a própria vontade, quando não, em negação da própria vontade. Assim sendo, se Deus previu que um indivíduo *i* haveria de querer *q*, não poderia prever sua vontade se ela não existisse, e tampouco poderia existir se não fosse livre, visto que a liberdade é condição *sine qua non* da vontade. Logo Deus previu a existência da vontade livre de *i*, vontade de *q*, que, embora prevista por Deus, continua a existir, ou antes, exatamente porque prevista por Deus é que se diz existente. E se isso se sustenta racionalmente, por que não o seu inverso, ou antes, o inverso da boa vontade? Se isso se diz correto para uma vontade boa, como a vontade de ser feliz, por que não o seria para uma vontade má? Se Deus conheceu antecipadamente a vontade má $v_m$ do indivíduo $i_m$, vontade que, precisamente por ser vontade, só

---

136 Nenhuma dúvida de que, sendo o arbítrio da vontade a causa do malfazer, ele se faz também objeto central da obra a que, inclusive, dá nome. Todavia, como a investigação ainda se encontra a pleno curso, investigação cujo escopo é a causa do malfazer, considera-se esse, em vez disso, o seu tema principal. Demais, há que se distinguir a vontade em si mesma, enquanto faculdade, da liberdade, que é uma característica sua necessária, mas não suficiente, assim como a felicidade, que se atinge na posse das virtudes, da boa vontade por meio de que se vive essa vida reta e virtuosa.

pode ser livre, essa vontade $v_m$ livre há de existir, enquanto vontade e enquanto vontade livre, em virtude da presciência divina, de acordo com a argumentação do filósofo, que ele julga válida, quer se a aceite, quer não. Portanto, assim como antes, o problema não está na vontade livre, boa ou má, de querer ser feliz ou de cometer um assassinato, que só pode ser livre, por ser vontade, e sim na sua consonância com a presciência divina, axioma inquestionável adotado pelo pensamento piedoso, que levanta questões desafiadoras, muita vez para além da razão humana, de modo especial a relação entre eternidade e tempo, unidade e multiplicidade, além desta, entre a presciência divina, com sua decorrente necessidade, e a liberdade.

## 3,3,8,30-31. Objeção I – O querer necessário ou a supressão da vontade

> **30.** A – [...] considera [...] com quanta cegueira se diga: "Se conheceu Deus antecipadamente a minha vontade futura [...] já não é pela vontade, mas por necessidade que se deve reconhecer que eu o quero".

Contra o argumento de que nada se pode fazer de modo diferente do que Deus conheceu por antecipação – presciência que determina inexoravelmente tudo o que há de ocorrer futuramente, o que inclui a própria vontade, que então deixa de ser vontade e passa a ser necessidade –, Agostinho sustenta a tese de que a presciência não apenas não anula a vontade, como também lhe assegura a existência, pois se foi divinamente prevista uma certa vontade futura livre, $v_f$, inescapável é que ela exista exatamente como prevista.

> **30.** A – [...] se não há de existir uma vontade além da vontade futura que ele terá conhecido antecipadamente?

E com efeito, se não há vontade futura nenhuma, o que foi que Deus conheceu antecipadamente? Pois ele não poderia, em sua onisciente presciência, ter conhecido o que, ou não existe, ou haveria de ser diferente. Todavia, ao que parece, Agostinho se está fiando no valor nominal do termo, por assim dizer, ou o significante, e não seu significado, em sentido saussuriano. Isso, porque, se se conhece antecipadamente o que há de ser, não parece ser possível a livre escolha, propugnando o argumento pela extinção da liberdade em prol de um determinismo inevitável. No entanto, diz Agostinho, se Deus conheceu

a vontade futura de alguém, é porque esse alguém há de ter uma vontade no futuro, que, se não for livre, não pode de modo nenhum ser chamada de vontade. Logo, se foi prevista uma vontade futura, será não apenas vontade, mas também livre. Porém o filósofo está considerando a vontade apenas como uma potencialidade de características específicas, nomeadamente a liberdade e seu consequente indeterminismo, sem se ater especificamente a qualquer resultado ou ação decorrente dessa liberdade, ou às perspectivas desse indeterminismo, o que, contudo, o força a admitir que a presciência determine haver no futuro indeterminação, ou seja, que determine que nada se determina. No entanto, se a presciência divina soubesse desde sempre que a vontade havia de ser livre e indeterminada, não seria simultaneamente onisciente, pois não seria capaz de saber o que resultaria dessa indeterminação, isto é, o que cada um haveria de fazer com sua vontade indeterminada, sabendo apenas e tão somente que o homem haveria de ter uma vontade livre e indeterminada, mas não sendo presciente dos eventos futuros decorrentes de suas escolhas por meio dessa mesma indeterminação, em o evento não tendo sido praticado ainda, no tempo. Por outra, seria possível que a presciência soubesse o que o homem haveria de fazer livre e indeterminadamente com sua vontade, sem que esse resultado, conhecido por antecipação em relação ao tempo, fosse necessariamente predeterminado? Na lógica humana, parece que não, pois se o resultado é conhecido por Deus em sua eternidade sem tempo, mesmo que no tempo pareça ao homem indeterminado, é de modo determinado que ele se dará, visto nada ser possível contrariamente ao que Deus conheceu, e de uma vez por todas. Contudo a lógica do tempo não se aplica corretamente nesse caso, assim como tampouco se diz presciência de modo apropriado em relação a Deus, estando ele fora do tempo, não sujeito às coordenadas lineares de tempo e de espaço, regentes na sucessão dos eventos.

**31.** A – [...] o mesmo homem[137] costuma dizer: "É necessário que assim[138] eu o queira"; o qual, por [*causa de*] uma suposta necessidade, esforça-se por retirar-*lhe*[139] a vontade. Pois, se é necessário que o queira, de onde é que há de querer, quando não *lhe* existir uma vontade?

---

137 Cf. 3,3,7,27: "que não é pela vontade que queremos", coisa que somente um "delirante" diria.

138 "Assim" (*ita*), desse modo, quer dizer "sem o concurso da vontade". De fato, como se pode querer sem querer? Esse cego e delirante, diz Agostinho, não vê que sem a vontade não é possível querer, de onde ser impossível que Deus conheça sua vontade futura, se nenhuma vontade houver, o que, segundo o argumento, exclui a perspectiva de necessidade.

139 Retirar ao querente a sua capacidade de querer livremente.

É muito provável que os contemporâneos do filósofo tenham argumentado contra isso, ao aventar a hipótese de que, em última instância, não se trate de vontade, e sim de necessidade. Porém a defesa de Agostinho esteia-se sobre a mesma plataforma, o valor nominal do termo: se Deus conheceu a vontade futura, $v_f$, de *x*, vontade que é livre, não há como negá-la em *x*, no futuro, pois nem um dementado seria tão ousado a ponto de dizer que fosse possível querer sem querer, isto é, querer sem vontade. Contudo há dúvidas se de fato se está falando da mesma coisa, isto é, da vontade, em ambos os casos. Mais parece que o problema foi mal colocado, pois nem se deve falar de vontade determinada, tampouco de querer necessário. Se é necessário que queira, então não quer; assim como, se quer livremente, não pode ser por necessidade. E o filósofo disso se dá conta, ao reconhecer que, quando se interpõe a necessidade, suprime-se necessariamente a vontade. Porém, ao ser subtraída de *x*, não pode ser conhecida antes por Deus, porque não existirá. Logo, se é conhecida por Deus, é porque obrigatoriamente existe; e se existe, não pode ser suprimida, seja pela necessidade, seja por qualquer outro pretexto.

## 3,3,8,32-33. Objeção II – O querer impotente

**32.** A – [...] não podemos negar que nós possuímos poder, a não ser enquanto não nos está presente aquilo que queremos[140]; porém enquanto queremos, se a própria vontade nos falta, invariavelmente não queremos.

Na eventualidade de renúncia ao primeiro óbice[141], reconhecendo-se a necessidade inevitável de preservação da vontade, interpõe-se então um segundo, a possibilidade de que a vontade não esteja em poder do querente. Contra esse óbice aprofunda o filósofo um tanto mais o argumento suprautilizado para sustentar a vontade diante das ameaças de uma suposta necessidade, ao defender a capacidade de querer do querente. De fato, se se reconheceu que não era possível querer ser feliz sem querer, lembra Agostinho, tampouco será possível admitir algum querer sem poder, do contrário não se tem uma

[140] Não se pode negar que a vontade esteja em poder do homem, pois basta querer para querer, e nada além; a não ser que se queira algo e isso não se faça presente, o que não é o caso da vontade, pois basta apenas querer para tê-la ao dispor, sem nenhum intervalo de tempo ou de espaço, de modo imediato, como dito antes (§27): *"ea enim prorsus nullo interuallo mox ut uolumus praesto est"*.

[141] Cf. 3,3,8,30-31.

vontade, isto é, assim como não se pode dizer vontade o querer que não seja livre, tampouco se pode dizer vontade o querer impotente. Porém, se o primeiro argumento se compreende sem grande esforço ou dubiedade, o segundo não é tão evidente e costuma ser mal interpretado. Pois bem, se o querente possui poder, apenas se se lhe faz presente aquilo que quer, entende-se que, quando está querendo, o próprio querer lhe esteja presente, possuindo, portanto, o poder de querer. Não se está dizendo que se possui o poder para fazer ou conseguir o que se quer, e sim para querê-lo, apenas. O argumento fica menos confuso se se substitua – o que configura a intenção do próprio autor – o verbo "querer", na principal, pelo substantivo "vontade", do seguinte modo: quando quer o homem, a vontade instantaneamente se lhe faz presente; logo todo aquele que quer, e enquanto quer, tem a vontade em seu poder; e se a vontade não está em seu poder, simplesmente não quer. Esse poder, portanto, estranhamente se refere não ao poder de conseguir o que se quer, como no caso de Evódio, que admitia querer ser feliz e não ser capaz disso, dependendo de Deus para torná-lo feliz; e sim ao poder de possuir a vontade, pois quem quer instantaneamente possui à sua disposição a própria vontade[142]. Embora pareça simples e redundante obviedade, o argumento é de suma importância para as pretensões do filósofo, diante dos dois óbices levantados, que propugnam ou pela existência da necessidade em detrimento da vontade livre, ou pela impotência desta, caso admita-se que de algum modo exista. De fato, Agostinho esforça-se por reforçar o estatuto ontológico da vontade, estabelecido no livro segundo, como bem médio, que pode ser bem ou mal utilizado, vontade cujo motor original motivou as discussões encetadas nesse livro terceiro. Assim sendo, [i] nem pode não haver vontade, se Deus a previu, [ii] nem pode ser vontade, se não for livre, [iii] tampouco pode ser impotente, se for vontade, pois ninguém quer sem vontade, que se faz presente tão logo se quer, estando, por conseguinte, à disposição, ou seja, em poder do querente.

## Querer e vontade

Quando Evódio havia dito[143] que queria ser feliz, mas que admitidamente não tinha poder para tanto, não parecia estar se referindo ao poder de querer, e

---

142 Cf. 1,12,26,86-87: §86. "que coisa está tão situada na vontade como a própria vontade?"; §87. "para que seja possuída é necessário somente querer?".

143 Cf. 3,3,7,26.

sim ao de alcançar o que seguramente queria, uma vez admitia querer ser feliz. Mesmo assim se aproveita Agostinho da brecha para ratificar o estatuto da vontade, em contraste com a suposta necessidade que haveria de reger os eventos previstos por Deus, dentre os quais os que se têm por males. De fato, quando se fala do poder da vontade, não se costuma referir ao poder de querer ter uma vontade, que notória e inquestionavelmente é livre para todos, a despeito dos óbices levantados pelos defensores da necessidade, e sim ao poder de fazer valer sua vontade, concretizando em ato aquilo que se pôde livremente querer. Contudo Agostinho refere-se ao primeiro, à potência ou capacidade de ter uma vontade, quando se quer, pois os óbices levantados questionavam exatamente isso, a possibilidade de que se não tivesse uma vontade, mas que se quisesse de modo necessário, ou que se tratasse de preferência de uma vontade impotente, o que se refere não à sua potência realizadora, e sim à sua potência querente, isto é, a possibilidade de ter a vontade à disposição. Essa disparidade surge agora porque estão sendo consideradas momentaneamente como duas coisas distintas, querer e vontade, a fim de confrontar a objeção levantada (§32) de que alguém, que admita a necessidade de querer, pudesse querer ter vontade, sem contudo conseguir tê-la: "se tenha dito [...] que ele não possui a própria vontade em seu poder". Todavia, como irá argumentar na sequência, impossível que se queira sem querer, assim como que se queira sem vontade.

## Potência e presença

> **33.** A – [...] e nenhuma outra coisa qualquer está em seu *poder*, a não ser aquilo que está *presente* aos que querem.

Todo querente, enquanto quer, tem diante de si e ao seu dispor o próprio querer, apenas e tão somente porque quer. E se a faculdade da vontade se define pelo querer, tem o querente diante de si a vontade, que se objetou logo acima não estar em seu poder. Portanto Agostinho faz ver que está em poder de alguém aquilo que lhe está presente, ao dispor, de modo inalienável. Ora, quando quer, quer querer, e ninguém lhe pode subtrair esse querer querente, que está à sua disposição, sendo, portanto, seu e de mais ninguém; estando, por conseguinte, em seu poder. Posto que se trate do poder *de* querer e não do poder *do* querer, estabelece-se a presença como condição *sine qua non* de sua posse, pois se algo está presente, ou seja, ao dispor, tem-se poder sobre ele.

## Potência, liberdade e vontade

**33.** A – [...] Portanto a nossa vontade nem seria vontade, se não estivesse em nosso poder. E mais, porque está em nosso poder, ela é livre para nós[144]. Pois não é livre para nós[145] aquilo que não possuímos em nosso poder, ou que pode não ser o que possuímos[146].

De par com a presença, condição da potência de querer, Agostinho estabelece agora essa mesma potência como condição da vontade, pois nenhuma vontade se diz de fato vontade se não esteja em poder do querente. Logo, se é preciso tê-la à disposição, para que se diga que está em seu poder, é preciso igualmente que se tenha poder sobre ela, para que se diga de fato vontade. E se está em poder de alguém, por lhe ser presente, a vontade deve ser livre, pois considera-se livre aquilo de que se pode fazer uso *ad libitum*, para o que, contudo, é preciso que esteja completamente ao dispor. Portanto, se a vontade não está à disposição do querente, não é livre para ele. Quando não, diz Agostinho – é o que se supõe, pois a oração é quase incompreensível –, aquilo que se possui pode não ser aquilo que se pensa possuir, como se estivesse dizendo que, estando ausente, não se tratasse propriamente de vontade[147].

---

144 Se interpretado como dativo de posse, ter-se-ia: "nós a possuímos livre".

145 Também como dativo de posse, restaria: "pois não possuímos algo como sendo livre...".

146 Estaria dizendo que é possível enganar-se, crendo possuir algo que se não possui?

147 A construção "ou pode não ser o que possuímos" (*aut potest non esse quod habemus*) é a segunda parte de uma aparente disjuntiva, cuja primeira é: "não é livre para nós aquilo que não possuímos em nosso poder" (*non enim est nobis liberum quod in potestate non habemus*). Portanto [i] o que o homem possui em seu poder é livre para ele, [ii] ou pode não ser o que possui. Nessa segunda oração, que parece truncada de tão concisa, Agostinho pode estar apenas querendo dizer que não é livre para o homem aquilo que ele não possui em seu poder ou que simplesmente não possui. Todavia a construção tem palavras sobejando, o que permite supor que talvez esteja dizendo algo além disso. Pois bem, as duas orações estão conectadas pelo operador disjuntivo *aut*, "ou", que se utiliza para ligar duas alternativas que via de regra se excluem mutuamente. Porém, como a frase é muito pouco compreensível, não se percebe se se excluem ou se se complementam. Pode-se até aventar a hipótese de que o filósofo esteja dizendo que aquilo que possuímos em nosso poder pode não estar presente, o que, contudo, faria com que não estivesse de fato em nosso poder, o que seria contraditório. Pois, se assim o fosse, seria possível ter algo em seu poder sem que este algo estivesse presente, contrariando o que ficou dito antes, que só se possui poder sobre o que se quer quando isso está presente. Mas aí inexiste qualquer alternância excludente! Se de fato fosse possível que estivesse ausente aquilo que se possuísse, admitir-se-ia a objeção posta no início, onde se diz que, embora querendo, não possui a vontade em seu poder. Porém Agostinho a está contestando. Portanto o sentido do que diz parece não ser outro senão que [i] não pode ser livre a vontade que não esteja em poder do querente, ou então, [ii] se se admita que, embora se a

## 3,3,8,34-35. Presciência da liberdade e da potência de vontade

**34.** A – Disso decorre que não apenas não neguemos que Deus seja presciente de todos os eventos futuros, mas também que nós queiramos o que queremos[148]. De fato, *ainda que*[149] seja presciente de nossa vontade, ela própria existirá, da qual ele é presciente.

Embora nada pacífica a questão, Agostinho entende que seus argumentos sejam suficientes para provar a coexistência harmônica entre a presciência divina, cuja negação tem-se por ímpia, e a manutenção da vontade, que, não fosse livre, não seria vontade, e sim necessidade. Essa sintonia entre presciência e liberdade tem importância fundamental para as pretensões do filósofo por dois grandes motivos. Primeiro, ao preservar a presciência, preservam-se os predicados divinos sobre os quais se assentou todo o arcabouço das discussões, desde o livro primeiro, naquilo que se denominou princípio de piedade[150], como, por exemplo, onisciência, perfeição, eternidade, bondade, justiça, entre outros. Depois porque, se se destrua a liberdade da vontade, admitindo um universo regido pela necessidade inevitável, universo em que tudo está determinado, não apenas o homem tornar-se-ia um autômato[151], mas também ter-se-ia aniquilada a perspectiva de responsabilidade moral, o que poria por terra tudo o que se argumentou desde o início em defesa da bondade e justiça divinas e da aversão da vontade livre do homem como causa do malfazer, entregando a palma da vitória em mãos maniqueístas.

Embora não haja nenhuma dúvida quanto à validade dos argumentos propostos por Agostinho, do modo como estão propostos, [i] de que a vontade livre, entendida em seu valor nominal, existe exatamente por ter dela presciência Deus, [ii] e de que não é possível querer sem querer, estando portanto a vontade em completo poder do querente, contudo a questão resta uma vez e sempre ingentemente problemática, o que talvez não se deva senão ao fato de ter sido mal colocada, pois é questionável se se pode

possua, não esteja presente, nesse caso tampouco será livre, pois não estará em seu poder. Logo, para ser livre uma vontade, deve estar em poder do querente, o que significa dizer que lhe deve estar presente, isto é, à sua disposição, do contrário não será livre, muito menos vontade.

148 Cf. 3,2,4,14-3,6,21.

149 A conj. *cum*, traduzida como concessiva, talvez possa, sem dano, neste caso apenas, ser interpretada também como causal. Pois, se é necessário aquilo que Deus conhece antecipadamente, é precisamente porque ele o conheceu antes que isso deverá necessariamente existir no tempo futuro.

150 Cf. 1,2,5,12-13.

151 Ao revés de toda observação da experiência.

realmente ajuizar da presciência de um Ser que se situa fora do tempo, cujo conhecimento não pode ser nem anterior tampouco posterior a qualquer fato, senão simultâneo[152].

> **34.** A – [...] Logo existirá a vontade, *porque* ele é presciente da vontade. E nem poderá existir uma vontade, se não estiver em poder [de algum querente]. Logo também do poder ele é presciente. **35.** Portanto não é por causa da presciência dele que me é retirado o poder...

Conclui-se, com respeito à relação entre a presciência divina e a livre vontade humana, que: [i] a vontade livre existe exatamente porque dela há a presciência divina; [ii] nenhuma vontade pode existir que não seja livre ou que não esteja em poder do querente, pois se não for livre, não será vontade, assim como, se não estiver em poder daquele que quer seu próprio querer, tampouco se poderá dizer que ele queira, pois ninguém pode querer sem querer, isto é, sem vontade; [iii] portanto há presciência não apenas da liberdade, mas também do poder da vontade, numa palavra, do poder que cada um tem de querer o que queira querer[153]. Logo Deus conhece antecipadamente, em relação ao tempo, não apenas o querer livre do homem, mas também sua potência de querer, sua possibilidade de querer o que quiser, com o que parece concordar Evódio, ao menos em certa medida.

## 3,4,9,36-37. Dúvidas persistentes: justiça e necessidade

> **36.** A – Então o que é que te perturba? [...] Negarás que, *ninguém nos coagindo*[154], seja superior, seja inferior, seja igual[155], pelo contrário, que é por meio da vontade que nós pecamos? **37.** E – [...] ainda não vejo de que modo não se oponham reciprocamente estas duas coisas, a presciência de Deus acerca dos nossos pecados, e o nosso livre arbítrio, ao pecar.

---

152 Esse problema talvez tenha sido previsto pelo próprio filósofo, o que justifica ter proposto um exemplo em que se admite hipoteticamente uma presciência. Cf. 3,4,10,39.

153 O que se distingue bastante, deve ser lembrado prontamente, de conseguir realizar aquilo que queira.

154 Note-se que esta célebre expressão, *nullo cogente*, liter. "ninguém coagindo", será utilizada anos mais tarde pelo pelagiano Juliano de Eclano – para desgosto do filósofo –, a fim de argumentar contra seu próprio autor, porém nesse caso em favor da autonomia da vontade, defendida ferrenhamente por Pelágio e seus seguidores, em detrimento da Graça de Deus, advogada não menos implacavelmente por Agostinho. Cf. *Contra Iulianum opus imperfectum* 5,61: "...logo a vontade, que não é nada além de um movimento do espírito que não é coagido por ninguém..." (*uoluntas ergo, quae nihil est aliud quam motus animi cogente nullo*). Cf. 1,11,21,76.

155 Cf. 1,10,20,71-11,21,76, especialmente §§73 e 76; ver também 3,1,2,8.

Nenhuma dificuldade parece haver, ainda hoje, em reconhecer a dúvida persistente de Evódio, nada obstante tudo o que ficou dito antes, acerca da possibilidade de coexistência harmônica na economia universal entre a presciência divina e o arbítrio livre da vontade humana. De fato, conquanto se creia na justiça perfeita de Deus, ao recusar-se a negar-lhe impiamente a presciência de todos os eventos futuros, como propugnam por fazer os interlocutores, torna-se desafiador compreender como o conhecimento antecipado do pecado não implique obrigatoriamente em sua necessidade.

**37.** E – [...] Deus não apenas é justo, como também presciente.

E se Deus é justo, não distribui penas, tampouco prêmios, a quem não merece recebê-los. Por outro lado, se o mérito de toda e qualquer ação moral reside na vontade, como dito no livro primeiro[156], e se a presciência resulta numa necessidade inevitável, em detrimento do arbítrio livre da vontade, como insiste a argumentação de Evódio, não se pode admitir como justa nem a punição divina, tampouco a premiação, seja pelo que for que determine a necessidade. Portanto a presciência não apenas aniquila a liberdade e a responsabilidade moral, mas consequentemente também põe em risco a própria Justiça de Deus, uma vez ter sido definido, já desde o prólogo do primeiro livro[157], que dos dois gêneros de mal vulgarmente observáveis, [i] o mal feito [ii] e o mal sofrido, o segundo decorria da justiça divina, que retribui a cada um segundo os méritos de suas ações. Logo, se o mal inegavelmente sofrido pela humanidade decorre da retribuição divina, resta inexequível considerá-la justa, caso inexista qualquer responsabilidade moral, isto é, se nenhum mal se pratique pela vontade, e sim por necessidade.

**37.** E – [...] Porém eu gostaria de saber [i] com que justiça pune os pecados, os quais é necessário que se cometam; [ii] ou de que modo não é necessário que aconteçam os eventos futuros, que ele conheceu antecipadamente haveriam de acontecer; [iii] ou de que modo não se deve imputar ao Criador tudo aquilo que em sua criação é necessário que aconteça[158].

---

156 Cf. 1,14,30,101.

157 Cf. 1,1,1,1.

158 Liter.: "Porém eu gostaria de saber [i] com que justiça puna os pecados, os quais é necessário se façam; [ii] ou de que modo não seja necessário se façam as coisas que ele conheceu antecipadamente haveriam de existir; [iii] ou de que modo não se deva imputar ao Criador tudo aquilo que em sua criação é necessário se faça".

Portanto três são as dúvidas persistentes de Evódio: [i] saber de que modo se possa considerar ainda justo um Deus que puna os pecados que não se cometam livremente por meio da vontade, e sim determinadamente pela necessidade inevitável; [ii] saber como seja possível que os eventos futuros, que Deus conheceu antecipadamente, em relação ao tempo, não ocorram de modo necessariamente inevitável, isto é, como poderiam ocorrer de outro modo, ou mesmo não ocorrer, tendo sido de antemão previstos por Deus; [iii] por fim, saber como não se deva imputar a Deus a responsabilidade pelo mal existente no mundo, seja o mal praticado pelo homem, seja o mal sofrido, uma vez que sua vontade se viu suprimida obrigatoriamente pela necessidade decorrente da presciência divina, ou seja, como não se admita predeterminado, em toda a criação universal, o que quer que ocorra por necessidade inevitável, e não livremente.

## 3,4,10,38. Presciência *simpliciter* e o sumiço de Evódio

> **38.** A – [...] não é porque a presciência é de Deus que é necessário aconteçam os eventos que ela tenha conhecido antecipadamente, mas somente porque é presciência, a qual, se não sabe antecipadamente coisas certas, sem dúvida é nula.

Nenhum conhecimento antecipado de evento qualquer se diz retamente "presciência" se não for um conhecimento de eventos certos, inequívocos, que não podem não acontecer no futuro, do contrário tem-se apenas probabilidade. Assim sendo, não importa se a presciência é divina ou humana, de acordo com o argumento de Evódio, pois basta uma bola de cristal qualquer para que se anule a liberdade, restando uma inevitável necessidade a reger os eventos humanos[159].

Este parágrafo 38 marca a penúltima aparição de Evódio na obra[160]. Daqui em diante apenas Agostinho se manifesta, num discurso contínuo (*oratio perpetua*) em que pretende dar conta de possíveis objeções levantadas contra os

159 Importa notar que Agostinho, ao fazer a distinção entre presciência divina e humana, quer limitar a discussão às cadeias, tangíveis, do tempo e do espaço, afastando-a das tanto mais problemáticas quanto inapreensíveis atemporalidade e "aespacialidade" da eternidade inefável de Deus. Se é adrede que o faz, não se arrisca asseverá-lo, mas quem quer que esteja familiarizado com a agudeza intelectual do filósofo não consegue pensar de outro modo.

160 Em 3,16,46,160 Evódio supostamente fará sua última intervenção, *pro forma*, uma simples e inútil repetição das conclusões de Agostinho, apenas para que o leitor se lembre dele e, talvez, de que a obra se trata ainda de um diálogo. Não se arrisca de modo irresponsável nem comete nenhuma injustiça quem acaso suponha ter sido o próprio Agostinho a inserir a pequena participação de Evódio ali, apenas para simular o diálogo, contudo daí em diante inexistente.

pressupostos da doutrina cristã e contra as teses defendidas até então no *L.A.*, estribadas estas nos "axiomas" constantes do princípio de piedade apresentado no início do livro primeiro[161].

## 3,4,10,39. Presciência coatora: culpa e dolo

**39.** A – [...] tu não coagirias de imediato[162] alguém a pecar, que[163] antecipadamente conhecesses que haveria de pecar, e nem a tua própria presciência o coagiria a pecar...

Na pretensão de recorrer novamente ao lugar ou tópico do mais e do menos, Agostinho preparou um argumento diferente, porém agora mais humilde, rebaixado da excelsa morada e voltado para o homem comum[164]: a presciência de Evódio ($E_p$) não causa os eventos ($Q_n$) de que ele tem ciência antecipada, do contrário não poderia tê-la, isto é, não poderia ter ciência de algo que ainda não havia sido causado. Demais, se se dissesse que os causasse, o que quer que se desse tampouco poderia ser considerado presciência, porque, ao provocar os eventos $Q_n$, os quais, se não fossem provocados pela presciência de $E_p$, jamais haveriam de ser no futuro, $E_p$ não poderia possuir ciência antecipada deles, os quais eventos, $Q_n$, não estariam destinados a ser, de modo que pudessem ser conhecidos antecipadamente por $E_p$. O argumento apresentado, conquanto esteja sendo negado por Agostinho, pode ser reelaborado de forma positiva segundo o seguinte esboço esquemático e tentativo:

1. $E_p$ é, hipoteticamente, presciente do futuro;
2. Logo $E_p$ conhece antecipadamente os eventos futuros $Q_n$[165];
3. O indivíduo *i* pecará no tempo futuro $t_3$;

---

[161] Cf. 1,2,5,12-13.

[162] *Non continuo*, "como consequência imediata", ou seja, não é porque Evódio soube antes que *x* havia de pecar que por esse motivo se dirá Evódio ter sido a causa do pecar de *x*.

[163] Relativo de valor causal: não se coage *x* a pecar, *porque* se soube antes que *x* depois pecaria.

[164] Esse exemplo tem a vantagem de manter a discussão no âmbito do tempo, como dito logo acima, deixando de parte a onisciente presciência eterna de Deus, cuja simultaneidade é imponderável à razão humana. Todavia tem o defeito de ser limitador, visto que a presciência no tempo se distingue da presciência divina precisamente por isso, porque, enquanto a primeira é de fato presciência, ainda que hipotética, visto que conhece antes o que há de ser depois, numa sequência presa à coordenada temporal, a segunda não pode jamais sê-lo, visto que na eternidade nenhum antes ou depois pode ser concebido, nenhuma linearidade, nem sequer de modo hipotético.

[165] Presumivelmente todos os eventos futuros.

4. $E_p$ sabe, no tempo $t_1$, o que o indivíduo *i* fará, necessariamente, em $t_3$;
5. O tempo $t_1$ é anterior ao tempo $t_2$, o qual antecede o tempo $t_3$;
6. Logo o tempo $t_1$ é anterior ao tempo $t_3$;
7. A presciência de $E_p$, em $t_1$, coage o indivíduo *i*, em $t_2$, a pecar, em $t_3$;
8. Logo a presciência de $E_p$, em $t_1$, é a causadora do pecado de *i*, em $t_3$, coação que se deu em $t_2$, ou seja, depois do tempo $t_1$ de sua presciência e antes do tempo $t_3$ de seu pecado.

No entanto, adverte Agostinho, a presciência de Evódio não coage de modo nenhum o indivíduo *i* a pecar – coação essa que se compreenderia como decorrência da necessidade imposta pelo conhecimento antecipado, certo e inequívoco, de um dado evento –, por um simples motivo, porque se o fizesse, não seria presciência.

1. O tempo $t_0$ é anterior ao tempo $t_1$, que antecede $t_2$, anterior a $t_3$;
2. Em $t_0$ $E_p$ não tem presciência de nenhum pecado de *i*, em $t_3$;
3. Porém *i* terá pecado, inevitavelmente, em $t_3$;
4. Em $t_1$ $E_p$ é presciente do pecado de *i*, em $t_3$;
5. Logo a presciência de $E_p$, em $t_1$, não coage *i*, em $t_2$, a pecar, em $t_3$, pois *i* teria pecado inevitavelmente, em $t_3$, a despeito da presciência de $E_p$, em $t_1$.

E a hipótese de que $E_p$, em $t_1$, causasse o pecado de *i*, em $t_3$, se percebe agora incoerente:

1. O tempo $t_1$ é anterior ao tempo $t_2$, o qual antecede o tempo $t_3$;
2. No tempo $t_2$ *i* é coagido por $E_p$ a pecar, em $t_3$;
3. No tempo $t_1$ nenhuma presciência do pecado de *i*, em $t_3$, é possível, porque o pecado de *i*, em $t_3$, ainda não foi causado por $E_p$, que só irá coagi-lo em $t_2$;
4. Logo, em $t_1$, nenhum pecado de *i* existe, em $t_3$, de que se possa ter ciência antecipada, a fim de que seja objeto de presciência de $E_p$;
5. Logo, em $t_1$, $E_p$ não é presciente do pecado de *i*, porque nenhum pecado de *i*, em $t_3$, há para ser objeto de presciência por parte de $E_p$.

Para tentar compreender a ideia de Agostinho, a despeito de sua validade, imagine-se ainda um outro exemplo. Um indivíduo *i*, posicionado a distância e bem acima, no alto de um monte, observa um outro indivíduo cego, *c*, caminhando inadvertida e inevitavelmente em direção a um desfiladeiro, e pensa de

imediato consigo mesmo: – Prevejo que *c* há de cair inevitavelmente no desfiladeiro. Logo em seguida, no tempo $t_3$, *c* cai de fato no desfiladeiro. Pode-se dizer, pois, que *i* tenha sido, no tempo $t_1$, presciente, por assim dizê-lo[166], de que *c*, que caminhava rumo ao desfiladeiro, no intervalo de tempo $t_1$-$t_2$, haveria de cair no desfiladeiro, no tempo $t_3$. Pois bem, se se indague da causa da queda de *c*, em $t_3$, dir-se-á que foi a presciência do indivíduo *i*, no tempo $t_1$, de que *c* haveria de cair em $t_3$, ou, ao contrário, dir-se-á que *c* caiu por causa de sua cegueira negligente, ao caminhar inadvertidamente, no intervalo de tempo $t_{1\text{-}2}$, em direção ao desfiladeiro? Nenhuma dúvida de que a causa da queda de *c* foi o seu descaminho errante, em $t_{1\text{-}2}$, e não a presciência de *i*, em $t_1$. Tampouco se poderia dizer que o indivíduo *c* foi forçado ou coagido a cair em $t_3$, por ter sido objeto da presciência de *i*, em $t_1$, ainda que *i* pudesse tê-lo avisado, o que na verdade não pôde fazer. Pois bem, o que Agostinho imagina provar com isso é que o fato de prever antecipadamente um dado evento *q* não obrigatoriamente implica sua execução forçada, que não se pratica por ter sido previsto, pois haveria de ocorrer, livre e voluntariamente, de qualquer modo, tendo ou não sido previsto. Isso, porque, imagina o filósofo, a necessidade que decorre da presciência de um dado evento não pode ser coatora do evento, do contrário não poderia ele ser previsto, como se tentou demonstrar, posto que de modo inadequado, no último esquema supraesboçado. Imagine-se um último exemplo esquemático, igualmente tentativo:

1. O evento *q* será praticado pelo indivíduo *i* no tempo $t_3$;
2. Um indivíduo presciente $i_p$ prevê o evento *q*, num tempo $t_2$;
3. O tempo $t_2$ é anterior a $t_3$, do contrário não há presciência;
4. Outro indivíduo presciente $i_{pp}$ prevê o mesmo evento *q*, num tempo $t_1$;
5. O tempo $t_1$ da presciência de $i_{pp}$ é anterior ao tempo $t_2$ da presciência de $i_p$;
6. Logo a presciência de $i_p$ não pode ser coatora, em $t_2$, do evento *q*, em $t_3$,

do contrário o evento *q* não poderia ter sido objeto de presciência de $i_{pp}$, em $t_1$.

[166] Posto que sirva para ilustrar o exemplo supraelaborado, referente a Evódio, é sem dúvida inadequado, se se pense na presciência divina. Isso, porque, ao contrário do homem sobre o monte, que vê o evento de modo linear, preso às coordenadas de tempo e espaço, Deus o vê instantaneamente, na eternidade, de modo incompreensível para a razão humana, pois para ele não há distinção de tempo entre o caminhar em direção ao abismo e a queda do cego, eventos ambos que se dão, na mente divina, a um só tempo e num espaço inexistente. Ademais, se o evento pode não ocorrer para o homem, pois o cego pode tropeçar ou ser impedido de seguir adiante, o mesmo não se dá na mente divina, em que tudo é pretérito perfeito, por assim dizê-lo, em que tudo é visto como tendo já ocorrido, do contrário haveria progressão e mudança na mente imutável e eterna de Deus, o que seria incoerente com o que se postulou como princípio de piedade.

Pois bem, se Evódio prevê o pecado futuro de *i*, sua previsão não poderia coagir *i* a pecar, o qual deveria pecar independentemente da presciência de Evódio, do contrário não haveria um pecado futuro a ser conhecido antes, se o próprio conhecimento antecipado é que causa o pecado, coagindo *i* a pecar. Com efeito, se Evódio coage *i*, no tempo *t*, a que peque depois, no tempo $t_{+1}$, porque soube, em $t_{-1}$, que *i* havia de pecar, ou seja, se o fato de saber, em $t_{-1}$, é causa da coação que se dá em *t*, coação que, por sua vez, causa o pecado em $t_{+1}$, decorre disso que a causa do pecado está na coação, que ocorre em *t*, e a causa da coação, na própria presciência, que ocorre em $t_{-1}$. Logo a presciência é que é a causa primeira do pecado cometido em $t_{+1}$, que não seria cometido se não tivesse sido previsto, em $t_{-1}$, do que decorre, com certo exagero, que ao presciente não se deve imputar apenas culpa, mas também dolo, pois coagiu *i* a cometer o pecado que não cometeria, se não tivesse sido objeto de presciência. Tudo isso, porém, ocorre de modo necessário, por causa da presciência de Evódio: coação e pecado. O que Agostinho está argumentando é que, se fosse a presciência de Evódio a causa do pecado futuro de *i*, Evódio não poderia ser verdadeiramente presciente do pecado de *i*, pois não poderia conhecer antecipadamente aquilo que só viria a ocorrer por causa de sua presciência. E de fato, se *i* só viesse a pecar porque foi coagido, em *t*, porque seu pecado fora previsto em $t_{-1}$, Evódio seria o causador do pecado de *i* e não presciente de um pecado que haveria de ocorrer necessariamente em $t_{+1}$. Ou seja, o pecado de *i*, em $t_{+1}$, só ocorreu por causa da presciência, e assim o presciente não prevê algo que ocorre necessária e independentemente de sua previsão, um evento futuro qualquer. Logo o presciente é o causador do mal e a presciência, em si mesma, um grande malfeito. Logo, ou a presciência não existe, não sendo anulada a liberdade e consequente responsabilidade moral no pecado futuro, ou então, em existindo, é ela, em vez disso, a causa do mal, e não apenas culposa, mas igualmente dolosa.

## Tópico do grau: do mais e do menos

> **39.** A – [...] assim como não se opõem reciprocamente estas duas coisas, como tu com a tua presciência *terás conhecido*[167] [*antes*] o que um outro por sua vontade há de fazer [*depois*], assim também Deus, não coagindo ninguém a pecar, prevê, contudo, os que por sua própria vontade pecarão.

---

167 Fut. perfeito ou anterior: *x* terá conhecido perfeitamente, num futuro anterior, o que *y* fará depois, num futuro posterior, imperfeito. Costuma-se traduzir o futuro perfeito pelo fut. do subjuntivo em vernáculo: "aquilo que tu conheceres" ou "tiveres conhecido...".

Todo esse problema supraelaborado, a despeito de seu pecado de base, isto é, do fato de ter sido mal colocado, uma vez que, como dito antes, o conhecimento de Deus, estando fora do tempo, não pode ser comparado ao conhecimento humano, cerceado que está pelas dimensões de tempo e até mesmo de espaço, em muitas circunstâncias, dependendo do objeto presente na mente, enfim, a despeito desse pecado de base, o argumento supraelaborado por Agostinho serviu apenas de sustentação para o argumento que aqui se põe, um entimema esteado no lugar do mais e do menos, tópico já citado e utilizado pelo autor antes nesta mesma obra[168]. O argumento, bem simples, é o seguinte: se ninguém força outrem a pecar por ter sabido antes que ele haveria de pecar livremente depois, por que motivo imaginar que Deus o faria? Ou seja, se a presciência do menos não coage a pecar, tampouco o fará a presciência do mais; logo, se a criatura, Evódio, não coage *x* a pecar apenas porque previu que ele iria pecar, tampouco o Criador, Deus, o fará, apenas porque previu que *x* haveria de pecar, livremente. Por tratar-se de um entimema, definido por Aristóteles como um silogismo retórico, o argumento não pretende ser cientificamente exato, tampouco estar acima de qualquer contestação; ao contrário, pretende apenas ser verossímil e convincente, pois nada mais do que isso se pode razoavelmente esperar de um tema como esse, que respeita mais à esfera do inefável que do científico-matemático.

## 3,4,11,40-41. Deus é o justo ultor do que não é o mau autor

**40.** A – [...] por que, sendo justo, não há de punir aquilo que, sendo presciente, não coage a que se faça?

Se Deus é justo, conclui Agostinho, por que não haveria de punir justamente o pecado cometido livremente, cuja presciência provou-se não ser a sua causa. Portanto a presciência divina não coage a que o mal futuro, em relação ao tempo dos eventos, seja cometido. Se a presciência do fato não causa o pecado, o mesmo ainda não está claro com respeito à necessidade inevitável do mesmo. De fato, se Evódio não se pode dizer o responsável pelo mau ato que prevê, não se pode dizer igualmente que o fato de ser previsto não implique em sua necessidade inevitável e consequente supressão da livre vontade. De qualquer modo, o argumento neste passo pretende apenas provar a inimputabilidade da

[168] Cf. 2,18,48,182-185; 49,188.

presciência em si mesma, o que Agostinho deu conta de fazer nos parágrafos anteriores e agora reforça por meio de exemplos dos mais interessantes.

**40.** A – [...] assim como por tua memória tu não coages a que tenham sido feitas as coisas que se passaram, assim também por sua presciência Deus não coage a que sejam feitas as coisas futuras.

Integrante do amiúde utilizado tópico do mais e do menos, o filósofo agora recorre a um inusitado exemplo em que figura a memória, preludiando o tratamento inédito que dará ao tema em *Confissões*. A estrutura do tópico do mais e do menos, como explicado em comentários anteriores, é a seguinte: se não *x* no menos, muito menos *x* no mais, ou seja, se com o homem (que é o menos) não *x*, muito menos *x* com Deus (que é o mais). Todavia o que chama atenção não é a estrutura argumentativa reutilizada pelo filósofo, e sim o que está nela contido, respeitante à memória. É possível Agostinho tenha começado a perceber o funcionamento da memória como imagem, em certo sentido limitado e oblíquo, obviamente, da mente eterna de Deus. Pois, assim como na memória humana é possível se registrem imagens mentais de fatos transcorridos, que nesse sentido seriam mais adequadamente registradas no pretérito perfeito do modo indicativo, por assim dizê-lo, uma vez que expressam eventos totalmente concluídos (*perfacta*), assim também na eterna mente de Deus não se imaginam senão conhecimentos absolutamente perfeitos, e por isso mesmo imutáveis, não apenas porque ali seria inaceitável a dúvida ou o erro, mas porque esses conhecimentos-imagens absolutamente inteligíveis não estão sujeitos ao tempo, ou seja, não podem senão ter sido, num perfeito que apenas o tão mais rico quanto complexo sistema verbal grego contempla como resultado presente, uma vez que o perfeito latino implica tempo transcorrido, em relação ao tempo presente[169]. Pois bem, se os registros constantes da memória humana, que se podem considerar todos perfeitos, em seu sentido aspectual, como imagens

---

[169] De fato, a distinção entre o perfeito grego e o latino é por demais ilustrativa. Enquanto o perfeito grego, impossível de tradução literal em vernáculo, diz πεποίηκα, "eu acabei de fazer", mas cujo sentido mais correto é o de imprimir destaque ao resultado da ação, como algo que se vê presentemente concluído, de onde o contraste com o imperfectivo do presente, ποιῶ, "eu estou fazendo agora", ou seja, *je suis en train de faire*; o perfeito latino, por sua vez, nada obstante imprimir destaque também à conclusão da ação, em seu aspecto também perfectivo, situa o fato no pretérito, ou seja, não necessariamente como o resultado presente de uma ação concluída, e sim como uma ação totalmente concluída no tempo, o qual se tem por anterior ao tempo presente.

de eventos perfeitamente transcorridos, completados, enfim, se a simples visão dessas imagens não opera como agente causador dos eventos já transcorridos no tempo, e, por isso mesmo constantes da memória, do contrário não poderiam estar presentes na memória, do mesmo modo, argumenta o filósofo, as imagens presentes na mente de Deus – cujo paralelo com a memória humana foi um achado extremamente feliz da parte de Agostinho – tampouco poderiam ser acusadas de agentes causadores dos eventos ali contidos. Nada obstante a felicidade do exemplo, que vê a memória divina como registro dos eventos pretéritos, presentes e futuros, as coisas não são tão simples assim, como previsto, pois a memória humana não pode guardar semelhanças tão nítidas ou próximas como se gostaria com a mente divina, em que as imagens se sobrepõem, por assim dizer, num instante eterno em que se não admite nenhuma sequência de eventos ou mesmo eventos, no plural, na mente daquele que se diz uno e em que nenhuma pluralidade pode fazer morada. Seja como for, a ideia de Agostinho é que, assim como a memória humana dos eventos pretéritos não causa os eventos que guarda em si, tampouco a memória divina dos eventos futuros se diria fazê-lo, numa comparação que prima pela criatividade e pelo inusitado da imagem, embora a distância imensurável entre os dois objetos de comparação.

**40.** A – [...] E assim como tu estás lembrado das coisas que fizeste, contudo não fizeste todas as coisas de que estás lembrado, assim também Deus conhece antecipadamente todas as coisas de que ele próprio é o autor, contudo ele próprio não é o autor de todas as coisas que conhece antecipadamente.

Na esteira do primeiro tópico, Agostinho elabora uma extensão do mesmo argumento, ao dizer que ninguém é autor de todas as coisas que lhe estão presentes na memória, sendo evidentemente possível ter lembranças de atos alheios. E do mesmo modo, retomando o tópico de grau supraelaborado, pode-se dizer que Deus não seja o autor de tudo aquilo que lhe está presente na mente. Talvez este seja de todos os argumentos o mais robusto utilizado pelo filósofo até então, com respeito a esse tópico, apesar de ser sem dúvida o mais paradoxal. Seria Deus o autor de tudo aquilo que lhe está presente na mente? Em não o sendo, estaria sua mente então sujeita aos eventos que lhe ocorreriam invito, como se fosse obrigado a registrar e arquivar, em seu espírito eternamente imutável, de modo passivo, aquilo que ocorre livremente? Nesse sentido Deus seria obrigado a guardar em sua memória o holocausto, invito, assim como outras tantas atrocidades cometidas livremente pelo homem? Haveria

então registro na mente eterna de Deus, desde sempre, da crucifixão de seu Filho unigênito, que ocorreu num dado momento histórico, datado, finito. Se no tempo o momento ocorreu de uma vez por todas, no pretérito, em relação ao tempo presente desta narrativa, em relação à eternidade de Deus o evento é sempre contemporâneo, ou melhor, perfeito, concluído, porém nem anterior, muito menos posterior. De todo modo, como dizer que o registro na memória eterna do Pai causou a morte do Filho, no tempo? Se se dissesse que todos os eventos presentes na mente onisciente e eterna de Deus fossem causadores de si mesmos, então sem dúvida nenhuma liberdade seria possível, assim como o ser humano, criado por Deus, não seria nada além de um *pupulus*, uma marionete. Questão tão mais complexa quanto interessante, cujas implicações éticas, como visto antes, determinam a responsabilidade moral do ser humano e a consequente noção de Justiça divina, o primeiro dos dois tipos de males supostos, conforme Agostinho estabeleceu no início da obra[170].

**40.** A – [...] *daquilo de que não é o mau autor, é o justo ultor.* [...] porque ele não faz as coisas futuras que conhece!

Portanto, se a presciência de Deus, cuja existência Agostinho se recusa com toda a razão a negar, implicasse a inimputabilidade humana – e consequente responsabilidade exclusiva de seu Criador presciente –, nem haveria o mal, tampouco qualquer justiça na punição, sendo o sofrimento do ser humano injustificavelmente despropositado. Contudo, em não sendo o autor do mal, embora presciente, Deus pode ser o justo ultor, aquele que vinga com justiça os pecados livremente perpetrados.

**41.** A – [...] se por esse motivo ele não deve retribuir o castigo aos que pecam, porque prevê que eles vão pecar, tampouco deve retribuir prêmios aos que agem retamente, porque não prevê menos os que também vão agir retamente.

E se o homem pecasse por necessidade, decorrente da presciência divina, nem se poderia atribuir a Deus a punição pelos pecados, que deixariam de existir, tampouco qualquer premiação ou recompensa pelo bem, igualmente impossível de ser praticado, uma vez ter sido anulada qualquer noção de responsabilidade moral. Isso, porque, assim como Deus prevê os delitos dos

170 Cf. 1,1,1,1.

maus, assim também prevê as boas ações dos justos, num e noutro caso, contudo, em agindo por necessidade, nem maus tampouco justos poderiam obter qualquer retribuição.

**41.** A – [...] reconheçamos não somente pertencer à presciência dele que coisa alguma dos eventos futuros lhe escape, como também, à sua justiça, que o pecado – porque é cometido pela vontade – não fique impune por seu juízo, assim como não é coagido a praticar-se por sua presciência.

O que se deve concluir de tudo isso, portanto, [i] é que a presciência de Deus existe e por ela todos os eventos futuros são conhecidos dele, sem exceção, antes que venham a ocorrer, no tempo; [ii] que os pecados são justamente punidos pela divina Justiça, assim como as boas ações são recompensadas, [iii] porque tanto uns como outros são praticados pela vontade, ou seja, livremente, de modo a que seja preservada a responsabilidade moral do indivíduo; [iv] e que, por fim, se são punidos com justiça os pecados, e se são premiadas as boas ações, assim o são porque não são coagidos pela presciência divina, sendo responsabilidade de cada pecador, visto que Deus é o justo ultor do que não é o mau autor.

## FILOSOFIA DO LOUVOR
## (*DEVS LAVDANDVS*)

### Louvor da diversidade

### 3,5,12,42. Deus deve ser louvado sempre

**42.** A – [...] que nós devemos ação de graças ao nosso Criador[171]...

Ao admitir suas dificuldades em conciliar a presciência de Deus e a liberdade da vontade, Evódio insiste em três questões[172]: [i] de que modo é aceitável que Deus puna com justiça os pecados supostamente cometidos por necessidade e não pela vontade; [ii] de que modo os eventos futuros, que Deus conheceu antecipadamente, não ocorrem necessariamente – duas questões já tratadas por Agostinho –; [iii] e por fim, de que modo não se deve imputar ao Criador a responsabilidade pelo que acontece em sua criação, se tudo

[171] Cf. 3,2,5,19.

[172] Cf. 3,4,9,37.

o que ocorre é por necessidade e não pela vontade que ocorre. Se todos os apelos à razão falharam, sendo os argumentos estritamente lógicos incapazes de convencer Evódio da sintonia possível entre presciência e liberdade, resta o recurso à autoridade, apelo muito mais de caráter ético e patético do que propriamente apodíctico, embora nenhum dos três modos de persuasão se faça sem o auxílio mútuo[173]. A partir do princípio piedoso que admoesta a que se tenha sempre o melhor conceito possível acerca de Deus, cujos pressupostos de caráter axiomático foram logo de início detalhadamente assentados[174], Agostinho insiste, não apenas no *L.A.*, mas em toda a sua obra, que, antes de tudo o mais, deve-se, invariavelmente, sincero e irrestrito louvor ao Criador de todas as naturezas. Na verdade, diz ele, deve-se o louvor à Bondade divina, um dos axiomas piedosos elencados logo no início do livro primeiro[175]. Se Deus é bom, devendo ser igualmente justo, pois nenhuma divindade seria boa se prescindisse de justiça, enfim, se Deus é supremamente bom, deve ser louvado sempre, ainda que se não compreendam os motivos por que pune e permite punir as almas com tanto sofrimento, como constata rápida e facilmente quem lança um olhar ao redor de si. Na verdade, quando diz que a bondade larguíssima de Deus deve ser louvada com máxima justiça, Agostinho, pela transposição sintático-semântica sofisticada que endossa essa sutil hipálage, está se referindo antes à Justiça divina, que, de par com a Bondade desse mesmo Deus, caso não sejam ambas louvadas, comete-se grande injustiça e ingratidão.

## 3,5,12,42-43. Posto que pecadoras, as almas são melhores do que a luz

> **42.** A – [...] mesmo se ele nos tivesse fundado em algum grau inferior da criação. **43.** [...] ainda que nossa alma tenha sido putrefeita pelos pecados, contudo é mais sublime e melhor do que se fosse convertida nessa luz visível.

Agostinho já havia deixado claro, no livro segundo[176], que "a natureza do corpo existe em grau inferior ao da natureza do espírito", do que se depreende ser o espírito um bem superior ao corpo. E por pior ou mais deteriorada tenha sido a natureza espiritual, ainda assim, enquanto espírito, é sempre superior a qualquer corpo, por mais elevado esse possa ser, como é o caso da luz, que é

[173] Ref. aos três modos de persuasão retórica: λόγος, ἦθος καὶ πάθος.

[174] Cf. 1,2,5,12-13.

[175] *Ibid.*

[176] Cf. 2,18,48,182-185, esp. §182.

também tida por corpórea, visto pertencer à categoria dos objetos apreensíveis pelos sentidos do corpo. Todavia, embora o filósofo se utilize nesta passagem do termo *anima*, e não de *animus*, resta evidente que não apenas a "alma", entendida como o princípio vital comum tanto aos humanos quanto aos animais, mas também o "espírito", o princípio pensante exclusivo das criaturas racionais, enfim, ambos se consideram acima do corpo, por melhor seja considerado este, como no caso da luz. De fato, todo corpo pertence, enquanto corpo[177], ao grau dos bens que apenas são (*esse*), ao passo que a alma, enquanto princípio vital, que não apenas é, mas também vive (*uiuere*), situa-se em grau superior, porque acumula em si tanto a vida como a existência; e por fim o espírito, também chamado de "mente", está acima dos demais, pois acumula em si tanto o ser e o viver quanto o inteligir (*intellegere*), em conformidade com o que se apresentou no livro segundo[178]. Portanto, por mais esplendorosa seja a luz, ainda assim é um objeto de natureza corpórea, perceptível pelo olho, órgão do sentido corpóreo da visão, e por isso deve ser considerada abaixo do que vive e intelige, da alma e do espírito, imperceptíveis ambos pelos sentidos próprios ao corpo. E se o Criador deve ser louvado no menos, a luz, que é um bem mínimo, por ser corpóreo, com muitíssimo mais justiça deveria sê-lo no mais, a alma e o espírito, bens de natureza incorpórea, e por isso superiores.

## Putrefação pelo pecado

Não se deve deixar passar despercebida a perspectiva de deterioração de um tão grande bem, como a alma, o que se dá pela prática do pecado, como deixa patente o filósofo, ao dizer: "ainda que nossa alma tenha sido putrefeita pelos pecados...". Logo, nada obstante constituir-se uma natureza incorpórea, acima de todo e qualquer bem corpóreo, a alma se diz também corruptível, passível de putrefação, de deterioração de seu estado natural, o que se dá pelo pecado. Que significa dizê-la putrescível, senão que sua natureza se dirige do ser ao não ser, isto é, da plenitude que é ao nada, corrupção total do que era? E se o pecado é o mal, tem-se, em corroboração do que se disse ao longo do livro segundo, que no mal é que a alma se corrompe, aquele movimento espontâneo de aversão do Ser e conversão em sentido contrário, ao nada, que não é; numa palavra, afastando-se do Bem supremo, Deus, em direção aos

[177] O corpo, como matéria inerte, é desprovido tanto de alma como de espírito ou mente.

[178] Cf. **2**,3,7,21-23; 5,11,42-12,50; 6,13,51-53.

bens inferiores e além, numa vida que se diz "morte". Se o mal é o movimento de aversão do Bem comum e imutável e de conversão para os bens próprios e mutáveis, decorre disso que, ao pecar, a alma deixa a imutabilidade divina para espontaneamente entrar em conúbio com a mutabilidade corruptiva, deteriorando sua natureza originalmente boa. Se se diz que é um bem maior que a luz corpórea, ainda que putrefeita pelo pecado, isso se diz porque resta ainda um bem[179], enquanto alma, embora sua natureza se deteriore tanto mais quanto mais adira à matéria. Logo, ao mover-se da imutabilidade do Bem comum à mutabilidade do bem próprio, a alma se vai progressivamente corrompendo, do ser ao não ser, do eterno ao tempo, e do tempo ao fim do tempo, que não é mais nada.

## 3,5,12,43-44. Um bem corrompido é melhor do que o nada

**43.** A – [...] Por isso não te perturbe agora pelo fato de serem vituperadas as almas pecadoras, de modo que digas em teu coração que teria sido melhor se não existissem.

Seria tão mais justo quanto nobre indagar cuidadosamente da origem da pecha de pessimismo que se convencionou atribuir a Agostinho, que não parece derivar retamente de suas ideias. Com efeito, para um pensador que defende que qualquer alma, por mais celerada e putrefata pelo pecado possa encontrar-se, ainda assim é um bem maior que o maior dos bens de natureza corpórea, dentre os quais os mais esplendorosos raios de luz, como os provenientes do Sol, como seria possível, sem incorrer em algum grau de injustiça, imputá-lo de pessimista? Um bem é sempre melhor do que nada, pois o nada não existe, que, por ser antipodal do que é sumamente, o Ser supremo, não poderia ser também, pois o que se encontra distante do É não se pode senão dizer que não seja. E se se vituperam as almas, por causa de sua aversão do Bem comum e imutável e conversão aos bens próprios e mutáveis, isso não se faz em comparação com os corpos, bens inferiores na escada das naturezas, os quais somente são, enquanto as almas (racionais) são, vivem e inteligem, e sim em comparação consigo mesmas.

**44.** A – Pois são vituperadas em comparação consigo mesmas, quando se cogita de que qualidade seriam, se não tivessem querido pecar...

---

[179] Cf. 2,19,54,204.

Diz-se também que as almas "inteligem", porque se está referindo neste caso ao espírito, uma vez ser impossível dizer que os animais pequem, o que não se pode cometer senão por um movimento livre da vontade, que subentende algum uso da razão, faculdade ausente nas almas dos irracionais[180]. E se se dizem melhores umas almas, assim se dizem em relação a outras almas, estando mais ou menos próximas do Bem comum e imutável, mais ou menos corrompidas pelo conúbio voluntário com os corpos e submissão à tirania das inclinações sensuais. As que não quiseram pecar, por sua proximidade com a imutabilidade do Bem supremo, se fazem superiores e dignas da vida feliz, ao contrário das que optaram pelo movimento de aversão.

Vale notar ainda que esse vitupério a que se possa submeter as almas pecadoras, quando então se ousa aplicar "censura" aos desígnios criadores de Deus, ao aventar que teria sido melhor se não tivessem sido criadas, o que Agostinho reconhece aqui causar uma "perturbação" aos que perscrutam esse tema da relação entre a presciência divina e a liberdade humana, com sérias implicações para a Justiça divina, enfim, essa "censura" será chamada adiante[181] de "inveja" (*inuidia*) e duramente repreendida pelo filósofo como algo distante da razão verdadeira, uma "ínvida enfermidade".

## 3,5,12,44. Louvor devido pela instituição da ordem universal da criação

> **44.** A – [...] o Instituidor[182] delas, Deus, de modo gloriosíssimo[183] por causa desta faculdade humana deve ser louvado, não somente porque ordena justamente as almas que pecam, mas

---

180 Cf. 2,18,49,186-188, esp. §188.

181 Cf. 3,5,13,45: "[...] não é uma razão verdadeira, mas uma ínvida enfermidade, porque tenhas cogitado que algo melhor deveria ter sido feito...".

182 Sempre que possível optou-se por manter o colorido semântico utilizado pelo autor. Se alguns dos muitos vocábulos que se referem a Deus, embora de campo semântico absolutamente distinto uns dos outros, houvessem sido traduzidos sempre do mesmo modo, como "Criador", por exemplo, teria sido demasiado empobrecida a riqueza semântica da obra, e com ela tanto a forma como o conteúdo pretendidos pelo autor. O verbo *instituo* diz respeito ao estabelecimento divino das criaturas, cada qual em seu grau apropriado, de modo escalonado, segundo o *ordo diuinus* regido pela *summa ratio*, que estabelece que os bens superiores devam ser antepostos aos inferiores. Deus não é apenas o Criador, mas também o Instaurador da Ordem e o Fundador da criação universal, que deve ser administrada sob os princípios da mais estrita ordem. Cf. *institutor, creator, conditor, artifex, ordinator* etc., no LÉXICO T-F.

183 Liter.: "com muito esplendor". Trata-se de outra sutil hipálage empregada pelo rétor, visto que não é o modo com que se deve louvar que é gloriosíssimo, e sim aquele que deve ser louvado, Deus.

também porque as instituiu[184] de tal maneira, que, mesmo sórdidas pelos pecados, de nenhum modo fossem superadas pela dignidade da luz corporal, pela qual, contudo, ele é louvado.

À parte a questão de seu suposto pessimismo, note-se que Agostinho há de sustentar em toda a sua vasta obra o imperioso dever de todas as criaturas de tecer incansáveis louvores ao seu Criador, o qual fundou a universalidade da criação e instituiu a ordem racional e justa de todos os seres. Ordem em que os melhores devem invariavelmente antepor-se aos que lhes são inferiores, sendo, contudo, nessa universalidade fundada por Deus, tudo, sem nenhuma exceção, sempre bom em algum grau, ainda que não tão bom quanto deveria ou poderia ser, ou quanto já o foi em sua origem. Assim, na escada das naturezas, tudo o que vive, por acumular vida e existência, como amiúde reiterado, é sempre melhor do que o que apenas existe, não tendo sido dotado de vida; e do mesmo modo, acima do que vive e existe está invariavelmente o que acumula existência, vida e inteligência, como a humanidade, por mais deteriorada e avertida do Bem supremo possa estar. Isso, porque, enquanto bem, o homem é, vive e intelige, atributos dos bens pertencentes ao terceiro e último degrau da escada das naturezas. Portanto deve-se interminável louvor ao Criador, Fundador, Artífice, Instituidor e Administrador das criaturas em sua universalidade e ordem perfeitas, porque o homem, único capaz de tecer louvores conscientes a respeito de seu Criador[185], embora tenha voltado as costas ao seu Fundador divino, naquele movimento de aversão supramencionado, e tornado sua alma putrefata, ainda assim se pode considerar um bem muito acima do mais elevado de todos os bens corpóreos, a luz radiante. Por isso deve louvar o Criador, porque, por mais corrupto se tenha feito, por sua única e espontânea iniciativa, ainda assim se mantém um bem, e dos maiores na escada das naturezas, pleno de prerrogativas e possibilidades, pelas quais pode, com o necessário auxílio divino, ter sua natureza, agora deteriorada pelo pecado, um dia totalmente refeita.

---

184 Deus instaura a Ordem universal da criação, segundo a qual as almas devem ser sempre antepostas aos corpos, por melhores sejam estes, e por piores, aquelas.

185 Embora entoe o salmista (Sl 18,2) que "os céus narram a glória de Deus e o firmamento anuncia a obra de suas mãos" (οἱ οὐρανοὶ διηγοῦνται δόξαν θεοῦ, ποίησιν δὲ χειρῶν αὐτοῦ ἀναγγέλλει τὸ στερέωμα), assim o faz de modo figurado, pois, como dirá Agostinho em *Confissões* (1,5,5), os corpos louvam o Criador pela boca de seus contemplantes: "Não interrompe nem silencia os teus louvores o conjunto universal da tua criação [...] nem os corpos, pela boca daqueles que os contemplam" (*non cessat nec tacet laudes tuas uniuersa creatura tua [...] nec corporalia per os considerantium ea*).

## 3,5,13,45-46. Razão verdadeira e ínvida enfermidade

**45.** A – Admoesto-te também[186] a que te acauteles contra isso, que [...] digas que elas deveriam ter sido feitas de outro modo. Pois qualquer coisa melhor, que por uma *razão verdadeira*[187] te houver ocorrido, tenhas tu ciência de que Deus as fez como o Fundador de todos os bens. Porém não é uma razão verdadeira, mas uma ínvida[188] enfermidade[189], não querer agora que nenhuma outra coisa inferior se faça, porque tenhas cogitado que algo melhor deveria ter sido feito, como se, depois de examinar o céu[190], tu não quisesses que a terra[191] tivesse sido feita...

---

186 A alegação "ínvida" de que talvez fosse melhor se as almas não tivessem sido criadas, a fim de que não pecassem foi descartada antes (3,5,13,43), quando Agostinho adverte que "nós devemos ação de graças ao nosso Criador, cuja bondade, sem dúvida larguíssima, deveria ser louvada do modo mais justo, ainda que ele nos tivesse estabelecido em algum grau inferior da criação". Agora, diz, deve-se ter cuidado com esta outra alegação, de que, em vez de não ter criado as almas, Deus deveria tê-las criado de outro modo, a fim de que não viessem jamais a pecar.

187 Perceber-se-á uma íntima relação entre a "razão verdadeira", que se opõe à "enfermidade invejosa", e as divinas razões. De fato, como dirá logo abaixo (§49), as razões da alma humana são verdadeiras quando conectadas às divinas razões.

188 O termo *inuidus*, "invejoso", embora possa parecer um tanto insólito e descontextualizado, implica uma crítica da obra da criação, quando então o invejoso crê-se capaz de conceber uma criação diferente, que fosse melhor e mais perfeita do que a de Deus. E isso é exatamente o que Agostinho está supondo, ao contrapor-se aos que dizem que Deus não deveria ter feito assim, mas de algum outro modo, como se se acreditassem mais capazes e potentes para fazer dessa outra maneira, que acham mais conveniente. Trata-se, etimologicamente, de guardar um olhar adversário contra alguém, olhar que leva o invejoso, ou seja, aquele que vê com hostilidade, que "vê contra" (*in + uidere*), a vituperar o objeto de sua inveja, censurando sistematicamente tanto o autor, Deus, como a obra, sua criação. Cf. os verbetes *inuidia* e *inuideo* no LÉXICO T-F.

189 A enfermidade (*infirmitas*), para os antigos, era causada *grosso modo* por uma debilidade de compleição, uma fraqueza antinatural que esgotava o tônus anímico de alguém, por assim dizer.

190 Notória é a crença difundida por toda a Antiguidade de que o céu era muito superior à terra, não apenas pela harmonia perceptível no movimento dos corpos celestes; por sua regularidade cíclica; pela formas arredondadas da Lua, do Sol e demais astros, que sugeriam a perfeição geométrica do círculo, além do valor astrológico e místico que lhes era atribuído, de modo especial no Oriente; mas também pela suspeita influência da Lua nas marés, nas gestações, colheitas e outros tantos fenômenos naturais; e ainda pela luz própria do Sol e das estrelas, luz que desde tempos imemoriais se associava metaforicamente ao conhecimento, em contraste com as trevas da ignorância; e sobretudo pela matemática regularidade e previsibilidade dos movimentos dos corpos celestes, que para muitos eram divindades, e para os pitagóricos, paradigma da perfeição numérica universal.

191 Terra com inicial minúscula, pois Agostinho não se refere especificamente ao planeta Terra, e sim ao mundo terrestre, em contraposição ao celeste, ou seja, ao mundo inferior em que

Deste parágrafo (§45) até ao quinquagésimo, ao menos, Agostinho faz cinco referências à expressão "razão verdadeira" (*uera ratio*), que aqui se contrapõe à inveja, isto é, à "enfermidade invejosa" (*inuida infirmitas*), e mais adiante (§§49-50), às célebres "divinas razões" (*diuinae rationes*). Isso se explica. Se restou claro, a partir da argumentação dos parágrafos precedentes, que não se deve dizer que as almas não deveriam ter sido criadas, porque Deus, em sua presciência, sabia que iriam pecar, uma vez que a causa de seu pecado é a sua livre vontade, bem médio, dado com justiça por Deus, e que deveria, sim, ter sido dado, pois sem ele o homem tampouco poderia fazer o bem, enfim, se sabia desde o princípio, em sua eternidade onisciente, que as almas iriam mover-se em aversão de si mesmo e conversão aos bens próprios, restava então especular dos motivos por que as teria criado, e com elas os malfeitos, de que ele sempre foi presciente, malfeitos que as almas viriam certamente a praticar. Pois bem, se não se deve dizer então que não deveria tê-las criado, é preciso também precaver-se contra dizer que as almas deveriam ter sido criadas diferentemente de como aprouve a Deus criá-las, censura essa que equivale a repreender, de modo ímpio, a criação divina, e, por consequência, seu próprio Criador. Esse vitupério, explica e simultaneamente acusa o filósofo, trata-se de uma enfermidade invejosa, uma doença ou fraqueza do espírito, que se vê acometido da mais profunda ingratidão, pecando não apenas por deixar de pagar o devido louvor ao seu Criador, mas principalmente por guardar contra ele e sua obra uma visão hostil, ou contrária, se o queira, como etimologicamente deve ser compreendido o termo "invídia", uma atitude sistemática de oposição e aniquilamento do outro e de suas obras[192].

Logo são dois os valores fundamentais que se contrapõem: [i] razão verdadeira e [ii] ínvida enfermidade. No primeiro reside a possibilidade de apreender o que de melhor se possa do Bem supremo, de onde derivam todos os bens de que se constitui a criação, dentre os quais seguramente não são tidos por menores as próprias almas, conquanto putrefatas pelo pecado,

---

habitam os homens, mundo corpóreo e submetido às coordenadas de tempo e de espaço, e não ao mundo celeste, habitado pela luz das estrelas e supostamente mais próximo do céu do céu, a morada de Deus. Demais, logo adiante irá descrever os diversos tipos de terra, desde as mais áridas às mais úberes, o que sem dúvida não poderia referir-se ao planeta Terra como um todo, menos ainda a planetas outros.

192 Cf. 3,9,24,85-88.

possibilidade essa que se leva a efeito por intermédio do que há de mais elevado no homem, sua própria razão. Porém não se trata de uma razão torta, desviada, e sim da razão verdadeira, razão cuja veracidade é derivada da Sabedoria, a própria Verdade em que se discerne e se possui o supremo Bem[193]. Logo é essa razão verdadeira que permite às almas conhecer os bens, em todos os seus graus, dos ínfimos aos supremos, confessando sua procedência divina. No segundo, se a razão verdadeira, que é lícito se denomine também "Sabedoria", permite às almas o conhecimento dos verdadeiros bens e de sua origem divina, a atitude contrária, que propugna pela revisão da criação, que se põe injustamente a vituperar, de par com o próprio Criador, quando se pretende audaciosamente corrigi-lo, a ele, que é perfeito, enfim, essa atitude, opondo-se à razão verdadeira, não pode ser senão uma enfermidade do espírito, uma ínvida fraqueza, que, com olhar hostil, procura defeitos na perfeição da obra divina, apenas porque, por ignorância, não consegue justificar a existência do pecado nas almas, as quais, contudo, são admitidas como boas.

E de fato, pondera Agostinho, se se imaginasse que Deus deveria ter feito uma alma melhor, que talvez não pudesse pecar, não por isso, contudo, se deveria supor que qualquer outra alma, inferior que fosse pelo pecado, devesse ou ser extinta ou não ter sido criada. O que é por demais coerente com seu manifesto otimismo de caráter metafísico, por assim dizê-lo. Com efeito, se se admitam como bens todas as criaturas, seja em que grau se encontrem, inadmissível que uma criatura qualquer, por mais corrompida esteja, como a alma pecadora, deixe de ser um bem, enquanto exista; existência essa que lhe garante o próprio estatuto ontológico. Portanto não se deve imaginar que, em havendo uma alma que peque menos que outra, a que peque mais, por tornar-se menos que a outra, que é mais por pecar menos, devesse então ser aniquilada, sob pena de se estar dando fim a um bem criado por Deus. Do mesmo modo, sentencia, não é porque se contempla o céu, considerado infinitamente superior à terra, enfim, não é por ter sido criado o céu, que a terra e demais elementos, inferiores a esse céu, deveriam cessar de existir ou não ter sido criados, como supõe o ínvido da criação, que só admite os bens supremos, desprezando os inferiores, como se ele mesmo, presunçoso, pertencesse ao grupo seleto acima de que nada mais houvesse.

---

193 Cf. 2,9,26,100.

## Inveja enfermiça

**46.** A – Agora *tu* repreenderias retamente [a criação divina], se o céu tivesse sido deixado de lado e visses que a terra tinha sido feita...

Por outra, a repreensão desse suposto invejoso (que é referido na segunda pessoa, representando um Evódio cada vez mais dialeticamente silenciado)[194] seria justa, obtempera Agostinho, se Deus não tivesse criado os céus, apenas o mundo terreno. Nesse caso seria lícito "corrigir" a criação, sugerindo que a terra devesse ter sido feita ao modo do céu, ou então ao modo como Evódio fosse capaz de conceber seu céu. Isso, embora o exemplo seja um tanto esdrúxulo, pois seria paradoxal que se imaginasse um céu que não houvesse sido criado e se quisesse moldar a terra à sua maneira, isto é, à maneira daquilo mesmo que, por não ter sido criado, era necessariamente desconhecido. Porém o que Agostinho está dizendo com esse exemplo, por mais estranho possa parecer, é simplesmente que se deve louvar a Deus pela diversidade das criaturas, pela existência de todos os bens, cada qual em seu lugar, em seu nível, desde a excelsitude do mais puro à purulência repugnante do mais pecador, o que contribui de modo decisivo para a beleza e perfeição do conjunto universal da criação, pois o mundo terreno, povoado de objetos corpóreos e habitado por corpos que se movem, alguns dos quais se movem mal, avertendo-se do Bem que deveriam perseguir, não seria o que é, não fosse o mundo celeste, por dizê-lo, em contraste com o qual o mundo terreno não apenas se define, mas em que também se espelha, num movimento edificante, pois deflagrado pelo Artífice divino, quando decidiu criar um universo com tamanha opulência de disparidades.

**46.** A – [...] como percebesses que também aquilo[195], a cuja aparência querias conduzir a terra, havia sido feito, porém que isto não é chamado de "terra", mas de "céu", creio, pelo fato de tu

---

194 Na verdade Agostinho não está dizendo que Evódio é ínvido da criação divina, apenas argumentando por meio de prolepses, nas quais antecipa conhecidas e possíveis objeções a seus argumentos. Se o faz na segunda pessoa, isso se dá por dois motivos. Primeiro porque é com Evódio que supostamente está dialogando. Depois porque era costume dos antigos, herança da oralidade da cultura clássica, cuja "introspecção" se fazia "para fora" (ἔξω), por dizê-lo oximoristicamente, ao voltar-se para uma segunda pessoa discursiva, fosse real, fosse apenas simulada.

195 Quer dizer, o céu. Na suposição de que o céu não houvesse sido criado, seria lícito repreender a criação, pois, ao deparar-se apenas com a terra, o homem poderia dizer que faltava algo superior como o céu. E de fato é essa a suposição de Agostinho: na hipótese de que a terra apenas tenha sido feita e não o céu, seria lícito imaginá-la superior como o céu, e não inferior como é.

não teres sido defraudado de algo melhor, que de modo nenhum deverias invejar[196] que se fizesse também outra coisa inferior, e que fosse a terra[197].

Porém o céu havia sido feito por Deus, do modo como suspeitamente Evódio poderia ter concebido a terra, caso tivesse sido moldada segundo suas visionárias ideias celestes. Logo nenhuma necessidade havia de chamar a terra de "céu", pois um céu havia sido criado por Deus. Nenhuma necessidade, portanto, de censurar a criação, tendo o céu sido criado, apenas por haver um mundo que lhe fosse inferior, essa terra. Nesse sentido, remata Agostinho, de modo tão insólito como começou, ao dizer que não se deve sentir inveja, ou seja, ter um olhar hostil contra a criação, porque, tendo sido feita a terra, o conjunto universal da criação de Deus em nada sofreu detrimento com isso, uma vez ter sido constatada a criação do céu superior. Logo nenhum motivo para inveja, pois a criação de um bem inferior, como o mundo terreno, com suas limitações corpóreas, não suprimiu a criação de um bem superior, como o céu.

## 3,5,13,47. A dinâmica da criação: diversidade e movimento

**47.** A – [...] que não ocorra àquele que cogita nenhuma aparência[198] que pertence à terra, que em toda sua mole[199] não tenha feito Deus, o Fundador de todas as coisas...

Se em comparação com o céu a terra era tida por inferior, não por isso, em manifesta compensação, deixa de ter enorme valor, valor que se aufere sobremodo pela sua diversidade, porque as partes de que é constituída essa terra – e aqui Agostinho está considerando não o planeta Terra, nem os bens que

---

[196] Quer dizer, voltar um olhar hostil contra a criação de Deus.

[197] Não tendo sido criado o céu como o conhecemos, apenas a terra, do modo como Evódio supostamente a teria concebido, tão superior quanto o céu se considerava em relação à terra, enfim, se essa terra apenas tivesse sido criada, terra que Agostinho sugere hipoteticamente ter sido chamada de "céu", por não haver nada acima dela ou melhor do que ela, se então se criasse algo abaixo, que lhe fosse obviamente inferior, esse algo seria então chamado de "terra", uma vez que a terra era chamada de "céu". Enfim, ainda que assim se houvesse dado, que a terra fosse o céu de uma suposta outra terra, inferior a ela, ainda assim, se Deus tivesse decidido criar deste modo hipotético, nem por isso Evódio deveria voltar um olhar hostil para a criação, um olhar "invejoso", ou seja, não deveria ter maus olhos para vê-la, e sim glorificar o Criador por sua diversidade, tão necessária para a beleza e harmonia do todo.

[198] Traduz o latim *species*, significando aquilo que pode ser visto pelos sentidos, daí, "visão".

[199] Traduz o latim *moles*, que significa "volume imenso", daí, "massa".

constituem seu acervo corpóreo, por assim dizer, e sim os mais diferentes tipos de região, segundo suas características geográficas, como clima e solo – são de tal modo variadas, cada uma de suas partes tendo sido criada pelo Fundador divino, que faz com que a mole de sua constituição seja, em sua totalidade, bem ainda mais digno de admiração, e de modo nenhum, de vitupério. Logo ao árido ou infecundo contrapõe-se uma terra extremamente úbere ou feraz, assim como ao mais ameno ou prazeroso, o mais salso e deletério dos recantos. Todavia nenhum deles deve ser criticado, salvo em comparação com um melhor, ou seja, um terreno estéril, ou menos feraz, poderia ser diminuído em comparação com um mais fértil, assim como um lugar apenas ameno, com um bem mais agradável ainda. Em qualquer caso, contudo, desde o ínfimo ao supremo degrau, deve-se sempre o louvor da obra da criação, numa escada ascendente.

## Degraus da ascensão pelo louvor: beleza e movimento

**47.** A – [...] e assim ascendas por todos os graus do louvor, até que tenhas encontrado o gênero supremo de terra, [a] ainda que não queiras que ele exista por si só[200].

Por todas as partes da terra e da mole universal da criação, cada uma dentro de suas características, em sua infinitamente rica diversidade, merece o devido louvor o Criador, e jamais censura, como sói fazer o ínvido de sua obra. Ora, o todo é sempre mais do que suas partes isoladamente, não apenas porque é pelo contraste com as inferiores que as partes superiores se destacam, destaque que é mais aparente quando se vê o mosaico completo, mas porque o próprio colorido dos contrastes – com pequenos, médios e grandes bens – é que confere

200 Há um desacordo aqui entre os manuscritos. A *Bibliothèque Augustinienne*, que adota a edição maurina, traz a seguinte lição: [b] "Contudo não queiras que ele seja o céu" (*coelum tamen esse nolis*), que parece ser endossada pela sequência: "Além do mais, entre toda a terra e o céu, quanta distância existe!". Entretanto preferiu-se seguir com a lição da *Corpus christianorum*, ainda que nenhuma das duas versões destoasse do contexto da passagem, criando dificuldades para a compreensão. No caso a versão adotada parece imprimir destaque maior à necessidade do louvor da criação, justificando a variedade e o colorido tão necessários, não apenas à beleza da obra de Deus, mas principalmente às teses que subsequentemente Agostinho irá tentar defender, tendo sempre por pano de fundo a necessidade de coadunar a existência inequívoca do mal com a bondade e justiça do Criador. Logo, ao dizer, literalmente, "contudo não queiras existir só", Agostinho imprime destaque inequívoco à diversidade da criação, dos mais diversos gêneros de terra, no caso, que auferem seu valor acima de tudo pelo contraste com seus opostos, pois se houvesse apenas um tipo de terra, na prática não haveria nenhum.

a riqueza da diversidade (*uarietas*) da criação e sua consequente beleza. Deus é bom, não somente porque criou as almas perfeitas e impecáveis dos anjos, mas também porque criou as dos pecadores impenitentes e dos que se confessam e arrependem. Trata-se, sem que se incorra em anacronismo, de uma defesa tão mais poética quanto visionária da variedade, em todos os seus gêneros, mostrando que a Sabedoria divina, ao ter criado um universo tão díspar e rico de formas, o torna absolutamente dinâmico, deflagrando, sem dúvida alguma, a admirável beleza do próprio movimento, em vez de nascer determinado à imobilidade, o que com muita probabilidade ocorreria, caso tivesse criado apenas almas puras e impecáveis.

Na escada ascendente dos graus do louvor, tudo merece reconhecimento, ou melhor, em tudo o Criador merece ser louvado, desde os bens ínfimos, que ocupam seu espaço apropriado na mole universal, como também os melhores, pelos quais merece Deus enorme louvor. Contudo o louvor máximo não lhe é devido nem pela criação dos mínimos, nem dos médios, tampouco pela criação dos bens superiores, e sim pela própria mole universal em sua imponderável *uarietas*, o conjunto de todos os bens, com seus contrastes e diversidades; criação que por certo sofreria detrimento, mas não se lhe faltasse um anjo ou um pecador isoladamente, e sim se lhe faltasse o próprio colorido dos contrastes, porque, para muito além da beleza que confere à mole universal do todo criado, que comporta bens de formas e valores vários, que "são" mais ou menos, assim como ótimos e infimamente bons, enfim, para muito além dessa beleza engendrada pela variedade, pelas antíteses e contrários que há entre as criaturas, essa diversidade guarda desde o princípio uma função primordial, de engendrar movimento, como se tivesse dito Deus, além de todos os *fiat* já conhecidos, ainda um, e talvez o principal: *fiat motus!*[201]

## *Fiat motus et factus est motus*

E o movimento foi feito (*et factus est motus*), simultaneamente com a diversidade, é lícito supor-se[202]. De fato, porque se tivesse criado apenas almas belas,

---

[201] Liter. "Faça-se o movimento!" Cf. Gn 1: vv. 3 *fiat lux*, "faça-se a luz"; vv. 6 *fiat firmamentum*, "faça--se o firmamento"; vv. 14 *fiant luminaria in firmamento*, "façam-se os corpos luminosos no firmamento"; vv. 26 *et faciamus hominem...*, "e façamos o homem...".

[202] Inevitável a associação como o pré-socrático Empédocles de Agrigento (482-423 a.C.), cujo pensamento acerca dos elementos e da causa de seu dinamismo guarda interessante relação

nenhuma delas seria bela; assim como se tivesse criado apenas a água, ninguém jamais se daria conta de estar molhado; ou se tivesse criado apenas os anjos, inaptos a pecar, nenhum deles seria livre para agir, cerceados pela prática de uma única qualidade de ato, que tampouco seria bom, pois o bom não existiria, onde tudo fosse bom. Na verdade é possível dizer que sem a diversidade, sem os contrastes, não apenas nenhum mal existiria, e não porque só haveria almas boas que praticassem atos bons, e sim porque nenhum bom talvez houvesse, onde todos fossem uma coisa só, mas principalmente seria necessário reconhecer a impossibilidade dos adjetivos, em metáfora gramatical, e com eles também dos advérbios, numa eternidade em que já não fossem possíveis nem modos, tampouco aspectos, para não dizer tempos verbais; restando apenas, e talvez, os

---

com o que se está propugnando por dizer aqui. De fato, sabe-se que Empédocles considerava o amor ou amizade (φιλία) e a controvérsia ou disputa (νεῖκος) como duas forças essenciais de atração (σύγκρισις) e de repulsão (διάκρισις); forças que mantinham os próprios elementos em movimento. Simplício da Cilícia (c. 490-560 d.C.), célebre comentarista de Aristóteles e discípulo do neoplatônico Damáscio, em sua *Física* (25,21-31, fr. A28), diz que Empédocles, embora considerasse eternos os quatro elementos (fogo, ar, água e terra), compreendia como princípios fundamentais as duas forças que os mantinham em constante movimento, o amor (φιλία) e a contenda (νεῖκος), as quais respectivamente os aproximavam ou congregavam (συγκρίνω) e os afastavam ou segregavam (διακρίνω), num eterno movimento de atração e repulsão. Cf. Daniel W. Graham (ed.). *The texts of early Greek Philosophy. The complete fragments and selected testimonies of the major Presocratics. Parts I-II.* (Trad. e ed. por D. W. Graham.) Cambridge: CUP, 2010, p. 323-433.

Pode-se depreender, portanto, em simetria com essas duas forças propulsoras empedoclianas, amor e ódio, que deflagram movimentos de convergência e divergência, contrários um do outro, que, assim como a *philía* converge, ou seja, reúne, congrega, atrai, quando as almas se convertem para o Bem comum e imutável, que é uno e estável, assim também *neîkos* diverge, ou seja, desagrega, separa, desune, ao voltarem-se as almas para a multiplicidade (*uarietas*) dos bens corpóreos e mutáveis, multiplicidade dos desejos que as dissipam. O que se pode claramente constatar em várias passagens de *Confissões*, por exemplo: [i] quando Agostinho opõe a virtude da continência, que converge para Deus, à dissipação das inclinações sensuais, que dele afasta, ao dizer (10,29,40): "pela continência somos coligidos e reconduzidos para a unidade, longe dela descaímos para a multiplicidade" (*per continentiam quippe colligimur et redigimur in unum a quo in multa defluximus*); [ii] ou então, quando diz, ao discorrer acerca da unidade divina, o Bem comum que congrega (1,3,3): "quando és derramado sobre nós, não és tu que se deixa cair, mas a nós é que elevas, nem és tu que se dissipa, mas a nós é que reúnes" (*cum effunderis super nos, non tu iaces, sed erigis nos, nec tu dissiparis, sed colligis nos*); [iii] ou ainda, ao reconhecer-se totalmente avertido da unidade divina e convertido para os bens carnais, escravizado pelas inclinações sensuais (2,2,2): "e eu ia para mais longe de ti, e permitias; e era arremessado e dispersado e me dissipava..." (*et ibam longius a te, et sinebas, et iactabar et effundebar et diffluebam...*).

substantivos, como as ideias de Platão, talvez, contudo que seriam todas desprovidas de valor, pois não seriam nem boas, nem más; nem grandes, nem pequenas; tampouco belas ou feias.

Essa suposta inexistência de qualidades, pois, é possível depreender-se relacionada com a própria origem do movimento, e com ela, do próprio pecado. De fato, se se imagine o ἔρως platônico, por exemplo, definido pela carência, percebe-se o papel dos contrastes na propulsão do movimento das almas, que se movem em direção ao que consideram lhes seja faltante. E ainda que não necessariamente coincidam faltantes com diferentes, pois sem dúvida se costuma desejar o semelhante amiúde, ainda assim, não é senão por essa ausência e em vista de seu aniquilamento pela satisfação que se movem as almas. O mesmo se pode dizer do reino animal, em que a necessidade imperante move os viventes em direção à satisfação instintiva de suas ausências sentidas, embora inconscientes. Ou então, no caso da *agápē* cristã, nenhum amor fraternal se promoveria ou sustentaria num universo desprovido de carências, necessidades, ou mesmo desejos. E ainda que as almas "grandes" não desejassem conúbio senão com os que lhes fossem semelhantes, no caso da *agápē*, contudo, se busca o amor e a consequente aproximação do ímpar, não do par, quando então se pretende salvar o pecador, prover o necessitado, oferecer apoio ao desvalido, ir ter com criminosos no cárcere, consolar viúvas e desgraçados de vária sorte, enfim, almas todas "miúdas", neste caso. O que se está dizendo, *grosso modo*, é que, no caso do amor, seja o *érōs* platônico ou a *agápē* cristã, o que se deseja, e que se não possui, é de certo modo contrário ao que se tem presente, numa dialética ausência-presença que impulsiona sem dúvida o movimento das almas. É neste sentido, portanto, que se diz que o colorido universal das diferenças é propulsor do movimento, colorido que cria contrastes, lacunas, carências sobremodo, como o salso que necessita do adocicado, ou o seco, do úmido, ou calor, do frio, e assim por diante; diversidade propulsora essa que, no caso das almas, ocasiona dois gêneros de movimento: de aversão e de conversão. É fato, contudo, que Adão não comeu da maçã porque lhe faltava uma maçã, cuja falta não podia ser sentida, uma vez que não conhecia seu sabor. No entanto é viável dizer que se viu movido a comê-la por lhe ser diferente de tudo o que até então conhecia, ao menos em aparência, o que lhe poderia ter sugerido ainda uma diversidade curiosa de sabor. Porém a principal imparidade é sempre a possibilidade do novo, assim como se opõem o conhecido e o desconhecido, e contrastam brilhantemente o permitido e o

proibido. Seria possível, sem dúvida, denominar um tal movimento *curiositas*, a simples vontade de experimentar o novo, cujo desconhecimento desperta desejo e excitação, curiosidade, da experiência, na perspectiva de penetrar o escuro mistério do ainda não sabido.

No entanto uma óbvia contrapartida deste argumento, a não dizer consequência, para além de funesta, nunca foi estranha aos ouvidos dos primeiros pensadores cristãos, quando se deparavam com a acusação de que, fosse esse movimento deflagrado pela diversidade, criada por Deus com seus diversos *fiat*, seriam inevitavelmente necessárias as almas más, a fim de que pudessem existir as boas, assim como necessária seria a existência de enfermidades, a fim de que o poder de cura espiritual de Cristo e de seus discípulos se fizesse patente; numa palavra, teria Deus então tido necessidade do mal, isto é, de criá-lo, a fim de que sua Bondade se fizesse notória pelo contraste, e que pudesse ser louvado por ela[203]. Embora se trate de uma contrapartida de fundamentação bastante razoável e de não menor interesse, foge aos propósitos destes comentários um tão árduo e irreversível desvio de rota, sendo outro o escopo deste breve excurso de precedência empedocliana: apenas especular acerca do movimento original da vontade, tema principal deste terceiro livro, sugerindo sua relação inextricável com a louvada *uarietas* apontada por Agostinho, em justificação do próprio movimento de aversão, o pecado. Relação que não é de modo nenhum injustificada ou despropositada, pois as almas que se avertem do Bem comum e se convertem aos bens próprios e mutáveis convertem-se para a multiplicidade, para a própria diversidade ou *uarietas*, numa palavra, para o colorido da própria criação, dando as costas para a unidade e suposta uniformidade do Bem comum. Ademais, ao buscar essa variedade das formas, que se encontra fora delas mesmas, nos bens mutáveis e perecíveis, as almas estão perseguindo a posse do diferente, de algo outro, daquilo mesmo que não constitui parte de si, de que não participam, por mais ambicionem aderir-lhes. Porém, ao aderir ao Bem comum, uno, ao contrário, buscam a comunhão total com o que lhes fará parte do próprio ser, por assim dizer, pela participação no Ser divino, comum

---

203 Cf. Jo 9,2-3: "E perguntaram-lhe os seus discípulos, dizendo: 'Mestre, quem pecou, este ou seus pais, para que tivesse nascido cego? Respondeu Jesus: 'Nem este pecou, nem seus pais, mas [assim se deu] para que nele se pudessem tornar manifestas as obras de Deus'" (καὶ ἠρώτησαν αὐτὸν οἱ μαθηταὶ αὐτοῦ λέγοντες· ῥαββί, τίς ἥμαρτεν, οὗτος ἢ οἱ γονεῖς αὐτοῦ, ἵνα τυφλὸς γεννηθῇ; ἀπεκρίθη Ἰησοῦς· οὔτε οὗτος ἥμαρτεν οὔτε οἱ γονεῖς αὐτοῦ, ἀλλ' ἵνα φανερωθῇ τὰ ἔργα τοῦ θεοῦ ἐν αὐτῷ.).

a todos, de modo uniforme e invariável. Neste sentido parece paradoxalmente indevida a recriminação aos que se põem a indagar da censura aos que adiram à variedade das formas mutáveis, sendo ela tão necessária para a harmonia e beleza da mole universal criada, conferindo-lhe encanto e sedução. Na verdade, como dirá Agostinho em toda a sua obra, não sendo maus esses bens, porque criados por Deus, não se recriminam os que se voltam para eles, e sim os que, em vez de utilizar-se deles – *uti* –, sem apego, voltam as costas para o Criador, único Bem que deveriam desejar fruir – *frui* –, em detrimento de si mesmos, pois ao averter-se do Bem supremo se convertem e aderem ao que está fadado à putrefação inevitável, em lugar do que é sempre e imutavelmente[204]. Logo não se lhes proíbe nem a posse transitória, tampouco qualquer prazer que possam desfrutar, de maneira efêmera, da colorida e bela variedade de bens criados por Deus, e sim o seu apego pertinaz e irreparavelmente vão a bens que se putrefazem a olhos vistos e que os mantém afastados do Ser, da Vida e da Inteligência supremos e presos à morte do nada, que ludibria os incautos por parecer a vida real, embora longe esteja dela.

## Dos degraus ascensionais do louvor

Interessante notar, para muito além da simples graduação do louvor devido a Deus por cada um dos gêneros de terra, desde o mais salso ao mais ameno, e do mais infecundo ao mais feraz, para permanecer com os exemplos do rétor, essa escada laudativa remete a algo ulterior, de interesse e importância bem mais significativos, os exercícios espirituais de contemplação do Ser supremo, cujo passo inicial se dá pela contemplação sensorial das criaturas, cuja beleza é vestígio do Criador, assim como a obra, de seu autor. Em seguida, depois da contemplação dos objetos sensíveis, adentra-se o íntimo do contemplante em direção ao que de mais elevado ali se possa encontrar, a própria razão, capaz de ajuizar de cada criatura, atribuindo a cada uma o valor que lhe cabe. Efetuado o juízo racional das criaturas perceptíveis pelos sentidos corpóreos de par com o da própria razão, empreendido por ela mesma, subindo um degrau a mais descobre-se algo acima da própria razão, que, por estar acima e além de suas possibilidades lineares e temporais, só pode ser percebido depois de silenciadas as percepções todas, suas memórias e a própria razão, presa que se encontra

[204] Cf. **1**,3,6,1; **2**,19,53,199.

esta às coordenadas espaçotemporais, quando então se adentra a morada do Senhor, a "região supraceleste"[205], para fazer uso da metáfora platônica, o lugar sem espaço e o tempo sem tempo, a eternidade diante da face de Deus, em que amar, louvar e contemplar são uma e a mesma coisa, mas cuja permanência, contudo, é interdita ao homem, enquanto na carne, restando-lhe apenas um vislumbre do que tenha presenciado, a mera lembrança de um agradável aroma do que ainda não pode comer, embora nada disso seja capaz de explicar por palavras: vislumbre tão mais esplendoroso e demorado quanto mais se tenha feito capaz de desprender-se dos sentidos e da própria razão[206].

## 3,5,13,48. Entre o céu e a terra: diversidade a partir dos quatro elementos

> **48.** A – [...] entre toda a terra e o céu, quanta distância existe![207] Pois interpõem-se as naturezas úmida e aérea[208], e a partir destes quatro elementos[209] [têm origem] outras variadas aparências e formas, inumeráveis para nós, porém numeradas para Deus.

Os quatro elementos ou princípios (ἀρχαί) de que o universo se acreditava constituído, segundo os antigos filósofos gregos, eram: água, ar, terra e fogo. Entre o céu e a terra, diz Agostinho, interpõem-se as naturezas úmida e aérea, logo ar e água se interpõem ao seco da terra e ao éter celeste, muito ligado ao fogo, pela luminosidade das estrelas, sobremodo a do Sol, tanto como por seu calor. Entre a terra e o céu, portanto, os quatro elementos se fazem presentes, do fogo do céu ao seco da terra, do úmido das águas ao sopro do ar, a partir dos quais quatro elementos inumeráveis formas derivam sua existência. Inumeráveis para os homens, mas todas elas numeradas para Deus, não apenas porque

---

205 Cf. Platão, *Fedro* 247c: "ὑπερουράνιος τόπος".

206 Cf. **2**,16,41,163; 17,46,177; esp. 11,30,122-123; ver ainda *Conf.* 7,10,16-17,23; 9,10,23-25; 10,6,9-10.

207 Frase um tanto enigmática, que pareceria apenas completar a anterior, se se tivesse seguido a versão manuscrita cuja lição é *coelum* em lugar de *solum*. Na versão adotada, contudo, o sentido se dá pela sequência toda dos parágrafos, desde o §45. Isso, porque, ao contestar o invejoso da criação, que sustenta que Deus deveria ter feito a terra do mesmo modo como fez o céu, e não inferior, Agostinho defende a diversidade da terra e toda sua beleza, conquanto inferior ao céu, que incrementa a beleza do conjunto universal da criação. Logo, embora a diversidade de regiões da terra, cada qual com seu clima, seco ou úmido, seu solo fértil ou infértil, ainda assim enorme distância há entre a terra e o céu, infinitamente superior, na visão dos antigos.

208 Traduzem o latim *umida et flabilis*.

209 Os quatro elementos: *terra, ignis, aqua, aer* (γῆ, πῦρ, ὕδωρ, ἀήρ).

o Criador tem conhecimento de cada uma delas, individualmente, por tê-las criado, mas porque são numerosas, ou seja, dotadas de número, assim como de forma, como dito e reiterado no livro segundo[210]. Todavia, ao contrário das especulações greco-romanas, pré-socráticas e posteriores, os quatro elementos não são eternos, como tampouco as formas deles derivadas se derivaram de modo autônomo, e sim pela ação criadora da Forma e do Número supremos, a Sabedoria-Verdade de Deus. Logo, se dos quatro elementos são derivadas as demais formas corpóreas existentes na terra, deve-se supor que do nada (*ex nihilo*) é que Deus os tenha criado, para, a partir deles, fundar as demais formas corpóreas, as quais se constituem, em alguma medida e em algum grau, a partir de cada um dos quatro elementos, cada qual na proporção da necessidade de sua própria natureza: o mais aquoso possuindo em si mais do elemento úmido; o mais quente, mais do elemento pírico; o mais seco, mais do terrestre; e o mais vaporoso, mais do aéreo.

## 3,5,13,49. Divinas razões

> **49.** A – [...] pode existir algo na natureza das coisas que tu não cogitas com a tua razão. Porém não existir aquilo que tu cogitas com a razão verdadeira, isso não pode.

Em toda a diversidade (*uarietas*) existente na criação há por certo muito que se imagine ausente das cogitações da razão humana, não se devendo imaginar que a obra divina seja conhecida em sua totalidade, criatura por criatura, mesmo que uma tal ciência se diga limitar apenas ao mundo habitado. Por outra, não existe coisa alguma em toda a criação, afirma peremptoriamente Agostinho, que, tendo sido conhecida pela razão verdadeira, não venha a existir[211]. Isso se deve antes à oposição entre duas razões (*rationes*), uma supostamente de Evódio (*tua ratione*), em representação da razão humana; outra verdadeira (*uera ratione*), naturalmente divina. Porém se a razão divina é verdadeira, não seria lícito supor que a outra fosse falsa, quando não, ao menos não verdadeira? Por certo que sim. Ao contrário do intelectualismo de matriz socrática imperante no livro primeiro, cuja autonomia da razão se impunha de modo mais que evidente, sendo quase onipotente, racionalismo herdado sobremodo dos escritos neocadêmicos de Cícero, parece que Agostinho começa a perceber agora que a

[210] Cf. 2,8,21,81-24,95; 16,42,164-167.

[211] E também porque não se pode conhecer o que não existe.

razão humana, desamparada da razão divina, por dizê-lo, não é tão soberana e autossuficiente como os estoicos e céticos de todas as escolas gostavam de crer e defender. Logo, se nem tudo que existe pode ainda ser conhecido pela razão humana, contudo tudo o que se conhece, por meio de uma razão verdadeira, não pode não existir. E mais, depois de tudo o que ficou dito, não se pode admitir [i] nem que Deus não devia ter criado o que criou, seja pecador, seja virtuoso, [ii] nem que devia ter criado o que criou de modo diferente de como criou, [iii] tampouco que poderia haver, na criação perfeita de Deus, algo melhor do que o que ele concebeu, como se a razão da criatura pudesse imaginar algo melhor do que a razão suprema do divino Criador.

**49.** A – [...] a alma humana se encontra conectada naturalmente às divinas razões, das quais pende [...] se diz algo verdadeiro e vê o que diz, vê naquelas razões, às quais está conectada.

Embora não deva dizer que algo na criação devia ter sido feito de modo diferente de como Deus o concebeu, pode o homem, contudo, dizer que algo devia ser diferente de como é. No primeiro caso estaria julgando do ato de Deus, que, por estar acima de sua razão, não tem capacidade de julgar; contudo no segundo estaria apenas julgando do que lhe estivesse abaixo, quando não, no mesmo degrau ontológico, numa palavra, julgando das coisas que são, vivem e inteligem. Porém seu juízo só será efetivo e verdadeiro se a razão com que ajuíza estiver conectada às razões divinas, diz Agostinho. Na verdade as razões divinas não são exatamente uma versão plural da Razão suprema, a *summa ratio* apresentada no livro primeiro, coincidente com a Lei eterna (*lex aeterna*)[212], nem mesmo da Forma eterna e imutável de que deriva tudo o que passa a existir, ao ser dotado de número e forma, e sim algo supostamente mais próximo das ideias platônicas[213], como se as formas e números engendrados pela Forma divina, segundo sua Sabedoria ou Razão, que é sempre verdadeira, enfim, como se essas formas numerosas fossem verdadeiras e divinas em si mesmas, por terem saído da Forma divina, como ideias ou pensamentos dotados de forma e número, não em que se espelham os seres, como cópias imperfeitas, mas cuja divindade se encontra em cada um, como uma espécie de código genético chancelado pela Sabedoria, por assim dizer, que traz em si um retrato da estrutura formal e numerosa criada pelo Ser divino.

---

212 Cf. 1,5,13,39-41; 6,15,48-49.

213 Cf. 2,16,44,171.

Logo, quando emite-se um juízo qualquer, diz Agostinho, assim como quando se diz que A é melhor do que B, se se diz de fato algo que é verdade, só o é porque a razão humana, de algum modo conectada às divinas razões, logrou atingir essa verdade, tornando-se uma razão verdadeira (*uera ratio*). Contudo essa conexão é natural, permitindo com que a razão humana penda das razões divinas, a partir das quais consegue então ver a verdade do que diz, a verdade dos juízos que emite, que A é melhor que B, como se penetrasse nas razões divinas de que pende e ali pudesse ver de algum modo "escrito" nos letreiros da verdade: "A é melhor do que B". Vê-se, por conseguinte, que essas razões divinas não guardam exata semelhança nem com as ideias platônicas, nem com a Razão suprema, pois não se dá uma interpenetração ou participação da mente humana na mente de Deus, e sim uma espécie de visão estrutural das qualidades das coisas, que permite à razão humana ajuizar, por si mesma, conquanto a partir da visão da verdade que vê, enquanto naturalmente pendente das razões divinas. E de fato, ao dizer que A é melhor que B, só o pode fazê-lo se puder de algum modo conhecer tanto as formas de A e B, como seus números, sem o que não poderia fazer um tal juízo, ainda que seja melhor do que ambos, A e B. Ou então, como se forma e número constituíssem a tão sonhada definição socrática, a essência de cada coisa, que permitiria distinguir A de B, e dizer o que A verdadeiramente fosse em si mesmo, assim como B. E aqui é que se justifica a aproximação, *mutatis mutandis,* com a ideia platônica, como se disse antes. Ademais, ao utilizar-se do termo no plural, *diuinae rationes,* Agostinho endossa a identificação, pois ao cogitar do verdadeiro, a alma humana não o faz senão a partir das razões divinas, que servem de paradigma perfeito para a razão verdadeira que lhe é possível, cujas ideias espelham as *formae* divinas e eternas.

Por outro lado, ao dizer que a razão humana pende naturalmente das razões divinas, o pensamento de Agostinho começa a inclinar, mesmo que de modo inadvertido e ainda deveras platônico, para o lado oposto ao das pretensões gregas. Isso, porque, embora as ideias de Platão, como as razões divinas, também fossem paradigmas, eternos e perfeitos, ao contrário do ateniense, para quem os objetos corpóreos eram todos, como sombras, cópias imperfeitas existentes no mundo corpóreo de realidades inteligíveis perfeitas, para Agostinho, ao contrário, as criaturas, por ínfimas fossem, eram bens, criados pelo Bem supremo, autor de todos os bens. Logo, conquanto ínfimas algumas criaturas, eram todas, contudo, naturalmente boas.

## A fé e os limites da razão

**50.** A – [...] e contudo com a razão verdadeira coligisse que algo de tal magnitude devesse ser feito, deveria crer que foi feito, ainda que não o visse com os olhos.

Embora tenha sido dito que as almas pendem naturalmente das divinas razões, nem todos, ao que parece, conseguem ver a verdade. Seja porque não conseguem manter a conexão natural que, por algum motivo, perderam, seja porque simplesmente não têm a capacidade para ver a Verdade. No entanto, se consegue com a razão verdadeira, derivada das divinas razões, conhecer algo verdadeiro, como, por exemplo, que Deus criou o que criou, do melhor modo possível, e que devia ter criado o que criou, porque tudo o que faz é perfeito, nada melhor podendo ser feito, se não consegue ir além disso, se não consegue ver nas próprias coisas criadas, assim como a própria alma, mesmo que pecadora, essas verdades obtidas pelas divinas razões, que se limite então a crer, fiando-se apenas na fé, pois, como disse o profeta[214], "se não crerdes, não inteligireis", o que se pode desdobrar, em sentido inverso, para algo como: "se vós ainda não inteligis, crede, pois, a fim de que depois chegueis à inteligência, quando estiverdes prontos!".

Interessante notar que o percurso insistentemente defendido por Agostinho, desde o início do livro primeiro e por todo o segundo, até ao princípio do terceiro, que propugnava pela compreensão racional daquilo em que se já cria pela fé na autoridade dos testemunhos, começa agora a dar sinais de flexibilização. O exemplo aduzido pelo filósofo corrobora essa impressão, ao dizer que deveria crer na existência do céu, ainda que não pudesse vê-lo, se a razão verdadeira – pendente e conectada às divinas razões – permitiu-lhe que assim concluísse. Do mesmo modo, ainda que não consiga explicar ou ver com seus próprios olhos nas criaturas uma justificativa razoável para a existência do mal, ou seja, ainda que não seja possível justificar a criação das almas pecadoras, tendo seu Criador conhecido antecipadamente que iriam pecar, se, contudo, por uma razão verdadeira foi possível chegar a todas as conclusões a que se chegou ao longo da disputa dialética dos dois primeiros livros, como o fato de que Deus é justo e bom e não poderia punir injustamente o pecado se esse não fosse cometido por um movimento livre da vontade, enfim, se conheceu isso por uma razão verdadeira, embora não consiga justificar o pecado das almas, confiante

[214] Is 7,9.

na bondade e na justiça de Deus, deveria contentar-se com a crença, "ainda que não o visse com os olhos".

**50.** A – [...] não é por meio de cogitação que ela veria [...] senão nestas [divinas] razões, pelas quais todas as coisas foram feitas. Porém o que ali[215] não existe, [b] contudo ninguém pode ver por uma cogitação veraz, na medida em que não é verdadeiro[216].

No fim Agostinho afasta totalmente as divinas razões, conquanto razões, no plural, das ideias platônicas, ou mesmo das formas derivadas da Forma divina, ao dizer que todas as coisas por elas é que foram feitas. Sabe-se bem que foi por Cristo, a Sabedoria do Pai, que tudo foi feito, Sabedoria que se definiu como a Verdade em que o Bem supremo é discernido e possuído. Difícil dizer, pois, que o motivo do plural seja muito mais que simples distensão terminológica[217], bem ao modo dinâmico do filósofo de pensar e escrever, caso não se refira de modo insólito aos próprios pensamentos de Deus, suas "divinas razões" ou "raciocínios", de modo obviamente figurado. Seja como for, surpreende neste parágrafo não apenas o apelo a que se creia Deus ter feito o que se soube por uma razão verdadeira que devia ter sido feito por ele, mas principalmente que não seria "pela cogitação" que se veria o que não se vê, e sim nas divinas razões pelas quais todas as coisas foram feitas. Logo, se não compreende como se dá aquilo que soube por uma razão verdadeira que devia ser assim, deve crer que assim seja, porque não é pela razão que chegará a tal conhecimento, parece dizer Agostinho, e sim pelas razões divinas, por meio das quais tudo o que existe foi feito, ou seja, por Cristo. Logo, se a razão humana encontra seu limite, que se limite ao socorro da fé, ciente de que alguns conhecimentos ou "visões" só se atingem nas divinas razões. E se essas divinas razões, por meio de que tudo foi feito, têm que ver com a Sabedoria de Deus, Cristo, forçoso é concluir que sejam como que seus pensamentos, seus *lógoi*, do que se conclui que aquilo em que se crê e que não se logra compreender só será compreendido quando se aproximar os pensamentos de Cristo, sua Verdade, e não antes, pois, como dito, não é pelo pensamento que se vê o que ainda não se vê, ou seja, que Deus devia ter criado as almas livres e aptas a pecar ou fazer o bem, do modo exato como o fez.

---

215 Ali onde residem as divinas razões.

216 [b] *Tanto que* ninguém pode ver, por uma cogitação verdadeira, *na medida em que* [aquilo que não está ali, i.é, que não existe] não é verdadeiro. Ou seja, ninguém é capaz de ver por um pensamento verdadeiro o que não é verdadeiro.

217 Cf. 1,8,18,65.

Por outro lado, se se pensa algo errado, ou seja, algo que esteja distante da verdade, isso não pode ter sido conhecido nas divinas razões, do que se depreende que nem possa existir, pois só a Verdade existe de fato. Ou ainda, nos termos do filósofo, não se pode ver o falso por meio de um pensamento verdadeiro, o que explica a afirmação tantas vezes defendida ao longo da obra, de que o mal não pode ser aprendido[218], porque não se pode conhecer o que é um nada[219]. Logo, assim como o movimento de aversão do Ser não pode ser originado do próprio Ser, como disse Agostinho no final do segundo livro (§202), não pode existir, porque tudo o que existe, tendo em Deus sua origem, a Forma suprema de que se origina toda forma, só existe porque possui [i] medida, [ii] número e [iii] ordem, inexistentes fora da Verdade, pois assim como tudo o que tem número e forma deriva sua numerosidade e formosura da Razão e Verdade dos números e da Forma suprema, assim também tudo o que é verdadeiro deriva sua verdade da Verdade eterna e imutável, que é Deus, que se provou existente no segundo livro[220].

## **Louvor da diversidade das criaturas racionais**
## Anjos, homens e o diabo

### 3,5,14,51. Geometria da noz

> **51.** A – [...] como se alguém, compreendendo a redondez perfeita com a razão, se agastasse porque não encontra uma noz de tal qualidade[221]...

Ainda que alguns poucos exemplos aduzidos pelo filósofo causem espécie, quase sempre devido à enorme distância da mentalidade e cultura de seu tempo, na maior parte das vezes, contudo, sua lucidez impressiona. Quanta distância há entre a terra e o céu, disse logo acima (§48); talvez a mesma que se possa descobrir entre o redondo perfeito e a pseudoesfericidade de uma noz. Desde os pitagóricos, ao menos, apenas para não ir mais longe, pois sabe-se quão avançados eram os conhecimentos dos mais diversos povos do Oriente, como os babilônios, em relação à matemática e cálculos dela derivados, concebem-se

---

218 Cf. 1,1,2,5-6.

219 Cf. **1**,4,9,24; 5,23,35; 7,17,60; **2**,19,54,202

220 Cf. 2,15,39,153-40,157.

221 Quer dizer, uma noz perfeitamente redonda.

formas geométricas perfeitas, só a grandes distâncias e a olho nu observáveis na natureza[222], que vieram a representar a própria perfeição do cosmo, para além do conhecido e observável, segundo se supunha. Toda movimentação cíclica constatável na natureza presumia-se mensurável através dos números, previsível por meio de cálculos[223], o que levava os antigos, especialmente pitagóricos e platônicos, a reconhecer a matemática, de modo especial a geometria, como expressão máxima dessa perfeição. No entanto, se a redondez perfeita podia ser obtida por meio de cálculos geométricos, em si mesma, independentemente de algum objeto em que se impusesse, possibilidade de abstração essa que indubitavelmente servira de base teórica para que a teoria das ideias platônicas desse sequência à busca socrática das essências e suas sequentes definições, encontrar um objeto na natureza que se conformasse às perfeições dos objetos geométricos obtidos mentalmente, através de cálculos numéricos, não era tarefa das mais fáceis, a não dizer impossível. Talvez seja este o motivo que leva Platão a idealizar a perfeição tão mais distante da matéria quanto mais difícil se fazia encontrar alguma forma geométrica que se aproximasse da perfeição por ele atingida em seus cálculos, geômetra que era. Porém Agostinho diz que erram os homens, mas não por procurarem nos corpos a perfeição que conseguem ver em suas mentes, e sim porque não a procuram, com os olhos, nos lugares apropriados, como alguém que buscasse a perfeição esférica numa noz. Esse observador limitado, diz, não deve agastar-se por não ser capaz de encontrar no lugar errado a perfeição que busca, ele que nunca se deteve para observar a redondez senão em objetos do gênero da noz. Mas a que corpo se estaria referindo, que fosse possível observar com os olhos, cuja redondez se pudesse equiparar à própria perfeição engendrada na mente, por meio de cálculos geométricos? Sabe-se obviamente que a noz é um antimodelo, um contraexemplo, porém qual seria o exemplo de perfeição? A que, no fim, está comparando a *perfecta rotunditas*, concebível na mente, uma vez que a casca de noz se encontre assaz distante da perfeição do modelo? Haveria, enfim, algo com tais características neste orbe, reino dos corpos perecíveis?

---

222 A grande distância e a olho nu veem-se os planetas esferas perfeitas, assim como o Sol e a Lua; do mesmo modo uma reta perfeita poderia ser considerado o horizonte de quem olhasse então para o mar, desconhecendo da pseudoesfericidade própria da Terra, ou mesmo se contemplasse a superfície de um lago de águas plácidas. Perfeições essas todas que não resistiriam à mensuração.

223 Thales teria previsto um eclipse solar em 585 a.C.

## 3,5,14,52. Geometria dos anjos

**52.** A – [...] "Oxalá ele nos fizesse tais[224], para que pudéssemos fruir sempre de sua Verdade absolutamente imutável; porém que nunca quiséssemos pecar!".

O erro daqueles que pretendem encontrar a esfericidade perfeita no fruto da nogueira, que nunca viram nenhum objeto redondo além da própria noz e gêneros semelhantes, diz Agostinho, é o mesmo daqueles que, pelo poder de sua mente, segundo uma razão absolutamente verdadeira, "veem" e compreendem que a criatura que nunca peca é melhor do que a que peca, mas que, ao depararem o pecado dos homens, criaturas inferiores em comparação com aquelas que nunca pecam, em vez de esforçar-se por deixar de pecar, fazendo com que sua natureza de algum modo se aproxime da dos seres impecáveis, preferem pôr-se a vociferar e a bradar invidamente contra o Criador, dizendo que deveria tê-los feito ao modo dos impecáveis[225], a fim de que fruíssem da Verdade imutável de Deus sem sobressaltos ou ameaças, cuidados esses que se devem à própria vontade de pecar que trazem no bojo. E se a esfericidade perfeita engendrou-se na mente por um cálculo matemático, segundo a Razão e Verdade dos Números, do mesmo modo a perfeição dos seres impecáveis se concebeu na mente, segundo uma razão absolutamente verdadeira, razão que calcula matematicamente a verdade, assim como a soma dos quadrados dos catetos é geométrica e indefectivelmente equivalente ao quadrado da hipotenusa, assim também a superioridade da alma que não peca sobre a que peca é geometricamente verdadeira. Duas verdades geométricas, portanto, uma tão perfeita e indefectível quanto a outra. E não por acaso Agostinho compara a esfera à criatura impecável, que denominará na sequência de "anjo"[226]. Isso, porque, se os anjos eram as criaturas mais perfeitas, do mesmo modo o círculo era a figura geométrica que representava a perfeição ideal. No entanto, o erro se dá porque buscam a perfeição inatingível neste orbe, uma vez que nem os anjos nem o círculo perfeito se encontram disponíveis à contemplação pelos olhos da carne, pois um e outro constituem objetos

---

224 Quer dizer, incapazes de pecar, assim como os anjos, que, embora possuam a vontade livre, nunca se utilizaram dela para pecar.

225 Trata-se de uma acusação injusta, porque os que não pecam, é de modo livre que não o fazem, e não porque foram criados incapazes de fazê-lo, como se autômatos fossem, sem liberdade de querer.

226 Do grego ἄγγελος, "mensageiro", cognato εὐαγγέλιον, liter. "Boa mensagem" ou "Boa nova", que se manteve em sua forma transcrita em latim, *euangelium*, "Evangelho".

inteligíveis, apreensíveis tão somente pelas faculdades mentais, os "olhos" da mente, como duas formas absolutamente perfeitas, dotadas no mais alto grau de medida, número e ordem. Logo a resposta para a pergunta feita acima é negativa: nenhum objeto geometricamente perfeito seria apreensível pelos sentidos do corpo, sendo a perfeição atributo exclusivo do espírito, porque o próprio Criador é espírito[227]. E se foi dito no parágrafo anterior que erram porque "não procuram com os olhos nos lugares correspondentes"[228], isso não significa dizer que devem procurar com os "olhos" em lugares apropriados, onde poderiam então encontrar círculos perfeitos, e sim que, exatamente por procurarem com os instrumentos errados, se veem circunscritos à procura em lugares igualmente errados, pois esforçam-se por ver com os olhos da carne o que não pode ser visto senão através dos "olhos" da mente.

## Livremente impecáveis

No que tange aos anjos, os que erram erram ainda por outros motivos, por negligenciar que os anjos, embora nunca pequem, não deixam de fazê-lo por necessidade, e sim livremente. De fato, os anjos, como criaturas, foram dotados de livre arbítrio, assim como os pecadores, ou seja, desde sua criação possuem a vontade livre, embora não se utilizem dela para fazer mal, naquele movimento de aversão do Bem comum e conversão aos bens próprios. Sua vontade, inconcussamente boa, está fixada em Deus, pelo que nunca pecaram nem jamais haverão de pecar, embora sejam livres para fazê-lo, se o quiserem. Portanto os que olham mentalmente para os anjos, como quem olha para o círculo perfeito, comparando seja com os pecadores, seja com a "imperfeição" do fruto da nogueira, erram feio, porque preferem a inveja à adesão da vontade ao Bem supremo, acusando o Criador e reclamando privilégios de que supõem equivocadamente os anjos terem sido dotados. Em vez de esforçar-se por deixar de pecar, preferem receber a perfeição pronta da mão de Deus, como num passe de mágica, pelo que não estão dispostos a esforço algum. Querem pecar livremente e acusam a Deus por sua própria vontade desregrada, dizendo que quereriam não querer o que querem, contudo não querem esforçar-se por deixar de querê-lo. E nunca haverão de pecar os anjos por um simples motivo, porque

---

[227] Cf. Jo 4,24: "Deus é espírito, e seus adoradores em espírito e verdade é que devem adorá-lo!" (πνεῦμα ὁ θεός, καὶ τοὺς προσκυνοῦντας αὐτὸν ἐν πνεύματι καὶ ἀληθείᾳ δεῖ προσκυνεῖν).

[228] Cf. 3,5,14,51: *"non in sedibus congruis ea oculis quaerunt"*.

sua vontade está aderida, pregada firme na Verdade, que é Deus, em quem não há oscilação ou vicissitude.

## 3,5,14,53-54. Perseverança angélica da vontade

**53.** A – Não reclamem! Não se incandesçam![229] Porque ele[230] não os coagiu a pecar por isso, porque os fez, aos quais deu o poder, se acaso quisessem[231].

Um só é o motivo por que não pecam jamais alguns anjos, porque possuem uma vontade perfeitamente perseverante. E por esse motivo a razão, tão mais verdadeira quanto mais matemática, os considera superiores às almas pecadoras e aos próprios anjos que pecaram. De fato, assim como as almas pecadoras, os anjos também foram dotados de liberdade da vontade, que poderiam ter utilizado tanto para o bem como para o mal; e se não se desviaram, sustenta Agostinho, isso não se deve à necessidade ou a um suposto determinismo, que os tornaria em autômatos, e Deus o único responsável, tanto pelo bem, como pelo mal universal. De modo nenhum, os que não pecaram é por livre vontade que não pecaram, assim como os que pecaram pecaram por culpa própria. Todavia, ao contrário do que se acusava acima[232], embora Deus fosse presciente da virtude de alguns e do pecado de outros, pelos motivos já aduzidos e trabalhados pelo filósofo[233], que não convém aqui reeditar, não os obriga a pecar ou a ser virtuosos apenas e tão somente por tê-los criado e de suas vontades livres ser presciente.

**54.** A – Mas assim como por tua cogitação tu a antepões [às pecadoras], assim também Deus, o Criador, por sua ordenação a antepôs-lhes.

---

229 Não se inflamem de ira ou de indignação contra o Criador.

230 Quer dizer, Deus.

231 Frase truncada, cujo sentido parece ser o seguinte: Deus não coagiu os anjos a que pecassem apenas por tê-los criado com o livre arbítrio, isto é, por tê-los feito com o poder de pecar, se acaso viessem a querê-lo. Deus os criou livres e eles não pecaram porque não quiseram, isto é, porque sua vontade sempre foi perfeitamente perseverante, o que prova que o ato de lhes ter conferido o livre arbítrio, por si só, não pode ser responsabilizado de causar o mal. Deus sabia que alguns deles jamais iriam pecar, livremente, ao passo que outros haveriam de desviar sua vontade dele e cometer o mal, também livremente. Não por isso, pois, diz-se que Deus seja o responsável, seja pelos bons, seja pelos maus, que agiram bem ou mal, porém segundo seu livre querer, e não por causa da presciência divina.

232 Cf. 3,4,10,39.

233 Cf. 3,2,4,14-4,11,41.

Se a razão verdadeira pende das divinas razões, pelas quais o mundo todo se fez, não há como negligenciar a relação que se estabelece entre ambas. Logo, se se conhece, por meio da razão verdadeira, que as criaturas espirituais impecáveis, chamadas anjos, cuja perfeição se comparou à da figura geométrica perfeita, pois perfeita e plenamente dotada de medida, número e ordem, enfim, se se conhece por meio dessa razão verdadeira que os anjos estão acima das criaturas pecantes, embora sejam, vivam e intelijam, porque estas pecam, ao passo que aquelas jamais se avertem do Bem supremo, do mesmo modo o Criador, em sua Razão suprema, que ordena o universo todo, situa com Justiça perfeita, na hierarquia das naturezas, os anjos, seres impecáveis, acima dos pecantes. E assim como não se pode ver, senão pela mente, a perfeição do círculo, muito menos numa noz, do mesmo modo, embora os anjos sejam invisíveis aos olhos da carne, devem "ser vistos" pela mente, porém ao contrário da esfericidade perfeita, que pode ser calculada e "vista" matematicamente, essa perfeição angélica não pode ser alcançada senão com os "olhos" da fé (ou por algum arroubo místico), ao menos *hic et nunc*, no aqui e agora desta vida corpórea.

## Na sede superior, na sublimidade dos céus

> **54.** A – Crê que exista uma tal criatura nas moradas superiores[234] e na sublimidade dos céus! Porque, se o Fundador outorgou sua bondade para que se fundasse[235] aquela criatura, cujos pecados futuros previu, de nenhum modo não outorgaria[236] sua bondade para que se fundasse aquela outra, que conheceu antecipadamente que não haveria de pecar.

Ao contrário do círculo, que se conhecia segundo uma razão matemática, a existência dos anjos, contudo, de par com sua "sede superior", na "sublimidade dos céus", por causa de sua natureza igualmente sublime, carecia de ser demonstrada por algum outro recurso, igualmente mental, embora não exato e perfeito como se concebia então a matemática, tal como o argumento retórico, ainda uma vez esteado no tópico do grau: se no menos, muito mais no mais[237].

---

[234] Liter.: "nas sedes superiores".

[235] Preferiu-se o sentido "clássico" do verbo *condo*, "fundar", a fim de que se mantivesse o paralelo com o epíteto *conditor*, "Fundador", que o rétor tem utilizado com frequência para referir-se ao Criador. Como dito antes, Agostinho se utiliza de vários epítetos para referir-se a Deus, tais como: *creator, conditor, institutor, artifex, ordinator, administrator* etc. Cf. Léxico T-F.

[236] Há duas negativas, portanto o sentido é positivo: muito mais ainda outorgaria sua bondade para que as criaturas impecáveis existissem.

[237] Cf. 2,18,48,182-185; 49,188.

Se Deus foi bom o suficiente para instituir ou fundar criaturas que, embora sendo boas, sabia ele iriam pecar, de modo nenhum deixaria de fazer valer sua bondade em grau ainda maior, ao fundar criaturas que sabia de antemão iriam sempre obedecer-lhe, livremente, jamais entregando-se ao pecado. Se o pecador é um bem, e não dos menores, pois é, vive e intelige, bem muito maior é o anjo, que é, vive e intelige de modo absolutamente incorpóreo, habitando a sublimidade dos céus, sua sede superior, diante da face do Criador, muito acima dos limitados sentidos corpóreos, além de ser indefectivelmente impecável, o que o situa ainda mais acima de todas as demais criaturas.

### 3,5,15,55. Ordenamentos triádicos: *gradatio in deum*

Divisões triádicas, hierarquicamente ordenadas, não são novidade no pensamento de Agostinho, como se tem podido constatar ao longo de toda esta obra. No início do livro segundo[238], por exemplo, as naturezas se escalonaram em três degraus hierárquicos: ser, viver e inteligir, estrutura ontológica triádica que serviu de esteio para todas as discussões dali em diante. Depois, quando se debruçou sobre os sentidos corpóreos[239], primeiro degrau do itinerário ascensional para ultrapassar a razão e provar a supraexistência da Natureza divina, triádica foi também a divisão hierarquicamente ordenada das percepções, desde os sentidos corpóreos, passando pela intermediação do sentido interior, até ao juiz de todos os perceptos, a razão. Em seguida, em nova ordenação dos bens, elabora o filósofo nova tríade[240], segundo a qual os escalona em três degraus sucessivos: bens mínimos, médios e grandes, escada ascensional em cuja metade situou-se a própria vontade, faculdade do livre querer responsabilizada pelo malfazer humano. Isso, para deixar de parte outras disposições triádicas não necessariamente ordenadas de modo hierarquico, como: medida, número e ordem[241]; os três gêneros de conversão[242]: para dentro, para fora e para baixo; as patologias da aversão[243]: engano, sedução e tormento, entre tais.

---

238 Cf. 2,3,7,21-24; 5,11,42-12,50; 13,51-53; 17,43,175; 19,50,190-191.

239 Cf. 2,7,15,60-61.

240 Cf. 2,18,49,186-188.

241 Cf. 2,19,54,203.

242 Cf. 2,19,53,199-200.

243 Cf. 2,16,43,170.

Esse recurso, contudo, não deve causar nenhuma espécie, porque, para alguém cujo escopo filosófico é a Sabedoria, identificada, tanto pela autoridade[244] como pela razão[245], com a própria Divindade, não se poderia imaginar senão um imensurável esforço ascensional em sua direção. Porém Deus não se encontra acima da humanidade segundo uma dimensão espacial, como o óleo sobre a água ou o céu acima da terra[246], para lançar mão de duas metáforas do próprio rétor, e sim ontológica e moralmente, a não dizer absolutamente, porque não é apenas sumamente bom, mas a própria Bondade suprema de acordo com a qual se medem aqueles que se dizem bons, desde os que são menos aos que são mais; do mesmo modo não é apenas por possuir mais ser, ainda que essa posse se compreenda de modo impróprio, e sim por ser o Ser, superior ao qual nada mais existe, o Ser de que tudo o que é deriva sua existência. Logo, em se tratando de algo de tal magnitude, tão "acima" do próprio ser pensante, infinitamente superior à sua própria mente, mas que, ainda assim é preciso procurar alcançar, na esperança de chegar tanto mais próximo dele quanto possível, não haveria como atingi-lo racionalmente senão com algum recurso que permitisse à própria razão "subir", para acima e além de si mesma. E se não se logra subir espacialmente senão pelos degraus de uma escada (κλῖμαξ), degrau após degrau, tampouco a razão pode "subir" acima de si mesma, num movimento de direção "ascendente", ainda que assim se diga de modo impróprio, sem o recurso de escada equivalente, do conhecido apreensível pelos sentidos ao desconhecido apreensível apenas pela razão, e acima dela, onde lhe resta apenas o silêncio.

## Dois novos critérios ordenadores: vontade de pecar e felicidade

O ordenamento triádico hierárquico, que permeou e sustentou praticamente toda a argumentação do livro precedente, vê agora seu último degrau, o das criaturas animadas inteligentes, subdivido em três novos subdegraus, mas que podem também ser considerados seis: [$i_a$] criaturas que nunca pecam [$i_b$] e que são perpetuamente felizes; [$ii_a$] criaturas que ora pecam, ora não pecam, [$ii_b$] cuja felicidade reside em sua esperança de um dia deixar de

---

244 Cf. 1Cor 1,24.

245 Cf. 2,9,25,96-12,34,136.

246 Cf. *Conf.* 7,10,16.

pecar; [iii$_{a}$] e a criatura que nunca deixa de pecar, [iii$_{b}$] supostamente tão infeliz quanto má. Esse ordenamento, como se vê, se sustenta em dois critérios: vontade de pecar e consequente grau de felicidade. De fato, a posição de cada criatura na escada se dá, do grau ínfimo ao mais elevado, seja segundo sua disposição parar pecar, quando quem mais ou sempre peca se situa na base; quem peca às vezes apenas, no meio; e quem nunca peca e nunca pecará, no topo; seja segundo sua consequente felicidade, quando o pecador renitente é infeliz, o pecador ocasional, mais ou menos feliz, e o impecável, sumamente feliz, como tenta ilustrar a figura abaixo.

<table>
<tr><td></td><td></td><td></td><td></td><td></td><td>VONTADE DE PECAR</td><td>FELICIDADE</td></tr>
<tr><td rowspan="3">SER</td><td rowspan="2">corpo e vida</td><td>ser, vida e inteligência</td><td>natureza animada e inteligente</td><td>anjo<br>homem<br>diabo</td><td>nenhuma<br>oscilante<br>perpétua</td><td>suprema<br>oscilante<br>nenhuma</td></tr>
<tr><td>ser e vida</td><td>natureza animada</td><td>animal<br>vegetal</td><td rowspan="2">nula (incapaz de vontade)</td><td rowspan="2">nula (incapaz de felicidade)</td></tr>
<tr><td>corpo</td><td>ser</td><td>natureza inanimada</td><td>mineral</td></tr>
<tr><td colspan="7">NADA</td></tr>
</table>

Note-se que, no caso do diabo e de todos os pecadores, a ausência de felicidade implica diretamente a infelicidade. De fato, nenhum estado neutro se presume haver, em que o que não é feliz se encontre, como se estivesse no purgatório da indiferença, apenas a esperar pela felicidade, anestesiado. Ao contrário, a ausência de felicidade redunda de imediato na infelicidade, nos mais diversos graus, diretamente proporcionais à vontade de pecar, ao modo de um defeito dela, como a ausência de ser, que é o nada, é um defeito do ser. Todavia é possível concluir, a partir desse raciocínio, que aquele que possui uma vontade de pecar tíbia e controlável padece de uma ausência de felicidade proporcionalmente menor do que a miséria dos pecadores impenitentes, e que seja, posto que em grau diminuído, ainda em algum aspecto feliz. Pois nele a vontade de pecar é apenas intermitente, alternando com sentimentos menos vis, ou mesmo nobres, numa oscilação que, se o atormenta, não lhe retira totalmente as esperanças.

## Os anjos

**55.** A – [...] aquela sublime criatura possui sua felicidade perpétua, fruindo perpetuamente de seu Criador, felicidade que faz por merecer por causa de sua perpétua vontade de manter a justiça.

No topo da escada das naturezas, de acordo com os critérios da vontade de pecar e da felicidade, encontram-se os anjos, criaturas sublimes, cuja felicidade meritória é perpétua na fruição igualmente perpétua de seu Criador[247]. Diz-se meritória porque os anjos não se fizeram perpetuamente felizes por necessidade, e sim por intermédio de sua livre vontade de manter e praticar a Justiça. O filósofo não menciona a Graça, talvez porque esses, cuja vontade é perpetuamente justa, jamais necessitaram dela[248], uma vez que nunca erraram, e por isso nunca precisaram de seu socorro para serem reordenados, isto é, para terem sua vontade restaurada. Isso provavelmente não significa dizer que não precisaram daquele mesmo que os criou e que lhes conferiu a liberdade para agir. Ao contrário, demonstra que eles sempre lhe foram fiéis e reconhecidos, nunca tendo necessitado de serem salvos, porque nunca se puseram em risco de queda, jamais querendo o que não deviam querer. Têm os anjos sua perpétua vontade fixada de modo inconcusso em seu Criador, nunca nutrindo nenhum desejo de afastar-se dele, a quem sempre aderiram com inabalável caridade.

Por certo chama a atenção o destaque do "mérito" no discurso daquele que será conhecido como *doctor gratiae*, "doutor da Graça". Vale lembrar, porém, que a passagem se insere no contexto da argumentação em apologia da concordância entre presciência e liberdade. Agostinho não está desprezando a Graça, que nem toma parte da disputa dialética, e sim reforçando o seu argumento em favor da liberdade da vontade, em confronto com o determinismo, supostamente necessário e decorrente da presciência divina.

## O diabo

**55.** A – [...] [criatura] que uma perpétua vontade de pecar retém consigo.

Na base da escada Agostinho situa aquela criatura cuja vontade renitente mantém-na prisioneira do pecado. Porém, ao contrário da vontade angélica,

[247] "*In perpetuum fruens creatore.*"

[248] Quer dizer, enquanto remédio salutar, visto que sua própria existência e felicidade são uma Graça, assim como todos os demais dons de Deus. Cf. 2,19,54,205-206 "Recriação gratuita".

perpetuamente voltada para a divina Justiça, a vontade dessa criatura, nada obstante ser igualmente perpétua, volta-se irremediavelmente em sentido contrário, para o pecado, naquele movimento de aversão de que tanto se falou. Seria de supor que um dia essa criatura houvesse de chegar ao nada, caso permanecesse no caminho de aversão do Ser. No entanto, como o nada não existe, estaria avertida do Bem, numa região fronteiriça da escuridão do nada, "numa vida que melhor se denomina morte", como se, em vez de viver eternamente, por estar condenada ao mal, morre eternamente em sua suprema infelicidade, prisioneira que é de uma morte eterna, que, em verdade, se traduz pela grande distância do Ser, da Vida e da Felicidade supremos. Se deixasse de ser totalmente, deixaria de ser má e de sofrer a sua condição de pecado, que é morte[249]; porém se fosse alguma coisa, deveria ser considerada algum bem, conquanto esteja perpetuamente voltado na direção contrária do próprio Bem. Agostinho diz que essa criatura, que denominará adiante de diabo[250], se encontra prisioneira da própria vontade corrompida, daquele movimento de aversão, que se diz pecado ou mal. É de interesse notar que, ao contrário da suposta autonomia de sua vontade para gozar irrefreavelmente das criaturas que lhe fossem semelhantes e inferiores, o diabo e seu séquito de anjos caídos e súditos, bastante ao contrário, encontram-se escravizados pelo próprio desregramento de sua inclinação sensual tirânica. Logo não é livre, pois em vez de trabalhar a continência para temperar suas inclinações, ao dar-lhes livre curso, se vê obrigado doravante a servi-la perpetuamente, sem descanso, como que constrangido a seguir eternamente cobiçando, cada vez mais, sem encontrar nem satisfação, tampouco repouso. De fato, sua sede de prazer jamais é saciada, ao invés, provoca-lhe desejos mais intensos, e consequentemente ainda mais insaciáveis, tornando-o escravo das inclinações de que parecia ser senhor, como quem se entrega ao gozo inebriante dos entorpecentes, fazendo-se dependente, primeiramente do prazer que as reações químicas despertam no cérebro, para daí então, inevitavelmente, transformar-se em servo integralmente submisso e derrotado. Por outra, aquele que se esforça por cultivar as virtudes, como a temperança, controlando e submetendo suas inclinações sensuais à razão, esse, por mais pareça submisso à contrição e à abstinência, torna-se senhor de suas inclinações sensuais, uma vez

---

249 Cf. 2,13,37,143; esp. §143. "Esta é a nossa liberdade, quando somos submetidos a essa Verdade; e ela é o nosso próprio Deus, que nos liberta da morte, isto é, da condição de pecado."

250 O termo é a transcrição de διάβολος, que em grego pré-cristão significava "caluniador" ou "difamador", mas por influência da versão grega dos LXX passou a alcunhar Satã (cf. Jó 2,1).

ter fortalecido sua vontade pela prática constante do controle da razão sobre o querer. O castigo do diabo, que habita o nada que é a suprema distância de Deus, não é deixar de ser totalmente, o que nem seria um castigo, e tampouco pertence à sua alçada[251], mas, ao contrário, ser perpetuamente infeliz, longe do Ser, da Vida e da Inteligência supremos, Deus. Pelo fato de não ter corpo, não pode gozar dos bens corpóreos, pelos quais nutre apetites intensos e irrefreáveis, visto ser inescapável sua aderência a eles, os quais cobiça satisfazer, porém em vão, daí sua inveja do homem e de sua aptidão para sentir pelo corpo; e nem pode morrer, pois já está morto, miserabilíssimo em sua morte vital, cujo termo não é capaz de vislumbrar, muito menos interromper.

## Os pecadores

> **55.** A – [...] essa criatura pecadora, após ter sido perdida a sua felicidade nos pecados, mas não ter sido dispensada[252] a sua faculdade de recuperar a felicidade.

Em posição intermédia, entre as criaturas do mais alto degrau, as quais regozijam-se em sua perfeita felicidade, porque nunca pecam, os anjos, cuja vontade é perpetuamente boa em virtude de sua inconcussa aderência a Deus, e as criaturas do degrau mais baixo, os infelizes demônios[253], cujo chefe é o miserabilíssimo diabo, e que, como ele, nunca não pecam, cuja vontade é também perpétua, embora voltada em direção oposta, para o nada do pecado, a distância irremediável do Bem, enfim, entre o degrau supremo e o ínfimo, portanto, encontra-se, a meio caminho de uns e de outros, a oscilante alma humana. Ela, que é pecadora, em algum momento perdeu sua felicidade, supostamente, na origem, igual à dos anjos, porque, ao contrário deles, desviou sua vontade do Bem supremo, voltando-a para a satisfação de si mesma, na procura dos bens próprios e mutáveis. Em vez de uma vontade inconcussamente aderida ao Bem imutável, possuem essas almas pecadoras uma vontade cambiante, ora boa, ora má, ora querendo converter-se de volta para Deus, ora crendo mais fácil e

---

251 Ao que parece só aquele que conferiu o ser a partir do nada é que pode aniquilá-lo absolutamente.

252 Paronomásia intraduzível entre particípios femininos de verbos cognatos: *amissa* (*a-mitto*) e *dimissa* (*di-mitto*). Primeiro a felicidade foi *amissa*, "perdida", liter. "enviada para longe", destituída pela prática dos pecados; depois ela pode ser recuperada, pois não foi *dimissa*, "demitida" ou "dispensada".

253 Os anjos do diabo, seus mensageiros.

prazeroso averter-se dele e chafurdar-se no gozo dos bens corpóreos, ainda que em detrimento de si mesmas.

## Humildade e penitência

**55.** A – [...] demonstra essa[254] um certo meio-termo, a qual, pela humildade de penitenciar-se[255], recebe de volta sua elevação[256].

No entanto, ao contrário daquela criatura cuja vontade pétrea é má, as criaturas oscilantemente pecadoras podem corrigir-se, pois não demitiram de modo irremediável sua faculdade de recuperação da felicidade. De fato, as almas pecadoras, que se encontram no meio do caminho, entre dois polos absolutamente antagônicos, a perpétua Justiça e a injustiça perpétua, entre anjos e o diabo, podem recuperar sua posição elevada na hierarquia das criaturas racionais, posição mais próxima do Ser que de sua ausência completa, mais próxima da Vida plena e iluminada que da morte no nada trevoso, contanto que satisfaçam duas condições, inextricavelmente associadas, humildade e penitência. Se humildemente confessarem: [i] seus pecados, [ii] o louvor devido ao Criador [iii] e sua submissão a ele; [iv] por fim, se confessarem seu arrependimento, o que significa dizer sua disposição sincera de mudança de mentalidade ou de espírito (*metánoia*), aí então, ao que parece, candidatam-se a reerguer-se à posição e à felicidade perdidas.

---

[254] As criaturas racionais, que, apesar de pecarem, podem deixar de fazê-lo, se o quiserem, pois sua vontade não está irremediavelmente avertida de Deus e convertida para as criaturas, como a vontade perpetuamente pervertida do diabo e de seus anjos.

[255] Essa humildade, que para os antigos era um rebaixamento mais humilhante e desprezível do que virtuoso, pois aquele que era tido por *humilis* se encontrava próximo do chão (*humus*), passa a ser virtude com o cristianismo, condição primeira da salvação, pois permite a penitência, inicialmente o reconhecimento, diante de Deus e dos homens, da necessidade de reformar-se. De fato, a primeira admoestação do Evangelho, seja pela boca de Cristo (Mt 4,17), seja na pregação de seu precursor, João Batista (Mt 3,2), convoca os judeus a essa mesma penitência, que em grego se diz *metánoia* (μετάνοια), uma "mudança", ou quiçá "conversão" de espírito ou de mentalidade (νοῦς), para o que se faz condição necessária a humildade, na qual se confrangem as almas, arrependendo-se de seus pecados e doravante reconhecendo a necessidade de reformar-se, pela conversão a Deus e aversão do pecado.

[256] O termo latino é *altitudo*, "altitude" ou "profundidade", que no caso tem valor ontológico, pois as almas que se penitenciam com humildade diante de Deus, confessando seus pecados, essas se candidatam a receber de volta sua posição elevada, acima das pecantes, quando então serão capazes de controlar sua vontade, convertendo-a para o Bem supremo, e não para as criaturas.

## A cova do diabo

### 3,5,15,56. A pedra, o corcel e o diabo

**56.** A – Pois assim como é melhor um corcel que se perde[257] do que uma pedra que não se perde, porque carece de movimento próprio e de sentido[258], assim também é mais excelente a criatura que peca por sua livre vontade do que a que não peca porque não possui a vontade livre.

Nada obstante sua admitida presciência, Deus criou o diabo. Contudo ele sabia que sua criatura iria não apenas pecar, mas pecar inconcussa e eternamente. Por que motivo, então, decidiu criá-lo? Por que não absteve de sua Bondade aquele pecador inveterado? A resposta de Agostinho, que encanta pelo sabor retórico que só uma comparação clássica[259], tão mais adequada como insuspeitada, poderia despertar, ao comparar uma pedra (*lapis*) a um corcel aberrante (*aberrans equus*), justifica a fundação da criatura impenitente e perenemente pecante, pois vale mais um corcel que desembesta e perde o rumo do que uma pedra, que, embora estável em seu posto, seria incapaz de aberrar. Logo a cavalgadura é melhor exatamente por isso, por sua "aberrância". Porém o corcel não é melhor pelo "defeito" que o discerne, de perder-se do rumo, e sim pela potência que um tal defeito implica. De fato, o corcel é melhor exatamente por

---

257 Se em sentido próprio refere-se ao cavalo indômito que costuma perder-se ou "aberrar", seja ao desviar-se do caminho pretendido pelo auriga, seja ao embrenhar-se na mata, afastando-se do estábulo seguro, em sentido figurado refere-se à alma pecadora, que se desvia do caminho reto pretendido por seu "auriga", a reta razão, embrenhando-se na mata cerrada e imprevisível das inclinações sensuais em que se perde.

258 A pedra apenas existe (*esse*), ocupando o lugar mais baixo da escada das naturezas, enquanto o cavalo, além de existir, também vive (*uiuere*) – visto ser dotado de anima ou ψυχή, o sopro vital, porém que não se confunde com o princípio inteligente, *mens*, *animus* ou *spiritus* –, o que lhe confere, ao cavalo, alguns sentidos do corpo, segundo sua espécie, dos quais carece obviamente um ser inanimado como a pedra. Apenas os seres dotados do princípio vital podem dizer-se semoventes (αὐτοκίνητοι).

259 Comparação que por vezes se denomina também homérica, pois abunda nos *épea* do lendário rapsodo. Cf. *Ilíada* (Trad. Frederico Lourenço. Lisboa: Cotovia, 2010), canto XI, vv. 113-121: "Tal como o leão esmaga as crias inocentes da célere corça, agarrando-as com a dentição possante depois de chegar à toca, para depois as privar de sua tenra vida; e a mãe, embora por acaso esteja ali perto, não lhes pode valer [...] assim nenhum dos Troianos logrou afastar a morte daqueles dois, mas foram eles próprios perseguidos pelos argivos"; ou ainda, canto XVII, vv. 434-437: "Tal como fica imóvel uma coluna sobre o túmulo de um homem morto ou de uma mulher, assim imóveis permaneciam com o carro lindíssimo, vergando as cabeças até ao chão...".

sua capacidade de mover-se (*motu proprio*), seja em obediência às rédeas, seja aberrando. O que, contudo, não significa dizer que a pedra é má, e sim que não é um bem tão grande quanto um corcel, pois a pedra apenas é, ao passo que o corcel não apenas é, mas também vive. No entanto nem o corcel tampouco a pedra são capazes de pecar, pois não pertencem ao terceiro degrau da escada, o dos seres dotados de inteligência. Esses, por sua vez, são melhores do que a pedra e o corcel, embora nenhum dos dois, pedra ou corcel, jamais pequem. Mas não são melhores porque pecam, e sim porque têm a possibilidade de pecar, porque possuem a capacidade de mover suas inclinações ou apetites numa dada direção, segundo seu arbítrio racionalmente livre, naquilo que se denomina vontade. Ao contrário dos animais, que possuem apetites, mas que não são capazes de controlá-los nem de fazer escolhas conscientes, as criaturas racionais se fazem juízes de si mesmas e de seus apetites, através do exercício de sua razão, capazes que são de decidir, *ad libitum*, a seu bel-prazer, para onde querem direcionar seus impulsos desiderativos, pelo que se dizem livres. E se são livres, são igualmente responsáveis por suas escolhas, pelo arbítrio de sua vontade. Por isso pecam, porque têm a escolha, pois podiam não fazer o que sua reta razão lhes determinasse não fizessem, mas nem sempre se deixam conduzir com docilidade. Todavia, embora pequem, ainda assim são melhores do que a pedra e os corcéis, que não pecam; porém não porque pequena, pois o pecado não é critério de classificação positivo, e sim negativo, isto é, o pecado não torna ninguém melhor; mas são melhores porque têm o livre arbítrio da vontade, sendo capazes de não pecar, se assim o quiserem. Por isso é que são melhores, em virtude da faculdade que possuem, em contraste com a pedra, que não pode não quedar-se onde está, ou com o corcel, que simplesmente não pode decidir não aberrar. Nesse sentido, pois, seria então correto dizer também que o diabo é melhor do que a pedra e o corcel, pois possui a vontade livre, embora a utilize perpetuamente mal, enquanto essas criaturas dela careçam? Talvez a questão esteja mal posta, pois não é certo que o diabo possua uma vontade livre, uma vez que, como disse o filósofo, ele esteja preso por sua própria vontade perpétua de pecar – *quam peccandi perpetua uoluntas tenet.* Logo, se está preso a uma vontade perpétua de pecar, sua vontade não deve ser tão livre como poderia supor-se, o que redunda dizer que não é capaz de não pecar, caso viesse a desejá-lo de fato, o que, contudo, parece pouco provável. E se é de fato assim, como se está especulando aqui, embora Agostinho não o diga, segundo o critério da vontade livre, ao menos, o diabo, por não possuí-la integralmente, não parece melhor

que um corcel ou uma pedra[260]. Todavia, se o critério adotado fosse apenas o da escada das naturezas, ser, viver e inteligir, então o diabo, se de fato possuísse algum estatuto ontológico[261], seria sim melhor do que a pedra e o corcel, pois possui uma capacidade que eles não possuem: possui o movimento (*uita*)[262] que falta à pedra e a inteligência (*intellegentia*) que falta ao corcel.

## 3,5,15,57. O vinho bom e o temulento

**57.** A – E assim como eu louvaria o vinho bom, em seu gênero[263], [embora] vituperasse o homem que nesse vinho se inebriasse, e contudo anteporia o mesmo homem, agora vituperado e ainda ébrio, àquele vinho louvado, de que ele se fez ébrio; assim também deve a criatura corpórea[264], de direito, em seu respectivo grau, ser louvada, conquanto se devam vituperar os que se avertem da percepção da verdade pelo uso imoderado dela.

Tudo o que existe é bom, como provado pela argumentação laboriosa do livro precedente[265], exatamente por existir, porque, como assentado desde o princípio das discussões[266], o Bem supremo, que criou *ex nihilo* tudo o que existe, só faz o bem. Logo, seja o vinho, seja uma pedra, seja o pecador, seja um corcel, seja inclusive o diabo, se considerado existente[267], numa palavra, seja o que for que exista, em seu gênero e grau apropriado, enquanto existir, permanecerá algum bem. Logo, embora o vinho bom mereça louvor, por ser um bem, em seu respectivo gênero, e o homem que se inebria desse mesmo vinho mereça, ao contrário, vitupério, ainda assim, se comparados, vinho e ébrio, não se diz que

260 Imagina-se que ao menos tenha liberdade para fazer mal, escolhendo que malfeitos queira perpetrar, a quem, quando, onde e de que modo. E assim, ao que parece, só não seria capaz de fazer o bem, ainda que o quisesse, visto estar escravizado à maldade a que aderiu livremente e com tanta devoção.

261 O que é incerto, se se o considere como a personificação do mal. Caso contrário, deve ser considerado como uma alma inteligente, posto que desprovida de corpo.

262 Ainda que seja possível dizer que sua *uita* seja antes uma *mors*.

263 Não apenas segundo sua categoria enológica, em que vinhos tintos se comparam a brancos, ou secos, a adocicados, assim por diante, mas também de acordo com o grau ontológico em que se encontra o vinho, como um objeto de natureza corpórea (*esse*), apreensível pelos sentidos, inferior aos animais irracionais (*uiuere*) e aos seres dotados de inteligência (*intellegere*).

264 *Creatura corporalis* não se refere neste caso ao homem, e sim a toda e qualquer criatura perceptível pelos sentidos corpóreos: uma pedra, uma planta, um cavalo, ou mesmo um som ou raio de luz.

265 Cf. 2,16,41,161-17,46,177.

266 Cf. 1,2,5,12-13.

267 Cf. 2,19,53,199-200.

o vinho seja melhor, porque, assim como no caso da pedra e do corcel, o vinho apenas é (*esse*), mas não vive (*uiuere*), tampouco intelige (*intellegere*). De fato, aquele que se inebriou do vinho pode não fazê-lo mais, desde que o queira, com sua livre vontade, ao passo que o vinho não pode sair do copo por si só ou escolher por quem queira ser bebido. E assim resta claro que toda e qualquer criatura, seja de natureza corpórea, como o vinho ou uma pedra, cada qual em seu respectivo gênero, seja ainda o pecador, como o temulento que se afogou no tonel de vinho, deve ser louvada, como concluiu-se no livro segundo, porque constitui sempre um bem, em maior ou menor grau. E com efeito, não é por ser pecador que o temulento ou o pervertido devam ser considerados melhores do que as demais criaturas, como o corcel ou o vinho, ainda que seja um vinho da melhor safra de Falerno[268], ou um corcel troiano[269], e sim por causa da "dignidade de sua natureza", ou seja, por serem bens superiores, segundo sua natureza.

## 3,5,15,57. Natureza e moral: uma distinção lícita?

> **57.** A – [...] O mesmo se segue[270], embora [os homens sejam] perversos e como que temulentos[271], eles são preferíveis a essa mesma criatura [corpórea][272], louvável em sua respectiva ordem, por cuja avidez evanesceram[273], agora não pelo mérito de seus vícios, mas apenas pela dignidade de sua natureza.

---

268 Plínio, o Velho (23-79 d.C.), no décimo segundo livro de sua *Historia naturalis*, cita o vinho de Falerno como um dos mais valorizados à época. Cf. S. Hornblower & A. Spawforth, *The Oxford Classical Dictionary*. Oxford, OUP, 2003.

269 Ílion (Troia) era famosa por seus cavalos, daí um dos epítetos de Heitor, célebre herói troiano morto por Aquiles, com o qual Homero põe fim à *Ilíada* (24, v. 804), ser "domador de cavalos" (Ἕκτορος ἱπποδάμοιο).

270 Liter.: "O mesmo ainda uma vez...", isto é, o mesmo argumento se aplica novamente. Há uma discrepância entre os manuscritos. A lição dos beneditinos, adotada pela *Bibliothèque Augustinienne*, adota *iidem* em lugar de *idem*, do que decorre a seguinte tradução: "embora os mesmos homens [que se afastaram da percepção da verdade] ainda agora [sejam] perversos e de certo modo temulentos, são preferíveis à mesma criatura [corpórea], louvável em sua ordem, por cuja avidez evanesceram, agora não pelo mérito de seus vícios, mas ainda pela dignidade de sua natureza".

271 Apenas neste parágrafo Agostinho se utiliza de três termos distintos para referir o bêbedo: [i] *inebriatus*, [ii] *ebrius*, [iii] *temulentus*, que se acaso se traduzissem pelo mesmo vocábulo, a tradução restaria não apenas empobrecida, mas sem dúvida incorreta. Todos os três termos escolhidos para verter os vocábulos latinos se encontram lexicografados em vernáculo e constituem o que de mais próximo se pôde garimpar, ainda que não se considerem as opções mais canoras.

272 Como o vinho, por exemplo, louvável em seu gênero, por cujo desejo imoderado se embriagaram.

273 Amolentaram-se, ou seja, tornaram-se dissolutos, seja pela embriaguez, seja pelo uso imoderado das criaturas de natureza corpórea.

É moeda corrente entre os acadêmicos que se têm debruçado sobre a obra de Agostinho a distinção, tida por óbvia, entre ontologia e moral, sobremodo para explicar sua teoria, de influência notoriamente neoplatônica, do mal inexistente[274]. Nada obstante o anacronismo de tais conceitos, os estudiosos entendem que apenas o mal ontológico seja inexistente, ao passo que o mal, que se denomina moral, não o seja. E de fato, empiricamente é tarefa ingrata se pôr a negar a existência do que se constata *ad nauseam* e de modo ubíquo. Essa passagem é possível permita clarear a questão, quando não, ao menos reexaminá-la a partir das categorias utilizadas pelo autor, que seguem o *seu* próprio modo de pensar, não o de seus intérpretes. Pois bem, à parte a existência do diabo, perene e absolutamente mau, cuja "vida" se pode dizer "morte", escapando da aporia em que se encontraria quem se pusesse a defender o mal como nada, embora aceitasse a existência do diabo, pois ou se veria forçado a admiti-lo como algum bem, ou como inexistente, o que talvez ferisse o princípio de não contradição, quando então se diria que existe e que simultaneamente não existe; enfim, deixada de lado a questão do inimigo irremediável de Deus, diabolicamente complicada, o pensamento agostiniano, coerentemente e em perfeita harmonia com o princípio de piedade e seus consequentes pressupostos, "axiomáticos", assentados logo nas primeiras páginas desta obra[275], considera tudo o que existe como bom, em virtude de ter sido criado por um Deus bom, a partir do mais absoluto nada (*ex nihilo*). Em sendo bom tudo o que possui existência, não se pode admitir algo mau igualmente existente, sob pena de atribuir sua autoria a Deus, rompendo o princípio de piedade, que exige que se tenha o melhor conceito possível acerca do Criador. Logo, se existe, deve ser bom, ao menos em algum grau, gradação essa que salvaguarda a bondade da criação, sustentando a teodiceia (outro termo que peca pelo anacronismo) do filósofo[276]. Isso, porque, embora alguma criatura

---

274 Cf. 2,19,54,202.

275 Cf. 1,2,5,12-13.

276 Uma metáfora costumava ser empregada para "ilustrar" a teoria, inclusive pelo próprio autor (cf. *Ciu. dei* 12,7). Imagine-se o bem como sendo a luz de uma vela, em cuja presença a escuridão, que representaria o mal, inexiste. Neste caso apenas a luz se considera uma substância, algo que tem medida, número e ordem, ao passo que a treva, por carecer desses três, simplesmente não é. Ao enfraquecer-se a luz, que é o bem, aumenta a treva ao redor, tanto mais quanto menos intensa for a luz. Enquanto ainda brilha, restando alguma luz, permanece algum bem, até que, ao apagar-se totalmente, deixa de existir qualquer resquício de bem, e a treva, que "é" apenas uma ausência total do bem que é a luz, ou seja, um "nada", se diz então "presente", mas em sentido impróprio, obviamente. Na verdade é apenas o bem que se faz ausente, visto que o que não é não pode estar presente. Nesse sentido a treva seria um vácuo metafórico e nada mais (e mesmo

faça mal, ainda assim, enquanto criatura, permanece um bem, assim como, no exemplo supra-aduzido, os perversos e temulentos merecem louvor, porém não em virtude do pecado que cometem, apenas e tão somente em virtude da dignidade de sua natureza. E é exatamente isso o que leva os estudiosos a operar a distinção entre ontologia e moral, ao defender que são bons apenas por sua natureza, ou seja, por constituírem bens, embora, enquanto agentes do malfazer, enquanto pecadores, são inquestionavelmente maus, pois uma coisa é a natureza, outra a moral; numa palavra, uma coisa é o que é ou não é, outra, o que se faz ou não faz. Porém assim parece escapar o real motivo por que são louváveis, a saber, porque se encontram no mais alto grau da ordenação das criaturas, conforme apresentada e adotada aqui pelo filósofo: ser, viver e inteligir. De fato, por acumularem existência, vida e inteligência, são melhores do que aquelas criaturas que acumulam apenas dois graus, existência e vida, como os corcéis, e muito melhor do que as criaturas que apenas existem, como as pedras. Logo sua natureza é mais digna do que a da pedra e a do cavalo, porque é um bem superior, pertencendo a um degrau mais alto na escada das naturezas do que o vinho ou o corcel. Porém seus vícios não merecem louvor, apenas sua natureza, o que provoca com toda justiça a pergunta, se seriam ambos de fato separáveis no pensamento do autor, natureza e moral, estatuto ontológico e movimento de aversão, ou ainda, posto de outro modo, se seja de fato possível separar o pecado do pecador de sua natureza.

## Criação e descriação[277]

O pecado ou malfazer, que se definiu como sendo o movimento de aversão da vontade do Bem comum e imutável para os bens próprios e mutáveis, movimento de aversão que, no dizer de Agostinho, se constitui um "nada", se define como um ato livre, praticado pela vontade, o que significa ter sido praticado de modo absolutamente não coagido (*cogente nullo*). Por isso sem dúvida pode seu agente ser moralmente responsabilizado, por ser supostamente livre, ao menos se se considere o problema da presciência como pacificamente resolvido. No entanto, por ser livre e consequentemente imputável ao pecador,

---

este vazio carece de um espaço para ser considerado). Quanto mais luz, tanto mais bem; menos luz, menos bem; mais treva, menos bem; luz total, bem total; treva absoluta, ausência absoluta de bem; numa palavra, puro defeito ou nada, que se denomina, também de modo impróprio, "mal", porque não é uma substância em si, apenas uma deficiência de substância.

277 Cf. 2,19,54,201-204.

esse movimento da vontade repercute em sua natureza, que se corrompe tanto mais quanto mais por esse movimento o pecador se afasta do Ser supremo e se dirige ao não ser ou deixar-de-ser das criaturas, cujo limite extremo é o nada. Desse nada, como se sabe, nada se pode dizer, porque ali nenhum movimento, nenhuma alma, nenhum corpo, nenhum pensamento pode existir, o que torna difícil até mesmo dizer como, no princípio, além de Deus, havia o nada, o que se faz apenas de modo impróprio. Pois bem, se o nada "lá estava" antes de Deus criar o mundo a partir dele (*ex nihilo*), aquilo que retorna para ele (*in nihilum*) deixa novamente de ser e de ser cognoscível, pois não se pode saber o que não é nada[278]; porém o malfazer se diz um movimento, cuja origem se está buscando nesse livro terceiro, e cuja natureza, apenas enquanto movimento, não pode ser um nada, embora não seja fácil determiná-la.

No décimo segundo livro de *Confissões* Agostinho retornará à questão do movimento, porém ali em sentido inverso, "do quase-nada à forma", movimento esse, contudo, que guarda semelhança surpreendente com o movimento de aversão, "do ser ao nada", que se diz "pecado". Pois bem, ali o filósofo chama esse movimento de "trânsito" (*transitum*), movimento que se define como sendo a passagem de uma forma a outra forma diferente por meio de algo informe[279]; passagem em que aquilo que permanece, entre o deixar de ser de uma forma que se abandona pela mutação e outra que se assume, é apenas e tão somente "movimento", isto é, um "quase-nada-informe".[280] Logo o movimento se caracteriza por sua informidade, o que o aproxima do nada, pois o que não tem forma não é, embora o movimento seja alguma coisa. Trata-se, neste caso, de uma figura, o oximoro, que, como já dito, faz parte de sua estratégica retórica silenciosa para dizer o indizível, já que o que não tem forma não é, não podendo ser uma verdadeira natureza. Contudo esse movimento, "do quase-nada à forma", ao contrário do movimento de aversão, é um movimento de "criação", do nada (ou quase-nada da matéria informe) à forma, *ex nihilo in formam*, quando a Forma suprema põe-se a moldar suas criaturas, que passam a ter forma e a existir, a partir de uma mole intermediária, criada, essa sim, do mais absoluto nada. É dessa mole, que Agostinho denomina "matéria informe", um "quase-nada-informe", que teriam saído todas as criaturas:

---

278 Neste sentido é possível dizer que o diabo é um "descriador", ou melhor, um "destruidor" da obra de Deus; destruidor de cujo séquito participa todo aquele que pratica o mal em algum grau, corrompendo sua própria natureza, que é sempre criação divina.

279 Cf. *Conf.* 12,6,6: "*transitum de forma in formam per informe quiddam*".

280 "*Informe prope nihil.*"

Não é uma forma inteligível[281], assim como a "vida", ou como a "justiça", porque é matéria de corpos; nem sensível, porque não existe o que se possa ver e sentir numa [matéria] invisível e informe.[282]

Esse invisível e informe não se constituía em algo "deformado", e sim numa certa "privação de toda forma".[283] Pois, para imaginar algo totalmente informe, seria preciso imaginar um ser sem resíduo formal algum. Todavia a matéria informe é um ser que está próximo ao nada, entre a forma e o nada[284], mas que não é nem formado, nem o nada[285]: um "quase-nada informe" ou algo "informe próximo ao nada". Pois bem, percebe-se que há algo na mutabilidade dos corpos, ou que ela, a própria mutabilidade é algo, pois quando se passa de uma coisa a outra, ou antes, de uma forma a outra forma, permanece algo, que resta à dissolução de uma e ao surgimento da outra, que não é nem um nada, pois que é, nem alguma coisa, pois que não é formado. Esse algo é a própria mutabilidade. Com efeito, quando algo passa de uma forma a outra, uma decompõe-se e deixa de ser; a outra, se não existia, passa do não ser ao ser, mas se existia, vem a ser algo distinto do que era, pois a forma que surge ainda não era o que veio a ser, daí o que é passa a ser o que não era, num morrer e nascer contínuos, numa transformação, ou mutabilidade, que não é um nada, pois é alguma coisa, senão simplesmente não seria. Então que coisa é essa mutabilidade? Um movimento (*motus*)? No dizer de Agostinho, um *transitum*, que ele define tecnicamente como sendo uma "passagem de uma forma a outra por meio de algo informe", como dito antes. Daí parece estabelecer um estatuto ontológico para essa espécie de movimento de passagem, esse *transitum* de uma forma a outra, pois nem é, nem não é, sendo um quase-não-ser, pelo que também um quase-ser. Essa matéria informe não é forma, nem espírito, nem corpo, apesar de se dizer "matéria", mas um movimento de transformação, de trânsito ou passagem de uma forma a outra. Assim, quando uma coisa se transforma, não deixa de ser, apenas deixa de ser o que era, deixa uma forma para assumir outra; e nesse trânsito há algo que permanece, algo que torna possível a mudança, o próprio trânsito, possibilitando que se deixe uma forma para que se assuma outra. Esse sujeito é indeterminado, pois informe por natureza, natureza que só se pode

281 Quer dizer, uma "ideia".

282 *Conf.* 12,5,5: "*Non est intellegibilis forma sicut uita, sicut iustitia, quia materies est corporum, neque sensibilis, quoniam quid uideatur et quid sentiatur in inuisibili et inconposita non est*".

283 *Conf.* 12,6,6: "*priuatione omnis formae*".

284 Ibid.: "*Inter formam et nihil*".

285 Ibid.: "*Nec formatum nec nihil*".

determinar por uma forma, a própria determinação natural do ser. Trata-se, na verdade, de um sofisticado mecanismo retórico-filosófico, por assim dizer, utilizado por Agostinho para tentar dar conta da criação *ex nihilo*, a passagem de uma matéria informe, criada por Deus do nada, a algo formado, a partir de uma leitura do livro do Gênesis. Enquanto processo ou *transitum*, é um nada-não-nada, um ser-não-ser, uma forma-não-forma, enfim, algo que é e não é simultaneamente.

> Pois a própria mutabilidade das coisas mutáveis é capaz de todas as formas, nas quais se modificam as coisas mutáveis. E ela, o que é? Seria a mente? Seria um corpo? Seria um aspecto de espírito ou de corpo? Se se pudesse dizer: um nada-alguma-coisa e um é-não-é, diria que ela é isto. E contudo ela existia então de algum modo, pois que havia de assumir esses aspectos visíveis e formados.[286]

## Mão e contramão: movimentos *ex nihilo* e *in nihilum*

O oximoro "é-não-é", ou "nada-alguma-coisa", composto por aglutinação de opostos a fim de descrever o movimento de passagem da matéria informe à forma, pode muito bem ser adotado, em sentido contrário, para descrever o movimento da forma para a não forma, do ser para o nada. Se o movimento de criação a partir do nada (*ex nihilo*) se diz algo incognoscível, por ser e não ser simultaneamente, por que seria diferente o movimento em sentido contrário, do ser ao não ser (*in nihilum*)? No caso da criação, quando de uma matéria invisível e informe fez-se a matéria formada, diz-se, por analogia, que se tem um movimento de conversão; em sentido contrário, quando se retrocede do ser ao não ser, da forma à não forma, tem-se um movimento de aversão, que é acima de tudo um movimento de destruição, ou ainda melhor, de "descriação". Os dois movimentos, se não perfeitamente equiparáveis, ao menos são semelhantes, diferindo apenas quanto ao seu sentido ou escopo final. De fato, se o mal é o movimento do ser para o não ser, não parece distinto desse quase-nada que se compreende como o movimento do informe à forma, porque, se não existe o que não possui forma, e se existe plenamente a Forma suprema, decorre disso que a passagem do nada ao ser seja uma passagem do informe à forma, assim

---

286 *Conf.* 12,6,6: "[...] *mutabilitas enim rerum mutabilium ipsa capax est formarum omnium, in quas mutantur res mutabiles. et haec quid est? numquid animus? numquid corpus? numquid species animi uel corporis? si dici posset nihil aliquid et est non est, hoc eam dicerem; et tamen iam utcumque erat, ut species caperet istas uisibiles et conpositas*".

como a passagem do ser ao nada, em sentido inverso, da forma ao informe. Um mesmo movimento, duas direções: criação e descriação, ou corrupção, se o queira. Logo o mal, como movimento, compreende-se como sendo um constante "deixar-de-ser-para-vir-a-ser-algo-cada-vez-menos", que se expressa na mutação das formas, que, pelo movimento de aversão, se corrompem tanto mais quanto mais se afastam da Forma suprema. Isso, porque não há mutação apenas no movimento de criação/conversão, mas também no movimento contrário, de descriação/aversão, ou seja, no aniquilamento das formas.

Portanto, se o mal é o movimento de aversão/descriação, nenhum mal é possível de conceber que fuja a essa dinâmica, da forma ao nada por meio de algo informe, que Agostinho denominou *transitum*, conquanto em sentido contrário. Assim sendo, qualquer ato mau, cuja responsabilidade se imputa ao seu agente, porque praticado por sua exclusiva vontade livre, sem nenhuma coação, ainda que se queira denominá-lo mal moral, jamais deixará de ser igual e simultaneamente ontológico, isto é, natural, segundo o pensamento de Agostinho, porque a própria natureza do agente se corrompe quando ele perpetra o malfeito. De fato, ao converter-se para as criaturas, avertendo-se de Deus, o pecador, por meio desse movimento livre de sua vontade, esse *transitum* na contramão, vê sua forma ser progressivamente corrompida, tanto mais "descriada" quanto mais se afaste da Forma suprema dadora de toda forma. Portanto o mal "deforma", isto é, corrompe a forma do pecante, que, enquanto ainda existe, em algum grau, mantém-se em grau correspondente um bem digno de louvor, apenas porque a condição para que exista é a forma, aquilo que nele merece o verdadeiro louvor, por ser criação da Forma suprema. Logo não é o pecador que merece louvor, enquanto pecador, e sim sua forma, enquanto ainda lhe resta, pois essa, lhe foi dada por Deus, embora esteja sendo progressivamente deformada pelo movimento mau, na contramão. Logo o pecado, em si mesmo, só merece vitupério, sendo obra exclusiva do pecador, pela qual Deus não tem responsabilidade alguma.

Deste modo, considerar separadamente a dignidade da natureza do agente de seu ato pecador parece ir de encontro ao próprio pensamento do autor, porque nenhum ato mau se considera apenas moralmente mau, e sim univocamente, como um único, cujas consequências são a deformação de sua natureza, como se pode constatar, por exemplo, no manual acerca da fé, esperança e caridade, mais conhecido como *Enchiridion*[287], quando diz o filósofo que "toda natureza,

---

[287] Ench. 4,13: "*omnis... natura... in quantum natura est bona est, in quantum uitiosa* [*natura*] *mala est*". Cf. 2,9,54,204.

ainda que seja viciosa, enquanto natureza, é boa, porém enquanto viciosa, é má". É evidente que se trata, nos dois casos, da mesma *natura*, daquilo que existe e que é sempre bom em algum grau, enquanto existe, enquanto é uma substância. E conquanto pratique o mal, que se costuma dizer moral, ainda assim mantém-se uma natureza boa, enquanto subsiste. Porém à medida que insiste na prática do mal, corrompe-se, deixando de ser boa em algum grau, até que, em última instância, deixe totalmente de existir, ao deixar de ser boa em algum grau[288]. No entanto é inconcebível que pratique o mal moral aquele que não exista, que não seja nada. Portanto deve existir para praticar o mal moral, que implica concomitantemente uma diminuição em seu estatuto ontológico, numa palavra, que implica ser menos um bem, até chegar a não ser mais. No caso do homem, quando Agostinho diz que é um "mau bem", não se estão comparando duas coisas distintas, bem ontológico e mal moral, e sim duas condições da mesma natureza, duas condições existentes no mesmo homem simultaneamente: o homem é uma natureza boa, porque existe e tudo o que existe é bom em algum grau; mas está também uma natureza má, porque ao praticar o mal, ou seja, ao afastar-se do Bem supremo que é Deus, que é também o Ser supremo, deixa de ser, tornando-se menos um bem, porque sua natureza se corrompe, deixando de ser o que era, embora continue sendo algo, enquanto ainda exista. Trata-se, por conseguinte, de uma diminuição ontológica, ou natural, de uma corrupção em sua natureza, que se dá em decorrência do afastamento do Ser. Deste modo, embora ainda seja um bem, é também mau, na medida em que se afasta do Bem supremo, deixando de ser tão bom quanto era, quando mais próximo dele se encontrava – dualidade paradoxal que só pode ser expressa pelo oximoro *malum bonum,* que une dois adjetivos opostos, bom e mau, que se predicam de uma mesma natureza[289]. Porém fique claro que se trata sempre do mesmo homem, da mesma natureza: se é bom enquanto natureza saída das mãos criadoras de Deus e mau enquanto praticante do pecado, em vez de separar o homem-enquanto-substância do

---

288 O que, contudo, não parece ser possível, senão a Deus, se de fato o diabo é considerado existir.

289 Note-se que, se a natureza é sempre boa, quando diz que o homem é um mau bem, Agostinho está dizendo, na verdade, que o homem é um bem, porém com defeito, isto é, não íntegro. E que é o defeito, senão a quantidade de bem que falta a que uma dada natureza seja considerada plena novamente? Pode-se dizer, portanto, que uma natureza com defeito, ou corrompida, Nc, equivale à diferença entre a natureza plenamente boa, ou íntegra, N, e o seu defeito, ou mal, D, do seguinte modo: $Nc = N - D$. Daí também ser lícito dizer, invertendo a equação, que o mal, ou defeito, D, seja a diferença entre a natureza plenamente boa, N, e a natureza defeituosa, ou melhor, a natureza cujo bem está ausente, Nc, do seguinte modo: $D = N - Nc$.

homem-enquanto-praticante-do-ato-moral, deve-se compreendê-lo como uma só natureza, embora "dividida". Ademais, é o próprio filósofo quem diz[290] haver apenas duas espécies de mal: [i] o que se sofre, cuja autoria é divina, [*a*] seja como punição de sua Justiça, [*b*] seja como prova propedêutica para as almas em recuperação[291], o que por isso mesmo não é verdadeiramente um mal, senão para os que o padecem, visto que ninguém gosta de sofrer; [ii] e o mal que se pratica, de responsabilidade exclusiva do praticante; e jamais que existe um mal considerado enquanto substância (ou defeito dela) e o mal enquanto ato moral. Depois, se se dirá que a Graça de Deus restaura a natureza do pecador[292], incapacitado pela corrupção da sua vontade de querer o bem por si só, prestando auxílio a seu querer, para que queira o que deve querer, assim como Cristo veio regenerar a natureza humana corrompida depois do pecado de Adão, vê-se que não se trata apenas de uma correção moral, uma simples *metánoia*, penitência e mudança de disposição mental, bem ao modo alexandrino de pensar, e sim de uma reforma mais profunda, estrutural, por assim dizê-lo, da própria natureza humana, uma como que "recriação" do homem, que, por livre iniciativa, "se descriou", porque, sem essa restauração, como dirá Agostinho, em defesa de sua doutrina da Graça, não apenas nenhuma mudança autônoma de rumo seria jamais possível, mas o próprio sacrifício de Cristo tornar-se-ia nulo.

## 3,5,16,58. Ecos platônicos: superioridade da alma em relação ao corpo

**58.** A – [...] toda alma é melhor do que todo corpo, e toda alma pecadora [...] por mutação nenhuma torna-se um corpo[293], nem absolutamente lhe é subtraído o fato de ser uma alma [...]

---

[290] Cf. 1,1,1,1-2.

[291] Cf. Eclo 2,5: "Porque no fogo é provado o ouro; os homens recuperáveis, porém, na fornalha da humilhação" (ὅτι ἐν πυρὶ δοκιμάζεται χρυσὸς καὶ ἄνθρωποι δεκτοὶ ἐν καμίνῳ ταπεινώσεως).

[292] Cf. E. Gilson, *op. cit.*, p. 191: "Acrescentemos que para reparar esta desordem [causada pelo pecado de Adão], de que não é de modo nenhum responsável, Deus vem em nosso socorro; ele estende a mão ao homem caído para resgatá-lo de sua queda e recriar pela Graça a ordem primitiva destruída pelo pecado" (*et recrée par la grâce l'ordre primitif détruit par le péché*).

[293] Ao que parece, nenhuma criatura pode regredir a degrau anterior na escada das naturezas. Logo nenhuma criatura dotada de inteligência, vida e existência pode regredir ao segundo degrau, em que se ausenta o inteligir, tornando-se apenas vida e existência – o que contradiz frontalmente a metempsicose platônica (se é que Platão algum dia a levou a sério), de acordo com a qual uma criatura inteligente poderia reencarnar como uma cigarra, por exemplo –, assim como nenhuma criatura que vive e existe pode perder essa característica e tornar-se apenas existente, como uma pedra.

é consequência disso que à frente do primeiro corpo seja posta a alma extrema[294], e que seja possível que algum outro corpo seja considerado antes do corpo de alguma alma[295], porém que [seja anteposto] à própria alma, de modo nenhum.

Em conformidade com o que já foi dito antes, tanto no livro primeiro como no livro segundo[296], Agostinho ratifica não apenas a superioridade da alma em relação ao corpo, mas igualmente sua ideia (ao menos no *L.A.*) dualista da relação entre ambos, num eco de sabor platônico bastante acentuado. Toda alma é superior a todo e qualquer corpo, seja a alma mais abjeta, seja o corpo mais esplendoroso. Além disso, nenhuma criatura regride na escada das naturezas, ainda que venha a perder totalmente sua forma, sua medida e seu número. Com efeito, o que se fez pedra, pedra há de permanecer até ao fim; o que se fez besta, besta há de se manter; e o que se fez criatura racional, dotada de ser, vida e inteligência, por mais pecadora e por mais corrompa sua natureza, ainda assim permanecerá em seu devido degrau até ao fim, ainda que esse seu fim seja o nada da corrupção de si[297]. Logo a luz, embora dentre os corpos seja o mais elevado, permanecerá eternamente abaixo de toda e qualquer alma, por mais celerada e corrompida se faça pelo pecado. Por outro lado, se se considere o corpo isoladamente, isto é, o corpo de uma determinada alma, porém sem que esteja por ela habitado, no amálgama que se diz homem, enquanto corpo será sempre inferior à alma, se considerado em si mesmo, ainda que esteja habitado por uma. O que Agostinho pretende dizer com isso é apenas que, se se considerem os corpos dos seres humanos isoladamente, apenas enquanto corpos, estejam ou não habitados por almas, podem-se comparar uns aos outros, como quando se diz que um determinado corpo é mais belo, mais saudável, mais forte

294 A última dentre todas as almas ainda assim é preferível ao primeiro dentre todos os corpos.

295 Agostinho admite a possibilidade de que o corpo animado, isto é, o corpo em que habite uma alma, seja inferior ou superior a outro corpo qualquer, considerado isoladamente, como a luz, talvez, ou algum astro do céu. Porém jamais se pode dizer que o corpo em si, enquanto corpo, seja melhor do que a alma, enquanto alma, por mais pecadora.

296 Cf. **1**,10,20,72; **2**,18,48,182-185.

297 Quer dizer, por mais peque a alma, avertendo-se do Ser e aderindo ao não ser, ela jamais será um corpo, animado ou não, desprovido de inteligência. Isso permite supor que o nada aproxima-se mais de um afastamento total do Ser supremo, Deus, e consequentemente de sua Felicidade e Sabedoria, do que simplesmente de um deixar de ser por completo. Com efeito, se o mal conduzisse ao nada absoluto, a alma pecadora jamais seria punida por seus delitos; nem mesmo o diabo, porque simplesmente deixaria de ser, o que não parece ser um grande mal, ao contrário, pois lhe granjearia injustamente a cessação completa do sofrimento.

do que outro, embora jamais se poderá dizer que um tal corpo seja melhor, em si mesmo, do que uma alma, por pior seja esta. Assim, por exemplo, o corpo de um atleta, considerado em si mesmo, é melhor do que o de um sedentário, mas não se pode dizer que seja melhor do que a alma que habita o corpo inferior do sedentário, por mais deficiente seja seu veículo de carne. Neste caso, como resta claro, uma tal comparação só se permite fazer pelo prisma dualista platônico desposado por Agostinho, que aqui no *L.A.* está considerando alma e corpo como duas entidades independentes.

## 3,5,16,59. Razão pecadora: arbítrio racional e livre da vontade

> **59.** A – [...] Logo, por que não se deve louvar a Deus, e louvá-lo por meio de uma prédica inefável[298], a ele, que, ainda que as tenha feito, [*a*] aquelas almas que haveriam de permanecer[299] nas Leis da Justiça, fez ainda outras, [*b*] as quais previa que haveriam de pecar[300], [*c*] ou então que haveriam de perseverar nos pecados?[301]

O Criador deve ser louvado pela diversidade de sua obra, como dito antes[302], e não apenas por ter criado [*a*] os anjos, almas puras e perfeitas que nunca pecaram nem jamais hão de fazê-lo; ou [*b*] as almas dos homens, que, embora pequem, contudo podem ser redimidas, tendo sua natureza resgatada da corrupção do pecado em que se precipitaram por espontânea má vontade; ou mesmo [*c*] aquela alma terrível, que desde sempre pecou, continua e haverá de permanecer pecando, irresistivelmente, o diabo. Porém ainda mais deve ser louvado o Criador pelo conjunto todo de sua obra, em sua diversidade, diversidade que permite e deflagra o próprio movimento. Porém chama atenção o modo como deve ser louvado, por uma predicação inefável, como se dissesse que se deveria louvá-lo em alto e bom som, embora essa proclamação se constituísse de palavras impronunciáveis, naquela retórica do silêncio de que se utiliza Agostinho para dizer o indizível. Trata-se, pois, de um dizer que provém

---

298 Trata-se dum belo oximoro, pois se o louvor é inefável, como proclamá-lo? Só há um modo de fazê-lo, por meio de uma retórica do silêncio, um dizer poético que ultrapasse os limites tanto do dizer conceitual como do discurso apofático, possibilitando que Deus seja dito por meio de um dizer que, ao nada dizer, de modo místico e silencioso, diz muito, ultrapassando o discurso apodíctico. Cf. *O enigma do espelho*, de nossa autoria.

299 Refere-se aos anjos, que Deus previu haviam de perseverar no cumprimento da sua Lei eterna.

300 Refere-se aos homens, que ora haviam de pecar, ora não.

301 Refere-se ao diabo, que havia de perseverar eternamente no pecado.

302 Cf. 3,5,12,42-13,50.

das entranhas da criatura, do íntimo de seu mais íntimo em direção ao que de mais elevado exista em si, um louvor que se profere no silêncio além de todo verbo, um silêncio suprarracional, além da música, além da luz, além da própria palavra, naquele verbo que se diz eterno e divino, pelo qual criou Deus o céu e a terra, no Princípio que era ele mesmo.

**59.** A – [...] Porque também essas tais[303] ainda são melhores do que aquelas, as quais, por não possuírem nenhum arbítrio racional e livre da vontade, não podem pecar. Contudo também elas próprias ainda são melhores do que o fulgor o mais esplêndido de qualquer um dos corpos, o qual [fulgor] alguns veneram[304], posto que com enorme erro, como [se fosse] a substância do próprio Deus supremo.

As criaturas que apenas são (*esse*), ou as que são e vivem (*esse et uiuere*), porém não inteligem (*intellegere*), essas não podem pecar, pois não são dotadas de arbítrio racional e livre da vontade. Pela primeira vez na obra Agostinho qualifica o arbítrio livre da vontade de "racional", embora essa associação estivesse desde o princípio subentendida. Logo só pode pecar aquela criatura dotada de razão. E o diabo, por sua vez, em sendo pecador, deve por certo ser também dotado de ser, vida e inteligência, do contrário não poderia ser acusado de fazê-lo, pois nenhuma criatura desprovida de razão pode-se dizer pecadora, uma vez que só se peca pelo arbítrio, ou seja, pela decisão racional e livre da vontade. Portanto o pecado é consequência natural da razão (mal utilizada), pois nenhuma ação pode ser moralmente boa ou má, caso não seja praticada pela vontade, segundo o arbítrio livre do praticante, isto é, segundo sua livre decisão de dar curso aos seus apetites. Os animais têm apetite, têm instintos, têm inclinações, necessidades, sentem-se atraídos pelos estímulos provenientes dos sentidos e de suas carências e experiências, de natureza exclusivamente sensorial, porém não têm vontade, porque a vontade pressupõe a capacidade de escolha (arbítrio), que é sempre uma atividade exclusiva da razão, de que eles absolutamente carecem. Logo, assim como se deve regular o apetite pela razão, como se viu no

[303] As almas pecadoras, seja as que pecam com intermitência, como os homens, que podem ainda ser salvas e reconverter-se para Deus, seja a que peca irresistivelmente e para sempre, o diabo. Resta claro, portanto, que Agostinho está aqui considerando o diabo como sendo melhor do que as criaturas que apenas existem e vivem. Logo deve possuir ele alguma forma, que não logrou corromper totalmente, sendo ainda alguma coisa, e inclusive digna de louvor.

[304] Crítica que se aplica não apenas aos maniqueus, mas ao gnosticismo de modo geral e mesmo a um certo neoplatonismo popular, que via a própria luz, porém não de modo metafórico, como sendo a substância de que se constituía o próprio Deus.

livro primeiro, pela virtude da temperança e da prudência, do mesmo modo, quando a razão escolhe livremente não regular os apetites ou entregar-se a eles, então e somente então é que se pode dizer haver de fato o pecado. Trata-se de uma escolha livre e racional, que um ser, destituído da faculdade de raciocinar é incapaz de fazer.

Portanto, segundo o critério adotado desde o princípio do livro segundo, a escada das naturezas: ser, viver e inteligir, as almas racionais se dizem melhores do que as bestas, ainda que essas sejam também dotadas de princípio vital, por causa da razão, que não apenas lhes proporciona a possibilidade de escolha, mas igualmente, derivado desta escolha, lhes associa o ônus da responsabilidade moral, e consequentemente do pecado, caso escolham em desacordo com a Lei, ou o prêmio do louvor, caso escolham segundo os ditames da Lei. E mais, diz Agostinho, em manifesta provocação antimaniqueísta, mesmo a luz mais esplendorosa, seja mesmo a de uma estrela de luminosidade magnificente e vital, como o Sol, ainda assim é inferior à alma, seja esta a mais depravada e avertida do Bem, porque a luz, por mais útil e bela possa ser, ainda assim é apenas um "corpo", uma criatura dotada somente de "ser", mas nem de "vida", muito menos de "inteligência". Por isso é que se deve considerar uma aberração total a tese, de fundo gnóstico-maniqueu, que considera Deus como sendo uma luz, porém de tipo corpóreo, e não uma Luz de natureza inteligível: Luz da perfeita Razão, Sol da Sabedoria, Esplendor da Ciência suprema, Fulgor da Caridade divina e eterna.

## 3,5,16,60. Diminuição e deficiência: o buraco negro do diabo

> **60.** A – [...] toda e qualquer alma [...] por maior seja a diminuição de sua beleza e o defeito a que tenha chegado, sem dúvida alguma superará a dignidade de todos os corpos!

A mesma Ordem divina presente em todo o universo, decantada e enaltecida desde o início do livro primeiro como esteio da própria virtude, é retomada neste parágrafo. Com efeito, de grau em grau, da excelsitude dos céus às ínferas regiões da terra, desde os coros dos corpos celestes a um solitário e ínfimo fio de cabelo[305], tudo, enfim, na obra da criação divina, sem nenhuma exceção, se entrelaça de modo tão manifesto, que seria uma ignorância sem medida indagar de sua perfeita ordenação. E se isso é verdade em relação às criaturas corpóreas, muito mais se dirá das almas, criaturas superiores, dotadas

[305] Cf. Mt 10,30; Lc 12,7 (αἱ τρίχες [θρίξ] τῆς κεφαλῆς ὑμῶν).

de razão[306], cuja natureza supera em dignidade qualquer criatura corpórea. Interessa notar, contudo, para muito além desta ordenação, que Agostinho retoma aqui a perspectiva de "diminuição" (*de + minuo*) da beleza (*decus*) das criaturas e de seu correspondente "defeito" (*defectus*), o que não apenas corrobora a tese do filósofo a respeito do mal, mas também o que se disse pouco antes acerca da inextricabilidade entre os supostos mal moral e mal natural (ontológico). De fato, "por maior seja a diminuição de sua beleza e o defeito a que tenha chegado" uma dada alma, diz Agostinho, ainda assim ela é melhor do que um corpo, por mais excelente seja, como a luz de uma estrela. Ora, se diz que é possível que a alma tenha sua beleza[307] diminuída, e se é possível também que aumente cada vez mais seu defeito, ou seja, sua "deficiência" ou "ausência" – que se refere ao bem de si, ao tanto de ser que possui –, numa palavra, se é possível que uma determinada alma possa tornar-se mais e mais privada do bem de que sua natureza era originalmente constituída, vendo-se correspondentemente subtraída de sua beleza, expressa por seu número, sua medida e sua forma, resulta disso que, para o filósofo, é indissociável a prática do mal da corrupção da própria natureza, da diminuição natural (ontológica) do pecante, ainda que esse pecante jamais regrida para um degrau natural inferior, ou seja, jamais deixe de pertencer à categoria em que foi posto por Deus, no ato de sua criação, o degrau das criaturas que são, vivem e inteligem. Portanto, por mais se veja privada de sua natureza, de sua perfeição formal (*per + facere*), de seu ser, tornando-se menos um bem à medida que mais peque, deformando-se e fazendo-se defeituosa, privada das perfeições que lhe foram originalmente conferidas por Deus, em seu respectivo gênero, ainda assim a criatura permanece um bem, conquanto num grau tanto menor quanto mais peque, seu defeito sendo proporcional à perda de sua beleza[308].

Neste sentido, talvez seja lícito supor que o diabo, o perpétuo pecador, se perdeu toda sua beleza, sua perfeição formal, fez-se o supremo defeito, a ausência total do Bem, que só deveria dizer-se "existir" de modo impróprio, pois em verdade a ausência está para a existência como a treva para a luz, ou o silêncio para o som. Com efeito, nem o silêncio, tampouco a treva ou o

---

306 Cf. 2,18,48,182-185; 49,188 (o tópico do grau).

307 O termo *decus* pode ser traduzido por "esplendor", "ornamento", "glória" ou "dignidade", termos que descrevem qualidades relacionadas ao belo, não apenas de caráter físico, mas também moral.

308 E de modo inverso, se se considere que quanto menos beleza tenha, tanto mais defeito.

diabo, se considerado como a personificação do mal, deveriam possuir algum estatuto ontológico, "sendo" apenas deficiências absolutas: de luz, de som e de bem. Daí, se se diz que peca, talvez se o diga também de modo impróprio, pois o pecado, enquanto movimento de aversão, com o diabo deve ter chegado ao extremo oposto do supremo Bem, extremo além do qual imagina-se seja impossível prosseguir, visto que se encontra no polo antipodal, supostamente o nada trevoso, silente e distante da melodia do Bem divino. Isso, se se suponha que o diabo seja a própria aversão, o vácuo sugador que averte as vontades das criaturas de Deus para si, como um buraco negro, atraindo e engolindo vorazmente, em sua absoluta carência, tudo o que tem medida, número e forma, ou seja, qualquer criatura de Deus que por vontade própria deliberou livremente converter-se a ele, que escolheu precipitar-se nessa furna trevosa devoradora de toda beleza e em si mesma o nada dos movimentos de aversão do Bem comum de todas as almas em estado de deformação e desagregação[309]. Porém, ao contrário, se se o compreenda como o anjo caído, deve ser, viver e inteligir, como criatura espiritual saída das mãos bondosas de Deus; o qual diabo, embora tenha escolhido permanecer em eterna aversão do Bem, não será de modo nenhum a personificação do mal, que em si mesmo inexiste, como ficou dito no livro segundo; sendo ele, assim, apenas uma alma perdida na beira do abismo tenebrosamente silente do nada, na fronteira do não ser, destituído de corpo, embora preso à concupiscência da carne; destituído de sentidos corpóreos, embora escravizado pelas inclinações sensuais (*libidines*); cuja vida é morte; e cuja inteligência, igualmente corrompida pela aversão, fez-se escrava impenitente da maldade; na qual maldade, contudo, apenas simula regozijar-se, visto estar condenado a ser sumamente infeliz.

## Razão e uso

### 3,5,17,61-62. Razão e uso: luz da verdade *vs.* conveniência

**60.** A – Pois de um modo estima[310] a razão, de outro diferente, o uso[311]. A razão estima pela luz da verdade [...] porém o uso, na maior parte das vezes, inclina-se pelo costume da comodidade[312]...

---

309 Cf. 3,16,45,154.

310 Quer dizer, avaliar, ponderar, ajuizar.

311 *Vsus*, no sentido de utilidade prática.

312 *Commoditas*, ou seja, o uso se deixa levar pela utilidade ou vantagem de tal ou qual empresa.

Embora sejam dotadas de inteligência, além do ser e da vida, atributos que guardam em comum com as criaturas inferiores, muitas almas se deixam guiar pelo *usus* em detrimento da reta razão; "uso" que se pode compreender aqui como a vantagem ou proveito que se espera auferir do gozo de determinado objeto. Não há dúvidas de que essa vantagem estimada pelo uso seja prerrogativa da razão. Porém, se a reta razão pauta suas estimativas pela luz da Verdade, de acordo com a mais perfeita ordem[313], quando então a alma se faz ordenadíssima, ao submeter o inferior ao superior, o uso interessado, por sua vez, se "inclina pelo costume da comodidade", diz Agostinho, o que equivale a dizer que nem sempre o arbítrio pautado pelo uso é iluminado pela Verdade, e sim pela vantagem que se espera obter, ainda que o preço disso seja a própria subversão da ordem, na escolha dos bens inferiores em lugar dos superiores, em detrimento de si mesmo, que se torna doravante *inordinatus*. Com efeito, embora a reta razão, banhada pela luz da verdade, faça ver quais bens estão acima e quais, abaixo, ainda assim, por livre e desordenada vontade escolhe a alma seguir o uso, o proveito imediato e muita vez pervertido, dos bens inferiores em lugar dos que lhes estão bem acima na escada das naturezas.

**61.** A – [...] quem dentre os homens carnais não preferiria antes que faltassem muitos astros no céu a um único arbusto em seu campo, ou uma vaca em seu armento?

E como não poderia deixar de ser, excepcional rétor que era, Agostinho não podia furtar-se a um exemplo para esclarecer a distinção entre a estimativa da reta razão, iluminada pela Verdade, e o uso, regido pelo interesse pessoal desordenado. Como dito antes, o céu e todos os corpos que o habitam eram considerados desde muito tempo antes de Cristo como infinitamente superiores aos objetos terrestres[314], consideração essa que não se fazia sem o concurso da razão, a demonstrar a regularidade no movimento dos astros, sua forma circular, tida por perfeita, a luz própria das estrelas, a não dizer do próprio Sol, com seu fulgor vivificante e sua esfericidade paradigmática, entre outras observações que atestavam, ao menos desde Pitágoras, a perfeição matemática que se cria haver no cosmo, prova evidente, sobremodo para um cristão, da existência de uma mente criadora igualmente perfeita, presciente e sapientíssima, constatável fácil e empiricamente a partir da contemplação de sua obra, como destacava a

[313] Cf. 1,8,18,61 "O homem ordenadíssimo".

[314] Cf. 3,5,13,45-46; 48.

apologética dos primeiros padres. Nada obstante essas evidências todas, sustentadas pela razão matemática, a partir da observação dos céus, grande parte dos homens, denominados neste passo, não por acaso, segundo o campo semântico paulino, de "carnais", porque mais apegados à vida dos sentidos corpóreos do que à do espírito, enfim, para esses carnais[315], que se desintegrassem os astros todos do céu, mas não se perdesse uma única das reses de seus rebanhos, que não secasse uma só de suas oliveiras ou figueiras, o que deixa entrever o peso que atribuíam aos interesses pessoais em detrimento do bem comum.

## *Vsus*: movimento irracional de aversão

Sendo o "uso" esse interesse pessoal pelas criaturas inferiores e mutáveis em lugar dos bens superiores, confunde-se com o próprio movimento de aversão, que se definiu como sendo o movimento para os bens mutáveis e próprios em lugar da conversão para o Bem comum e imutável. Logo o movimento de aversão pode ser considerado também um mau uso da razão ou, quando não, sua submissão às inclinações de ordem inferior, que são a motivação por trás do desejo de fazer uso próprio e inferior dos bens que não deveriam ser amados em si mesmos, apenas usados, tendo em vista os bens superiores. Se o uso faz com que se prefiram os bens próprios e mutáveis, e por isso inferiores, aos bens imutáveis e comuns, daí superiores, como no caso da comparação entre os astros e as reses[316], vê-se que se trata de um outro nome para o movimento de aversão, que se manifesta como o domínio desordenado dos interesses sensuais inferiores sobre a parte do homem que deveria regê-lo, a reta razão. Tem-se, portanto, nessa dicotomia entre reta razão e proveito próprio, a mesma que se vê entre as direções opostas do movimento da vontade, conversão e aversão. Percebe-se como ainda exerce seu império o racionalismo, pois basta permitir que a razão seja iluminada pela luz da Verdade para que se estimem corretamente os bens que se devam estimar, e que se desprezem aqueles que a reta razão provou serem inferiores, porque corpóreos, mutáveis e próprios. Logo o *usus*, sendo contrário à reta razão, por ser um movimento

---

315 É perceptível como o vocabulário de Agostinho, a partir desse livro terceiro, começa a sofrer influência cada vez maior das fontes cristãs, especialmente do vocabulário paulino, cuja dicotomia "carne-espírito" domina em praticamente todas as suas epístolas.

316 Note-se que o exemplo é apenas propedêutico, pois ambos, reses e astros do céu, não fazem parte dos bens considerados superiores.

da vontade regido não por ela, mas pelo interesse pessoal, pelas inclinações de ordem sensual, configura-se um movimento irracional, um movimento regido pelo costume da inclinação sensual, que, como diria Aristóteles, transforma-se numa segunda natureza[317].

## Os carnais, as crianças e os pardais

> **62.** A – [...] os juízos dos pequeninos, os quais, com exceção de alguns [adultos], com cujo amor [os pequeninos] se alegram, preferem antes que qualquer um dos demais homens morra a que seu passarinho...[318]

Por meio de mais uma comparação clássica, bem ao gosto épico, embora com muito mais profundidade, porém não menos beleza ou senso poético, Agostinho compara os homens carnais supracitados, que se associam aos "desordenados" do livro primeiro, os quais preferem os bens inferiores em lugar dos superiores, não se deixando reger pela reta razão, e sim pelo *usus*, ou seja, por seu interesse pessoal, enfim, compara-os às crianças, que mais se entristecem quando seu passarinho cantante morre do que quando morre um ser humano qualquer, a não ser que esse lhes seja de algum modo querido, como se dá com algum familiar ou amigo próximo, muito ao contrário do que deveriam fazer, pois os passarinhos pertencem apenas ao segundo degrau da escada das naturezas, existindo e vivendo, porém não sendo capazes de nenhuma intelecção, como os humanos. Assim sendo, do mesmo modo como aguardam os adultos com paciência pela maturação dos juízos dos "homenzinhos", assim também se deve ter paciência com os juízos dos homens ditos "carnais", pequeninos de entendimento que são, em comparação com os que se deixam banhar pela luz da Verdade.

> **62.** A – [...] estimadores[319] imperitos das coisas, louvando a Deus nas criaturas menores, as quais empregam mais comodamente por meio de seus sentidos carnais, porém nas superiores e melhores em parte não o louvando, ou louvando-o menos...

---

317 Cf. 1,13,29,97-98, esp. "Monstruosidade ou defeito congênito?".

318 Liter.: "pardal". Todavia é possível Agostinho esteja se referindo aos passarinhos domésticos cantarolantes de modo geral, porque é bem sabido que os pardais nem se adaptam em gaiolas, tampouco são conhecidos por suas aptidões musicais, como os canários, por exemplo.

319 Manteve-se o termo "estimador" (estimar), pois Agostinho o está relacionando com o início do parágrafo, em que contrapõe as estimativas da razão às do uso regrado pela conveniência.

No entanto, caso insistam em seu erro, recusando emendar suas falsas noções, esses carnais, que nada mais são do que "estimadores imperitos" das coisas, que sejam desconsiderados pelos que progrediram espiritualmente na busca e no conhecimento da Verdade, especialmente quando prefiram louvar a Deus pelos bens inferiores, em vez de louvá-lo pelos grandes bens, ou pelo conjunto todo de sua obra[320]. Na verdade louvam-no na medida em que usam ou tiram proveito próprio desses bens de natureza corpórea, porém não enquanto Criador bom de todas as naturezas. Ao contrário, lembra o filósofo, além de preterir os bens superiores em favor dos inferiores, ainda se julgam no direito, ínvido, de emendar a obra da Criação, como se fossem mais que o próprio Criador; isso, quando não descreem totalmente da própria criação. Portanto, admoesta Agostinho, ou não se faça caso de suas opiniões, ou se aprenda a suportá-los e aguardar que as emendem, como se costuma fazer com as criancinhas, que preferem seus canarinhos de estimação à própria humanidade.

## Uma síntese metafísica
## (3,6,18,63-8,23,84)

### 3,6,18,63. Epítome parcial do livro terceiro

É bastante possível que o "sumiço" do interlocutor Evódio, que desde o §38 deste livro não se manifesta e só fará uma nova aparição, *pro forma*, no §160, limitando-se a reproduzir sucintamente as conclusões de Agostinho, esteja relacionado não apenas com a mudança de gênero da obra, do diálogo ao discurso contínuo (*oratio perpetua*), mas também com uma aparente complexidade em sua disposição (*dispositio*), a estruturação dos tópicos discutidos. Agostinho e Evódio iniciam este último livro com uma breve recapitulação do estado da questão[321], que reencaminha as discussões para o problema deixado em aberto no final do livro segundo, da origem do movimento de aversão do Bem comum e imutável e conversão aos bens próprios e mutáveis, que se diz pecado ou mal[322]. Assim,

---

320 Esse desprezo que se vota aos carnais se refere apenas aos que renitentemente se recusam à Verdade, preferindo sustentar suas opiniões equivocadas, em vez de humildemente aceitar a Luz da Sabedoria. Logo não se trata de desprezo da insipiência, apenas de tolerância paciente diante da teimosia.

321 Cf. 3,1,1,1-2,5.

322 Cf. 3,1,2,7-3,13.

depois de assentir, ainda que a contragosto, em que a origem do movimento é sempre movimento, e em que nenhuma necessidade havia de insistir com essa questão, Evódio levanta um enorme problema, muito debatido na Antiguidade, ao menos desde o século IV a.C., com os estoicos e seus adversários, epicuristas e acadêmicos, a respeito da presciência[323] e consequente determinismo e sua relação com a liberdade humana; numa palavra, se era realmente possível conciliar a presciência divina dos eventos futuros com a liberdade humana e sua consequente responsabilidade moral[324]. A partir daí, concomitantemente com o "desaparecimento" de Evódio e o fim factual da disputa dialética, Agostinho inicia uma série de argumentos, na forma de um discurso contínuo, porém de modo proléptico, antecipando questões que poderiam ser levantadas por um crítico qualquer, o que o leva primeiro à apologia do louvor da diversidade da criação[325]; depois do louvor da diversidade das criaturas racionais, dos anjos até ao diabo[326]; e por fim a uma breve distinção entre dois modos de estimativa dos eventos, a reta razão, que age sob a luz da Verdade, e o uso, que se inclina pela conveniência pessoal[327].

Importa, contudo, estabelecer a relação entre esses temas, que se não diga que a obra peque pela interrupção do exercício dialético e subsequente confusão temático-estrutural. Se acima se qualificou a complexidade da *dispositio* como aparente, não se o fez sem motivo, porque, em verdade, os temas estão absolutamente conectados, ainda que de modo nem sempre tão evidente ou simples. De fato, se se estava indagando da origem do movimento de aversão da vontade, cuja causa propugnou Agostinho insistentemente por dizer que não era divina, tendo Deus criado todos os bens, dentre os quais o alvedrio livre da vontade, como não lhe imputar a causa do próprio movimento, uma vez tratar-se de um movimento de um dos bens divinamente dados? A causa da vontade é sempre vontade, diz Agostinho, pelo que nenhuma necessidade haveria de prosseguir indefinidamente buscando a causa da causa da causa[328]. Evódio anui, porém levanta nova questão, que,

---

323 Harúspices, pitonisas, profetas e áugures de toda sorte, desde tempos imemoriais, como se comprova facilmente pela fama internacional do oráculo de Delfos, vaticinavam o futuro, que "liam" nas entranhas dos animais, na dança dos gansos sagrados do Capitólio, nos vapores do santuário délfico, no farfalhar das folhas do carvalho, no oráculo de Zeus, em Dodona, entre outras tantas "entrelinhas".

324 Cf. 3,2,4,14-11,41.

325 Cf. 3,5,12,44-13,50.

326 Cf. 3,5,14,51-16,60.

327 Cf. 3,5,17,61-62.

328 Cf. 3,1,2,11.

nada obstante não parecer diretamente relacionada com o movimento de aversão, decorre diretamente dele: a relação entre a presciência divina e a vontade livre. Ora, se a causa do movimento é ela mesma vontade, e se o homem é responsável por seus pecados em virtude de sua própria vontade livre, sofrendo a punição divina, que é justa precisamente por causa da responsabilidade moral decorrente da liberdade de querer, visto que a alma humana peca livremente, simplesmente porque quer, pois tem não apenas a liberdade para não querer, mas também a capacidade racional livre para pensar e decidir o que deve ou não querer, que se chama arbítrio, enfim, se é assim, como dizer que Deus seja presciente dos pecados futuros praticados livremente, se o que Deus sabe de antemão deve ocorrer necessariamente? Em verdade essa questão da presciência não é senão a própria questão da origem do movimento reelaborada. Isso, porque, se desde o livro primeiro se diz que não se deve imputar a Deus o pecado dos homens, embora ele os tenha criado e lhes tenha dado os instrumentos para pecar, esse Deus cujos castigos se dizem justos e merecidos, como se pode dizer de fato que a origem do movimento pecador esteja no próprio querer humano, e não no próprio Deus, dador da sua faculdade de querer? Se Deus lhe deu a primeira vontade, o primeiro querer, que era livre, como dizer que a origem do querer desviado seja humana e não divina? Tendo dado à criatura um querer bom, com que querer então quis ela desviar esse querer original? Quem lhe teria dado esse segundo querer, por assim dizer, esse mau querer, que se sobrepôs ao querer bom dado por Deus? Talvez se deva imaginar que Deus lhe deu uma potência livre, um querer sem querer, isto é, uma potência sem direção, como um cavalo indômito, que ele devia domar e submeter ao guante da razão, o auriga do mito platônico[329]. No entanto, objeta-se, se ele sabia que o homem iria pecar, como não lhe imputar o pecado, uma vez que se diga que tudo o que é sabido antecipadamente deve por necessidade inevitável acontecer, e o que é necessário não pode ser simultaneamente voluntário?[330] Deus

329 Cf. Fedro 246a-b.

330 Se a causa do mal está na liberdade do querer, como ficou constatado pelas discussões dos dois primeiros livros, sendo Deus presciente dos atos humanos, segundo assentado no início pelos pressupostos piedosos entre ambos consentidos (1,2,5,12-13), como é que se pode dizer que o ser humano seja de fato livre? Se é livre para fazer o que quiser e mudar de opinião *ad libitum*, como pode ser presciente Deus, cuja ciência antecipada determinaria os quereres e fazeres das criaturas? E se não há presciência, Deus não é o Deus onisciente e onipotente em que se crê, que tudo sabe e tudo pode, pois o querer de sua criatura lhe estaria fora do controle; mas se há presciência, como inculpar o querer da criatura, que deixa de ser livre, ao ser determinado pela presciência do Criador? E se o querer determinado da criatura – que nesse caso nem

sabia que o homem iria pecar, assim como sabia que os anjos jamais o fariam e que o diabo nunca deixaria de fazê-lo, embora por essa ciência divina, como argumentou exaustivamente Agostinho, Deus não suprimiu de nenhuma de suas criaturas racionais a liberdade de querer, do contrário elas não seriam imputáveis pelo mal que praticassem, tampouco premiáveis pelo esforço virtuoso e bom que empreendessem[331]. E disso é que decorreu a necessidade de fazer uma defesa da própria diversidade da criação, desde os seres inanimados, que apenas são, aos que são e vivem, como as bestas, e destes aos que são, vivem e inteligem, como os homens, a justificar a existência justa de todos, visto que, se Deus é justo, justo deve ser também o ordenamento de toda a sua obra, em cada um dos degraus em que se ordena, em toda a sua enorme variedade. E dessa defesa da criação em todo o seu cromatismo decorreu a necessidade de apologia da ordenação hierárquica das próprias criaturas, de cujos atos o Criador é sempre presciente, anjos, homens ou o diabo, cujas vontades são perpetuamente boas ou más, ou cambiantes, ora boas, ora perversas. E que ficasse mais claro ainda que, quando se fala de movimento se está falando de vontade, o filósofo, num esforço de recapitulação, renomeia, por assim dizer, os movimentos de aversão e conversão de modo didático, como sendo regidos, seja pela reta razão, seja pelo uso (*usus*), movimentos da vontade submetidos à razão enquanto banhada pela luz da Verdade, como se dá na conversão ao Bem comum e imutável, ou subordinados aos interesses pessoais e transitórios, em franca oposição às estimativas da reta razão, como ocorre no movimento de aversão do Bem comum e conversão para os bens mutáveis e próprios.

## 3,6,18,63. Interlúdio: de volta à questão da presciência

> **63.** A – [...] não descubro de que modo – e afirmo que nem se pode encontrá-lo, e que absolutamente não existe...

Não estivesse tudo inextricavelmente conectado, nenhuma justificativa haveria para a retomada do problema da presciência e das conclusões reforçadas

deveria ser chamado de "querer" – não é culpável, resta necessariamente a causa do mal na própria Divindade, o que se recusa a aceitar, desde o início, visto que era precisamente isso o que os maniqueus apregoavam e defendiam.

[331] Recorde-se que um dos primeiros argumentos de Evódio em favor da origem divina da criação decorria da constatação, a partir do princípio de piedade, cujos pressupostos foram elencados no início do livro primeiro (2,1,2,3-4), de que o sofrimento humano, considerado equivocadamente um mal, tem origem divina, por ser a justa punição dos pecados.

pelo filósofo aqui: [i] que constitui um erro (distante da verdade) imputar ao Criador os pecados da criatura, ainda que – pois Agostinho reconheceu a questão ser difícil, a não dizer insolúvel – se admitam como necessários os eventos futuros que foram conhecidos por Deus de modo antecipado, por meio de sua presciência, como insistiu em defender Evódio, ao argumentar pela impossibilidade de que qualquer evento de que Deus tenha tido presciência não seja regido pela necessidade[332]; [ii] e que, ao contrário das teses do discípulo, Agostinho não vê de que modo se possa imputar a Deus a causa dos pecados, que, segundo ele, depositam-se de modo inalienável na vontade de cada um, [iii] porque não se pode encontrar uma maneira de imputar ao Criador nenhuma responsabilidade pelo mal, uma vez que essa maneira não existe.

## PROLEPSES
## (*SI QVIS DIXERIT... RESPONDEBO*)

### 3,6,18,64. Ser e não ser – Prolepse I

**64.** A – Pois, se alguém disser...

A partir desse ponto inicia Agostinho uma série de argumentos prolépticos[333] cuja temática se relaciona de modo íntimo com a questão do movimento de aversão da vontade, embora dê a impressão de ser tarefa das mais onerosas percebê-lo. Pois bem, sendo o mal tão presente na vida de cada um, mal que desde o início do livro primeiro se confunde vulgarmente com o sofrimento infligido pela Justiça divina[334], os ditos "males da vida", e sendo Deus presciente da vontade desviada do homem, o que torna inevitável que ele faça mal, de acordo com a argumentação de Evódio supraelaborada, não se pode evadir de indagar do real proveito de vir a ser, do uso, por assim dizê-lo, do próprio existir. De fato, se a vontade está desde sua criação condenada irremediavelmente ao pecado (como consequência da presciência divina, caso se admitam os argumentos deterministas), a alma está

---

332 Cf. 3,2,4,14; 4,9,37.

333 Figura retórica que se utiliza para refutar a priori as possíveis objeções dos adversários, a prolepse antecipa supostos contra-argumentos, o que fará doravante Agostinho, iniciando os parágrafos seguintes com períodos condicionais, cuja prótase, no futuro perfeito – "se alguém disser...", ou liter., "se alguém terá dito..." (*si quis dixerit...*) –, deve ser respondida por uma apódose no futuro imperfeito – "...então responderei..." (*...respondebo*).

334 Cf. 1,1,1,1-2.

condenada ao sofrimento e à consequente infelicidade, de modo igualmente irremediável, o que torna a vida um tormento insuportável e injustificável. Ora, o homem nem pediu para ser, muito menos o fez por merecer[335], e se não pode ser feliz, porque não consegue ser senão um pecador, fazendo irremediável mau uso de sua vontade, pré-conhecida e daí pré-determinada por Deus, vê-se necessariamente forçado à punição divina e à consequente infelicidade. E isso não é doce, tampouco desejável. Logo é pertinente a indagação proléptica com respeito ao desejo de ser, porque presume o vulgo que a morte seja o fim, não apenas da vida, mas com ela do próprio sofrimento, que, por ser considerado um grande mal, faz com que sua cessação seja tida por um não pequeno bem[336].

## A Graça de ser

> **64.** A – [...] se alguém disser: "Eu preferiria não ser a ser infeliz", eu lhe responderei: "Estás mentindo, pois ainda agora és infeliz, e por nenhum outro motivo não queres morrer, senão a fim de que sejas[337]; assim, ainda que não queiras ser infeliz, contudo queres ser. Então dá graças por isso que tu és querendo, para que aquilo que és invito te seja subtraído![338]

Todavia, conquanto se possa dizer que não ser seja preferível a ser infeliz, Agostinho recusa essa opinião vulgar, ao dizer que, em verdade, ninguém deseja não ser, e sim ser feliz. Nenhuma perspectiva positiva[339] há para o filósofo

---

335 Veja-se o prólogo do décimo terceiro livro de *Confissões* (13,1,1).

336 É inevitável rememorar aqui que o Sócrates platônico, logo no início do Fédon (59e-60c), estabelece uma ligação entre a cessação do incômodo e o prazer, duas como que faces de uma mesma moeda, ao sentir-se prazerosamente aliviado com a supressão das cadeias que lhe premiam os pés: "Quão estranho, senhores, disse [Sócrates], parece ser isto a que chamam de 'prazer': quão admiravelmente se relaciona com seu aparente contrário, a dor..." (Ὡς ἄτοπον, ἔφη, ὦ ἄνδρε, ἔοικε τι εἶναι τοῦτο, ὃ καλοῦσιν οἱ ἄνθρωποι ἡδύ· ὡς θαυμασίως πέφυκε πρὸς τὸ δοκοῦν ἐναντίον εἶναι, τὸ λυπηρόν...). E de fato, se a vida nada mais é do que uma sucessão interminável de desprazeres e dores, mais ou menos intensos, nada admirável que se anseie por sua cessação; anseio que se resume no simples desejo de suprimir os incômodos e fadigas incessantes da existência.

337 Ou então: "tu também és infeliz neste exato momento e tu não queres morrer por outro motivo diferente, a não ser por este: porque tu queres existir". Na verdade, o infeliz não quer morrer, defende Agostinho; quer, ao invés, viver não sendo infeliz. De fato, quer uma outra vida, porém uma vida feliz.

338 Quer dizer, agradeça a Deus pelo "ser" que tu és e que tu possuis, visto que tu existes querendo existir, a fim de que Deus tire de ti a infelicidade, que tu possuis contra a própria vontade.

339 Agostinho não parece estar considerando aqui nenhuma possibilidade de condenação *post mortem*, apenas a perspectiva de uma vida melhor depois dessa, uma vida sem sofrimento, bastante influenciado ainda por Cícero (cf. *Tusc.* 1,34,83). Cf. 1,4,10,30.

na morte para além do desejo de uma vida superior, estável e sem agruras. Ninguém quer não ser, senão para ser mais, isto é, nenhum que diz querer morrer quer algo além de viver melhor. E por isso ainda se deve louvor ao Criador, porque ele dá ao homem aquilo mesmo que quer, o ser. E se assim o fizer, se reconhecer e louvar humildemente a bondade do seu Criador[340], dando-lhe graças pela Graça de ser, poderá receber aquilo que quer, embora ainda não o possua, o ser feliz; ou então, em sentido contrário, poderá ver subtraído de si aquilo que é, ainda que não o queira, ser infeliz.

## A ingratidão do ser

> **64.** A – [...] Pois tu és querendo; e és infeliz invito[341]. E se és ingrato naquilo que queres ser, de direito serás forçado a ser aquilo que não queres...

Opõe-se à Graça de ser, que é justamente devida ao Criador, a ingratidão injusta da criatura, de que não há desgraça maior, pois aquele que se recusa a louvar a Deus pela Graça do ser, que recebeu sem mérito algum, esse se vê apartado do Bem comum, avertido da Felicidade suprema que poderia fruir, se confessasse, em reconhecimento e louvor, sua origem na Bondade divina. E ainda que não *lhe* tenha pedido para ser, pois não existia para pedir que fosse criado, ainda assim o homem ama ser, e não quer deixar de ser, apenas de ser infeliz. Logo é de ingratidão que ele é acusado, quando é o que quer[342], recusando-se a reconhecer aquele que isso lhe deu. E por essa ingratidão, injusta, quando recusa o louvor devido ao Criador, é com justa infelicidade que paga, sendo forçado a ser aquilo que não quer ser, infeliz.

## Entre o misericordioso Criador e o justo Ordenador

> **64.** A – [...] pelo fato de possuir o que queres, eu louvo a bondade do Criador; porém, sendo tu ingrato, pelo fato de padecer o que não queres, eu louvo a justiça do Ordenador".[343]

---

340 Cf. 3,5,12,42-44; 15,55.

341 O homem é/existe possuindo em si a vontade de ser/existir, situação em que coincidem sua vontade de ser com sua condição existencial; porém ele é infeliz não porque quer, mas contra a sua vontade, pois sem dúvida ama o ser, mas quer ser feliz.

342 Dizer que o homem é aquilo que quer significa dizer que ele é, ou seja, que ele possui o "ser", visto que isso é o que ele quer, "ser", o que já possui, porque é.

343 A Bondade divina merece louvor porque o homem possui o que quer, o ser, ainda que seja ingrato. Do mesmo modo sua Justiça merece louvor porque o homem padece a punição que não

Duas características inconciliáveis[344] do Deus onipotente começam a despontar no pensamento do filósofo, que irá retomá-las em obras subsequentes, de modo tão mais profundo quanto poético: justiça e misericórdia. Deus é bom, porque, apesar de a criatura não merecer, ela possui o que quer e que não quer perder, o ser, que lhe foi dado pelo Ser divino no ato de sua criação. Logo o homem é/existe por acréscimo da bondade ou misericórdia de Deus, que lhe dá o que não fez por merecer. Por outra, Deus é o perfeito Ordenador do universo, Ordem essa que implica igualmente a noção de Justiça, em que cada peça da engrenagem deve estar em seu lugar apropriado e representar a parte que lhe cabe. Assim, segundo a noção clássica de justiça[345]: a cada malfeito, uma punição correspondente; assim como a cada boa ação, uma recompensa à altura do mérito. E por que se dizem antitéticas ou inconciliáveis essas duas noções, justiça e misericórdia? Porque não é possível, senão em Deus, que se atribua a cada um segundo seus méritos e deméritos e simultaneamente lhes sejam perdoados os pecados, o que feriria a própria equidade pertinente à justiça. De fato, se a misericórdia presume o perdão das dívidas, e se a justiça implica seu exato pagamento, tem-se instaurado o conflito, na impossibilidade de pagar e dissolver a mesma dívida, paradoxo esse que só Deus pode dissolver. Neste caso em questão, Deus é gratuitamente bom, porque dá ao homem, sem nenhum mérito de sua parte, o dom de ser, que é pago pelo homem injustamente, com a ingratidão, sendo então punido merecidamente com a infelicidade, de que o homem se lamenta, mas é coagido a aceitar. Na economia divina, portanto, Deus é o Credor bondoso e filantropo, que empresta o ser, embora o homem não deposite nenhuma caução, pois nada tem que lhe dar em troca como garantia, muito menos qualquer moeda de valor para adquirir um tamanho bem, mesmo porque o homem nem existia para que merecesse, instasse ou adquirisse tal bem; porém o Credor bondoso é também o Ordenador justo e implacável, que o obriga a restituir centavo por centavo, ou melhor, lágrima

---

quer, a infelicidade, sendo Deus o supremo Ordenador, a Providência que distribui a cada um o que lhe cabe. Logo Deus é justo e misericordioso: é justo quando pune com a infelicidade quem merece ser punido; é misericordioso quando lhe confere o ser, de modo absolutamente gratuito, apenas porque é bom e porque quer, uma vez que o homem não tem méritos para receber. De fato, quem é que pode dizer-se merecedor do ser, quando ninguém era antes de lhe ter sido dado o ser, a fim de que pudesse então existir? Cf. *Conf.* 13,1,1.

344 Na verdade, melhor seria dizê-las "oximorísticas".

345 Cf. 1,5,11,33.

a lágrima, pela ingratidão que lhe votou. Ora, bastava apenas que o devedor lhe fosse grato – única exigência, por assim dizer, do Credor bondoso – confessando seu louvor e sua dívida de gratidão, o que evitaria que ele se fizesse o justo Ordenador que o manteria nas cadeias da infelicidade.

## 3,6,19,65-67. O justo Ordenador – Prolepse II

**65.** A – Se [ele][346] disser: "Não quero morrer por esse motivo, porque *eu* prefira ser infeliz a absolutamente não ser, mas para que não seja mais infeliz após a morte".

Na segunda prolepse (*si quis dixerit... respondebo*) o argumento que Agostinho pretende refutar *a priori* aponta para uma ideia que é possível se levantasse em seu tempo por detratores anticristãos, embora pareça um tanto tíbia. Diz o suposto argumentador, pelas palavras do rétor, que deseja morrer ou deixar de ser agora apenas para que depois, quando vier a sua morte, não seja ainda mais infeliz do que presentemente se considera. Pela prolepse o filósofo lhe redargui, tomando certamente por base o princípio de piedade cujos pressupostos foram assentados no início do livro primeiro[347], que nada de injusto lhe pode sobrevir, pois se é injusto que seja ainda mais infeliz após a morte, nada há que temer, pois Deus, sendo justo, jamais o permitiria; porém se é justo que seja ainda mais infeliz, deve acatá-lo, e sem nenhuma lamúria, louvando antes o justo Ordenador do universo, por cujas Leis eternas e irrevogáveis aplica-se a justiça, na atribuição equitativa de penas e recompensas àqueles que fizeram por merecê-las. Contudo o que não se compreende bem é o motivo por que esse suposto arguidor haveria de temer uma infelicidade ainda maior, no esperado porvir, do que a que agora estaria experimentando. Não está claro se teme por ter a consciência de ter praticado crimes irreparáveis, pelos quais teria de enfrentar o tribunal da Justiça divina, ou se teme praticar delitos ainda piores, ou mesmo se se trata apenas do mais puro pessimismo, próprio àqueles que, afetados por uma dor tão mais pungente quanto menos se sentem capazes de suportá-la, reputam que ela jamais terá fim, *neque nunc neque tunc*, nem aqui neste mundo, tampouco no porvir, pelo que presume-se de algum modo esperarem, a partir do que está sendo dito. Todavia seria possível ainda que temesse o suposto nada da morte inevitável, numa palavra, que

---

346 O mesmo arguidor proléptico do parágrafo anterior (cf. 3,6,18,64).

347 Cf. 1,2,5,12-13.

temesse simplesmente deixar de ser de uma vez para sempre, onde se depara o terrível fim sem fim, o que também sói apavorar muita gente.

**65.** A – [...] Se disser: "De onde presumiria eu, que, se isto é injusto, não serei assim?".

Agostinho dá sequência ao argumento em prolepse ao supor um possível questionamento à sua afirmação de que nada que seja injusto deve ser temido, o que pressupõe a suprema Justiça divina, que não permite nada de injusto aos que não sejam merecedores. Porém o questionamento não se coloca em relação à morte, nem ao possível incremento da dor, nem mesmo à sua cessação após esta vida, e sim à própria noção de Justiça divina, que convém defender. De fato, se Deus é o justo Ordenador, conforme ficou dito no parágrafo §64, ninguém pode ser infeliz ou mais infeliz injustamente, assim como nenhuma injustiça praticada livremente pode passar impune.

## Proposições disjuntivas

Toda a argumentação desta sequência se constrói por meio de proposições denominadas "disjuntivas" (*disiuncta*) ou "alternadas", operações lógicas em que cada conjectura aceita apenas uma alternativa contrária, desde que ao menos uma das duas seja verdadeira. Por exemplo: *ou* A é verdadeiro, *ou* B o é. Se A for verdadeiro, *ou* $A_1$, que decorre de A, será verdadeiro, *ou* $A_2$ o será. Porém, se A for falso, então B deverá ser necessariamente verdadeiro, tendo igualmente os seus respectivos desdobramentos, até que todas as possibilidades se esgotem e chegue-se ao conhecimento perquirido. O operador lógico das disjuntivas, como se pôde perceber, é a conjunção alternativa "ou" (*aut*)[348], que tem a função de separar, de modo excludente, uma alternativa da outra[349].

[348] Daí o nome de "alternada", pelo qual também é conhecido este tipo de proposição.

[349] As *disiuncta* foram utilizadas por Agostinho também em sua primeira obra, *Contra Academicos* (3,10,23): "Sei igualmente que esse nosso mundo foi assim disposto ou pela natureza dos corpos, ou por alguma providência; e que ele ou sempre existiu e há de existir, ou começou a existir e de modo nenhum há de terminar; ou que não tem um nascimento no tempo, mas haverá de ter um fim; ou que começou a permanecer, e não haverá de permanecer perpetuamente; e inumeráveis [coisas] da ciência natural [*id est,* relativas à φύσις] eu conheço assim deste modo, pois são verdadeiras essas [proposições] disjuntivas" (*item scio mundum istum nostrum aut natura corporum, aut aliqua prouidentia sic esse dispositum, eumque aut semper fuisse et fore, aut coepisse esse minime desiturum, aut ortum ex tempore non habere, sed habiturum esse finem, aut et manere coepisse et non perpetuo esse mansurum, et innumerabilia physica hoc modo noui, uera enim ista sunt disiuncta...*).

**65.** A – [...] "Porque, se estiveres em teu poder[350], ou não serás infeliz, ou tu próprio, regendo-te injustamente, serás justamente infeliz... [§§66-67].

Essa estrutura argumentativa, para muito além de sua importância no contexto das discussões, guarda interesse em si mesma, não apenas por sua forma binária, por assim dizer, que se assemelha à linguagem dos sistemas eletrônicos de informação[351], mas porque se compreendia então como científica, resultando em proposições tidas por verdadeiras, como fica claro na passagem do *Contra academicos* citada em nota logo acima[352]: "inúmeros conhecimentos acerca da filosofia natural eu possuo por este método, pois são verdadeiras essas proposições disjuntivas", ou seja, podiam ser denominadas cientificamente verdadeiras, e verdadeiro igualmente o conhecimento que se esperava produzissem. Pelo que vale o esforço por desdobrá-las e esquematizá-las, quanto possível, o que torna sua compreensão bastante mais clara e facilitada[353]:

0. Ou está em poder de si mesmo:
    0. Ou não será infeliz;
    1. Ou será infeliz (com justiça).
1. Ou não está em poder de si mesmo:
    0. Ou está em poder de outrem:
        0. Ou está em poder de outro mais forte;
        1. Ou está em poder de outro mais fraco.
    1 Ou não está em poder de ninguém:
        0. Ou não está em poder de ninguém contra a vontade;
        1. Ou não está em poder de ninguém por vontade própria.

Portanto, de acordo com o argumento, nenhuma mente ou espírito[354] pode ser infeliz injustamente, pois de duas alternativas apenas uma pode ser

350 Quer dizer, "se estiveres em poder de ti mesmo...", e não em poder de outrem.

351 O sistema de numeração binário representa as quantidades com apenas dois dígitos: 0 e 1. A partir deles, com base na lógica booleana, é que as operações lógicas e os cálculos aritméticos são efetuados pelos computadores, por meio de representações: 0/1 = sim/não; verdadeiro/falso etc. Muito da programação eletrônica digital opera por meio desse sistema.

352 *C. Acad.* 3,10,23.

353 O esquema abaixo refere-se aos §§65-67.

354 Mente ou espírito, obviamente, pois o corpo por si só não pode ser infeliz nem feliz, sem que seja animado pelo princípio vital e regido por uma mente, o princípio inteligente.

verdadeira: [0] *ou* está em poder de si mesmo; [1] *ou* não está em poder de si mesmo. Se está em poder de si mesmo: $[0,_{0}]$ *ou* não será feliz, de modo voluntário e autônomo (o que ninguém parece querer); $[0,_{1}]$ *ou* será infeliz de modo justo, ainda que invito, pois deve colher a desdita que semeou livremente[355]. Porém, se não está em poder de si mesmo: $[1,_{0}]$ *ou* está em poder de outrem; $[1,_{1}]$ *ou* não está em poder de ninguém. Mas se não está em poder de ninguém: $[1,_{1,0}]$ *ou* não está em poder de ninguém livremente; $[1,_{1,1}]$ *ou* não está em poder de ninguém contra a vontade, o que é impossível, pois se não está em poder de ninguém, sua vontade não pode ser contrariada. Logo não está em poder de ninguém por vontade própria, o que obriga a retornar ao início e a reconhecer que está em poder de si mesmo [0]. Todavia, se não está em poder de si mesmo, $[1,_{1}]$ deve necessariamente estar em poder de alguém: $[1,_{1,0}]$ *ou* de alguém mais forte; $[1,_{1,1}]$ *ou* de alguém mais fraco. Mas se está em poder de alguém mais forte, então isso é justo e conforme a Ordenação divina, nada podendo ser feito ou contestado; porém, se está submetido a um poder inferior, isso é culpa unicamente sua, por ser contrário à divina Ordenação, segundo decreto da Lei eterna[356]. No entanto, conforme visto no livro primeiro[357], nada há acima da mente racional e sábia, cidadela da criatura inteligente, senão Deus, quando não, alguma outra natureza incógnita que lhe seja superior, em bondade, conhecimento ou verdade. Logo nenhuma potência superior haveria de retirá-la justamente de sua cidadela do domínio, tampouco uma potência inferior, por não ter a capacidade para tanto. Logo a mente não pode ser infeliz, a não ser por culpa própria. De fato, nenhuma natureza superior haveria de torná-la infeliz, senão com injustiça e contrariamente à Ordem divina, o que seria indigno de sua natureza; por outro lado nenhuma natureza inferior teria capacidade para superá-la e derribá-la de sua cidadela do domínio racional. Do que resta concluir que, se a mente é infeliz, admitindo-se que ninguém queira sê-lo por livre e espontânea vontade[358], só

---

[355] Interessante notar que Agostinho não diz que será feliz de modo voluntário e autônomo, e sim que, se está em poder de si mesmo, não será infeliz, se agir com justiça, do contrário, por certo, será infeliz justamente, como consequência de suas livres escolhas. Pode-se inferir, ainda que de modo bem antecipado, que não está em poder do homem ser feliz, apenas não ser infeliz, dependendo antes sua felicidade de uma Graça divina, que por ora não está em questão.

[356] Cf. 1,6,15,51; 10,20,71-11,21,76.

[357] Cf. 1,10,20,73-11,21,75.

[358] Cf. 1,13,28,94; 14,30,99-101.

pode ser infeliz por Justiça divina, quando submetida a um poder que lhe é por natureza e virtude superior, segundo a reta ordenação da Justiça divina, poder que lhe obriga, ainda que contrariada, a sofrer as consequências justíssimas de seus próprios atos injustos, atos livremente praticados.

## 3,7,20,68-70. Não ser e ser infeliz – Prolepse III

**68.** A – Se disser[359]: "Por isso é que eu quero mais[360] até mesmo ser infeliz a não ser em absoluto, porque agora eu sou; porém, se antes que fosse[361], pudesse ser consultado, de preferência elegeria não ser a ser infeliz. Com efeito, o que agora temo, "não ser", ainda que eu seja infeliz, pertence à própria infelicidade[362], na qual não quero aquilo que deveria querer, pois deveria querer mais[363] não ser a ser infeliz.

Esta terceira prolepse permite que o filósofo conjecture acerca da supremacia do ser, no que se pode compreender como uma brevíssima síntese de suas ideias metafísicas. Ao dizer o suposto arguidor que é preferível ser a ser infeliz, com cuja justificativa, "porque agora sou" (*quia iam sum*), ratifica ele a bondade (*bonitas*)[364] da criação divina, na sequência do que foi argumentado no livro precedente, além de apresentar um outro argumento em defesa da teoria do mal deficiente. De fato, ninguém pode em sã consciência preferir o nada ao que possui medida, número e ordem, porque não se pode desejar o que não é; e o mal não é, logo não se pode desejá-lo. O afastamento do bem não implica

---

359 O arguidor proléptico dos parágrafos anteriores (cf. 3,6,18,64; 19,65-67).

360 Quer dizer, "eu prefiro".

361 A ideia é clara: se antes de ter sido criado por Deus o homem pudesse ter sido consultado, teria dito ao Criador que preferiria não ser criado, em vez de ser criado para ser irremediavelmente infeliz. Todavia ele ainda não existia para que pudesse ser consultado e expor suas preferências!

362 Temer a inexistência é condição da própria desdita humana, argumenta esse suposto arguidor, infelicidade essa que faz com que prefira até mesmo ser infeliz a deixar de ser em absoluto, pois, depreende-se, para qualquer um seria mais desejável não ser do que ser inescapavelmente infeliz. Porém exatamente por ser infeliz é que não deseja o que deveria desejar, segundo o seu parecer, que será contestado por Agostinho: não ser, em lugar de ser infeliz.

363 Quer dizer, "de preferência".

364 Com o vocábulo "bondade", neste caso, ao contrário do uso vulgar, não se está referindo às qualidades generosas e nobres de uma alma, mas especificamente ao estatuto de "bem" (*bonum*) que cada criatura possui, em virtude de ser uma substância ou natureza criada por Deus, o Criador sumamente bom de tudo, seja isso o que apenas é, seja o que é e vive, seja o que é, vive e intelige. Essa *bonitas* das criaturas se justifica pela medida, número e ordem que possuem (cf. 2,16,42,164-167; 19,54,203).

o amor do mal, e sim um amor especioso, um amor *de si*, que busca satisfazer suas aspirações de ordem sensual, vaidosas e orgulhosas, através do amor dos bens inferiores, que, conquanto sejam bons em seu respectivo grau, não deveriam ser amados em si mesmos, enquanto fins, apenas usados como meios a fins ulteriores. E especioso se diz esse amor porque não leva a uma plenitude de si, e sim ao próprio esvaziamento, à corrupção gradual do ser de si[365], como consequência do afastamento do Ser supremo. Assim, pois, ao antepor o ser *p* – que representa um predicado qualquer, como a infelicidade, neste caso – a não ser em absoluto, a alma não está optando pelo sofrimento, pela infelicidade, e sim pelo ser, daí também pela medida, pelo número e pela ordem. Quem se diz *p*, na verdade não é *p*, pois *p* não faz parte de seu substrato, de seu ser, antes sendo-lhe apenas um qualquer predicado. Seu substrato, seu ser, esse lhe foi dado por Deus e somente por ele pode ser aniquilado por completo, se ele assim o queira. De fato, nem o malfazer, considerado como movimento de aversão do Bem, renitente e eterno, pode destruir completamente o ser de si, como no caso do diabo, que, embora imagine-se que leve uma vida que é morte, na tangente do nada, ainda assim alguma coisa permanece, do contrário não poderia nem pecar, isto é, se não fosse em absoluto[366].

O suposto argumento, a que se contrapõe prolepticamente Agostinho, sustenta que seria melhor não ser do que ser infeliz; infelicidade essa que não se considera como um predicado acidental, e sim, de modo equivocado, como a natureza própria do pecante. Contudo o pecado não tem natureza, porque o mal é um movimento deficiente, que não possui medida, número ou ordem. E mais, ninguém pode, em sentido estrito, "ser absolutamente infeliz", porque a infelicidade, propriamente dita – ao menos se considerada como um estar mal, contrário à felicidade, que é estar bem e pleno –, não pode ter existência real, pois não é uma natureza, ou seja, não possui estatuto ontológico. Pode-se, é verdade, ser menos e menos feliz, à medida que se torne cada vez menos algo que é, ao averter-se do Ser e dirigir-se ao nada. Os males todos, assim como a infelicidade, só se dizem existir como deficiências dos verdadeiros bens, dos bens criados por Deus, fora dos quais nada se pode dizer propriamente existir. O infeliz e desgraçado crê que se não existisse seria menos desditoso, e que, se

---

365 O que sem dúvida representa uma perda metafísica, um decréscimo ontológico gradual do próprio bem que se averte do Bem supremo e se converte ao nada, bem que se diminui tão mais quanto mais se averte do Bem de que foi criado.

366 Cf. 2,3,7,20.

pudesse ter escolhido, teria optado por não ter sido criado, contra o que argumenta o filósofo. E mais, sustenta que o próprio desejo instintivo de manter-se "sendo" é sintoma de sua própria infelicidade, ou seja, é infeliz precisamente porque deseja continuar sendo em vez de desejar o que acha que deveria desejar, o próprio nada, posto que este simplesmente não seja[367]. Sua insensatez é tamanha, não sendo capaz de ver que o nada não pode ser desejado, que considera estultícia e infelicidade preferir ser *p* (no caso, ser infeliz) a não ser em absoluto, o que considera deveria desejar, do modo mais verdadeiro.

## Síntese metafísica: ser e felicidade

> **69.** A – [...] responderei: "[...] se fosses feliz, preferirias invariavelmente ser a não ser; e agora, ainda que sejas infeliz, contudo preferes até mesmo ser infeliz a não ser em absoluto, ainda que não queiras ser infeliz [...]".

Ninguém quer ser infeliz, contudo o suposto interlocutor proléptico de Agostinho confunde o sujeito com o predicado, a essência com o acidente[368]. Ser e ser feliz ou ser e ser infeliz não necessariamente se equivalem[369]. O ser vem sempre antes, pois ninguém seria feliz ou infeliz se antes não fosse. Aquele que deseja ser feliz já é, porque deseja, do contrário não poderia desejar, se não *fosse* coisa alguma. Do mesmo modo se diz do que deseja ver extinto o próprio sofrimento: ele não quer não ser, e sim ser feliz, quando não, deixar de ser infeliz. Essa vontade de ser, ao que parece, é seminal, pois mesmo a contragosto esse

---

[367] Na verdade não pode desejar o que não existe, porque o nada que implica o mal é o próprio desvio do desejo, o desejar aquilo que está fadado à corrupção. De fato, sendo um movimento de aversão do desejo do Bem supremo e eterno aos bens próprios e mutáveis, o mal não deseja o nada em si mesmo, e sim aquilo que está fadado ao nada, conquanto ainda exista, mas de modo provisório (daí ilusório). Ao desejar-se a carne, não se deseja o mal, pois a carne é boa, visto que possui medida, número e ordem, e sim deseja-se *mal*, pois a carne destina-se a deixar de ser, quando então o desejante se vê amando o que não permanece, aquilo que tem seus dias contados, como quem, pretendendo fixar sua nave, atirasse sua âncora sobre uma enorme rocha no fundo do oceano, ou assentasse os fundamentos de sua morada nas areias móveis da praia. Isso, porque, desde Parmênides e Platão, só é de fato o que permanece para sempre.

[368] Cf. 1,12,25,82; 14,30,100.

[369] À parte o supremo Ser, que é também a suprema Felicidade, pois quanto mais se aproxime alguém da plenitude do Ser, mais feliz se fará. Todavia uma pedra é, porém não é feliz; assim como o pecador, que é, vive e intelige, mas está distante da felicidade, sendo tanto menos quanto mais peque, e tanto menos feliz quanto para mais longe do Ser se afaste.

suposto interlocutor deseja continuar sendo, ainda que não queira ser infeliz. Deseja, numa palavra, manter seu número, sua medida, sua ordem, a não dizer sua essência, ainda que deseje a extinção de seu predicado miserável. E embora creia esse desejo de ser um erro infeliz, uma estultícia, confessa ser por ele possuído, supostamente invito. Por quê?

**70.** A – "[...] considera quão grande bem seja o próprio 'ser', que não apenas os felizes querem, mas também os infelizes. Pois, se considerares bem isto, verás [i] que tu és tanto mais infeliz quanto mais não te aproximes dele, que é de modo supremo; [ii] porém que pensas tanto mais que é melhor que alguém não seja do que seja infeliz, quanto mais não vês aquilo que é de modo supremo[370]; [iii] e que por isso, pois, é que tu queres ser, visto que tu és a partir daquele que é de modo supremo".

Porque o ser é um bem, derivado do Bem supremo, como todos os demais bens que se podem verdadeiramente dizer existentes. O feliz e o infeliz querem ser *p*, por um simples motivo, porque o Ser supremo e a suprema Felicidade são coincidentes, ou antes, são a mesmíssima coisa, Deus. Logo quanto mais se aproxima alguém do Ser supremo, não apenas se torna mais e mais, pela proximidade da plenitude do Ser, mas igualmente se faz mais e mais feliz, pela cercania da Beatitude infinita e suprema que é o Ser. Por outro lado, quanto mais se afasta do Ser, mais infeliz se torna, sendo cada vez menos, e cada vez mais infeliz. A infelicidade é tão deficiente quanto o pecado, um movimento de afastamento da Felicidade, análogo ao afastamento do Ser. Neste sentido, pois, a total infelicidade nada mais é do que ausência absoluta de Felicidade, assim como o mal, ausência completa de Bem, e o nada, de Ser. E aquele homem que pensa que não ser é melhor do que ser infeliz – o que é um erro, pois quem é infeliz ainda assim é alguma coisa, o que é sempre melhor do que não ser nada –, padece de cegueira metafísica, não

[370] Ou então: "Pois, se considerares bem isto, verás que [i] tu és infeliz na medida em que não te aproximes dele, que é de modo supremo; [ii] por outro lado, que pensas que é melhor que alguém não seja do que que seja infeliz na medida em que não vês aquilo que é de modo supremo...". Portanto: [i] "tão mais infeliz quanto menos dele te aproximes", numa razão inversamente proporcional entre a distância de Deus e a magnitude da infelicidade: quanto mais longe do Ser supremo, menos feliz; quanto mais perto dele, menos infeliz; [ii] tão mais errado ao pensar que é melhor não existir do que ser infeliz quanto mais incapaz de ver aquilo que é de modo supremo, Deus. Pelo fato de não ver o Ser supremo, dador de todo ser a tudo o que é, o estulto acha que não ser é melhor do que ser infeliz, o que se configura um grave erro metafísico, pois ainda que seja infeliz, é alguma coisa, e tudo aquilo que é, em virtude do próprio "ser" que possui, é sempre superior ao que não *é*, que nenhum "ser" possui.

sendo capaz de ver o que é sumamente. Não sendo capaz de conceber Deus como o Ser supremo (*summum esse*), dador de todo ser, criador de todos os bens, que são bens exatamente porque e enquanto são, ele não reconhece nem a si mesmo como um bem, sendo incapaz de contemplar e de louvar o bem que constitui o próprio ser de si. Embora admita preferir ser infeliz a não ser em absoluto, ainda assim não sabe o motivo de tal preferência, que reputa como sendo estultícia e erro, insciente de que um tal desejo decorre de sua própria natureza, enquanto bem criado por Deus, que, ao ser, participa do Ser de Deus.

## 3,7,21,71. O amor do amor de ser – seq. prol. III

**71.** A – E assim, se queres evitar a infelicidade, ama em ti precisamente isto, o fato de que tu queres ser[371]. Pois, se mais e mais quiseres ser, aproximar-te-ás dele, que é de modo supremo.

Evita-se a infelicidade, diz Agostinho, ao amar o amor de ser, ao amar o desejo de existir. Isso, porque aquele que ama ser, explica o filósofo, tanto mais se aproxima do Ser supremo quanto mais ama ser, Ser supremo que é a fonte de toda beatitude. Se, por uma, quem ama ser ama a obra do Criador, pois tudo o que criou é, a não dizer que viva e intelija, pois nem tudo o que é vive e intelige também, e quem ama e louva a obra, dando-lhe graças pelo ser de si, tende a louvar e amar o seu autor; por outra, quem se aproxima do Ser supremo torna-se feliz por um motivo ainda maior, porque será para sempre, com ele, tanto mais quanto mais dele se aproxime, e seu amor não será em vão, como o amor das coisas temporais, que inevitavelmente perecem. Essa permanência, como já se disse antes, para muito além de sua fundamentação metafísica, a partir do pensamento de Parmênides e Platão[372], para os quais só existe verdadeiramente o que permanece, tem seu valor ainda mais amplificado por Agostinho em decorrência de sua própria experiência pessoal, marcada por inúmeras perdas, tão mais significativas quanto dolorosas, como

[371] Deve-se amar o amor do ser, isto é, deve-se querer amar a existência, e com ela a vida e a inteligência, dons de Deus; amor esse que supõe, como sequência imediata, o louvor do Criador. Logo a filosofia do louvor decorre necessária e prontamente do amor; e mais, do amor do ser de si chega-se ao amor do Ser e ao seu louvor, necessários à felicidade plena. Com efeito, amar o ser que vem de Deus é amar sua criação, assim como reconhecê-la boa e com ela a bondade de seu Fundador.

[372] Cf. 2,5,12,44-50; 8,20,79-80; 12,33,130-132; 19,53,199-200.

a de um amigo anônimo de infância, cujo relato pungente[373] se destaca na narrativa de *Confissões*; ou a de sua mãe, Mônica, perda não menos dolorosa[374]; ou ainda a de seu filho Adeodato, morto em idade prematura[375]. Causa de enorme angústia, seja aos antigos, seja aos contemporâneos, a dor da perda, que deslustra sobremodo os lampejos de alegria que se podem desfrutar neste orbe terreno. Com efeito, como amar algo ou alguém com segurança, amor que se expressa pelo desejo de posse ou de proximidade do objeto amado, que se quer permanentemente manter junto de si, sabendo que sua posse será tão mais efêmera e especiosa quanto o próprio objeto de desejo, que lhe será subtraído, seja pela corrupção, seja pela rapina de outrem, seja ainda pela própria morte inevitável daquele que ama? Como conciliar dois sentimentos tão díspares, como o amor, que amiúde se expressa pelo desejo de posse permanente e segura, e o sobressalto constante, causado pelo temor da perda e da decorrente ausência do que é amado? Como pode ser feliz quem vive inquieto, temeroso da perda e do fim iminente da vida?[376]

**71.** A – [...] Então dá graças agora, porque tu és! Pois, ainda que sejas inferior aos felizes, contudo és superior àquelas coisas que não possuem nem mesmo a vontade da felicidade [...]

Logo devem-se graças ao Criador e supremo Ser, não apenas pelo ser de si, mas também pela vida e pela inteligência, que permitem se deem graças. De fato, por paradoxal pareça, exatamente por ser infeliz é que se devem graças ao Criador, pois as criaturas que apenas são, ou as que são e vivem, contudo sem inteligir, essas não são capazes de dar graças, o que se configura uma atividade exclusiva do espirito, que foi criado à semelhança de Deus. Portanto, embora se considere ser algo menos do que os bem-aventurados, deve-se justamente dar graças ao Criador, mas não pela infelicidade em si mesma, e sim pela vontade e possibilidade de ser feliz, a qual nem pedra nem peixe possuem. Todavia, ainda que incapacitadas da felicidade, as criaturas que apenas são e vivem, sem intelecção, essas também merecem louvor, não em si mesmas, e sim por causa do Criador, pois elas também são, o que implica participem em algum grau do Ser divino, porque de certo modo têm algo dele em si mesmas, em sua

[373] Cf. *Conf.* 4,4,7-9,14.

[374] *Ibid.* 9,8,17-9,22.

[375] *Ibid.* 9,6,14.

[376] Cf. Cícero, *Tusc.* 2,1,2; *L.A.* 1,4,10,30.

individualidade e qualidade de criaturas, o ser que dele receberam, que é bom, de onde serem igualmente boas por isso, por esse ser que possuem.

## 3,7,21,72. Dois amores: entre a eternidade e o tempo

**72.** A – Pois quanto mais amares ser, tanto mais desejarás a vida eterna e ansiarás que tu sejas formado[377], para que tuas disposições[378] não sejam temporais, marcadas a fogo[379] e impressas [*na alma*] pelos[380] amores das coisas temporais.

O amor das coisas temporais, que outra coisa não é senão o movimento de aversão do Bem supremo e eterno e de conversão aos bens próprios e mutáveis, que se diz pecado, ou mal, visto que mutáveis são todas as coisas sujeitas à ação corruptora do tempo, imprime-se na alma com um ferrete incandescente, por assim dizer, como um selo do pecado, um estigma a identificar as ovelhas rebeladas contra seu Pastor. Pelo contrário, aquele que ama o ser outra coisa não ama senão o que é eterno e imutável, convertendo seu amor para o Bem comum, dando as costas ao nada. Vê-se, portanto, como o amor aderente do eterno torna eternas as almas, que, atraídas a si, se fazem tão mais permanentes quanto mais da eternidade se aproximem; ao passo que o amor das coisas temporais torna as almas tão mais próximas do nada quanto mais adiram ao que é transitório.

---

377 Traduz o v. *formo*, que guarda íntima relação com o substantivo *forma*, pois tanto em vernáculo como em latim “formar” alguém significa, entre outras, prepará-lo por meio de instrução formal, daí dizer-se que alguém “se formou” em tal ou qual instituição de ensino, ou que seja “formado” em música, letras etc. Todavia implica também a presença da *forma*, que quanto mais apurada e depurada de todas as inclinações de ordem sensual, voltando-se para o Bem comum e imutável, mais se aproxima da plenitude da Forma suprema, que é esse mesmo e único Bem. Daí a manutenção do vínculo etimológico, em virtude da importância da *forma* para o pensamento do autor, especialmente no livro segundo.

378 Cf. o verbete *adfectio* no Léxico T-F.

379 O termo *inustus*, particípio do verbo *inuro*, que significa “causticar” ou “queimar”, implica nesta sequência uma “marca”, por assim dizer, decorrente do fogo ou de outro qualquer agente cáustico. As inclinações de ordem temporal imprimem marca profunda e quase indelével na alma, que, ainda que delas queira livrar-se, guardará por muito tempo suas “cicatrizes” ou “marcas”, tatuadas a fogo.

380 A preposição latina é *de*, que, segundo o dicionário de Lewis e Short (1891), dentre inúmeras outras funções (regendo ablativo), expressa tanto a matéria como a causa de que algo foi feito. Neste caso específico Agostinho recorre a uma imagem significativa, a mostrar como as inclinações de ordem temporal são impressas na alma, ao modo de um labéu, como o gado, escravos e até mesmo soldados soíam ser marcados pelo ferrete incandescente.

## Especulação embrionária acerca do tempo

**72.** A – [...] Coisas temporais, que, [i] antes que sejam, não são; [ii] e quando são, fogem; [iii] e quando houverem fugido, não serão [mais][381]; e assim, quando são futuras[382], ainda não são; porém quando são pretéritas, já não são [mais].

Interessa notar como muitas ideias e argumentos que aqui nesta obra despontam, de modo um tanto embrionário, serão reelaborados e investigados a fundo em escritos subsequentes, mormente em *Confissões*, obra que começa a ser composta não muito depois[383] da escritura deste livro terceiro. De fato, no célebre estudo que empreende acerca do tempo, no décimo primeiro livro da referida obra, Agostinho desenvolve o argumento supraexposto, percebendo sem dúvida uma ligação inextricável entre a matéria e o tempo, em decorrência dessa associação que aqui promove, entre a temporalidade das criaturas e a eternidade do ser. Veja-se a passagem de *Confissões*.

> Portanto que é o tempo? Se ninguém me perguntar, sei; se quiser explicar ao que pergunta, não sei. Todavia digo saber com confiança que: [i] se nada ficasse para trás, não haveria o tempo pretérito; [ii] e se nada viesse depois, não haveria o tempo futuro; [iii] e se nada existisse, não haveria o tempo presente. Portanto aqueles dois tempos, pretérito e futuro, de que modo existem, quando não apenas o pretérito já não existe, mas também o futuro ainda não existe?[384]

Nem o pretérito nem o futuro existem de fato, senão no eterno presente da mente divina, pois, se o segundo ainda não é, o primeiro já não é mais. Os corpos (entenda-se a matéria) se dizem temporais não apenas por estarem sujeitos à

---

381 As coisas temporais: [i] antes que tenham sido criadas, não existem, ou seja, ao contrário do que criam os filósofos gregos, especialmente os pré-socráticos, nenhuma matéria de que é constituído o mundo lhe é preexistente, muito menos eterna, pois tudo foi criado por Deus *ex nihilo*, do mais absoluto nada; [ii] depois que são criadas as coisas, passam a existir, porém cedo ou tarde desaparecem, "fogem", isto é, extinguem-se totalmente pela corrupção; [iii] e ao serem extintas, deixam de ser.

382 Liter.: "hão de ser".

383 O terceiro livro desta obra termina por volta de 395 d.C., ao passo que as *Confissões* foram escritas no intervalo entre os anos 397 e 401.

384 *Conf.* 11,14,17: "*Quid est ergo tempus? si nemo ex me quaerat, scio; si quaerenti explicare uelim, nescio. fidenter tamen dico scire me, quod, si nihil prateriret, non esset praeteritum tempus, et si nihil adueniret, non esset futurum tempus, et si nihil esset, non esset praesens tempus. duo ergo illa tempora, praeteritum et futurum, quomodo sunt, quando et praeteritum iam non est et futurum nondum est?*".

ação corruptora do tempo, mas principalmente por sua ação "demarcatória" do antes e depois – πρότερος καὶ ὕστερος –, quer por meio dos movimentos transformadores de sua própria natureza, isto é, suas mutações (morrentes ou nascentes, decrescentes ou crescentes), quer por meio de seus movimentos e deslocamentos espaciais. Logo quem define quem: os corpos, o tempo; ou o tempo, os corpos? Seria o tempo a transcorrer do pretérito ao futuro, demarcado e mensurado pela transmutação dos corpos? Ou os corpos é que teriam sua idade mutacional, por assim dizer, determinada pela passagem do tempo? Neste passo, por estar tratando do ser, e não do tempo, pode-se dizer que a transitoriedade dos corpos, que devem ser louvados e amados como criaturas divinas, embora não em si mesmos, estaria sendo demarcada pela transcorrência temporal, e não o contrário. De fato, [i] o que ainda não é situa-se num certo "antes", por assim dizer, em relação [ii] ao que é, situado num presente, embora fugidio, pois começar a ser equivale a deixar de ser, como dirá Agostinho logo abaixo (§73), e [iii] o que "foge", deixando de ser, situa-se num "depois", que não é mais. Contudo essa sequência: [i] ainda não é; [i] é-não-é (ou: é deixando de ser); [iii] não é mais, ao invés de ser definida pelo tempo, pois o tempo não existia antes da criação das coisas, estando a mansão divina na eternidade, é ela que parece definir o próprio tempo, como o filósofo não tardaria a dar-se conta, aprofundando suas especulações acerca do tema[385]. Todavia a sequência é contrária à numeração acima, pois o que já não é mais [iii] outra coisa não é senão o pretérito, e o que ainda não é [i], o futuro, sendo o presente como aquele trânsito de uma forma a outra, por meio de algo informe[386]. Porém não seria necessário aguardar o tempo de *Confissões* para dar-se conta de que nem o pretérito tampouco o futuro existem, apenas o presente. Um presente, contudo, por ser tão fugidio, sendo-não-sendo até deixar de ser, que na mutação dos corpos talvez seja especioso dizer que de fato exista, como parece ter dito Parmênides, pois não pode ser possuído, não pode ser de fato retido. Assim sendo, como se pode dizer que se possui algo que se não pode possuir, que se não pode reter, e que, a bem dizer, nem existe de fato? Que coisa se possui quando se possui um corpo, senão algo que é-não-é, que aparenta ser, mas que não é de fato? E, de modo análogo, que é mais fugidio do que o tempo? Daí, talvez, o fato de o filósofo ter admitido a dificuldade em defini-lo. Sabe-se o que é, porém não se pode dizê-lo, porque fugidio, impermanente. Como determinar o que é avesso à determinação, senão por meio

385 É possível inferir que o tempo nasce com o primeiro *fiat* da criação, a partir de que começa a transcorrer, por assim dizê-lo. Logo seria tautócrono com a matéria, nem anterior, nem posterior.

386 Cf. 3,5,15,57; *Conf.* 12,6,6.

da mutação corpórea, perceptível e mensurável apenas pela ação da inteligência?[387] De fato, nada obstante não poder dizer o que seja o tempo, afirma Agostinho ao menos "saber, com confiança", que: [i] o pretérito é demarcado pelos eventos que já não são, os quais podem ser percebidos tanto pelos deslocamentos espaciais dos corpos ou figuras, por assim dizer, visíveis ou não (o que inclui os pensamentos, por exemplo), quanto por meio de sua mutação, os "antes" e "depois" suprarreferidos; [ii] o futuro, por sua vez, apreende-se a partir da expectativa mental das mesmas variáveis, os deslocamentos espaciais e as mutações; [iii] ao passo que o presente, pela simples apreensão do ser das coisas, apenas na medida, especiosa, em que se pode de fato apreendê-lo, como dito antes. Porém nem o pretérito tampouco o futuro de fato existem, pois um já não é mais, enquanto o outro ainda não é.

Pois bem, à parte uma teoria específica acerca do tempo, que foge muito ao escopo pretendido pelo filósofo e à capacidade deste comentador, o que importa para o desenvolvimento dos argumentos na sequência do *L.A.*, como resultado da impermanência das criaturas, cada uma em seu gênero e grau correspondente, é a sua ordenação na escada das naturezas, em sentido crescente, do não ser ao Ser, ou em sentido decrescente, do Ser ao nada, que não é. Seja em que sentido for, o mínimo denominador comum de todas as criaturas, em todos os graus, é o próprio ser: quanto mais ser, melhor; quanto menos, pior; quanto mais ser, mais próximo da eternidade do Ser supremo; quanto menos ser, mais próximo do nada, que "jaz" além da suprema transitoriedade, se se permite dizê-lo, posto que com muita impropriedade.

## 3,7,21,73. O ser e o não ser do presente

> **73.** A – De que modo, portanto, serão elas[388] retidas, a fim de que permaneçam, às quais começar a ser é o mesmo que continuar a não ser?[389] Porém aquele, que ama ser, aprova[390] essas coisas, enquanto são[391], e ama aquilo que é sempre[392].

---

[387] Daí dizer-se que o tempo seja um fenômeno psíquico, porque nada além da ψυχή humana pode percebê-lo e mensurá-lo, visto que as criaturas que apenas são e vivem não têm capacidade para fazê-lo.

[388] As naturezas temporais.

[389] Liter.: "Às quais [naturezas temporais] o começar, de modo que sejam, é tanto como o continuar, de modo que não sejam".

[390] "Aprovar" como antítese de "reprovar". Cf. 3,9,24,85-88 "O ínvido censor da perfeição".

[391] "Enquanto" (*in quantum*), aqui, não expressa ideia de tempo, mas indica "conformidade", ou seja, aqueles que amam os bens temporais na qualidade de objetos dotados de ser, ou como coisas que são.

[392] Ama aquilo que é eterno, em lugar do que é temporal.

As coisas temporais são mutáveis, constantemente caminhando do ser ao deixar de ser pela corrupção de sua natureza corpórea, o que faz com que sejam retidas provisoriamente, ou melhor, de modo ilusório. Assim, por exemplo, um coqueiro jamais pode ser mantido numa dada forma *f*, coqueiro cujas folhas caem, cujo tronco enverga e fende-se, sofrendo a ação das intempéries; coqueiro que "envelhece", embora a corrupção de sua natureza seja lenta e aparentemente imperceptível; que produz frutos, um após outro, cujas folhas balançam ao sabor do vento, num movimento de deslocamento espacial perceptível; eventos esses todos que demarcam uma sequência de antes e depois, que pode ser medida, no tempo e no espaço, e que também serve para medir o próprio tempo. No entanto nem o coqueiro de ontem *é*, tampouco o de amanhã *será*. Logo quem diz possuir um dado coqueiro $C_f$, em verdade possui algo diferente a cada instante *i* em que há um "movimento" *no* coqueiro, a cada mutação sua, ainda que praticamente imperceptível a olho nu. Portanto de que modo se pode dizer alguém possuí-lo, se o presente é assim, um ser-não-ser, como dirá o filósofo na suprarreferida obra?

> Logo, se o presente é um tempo exatamente por isso, porque decorre em direção ao pretérito, de que modo podemos também dizer que ele existe, se a causa para que ele exista é que ele não existirá, de modo que não se pode verdadeiramente dizer que o tempo existe, a não ser porque tende a não existir?[393]

Se o coqueiro não é o tempo, a despeito da relação entre matéria/espaço[394] e tempo, contudo é lícito dizer que é impermanente como ele. Todavia, nada

---

393 *Conf.* 11,14,17: "*Si ergo praesens, ut tempus sit, ideo fit, quia in praeteritum transit, quomodo et hoc esse dicimus, cui causa, ut sit, illa est, quia non erit, ut scilicet non uere dicamus tempus esse, nisi quia tendit non esse?*".

394 Todo corpo ou objeto material ocupa lugar no espaço, pelo qual é demarcado, mas que igualmente determina, sendo praticamente impossível mensurar qualquer espaço, a não ser aquele que se "situe" entre dois corpos perceptíveis. Neste sentido seria possível dizer que o próprio tempo nasce com o espaço, fora do qual nenhuma matéria ou corpo seria possível, assim como nenhum tempo seria mensurável sem algum espaço em que pudesse também ser determinado. No entanto, se fora do espaço não há tempo, fora do tempo, nenhum espaço. Porém isso parece entrechocar-se com a ideia de que os inteligíveis, como o espírito, modificam-se segundo o tempo, não segundo o espaço, pois Agostinho diz que a mente pode pensar coisas distintas, uma após outra, num antes e depois certamente mensuráveis. É verdade, mas nesse caso a mente está tomada de imagens que, embora ditas "inteligíveis", "invisíveis" ao olho corpóreo, referem-se frequentemente aos corpos, quando não, no caso dos conceituais mais abstratos, circunscrevem-se às ondas espaço-temporais em que navega o pensar humano, visto depender de sequências mais

obstante serem impermanentes as coisas temporais, ainda assim são bens, exatamente por *serem*. Portanto quem ama verdadeiramente o ser, enquanto ser, esse não censura os objetos temporais, como os maniqueus, para quem o corpo era algo maligno e trevoso. Ao contrário, quem ama o ser ama tudo o que é, sabendo, contudo, dosar racionalmente seu amor, segundo o *ordo diuinus* decretado pela Lei eterna, não amando mais o que é menos, tampouco menos, o que é mais, visto que não soto-põe os bens superiores aos inferiores. Assim sendo, ama os bens inferiores, porque são bens, porque são obra de Deus, porém os ama enquanto obras de Deus, dos quais faz uso como meios necessários à vida e à elevação do espírito até à fruição dos bens superiores, inteligíveis e eternos, os quais devem ser sobrepostos aos temporais, consciente de que Deus é o único Bem que deve ser amado e fruído em si mesmo.

## Da Babilônia a Sião

**73.** A – E se [antes] era inconstante[395] no amor delas[396], [agora] está munido [no amor] daquilo [que é sempre]; e se difluía no amor das coisas transitórias, no amor do permanente será solidificado, e ficará estável, e manterá o próprio ser[397], aquilo mesmo que queria[398], quando temia não ser, e não podia ficar estável, enredado no amor das coisas fugidias.

Quem antes esparramava-se, como um líquido que fluísse em todas as direções (*diffluo*), entregue ao amor das criaturas impermanentes, agora, unificado, e voltando seu amor para o que permanece sempre, torna-se sólido, estável, e por isso logra preservar e incrementar o ser (que já possui) – e isso era o que queria, o ser, quando acima dizia (§68) que preferia ser infeliz a não ser

---

ou menos lineares, ao contrário da eternidade de Deus, em que tudo é pensado simultaneamente e de uma vez por todas. A mente humana, por mais próxima esteja da natureza divina, ainda assim está presa à dimensão espaço-tempo, de que só logra evadir-se pelos exercícios ascéticos, se se chega ao êxtase, à separação total do corpóreo, o que raro se soube ter ocorrido.

395 Liter. "se era variado", isto é, se oscilava no amor das coisas temporais. Se aquele que se permite levar de um lado a outro pelas inclinações sensuais adere à corrupção das criaturas temporais, aquele que ama o ser, ao contrário, vê-se seguro e estável no amor daquilo que é sempre. Isso, porque, enquanto as coisas temporais se deterioram e desaparecem, deixando seu amante de mãos vazias, o ser permanece para sempre, jamais permitindo que seu amante ame em vão.

396 As criaturas temporais.

397 O verbo latino é *optineo*, que não deve ser traduzido aqui por "obterá", pois aquilo que ainda não está de posse do "ser", ou seja, que simplesmente não é, não poderia amar coisa alguma.

398 Quer dizer, queria preservar o próprio ser, ser que temia perder, de onde ter preferido ser infeliz a não ser em absoluto, quando então perderia o que tanto queria preservar.

em absoluto. Isso se dá em consequência dos movimentos de aversão do Ser e conversão ao nada, pois quem ama os bens temporais em lugar dos eternos, pecando, averte-se do Ser eterno e caminha para o nada, sendo menos e menos à medida que se averte, ao contrário de quem se aproxima do Ser, pelo amor do ser, acumulando mais e mais ser sobre o ser que já possui. E se o movimento de aversão do Bem eterno e conversão aos bens mutáveis faz com que o amante se esparrame por todos os lados, dissipando-se[399] na Babilônia dos amores dissolutos, o movimento contrário conduz sua alma para a estabilidade eterna de Sião, onde não há sobressaltos nem temores[400].

## 3,7,21,74. Economia do ser: construção e destruição

**74.** A – [...] Pois a este exórdio, em que tu queres ser, se adiciones mais e mais "ser", te elevas e te constróis em direção ao que *é* de modo supremo; e assim tu hás de coibir-te de toda ruína[401], em que aquilo que é de modo ínfimo transita [em direção] a que não seja[402], fazendo ruir consigo[403] as forças do seu amante.

O pensamento agostiniano, como se viu, admite tanto um incremento ontológico como uma redução, em conformidade com a direção do movimento da vontade. Assim, se a vontade da alma se converte para o Bem comum e imutável, seu ser é acrescido; ao contrário, se se converta para os bens próprios e mutáveis, vê decrescido o ser de si, numa escada (ontológica) cuja base é o nada e o vértice, o Ser supremo. Neste "exórdio", diz o filósofo, em referência a um ponto mínimo, inicial, de onde parte a alma – que é sempre alma, sendo, vivendo e inteligindo[404] –, quando decide por seu livre arbítrio amar o ser, convertendo e movendo sua vontade em direção ao Bem supremo e imutável, adiciona ao ser de si tanto mais ser quanto mais dele se aproxime, elevando-se mais e mais, pelo acúmulo de ser, como quem de fato se autoconstrói ou autoedifica,

---

399 Cf. *Conf.* 2,2,2; 8,5,11; 8,9,22; 10,29,40;

400 Cf. 2,16,41,161, esp. Sl 64,3: *"Patria illa est Sion; ipsa est Ierusalem quae Sion"*.

401 Quer dizer, de toda queda ruinosa, do ser ao não ser. Essa ruína é o próprio pecado, pois Agostinho diz que é nela que aquele que é infimamente passa para o não ser. Logo o movimento de aversão aqui se diz *labes*, liter. "labéu", daí também: "defeito", "queda", "ruína" etc.

402 Liter.: "de modo que não seja", como consequência do movimento de aversão, que é voluntário.

403 Os bens temporais, que *são* infimamente, ao dirigir-se naturalmente à ruína, uma vez serem bens transitórios e fugazes, destinados desde sua criação à curta existência, arrastam consigo, para o "defeito", aqueles que os amam, minando-lhes as forças todas.

404 Cf. 2,19,53,199-200, esp. *Ench.* 4,13.

sobrepondo camadas, umas por cima das outras, desse material de construção especial, que é o ser. Em assim procedendo, protege sua edificação do defeito a que se destinam as coisas que caminham para o nada, pois quem ama o que transita à destruição se autodestrói com aquilo que ama, assim como, ao revés, se autoconstrói com o amor do que permanece *in aeternum*.

## O limite da involução: não ser não é possível

**75.** A – Decorrerá disso que, [i] quem prefere não ser, a fim de que não seja infeliz, *porque não pode não ser*, resta-lhe que seja infeliz; [ii] porém quem ama mais o ser do que odeia ser infeliz, ao adicionar [mais ser] ao [ser] que ama, exclui aquilo que odeia[405]. Pois quando começar[406] a ser de modo perfeito[407], em seu gênero apropriado, não será infeliz.

Quem diz preferir morrer a ser infeliz não está optando por deixar de ser, e sim por ser infeliz, pois não se pode querer o que não existe, o nada. Será infeliz porque ama o que não deve amar e porque verá seus desejos frustrados, ao pretender o que não pode ter, simplesmente porque não existe. Por outra, quem ama mais o ser do que odeia ser infeliz, diz Agostinho, esse, por amar aquilo que irá incrementar o ser que já possui, edificando e elevando a si mesmo, tornar-se-á feliz pela proximidade do Ser supremo, cuja plenitude é também a suma Felicidade. Em vez de não querer ser infeliz, portanto, melhor seria querer e amar simplesmente ser, cujo resultado é a própria expulsão da infelicidade, que se dá pela proximidade com a Felicidade do Ser supremo, que aperfeiçoa o ser de cada coisa em seu devido grau e gênero.

Se o pensamento agostiniano prevê a evolução da alma até ao limite da perfeição, cada qual em seu gênero apropriado, de acordo com o movimento volitivo individual, sua involução, embora prevista, contudo parece deparar seu limite em algum ponto final, pois o filósofo diz que não é possível deixar de ser totalmente (*quia non esse non potest*). Até que ponto, pois, pode a alma involuir, sem deixar de ser alma? Se involui ao nada, não apenas deixa de ser alma, mas deixa de ser completamente. Fosse assim, com o defeito absoluto da alma no nada e a consequente consumação de seu ser, nenhuma Justiça divina seria factível no pós-morte às almas renitentes na maldade, o que entra em choque com a doutrina desposada

---

405 Liter.: “[...] *reste* que seja infeliz... que *exclua* o que odeia”.

406 O incoativo *coepi* não utiliza os tempos do *infectum*, fazendo-lhes as vezes a série do *perfectum*. Daí *coeperit* traduzir-se pelo subjuntivo presente, que procurou-se expressar pela forma composta, a fim de preservar seu aspecto perfectivo.

407 Isto é, de modo acabado, pleno, completo (*per* + *facio*).

pelo pensador africano. Porém o nada é esse movimento de aversão, não um *locus inamoenus*, um desagradável destino final, onde tudo se acaba. Resta claro que o nada não existe, porque não tem substância, estatuto ontológico, constituindo o movimento de aversão de Deus e de conversão na direção antipodal. Neste sentido inequívoco nenhuma alma pode fugir para o nada, que não existe enquanto destino, sendo antes a própria fuga, o próprio fugir, esse desamor do Ser. De fato, só existe o que Deus criou, conferindo-*lhe* o ser, e Deus não criou o nada. Logo o nada inexiste. O movimento de aversão, que se diz pecado, é um movimento defectivo, que não possui estatuto ontológico, que não possui ser. Porém resta a dúvida, nessa economia ontológica prevista pela metafísica agostiniana, segundo a qual se podem adicionar camadas sobre camadas de ser, até onde pode o ser de si ser subtraído, numa palavra, até onde se pode autoarruinar ou autodesfazer uma alma pelo distanciamento do Ser supremo e a consequente perda de seu ser? Se não se pode não ser, como dito, e se a alma não pode regredir na escada das naturezas[408], deixando de ser alma, isto é, deixando de inteligir, para apenas viver e ser, do contrário não teria consciência nenhuma de seu estado, perdendo a vontade livre e com ela a responsabilidade moral, enfim, se não pode não ser, a que estado ou degrau ontológico ínfimo pode chegar uma alma, naquela vida que se diz ser antes uma morte, longe de Deus? Esse, supõe-se, seria o próprio estatuto ontológico do diabo, se nele algum houver.

## O nada e o suicídio
(seq. Prolepse III - 3,7,20,68-84)

## 3,8,22,76-78. A eleição do nada não é possível

> **76.** A – [...] Porém não ser não é alguma coisa, mas nada, e por isso tu não podes de modo nenhum eleger retamente, quando o que elejas não é.[409] [...] **77.** Porém o que não é não pode ser melhor, logo não deverias querê-lo, e mais veraz é o sentimento[410], pelo qual tu não o queres, do que a opinião, pela qual tu julgas que deverias querê-lo.

---

[408] Cf. 3,5,16,58.

[409] Cf. 3,7,20,68.

[410] *Sensus*, aqui compreendido como uma atividade mais intuitiva da mente, por assim dizer, do que um produto sistemático da razão, porém verdadeira, em contraposição à falsa opinião, *opinatio*. Logo quem prefere ser infeliz, assim o prefere mais por uma intuição, um "sentido" ou "sentimento", inato e como que instintivo, porém mais verdadeiro do que a falsa opinião de que melhor seria não ser do que ser. Vejam-se adiante os seguintes parágrafos acerca da oposição *sensus-opinio:* 3,8,23,79-84.

Nada poderia ser dito de modo mais claro, nenhum argumento, elaborado segundo a mais perfeita lógica, do que fez Agostinho nestes dois parágrafos. De fato, não se pode eleger, entre dois candidatos, aquele que não existe. Na verdade não há dois candidatos, apenas um, pois se um deles inexiste, o outro está só. Logo nem se pode dizer com acerto que haja uma eleição, quando há apenas um candidato. Porém, se aquilo que elege o eleitor do nada não existe, que elege ele então? Se recusa o amor do ser, que poderia levá-lo ao supremo Ser e consequentemente ser feliz, de modo permanente, só pode estar elegendo manter o que já possui, a infelicidade, uma vez que não é possível não ser. Resta, pois, que seja infeliz, até que se decida por amar o ser. Todavia, embora guarde a falsa opinião (*opinatio*) de que deva preferir o não ser a ser infeliz, por um certo sentido (*sensus*), mais verdadeiro do que a opinião, não quer não ser. Por isso o melhor seria fiar-se no sentido que impulsiona a evitar o não ser, em lugar da opinião que pretende precipitá-lo no nada, errônea e especiosamente, tornando-o ainda mais infeliz.

## Silogismos erísticos

Interessante notar no interior dessa argumentação a presença de duas ideias ou tópicos argumentativos bastante comuns ao pensamento antigo. No primeiro, quando diz Agostinho: "Se isto é o que deverias querer, isto é melhor", está pressuposto que aquele que elege alguma coisa sempre elege o que considera como sendo o melhor para si, que é o que deveria de fato eleger[411]. Logo, se se deve eleger não ser em detrimento de ser infeliz, deve-se concluir que não ser seja melhor do que ser. Nada há de errado com o tópico, posto que se possa discordar de sua veracidade. Porém o silogismo, embora em sua forma lógica seja válido, resulta falacioso, porque o que não é não pode ser melhor do que coisa alguma. O problema, pois, está na segunda premissa, particular, que é falsa, porque o nada não é[412]. No segundo, quando Agostinho

---

[411] Cf. Aristóteles, *Ética nicomaqueia* (1145b25-27). Sócrates defendia que ninguém, em sã consciência, agiria contra as disposições de sua reta razão. Cf. 1,3,27,89-90. De fato, se se deve escolher o melhor, escolhida a opção E, conclui-se que E seja a melhor opção, do contrário não deveria ser escolhida.

[412] O silogismo construído a partir desse tópico seria algo como: $P._1$. Todo aquele que escolhe escolhe sempre o melhor; $P._2$: X escolhe não ser (em lugar de ser); C.: Logo não ser é melhor (do que ser). O problema é que a sua premissa particular $P._2$ é falsa, não podendo a conclusão apoiar-se nela, redundando naquilo que se denomina "silogismo erístico".

diz: "Aquilo que alguém elege retamente deva ser adquirido, quando o houver alcançado, é necessário que *ele* se torne melhor", pressupõe-se um tópico do seguinte tipo: "A obtenção do melhor torna seu eleitor melhor", argumento utilizado com frequência pelo próprio filósofo, como sustentação de suas ideias metafísicas, quando diz que aquele que se acerca da Felicidade, da Eternidade, da Estabilidade supremas do Ser, pelo acúmulo de ser, se torna perfeitamente (cada qual em seu gênero) feliz e estável como ele[413], ou quando toma posse da boa vontade, das virtudes e da ciência, tornando-se melhor e mais sábio[414]. Porém padece esse silogismo do mesmo defeito[415] do anterior, visto que nada não pode tornar ninguém melhor.

## O juízo dos suicidas

**78.** A – E nem convém que nós nos perturbemos pelo juízo dos que por uma infelicidade urgente se mataram. Pois ou eles se refugiaram ali, onde pensaram que seria melhor para si, e [isso] não é contrário à nossa razão, seja como for que tenham pensado...

Um gesto de nobreza não raro era considerado o suicídio na Antiguidade romana, como o perpetrado por Lucrécia, a casta esposa de Lúcio Colatino, por exemplo, após ter sido violada pelo insolente Sexto Tarquínio, filho do último rei de Roma, Tarquínio o Soberbo[416], ou como o praticado pelo estoico Catão de Útica[417], após a derrota do triúnviro Pompeu[418], a quem apoiava, diante das forças de César[419]. Catão era muitíssimo louvado pelos romanos, como se pode constatar pelo retrato que o historiador Salústio[420] tece dele, destacando-lhe as inúmeras virtudes, como: grandeza de alma, integridade de vida, firmeza, modéstia e severidade[421], todas consideradas verdadeiras, porque, diz Salústio,

---

413 Cf. 2,7,21,75.

414 Cf. 1,12,26,86-87; 1,13,27,89-90 *passim*.

415 $P._1$: Todo aquele que obtém o melhor se torna melhor pela sua posse; $P._2$: X obtém o nada; C.: Logo X se torna melhor pela posse do nada. Neste caso igualmente $P._2$ é falsa, merecendo este silogismo ser igualmente qualificado de "erístico".

416 Cujo reinado teria durado cerca de 26 anos, de 535 a 509 a.C.

417 Marco Pórcio Catão, mais conhecido como Catão, o Jovem, suicidou-se em Útica, norte da África, em 46 a.C.

418 Gnaeu Pompeu Magno (106-48 a.C.), triúnviro, ao lado de César e Crasso.

419 Gaio Júlio César (100-44 a.C.), primeiramente triúnviro, depois ditador romano.

420 Gaio Salústio Crispo (86-35 a.C.), historiador romano. Cf. *A conjuração de Catilina*, §54.

421 Na respectiva sequência: *magnitudo animi, integritate uitae, constantia, modestia, seueritas*.

Catão "preferia antes ser bom a apenas parecer sê-lo"[422]. Pois bem, Agostinho lembra aqui duas justificativas comumente utilizadas[423] para defender a coragem de quem tirava a vida a si mesmo: [i] ou matavam-se porque acreditavam que a vida depois da morte seria melhor, uma espécie de alívio imediato dos sofrimentos do corpo e da alma, o que, diz o filósofo (referindo-se apenas ao argumento), "não é contrário à nossa razão"[424]; [ii] ou então tiravam a própria vida porque não acreditavam em absolutamente nada, isto é, que a morte seria o fim de tudo, um "sono sem sonhos", como dizia Sócrates[425]. Nos dois casos, portanto, o suicida "corajosamente" procurava um alívio para sua condição, uma melhora em seu estado, o que não parecia aos antigos ser contrário à reta razão. No entanto, obtempera Agostinho, nem o juízo dos suicidas, que [i] ou acham que o suicídio os levará a um lugar melhor, [ii] ou a um "sono sem sonhos", nem a falsa opinião (que se contrapõe a esse juízo, racional, nomeadamente dos estoicos) dos que preferem não ser a ser, nenhuma das duas deve ser motivo de perturbação, pois quem escolhe o nada, nada escolhe.

**78.** A – [...] quem escolhe não ser, sem dúvida está comprovado que não elege nada, mesmo se ele não queira responder isto.

Mais tarde[426], quando da escritura de *Cidade de Deus*, Agostinho revê os valores morais romanos tradicionais, lançando em dúvida essa tão decantada "coragem" suicida de Catão[427] e de Lucrécia. Para o filósofo de Hipona, o estoico não se teria matado de modo virtuoso, e sim por tibieza moral, porque incapaz de sofrer com paciência a vitória de César: "Pois ele não teria feito isso [o suicídio], se não tivesse sofrido a vitória de César com impaciência[428]. Onde está

---

422 Salústio, *ibid.* §54: *"esse quam uideri bonus malebat"*.

423 Cf. Platão, *Apologia de Sócrates* e Cícero, *Tusculanas; De senectute* etc.

424 O filósofo refere-se apenas à correção do silogismo: $P._1$: Todo ser humano procura o prazer ou fugir à dor (o que equivale a pôr-se em estado melhor do que presentemente se encontra); $P._2$: A vida de X está ruim e X acredita piamente que depois dela há outra vida melhor; C.: Logo X decide passar dessa vida para uma melhor. Nada há de errado com a forma do silogismo, que é válido, ainda que $P._2$ seja contestável.

425 Cf. 1,5,12,37; Platão, *Apol. S.* 40d: ὕπνος μηδ᾽ ὄναρ.

426 *C.* 413-427.

427 *Ciu. dei* 1,22-23; 19,4.

428 Note-se que *patientia* não é apenas a qualidade de quem é paciente, no sentido de saber esperar, mas é acima de tudo a resignação de quem consegue suportar as agruras e os incômodos da vida. Assim sendo, a impaciência é a incapacidade, rebelde, de suportar as adversidades da vida. Cf. verbetes *patior* e *patientia* no LÉXICO T-F.

a sua coragem?"[429]. E logo no primeiro livro da referida obra (§22) Agostinho discorda da tese de que o suicídio seja sinal de grandeza de alma: "nem sequer a própria grandeza de alma assim se dirá de modo correto, quando alguém, não sendo capaz de tolerar certas asperezas ou outros pecados, der um fim à própria vida"[430]. Pelo contrário, diz, trata-se muito mais de uma tibieza ou enfermidade do espírito (*mens infirma*) do que de coragem ou grandeza de alma.

## O suicídio e o movimento de aversão: digressão ou nada?

Não se pode olvidar que, ao discorrer acerca da possibilidade de não ser através do suicídio, está-se, em verdade, discutindo o nada, a possibilidade do nada, que é também o movimento de aversão do Bem comum e imutável e conversão aos bens próprios e mutáveis, que se denomina pecado ou mal. E de fato, assim como o nada inexiste, não tem estatuto ontológico, numa palavra, não é, assim também o nada que se espera após a morte não poderá ser. Porém, se se questionasse a possibilidade do mal, que por não ser não pode ser eleito, não se diria outra coisa senão que se estaria fazendo uma grave confusão, entre o que é e o que não é. De fato, o mal é um movimento defectivo, a corrupção do ser, corrupção de um bem. Deus criou os bens todos, porém não criou o mal. A corrupção de um bem não tem estatuto ontológico, não é, pois apenas o bem é alguma coisa. O não ser que se espera pela morte não é possível, porque não existe, e não se pode eleger o que não existe. Só Deus pode fazer voltar ao nada (*in nihilum*), se assim queira, aquilo que ele mesmo fez sair do nada (*ex nihilo*). Quando alguém se mata, continua a viver uma vida que, embora se diga "morte", ainda assim é alguma coisa, mesmo que afastada de Deus, o Bem supremo. Demais, ao pecar, corrompe-se o ser de si tanto mais quanto mais se afaste do Bem eterno, naquele movimento de aversão que se denomina mal. Contudo, se o movimento não tem substância, não sendo nada, a alma avertida ainda é alguma coisa, do contrário não apenas deixaria de ser totalmente, mas tampouco poderia pecar, pois quem não é não pode pecar[431]. A treva total, que implica a ausência total de ser, que se pode compreender como o mais absoluto nada, não existe enquanto substância, e sim enquanto movimento de aversão, pois, se

---

429 *Ciu. dei* 19,4: *"Non enim hoc fecisset, nisi uictoriam Caesaris inpatienter tulisset. ubi est fortitudo?"*

430 *Ibid.* 1,22: *"Ne ipsa quidem animi magnitudo recte nominabitur, ubi quisque non ualendo tolerare uel quaeque aspera uel aliena peccata se ipse interemerit..."*.

431 Cf. *L.A.* 2,3,7,20: *"si non esses, falli omnino non posse"*.

existisse, teria de ter sido criada por Deus, *ex nihilo*, o que seria um paradoxo, pois, se tivesse criado o nada a partir do nada, não apenas teria criado o mal, mas também haveria dois eventos, por assim dizer, homônimos, um dotado de substância, outro totalmente desprovido dela; e o que seria mais contraditório ainda, ter-se-ia algo que passaria a ser, não sendo, depois de ter sido criado a partir do não ser; ou, de modo confuso, teria Deus criado nada, fazendo com que o que não era fosse.

Portanto o suicídio não constitui em si mesmo um tema periférico, intruso, ao modo de uma digressão (*excursus*) das discussões a respeito do mal, pois não se o está discutindo, o ato de tirar a própria vida, e sim a possibilidade de eleição do nada[432]. Ninguém, ainda que eleja pecar, está elegendo o nada em si mesmo. Elege-se, em vez disso, o amor de si em detrimento do amor do Ser, pois quem prefere o amor dos bens próprios e mutáveis, de que espera fruir em sua carne, em detrimento da fruição que poderia obter do Bem eterno e imutável, em seu espírito, eternamente, averte-se de Deus. Não está escolhendo o mal, e sim aquilo que, de imediato, por um juízo curto e especioso, imagina ser seu próprio bem, ou antes, um bem melhor. Não elege o mal, pois o mal não existe; tampouco elege afastar-se de Deus ou do Bem, e sim elege um bem menor em lugar de um maior, pois o que elege é ainda um bem. E essa eleição é que é o mal, não aquilo que se elege. Portanto o malfeitor elege um bem, porém de modo desordenado, visto antepor o inferior ao superior, o pior ao melhor, o temporal ao eterno, o privado ao público. Essa desordem em si mesma, que não é uma substância, é que constitui o mal. Logo o mal não é o que elege, e sim o próprio evento ou movimento da eleição desordenada, e por isso mesmo equivocada. No entanto seria lícito dizer também que a eleição é alguma coisa, pois quem elege elege um bem. Na verdade a eleição do bem inferior é, sim, alguma coisa, um evento, enquanto simples movimento livre da vontade. O que configura o mal não é esse mover-se da vontade em si mesmo, mas o peso equivocado que se atribui à eleição, numa palavra, o motor desordenado, defeituoso, que

432 O que, em última instância, significa a eleição do mal. Ora, como poderia alguém eleger o que não existe? Não poderia. Logo ninguém elege o mal em si, porque o mal inexiste. O que elege, em vez disso, é amar o que deve usar e usar o que deve amar, numa inversão da ordem de prioridades do amor. Logo quem pensa estar elegendo o mal, na verdade elege amar a criatura em lugar do Criador, os bens mutáveis, temporais e privados em lugar do Bem imutável, eterno e público. Ainda que ambos sejam bens, trata-se de uma eleição desordenada, um movimento da vontade avertido, aversão cuja natureza simplesmente não é, sendo apenas o defeito daquilo que é, que é sempre bom, enquanto é, visto que tudo o que o bom Deus cria é igualmente bom.

se move à eleição do bem inferior em si mesmo e por si mesmo, como se um fim fosse, em lugar do Bem supremo, o verdadeiro e único Fim. Utilizar-se dos bens inferiores não é algo ruim em si, apenas fruir deles como se fossem fins em si mesmos. Assim sendo, a desordem, que não tem substância por ser apenas a corrupção da ordem, é o que distingue os movimentos da vontade, o bom do mau, o ordenado do desordenado. E o mover-se em si não é mau; muito menos o seu motor, que é a própria vontade, instalada na alma pelo divino Projetista; mau é o defeito, que se dá quando a alma averte o motor de sua configuração original. Por isso, pois, é que o motor se tornou defeituoso, porque o mecânico da alma, a razão, preferiu alimentá-lo do combustível putrescível da matéria, em lugar do combustível do espírito, o amor de Deus.

## 3,8,23,79-84. Ecos de Túsculo: *opinio et sensus*

> **79.** A – [...] ninguém, quando mata-se a si próprio, ou de algum modo deseja morrer, possui no *sentimento*[433] que após a morte não será, ainda que o tenha em alguma medida na *opinião*.

Dois parágrafos antes[434], ao cotejar prolepticamente o desejo inato que se tem de permanecer vivo, ainda que sendo infeliz, com o deixar de ser em absoluto, Agostinho não apenas sugere que às vezes um "sentimento" (*sensus*) pode ser mais verdadeiro do que uma "opinião" (*opinatio*) decorrente da atividade racional, mas permite sobretudo se ouçam ecos de seu instigador nas veredas da filosofia, Cícero.

> **79.** A – [...] Porque (1) a opinião está ou no erro, ou na verdade daquele que raciocina, ou crê, porém (2) o sentimento tem seu valor segundo o costume, ou a natureza.

Em uma sequência de breves parágrafos (§§79-84), dentre os mais interessantes deste terceiro livro, o filósofo de Hipona deixa claro que nem sempre a "opinião", aqui representando o juízo da razão, seja o mais certo, em contraposição a outros modos de conhecimento mais empíricos, por assim dizer,

---

433 *Sensus* não se refere aqui exclusivamente aos sentidos corpóreos, mas também a uma sensibilidade do espírito, por mais oximorística seja esta aglutinação, por meio de que ele tem algum "senso", noção intermediária entre o produto da razão sistemática e a percepção dos sentidos, porém que se dá na mente, onde se tem consciência dele, embora não se saiba explicá-lo.

434 Cf. 3,8,22,77: "E mais veraz é o *sentimento*, pelo qual tu não o queres, do que a *opinião*, pela qual tu julgas que deverias querê-lo".

esteados nos sentidos corpóreos, ou então registrados na mentalidade coletiva em decorrência do hábito ou da própria natureza. Com efeito, se (1) a opinião (*opinio*), que pode ser verdadeira ou falsa, é decorrente [a] seja do raciocínio (*ratiocinor*), seja [b] da crença (*credo*), que são ambos atividades da razão humana, pois mesmo para crer em algo é preciso pôr a razão em funcionamento, encontrando motivos para fundamentar aquilo em que se crê, sejam eles quais forem; (2) o sentimento (*sensus*), por sua vez, que também pode ser verdadeiro ou falso, decorre [c] tanto do costume ou hábito (*consuetudo*), como [d] da natureza (*natura*). Tem-se, assim, que a contraposição entre opinião e sentimento se apoia na antítese dos pares: (1) [a]-[b] raciocínio-crença; e (2) [c]-[d] costume-natureza, que se explicarão nos parágrafos subsequentes com alguns exemplos aduzidos pelo filósofo. Contudo interessa antes notar os ecos propriamente ciceronianos da passagem.

Em suas *Tusculanas*, ao discorrer sobre a imortalidade atribuída pelos antigos aos deuses, chamados pelos gregos de *athánatoi*, "imortais", e também por muitos dos "mortais", ditos *brotoí*, ansiosamente esperada, diz o erudito romano que os homens têm dela um sentimento inato, como que decorrente daquilo que ele denomina "consenso de todas as gentes"[435], que incute nos homens, como se por uma lei da natureza (*lex naturae*), a ideia da existência dos deuses e de sua imortalidade. Porém esse sentir em conjunto[436] das gentes não se trata de modo nenhum de uma crença construída a partir de opinião formada em bases racionais, mas de um sentimento comum, que se fixa pelo costume, tornando-se inato, uma espécie de segunda natureza, para lançar mão de uma expressão aristotélica[437], ou então a própria "voz da natureza", na expressão derivada de Cícero[438]. E assim também a imortalidade tão desejada e decantada pelos poetas em toda parte, sugere o erudito rétor romano, pode ser interpretada como uma esperança da vida futura, visto que ninguém espera aquilo em que não crê de algum modo[439]. Logo esse "consenso", ou seja, esse "sentir uns com os outros", que pode ser compreendido também como o próprio "senso comum", em que toda gente passa a ter um "sentimento" partilhado de algo, sentimento que, ao

---

435 *Tusc.* 1,13,30: *"consensio omnium gentium"*.

436 Lat.: *con-sensio* [< *con-* + *sentio*].

437 Cf. *Ret.* 1370a: "Pois o que é costumeiro torna-se já natural, porque o hábito é semelhante à natureza" (καὶ γὰρ τὸ εἰθισμένον ὥσπερ πεφυκὸς ἤδη γίγνεται· ὅμοιον γάρ τι τὸ ἔθος τῇ φύσει).

438 *Tusc.* 1,15,32: *"omnium consensus naturae uox est"*.

439 *Tusc.* 1,15,32: *"Quid poetae? nonne post mortem nobilitari uolunt?"*.

ser reproduzido no tempo, pelo costume, se torna uma segunda natureza, ou sua "voz", contrapõe-se, tanto para Cícero como para Agostinho, ao exercício mais ou menos sistemático da razão. Portanto, se é sentimento comum de toda gente que há uma vida *post mortem*, é porque ela deve de fato existir, e precisamente por isso é que se deve crer nela[440]. Esse sentimento comum de todas as gentes, explica ainda Cícero, dá-se por uma espécie de intuição, de modo natural, ou seja, todos sentem que a vida continua, porém não se ocupam de explicá-lo (o que não é tarefa do senso comum). Porém, se se queira indagar de sua natureza, isto é, da natureza da vida imortal ou da natureza das almas enquanto almas imortais, isso deve ser feito por meio da razão, a única capaz de fazê-lo[441].

## 3,8,23,80. Deleite e crença

> **80.** A – Porém pode acontecer que uma coisa esteja na opinião, outra, no sentimento; por exemplo, é fácil conhecê-lo a partir deste fato, que na maior parte do tempo cremos que se deve fazer uma coisa, e deleita-nos fazer outra.

A oposição entre sentimento (*sensus*)[442] e opinião (*opinio*) se pode conhecer melhor por meio da distinção entre deleite e crença. De fato, o poder do deleite, ou prazer dos sentidos, pode chegar a ser tão intenso, que facilmente se sobreponha às determinações do raciocínio ou da crença, instrumentos da opinião, especialmente se este deleite tiver sido reforçado pelo hábito, tornando-se uma espécie de segunda natureza, no dizer aristotélico. Neste caso, então, tenha-se ou não uma crença da nocividade de N, que pode ser mais ou

---

440 *Tusc.* 1,15,35: "Se... todos os que estão em toda parte compartilham do sentimento de haver algo que diga respeito àqueles que tenham morrido, nós também devemos supô-lo igualmente!" (*si... omnes, qui ubique sunt, consentiunt esse aliquid quod ad eos pertineat, qui uita cesserint, nobis quoque idem existimandum est...*).

441 *Tusc.* 1,16,36: "Mas, assim como [$i_a$] opinamos, segundo a natureza, que os deuses existem e [$ii_b$] conhecemos, por meio da razão, qual seja a sua essência, do mesmo modo [$i_b$] pelo consenso dos povos é que formamos o juízo de que os espíritos permanecem [após a morte], [$ii_b$] [porém] em que lugar permaneçam e qual seja sua essência, isso deve ser dito pela razão" (*sed ut deos esse natura opinamur, quales sint ratione cognoscimus, sic permanere animos arbitramur consensu nationum omnium, qua in sede maneant qualesque sint ratione dicendum est*).

442 Esse *sensus*, como explicado pouco antes, não é fruto de atividade sistemática da razão, ainda que se dê na mente. Embora homônimo dos sentidos corpóreos, não é uma percepção exclusiva dos cinco sentidos, mas fruto de uma sensibilidade "intuitiva", se se permite dizê-lo, fundamentada a partir da experiência sensorial, quando não do próprio indivíduo, certamente do senso comum, fruto da experiência coletiva herdada, mas não comprovada nem explicada pela razão sistemática.

menos sustentada por raciocínios certos, ainda assim se preferirá fruir de N, nada obstante o juízo negativo acerca de tal empresa. Por outra, pode crer-se na periculosidade de N, sendo pela razão admoestado a evitá-lo, e por esse mesmo motivo evitar de fruir do prazer que N poderia proporcionar, antepondo a crença racional ao deleite dos sentidos.

## Quando o sentimento é mais verdadeiro que a opinião

> **80.** A – [...] E por vezes mais veraz é o sentimento do que a opinião, se esta decorre do erro, aquele, da natureza, como, por exemplo, quando o doente deleita-se de maneira proveitosa com a água fria, a qual, contudo, crê que, se vier a beber, ser-lhe-á nociva.

Pode ocorrer, contudo, que se contraponha uma opinião falsa, resultante de um raciocínio errado, ao sentimento derivado da natureza, ou do hábito, quando então o sentimento se sobrepõe, por sua veracidade, à atividade da razão. Isso se dá, por exemplo, quando um certo doente deleita-se, com proveito para sua saúde, da ingestão de água fria, embora crendo que esta lhe pudesse prejudicar o estado. Neste caso, ao bebê-la, motivado pelo prazer que isso lhe causa, não incorre prejuízo algum para a própria saúde, e então sua crença de pouco lhe serve, pois fundamentada, posto que racionalmente, sobre um erro, sendo seu sentimento neste caso mais verdadeiro. De fato, o sentimento decorrente do prazer natural experimentado pelo consumo de água fria é mais verdadeiro do que a crença de que água fria lhe possa causar prejuízo à saúde, o que, em seu caso, provou-se falso.

O termo *sensus*, neste caso, poderia traduzir-se por "sentido", pois não é senão por meio do paladar que o prazer da água fria é sentido, embora seja possível compreender que esse prazer extrapole o limite dos sentidos de ordem corporal, porque também é sentido por meio da atividade mental que a água fria seja uma fonte de prazer, ainda que esta fonte estivesse presentemente indisponível, assim como o seu jucundo frescor é sentido por meio dos sentidos corpóreos. Neste caso sente-se uma impressão interior, registrada na mente a partir das impressões sensoriais, do seguinte modo: depois de ter experimentado a água fria e ter-se deleitado com ela, permanece registrado na mente, ou na memória sensorial, que a água fria é fonte de prazer, porém não se sabe disso por meio dessa suposta memória sensorial, e sim pelo uso ligeiro da razão, que compara o prazer proporcionado pela ingestão de água fria com o proporcionado pela ingestão de água quente, mesmo sem tê-las presentemente ao

alcance, recorrendo às informações sensoriais armazenadas na memória, que lhe darão o subsídio necessário a que conclua pela maior aprazibilidade da água fria em comparação com a tépida ou cálida. Portanto essas informações ficam armazenadas na memória sensorial, se assim se pode chamá-la, para serem utilizadas quando necessário, fazendo parte do patrimônio empírico individual. Porém pode dar-se que se esteja sentindo, naquele exato momento (*ex tempore*), a frieza agradável da água pelo paladar e pelas sensações que possa produzir às mãos e ao olfato, sensações que são levadas de imediato à mente pelo sentido interior, segundo a teoria de Agostinho apresentada no livro segundo, para ali então serem processadas e depois armazenadas na memória, a fim de que sejam posteriormente utilizadas, como patrimônio da experiência. Seja como for, em ambos os casos esse sentido, ou sentimento, que não se deve confundir com nenhuma atividade sistemática da razão, embora dela não prescinda, sentido da aprazibilidade que a água fria desperta, tem origem nas percepções corpóreas, antes de ir parar na memória sensorial; isso, quando não é herdado pelo senso comum, que não raro serve de vicário da própria experiência individual.

## 3,8,23,81. Quando a opinião é mais verdadeira do que o sentimento

**81.** A – Outras vezes a opinião é mais veraz do que o sentimento, se se creia na arte da medicina, [que sustenta que a água] fria é prejudicial, quando por um motivo verdadeiro lhe há de ser prejudicial, ainda que bebê-la o deleite.

Outras tantas vezes é a opinião, fruto do raciocínio ou da crença, que se sobrepõe em veracidade ao sentimento, esteado seja no hábito, seja na natureza. Isso se dá, por exemplo, quando se crê, escorado racionalmente nos argumentos médicos, que a água fria seja prejudicial (e em certos casos pode sê-lo de fato), deixe-se ou não de bebê-la, sendo ela contudo fonte de imenso deleite. Neste caso a crença está com a razão, pois crê-se em bases sólidas que a água fria seja nociva à saúde do enfermo, ainda que seu consumo seja deleitoso. Se o deleite continua sendo verídico, contudo a razão deve sobrepor-se, pois não se acredita em vão que a água fria prejudique a saúde deste enfermo, e sim fundamentado na arte médica[443].

---

[443] Perceba-se, neste passo, como curiosamente a oposição entre *sensus* e *opinio* subverte a dialética entre *fides* e *ratio*. Pois aqui a "crença" (*credere*), que antes se queria contrapor à razão, agora é considerada atividade do pensamento, que contrasta com o sentimento de viés "empírico", herdado seja da natureza, seja do senso comum.

## Quando ambos são verdadeiros ou falsos, sentimento e opinião

**81.** A – [...] Às vezes ambos estão com a verdade, quando o que é útil não apenas assim se crê, mas também apraz; outras vezes estão ambos em erro, quando o que prejudica não apenas crê-se que seja útil, mas também não deixará de aprazer.

Porém pode dar-se que sejam ambos verdadeiros: a água fria dá prazer e traz proveito para a saúde do enfermo. Neste caso tanto o sentimento (*sensus*) como a opinião (*opinio*), fundados o primeiro sobre a natureza ou hábito e o segundo sobre o raciocínio ou crença, são verdadeiros igualmente. E pode ainda ocorrer que ambos estejam em erro, quando crê-se que seja proveitoso para a saúde o que na verdade é prejudicial, contudo não deixando de ser deleitoso – talvez como quem ingerisse um veneno, que sem o saber aufere um deleite nocivo[444].

## 3,8,23,82. O domínio e o principado da razão

**82.** A – Porém sói ocorrer que não apenas uma opinião reta corrija um costume depravado, mas também que uma opinião depravada deprave uma natureza reta, tamanha força existe no domínio e principado da razão.

Por que, pois, teria Agostinho supostamente aberto esse trabalhoso parêntese, ainda que de grande interesse, para fundamentar a distinção entre opinião e sentimento? Na verdade não se trata da inserção de uma tese dentro de outra, tampouco de um *excursus*, um desvio livre de rota, fruto maduro de sua prolixidade, e sim de justificar e costurar duas afirmações da maior importância para seus objetivos na obra. Primeiro explica a assertiva feita acima[445], de que aquele que não quer morrer não o quer por meio de um sentimento (escorado no hábito ou na natureza) mais verdadeiro do que a opinião (construída pelo raciocínio ou pela crença) de que seria melhor não ser a ser infeliz. Assim sendo, depois da exposição detalhada das diferenças entre opinião e sentimento, esclareceu-se como pode um sentimento ser mais verdadeiro do que uma opinião. De fato, aquele cuja opinião admoesta racionalmente a que deseje não ser está baseando sua crença num erro de raciocínio, pois acredita que depois da morte do corpo hão de evaporar-se todas as moléstias de sua condição miserável, não sendo mais.

---

444 Neste caso não está muito claro como ambos podem estar em erro. Se se crê que algo é benéfico e seja, ao invés, prejudicial, tem-se seguramente um erro de avaliação. Porém, se não deixa de ser deleitoso, isso só constituirá um erro se por algum sentimento assim não foi percebido.

445 Cf. 3,8,22,77.

Porém sua opinião o trai, como patenteou Agostinho, demonstrando que não pode desejar o que não é, sendo antes seu sentimento de repulsa pelo não ser mais verdadeiro do que a opinião, falsa, de que estaria escolhendo algo melhor para si. Em segundo lugar justifica a capital assertiva efetuada neste parágrafo, de que uma opinião tanto é capaz de corrigir um hábito torto, quanto de depravar uma natureza reta, tamanho o domínio e o principado da razão. Com efeito, estando no erro ou na verdade do que raciocina ou crê, se a opinião é verdadeira e reta, pode endireitar um costume torto ou depravado, pois o poder e a superioridade da razão, neste universo perfeitamente ordenado de Agostinho, é capaz por si só de redirecionar os movimentos pervertidos da vontade, convertendo na direção do Bem comum os avertidos para os bens próprios e mutáveis, pois, como dito no primeiro livro, basta o querer[446]. Portanto tal é o domínio e o principado da razão, no homem ordenadíssimo, que aquela vontade tenazmente pervertida em direção aos bens inferiores, vontade que, de tão insistente, se tornou mais que um hábito, fez-se uma verdadeira segunda natureza ao homem decaído, que tanto aderiu às criaturas e afastou-se do Criador; enfim, tal é o principado da razão, que a perversão da vontade, tornada tão mais natural quanto foi tenaz, possa ser reconvertida para o Ser, endireitada, ou seja, tornada reta novamente, pela opinião, ou crença. Ademais, esse domínio da razão é de tal modo potente, no homem desordenado, que, quando depravada, torta, pode ela igualmente depravar uma natureza reta, fazendo com que a vontade convertida para o Bem comum seja desviada para os bens inferiores e mutáveis, de tal modo e com tamanha tenacidade que, devido à força do hábito, se transforme a própria natureza desordenada, para muito além da mudança de direção de sua vontade.

## Anseio natural de quietude

> **82.** A – [...] Logo, quando alguém, que crê que após a morte não será mais[447], contudo por intoleráveis moléstias é impelido a um completo desejo da morte, decide e provoca a própria morte, tem na opinião um erro de absoluta defecção[448]; porém no sentimento, um anseio natural de quietude[449].

---

446 Cf. 1,12,26,86: *"Velle solum opus est"*.

447 Quer dizer, que não existirá mais depois da morte, porque acredita que a morte é o fim de tudo.

448 Se ele crê (racionalmente) que a morte é o fim, o mais completo nada, seu juízo está errado; se crê que ela lhe será um alívio dos sofrimentos, alívio que irá conquistar pelo suicídio, erra igualmente. Portanto erra em ambos os casos o seu juízo, seja de que modo creia e atente contra a própria vida.

449 Traduz *quies*, o repouso ou descanso das moléstias da condição humana decaída. Cf. verbetes *adquiesco, quies, quiesco, quietus, requies* e *requiesco* no LÉXICO T-F.

Afirmado o predomínio e o principado da razão, quer para o bem, quer para o mal, retorna agora Agostinho à questão discutida alguns parágrafos acima, acerca daquele que presume que deve preferir não ser, em lugar de ser infeliz. Quando deseja não ser, movido por ingentes moléstias, as quais reputa destituído da paciência necessária para suportar, e decide então apoderar-se da morte, como quem se apodera de algum bem corpóreo, comete um erro de "opinião", diz o filósofo, erro que subqualifica também como de "defecção", seja por que maneira decida desertar da própria vida. Esse erro se diz de "opinião" porque decorre tanto de um raciocínio como de uma crença equivocados, pois avaliou-se que a deserção da vida poria fim às dores, reputadas insuportáveis, crendo ser possível possuir aquilo que de fato não existe, o não ser. E embora tenha sido cometido um erro de opinião, diz Agostinho, em seu "sentimento", porém, há apenas um "anseio natural" (*naturale desiderium quietis*)[450] de quietude, um desejo de paz e de repouso para seu espírito, na expectativa de uma completa cessação de todo sofrimento. Esse anseio natural (*sensus*), contudo, não é qualificado como errado ou depravado, tampouco como mau. Nem poderia, pois seria contraditório se o fosse, tendo sido qualificado como *naturale.* Portanto, ainda que tenha cometido um erro de raciocínio e de crença (*opinio*), seu desejo de morte é motivado por um anseio natural, que neste caso não parece decorrer do hábito, e sim de sua própria condição, pois ou trata-se uma faculdade que lhe foi dada como parte integrante de sua natureza, no ato de sua criação, o que é mais provável, ou que lhe foi deixada como herança pelo patrimônio do senso comum, tornando-se parte integrante de sua própria natureza. Logo não se trata de modo nenhum de algo censurável, porque, ao contrário, como dito no livro primeiro, quem deseja viver livre de sofrimento não deseja algo mau[451].

---

450 Perceba-se como esse "sentimento" natural de quietude se distingue da atividade sistemática da razão, e neste caso, principalmente, inclusive dos sentidos, pois parece ser mais intuitivamente coletivo, como a herança do *consensus omnium gentium* de Cícero, do que extraído do acervo da memória sensorial, fruto da experiência individual. Isso, se não é algo inato, uma semente divina plantada no ato da criação, como as noções impressas na alma (cf. 2,15,40,157-160), o que parece ser o caso.

451 Cf. 1,4,10,30: "desejar viver sem medo não é próprio apenas aos bons, mas também a todos os maus". Logo trata-se de um anseio natural, que em si mesmo é bom, embora os meios pelos quais se procura satisfazê-lo possam ser reprováveis.

## 3,8,23,83. A quietude é mais, por ser um bem maior

**83.** A – Porém o que está quieto[452] não é um nada; pelo contrário, é ainda mais[453] do que aquilo que está inquieto.

Esse anelante da morte, que em sua opinião comete um erro de defecção, ainda que esteja munido de um natural anseio de quietude, não é por isso justificado em sua disposição suicida. Com efeito, conquanto natural esse seu sentimento de deserção, não há de levá-lo aonde pretende, porque quem deseja a quietude deseja estar quieto, em repouso, ou seja, anseia estar livre de todas as fadigas da condição humana, isento das vicissitudes da vida terrena, em perfeita segurança e privado de todos os seus cuidados, o que só é possível a quem seja, numa só palavra, a quem possua "ser". E bastante ao contrário, quem se encontra nesse estado de tranquilidade e paz de espírito (ἀταραξία), de ausência de sofrimento ou dos sobressaltos das paixões (ἀπάθεια), ausência de dores e incômodos de ordem física (ἀπονία), enfim, quem se encontra nesse estado, encontra-se muito mais próximo do Ser do que aqueles que se veem perturbados, sob o guante das dores ou sob o jugo das paixões. Quem está "quieto" (*quietus*), diz Agostinho, é mais do que aquele que está "inquieto" (*inquietus*), o que implica dizer que a "quietude" (*quies*), ao contrário do que cria o amante da própria morte e anelante do repouso do nada, não o levará de modo nenhum a que não seja, e sim a que seja ainda mais. Logo quem deseja, por meio de um anseio natural de quietude, a morte, se lograsse atingir a tão sonhada quietude, ao invés de ter chegado ao nada, teria chegado, ao revés, a um estado de ser superior ao que se encontrava antes de se ter matado, jamais a não ser. Logo o suicida, ao invés do desejo de defecção da existência que pensa nutrir, ao desejar a quietude, o que deseja é antes existir ainda mais.

**83.** A – [...] Porque a inquietude faz *variar*[454] as disposições [do espírito], de modo que uma aniquile a outra; porém a quietude possui a *constância*, na qual se intelige no mais alto grau aquilo

---

452 *Quietus:* em estado de quietude, paz de espírito, decorrente do repouso que se espera após as fadigas e labores intermináveis desta existência. Cf. *quies, quietus* e *requies* no Léxico T-F. Ver *Conf.* 1,1,1: "E o nosso coração está inquieto, até que se aquiete em ti" (*et inquietum est cor nostrum donec requiescat in te*), isto é, até que encontre seu repouso definitivo em Deus.

453 O que se encontra em repouso possui mais "ser" do que o que não está em estado de repouso.

454 Traduz o latim *uariare*, que aqui significa "causar oscilações nas disposições do espírito".

que se diz "é"[455]. Portanto todo aquele apetite, [existente] na vontade de morte, não é tencionado para que aquele que morre não seja, mas para que alcance a quietude[456].

Isso se dá, explica o filósofo, porque a inquietude, ou condição de ausência de quietude, ao invés de pacificar e unificar as disposições do espírito, faz com que variem, exercendo uma espécie de ímpeto dissipador da vontade, que, como as ondas agitadas do mar, lançam o amante de um a outro lado, incessantemente, em direção aos bens próprios e mutáveis, numa palavra, em direção à decepção da corrupção, causando-lhe, por assim dizer, náuseas, de tanto e tanto querer, que, contudo, não encontra satisfação jamais, uma vez que a cada um subsegue outro, reciprocamente contrários, precipitando a alma do amante num turbilhão sem fim. A quietude, pelo contrário, pacifica a alma de modo constante, seguro, o que significa ausência de cuidados e sobressaltos, ausência daquele medo de perder o bem amado, o que nunca ocorre na quietude, pois a alma se encontra próxima daquilo que permanece de modo imutável, o Bem comum e eterno que sempre é. Portanto aquele que quer morrer, na verdade não quer não ser, e sim ser ainda mais, pois o que deseja, na verdade, é a quietude, que só o Ser pode conferir.

## 3,8,23,84. O amor natural do ser

**84.** A – Assim, conquanto creia, segundo seu erro, que não será, contudo, segundo a natureza, deseja estar quieto[457], isto é, deseja ser mais.

Não se pode nem se deve, pois, amar (desejar) não ser, porque o que não é não existe para que possa ser amado (desejado). Deus é o Ser supremo. Quem ama não ser, ao contrário do que pensa, que esteja amando algo, volta as costas para Deus, naquele movimento de aversão que se diz pecado ou mal. E esse infeliz, cuja opinião, por um erro de defecção, o leva a crer que o nada existe para ser amado, contudo ama, por meio de um sentimento natural de quietude, ser ainda mais do que já é. Logo não quer não ser, e sim ser mais. E assim, ignorante de seus reais propósitos, não quer voltar as costas a Deus,

---

[455] Cf. Êx 3,14: "E disse Deus a Moisés: 'Eu sou o que é'. E disse: 'Assim dirás aos filhos de Israel: O que é me enviou a vós'." (καὶ εἶπεν ὁ θεὸς πρὸς Μωυσῆν· "Ἐγώ εἰμι ὁ ὤν", καὶ εἶπεν· "Οὕτως ἐρεῖς τοῖς υἱοῖς Ισραηλ· Ὁ ὢν ἀπέσταλκέν με πρὸς ὑμᾶς.").

[456] *Requiesco:* "descansar", naquele repouso que se segue às canseiras da vida.

[457] Estar em quietude.

avertendo sua vontade do Ser comum e imutável, quer, ao invés, voltá-la para ele, ainda que não o saiba. De fato, seu anseio natural de quietude (*naturale desiderium quietis*) é antes um amor natural do Ser, porque quem quer desfrutar da quietude quer ser mais.

## O louvor devido ao Criador pelo amor de ser

**84.** A – [...] de nenhum modo convém acontecer que, por causa disso, ou seja, porque *é*, seja alguém ingrato para com a bondade do Criador.

Portanto não se pode encontrar deleite em não ser, não podendo o nada a ninguém deleitar, porque não é. Sendo assim, o deleite que espera aquele, que, por um erro de defecção, avaliou equivocadamente que havia de encontrar a quietude do nada após matar-se, decorre antes de ser mais, não de não ser, pois a quietude por que ansiou, de modo natural e justo, por causa das moléstias intoleráveis em que se via mergulhado, não era o nada, e sim mais ser. Logo quem descobriu que encontra seu deleite de quietude no ser, corrija seu erro de defecção, deixe de amar o que não existe e dispense todo o seu louvor e gratidão ao Ser, cuja bondade criadora concedeu-lhe ser, que fosse e fosse feliz, ao invés de retribuir-lhe com a ingratidão, própria dos que atribuem erradamente a quietude de ser ao nada, submersos em sua própria inquietude.

## O sofrimento das criaturas

## 3,9,24,85-88. Contra a invídia e nova apologia da diversidade – Prolepse IV

**85.** A – Se disser[458]: "Contudo não era difícil ou laborioso a Deus onipotente que todas as coisas que fez possuíssem de tal modo a sua ordem[459], que nenhuma criatura chegasse até à infelicidade; pois nem não pôde isto, sendo onipotente, nem foi ínvido[460], sendo bom...".

---

[458] Trata-se de mais uma suposta objeção antecipada por Agostinho. Cf. 3,6,18,64.

[459] Quer dizer, que estivessem ordenadíssimas, cada qual em seu respectivo gênero, e que em nenhuma delas o inferior exercesse domínio sobre o superior. Cf. 1,6,15,48-49; 51; 8,18,61.

[460] Quer dizer, "invejou" (*inuidit*). O verbo *inuidere* significa liter. "ver contra", ou seja, ver de modo contrário, antagônico, com olho mau, por pura malícia. Deus, pelo fato de ser onipotente, não poderia jamais ser incapaz de algo, tampouco, por ser sumamente bom, lançar um mau-olhado em direção ao homem, como os antigos criam que seus deuses faziam com eles. De fato, não apenas os gregos, mas principalmente os romanos temiam os invejosos, sobremaneira a inveja

Na sequência proléptica planeada pelo filósofo, reformula-se uma questão apresentada antes, embora com ênfase distinta. Ao indagar-se se não teria sido melhor se Deus tivesse criado o homem ordenadíssimo, de modo que não sofresse nem fosse infeliz, está-se indagando de algo que foi aventado tanto no final do livro primeiro[461], como no início do segundo[462], a saber, o motivo por que o Criador teria dado ao homem os meios de desordenar-se, pecando? O que equivale também a perguntar: por que teria dado ao homem o livre arbítrio da vontade, sem o qual não haveria de pecar, e consequentemente ser infeliz? Com efeito, se o Criador é onipotente, por que motivo não criou apenas criaturas perfeitas e incapazes de pecar, como os anjos? Pois, se o tivesse feito, sem dúvida não haveria infelicidade no mundo, que decorre do sofrimento pelo castigo, merecido, que se imputa aos pecadores. Pois bem, viu-se como as agruras da vida, consideradas como sendo males pelos que sofrem, são apenas a Justiça divina em ação, punindo merecidamente os atos praticados livremente pela vontade individual[463]. Não fosse assim, não seria possível justificar o que se comprova empiricamente, as desditas que abalam os homens, inquestionavelmente reais; tampouco seria possível defender a Bondade e a Onipotência divinas, se tais atos fossem alheios à sua Vontade e Providência. Logo os padecimentos do homem são prova não apenas da Justiça divina, mas da necessidade da liberdade da vontade, sem o que nenhuma responsabilização moral seria possível, muito menos punição. Não se trata de dizer que o sofrimento justifica a liberdade, como se fosse o preço a pagar por ela; mas, ao contrário, a liberdade é que justifica o sofrimento, tão mais inevitável quanto inegável, em virtude de seu uso desordenado.

Logo a vontade livre foi dada aos homens, como dom divino, não para que pecassem e pudessem então ser castigados pelo Criador, por pura "inveja", para lançar mão do termo utilizado por Agostinho, que preferiu-se adrede manter aqui; nem porque Deus, como se acreditava que os deuses pagãos costumavam fazer, precisasse ser apaziguado pelos sacrifícios e sofrimentos humanos, do contrário lançaria um mau-olhado exterminador das perspectivas de felicidade dos pobres mortais. Muitíssimo ao revés, o livre arbítrio lhes foi dado por Deus

---

(φθόνος) dos deuses e demônios, motivadora de inúmeras fábulas, do trágico ao cômico. Platão, em seu esforço por elaborar um modo mais justo e digno de pensar acerca da divindade, apressa-se em dizer que a inveja encontra-se fora do coro dos deuses (*Fedro* 247a4): "φθόνος γὰρ ἔξω θείου χοροῦ ἵσταται".

461 Cf. 1,16,35,117.

462 Cf. 2,1,1,1.

463 Cf. 1,1,1,1-2.

para que fossem mais que autômatos, mais que pedras ou lesmas, mais que as criaturas que apenas são e vivem, numa palavra, para que fossem à sua imagem e semelhança, e para que, como decorrência disso, pudessem conquistar sua felicidade, sua paz, seu autodomínio, por livre iniciativa, como merecidos prêmios por seu esforço próprio. Porém, como consequência da liberdade individual, decorre forçosamente a responsabilidade moral de cada um e de cada ato, sendo os homens por isso tão mais justamente punidos por suas condutas desordenadas quanto mais livres tiverem sido para escolhê-las.

**85.** A – [...] seja ínvido aquele que disser: "Essa [criatura inferior] não deveria existir", e seja ínvido também aquele outro que disser: "Essa [criatura superior] deveria ser de tal maneira".

E à pergunta antecipada em prolepse logo acima, se seria misericordioso criá-los de modo que sofressem, poderia ser respondida da mesma maneira, pois se os tivesse criado de modo que não sofressem, teria forçosamente de tê-los criado sem liberdade alguma, liberdade de que decorrem tanto os prêmios como os castigos que se lhes possam retribuir, em consequência de seu mérito individual. O sofrimento humano não tem causa em Deus, e sim no desvio livre do homem do caminho determinado por Deus, que não se apraz com as desditas de suas criaturas, mas que tampouco poderia premiá-los com justiça, se não os pudesse punir com igual retidão.

Todavia, ao redarguir antecipadamente a questão levantada por si mesmo em prolepse, Agostinho retorna ao tema da diversidade da criação, como já havia feito antes[464]: todas as criaturas foram criadas por Deus em sua ordem justa: pequenas, médias e grandes; criaturas que são, que são e vivem, e que são, vivem e inteligem, cada qual em seu gênero, do modo apropriado como houve por bem ao Criador fundá-las. E todas elas têm sua utilidade e seu papel no conjunto universal da criação, de onde possuiria um malicioso mau-olhado aquele que pretendesse corrigir ou aniquilar a obra divina[465].

## 3,9,24,86. O ínvido censor da perfeição

**86.** A – Pois, se quer que a [inferior] seja tal qual aquela que é superior, então aquela é, e é de tal modo que não convém se lhe adicione [coisa alguma], porque é perfeita.

---

[464] Cf. 3,5,12,42-15,55.

[465] Cf. 3,5,13,45-46.

Invejoso se diz aquele que contesta a criação e procura corrigi-la, ao dizer que uma criatura *x* deveria ser de modo diferente de como foi criada, ou então não ser em absoluto, o que se diz em relação àqueles que supostamente indagassem da bondade e da justiça do Fundador, ao ter criado um ser que viesse a sofrer, quando poderia, sendo onipotente, ou não tê-lo criado, ou então, sendo bom, tê-lo criado de modo que não sofresse. Quem, pois, senão o invejoso, ousaria aperfeiçoar o que já é perfeito, indaga Agostinho, uma vez que o perfeito está "concluído" e não necessita de acréscimo algum à sua natureza. Tanto a criatura superior, como as inferiores e médias, são todas perfeitas. Foram criadas por Deus do modo como lhe aprouve, cada qual em seu gênero particular, não necessitando de mais absolutamente nada para serem aquilo mesmo que foram projetadas pelo Criador para que fossem. Logo cada criatura é aquilo que deveria ser e não convém intentar corrigi-la, dizendo que deveria ser diferente do que é, ou que deveria não ser em absoluto. Pois bem, aquele que pretende, de modo ínvido, corrigir a criação, ao dizer que uma criatura *x* deveria não ser em absoluto, ou que deveria ser igual a uma criatura *y*, superior (e perfeita), diz Agostinho, esse pretende adicionar algo à perfeição ou aniquilá-la de todo. No primeiro caso ele seria injusto e desprovido de medida; no segundo, ínvido e mau. Ora, ao pretender que a criatura inferior fosse igual à superior, estaria sugerindo que o número das superiores era imperfeito, carecendo de um acréscimo? Ou preferiria simplesmente a eliminação das criaturas inferiores, reputando-as inúteis diante de seus correspondentes maiores? Ou estaria propugnando pela reforma do universo, ao propor apenas criaturas igualmente perfeitas? Em todos os três casos ele contrapõe-se à obra da criação, com olhos torpes, em atitude absolutamente maliciosa e antagônica, típica dos invejosos, que desejam o que lhes não pertence, ou que querem a ruína dos demais, por lhes não aceitar a felicidade ou a bondade. Esses ínvidos, que querem que todas as criaturas sejam iguais, ao dizerem que uma tal criatura deveria ser assim e não de outro modo, pretendem acrescentar algo ao que já está perfeito, não aceitando a diversidade da criação universal, pois para eles todas as criaturas deveriam ter o mesmo *status*, ser iguais às criaturas superiores e perfeitas. E quando pretendem corrigir a perfeição do conjunto universal da criação, ao dizer que algumas criaturas deveriam ser de modo diferente de como são, atentam contra a própria perfeição do Criador, dizendo que sua obra não é tão perfeita como imaginou-se. E por vezes avançam ainda mais longe, ao preferir aniquilá-las de todo, sugerindo que as criaturas inferiores não deveriam nem mesmo existir,

como os seres que são passíveis de sofrimento, pretendendo, em vez disso, que todos fossem anjos, como se por direito divinamente legítimo!

## 3,9,24,87. Entre o esplendor da Lua e a chama de uma lucerna

**87.** A – [...] É como se dissesse: "Não deveria existir a Lua", embora reconheça igualmente que a claridade de uma lucerna, de longe inferior, contudo bela em seu gênero, é conveniente às trevas terrenas e apta para os usos noturnos, e em todas estas coisas sempre louvável, na proporção de sua pequena medida...

Deve-se compreender com rigor a passagem na íntegra, para que não pareça contradizer seu início, onde se aventa a hipótese de alguém achar que um bem inferior não devesse existir, embora fosse como que obrigado a louvá-lo. Pois bem, embora o estulto reconheça a beleza e a utilidade de um bem menor, como o brilho de uma lâmpada de azeite, ainda assim diz que a Lua, cuja luz infinitamente maior, posto que reflexiva da luz solar, não deveria existir, como se a luz da lâmpada bastasse por si só para iluminar o mundo todo, ou como se a existência de um qualquer bem impedisse a existência de outro do mesmo gênero, ou ainda maior. O universo é belo exatamente por causa de sua diversidade[466], porque nele coabitam de modo harmoniosamente contrastante bens de todos os tamanhos e qualidades, os quais se destacam exatamente em comparação com seus opostos, como luz e treva, aridez e umidade, calor e friagem etc. Seria contraditório e absurdo, portanto, que se reconhecesse e louvasse a utilidade e beleza de um bem ínfimo como a luz bruxuleante de uma lâmpada de azeite e se desprezasse por completo, desejando mesmo sua extinção, um bem infinitamente maior, mais belo e mais útil, como o esplendor da Lua. E mesmo quem o negasse, isto é, mesmo aqueles que negassem a beleza, o decoro e a utilidade da claridade da lucerna, ainda assim não haveria motivo para que negassem também a beleza e a utilidade do brilho da Lua, cuja recusa seria maliciosa e ínvida, diz Agostinho, e mesmo contenciosa, isto é, levada a efeito apenas pelo vezo de contender. Portanto em ambos os casos seria digno de um mentecapto dizer que a Lua não deveria existir. Note-se que essa comparação se faz com a suposta crítica de um ínvido censor, que, embora louve as criaturas que apenas são, como as bruxuleantes porém úteis lâmpadas de azeite; ou as que são e vivem, como os belos corcéis, cuja força arrasta bigas velozes, ainda assim ousa

---

466 Cf. 3,5,12,42-15,55.

censurar a existência das criaturas que são, vivem e inteligem, cujas luzes da inteligência brilham muitíssimo mais que quaisquer lâmpadas, além de propelir cavalarias inteiras de corcéis, apenas porque sofrem, como se uma inteligência sofrente não superasse em muito lâmpadas e cavalgaduras, por mais brilhosas e céleres fossem. Assim é aquele que critica a criação divina das criaturas inteligentes, ainda que sofredoras, como quem quisesse eliminar o esplendor da lua, nada obstante reconhecesse a utilidade de uma lucerna tremeluzente.

## 3,9,24,88. Dois Sóis, nenhuma Lua e um pirilampo

**88.** A – [...] Porque, se não diz: "A Luz não deveria existir", mas vê o Sol tal qual diz que a Lua deveria ser, não intelige estar dizendo nenhuma outra coisa, senão que: "Não deveria existir a Lua, mas deveriam existir dois Sóis".

O ínvido, que não aceita a perfeição existente na diversidade da criação, com seus bens pequenos, médios e grandes – bens que são, que são e vivem e que são, vivem e inteligem –, não se dá conta de que com esse pensamento não apenas pretende destruir a sua beleza, fazendo-se censor da obra de Deus, mas principalmente ignora que em grande parte o valor ou a qualidade dos bens criados se determina sobremodo a partir de sua relação com os restantes bens, pelo contraste. De fato, quanto à sua dimensão e seu esplendor, o Sol se mede em relação a outros astros, que são bens de gênero semelhante, dizendo-se, por exemplo, mais esplendoroso ou maior que a Lua, cuja luz também lhe pertence. Todavia nenhum dos dois é vicário um do outro, sendo ambos indispensáveis para o conjunto universal da criação, cuja beleza e esplendor se ressentiriam até mesmo da ausência de um simples pirilampo. Assim é a necedade risível do ínvido, que, desejando que o esplendor da Lua fosse igual ao do Sol, querendo corrigir a obra de Deus, cresse melhor haver dois Sóis, ignorando o calor insuportável que disso decorreria, e a imensa falta que a noite faria.

## O duplo pecado aritmético do censor

**88.** A – [...] Nisso erra duplamente, porque deseja não apenas adicionar algo à perfeição das coisas, quando pretende um outro Sol, mas também diminuir, quando quer subtrair a Lua[467].

[467] Interessa notar a recorrência neste *L.A.*, especialmente nos livros segundo e terceiro, de termos provenientes do campo semântico da matemática, de modo especial a aritmética.

Comete o ínvido censor erro aritmético duplo, não apenas quando ousa emendar a perfeição da criação de Deus, ao pretender que a Lua seja semelhante ao Sol, mas também quando pretende eliminá-la de todo. No primeiro caso comete um pecado de adição, ao pretender acrescentar algo ao que já é perfeito; no segundo, de subtração, ao ousar sugerir a diminuição da perfeição estabelecida por Deus ao conjunto universal da criação, quando quer que um bem como a Lua, por exemplo, deixe de existir por completo, como se fosse desnecessário, apenas por ser inferior ao Sol.

## 3,9,25,89-91. Corpos são corpos, não almas – Prolepse V

> **89.** A – [...] não é a obscuridade[468] das almas, mas sua infelicidade o que lhe dói[469]. Que cogite com atenção [e entenda] que o esplendor da Lua não é infeliz, assim como o esplendor do Sol tampouco é feliz.

Responde agora o filósofo a uma quinta pergunta antecipada, na suposição proléptica de que alguém dissesse não se incomodar com a insuficiência de luz da Lua em relação ao esplendor do Sol, uma vez que a Lua, desprovida de complexo de menos valia, não se considerar infeliz por apenas refletir a luz alheia, tampouco doer-se com a falta de luz das almas, e sim com sua infelicidade. Se hoje não seria necessário insistir na incapacidade dos corpos celestes de ter sentimentos, no tempo de Agostinho talvez isso não fosse nem óbvio, tampouco desnecessário, pois não eram poucos os que se punham a considerar e venerar astros como divindades, como o próprio imperador romano Heliogábalo[470], por exemplo, cultor do *Sol inuictus.* Por isso provavelmente creu Agostinho necessário dizer que nem o Sol é capaz da felicidade, tampouco a Lua, da infelicidade, condições essas de retribuição exclusivas das almas, dotadas de livre arbítrio da vontade. No entanto, à parte essas questiúnculas culturais, o que importa aqui é reconhecer que a incapacidade tanto

---

468 Liter.: "ausência de luz".

469 Permite a regência do verbo *conqueor*, embora produzindo uma solução um tanto canhestra, tradução alternativa, do seguinte modo: "Neste ponto talvez ele diga que é por esse motivo [i] que não se queixa a respeito da Lua, porque..., porém [ii] [queixa-se] [a] não a respeito da falta de luz das almas, [b] mas [queixa-se] de que elas padeçam de infelicidade" (*hic fortasse dicat ideo* [i] *se nihil conqueri de luna, quia..., autem* [ii] [*se conqueri*] [a] *non de obscuritate animarum,* [b] *sed* [*se conqueri*] *se dolere miseria*).

470 Cujo nome imperial era Marco Aurélio Antonino (203-222 d.C.).

da Lua como do Sol para a felicidade decorre de seu estatuto ontológico, como criaturas que apenas são, mas nem vivem[471], muito menos inteligem. Assim, sendo incapazes da felicidade, incapazes são igualmente da felicidade, o que se justifica por sua condição inferior em relação às almas, que, mesmo imensamente infelizes, ainda assim superam em dignidade os astros celestes, por mais esplendorosos sejam estes. Pois bem, se o que incomoda o suposto arguidor proléptico é a infelicidade das almas, melhor seria lembrar, admoesta Agostinho, que ser capaz da infelicidade é um grande bem, o que situa os miseráveis muito acima dos corpos celestes mais lustrosos.

> **90.** A – Pois ainda que sejam corpos celestes, contudo são corpos [...]. Porém nenhuns corpos [...] podem ser felizes ou infelizes...

Os corpos, a despeito da crença amiúde disseminada pelos antigos desde tempos imemoriais e por culturas as mais diversas, de que os astros fossem divindades, pertencem ao nível mais baixo da escada das naturezas, pois apenas são, não possuindo em si vida, muito menos inteligência, ainda que se movam misteriosamente pelo espaço e tenham brilho próprio, como o Sol. A prova disso é que sua luz é tão corpórea quanto sua forma, não se confundindo nem com a luz metafórica da razão, nem com a natureza invisível das formas inteligíveis, nem com o movimento livre e voluntário das almas, nem mesmo com o dos animais, e muitíssimo menos com a Luz da Sabedoria, que é Deus.

## Símile: parte I: diversidade dos corpos

> **91.** A – [...] o *símile* aplicado[472] nos ensina isso, que, assim como ao contemplar as diferenças dos corpos, vendo outros mais claros[473], injustamente é que pedes que sejam subtraídos os mais obscuros que tenhas observado, ou que eles sejam igualados aos mais claros...

Por meio de uma analogia (*similitudo*) entre as semelhanças da diversidade dos corpos e o lugar de cada um na ordem universal com a diversidade das almas, chegará logo abaixo o filósofo a uma "conclusão" um tanto arriscada (não inusitada, porém), de que o sofrimento coopere com a perfeição

[471] Presume-se que os cultores de El-Gabal, o deus-sol, não pensassem assim.

[472] *Similitudo,* liter.: "semelhança", mas também "comparação". Logo "aplicar" ou "empregar" (*adhibeo*) uma "semelhança" significa "empreender uma comparação", ou seja, "fazer uma analogia".

[473] Quer dizer, mais iluminados.

da universalidade da criação, o que, contudo, não corresponde de modo nenhum a seu pensamento, como deixará claro na prolepse que se seguirá a esta[474]. Na primeira parte, por assim dizer, da *similitudo*, Agostinho recapitula o que disse nos parágrafos acima[475], que seria injusto desejar que os corpos que são considerados inferiores sejam aniquilados, ou que sejam tornados semelhantes aos que são tidos por superiores, o que seria, além de ínvido, ousadamente malicioso. Porém agora deixa patente que essa disposição da invídia de censurar a criação decorre antes de um equívoco de ordem epistêmica, por assim dizer, de seu método equivocado de aproximação do conhecimento. De fato, não são as diferenças entre as criaturas que se devem pôr em paralelo, e sim sua relação com a *uniuersitatis perfectio*, a perfeição da universalidade. E essa distinção é capital, pois quando consideram os corpos tendo por critério de comparação suas características individuais, destacam-se sobremodo suas diferenças e a aparentemente injusta discrepância entre as criaturas todas. Segundo esse método de aproximação, a Lua poderia sentir-se "excluída", prejudicada e celestialmente injustiçada em comparação com o Sol, pois além de sua dimensão reduzida em relação àquele, ainda se vê desprovida de luz própria, enquanto o astro-rei se vangloria de todo o seu esplendor, tendo ela de conformar-se com seu *status* de mero refletor.

**91.** A – [...] mas referindo todas as coisas à perfeição da universalidade [da criação][476], quanto mais ou menos claras são entre si[477], tanto mais distingues que todas elas são, e nem te ocorreria [conceber] uma universalidade perfeita, a não ser onde as criaturas maiores estão de tal modo disponíveis, que as menores não estejam ausentes...

Por outro lado, quando se consideram as criaturas em relação à perfeição do todo, não são suas diferenças individuais que se põem em destaque, e com elas sua aparentemente injusta desigualdade, e sim a opulência e beleza de sua variedade, quando não se entrechocam de modo discordante e autoexcludente, mas contrastam de modo harmônico e inclusivo. Nesse método de aproximação

---

[474] Cf. 3,9,26,92-95.

[475] Cf. 3,9,24,85-88.

[476] *Vniuersitas*, "o todo". Deve-se olhar para cada criatura não de modo isolado apenas, mas em relação ao todo, à sua posição no conjunto universal da criação, a ver como se encaixa perfeitamente, ainda que umas sejam maiores, outras menores.

[477] Isto é, umas em comparação com as outras, de modo que o contraste entre elas faça com que sua individualidade e beleza próprias se destaquem.

os pares claro-escuro, grande-pequeno etc., não se veem como diferenças injustas, e sim como contrastes brilhantes, matizando o mosaico universal da criação, considerado em sua integralidade, cujos esplendor e beleza se destacam, cooperando para a perfeição do conjunto da obra, exatamente pela diversidade de tons, formas e tamanhos dos corpos visíveis. De fato, se tudo fosse igualmente grande, nada seria grande; do mesmo modo, se tudo fosse preto na mesmíssima intensidade, nada seria preto; e se tudo fosse belo igualmente, nenhuma beleza haveria de fato, nada se destacando do todo.

## Símile: parte II: diversidade das almas

> **91.** A – [...] assim também é que deves cogitar das diferenças das almas [...] a fim de que conheças que a sua infelicidade, que te causa dor, também vale [...] para a perfeição da universalidade.

Na segunda parte da *similitudo* Agostinho faz ver a necessidade de aplicar o mesmo método de aproximação utilizado em relação aos corpos, imprimindo destaque não às diferenças (segregativas) entre as almas, e sim à sua relação com o conjunto universal das criaturas que são, vivem e inteligem. Por este prisma aproximativo percebe-se que as almas inferiores não devem ser aniquiladas, embora, ao contrário dos corpos, destinados a permanecer do modo como foram criados, possam e devam aperfeiçoar-se. Assim sendo, as almas que nunca pecam, as que ora pecam ora não pecam, e as que sempre pecam, absolutamente todas cooperam para a perfeição da universalidade da criação, ainda que as que pequem assim o façam por livre iniciativa, do que decorre seu castigo. Nesse caso, pelo prisma da retribuição, que é sempre decorrência do arbítrio livre da vontade, tanto as almas eternamente felizes, como os anjos, quanto as que aspiram a felicidade, embora estejam longe dela, como os que se esmeram por praticar o bem, nem sempre logrando fazê-lo, mas também as que são infelizes, porque insistem no pecado, enfim, todas elas cooperam para a harmonia do todo, para a beleza da obra universal da criação. De fato, assim como a variedade dos corpos, em suas mais diversas cores, tamanhos e formatos, coopera para a beleza e opulência do mosaico da criação universal, assim também a variedade de seres animados, em seus diversos atributos e características, no caso dos irracionais, mas, principalmente, no caso dos seres dotados de inteligência, a diversidade de suas almas, segundo o colorido de suas disposições volitivas: boas, volúveis e más, coopera significativamente para a grandiosidade da obra. Porém fique claro desde já que não é a infelicidade das criaturas, consequência

de seu pecado, que coopera para a harmonia da sinfonia universal da criação, e sim a diversidade das almas, seres dotados de vida e inteligência, capazes por isso mesmo de aperfeiçoamento, o que os corpos, animados ou não, contudo desprovidos de razão, não têm a capacidade de fazer.

**91.** A – [...] que se afaste totalmente [de ti o pensamento] que Deus não devia ter feito a essas tais, se fez de modo louvável também as restantes criaturas, de longe inferiores às almas infelizes.

De fato, por piores sejam as almas, ainda assim são melhores que os legumes e os moluscos, pois, apesar de poderem pecar, ao contrário de uma abóbora e de uma ostra, são capazes de amar e de fazer o bem, adicionando mais ser ao ser que já possuem[478].

## A ordem e a necessidade do pecado

### 3,9,26,92-95. Crisipo e Paulo: a necessidade do pecado – Prolepse VI

**92.** A – [...] Pois ele diz: "Se também a nossa infelicidade completa a perfeição da universalidade [da criação], faltaria algo a esta perfeição, se fôssemos sempre felizes."

Esta passagem retoma um argumento muitíssimo utilizado pelos céticos da Academia contra os estoicos, desde o tempo de Crisipo[479], um dos maiores expoentes das doutrinas do Pórtico, ao lado de Zenão de Cítio[480], seu fundador, e de Cleanto[481], seu mestre. E assim como Agostinho o faz aqui nesta obra, muito provavelmente sob alguma influência indireta do próprio estoicismo, a partir de Cícero, Crisipo e seus epígonos não deixaram de defrontar-se com problemas semelhantes, decorrentes por certo da própria mundividência estoica, cujo conceito de Providência muita oposição lhes trouxe, como bem explica Brun, em sua brevíssima, mas excelente, síntese do pensamento estoico:

> O finalismo universal que exprime os caminhos da Providência não deixa de levantar o problema do mal, e sobre este aspecto não faltaram as críticas dos céticos: [...] por que é que a Providência tolera o mal no mundo se ela

---

[478] Cf. 3,7,21,71-75, esp. §74.

[479] Crisipo de Sólis (*c.* 279-206 a.C.).

[480] Zenão de Cítio (*c.* 333-263 a.C.).

[481] Cleanto de Assos (*fl.* 262 a.C.).

> age sempre em vista do bem? Crisipo respondeu a estas objeções utilizando argumentos [...] emprestados, talvez a Platão ou à sua escola. Em primeiro lugar, nada existe sem o seu contrário: a verdade está necessariamente ligada à mentira, a justiça à injustiça. Por outro lado, o homem não é onisciente, e a utilidade dos animais perigosos e das plantas venenosas talvez nos escape a nós, mas não a Zeus. Enfim, o mal pode ter a sua utilidade na medida em que seja necessário para o aparecimento de um bem maior.[482]

E esse argumento, de caráter tão cosmológico quanto teológico, pois ambos são indissociáveis, como soía ocorrer em boa parte das preocupações das escolas pós-aristotélicas, ultrapassando o âmbito estrito das polêmicas entre acadêmicos e estoicos, sobrevive às transformações e interações intensas cozidas no opulento caldeirão cultural que foi o período dito alexandrino, aprofundando suas raízes no judeu-cristianismo nascente, como se percebe nítida e nada surpreendentemente na argumentação paulina aos romanos:

> Se a nossa injustiça recomenda a Justiça de Deus, que diremos? Não seria Deus injusto, desencadeando sobre [nós] a sua ira? Digo [isto] na qualidade de homem. Longe de nós! Pois, do contrário, como julga Deus o mundo? Mas se a Verdade de Deus, na minha mentira, abundou para a sua glória, por que é que eu ainda sou julgado como pecador?[483] E por que não dizemos – assim como somos blasfemados e como falam alguns que nós [ensinamos] – que façamos coisas más, a fim de que [nos] venham coisas boas?[484] Desses [tais] a condenação é justa![485]

---

[482] Cf. Jean Brun, *O estoicismo*. Lisboa: Edições 70, 1986, p. 60-61.

[483] Quer dizer, se o homem, ao proferir mentiras, ao invés de fazer o mal, causa um bem maior, ao ressaltar a Verdade de Deus, não estaria ele cometendo pecado algum, daí não merecendo ser punido. Porém Paulo está sendo irônico, pois ele crê que Deus julga o mundo, e com ele os pecadores, e que, mesmo que a mentira humana tenha servido para um bem maior, o mentiroso não deixará de ser punido pelo mal praticado, visto que sua intenção foi mentir, não fazer o bem.

[484] A ironia tem seguimento, ao indagar-se retoricamente o apóstolo se não convinha então, diante disso que se diz, que o mal é necessário para o bem, enfim, se não convinha daí que todos se pusessem a fazer maldades, porque delas decorreria grande bem! O que, sem dúvida, Paulo crê blasfemo!

[485] Rom 3,5-8: "Εἰ δὲ ἡ ἀδικία ἡμῶν θεοῦ δικαιοσύνην συνίστησιν, τί ἐροῦμεν; μὴ ἄδικος ὁ θεὸς ὁ ἐπιφέρων τὴν ὀργήν; κατὰ ἄνθρωπον λέγω. μὴ γένοιτο· ἐπεὶ πῶς κρινεῖ ὁ θεὸς τὸν κόσμον; εἰ δὲ ἡ ἀλήθεια τοῦ θεοῦ ἐν τῷ ἐμῷ ψεύσματι ἐπερίσσευσεν εἰς τὴν δόξαν αὐτοῦ, τί ἔτι κἀγὼ ὡς ἁμαρτωλὸς κρίνομαι; καὶ μὴ – καθὼς βλασφημούμεθα καὶ καθώς φασίν τινες ἡμᾶς – λέγειν ὅτι ποιήσωμεν τὰ κακά, ἵνα ἔλθῃ τὰ ἀγαθά; ὧν τὸ κρίμα ἔνδικόν ἐστιν".

Porém, ao contrário de Crisipo, de modo particular, e dos estoicos, de modo geral, Agostinho, assim como Paulo (que condena com veemência essa posição), em sua ímpar acuidade intelectual é muito mais feliz ao refutar a alegação de que o mal seria necessário à ordem universal, e com ele os seus praticantes, os pecadores, cuja infelicidade, segundo o argumento detrator, seria parte imprescindível da engrenagem da criação. Se para Crisipo o mal era necessário na medida em que propiciava o surgimento de bens maiores, para Agostinho, por sua vez, a questão é que estava mal posta. De fato, não eram nem os pecadores, tampouco seu sofrimento, o que se fazia necessário à ordem universal da criação, e sim as próprias almas, mas apenas enquanto criaturas inteligentes, não na qualidade de pecadoras ou miseráveis. O universo não estaria completo sem elas, fossem pecantes, como os homens, ou impecáveis, como os anjos.

**93.** A – Responde-se aqui [a esta objeção] não serem os próprios pecados ou a própria infelicidade necessários à perfeição da universalidade [da criação], mas as almas...

Logo, diferentemente da alegação de Crisipo, não são os pecados nem os sofrimentos deles resultantes que se constituem parte imprescindível da engrenagem do todo, e sim as almas, enquanto almas, seres que são, vivem e inteligem, muito acima dos que apenas são, ou dos que são e vivem, sem possibilidade intelectual. E exatamente por causa de sua capacidade de pecar é que se posicionam no topo da escada das naturezas, pois não é senão pela vontade livre que se diz pecarem e serem consequentemente infelizes, vontade que só é livre em decorrência de sua capacidade intelectiva[486].

**93.** A – [...] Pois, subtraídos os pecados delas, se a sua infelicidade [ainda assim] persiste, ou mesmo se [acaso] preceda os pecados, retamente é que se diz que a ordem e a administração da universalidade estão sendo deformadas.

A prova de que nem o pecado tampouco o sofrimento dele decorrente sejam necessários à ordem universal evidencia-se pelo seguinte, argumenta o rétor. Se não houvesse pecado no universo, seja em decorrência da eliminação dos maus, seja por causa de seu aperfeiçoamento, caso alguma alma se visse presa à infelicidade, seria lícito dizer que a ordem divina havia sido deformada, e sua administração, corrompida. Isso, porque onde não há pecado não pode

---

[486] Cf. 3,3,7,29; 5,15,56.

haver sofrimento, sendo o sofrimento consequência do pecado. Se a Providência castiga uma alma pelo pecado que esta não cometeu, não se pode dizer que seja justa. Por outro lado, se o sofrimento preceda o pecado, isto é, se alguém sofra o castigo pelo pecado que ainda não veio a cometer, tampouco se pode dizer que isso esteja em conformidade com a justiça. O contrário é igualmente válido. Se há pecado, porém não havendo a consequente punição, ou a Justiça divina inexiste, imperando não a ordem, e sim o caos da iniquidade, ou então o Universo está sendo pessimamente administrado. Vê-se, pois, que a universalidade da criação pode muito bem prescindir do mal, seja na forma do pecado, seja na forma de sua punitiva recompensa, o sofrimento, pois a ordem se sustenta perfeitamente num universo povoado de almas impecáveis, em que nem há mal, muito menos qualquer sofrimento[487]. Todavia não é por causa da existência do mal que se diz com razão que ele seja necessário, visto ser necessária apenas a reordenação distributiva, que confere a cada um, de modo perfeitamente justo, o que lhe cabe, seja o prêmio da beatitude em paz, seja o castigo da desdita perturbadora.

**94.** A – Porém, quando a felicidade não está presente nos que pecam, a universalidade está perfeita; por sua vez, quando a infelicidade está presente nos que pecam, a universalidade não está menos perfeita.

No entanto não é apenas no céu do céu que impera a perfeita ordenação, pois mesmo quando há pecado, se há também a infelicidade, punição decorrente do pecado livremente cometido, então se diz com acerto haver uma ordem perfeita. Com efeito, não haveria ordem se os pecados não fossem punidos[488]. Disso

---

487 Se não houver pecado, não haverá punição, como presume-se ocorrer no céu do céu, onde habitam os anjos impecáveis de Deus. Onde a necessidade do mal ali, para que sejam todos bons? Porém onde há o pecado, necessária é apenas a punição reordenadora, que em si mesma é um bem, como dito logo no início (1,1,1,1-2). Portanto nem aí o mal seria necessário para que houvesse o bem, visto que, neste caso, o bem das almas é sua própria punição, que reordena a desordem que seu pecado provocou. Demais, bastaria que simplesmente não pecassem para que não fossem punidas, nem sofressem, e o bem se instaurasse de modo estável, onde não seria necessário reordenar o que já estivesse em ordem.

488 Isso indubitavelmente levanta uma grave questão com respeito à misericórdia, que é o perdão dos pecados. De fato, quando o pecado não é punido justamente pelo sofrimento, diz-se imperar uma desordem, uma deformação tanto da ordem como da administração da universalidade. Assim sendo, é lícito indagar-se de que modo seja possível aplicar o perdão misericordioso dos pecados sem que a ordem seja por isso mesmo deformada.

decorre que, esteja presente a infelicidade nos pecadores, ou lhes esteja ausente a felicidade, em ambos os casos, na infelicidade ou ausência de felicidade, haverá perfeição na ordem universal. Logo a ordem independe seja da infelicidade, seja da felicidade, pois a primeira pode estar presente ou ausente, assim como a segunda, restando ainda assim o universo em perfeita ordem, porque nenhuma das duas, nem a infelicidade nem o seu contrário, a felicidade, se fazem imprescindíveis para a manutenção da perfeição do universo, e sim as almas.

> **94.** A – [...] porque não faltam as almas, as quais, quando pecam, segue-se a infelicidade, quando agem retamente, a felicidade, a universalidade, em todas as naturezas, é sempre plena e perfeita[489].

Portanto, para muito além do que dissera Crisipo, o sofrimento das almas não se justifica pelo fato de a Providência permitir um mal menor para dele tirar um bem maior, o que, segundo se acusava, tornaria o mal necessário à ordem universal, e Deus, por consequência, seu instaurador. O universo está perfeito em toda a sua diversidade, com almas que nunca pecam, almas que ora pecam, ora não pecam, e com almas que nunca não pecam, todas elas movidas por seu livre e arbitrado querer. Logo nem o mal é necessário à ordem do conjunto universal da criação, tampouco o sofrimento dele decorrente, apenas as almas, enquanto almas, criaturas dotadas de ser, vida e inteligência, capazes tanto do bem quanto do mal. O seu sofrimento ou a sua felicidade decorrem apenas dessa sua capacidade, sua escolha livremente arbitrada, segundo a ordem indefectível que impõe a Providência à sua criação. Assim as almas, enquanto almas, criaturas capazes de fazer o bem ou de desviar-se dele, elas, sim, é que são importantes, pois foram feitas com essa capacidade que as distingue das demais criaturas, situando-as no topo da escada das naturezas.

## Duas afecções: uma voluntária, outra penal

> **94.** A – Pois o pecado e o castigo do pecado não são quaisquer naturezas, mas afecções das naturezas: aquela é voluntária; essa, penal.

---

489 Ainda que a regência do adjetivo *plenus* permita que se interprete *naturis omnibus uniuersitas plena* como sendo: "a universalidade [da criação está] repleta de todas as naturezas...", pelo fato de ter o filósofo utilizado a mesma construção antes, *creatura eius plena et perfecta non esset*, "a criatura de Deus não seria plena e perfeita", com o adjetivo desacompanhado de adjunto, preferiu-se manter a mesma interpretação aqui.

E que dizer do pecado e de seu consequente castigo, o sofrimento, se não são necessários à ordem, tampouco a desfiguram? São duas afecções, diz Agostinho, duas patologias do espírito. No caso do pecado, tem-se uma patologia de ordem voluntária, pois a alma peca apenas e tão somente por seu livre arbítrio da vontade, o que, como se viu amiúde nesta obra, nem minerais, nem plantas, nem animais, desprovidos todos de razão, são capazes de fazer. Tem-se, portanto, uma patologia da vontade, caracterizada por sua aversão do Bem comum e imutável e conversão aos bens próprios e mutáveis. No caso do castigo, por sua vez, tem-se uma patologia de ordem penal, pois os sofrimentos que acossam as almas decorrem de uma punição imposta pela Providência divina, por causa do seu desvio voluntário, o pecado. E sendo afecções, constituem-se antes defeitos e não naturezas em si mesmos. De fato, nem o pecado é uma natureza, como se viu desde o livro segundo[490], nem o sofrimento dele decorrente, que é também apenas um defeito de seu estado naturalmente saudável, pois, como demonstrado acima, uma alma quieta é mais[491] do que uma alma inquieta[492].

## Fármaco e sintoma patológico

> **95.** A – Porém a voluntária, que se dá no pecado, é uma afecção torpe. Por isso é que se lhe aplica a penal, para que a ordene [...] de modo que a pena do pecado emende a indecorosidade[493] do pecado.

Duas afecções, portanto, que, por referirem-se ao espírito, podem ser denominadas também “mudanças de estado” ou “de disposição” (metánoia); uma das quais, a voluntária, Agostinho qualifica de “torpe”, pois consiste naquele movimento de aversão do Bem comum e imutável e de conversão aos bens próprios e mutáveis, o pecado. E por tratar-se de uma verdadeira patologia do espírito, seu remédio não poderia deixar de ser amargo. Com efeito, o remédio penal aplicado é também uma afecção do espírito, nada obstante ser um verdadeiro fármaco (φάρμακον), porque causa um efeito indesejável e incômodo, que, precisamente por isso, porque não se deseja padecê-lo, é que se diz “sofrimento”, resultando inevitavelmente na infelicidade do espírito, o que tampouco deixa de ser um sintoma patológico, pois decorrente da primeira afecção, a enfermidade

[490] Cf. 2,19,54,202-204.

[491] Quer dizer, a quietude confere mais “ser”.

[492] Cf. 3,7,21,71-75; 8,23,79-84.

[493] Cf. *decor, decus* e *dedecus* no Léxico T-F.

voluntária do pecado. Isso, contudo, se diz um fármaco principalmente porque seu efeito não é apenas punitivo, mas mormente restaurativo, ainda que seus dolorosos sintomas possam levar a que se pense o contrário. Com efeito, a aplicação da droga tem a finalidade de reordenar a natureza desordenada pelo pecado, de modo que sua condição não implique desfiguração da ordem, na situação e no orbe em que se encontra; ao contrário, a droga do sofrimento que se lhe impõe faz com que seja perfeitamente congruente com a beleza do conjunto universal da criação. Se, ao contrário, o pecado permanecesse impune, e a alma injustamente feliz, essa iniquidade, sim, causaria uma deformidade na ordem – o que significa igualmente fealdade –, pois haveria algo incongruente, como duas cores ou sons que, ao invés de combinarem harmoniosamente, destoariam, entrando em choque mutuamente deletério: o choque da injustiça, que é também desordem. Nesse sentido, pois, uma alma que sofre, em decorrência de seu pecado, ao invés de perturbar a ordem do universo, põe as pastilhas do mosaico na mais perfeita ordem, ordem imprescindível à noção antiga de beleza, indissociável da forma harmoniosa e perfeita. De fato, não há beleza sem ordem, tampouco ordem onde as partes se entrechocam de modo desarmonioso e injusto. Portanto o castigo do pecado, que implica sofrimento, reordena a deformidade do pecado, o que, contudo, não equivale a dizer que seja necessário à beleza e perfeição do universo. Com efeito, apenas as almas, enquanto almas, é que o são, e com elas a Ordem universal, regida pela Razão suprema da eterna Lei, que mantém a Justiça em todas as coisas, fazendo com que a desordem do pecado seja corrigida pelo castigo reordenador.

## Economia da criação: ornamentos

### 3,9,27,96-99. Economia doméstica: o servo e a cloaca

> **96.** A – Disso resulta que a criatura superior que peca seja punida pelas criaturas inferiores, porque elas são tão ínfimas, de modo que possam ser ornadas até mesmo por almas torpes, e assim ser congruentes com a beleza da universalidade [da criação].

As criaturas ditas "superiores", como as almas, que além de ser e viver também inteligem, quando pecadoras, e consequentemente merecedoras da correspondente punição reordenadora, não são necessariamente punidas pelos anjos ou por quem lhes esteja acima na escada das naturezas, mas de preferência pelas criaturas que lhes são inferiores. Essa reparação, como se depreende

a partir da explanação e dos exemplos aduzidos por Agostinho, não se dá em mão única, mas em dupla via, isto é, beneficiando simultaneamente as criaturas superiores pecadoras e as mais baixas dentre as criaturas. Isso se deve ao fato de que a Providência não se contenta simplesmente com a punição dos delitos, mas também com a reordenação das naturezas; porém não apenas tornando-as congruentes com a universalidade, mas aumentando ainda mais sua formosura. Neste sentido, ao punir uma alma tornada torpe pelo pecado, não apenas a reordena, pela punição, mas também imprime beleza à criatura inferior, por meio da qual a pecadora superior houve de ser reordenada, numa espécie de pena comunitária em prol dos mais carentes, por assim dizer, como se um determinado biomédico, infrator, houvesse de ser reordenado pela punição ao ser coagido a cuidar dos animais de um zoológico, por exemplo, quando então seriam beneficiados tanto os animais, "ornados" pelo serviço prestado pelo biomédico, quanto o próprio biomédico, "reordenado" pelo trabalho reparador com as criaturas menores, pertencentes ao degrau mais baixo da escada das naturezas[494]. E de fato, o próprio exemplo aduzido pelo rétor, curiosíssimo, não foge muito a isso:

> **96.** A – [...] Pois o que há em uma casa de tão grande valor quanto o homem[495]? E o que é tão abjeto e ínfimo quanto a cloaca da casa? Contudo um servo, descoberto em um pecado tamanho[496], que seja considerado digno[497] de limpar a cloaca, orna-a[498] também por meio de sua torpeza.

O ser humano, dentre os bens domésticos o maior, orna o mais torpe dos bens da casa, o repositório dos dejetos, a cloaca. Em ambos os casos trata-se de bens: superior, no caso do escravo, que é, vive e intelige; inferior, no caso da cloaca, que

---

[494] É óbvio que este exemplo, como os demais apresentados, que visam apenas esclarecer o pensamento do filósofo, segue a escada natural proposta por ele, que ordena hierarquicamente criaturas que apenas são abaixo das que são e vivem, as quais, por sua vez, situam-se abaixo das que são, vivem e inteligem. Isso, porque não é nada correto, muito menos justo, retroprojetar conceitos da ciência contemporânea ao pensamento dos autores antigos.

[495] *Homo* aqui tem sentido universal, de "ser humano".

[496] Quer dizer, flagrado enquanto praticava algum delito considerado gravíssimo.

[497] Diz-se "digno" no sentido de "merecer com justiça", o que se refere indiscriminadamente tanto a prêmios como a castigos. Pois o escravo se fez merecedor/digno do castigo de limpar a fossa, em virtude de ter cometido um delito de gravidade correspondente ao desprezo votado à tarefa.

[498] Esse "ornar", que será muito utilizado nos próximos parágrafos, significa muito mais que simplesmente "enfeitar" ou "aplicar adereços", referindo antes o embelezamento/ordenamento da universalidade da criação. Cf. verbetes *orno, ornatus, ornamentum* e *ordo* no Léxico T-F.

apenas é, mas cuja necessidade para a casa não pode ser posta em dúvida, nada obstante a sujidade, a fealdade e a fedentina que lhe são peculiares. Logo, assim como o escravo, que é um bem superior na escada das naturezas, conquanto seja apenas um escravo[499], é reordenado pela punição reparadora, sendo coagido à limpeza desagradável da fétida e ascosa cloaca, assim também a cloaca, que é um bem inferior na mesma escada, é embelezada, ou ornada, pelo contato reparador com o escravo. Essa ornamentação da fossa não tem apenas o caráter rudimentar de limpeza, mas sobretudo metafísico, pois, ainda que a purgação da fossa coopere para seu embelezamento, uma vez que sofre mutações tanto em seu estado como em seu aspecto[500], ela é ornada também pelo contato com o escravo, como se partilhasse momentaneamente de sua natureza, por ser objeto de suas preocupações e de seus esforços, numa palavra, por ser objeto de sua ação reparadora. Assim sendo, não é a torpeza do escravo infrator propriamente dita que coopera para a ornamentação da cloaca, cuja utilidade resulta da condição humana, que precisa eliminar a própria excrescência, mas a própria natureza do servo, enquanto ser humano capaz de uma ação purgatória e recuperatória, é que lhe confere a melhoria de sua condição na casa, para além da sua importância no ordenamento doméstico. Infelizmente Agostinho não especifica o modo como servo e cloaca são conjugados e depois conduzidos a uma certa "unidade", que se dá através dessa limpeza, como se ambos, perfeitamente ajustados um ao outro e à engrenagem da casa, fossem os fios entrelaçados de uma mesma trama.

**97.** A – E um e outro destes dois, isto é, a torpeza do servo e a limpeza da cloaca, agora conjungidos e reconduzidos a uma certa unidade, própria de seu gênero, são adaptados à casa bem disposta[501] e nela subentretecidos[502], de modo que convenham à sua universalidade[503], por meio de uma beleza ordenadíssima.

---

499 Vale notar que a escada proposta por Agostinho não fazia distinção entre o estatuto ontológico de um escravo e o de um senhor, enquanto naturezas que são, vivem e inteligem, ainda que o estatuto jurídico do escravo na sociedade romana não fosse mais que o de simples propriedade. O que importaria, se fosse o caso, seria distinguir entre eles, servo e senhor, quem era sábio e quem era estulto, pois sem dúvida o sábio, cuja vontade, regida pela reta razão, ao converter-se para o Ser supremo, seria "mais" do que o estulto, cuja vontade, avertida do Ser e convertida para o não ser, seria "menos".

500 De fato, ao passar da sujidade e fedentina à limpeza e neutralidade odorífera, se não se faz bela a cloaca, ao menos torna-se menos repugnante, e com certeza mais ordenada e útil ao serviço da casa.

501 Uma casa "ordenada".

502 Como se "entrelaçados sob" o funcionamento estrutural da casa.

503 A universalidade da casa, ou seja, a casa em sua totalidade.

No entanto, seja como for que essa união e esse entrelaçamento se deem, o que importa para os fins a que se propõe Agostinho é que a reordenação punitiva do servo e a faxina ornamental da cloaca cooperam com o bom ordenamento da universalidade doméstica, universalidade que se faz bela exatamente porque ordenada com perfeição, quando todas as peças de sua engrenagem se encaixam, assim como as pastilhas de um grande mosaico, conferindo ao conjunto universal da casa sua beleza e perfeição. Logo a punição do servo coopera para a beleza da casa, não enquanto punição, mas por causa da ação renovadora do servo, considerado enquanto criatura que é, vive e intelige, cuja natureza superior permite a uma natureza inferior, como a da cloaca, que se faça mais bela. Porém fique claro que, assim como nem o pecado, tampouco a punição sejam imprescindíveis para a perfeição da universalidade da criação[504], assim também não são insubstituíveis nem o pecado do escravo, tampouco sua punição reordenadora, pois a cloaca pode ser limpa através de outros meios.

**97.** A – [...] se aquele servo não tivesse querido pecar, não faltaria à disciplina doméstica outra provisão, pela qual as coisas necessárias[505] fossem limpas.

De fato, a casa não deixaria de funcionar se os escravos nunca mais pecassem, porque a disciplina doméstica sempre dava conta de substituí-los de algum modo na tarefa da limpeza da fossa; e mesmo se isso não fosse possível, nenhum impedimento havia, tendo sido quitado o *cloacarium*, a taxa cobrada pelo descarte dos dejetos, para que a excrescência produzida pelos moradores da casa não afluísse de modo apropriado para os esgotos públicos. Portanto nem torpeza do escravo, nem sua punição, são imprescindíveis à perfeita ordenação da casa, assim como nem o pecador, nem o seu pecado, para a perfeição universal, mas apenas o escravo, enquanto é, vive e intelige, natureza capaz de executar as tarefas domésticas, e a cloaca, que, embora ocupe o último degrau na escada das naturezas, apenas sendo, contudo é necessária à economia e à saúde doméstica, em virtude de sua função de receptáculo dos dejetos.

## O sopro da alma e a dança da carne

**97.** A – [...] que é tão ínfimo, dentre as coisas [existentes], quanto todo e qualquer corpo terreno?

---

[504] Cf. 3,9,26,92-95.

[505] Coisas necessárias como uma fossa, imprescindível ao bom ordenamento de qualquer casa.

**98.** Contudo a alma pecadora também orna esta carne corruptível, de modo a lhe fornecer uma aparência perfeitamente adequada e um movimento vital[506].

Pois bem, se a torpeza de um servo é capaz de ornar uma cloaca obstruída, quando é punido através dela, para lançar mão da imagem utilizada pelo filósofo logo acima[507], ao dizer que as criaturas pecadoras de cima são punidas pelas criaturas de baixo, do mesmo modo diz agora que uma alma tornada torpe pelo pecado orna o corpo que habita, cuja natureza corruptível pertence ao mais baixo dentre os degraus todos da escada das naturezas. Logo, assim como o servo enobrece a cloaca, ao esvaziá-la, desobstruí-la e limpá-la, assim também enobrece a ínfima carne corruptível a alma, ao dotá-la de vida e de uma forma adequada. Não fosse, pois, pelo sopro de vida ou princípio vital infuso pela alma no corpo, este não seria mais que um punhado de matéria inerte, e provavelmente informe. Contudo a alma, princípio incorpóreo, orna a matéria inerte, imprimindo-lhe movimento vital, fazendo de uma massa informe e inerte um corpo dançante, perfeitamente ordenado em todas as suas partes. Porém não orna o corpo, fazendo-o dançar, enquanto alma pecadora e avertida do Bem comum e imutável, mas apenas e tão somente enquanto alma, enquanto sopro vivificante. E exatamente por isso mesmo, por ser dançante, pois a dança é também número no espaço e no tempo[508], que esse princípio vital se faz numeroso e ordenador, imprimindo à matéria carnal sua forma e sua ordem. Portanto não é o corpo que imprime sua forma à alma, mas ao contrário, a alma é que dá forma e beleza ao corpo[509].

## A economia da casa celeste

**98.** A – [...] Portanto uma alma de tal espécie não se faz congruente com a habitação celeste através do pecado, porém é congruente com a terrestre através do castigo.

---

506 A alma, ainda que pecadora, confere beleza à carne corruptível, ao fornecer-lhe uma aparência absolutamente adequada e o sopro da vida, o princípio ou movimento vital. Logo a alma não apenas anima o corpo, soprando-lhe movimento ou vida, mas também imprime-lhe sua forma; e não apenas sua beleza, mas também a funcionalidade de todos os seus membros, além da conveniência perfeitamente adequada de todas as partes de sua engrenagem.

507 Cf. 3,9,27,96.

508 Cf. 2,16,42,166.

509 Agostinho agora está considerando o vocábulo *anima*, que aqui é qualificado de *peccatrix*, "pecadora", em sentido duplo, como princípio vivificador e inteligente, pois nenhum sopro vital, apenas enquanto princípio de movimento, comum a homens e animais, seria capaz de pecar. Cf. verbetes *animus, anima, mens* e *spiritus* no LÉXICO T-F; ver também 1,7,16,52-56.

Se servo e cloaca, atrelados, se reúnem ao tecido da casa, numa unidade harmônica e perfeitamente ordenada, nada obstante ser o servo torpe pelo pecado e a cloaca, ínfima entre os bens todos domésticos; do mesmo modo reúnem-se as almas, porém cada qual em sua habitação merecida, em prol da ordem. As almas pecadoras, assim como o servo torpe, merecedoras da correção ordenadora do castigo, carecem do concurso dos bens ínfimos para sua punição, como dito acima. Porém, porque se encontram nessa condição de pecado, coagidas a limpar cloacas, coagidas, numa palavra, ao convívio íntimo com os bens de ordem inferior, pelos quais hão de ser punidas e reordenadas, essas almas pecadoras não podem habitar as moradas celestes, a *domus* das almas impecáveis, as quais não têm cloacas que limpar, tampouco excrescências de que se desfazer. Por isso diz Agostinho que as almas pecantes, que estão em desarmonia com a *domus* celeste pela dissonância de seu pecado, estão, ao contrário, em perfeita harmonia com a casa terrestre pela consonância de sua justa punição, em cujo diapasão são coagidas a peregrinar, desobstruindo e limpando cloacas[510].

**98.** A – [...] qualquer coisa que ela eleger, a bela universalidade esteja sempre ordenada em partes perfeitamente adequadas, cujo Fundador e Administrador é Deus.

Em ambos os casos, contudo, seja na habitação celeste, onde inexistem cloacas, seja na terrestre, em que as cloacas devem ser esvaziadas e purgadas com frequência, numa e noutra habitação, enfim, vive a alma por livre eleição, em decorrência de ter arbitrado espontaneamente o seu próprio querer, o que faz com que ambas as moradas estejam na mais perfeita ordem, *domus* cujas economias são administradas – escusada a redundância[511] – com a mais perfeita justiça por seu Fundador.

**99.** A – E na verdade as melhores almas[512], quando habitam em criaturas ínfimas[513], não as ornam por sua infelicidade, a qual não possuem, mas pelo bom uso delas.

---

[510] É óbvio que isso se diz em sentido metafórico, em relação aos bens de natureza corpórea *grosso modo*, e não apenas às cloacas *stricto sensu*. Pois a alma pecadora que adere à "cloaca" dos bens corruptíveis, ao prender-se a eles, é como o servo condenado a limpá-la, sendo coagido ao contato com naturezas de estatuto ínfimo, às quais criaturas inferiores serve de modo torpe, em vez de servir-se delas, naturezas indignas daqueles que foram criados à imagem e semelhança de Deus. Cf. Gn 1,26.

[511] O termo "economia", de origem grega, já implicava a "administração da casa" (οἶκος + νόμος).

[512] Liter.: "ótimas", *id est*, as melhores dentre todas as almas inteligentes. Porém não está claro se Agostinho se refere aqui aos anjos, ou apenas às almas que vivem a vida reta e virtuosa.

[513] Refere-se ao corpo, que apenas *é*, ao passo que a alma *é*, *vive* e *intelige*.

Então, assim como os servos torpes ornam as cloacas, mas não com sua torpeza, e sim com sua natureza, na qualidade de seres humanos dotados de razão, e assim como as almas, posto que pecadoras, ornam os corpos de carne, inspirando-lhes a dança da vida e sua formosura, pode-se dizer também, estendendo a comparação, que as almas boas, isto é, aquelas que não pecam, igualmente ornam as criaturas ínfimas que habitam, ou seja, seus respectivos corpos[514]. Essa ornamentação, contudo, não se dá pela infelicidade de seu castigo, como no caso do servo constrangido à limpeza da fétida e ascosa cloaca, porque não se trata aqui de almas pecadoras. Ao contrário, ela se realiza por meio do bom uso que as almas boas fazem das criaturas inferiores, que devem ser louvadas enquanto bens, enquanto criaturas divinas, seja em que grau estejam. Porém não devem ser amadas em si mesmas, como fins, como faz o pecador, naquele movimento de prava conversão aos bens próprios e mutáveis, e sim amadas em Deus, por ele e para ele, a fim de que a alma se converta ao Bem supremo, que é o único Fim em si mesmo.

**99.** A – [...] se as almas pecadoras fossem permitidas habitar nos lugares sublimes, isso seria indigno[515], porque eles não lhes convêm, dos quais nem podem usar[516] bem, [e aos quais] nem conferem ornamento algum[517].

Por outro lado nenhuma alma pecadora, cuja vontade está avertida do Bem comum e imutável, é digna de habitar a morada celeste, habitar nas casas sublimes em que não há cloacas nem habitam pecadores intrusos. Isso ocorre por dois simples motivos: primeiro porque o pecador não está apto para fazer bom uso dos bens ali existentes; depois porque as almas que pecam não teriam nada a oferecer aos bens dali, sendo incapazes de orná-los. Não estão aptas para fazer bom uso porque ainda procuram fruir dos bens inferiores como se fossem fins em si mesmos, bens de que deveriam apenas utilizar-se bem, tornando-se por

---

514 Ainda não está claro a que almas se refere Agostinho, sendo difícil imaginar almas impecáveis que habitassem corpos de carne, pois não parece que esteja fazendo qualquer referência aos "corpos celestes" (σώματα ἐπουράνια), mencionados por Paulo em sua epístola aos coríntios (cf. 1Cor 15,35-57).

515 O latim diz *inhonestum*, que significa também "desonroso", "indecoroso" etc.

516 Usar (*utor*), no sentido de "aproveitar" ou mesmo "usufruir", que se evitou adrede, a fim de manter a necessária distância semântica de sua "antítese" filosófica, *fruor.*

517 As almas pecadoras não têm condições de ornar a região sublime por causa de sua inferioridade. Em nada, pois, coopera sua condição para tornar mais bela a região "supraceleste", a *domus angelica.*

isso inaptas para fruir do Bem supremo, o único a que deveriam visar. E por essa sua deformidade voluntária, que as torna infelizes e moralmente inferiores às almas impecáveis, se fazem incapacitadas para ornar os bens da casa celeste, visto que nenhum bem pode ser ornado por outro bem inferior, apenas servir-lhe de suplício. De fato, a cloaca pune o servo, mas não lhe serve de ornamento; ao contrário, o servo é que a orna, ainda que seja pecador, pois sua natureza é superior à da cloaca. Do mesmo modo não é o corpo que orna a alma, e sim esta que o orna, ainda que se possa dizê-la punida por estar presa a um corpo de carne. Por fim, não são os bens que ornam as almas boas, e sim o bom uso que elas fazem deles. Logo não se dá que um bem inferior orne um superior, servindo-lhe tão somente de instrumento de suplício; por isso é que Agostinho diz que as almas pecadoras não podem servir de ornamento para nada que lhes seja superior, como os bens da *domus* celeste.

## 3,9,28,100. Indícios de superioridade: as virtudes

**100.** A – Por isso, conquanto esse orbe[518] terreno tenha sido contado entre as coisas corruptíveis, contudo conservando, quanto pode, a imagem das superiores, não cessa de demonstrar-nos exemplos e certos indícios[519] [delas]. Pois, se por acaso vejamos algum homem bom e nobre[520], quando exortado pelo dever da honra, ter seu corpo queimado no fogo[521], não chamamos a isto de "pena" [decorrente] do pecado, mas de "prova"[522] de coragem e de paciência[523].

Nada obstante a corruptibilidade deste mundo corpóreo e dos seres que o habitam, é possível perceber indícios das naturezas superiores, cujas imagens são preservadas nos homens. Na verdade, não em todos eles, mas apenas

---

518 O termo *orbis* significa liter. "círculo" ou algo de forma "esférica", o que se explica pelo fato de que os antigos consideravam o mundo como sendo coberto pela abóbada celeste, o firmamento, que, ao modo de uma "calota", envolvia a terra e seu entorno.

519 Quer dizer, indícios das moradas e dos moradores celestes.

520 Liter.: "grande" (*magnus*), em importância e consideração social.

521 Liter.: "ser queimado pelas chamas, quanto toca ao corpo".

522 Traduz o latino *documentum*, que significa "testemunho" ou "evidência", mas também "exemplo" e "lição". Suportar as chamas pode ser tanto uma "prova" de paciência, de enorme capacidade de suportar a dor, como também uma "lição" dessa virtude. No entanto, como Agostinho disse logo acima que o orbe terreno, preservando uma imagem das coisas do céu, "não cessa de demonstrar-nos exemplos e certos indícios", fica claro que *documentum*, aqui, expressa um desses indícios ou sinais.

523 Cf. os verbetes *passio, patior* e *patientia* no LÉXICO T-F.

nos bons e nobres, cujas virtudes se destacam, sobretudo nos paroxismos a que se veem submetidos. Assim, por exemplo, se um nobre varão qualquer tem seu corpo queimado, mas não por causa de uma pena legal que lhe foi aplicada, e sim no estrito cumprimento do dever de honrar a pátria e seus antepassados, como Múcio Cévola[524], possível referência de Agostinho na passagem; isso não pode ser chamado de "castigo", por causa de seu pecado, pois o varão cujo corpo é queimado é nobre e bom, constituindo antes uma clara evidência de suas virtudes, que são verdadeiros indícios das naturezas superiores. E ao dizer que o nobre, como Cévola, é tão mais amado quanto mais hediondamente deformado pelo fogo, não está fazendo uma apologia a Falaris[525], tampouco à provação moral pela dor, e sim às virtudes da coragem e da paciência. Logo, não é por ter seu corpo queimado que é amado o nobre varão, e sim por ter suportado as queimaduras, no cumprimento honroso do dever, com coragem e paciência.

**100.** A – [...] nós nos admiramos de que a natureza do espírito não seja mudada pela mutabilidade do corpo.

Porém as virtudes não são provas das naturezas superiores apenas porque constituem apanágio do homem feliz[526], amante da Sabedoria e da Verdade eterna e imutável[527], mas principalmente por serem bens incorpóreos, assim como a própria alma, sua morada, que é preservada intocada, causando enorme admiração, enquanto a natureza carnal é corrompida de modo hediondo pelas chamas devoradoras. Cévola, ou seja quem for, embora tenha seu corpo ou parte dele cremado, mantém ao mesmo tempo sua constância, sua coragem, sua paciência, demonstrando maravilhosamente a natureza estável e inabalável de sua alma, em comparação com a fragilidade corruptível da carne que ela momentaneamente habita.

---

524 Gaio Múcio Cévola (*c.* VI a.C.), herói romano da guerra contra o rei etrusco Porsena, que então sitiava Roma. Cévola teria queimado heroicamente o próprio braço, após ter sido apanhado no acampamento de Porsena, que ele pretendia matar a serviço dos romanos. *Scaeuola* é diminutivo de *scaeua*, "canhoto", por motivos óbvios.

525 Falaris (Φάλαρις) foi tirano de Agrigento, na Sicília, igualmente por volta do século VI a.C., cuja crueldade se tornou proverbial, como atesta a famigerada prática de queimar seus desafetos, vivos, dentro de um touro de bronze incandescente.

526 Cf. 2,19,52,198.

527 Cf. 2,10,29,116-118; 16,41,163; 19,52,196-198 *passim*.

## 3,9,28,101-102. Tormento e ornamento

**101.** A – Mas, pelo contrário, os membros de um salteador crudelíssimo[528], quando os vemos ser consumidos por um tal castigo[529], aprovamos a ordem das leis[530]. Logo ambos ornam esses tormentos; todavia aquele [orna-os] pelo mérito de sua virtude; este, de seu pecado[531].

Se, por um lado, o nobre varão supracitado[532], ao ter seu corpo cremado, dá provas de coragem e de paciência, que são indícios das naturezas superiores, embora se mostrem através da carne, um salteador cruento, por outro, cujas mãos foram maculadas pelo sangue alheio, ao ser condenado justamente ao suplício pelo fogo, não serve de testemunho de paciência, tampouco de coragem, pois, diferentemente de um Múcio Cévola, não se queima voluntariamente, por amor do dever e da honra, e sim de modo constrangido; contudo as leis da cidade, pelas quais ele é assim condenado, essas, sim, merecem aprovação, mostrando-se bem ordenadas. No entanto, como se viu nos parágrafos anteriores, uma natureza inferior não tem capacidade para ornar uma superior, sendo, ao invés, ornada por ela. Assim sendo, é o nobre varão, por sua natureza superior, que orna o tormento do fogo, mas não pela corruptibilidade de seu corpo carnal, e sim pelo mérito de suas virtudes, atributos de sua alma elevada; do mesmo modo o salteador, que, embora sanguinolento, não é ornado pelo fogo, uma vez que se constitui uma natureza superior às chamas, mas orna e dignifica o tormento do fogo, enquanto queima na fogueira, em virtude de seu estatuto

---

528 O termo *latro* pode referir-se a um simples "ladrão", mas também a um "bandido" em sentido geral, o que não exclui o assassino. Ao qualificá-lo de "cruel", em grau superlativo, Agostinho faz supor seja não um ladrão barato, mas um bandido sanguinário, pois o adjetivo *crudelis* relaciona-se diretamente com *cruor*, "sangue derramado", termo de que também derivam outros adjetivos bastante esclarecedores, como *cruentus* e *crudus*, ambos significando algo como "sanguinário" ou "sanguinolento".

529 Liter.: "suplício" (*supplicium*). Agostinho refere-se a algum tipo de sanção penal que impunha o fogo como punição por crime de natureza cruenta, como o assassinato.

530 Trata-se aqui de um genitivo subjetivo, pois "das leis" refere-se à ordenação que "as leis impõem". Na verdade, com exceção daquele que se denomina "objetivo", todos os demais tipos de genitivo se podem dizer com acerto "subjetivos". Cf. Greenough *et alii*, *Allen and Greenough's New Latin Grammar*, Newburyport: Focus, 2001, §343, n. 1, p. 204.

531 O homem bom orna o suplício das chamas pelo mérito de sua virtude de paciência e coragem; o assassino cruentíssimo, pelo salário merecido por seu pecado. Em ambos os casos, por serem naturezas superiores ao fogo, tanto o nobre virtuoso como o salteador estão aptos a orná-lo. Cf. os verbetes *meritum* e *mereor* no LÉXICO T-F.

532 Cf. 3,9,28,100.

ontológico, como natureza que é, vive e intelige, pois não poderia ter pecado a não ser arbitrando livremente a sua vontade, por meio de suas faculdades intelectivas; logo, é pelo merecimento de seu pecado, livremente cometido, que orna o tormento do fogo.

## O "habite-se" da morada celeste: *sic itur ad astra*

**101.** A – [...] se víssemos o assassino celerado, seja antes de seu castigo, seja depois do castigo[533], com a mesma malícia da vontade, ser levantado em direção ao céu, para a sede da honra[534] sempiterna, quem é que não ficaria ofendido?

Posto que ambos ornem o pírico tormento pela dignidade de sua natureza, não podem os dois habitar as moradas celestes, em virtude do mérito individual, que, para o nobre varão decorre de sua virtude, mas para o salteador cruento, de seu pecado. Assim acontece porque o "habite-se" para as moradas superiores só é concedido depois de cumprido o ordenamento legal, que outro não é senão a congruência do espírito com o lugar em que se pretende estabelecer residência. No caso, pois, é preciso harmonizar-se com o bairro celestial, o que se logra com a metanoia da vontade maliciosa em boa, que daí se converte para o Bem comum e eterno, sem o que não se está apto para ali habitar. Não é possível que uma alma presa aos bens corpóreos e corruptíveis ao mesmo tempo adira ao Bem comum e imutável, como se o mesmo movimento da vontade pudesse dirigir-se para polos opostos, em direções inimigas, sem autoaniquilar-se. Com efeito, a própria Verdade havia advertido que "ninguém pode servir a dois senhores"[535], e que "se um reino estiver dividido contra si mesmo, esse reino não pode subsistir"[536]. E se caso fosse concedido injustamente ao salteador sanguinário o "habite-se" para as moradas celestes, seja antes, seja depois de seu merecido tormento, ele que possui e é possuído pela própria vontade maliciosa, com toda justiça as almas boas haveriam de protestar diante do tribunal divino, com enormes chances de sucesso, pois sua causa seria justa.

**102.** A – Ocorre assim que ambos tenham podido ornar as criaturas inferiores, porém as superiores, apenas um deles.

---

[533] Quer dizer, antes ou depois de ser punido pelo fogo.

[534] Quer dizer, a glória eterna dos bons. Cf. *honos* no LÉXICO T-F.

[535] Mt 6,24: "Οὐδεὶς δύναται δυσὶ κυρίοις δουλεύειν".

[536] Mc 3,24: "καὶ ἐὰν βασιλεία ἐφ' ἑαυτὴν μερισθῇ, οὐ δύναται σταθῆναι ἡ βασιλεία ἐκείνη".

Logo, se o "habite-se" da casa divina não pode ser concedido àqueles cuja vontade está avertida do Bem comum, eterno e imutável, compreende-se que apenas o varão ilustre e bom seja capaz, pelo mérito de suas virtudes, de ornar a mansão celeste, embora ambos, tanto ele como o salteador cruento, possam ornar o tormento do fogo, criatura considerada de natureza inferior na escada ontológica. Disso decorrem dois importantes postulados: primeiro, como dito antes[537], que uma natureza inferior não pode ornar uma natureza que lhe seja superior; depois, igualmente dito[538], que o mal, compreendido como movimento de aversão da vontade, não é eleito impunemente pela alma, a qual, ao averter-se, mudando a direção de sua vontade, transmuda a própria natureza, corrompendo-a. De fato, uma alma, cuja vontade é maliciosa e que não está apta a ornar uma natureza superior, assim se encontra, inapta para a ornamentação, em virtude da primeira constatação supradestacada, de que uma natureza inferior não pode ornar uma que lhe seja superior, do que resulta necessariamente que a natureza do possuidor da vontade avertida corrompeu sua natureza original, pois, assim como o varão nobre foi posto no degrau mais alto da escada das naturezas, das criaturas que são, vivem e inteligem, a alma que faz mal, em virtude de seu pecado, descai, em comparação com o virtuoso varão, embora permaneça sempre no mesmo degrau, acima das demais criaturas desprovidas de inteligência, que apenas são e vivem. Trata-se, portanto, de uma deterioração ontológica que se restringe ao degrau da escada em que se encontra a natureza pecadora, o terceiro, porque jamais uma natureza que é, vive e intelige pode descender ao segundo grau, muito menos ao primeiro[539].

## 3,9,28,102-103. Adão, Cristo e o ornamento da mortalidade

> **102.** A – [...] não apenas o primeiro homem[540] tenha ornado a mortalidade desta carne, a fim de que estivesse congruente com o pecado, por meio de sua pena, mas também nosso Senhor[541], a fim de que o libertasse do pecado, por sua Misericórdia.

Dos postulados assentados e dos exemplos aduzidos decorre forçosamente que a natureza humana, em virtude de seu estatuto ontológico superior,

---

[537] Cf. 3,9,27,99.

[538] Cf. 3,5,15,-57.

[539] Cf. 3,5,16,58; 7,21,74-75.

[540] Refere-se a Adão.

[541] Cristo também ornou a mortalidade da carne, porém por motivos diversos dos de Adão.

porque não apenas é, mas também vive e intelige, orna as criaturas que estão abaixo dela na escada ordenadora da obra divina, naturezas essas que apenas são, ou que são e vivem, mas incapazes de inteligir. E assim como foi constatado antes[542], que a natureza do corpo de carne encontra-se no ínfimo degrau da escada, no rés do chão, por assim dizê-lo, toda e qualquer alma, pecadora ou não, portanto é capaz de orná-la. E do mesmo modo Adão, o primeiro homem, considerado depois do pecado, tornou-se digno, isto é, merecedor de ornar a mortalidade da carne, não em vista de sua natureza, superior à do corpo corruptível, pois havia já sido criado com uma natureza superior, embora não estivesse revestido de um corpo mortal[543], por não ter ainda pecado; numa palavra, Adão tornou-se digno de ornar a mortalidade da carne em virtude de seu pecado, que lhe causou a expulsão do paraíso e a consequente condenação à mortalidade. Para que estivesse em congruência com a mortalidade, portanto, Adão teve de revestir uma "túnica de pele", ou seja, foi obrigado a revestir-se de um corpo que, por sua natureza carnal, era necessariamente mortal. Logo ornou a mortalidade da carne em virtude da punição de seu pecado, visto que sua natureza, embora pecadora, era em muito superior à da carne putrescível. Cristo, por outra, também ornou a mortalidade da mesma carne, porém não em virtude de algum pecado, porque sempre foi justo, nunca tendo cometido nenhum pecado, mas apenas por causa de sua Misericórdia, para libertar o homem, tornado mortal desde Adão, de sua condição de pecado e de morte. Portanto ambos ornaram a carne, visto que ambos, cada um em seu gênero, eram naturezas superiores à da carne mortal; contudo cada um deles o fez por uma razão distinta: Adão, como punição por seu pecado; Cristo, pela Graça de

542 Cf. 3,9,27,97.

543 Cf. Gên. 3,7; 9-10; 21. Quando se lhes abriram os olhos, ao primeiro homem e à sua mulher, após terem comido do fruto proibido, deram-se conta então de que estavam nus, cosendo para si túnicas com folhas de uma figueira. No entanto, após terem sido surpreendidos em sua transgressão, o Senhor Deus os vestiu com "túnicas de peles" (χιτῶνας δερματίνους), que lhes confeccionara (3,21) – *fecit quoque dominus deus Adam et uxori eius tunicas pellicias et induit eos* – antes de os expulsar do "jardim do deleite" (παραδείσου τῆς τρυφῆς), o paraíso (3,23). Essas "túnicas de pele" podem ser compreendidas em sentido duplo, seja o revestimento de seu corpo carnal e mortal, numa leitura teológica, seja a simples confecção de roupas a partir de peles de animais. Neste segundo caso, seria bastante lícito indagar, transcorrendo a famigerada história no paraíso, de onde é que teriam saído as peles. Pois, se se tratasse de pele de animal morto, ou Deus os teria matado, ou o primeiro conúbio é que o teria feito, contra as evidências escriturárias; ou então eles teriam morrido naturalmente, fazendo crer que a morte ali fosse natural, ao menos aos bichos.

sua Misericórdia. Logo tanto o pecado de um quanto o bem do outro serviram para ornar a universalidade, mantendo a perfeição da Ordem prescrita e administrada por Deus, em toda a sua diversidade.

## Na justiça e na iniquidade

**102.** A – [...] Porém ao contrário do Justo[544], que, [embora] permanecendo na própria justiça, pôde possuir um corpo mortal, não pode o iníquo, enquanto é iníquo, alcançar a imortalidade dos santos[545], evidentemente sublime e angélica, não a [imortalidade] daqueles anjos, a respeito dos quais diz o apóstolo: "Não sabeis que nós havemos de julgar os anjos?"[546], mas daqueles, a respeito dos quais diz o Senhor: "E serão iguais aos anjos de Deus"[547].

Posto que ambos tenham ornado a mortalidade da carne, Adão e Cristo, o primeiro por meio de seu castigo, o segundo por meio de sua Misericórdia, não é permitido pela ordenação da Justiça divina que Adão, representando a humanidade em sua iniquidade, goze da imortalidade dos santos, imortalidade que se diz tão mais angélica quanto sublime, enquanto permaneça em sua iniquidade, se bem que Cristo, o Justo por excelência, tenha ornado a mortalidade da carne sem deixar jamais de ser justo. Com efeito, se a condição de mortalidade é consequência do pecado do primeiro homem, cuja vontade se corrompe ao averter-se de Deus, e com ela sua própria natureza, poder-se-ia objetar que Cristo também teve de assumir a condição de pecado, quando revestiu-se da carne mortal. Mas isso não se deu, porque o Justo permaneceu em sua Justiça, embora na carne, e por todo tempo em que na carne esteve. Porém a recíproca não é válida, pois nem pôde Adão, tampouco sua progênie pecadora pode ascender às alturas da casa celestial, enquanto em si persistir alguma vontade pervertida, restando presa à condenação da carne mortal, cuja libertação só pode dar-se pela Misericórdia daquele Justo.

---

544 Jesus Cristo, o Justo, que padeceu injustamente por causa dos pecados dos homens injustos.

545 Liter.: "Não [*], assim como o Justo pôde, permanecendo na própria justiça, possuir um corpo mortal, assim também o iníquo [*] pode, enquanto é iníquo, chegar até à imortalidade dos santos...". O advérbio de negação *non* que inicia a frase (como é muitíssimo comum na prosa agostiniana) está modificando o verbo apenas na segunda parte da comparação: "*não* como pôde *x*, pode *y*", ou seja, *y* não pode do mesmo modo como pôde *x*.

546 1Cor 6,3: "οὐκ οἴδατε ὅτι ἀγγέλους κρινοῦμεν [...];".

547 Lc 20,36: "pois são iguais aos anjos" (ἰσάγγελοι γάρ εἰσιν); Mt 22,30: "mas são iguais aos anjos no céu" (ἀλλ' ὡς ἄγγελοι ἐν τῷ οὐρανῷ εἰσιν). Nas duas passagens, contudo, tanto no original grego como no latim da Vulgata, os verbos estão no presente, ao contrário do futuro utilizado aqui por Agostinho, muito provavelmente devido a um erro da *Vetus Latina*, a versão bíblica de que dispunha.

## Glória dos anjos e de si: uma questão de incongruência

**103.** A – Pois aqueles que aspiram a igualdade dos anjos[548], por causa de sua glória inane[549], portanto não querem ser iguais aos anjos, mas a si mesmos[550].

Os que aspiram a glória angélica em virtude de sua própria glória, diz Agostinho, não buscam a glória eterna, que hão de encontrar apenas ao igualar-se aos santos anjos – fazendo-se *isángeloi* –, mas a exaltação de si mesmos. De fato, às almas cuja vontade mantém-se avertida do Bem imutável e comum e convertida ao bem próprio e mutável não se concede o "habite-se" da casa celeste, porque um bem inferior não pode ornar um superior. Portanto nenhuma vontade corrompida e apegada aos bens corruptíveis e próprios pode simultaneamente aderir ao Bem incorruptível e comum. Trata-se, numa palavra, de uma questão de congruência, ou melhor, de incongruência entre as naturezas pecadoras e as superiores, ou entre os sentidos contrários do movimento da vontade, aversão e conversão. Quem busca a glória de si assim o faz porque sua vontade, maliciosa, está convertida para os bens próprios e avertida do Bem comum; vontade cujo movimento é completamente incongruente com as exigências da política habitacional celeste, onde toda criatura deve estar eternamente voltada para o Criador, posicionando sua vontade em perfeita congruência com a dele.

## Ordem angélica: santos e prevaricadores

**103.** A – [...] perseverando numa tal vontade, serão igualados pelo castigo aos anjos prevaricadores, que amam com mais diligência o seu próprio poder do que o de Deus onipotente.

---

548 Isto é, que aspiram a igualdade com os anjos; o que, no elegante grego de Lucas, se expressa pelo adjetivo substantivado m. pl. *isángeloi* (ἰσάγγελοι). Cf. Lc. 20,3.

549 Não a glória dos anjos, mas a dos próprios aspirantes, que desejam apenas a exaltação de si mesmos, não a elevação moral e ontológica dos santos anjos, na contemplação do Bem comum.

550 Não querem ser iguais aos anjos, mas a si mesmos: [i] ou porque querem que os anjos sejam iguais a si, [ii] ou porque querem permanecer iguais a si mesmos. De fato, amam mais a si mesmos e desejam ser como são, usurpando injustamente a glória dos santos anjos, uma vez que são pecadores, glória que os anjos mereceram justamente por sua virtude. Quanto à primeira opção [i], é certo dizer que não querem igualar-se aos anjos na virtude, mas apenas na imortalidade e na felicidade, embora queiram injustamente permanecer apegados a si mesmos e às suas vontades carnais, vontades dos bens próprios e mutáveis.

Aos que não lograram habitar a mansão celeste, prescindindo do "habite-se", por causa de sua insistência em manter a vontade convertida para a fugacidade inconstante das inclinações sensuais, resta outro gênero de igualdade angélica, porém não com a ordem dos santos, mas com a desordem dos anjos prevaricadores[551], fazendo-se *isángeloi parabatikoí*. Nessa ordenação, contudo, a igualdade não é buscada na prática das virtudes, tampouco no amor do Bem comum e imutável, e sim no amor de si, que é também o pecado, porque se constitui naquele movimento da vontade avertido do Bem eterno e convertido para o bem próprio e mutável. E que é o mal, senão aversão do Bem? E o amor de si, em vista de si, tendo como fim último a própria glória, que é, senão a aversão do amor de Deus e conversão para si mesmo? E que redunda disso, a não ser a própria permanência na mortalidade, quando se amam os corpos de carne perecível com intensidade tanto maior quanto mais se lhes adira?

## Dois novos critérios: misericórdia e humildade

> **103.** A – [...] tendo esses tais sido estabelecidos à esquerda, porque não buscaram a Deus através da porta da humildade, a qual o Senhor Jesus Cristo mostrou em si mesmo, e viveram de modo imisericordioso e soberbo, ser-lhes-á dito: "Ide para o fogo eterno, que foi preparado para o diabo e para os seus anjos!"[552].

Os que insistirem em manter uma vontade maliciosa, segundo a palavra dos relatos evangélicos, serão colocados à esquerda, porque não buscaram a Deus, ao atravessar a porta estreita da humildade, que está no próprio Cristo, mas preferiram buscar com soberba a própria glória, optando por cruzar o largo portal da perdição[553]. No entanto, para além da conversão da vontade, conversão a um só tempo ontológica e ética, para o Bem comum e imutável, acrescenta agora Agostinho dois novos parâmetros, de caráter prioritariamente moral e religioso, para os que querem chegar à eternidade, à morada dos anjos, onde hão de encontrar a paz e a felicidade na contemplação do Senhor:

---

551 Gr. παραβάτης, "prevaricador". Cf. Rm 2,25; 2,27: "παραβάτης νόμου".

552 Cf. Mt 25,41: "Afastai-vos de mim, malditos! Ide para o fogo eterno, o qual foi preparado para diabo e seus anjos!" (πορεύεσθε ἀπ' ἐμοῦ [οἱ] κατηραμένοι εἰς τὸ πῦρ τὸ αἰώνιον τὸ ἡτοιμασμένον τῷ διαβόλῳ καὶ τοῖς ἀγγέλοις αὐτοῦ).

553 Cf. Mt 7,13: "Entrai através do portão estreito, porque largo é o portão e espaçoso o caminho que conduz até à ruína; e muitos são os que entram por ele..." (Εἰσέλθατε διὰ τῆς στενῆς πύλης· ὅτι πλατεῖα ἡ πύλη καὶ εὐρύχωρος ἡ ὁδὸς ἡ ἀπάγουσα εἰς τὴν ἀπώλειαν, καὶ πολλοί εἰσιν οἱ εἰσερχόμενοι δι' αὐτῆς).

[i] misericórdia e [ii] humildade. Assim, aquele que não atravessar a porta estreita da humildade, que está em Cristo[554], preferindo, ao invés, a soberba, apanágio do diabo e de seus anjos, e aquele que não viver com misericórdia, que igualmente está em Cristo, a Misericórdia do Pai, preferindo, seja a severidade draconiana e inflexível da *lex talionis*, seja a injustiça da transgressão e do pecado, esses serão estabelecidos não à direita do Senhor, que é o próprio Cristo[555], mas à sua esquerda, onde por certo encontra-se satanás. Portanto, de um lado, Cristo; do lado oposto, o anticristo. Porém, ao contrário do que se poderia suspeitar, não há imposição sobre a vontade humana, sendo o portão da humildade que leva a Deus estreito, e por conseguinte dificultoso, ao contrário do portal imenso e sedutor da perdição da soberba.

Essas duas virtudes, que não faziam parte do seleto grupo das quatro cardeais, muitíssimo caras ao pensamento greco-romano: prudência, coragem, temperança e justiça; tampouco faziam parte do grupo mais abrangente dos valores herdados dos antigos romanos: *gloria, honos, dignitas, grauitas, auctoritas*, entre outras, mas sem deixar de parte *pietas* e *fides*, que não devem ser confundidas, contudo, com a fé religiosa, tampouco com a piedade cristã[556]. A misericórdia, por sua vez, é a propensão para perdoar ou relevar os pecados, que deveriam ser punidos pelas disposições legais, o que a colocava de certo modo em confronto com a justiça, uma das virtudes cardeais, a qual estabelecia que a cada um devia ser dado, de modo matemático, o que lhe cabia, fosse punição, fosse recompensa[557]. A humildade, que reconhece as próprias limitações e, por conseguinte, a total dependência da Bondade divina, em vez de buscar a própria glória diante dos homens, e o que é pior, diante do próprio Criador,

---

554 Cf. Jo 14,6.

555 Cf. 2,19,54,205: "[...] a destra de Deus estendida do alto, isto é, nosso Senhor Jesus Cristo!". Cf. Col 3,3; At 2,33; Hb 10,12; 12,2: "τῇ δεξιᾷ τοῦ θεοῦ".

556 A *fides* romana, explica Maria Helena da Rocha Pereira, "é um juramento que compromete ambas as partes na observância de um pacto 'bem firme'. [...] os romanos consideravam-se – e eram considerados, segundo o testemunho de Políbio – como povo que 'respeita o seu dever'". A *pietas*, por sua vez, ainda segundo a mesma autora, "define-se habitualmente como um sentimento de obrigação para com aqueles a quem o homem está ligado por natureza", como pais, filhos, parentes, o que por certo não exclui as divindades, sejam as domésticas, como os *Penates*, antiquíssimas deidades que guardavam a casa romana, ou os *Lares*, numes tutelares, sejam públicas, como os deuses tradicionais do panteão greco-romano. Cf. Maria Helena da Rocha Pereira, *Estudos de história da cultura clássica, vol. II – Cultura romana*. Lisboa: Calouste Gulbenkian, 2002, p. 334; 338-339.

557 Cf. 1,5,11,33; 6,15,48-49.

contrapunha-se a três dos principais valores éticos supracitados: *gloria, honos e dignitas*, que significavam, *grosso modo*, o desejo de consideração diante dos homens, o reconhecimento público e o prestígio político, três valores centrais na cultura romana e muito próximos uns dos outros[558], que, ao contrário da *humilitas* cristã, ligada etimologicamente a *humus*, "o solo", valorizam não o esvaziamento de si mesmo, ao contrário do exemplo de Cristo[559], mas a própria exaltação. Constata-se, assim, a virada moral que o cristianismo operava nos valores da elite clássica romana.

FIM DOS COMENTÁRIOS AO LIVRO TERCEIRO

PARTE A

---

558 Cf. Maria Helena R. P., *op. cit.*, p. 343-352.

559 Cf. Mt 23,12: "Aquele, pois, que se exaltar será humilhado e aquele que se humilhar será exaltado" (ὅστις δὲ ὑψώσει ἑαυτὸν ταπεινωθήσεται καὶ ὅστις ταπεινώσει ἑαυτὸν ὑψωθήσεται). Ver ainda: Mt 18,3; 20,16; 22,17-28; Lc 22,16 etc.

# parte B

E como não aprovaram ter Deus em seu conhecimento,
entregou-os Deus a uma mente desaprovada...
Rm 1,28[1]

[1] ΡΩΜΑΙΟΣ 1,28: "Καὶ καθὼς οὐκ ἐδοκίμασαν τὸν θεὸν ἔχειν ἐν ἐπιγνώσει, παρέδωκεν αὐτοὺς ὁ θεὸς εἰς ἀδόκιμον νοῦν...".

# sumário às notas e comentários ao livro terceiro

**O primeiro pecado: impiedade celestial** .......... 699
(*ou* Tipologia da vontade diabólica)

# notas e comentários ao livro terceiro

## SÍNTESE TEOLÓGICA
(3,10,29,104-12,36,125)

### Breve recapitulação

Depois das prolepses, retorna agora Agostinho ao problema levantado no final do segundo livro e retomado no início deste[1], acerca da origem do movimento de aversão do Bem comum e imutável e conversão aos bens próprios e mutáveis, que se diz pecado ou mal[2]. Tudo o que se disse, apesar da riqueza e diversidade dos temas tratados até aqui, relaciona-se diretamente com essa questão da origem do movimento, que outra não é senão a questão inicial da causa do malfazer. Primeiro, de que modo se pode dizer que a origem do movimento é de fato humana e livre, e não necessariamente determinada, quando se crê na Providência divina e sua consequente presciência dos eventos futuros[3], postulado estabelecido no início das discussões, como princípio de piedade[4]. Depois, de que modo se pode dizer com justiça que Deus não devia ter criado almas pecadoras, apenas os que soubesse nunca haviam de pecar, sem que lhes aniquilasse a própria liberdade e consequente responsabilidade moral, para o que foi necessário empreender toda uma argumentação em louvor da diversidade da criação[5], nomeadamente das criaturas racionais[6], e por fim em louvor do próprio ser[7], sempre melhor do que não ser, mesmo àqueles que se dizem infelizes; infelicidade que deu conta de justificar e de defender contra as acusações céticas de que seria necessária, juntamente com o pecado, para a ordem universal[8]. Por fim, em louvor da perfeição e diversidade da

---

1 Cf. 3,1,1,1-2,5.

2 Cf. 3,1,2,7-3,13; 6,18,63.

3 Cf. 3,2,4,14-11,41.

4 Cf. 1,2,5,12-13.

5 Cf. 3,5,12,44-13,50.

6 Cf. 3,5,14,51-16,60.

7 Cf. 3,6,18,63-8,23,84.

8 Cf. 3,9,26,92-95.

criação procurou o filósofo demonstrar como todas as criaturas, mesmo as mais pecadoras e celeradas, ornamentam – ou seja, cooperam para a beleza – da universalidade da obra de Deus[9].

## 3,10,29,104. As duas origens do pecado: *cogitatio spontanea* e *suasio aliena*

**104.** A – [...] são duas as origens dos pecados: a primeira, pela cogitação espontânea; a segunda, pela persuasão de um outro...

Agostinho retoma a questão da origem do movimento, admitindo agora duas possíveis origens para ele. Se o primeiro impulso da vontade lhe foi dado por Deus, no ato de sua criação, impulso que se tem por definição como bom, pois Deus é bom e bom é igualmente tudo o que faz, de onde é que lhe veio, ao homem, o segundo impulso, por assim dizer, de aversão? Se lhe foi dado um querer original bom, como se desvirtuou, e a partir de que motor? Numa palavra, assumindo por princípio um querer livre, e não coagido, do contrário não seria querer, supõe-se que o movimento da vontade só pode ter duas origens, por assim dizer: ou nasce de um pensamento espontâneo do próprio querente, ou de um pensamento que lhe é sugerido de fora. Em ambos os casos, contudo, como o filósofo há de deixar claro, a vontade é mestra, pois não se trata de necessidade, e sim de vontade, de onde preservar-se a ideia de que a origem do movimento avertido da vontade não esteja senão na própria vontade do ser humano. De fato, não se acolhe pensamento alheio nenhum senão por meio do livre querer, assim como não se pensa livremente senão pelo próprio querer. Logo duas são as origens desse movimento de aversão: ou a própria cogitação, ou uma persuasão ádvena, ambas, contudo, situam-se na vontade, pois não é senão por meio da vontade que a alma se põe em movimento, seja de aversão, seja de conversão.

**104.** A – [...] ambas [as origens][10] são voluntárias. Com efeito, assim como por meio da própria cogitação não se peca invito, do mesmo modo, quando se consente com o que persuade [a agir] mal[11], sem dúvida não se consente a não ser por meio da vontade.

---

9 Cf. 3,9,27,96-99.

10 Quer dizer, cogitação espontânea e ádvena persuasão.

11 Liter.: "que persuade mal", o que não significa que não foi capaz de ser um bom persuasor, e sim que persuadiu alguém a fazer alguma maldade.

Portanto, posto que o profeta tenha rogado ao Senhor que o livrasse dos pecados ocultos de sua alma[12] e dos pecados estrangeiros (*ab alienis*), contudo nenhum dos dois se pode dizer verdadeiramente alheio à vontade do pecador. Com efeito, ninguém peca contra a vontade quando peca seduzido pelos próprios pensamentos que agasalha no coração; do mesmo modo ninguém peca contra a vontade quando acolhe a sedução alheia, o convite pecador que vem de fora. Ainda que a origem da cogitação seja externa, a vontade não se põe em movimento de aversão senão livremente, a partir da aceitação do convite alheio.

**104.** A – [...] é mais grave, não sendo persuadido por ninguém, não somente pecar por meio da própria cogitação, mas também persuadir um outro ao pecado através de inveja e dolo[13], do que ser conduzido a pecar pela persuasão de outrem.

Embora todo pecado seja grave e passível de punição, nem todo pecado tem o mesmo peso. Na balança da justiça pesa tanto mais o pecado quanto mais espontâneo e original tenha sido. Assim, ser conduzido (em opróbrio) ao pecado, quando se cede à sedução maliciosa de outrem, é menos grave do que pecar seduzido pelas próprias cogitações espontâneas, cuja fonte não é senão a própria desídia; e mais grave também, na balança da justiça, do que pecar pela sedução alheia, é dar origem a um pensamento e, insatisfeito com a própria ruína, precipitar outros no abismo do pecado, seja por inveja, seja por puro dolo. Esse, assim como o diabo, não contente de sua desgraça, a qual regozija-se sempre com a companhia alheia, não quis ser condenado só, mas quis levar consigo outros, por inveja de sua condição, ou por simples prazer malicioso.

## 3,10,29,105. Aferida a balança da equidade

**105.** A – Portanto fica preservada, em ambos os pecados, a Justiça do Senhor que pune[14].

Portanto tudo o que se disse ao longo deste livro terceiro, em defesa da ordem e diversidade da criação, que deve ser louvada em todos os seus

[12] Cf. *Sl* 18,13-14 (19,12-13).

[13] O verbo é *traduco* [*trans+duco*], que significa "conduzir além". Relaciona-se também com *traductio*, a condução de um criminoso ao local de seu suplício, a qual, por derivação, veio a significar "desonra", "ignomínia" etc. Logo aquele que é conduzido ao pecado assim o é em opróbrio.

[14] Não se diz que a justiça é que pune, e sim que o Senhor o faz, a justiça lhe pertencendo.

graus e perfeições, a fim de que ficasse preservada a bondade e a justiça do Criador, restando, em decorrência, absolutamente justificado o sofrimento das almas, como punição justa de seus pecados, parece cada vez mais claro. A Justiça divina está preservada, sentencia Agostinho, Justiça que não seria justa sem a liberdade de escolha do pecador, com que se encontra inextricavelmente associada. As almas sofrem em decorrência da Justiça de Deus, que pune os pecados retamente, porque cometidos livremente[15]. Nem a presciência, tampouco a criação do Deus bom servem de escusa ao pecador, porque, embora tenha recebido a faculdade com que haveria de pecar, ou não, o homem não peca senão porque quer, seja quando seduz a si mesmo, através de sua própria cogitação espontânea, seja quando é seduzido a partir de cogitação alheia.

## No fiel da balança: submissão justa ao senhor dos pecadores

> **105.** A – [...] foi ponderado no exame da equidade[16] [...] que o homem não fosse negado[17] ao poder do próprio diabo, que a si o submetera, persuadindo-o [a agir] mal. Pois era iníquo[18] que [o diabo] não fosse senhor daquele que ele havia capturado. E não pode acontecer de modo nenhum que a perfeita Justiça do Deus supremo e verdadeiro, a qual se estende por toda a parte, deixe também de ordenar as ruínas[19] dos que pecam.

---

15 Cf. 1,1,1,1-2.

16 Quer dizer, "foi pesado na balança da equidade", isto é, na balança da Justiça divina. Cf. verbete *examen* no Léxico T-F.

17 O homem, porque se deixou livremente arrastar pelo poder sedutor do diabo, quando lhe podia ter recusado o apelo persuasivo, foi submetido justamente ao seu jugo, pelo que não pode a ninguém inculpar. De fato, assim como não se negou à sedução do diabo, tampouco pôde ser negado ao sedutor o justo poder sobre o seduzido, sua presa livremente consentida.

18 Quer dizer, "contrário à justiça". Pois, de um lado pode-se dizer que o diabo não tomou o homem à força, mas este se deixou livremente seduzir e capturar, o que doravante daria ao sedutor legítimo poder sobre si; de outro, pode-se dizer também que, assim como se considerava legítima a escravidão dos povos vencidos nas batalhas, realidade que nunca foi questionada na Antiguidade, assim também no caso do homem, que foi "capturado" na armadilha sedutora do invejoso, merecendo doravante a justa escravidão, visto ter sido derrotado no campo de batalha pelo inimigo.

19 Não seria justo que a Justiça de Deus, mantenedora do *ordo diuinus*, não atribuísse a cada um o que lhe cabe, segundo seu merecimento, fosse prêmio, fosse castigo. Neste caso, "ruína" refere-se à queda calamitosa dos que pecaram, seguindo a sugestão do diabo. Assim, não seria justo que aqueles que aceitaram livremente a sugestão do tentador não fossem correspondentemente punidos, sua "ruína" sendo ordenada legitimamente pela Razão suprema da Providência divina.

Demonstra sua perfeita aferição a balança da equidade, quando o homem não foi recusado ao guante despótico do diabo, despois de ter-lhe aceitado a persuasão. Com efeito, o primeiro homem não foi forçado a comer do fruto da árvore do conhecimento, tendo aquiescido livremente a experimentá-lo, mesmo sabendo da consequência dessa transgressão do preceito divino, que haveria de "morrer de morte"[20]. Ora, se se submeteu livremente à sugestão maliciosa do diabo, justo que passasse a servi-lo doravante, pois, diz Agostinho, seria injusto que aquele que capturou o homem, submetendo-o, não pudesse daí tornar-se senhor dele, como soeu ocorrer por toda a Antiguidade com os vencidos nos combates. A imagem sem dúvida remete à mentalidade militarista e conquistadora dos povos antigos (e nem tão antigos), para os quais as cidades e habitantes cativos eram invariavelmente submetidos a seus dominadores, que passavam a ser seus senhores. Roma assim se assenhoreou das cidades mediterrâneas, fazendo do mar que as banhava seu oceano particular (*mare nostrum*). Os que não eram tornados escravos e levados para a *Vrbs*, para finalidades várias, ou condenados à morte lenta, acorrentados aos remos das galés, ou no trabalho sem fim das minas de prata, eram obrigados a pagar pesados tributos e a submeter-se aos legados e reis que se faziam clientes submissos de Roma, e à sua insaciável rapinagem. Portanto não se pode dizer justo que aqueles que entregaram sua vontade livre ao jugo do diabo fossem depois deixados livres, sem dever-lhe qualquer obediência. A Justiça de Deus também houve por bem fazer provisões para que a queda do homem fosse perfeitamente ordenada e estivesse de acordo com as determinações da Lei eterna. Por isso nem o diabo, tampouco aqueles que ele submeteu puderam jamais escapar à ordenação da Lei, à balança da Justiça.

## 3,10,29,106. O preposto da morte

**106.** A – E contudo, porque o homem havia pecado menos do que o diabo, isso mesmo lhe valeu para recuperar sua salvação[21], porque ele foi adjudicado ao príncipe deste mundo – esta parte, obviamente, mortal e ínfima [da criação] –, isto é, ao príncipe de todos os pecadores e preposto da morte, [adjudicado] até à mortalidade da carne.

---

20 Gên. 2,16: "θανάτῳ ἀποθανεῖσθε".

21 O termo latino é *salus*, que expressa o estado daquele que está "são", *saluus*. Era esse, pois, o estado do homem antes da queda de Adão, estado de sanidade perfeita. Agora, na condição de pecado, que é uma afecção do espírito, o homem, cuja vontade está corrompida e cuja natureza está presa a um corpo de carne, condenado à morte, encontra-se enfermo, necessitando, portanto, ser curado, ser salvo, numa palavra, necessitando ser refeito "são".

Porém a balança está perfeitamente aferida, como dito, e por isso não deixa jamais de ponderar o que tem algum peso. Como dissera Agostinho logo acima, mais grave é o pecado daquele, que, não contente com a persuasão e ruína de si mesmo, por meio de sua espontânea cogitação e por inveja e dolo, persuade outros a cometer o mal, como no caso do diabo. De fato, o príncipe dos pecadores não se contentou com sua própria queda, mas por inveja e puro dolo quis arrastar o homem consigo, persuadindo-o ao pecado, o que o homem aceitou livremente, deixando-se seduzir por sua própria inclinação sensual. Todavia, se o pecado do homem é passível de punição, por ter sido voluntário, contudo é menos grave do que o do diabo, que o aliciou. Se o dolo e a inveja do diabo pesam contra ele, a persuasão alheia pesa a favor da salvação do homem.

## Adjudicado ao príncipe deste mundo

O homem foi adjudicado (*addictus*)[22] pelo diabo, o que significa dizer que se tornou servo por dívida, prendendo-se a seu credor por meio de um vínculo[23] legítimo. No entanto, assim como o adjudicado na lei romana não possuía estatuto legal de "escravo" (*seruus*) propriamente dito, uma vez que podia manter seu nome de família (*nomen*), de par com o epíteto (*cognomen*) pelo qual uma família se tornava célebre, o que o servo não possuía, além de poder fazer-se livre mediante quitação do débito, o que era absolutamente interdito ao escravo, que só poderia ser libertado por seu senhor, assim também o pecador, embora condenado à servidão do diabo, que passou a ser seu senhor por "dívida", até ao ponto de mortalidade de sua carne, dívida que lhe subtraiu o que de mais preciso possuía, sua vida e sua liberdade, visto que sua carne já nasce fadada a morrer, o que torna a vida terrena uma verdadeira corrida infeliz e desesperada da morte, que lhe segue o rasto de perto, enfim, posto que adjudicado ao diabo, assim como o romano que se tornou servo por dívida, o pecador, além de manter sua dignidade, como criatura que é, vive e intelige, pode também sonhar com o resgate de sua liberdade, mediante quitação da dívida contraída, ou seja, pode obter sua salvação, sem precisar apelar ao preposto da morte.

---

22 *Addictus* é particípio do verbo *addico*, termo da linguagem jurídica romana que significa "estabelecer vínculo legal entre duas partes". Cf. verbetes *addico* e *addictus* no Léxico T-F.

23 Lat. *uinclum*, qualquer coisa que servia para ligar, como correias, peias, cadeias, grilhões etc.

## 3,10,29,107. O cuspe da soberba

**107.** A – Pois assim, intimidado[24] pela consciência de sua mortalidade [...] acostumou-se [o homem] [...] a quebrar a soberba, por cuja persuasão foi precipitado [do paraíso]...

A vida dos que estão adjudicados ao preposto da morte, o príncipe dos pecadores, não poderia ser muito diferente da descrita aqui por Agostinho em breves palavras, uma vida tomada pelo temor, temor decorrente de sua condição mortal, que faz com que tema todas as moléstias fatais que possa vir a padecer, seja de animais os mais insignificantes e abjetos, como as cobras, seja ainda os mais pequeninos, como um mosquito transmissor de doenças, ou um escorpião. Como decorrência desse medo, o homem se vê obrigado a coibir alegrias ilícitas e a quebrar a soberba, diz Agostinho, numa passagem de difícil tradução. Não está muito claro a que alegrias ilícitas esteja fazendo referência, se às relações promíscuas, que poderia ser causa de moléstias, ou se a outras quaisquer. No que toca à soberba, contudo, é possível compreender que a condição lastimável do homem, adjudicado ao diabo, tímido de seres que estão abaixo dele na escada ontológica, tímido de enfermidades inumeráveis, a não dizer da própria morte, obriga-o naturalmente a rever sua postura orgulhosa. De fato, não faz sentido encher-se de orgulho, não apenas por sua condição humilhante e adjudicação ao preposto da morte, mas principalmente pelo fato de que foi exatamente pela sedução do orgulho que caiu, que precipitou-se nesse abismo, deixando sua liberdade, sua vida e sua condição de sanidade.

**107.** A – [...] [soberba:] vício único pelo qual a medicação da Misericórdia é cuspida[25]. Pois o que é que tem tanta necessidade da Misericórdia quanto o infeliz[26]? E que é tão indigno da Misericórdia quanto o infeliz soberbo?

---

[24] Liter.: "tímido" (*timidus* [< *timeo*]), daí também, "temeroso".

[25] Quem cospe costuma fazê-lo em sinal de desprezo ou rejeição. Neste caso o cuspidor rejeita o medicamento ministrado por Deus, sua divina misericórdia.

[26] Em virtude de se ter preterido o adjetivo "miserável" para traduzir *miser*, em favor de "infeliz", o jogo de palavras a que recorre Agostinho neste passo, entre *miser* e *misericordia*, se perdeu totalmente. A passagem poderia resultar assim: "Pois o que é que tem tanta necessidade da misericórdia quanto o miserável?". Este infeliz tem necessidade da misericórdia precisamente por sua condição patológica; pois, como havia dito Cristo (Mt 9,12): "Não têm necessidade de médico os que estão saudáveis, mas os que estão enfermos." (οὐ χρείαν ἔχουσιν οἱ ἰσχύοντες ἰατροῦ ἀλλ' οἱ κακῶς ἔχοντες).

O orgulhoso cospe o remédio da misericórdia divina, assim como o enfermo rebelde cospe o medicamento que poderia salvá-lo. Não por outro motivo, senão por pura soberba. Ao invés de humilhar-se diante do médico, que lhe traz a saúde de volta, prefere seguir tanto mais enfermo quanto mais infeliz, em seu orgulho renitente e especioso, pois se faz tanto mais rebaixado quanto mais submisso ao credor de sua dívida se encontra, o príncipe deste mundo. Cospe o remédio que lhe é oferecido, rejeitando a própria salvação. Porém, ao contrário do que pensa, se se submetesse ao médico, não se tornaria escravo, mas livre, pois libertar-se-ia do jugo de seu credor opressor, a que está condenado a servir, ainda que se imagine, equivocadamente, livre. No entanto, quanto mais infeliz, mais necessitado da medicação da misericórdia, embora se faça tão menos digno dela quanto mais soberbo.

## 3,10,30,108-109. O Pão dos anjos: a comida dos crescidos

**108.** A – Disso resultou que aquele Verbo de Deus, por que foram feitas todas as coisas[27], e de que frui toda felicidade angélica, até à nossa infelicidade estendesse sua clemência, e o Verbo se fizesse carne e habitasse entre nós[28]. Pois assim poderia o homem mastigar o Pão dos anjos[29], não igualado ainda aos anjos, se o próprio Pão dos anjos se dignasse igualar-se aos homens.

Para resgatar o endividado infeliz, adjudicado justamente ao diabo, o Verbo de Deus, pelo qual todas as coisas foram feitas no princípio, de cuja fruição constitui a própria felicidade dos anjos, estendeu sua imensurável clemência[30] em

---

27 Cf. Jo 1,3: "πάντα δι' αὐτοῦ ἐγένετο".

28 Cf. Jo 1,14: "Καὶ ὁ λόγος σὰρξ ἐγένετο καὶ ἐσκήνωσεν ἐν ἡμῖν".

29 Não sendo ainda igual aos anjos, contudo o homem pôde mastigar o Pão dos anjos, quando Cristo se fez carne, igualando-se aos homens, *isánthrōpoi*, entres os quais habitou.

30 A clemência (*clementia*) era também uma virtude valorizada pelos romanos antigos. Sêneca escrevera em meados do século I d.C. uma obra de teor político a seu respeito, *De clementia*, dedicada ao seu ex-tutelado, o imperador Nero, que, nada obstante, não lhe seguiu os preceitos. Rocha Pereira (*op. cit.*, p. 372), citando o tratado do filósofo estoico, seleciona três das definições de "clemência" apresentadas por ele na obra homônima: *Clementia* [i] "é a contenção do espírito quando ele tem o poder para castigar, ou a brandura de um superior para com o inferior, ao determinar a sua pena"; [ii] daí também "uma inclinação do espírito para a brandura", na hora de aplicar um castigo; [iii] mas é também "uma moderação que perdoa parte de uma pena merecida e devida". Seu contrário, contudo, não seria a *seueritas*, e sim a *crudelitas* (*id. ibid.*). Contudo é preciso distingui-la da *misericordia*, que, para Sêneca, assim como para os demais estoicos, era uma patologia da alma (II,4): "A compaixão é o sofrimento da alma diante do espetáculo das misérias alheias ou a tristeza causada pelos males alheios, que se acredita cair

sua direção, assumindo um corpo de carne e fazendo morada junto a ele. Desse modo, diz Agostinho, o homem, ainda muito distante da igualdade com os anjos (*mē isángelos*)[31], preso a este corpo mortal, poderia mastigar o Pão dos anjos, Cristo. De fato, na carne, enquanto homem, as palavras de Cristo poderiam ser ouvidas, seus exemplos seguidos, sua vida imitada e enaltecida, numa palavra, o Pão descido do céu poderia ser de alguma maneira manducado[32], Pão esse de que, enquanto Verbo de Deus, puramente inteligível, só é dado aos anjos fruir.

**109.** A – E não desceu até nós assim, de modo que os desertasse[33], mas simultaneamente íntegro para eles, íntegro para nós: apascentando-os intrinsecamente através daquilo que Deus é; admoestando-nos extrinsecamente através daquilo que nós somos[34], nos torna idôneos[35] através da fé, aqueles que ele venha a apascentar igualmente através da sua visão[36].

Ao fazer-se carne e habitar entre os homens, Cristo não abdicou de seu trono no céu, nem de sua corte de anjos, permanecendo absolutamente íntegro, seja diante dos seres celestes, seja diante dos terrestres, a que se não dissesse

---

sobre os indivíduos que não o merecem. Porém o sofrimento não abate um homem sábio. Sua mente é serena, nada pode suceder-lhe que não possa enfrentar. E nada convém ao homem tanto como a grandeza de alma; entretanto ela não pode ser, ao mesmo tempo, grande e triste. [...] Portanto, o sábio jamais se compadecerá, mas socorrerá e será útil." (Sêneca, *Tratado sobre a clemência,* II,4 – trad. Ingeborg Braren, 1990, p. 47.) Embora não caiba aqui adentrar essa questão, demasiado espinhosa, seja no que tange à distinção entre clemência e misericórdia, seja no que tange à relação entre clemência/misericórdia e justiça, percebem-se as incongruências da posição do estoico romano. Com efeito, difícil imaginar o sábio tocado por alguma "brandura", seja o que for se considere esse "amolecimento" anímico, diferente de qualquer fraqueza condenável; mas o mais difícil é imaginar o sábio "perdoando" uma pena que seja merecida e justa, sem descair simultaneamente na injustiça e na fraqueza que ele mesmo considerava a compaixão. Se ele é supremamente racional, como seria também clemente, ao ponto de perdoar, isto é, deixando passar o que é racionalmente justo, merecido e devido? Trata-se, sem dúvida alguma, de mais um dos célebres paradoxos decorrentes do radical racionalismo estoico.

31 Cf. 3,9,28,103 (Lc 20,3).

32 Cf. Jo 6,22-40; Dt 8,2-3.

33 Cristo não abandonou os anjos, quando veio ter com os homens.

34 *Intrinsecus et forinsecus.* Se considerados adjetivos, e não advérbios, assim se traduziria a passagem: "apascentando-os, ele que é interior, através daquilo que Deus é; admoestando-nos, ele que é exterior, através daquilo que nós somos".

35 Quer dizer, "preparados", "aptos".

36 *Species,* "aparência", no sentido daquilo que é visto; mas também: esplendor, beleza, forma, ideia... Por meio da fé Cristo torna aptos a contemplá-lo, antecipadamente, todos aqueles que, tornados dignos, ele venha a apascentar, posteriormente, por meio da contemplação de seu esplendor (*species*).

que, ao assumir uma forma mortal, viu-se o trono sem rei, fazendo o universo carente de sua regência providente. Enquanto Verbo de Deus, em sua natureza inteligível, Cristo seguiu apascentando os anjos, sua corte celeste, porém de modo espiritual, ou seja, "de dentro", por assim dizer, por meio de sua natureza invisível e apreensível apenas pelas luzes da inteligência. Isso, porque o Verbo não é carne, não é comida corpórea, e sim comida espiritual, a Sabedoria e a Verdade de Deus, a qual, una, presidiu à criação do mundo e o rege com justiça. Por outra, não poderia servir de comida para os seres da carne, se não se fizesse carne com eles, para eles. Portanto, feito carne, aconselha-os, "de fora", por meio de sua palavra carnal, matéria sonora, de seus exemplos e sinais visíveis, por meio daquilo que o homem é, ou seja, por meio da carne, da matéria perceptível pelos sentidos, mas também da matéria perceptível pelas luzes da razão, por intermédio da palavra falada, que tem começo, meio e fim, que pode ser ouvida, retransmitida, escrita, tudo o que o Verbo, enquanto Palavra eterna, sem começo nem fim, não é. E por meio dessa palavra proferida, ouvida, narrada e escrita, palavra que admoesta os homens a seguir o caminho da Verdade, torna-os idôneos, aptos, através da fé naquele Verbo eterno, Pão que ainda não podem manducar, porém que jamais deixou de apascentar os anjos, mesmo enquanto na carne, e de que os homens ainda não podem fruir com estabilidade inquebrantável e segura, porém que irá apascentá-los através de sua contemplação, quando estiverem prontos a tanto.

## Metanoia pelo Pão

**109.** A – [...] porque a criatura racional é apascentada por aquele Verbo, como se por uma comida[37] sua excelente, e também a alma humana é racional – a qual, por vínculos mortais, era retida pela pena do pecado, tendo sido reduzida [a uma condição] de diminuição, para que, através das conjecturas das coisas visíveis, se esforçasse por inteligir as invisíveis[38] –, a comida da criatura racional se fez visível, não por uma completa mutação de sua natureza, mas [assumindo] o hábito[39] da nossa, para que os que perseguem as [naturezas] visíveis chamassem de volta para si a invisível.

---

[37] Cf. *Conf.* 7,10,16: "Eu sou a comida dos crescidos. Cresce e me comerás!" (*sum cibus grandium. cresce et manducabis me.*).

[38] Cf. Rm 1,20.

[39] O termo latino é *habitus*, que significa, entre outros: natureza, estado, constituição, aparência, qualidade, disposição de espírito etc. Mas é também "hábito", no sentido de vestimenta, o que se encaixa bem com o sentido da encarnação de Cristo, que assumiu a natureza humana, revestindo sua natureza espiritual de um corpo carnal.

A alma humana é também uma criatura racional, ainda que presa à carne, como punição por seu pecado, atada que está pelas cadeias da mortalidade, alma que está diminuída em sua condição, de modo que, se queira compreender as coisas invisíveis de Deus, deve esforçar-se muito, através da contemplação das criaturas visíveis[40]. No entanto o alimento excelente das criaturas puramente racionais, como os anjos, é o Verbo de Deus, enquanto Verbo eterno. Logo, para que a alma humana pudesse ser alimentada pela mesma comida excelente dos seres racionais, a própria Comida dos anjos se fez carne, sem, contudo, sofrer qualquer mutação em sua natureza original, enquanto Verbo. Assim, permanecendo Verbo, alimento dos anjos, assume a condição humana, revestindo um corpo de carne, fazendo-se Jesus, o homem mortal, com a finalidade de chamar de volta para si, Natureza invisível e Alimento dos seres racionais, aqueles que estavam voltados para as criaturas visíveis e a elas apegados. Esse, pois, parece ser o sentido da conversão, ou metanoia, a que João Batista primeiro, e depois o próprio Cristo, admoestaram os seus seguidores[41], converter-se para o Bem comum e imutável, avertendo sua vontade livre dos bens próprios e mutáveis, que é o pecado.

**109.** A – [...] aquele que a alma havia abandonado internamente, ensoberbando-se, ela externamente o encontra, humilde[42], cuja humildade visível ela há de imitar e retornar à sua altitude invisível.

Portanto os que desprezaram o Verbo interior, dando-lhe as costas, por assim dizê-lo, descido o Pão dos anjos, numa verdadeira metanoia, logram reencontrá-lo, porém agora na carne mortal. Se, por primeiro, inflados de orgulho, desprezaram a natureza inteligível de Deus, agora, deparando-a na forma humilde de simples carpinteiro, veem-se admoestados a seguir-lhe o exemplo, imitando-lhe a humildade e deixando a arrogância de lado, a fim de que sejam capazes, por fim, de retornar à sua elevação invisível. Depreende-se,

---

40 Rm 1,20: "Porque as coisas invisíveis dele, desde a criação do mundo conhecidas pelas coisas que são feitas, contemplam-se, e também a eternidade dele, virtude e divindade..." (τὰ γὰρ ἀόρατα αὐτοῦ, ἀπὸ κτίσεως κόσμου τοῖς ποιήμασιν νοούμενα, καθορᾶται, ἥ τε ἀΐδιος αὐτοῦ δύναμις καὶ θειότης...). Cf. *Conf.* 7,17,23.

41 Cf. Mt 3,2; 4,17: "Convertei-vos, pois é chegado o reino dos céus!" (μετανοεῖτε· ἤγγικεν γὰρ ἡ βασιλεία τοῦ οὐρανῶν.). Ver também Mc 1,15.

42 A alma, soberba, depara o Verbo divino e eterno, porém na figura humilde do carpinteiro Jesus.

com isso, que um dia estiveram nas alturas da invisibilidade, em que, como os anjos, era possível que manducassem da Comida dos crescidos, do Pão eterno de Deus. Na verdade, refere-se aqui ao primeiro homem, em seu estado original, de antes da queda, quando podia alimentar-se como os anjos, livre que estava dos vínculos da carne mortal.

## Na balança da Justiça

### 3,10,31,110. Subjugação pela Lei da Justiça

**110.** A – [...] o Verbo de Deus, Filho único de Deus, revestido de homem[43], subjugou também ao homem o diabo, o qual *Verbo* sempre teve sob suas leis e terá, nada lhe extorquindo por um domínio violento, mas superando-o pela lei da justiça...

Tem procedência a afirmação amiúde repetida de que Deus não faz violência a ninguém. De fato, nem ao diabo fez violência, pondera Agostinho, quando causou que o próprio homem, que lhe estava adjudicado, o subjugasse. E nem seria justo se o fizesse, pois o diabo não havia tomado o homem a Deus pela força, e sim pela persuasão, com o explícito consentimento deste. Poderia tê-lo feito, se assim o quisesse, posto que isso fosse injusto, pois sempre esteve acima do diabo, tanto por sua onipotência, como pelo domínio abrangente da sua Lei eterna, sob a abrangência da qual sempre esteve e estará o anjo caído; contudo não poderia tê-lo feito, sendo justo, visto que jamais faria algo injusto. Mas o Verbo e Filho único de Deus subjugou o diabo quando na carne, quando revestido da mortalidade humana, que estava sob o jugo do príncipe dos pecadores e preposto da morte, porém não o dominou com violência, mas pela Lei da Justiça, cuja balança, ao ser reequilibrada[44] pelo Justo, liberou o devedor de sua dívida, fazendo com que pudesse então subjugar a morte, e com ela seu preposto. E por que não o fez como os romanos aos sabinos, de quem haviam raptado as mulheres, pela violência? Porque, se assim tivesse feito, teria sido injusto, igualando-se ao próprio diabo, pois ao príncipe dos pecadores não estava adjudicado o homem de modo injusto, e sim absolutamente legítimo. Demais, se assim o fizesse, não apenas seria injusto com o diabo, mas também com o homem, subtraindo-lhe toda e qualquer possibilidade de auferir algum mérito por sua salvação. Não que

---

43 Da condição humana, carnal e mortal, na figura do homem Jesus.

44 Cf. 1,8,18,61; 64; 10,20,72.

o mérito seja dele, o que não é de modo nenhum, e sim da Graça misericordiosa de Cristo; no entanto devia, de algum modo misterioso, acolhê-la, como quem toma um medicamento, fosse pela fé, fosse pela boa vontade.

## Direito equânime

> **110.** A – [...] quando *o diabo* reivindicava para as leis da morte[45] toda a prole do primeiro homem como pecadora[46], visto a mulher ter sido enganada e o homem[47] precipitado por causa da mulher, sem dúvida com um malicioso desejo de prejudicar, contudo por um direito perfeitamente equânime...

Em decorrência do pecado e da queda do primeiro homem, Adão, que aceita livremente comer do fruto interdito, ofertado por sua mulher, Eva, enganada (ou seduzida) pela serpente[48], o diabo reivindica para si o domínio sobre a sua progênie, sob a alegação de que seja toda ela pecadora, como se por uma espécie de herança maldita. E como preposto da morte, reclama o príncipe dos pecadores o direito legítimo de morte para seus súditos; numa palavra, reclama que seja submetida doravante às leis da morte toda a prole do primeiro homem. E mesmo que movido pela mais absoluta má fé, por um simples desejo de causar dano à posteridade do primeiro casal, tem o diabo respaldo legal, pois o homem lhe foi adjudicado, quando com ele consentiu para o mal. Com efeito, ao aceitar-lhe a persuasão, entrou em comunhão com o pecado e com seu príncipe, fazendo-se servo seu por esta mesma dívida, de que não pode alegar inocência.

## Desequilíbrio momentâneo da balança: a suprema injustiça

> **110.** A – [...] [*reivindicava-os o diabo*] por tanto tempo quanto valesse o poder dele, até que matasse o Justo, no qual nada digno de morte pudesse fazer ver, não somente porque ele foi morto sem crime, mas também porque nasceu sem inclinação sensual[49]...

---

45 O diabo é o preposto da morte (cf. §106).

46 Pelo pecado de Adão é que o diabo pôde justamente assenhorear-se de sua progênie, como quem se apossa dos frutos de uma árvore, como se dirá na sequência.

47 Refere-se ao primeiro casal, representante do homem (*homo*), em sentido *lato* de humanidade.

48 Segundo Tiago, talvez nem enganada tampouco seduzida pelo diabo, mas por si mesma, visto que "cada um é tentado [quando] pela própria inclinação sensual [*epithumía*] é arrastado e engodado" (ἕκαστος δὲ πειράζεται ὑπὸ τῆς ἰδίας ἐπιθυμίας ἐξελκόμενος καὶ δελεαζόμενος); cf. Tg 1,14.

49 *Sine crimine*, isto é, sem ter qualquer acusação ou queixa que pesasse na balança contra ele, porque Cristo não havia cometido nenhum pecado.

Se o diabo tinha o respaldo da Justiça, embora motivado por puro dolo, para que mantivesse cativo o homem sob as leis da morte, ao cometer a suprema injustiça, matando o Justo, de modo absolutamente injusto, pois não havia crime algum que pesasse sobre ele, que foi morto sem culpa alguma, tendo inclusive nascido sem qualquer inclinação sensual[50], perde ele suas prerrogativas sobre o homem. Portanto, se a balança da Justiça estava perfeitamente equilibrada, quando o homem era justamente punido pelo jugo do diabo e condenado à morte, depois de ter consentido com ele no pecado, agora, contudo, seu ponteiro oscila em desequilíbrio[51] visível, pelo *pondus* do crime cometido injustamente contra o Justo excelente. Anulou-se, pois, o direito do diabo!

## O jugo da *libido*

**110.** A – [...] [*libido*] à qual o diabo havia subjugado os que *ele* havia capturado[52]...

A mesma inclinação sensual *sem* a qual a Virgem dera à luz a encarnação do Verbo, Jesus, *libido* que foi definida logo no início do primeiro livro como sendo "o amor daquelas coisas que se podem perder contra a vontade"[53], ou seja, o amor inseguro e frustrante de tudo aquilo que está fadado à corrupção e ao nada, constitui o pesado jugo que o preposto da morte impõe à criatura pecadora, jugo pelo qual a domina e mantém cativa, cujos infortúnios dele decorrentes, como a escravidão, a sujeição, a tormenta, a carência insaciável, entre tantos, foram descritos em detalhe no livro primeiro[54]. De fato, por que outro motivo, senão pela inclinação sensual, o primeiro casal ter-se-ia deixado seduzir e ludibriar pela serpente? Desejaram, sem dúvida, além do que lhes era permitido

50 Pois nascera de uma Virgem, concebida pelo Espírito de Deus. Deve-se lembrar que a inclinação sensual, ou *libido,* foi definida no primeiro livro como "inimiga da boa vontade" (1,13,27,92) e a potência dominante em todo ato considerado mau; e no livro subsequente, como a própria "separação da Verdade e da Sabedoria" (2,14,37,144), uma "vontade perversa" (2,14,37,144), que é o próprio pecado, aquele movimento de aversão do Bem supremo e comum e conversão aos bens mutáveis e próprios. Logo Cristo nasceu totalmente puro, sem qualquer vestígio dessa perversidade da vontade.

51 Cf. 3,15,44,152: "Porém essas coisas não se separam por nenhum intervalo de tempo [...], para que nem mesmo por um instante do tempo a beleza universal seja deturpada, de modo que nela exista a indecorosidade do pecado sem o decoro da reparação."

52 Os que foram capturados pelo diabo ficaram doravante submetidos ao poder tirânico da *libido.*

53 Cf. 1,4,10,31.

54 Cf. 1,11,22,78.

e do que lhes convinha, porém muito aquém do que já possuíam. Desejaram livremente; pelo desejo perverso transgrediram; pela transgressão foram precipitados, fazendo-se presas do próprio desejo que acalentaram no íntimo.

## Os frutos e a árvore do diabo

> **110.** A – [...] de modo que [o diabo] retivesse [em seu poder] qualquer coisa que nascesse dela[55], como se frutos de sua árvore, certamente por um desejo depravado de possuir, porém não por um direito iníquo de tomar posse.

Seria contrário à própria Justiça, como afirmara acima Agostinho[56], que o diabo não se assenhoreasse daquele que ele havia capturado, como a uma presa, um verdadeiro butim, visto não ter sido uma captura forçada, e sim fruto de sedução, em perfeito consentimento mútuo com o pecado. E ainda que as intenções diabólicas fossem as piores possíveis, motivadas pelo simples desejo pervertido de posse e corrupção dos bens possuídos, ainda assim não se pôde alegar ilegalidade alguma, muito menos iniquidade. O diabo se havia tornado senhor de seus devedores, adjudicados, de pleno direito. E deste modo, assim como os filhos dos servos já nasciam, na Roma antiga e em quase todas as sociedades escravocratas, com estatuto de escravo, e consequentemente de propriedade dos senhores, que eram os proprietários legais de seus pais, do mesmo modo reivindicava para si o diabo, e não de modo iníquo, a posse e servidão dos filhos do primeiro homem, e dos filhos de seus filhos, e de toda a sua descendência, como se frutos de árvore de sua propriedade. E com efeito, se o primeiro homem passou a pertencer legalmente ao príncipe dos pecadores, não havia motivo por que também seus descendentes não se lhe constituíssem legalmente parte do espólio.

## 3,10,31,111. O reequilíbrio da balança

> **111.** A – E assim [o diabo] é constrangido de maneira absolutamente justa a deixar ir[57] os que creem naquele que ele matou de maneira absolutamente injusta[58], de tal modo que, quando morrem temporalmente, solvam [integralmente] seu débito, e quando vivem sempre, vivam naquele, que por eles solveu o que não devia...

---

[55] Quer dizer, da *libido.*

[56] Cf. 3,10,29,105.

[57] Desobrigar, liberar.

[58] Quer dizer, Jesus.

O pecado, aquele movimento avertido da vontade, que é sempre injusto, opera como se fosse um peso, por assim dizer, fazendo oscilar o fiel da balança da Justiça, em ligeiro e temporário desequilíbrio, o que deve ser reordenado rapidamente pelo retorno do ponteiro à posição original de equilíbrio, através de um impulso contrário: a justa punição. O efeito da punição, espécie de contrapeso, é causar uma oscilação do fiel em sentido reverso, para a posição inicial de repouso, o que se consegue através da equiparação de ambos os pesos. Pois bem, ao pecar, de modo injusto, o homem causa uma oscilação e um desequilíbrio na balança da Justiça[59], cuja punição, ao fazer-se adjudicado ao diabo, reequilibra os pesos, reconduzindo o fiel para a posição inicial de repouso. Porém quando o Verbo de Deus, o Justo por excelência, é morto injustamente pelo diabo[60], essa suprema injustiça provoca uma grave oscilação no fiel, pesando admiravelmente um dos pratos da balança e causando um imenso desequilíbrio, que só poderia ser compensado por um peso equivalente no prato oposto, uma suprema justiça[61], ou melhor, por um ato supremo de misericórdia. O reequilíbrio da balança é promovido pelo sacrifício injusto de Cristo, o Justo supremo, mas não em favor de si, e sim em favor do ser humano; porém não por justiça, e sim por misericórdia, pois o homem não estava adjudicado ao diabo injustamente, e sim por mérito próprio. Portanto os injustos, justamente punidos, são todos postos no prato que havia sido suspenso pela suprema injustiça cometida contra Jesus, o Justo, a fim de reequilibrar a balança, reposicionando o fiel na posição de repouso. No

59 Esse desequilíbrio da balança, deve-se salientar, não implica desequilíbrio na Ordem da universalidade, regida pela *summa* ratio, Ordem que jamais pode ser abalada pelos pecados das criaturas. Cf. 3,15,44,152, em que Agostinho dirá que nenhum intervalo de tempo há entre a indecorosidade do pecado e o decoro da reparação.

60 Embora tenha sido acusado, julgado e entregue pelo Sinédrio judeu, com a complacência de Herodes Antipas, tetrarca da Galileia, ao governador romano Pôncio Pilatos, único autorizado a proferir a sentença capital, Agostinho sugere que quem estava por trás da morte do Justo, em verdade, era o próprio diabo, do qual, presume-se, seus acusadores estavam a serviço, mesmo sem sabê-lo.

61 Na verdade uma suprema injustiça. Ao pecar o primeiro homem, sua injustiça é reequilibrada com sua justa punição e submissão ao diabo, o preposto da morte. Ao ser condenado injustamente Cristo, a injustiça cometida pelo diabo contra o Justo é reequilibrada com um ato de misericórdia equivalente, que também pode ser compreendido como uma "injustiça", pois o homem não havia feito nada para merecê-la. Daí a complicação para conciliar a justiça com a misericórdia, pois esta parece consistir na própria subversão da justiça. Logo houve dois "desequilíbrios" e subsequentes "reequilíbrios". Primeiro o desequilíbrio do pecado de Adão e a consequente punição reordenadora, sua e de sua progênie. Depois o desequilíbrio da condenação injusta de Cristo, e a consequente salvação reordenadora da humanidade.

entanto, ao invés de liberá-los da adjudicação do diabo, que era justa, Cristo poderia ter cobrado outro preço ao preposto da morte, reequilibrando os pratos com outro peso qualquer, o que não lhe seria custoso, mas preferiu cobrar dele, em favor da humanidade, o perdão da dívida contraída pelo primeiro homem. E por isso é que o diabo foi "coagido", de modo absolutamente equitativo, ou seja, constrangido pela justiça[62], pois era preciso reequilibrar os pratos da balança, a dispensar seus adjudicados da servidão por dívida. Porém não todos, mas apenas os que creem nele, naquele Justo cuja morte injusta operou o desequilíbrio salvador na balança, e cujo contrapeso libertou a alma da condenação à morte. Depois da libertação salutar, posto que morra o corpo de carne, ao fim do tempo desta vida de cada um, o débito com o diabo e com a morte é solvido integralmente, a fim de que os que doravante vivam eternamente, vivam na contemplação daquele que lhes saldou integralmente o débito que não contraíra, o Verbo eterno, que é Verdade e Sabedoria, e que, sendo a Comida dos crescidos, o Pão dos anjos, apascenta a Beatitude angélica.

## O remédio salutar da fé

Agostinho não diz o motivo por que apenas os que creem é que terão sua dívida quitada com a morte e seu preposto. No entanto é possível depreender, a partir do que se disse,[63] de par com o sentido da própria *fides*, que aquele que crê, dando crédito à palavra dada, não apenas se ligue àquele cuja palavra serve de vínculo entre as partes, mas também e sobretudo ligue seu espírito à própria Palavra, em que confia, como quem joga uma âncora em terra firme. Aquele que crê adere, pele fé, àquilo em que deposita sua confiança, tornando-se parte, a não dizer cliente, de seu Senhor, pelo qual espera ser protegido e mantido[64]. Seja por isso ou algo além, certo é, contudo, que aquele que não crê, desde o abismo de sua soberba, permanece em sua enfermidade, preferindo cuspir o

---

62 Esse constrangimento se deve ao fato de o preposto da morte ser injusto, pelo que foi preciso forçá-lo a seguir as determinações da Justiça.

63 Nenhuma dúvida de que a justificativa para a remissão das dívidas é paulina, todavia, como isso não está posto no *L.A.*, resta especular acerca das razões aduzidas pelo autor apenas com base no texto da obra. Cf. Paulo: Col 2,14; Ef 2,8-9; Rm 1,16; 9,23 *et alia.*

64 Cf. *Ciu. dei* 20,8, onde Agostinho diz que o diabo é retirado do homem interior, a sede da crença em Deus, de modo que os homens possam tirar proveito da luta contra a sua tentação exterior (*quamuis ab eorum interioribus hominibus, ubi in deum creditur, foras missum, ut eius forinsecus oppugnatione proficerent...*).

medicamento da misericórdia[65]. E se foi por esse único vício que foi precipitado do paraíso e adjudicado ao diabo, a soberba, somente a virtude contrária é que lhe poderia salvar, sugere a reta e simples razão, virtude que outra não é senão a humildade. Logo o Paradigma da humildade, "o alimento da criatura racional", que desceu do alto de seu esplendor para a miséria e sordidez humana, fazendo--se visível, não o fez senão "para que através das conjecturas das coisas visíveis" o homem "se esforçasse por compreender as invisíveis", e para que os que estavam perdidos, voltados para o amor das criaturas visíveis "chamassem de volta para si a natureza invisível", de modo que aquele que a alma havia antes abandonado por orgulho, tendo-o deparado na carne mortal, ele que é o supremo exemplo de humildade, pudesse então o homem imitar-lhe a "humildade visível" e "retornar à sua altitude invisível"[66]. Salvos serão, portanto, apenas os que creem na Verdade e na Sabedoria, que creem na Vida, seguindo os preceitos da Justiça, convertendo a vontade, avertida para os bens próprios e mutáveis, para o Bem supremo e imutável, quando então hão de tornar-se um com ele, entrando no gozo estável de seu Senhor[67], de que hão de fruir apenas se acreditarem e se converterem, por meio de uma radical reviravolta da vontade, aquela metanoia a que exortara Jesus, e antes dele seu precursor, o Batista[68].

## Infiéis consortes da danação perpétua

> **111.** A – [...] os quais [crentes], [caso o diabo] tivesse persuadido à perseverança da infidelidade, [os] teria consigo de modo justo, [como] consortes[69] na condenação perpétua.

Se a crença no Verbo salva da morte e de seu preposto, a descrença ou infidelidade (*infidelitas*) obstinada causa o efeito oposto, a precipitação na condenação perpétua, que é justa, não por simples vezo de imposição penal, mas porque nenhuma metanoia costuma ser empreendida por quem não crê[70]. Os descrentes, por certo soberbos e enfermos, se fazem consortes do diabo,

---

65 Cf. 3,10,29,107.

66 Cf. 3,10,30,109.

67 Mt 25,21; 23: "εἴσελθε εἰς τὴν χαρὰν τοῦ κυρίου σου".

68 Mt 3,2; 4,17.

69 Consorte significa, liter., "aquele que tem a mesma sorte", "o mesmo destino". Portanto os consortes do diabo são os que partilham com ele da condenação eterna.

70 Cf. *Ciu. dei* 20,8. O diabo mantém cativos os homens por causa de sua descrença, de que se libertam ao converter-se: *"quia et nunc homines ab infidelitate, in qua eos ipse possidebat, conuertuntur ad fidem..."*.

partilhando-lhe da mesma sorte, da mesma desdita, que é sua condenação eterna à morte, em absoluto distanciamento da Vida suprema, que se encontra no Ser. Não seria de somenos interesse qualquer indagação curiosa a respeito dessa vida diabólica e infernal, que é antes uma morte. Seria um nada; um quase-nada; um desejar sem-fim, sem nenhuma satisfação; uma sede insaciável de prazeres da carne que se não mais possui; a ignorância total de si; uma desesperança irreparável de qualquer salvação, a tormenta do medo sem fim, ou do medo do medo não ter fim?[71] Independentemente do que se conceba, em perfeita coerência com o pensamento do filósofo até aqui, essa danação não pode não estar o mais distante possível do Ser, da Verdade, da Justiça, da Sabedoria, do Bem, da Felicidade, da Eternidade, enfim, de tudo isso que se diz o próprio Deus[72].

## 3,10,31,112. No domínio da persuasão: retórica diabólica

**112.** A – E deu-se assim, de modo que o homem não fosse arrebatado ao diabo através da força, o qual nem o próprio diabo havia capturado pela força, mas pela persuasão...

Não há dúvidas de que o diabo é o primeiro retórico de sucesso da história. De fato, a partir da própria definição da arte, formulada por Aristóteles muito antes de Cristo, de que a retórica não é senão a faculdade de encontrar persuasão, onde quer que ela possa ser encontrada[73], percebe-se quão pronta e eficazmente o anjo autoenamorado faz valer seu talento para atingir seu

---

71 Cf. 3,5,15,56-16,60; 7,21,74-75; 16,45,154.

72 Na mesma obra (*Ciu. dei* 11,13-15), ao discorrer sobre a afirmação de João (1Jo 3,8) de que "o diabo peca desde o princípio" (ὅτι ἀπ' ἀρχῆς ὁ διάβολος ἁμαρτάνει), Agostinho interpreta que seu pecado inicia desde o momento de sua criação, quando se precipita para longe de Deus, pela recusa de agir retamente, o que só pode ser feito por uma vontade submetida ao Criador; contudo o que não implica dizer, como os maniqueus o faziam, que o diabo tivesse uma natureza má, um princípio hostil ao Primeiro princípio, pois, se se dissesse que pecava por natureza, então não poderia ser dito que pecava de fato. Já na parte final da obra (*Ciu. dei* 20,8), comentando o livro do *Apocalipse*, Agostinho endossa a previsão apocalíptica de que o enganador será lançado num lago de fogo e enxofre, onde sofrerá tormentos sem fim, dia e noite: (Ap 20,9) "E o diabo, o enganador dos [santos], foi lançado em um lago de fogo e enxofre, onde [estão] a besta e o falso profeta, e serão atormentados dia e noite, para os séculos dos séculos." (καὶ ὁ διάβολος ὁ πλανῶν αὐτοὺς ἐβλήθη εἰς τὴν λίμνην τοῦ πυρὸς καὶ θείου ὅπου καὶ τὸ θηρίον καὶ ὁ ψευδοπροφήτης, καὶ βασανισθήσονται ἡμέρας καὶ νυκτὸς εἰς τοὺς αἰῶνας τῶν αἰώνων.)

73 *Ret.* 1355b25-6: "Seja então a retórica a faculdade de considerar acerca de cada coisa o que é possivelmente persuasivo" (ἔστω δὴ ἡ ῥητορικὴ δύναμις περὶ ἕκαστον τοῦ θεωρῆσαι τὸ ἐνδεχόμενον πιθανόν).

devaneio de supremacia e louvor de si. Posto que provavelmente pudesse tê-lo feito à força, o diabo prescindiu completamente da violência, preferindo antes arrebatar o homem a Deus pela sedução da palavra. E se a palavra do diabo fez-se palavra de danação e de morte, precipitando o homem abismo abaixo para fora do jardim celeste, somente uma Palavra de vida e de salvação é que poderia ressuscitá-lo, elevando-o de volta às alturas invisíveis, desde onde caíra para a humilhação visível da carne mortal. Por outro lado, se o homem tivesse sido arrebatado à força, não teria sido capturado por sua própria culpa, podendo alegar necessidade ou coação, motivações involuntárias, do que deveria ser inocentado, restando o retórico sedutor frustrado em seu intento. Logo não havia outro caminho para o diabólico retórico, senão a via da persuasão, por meio de que ninguém é levado a nada, a não ser com o que consinta. Pois, como disse Agostinho acima, duas são as vias do pecado, a cogitação espontânea e a persuasão alheia. Em ambos os casos, contudo, não se consente senão por meio da vontade[74]. Portanto persuasão não se coaduna com violência, pois nenhuma persuasão há sem consentimento, que é sempre voluntário, jamais invito. Logo a arma por excelência daquele que quer manter algum tipo de poder sobre a vontade alheia não pode ser senão a persuasão. E foi dito acima que até mesmo o diabo sempre esteve e sempre estará sob a tutela da Lei[75], não podendo, portanto, manter sob seu domínio ninguém injustamente, porque a Lei não o permitiria. Logo, se o homem está sob o jugo do preposto da morte, não pode não estar de modo justo, como punição de seu pecado, que só pode ser voluntário, do contrário não seria pecado, e sim necessidade ou coação.

## Consentimento e persuasão

> **112.** A – [...] [o homem] havia pecado menos, ao consentir, do que aquele [diabo], ao persuadir mal[76].

O consentimento é um pecado menos grave do que a persuasão, pois aquele que consente, ainda que o faça movido por sua própria vontade, aderindo livremente ao que lhe vem à mente, contudo não é o autor daquilo a que dá seu consentimento espontâneo; numa palavra, não é o mentor intelectual das

---

[74] Cf. 3,10,29,104.

[75] Cf. 3,10,31,110.

[76] Cf. 3,10,29,104.

criminosas sugestões, que lhe são ádvenas, que lhe vêm de fora. Por isso se diz um pecado menos grave, pois seu crime, pesado na balança da equidade, talvez se qualifique de fraqueza da vontade, o que Aristóteles chamaria de *akrasía* (ἀκρασία), isto é, ausência (ἀ-) de poder (κράτος) sobre as próprias inclinações sensuais, jamais de puro dolo ou má fé, quando há de fato a intenção de causar prejuízo, o desejo de fazer mal. Nesse sentido estrito, portanto, aquele que consente com a sugestão do persuasor, não sendo o autor da ideia, não tendo cogitado por livre iniciativa a maldade, ainda que a tenha levado a efeito espontaneamente, não de modo constrangido, ainda assim se pode dizer menos culposo. Ao contrário, o diabo, ao seduzir o primeiro casal e levá-lo à expulsão do paraíso, comete pecado mais grave, ainda que tenham Adão e Eva consentido de modo voluntário, por orgulho e por inclinação sensual, e por isso foram justamente punidos, nada obstante seu pecado pesar menos na balança da justiça do que o do diabo, o impenitente e renitente corruptor de almas.

Se se recorra a um paralelo, por mais anacrônico, pode-se dizer que o diabo peca por dolo, enquanto Adão, por culpa. O diabo quis precipitar o homem, causando-lhe a expulsão do paraíso, por simples inveja, aquele olho mau[77] que faz com que se desejem os bens alheios, em detrimento de seu possuidor verdadeiro, seja por cobiçá-los injustamente, seja por simples desejo de destruí-lo, na impossibilidade de desfrutar de sua condição. Logo, não podendo desfrutar da felicidade paradisíaca do primeiro casal, pois estava irremediavelmente afastado de Deus, o diabo, simplesmente por não suportar a beatitude dos primeiros amantes felizes, para si penal e justamente interdita, decide então derribá-los de sua feliz morada. Eis o dolo, pura má-fé, sem qualquer atenuante. O homem, por sua vez, aceitando-lhe a sugestão sedutora, incorre em culpa, talvez por imprudência, mas sem dúvida por desobediência, ao desrespeitar o preceito, que lhe havia sido claramente imposto, e de que não poderia jamais alegar ignorância, preceito de não comer do fruto proibido[78]. De qualquer modo, a

---

77 Cf. verbetes *inuidia, inuideo* no Léxico T-F; *L.A.* 3,5,13,45-46; 9,24,85-88; esp. §86.

78 Cf. art. 186 do Código Civil. Em diversas passagens ao longo da obra recorre Agostinho à linguagem jurídica, indissociável dos estudos de retórica. E de fato, na esteira de praticamente todos os romanos cultos, o pensador africano era também um advogado, se não pela prática, ao menos pela formação, como Cícero ou Tertuliano, para citar apenas dois. Na verdade não se estudava retórica senão para dominar a arte da persuasão, com finalidades tanto políticas quanto jurídicas. Além do mais, o tirocínio dos jovens romanos da elite se dava no próprio *forum*, ao lado de seus pais, onde se iniciavam nos negócios da *res publica*, aprendendo desde muito cedo a manejar a oratória.

motivação, ao que parece, esteve sempre na vontade, no desejo avertido de Deus e convertido para algum bem de natureza inferior, próprio e mutável, motor esse do mal, o qual se diz *libido*.

## A cosmética da criação

## 3,11,32,113-114. Ordem e ornamento das naturezas

**113.** A – Portanto Deus fez todas as naturezas, não somente as que haviam de permanecer na virtude e na justiça, mas também as que haviam de pecar, não para que pecassem, mas para que ornassem o universo, se quisessem pecar, ou não pecar.

A insistência de Agostinho com a perfeição da ordem do conjunto universal da criação se explica facilmente pelos propósitos antimaniqueístas da obra. Sendo o Criador perfeitamente bom e justo, deve haver uma justificativa coerente para o malfazer humano, de modo que não lhe seja imputada nenhuma culpa. Portanto, se Deus é bom, tudo o que faz deve ser igualmente bom, em conformidade com seu respectivo grau e com sua medida particular, do que decorre, pois, serem todas as naturezas criadas, enquanto naturezas saídas da mão do Artífice divino, inquestionavelmente boas, quer as do grau mais elevado, como as que nunca pecam nem haverão de pecar, quer as do grau ínfimo, como as que pecam desde o princípio e nunca deixarão de fazê-lo, quer ainda as que nem capazes de pecar são, pois carecem de meios para tanto, ou aquelas, do grau intermédio, como as almas humanas, que ora pecam, oram não pecam. Todas, não por suas disposições mais ou menos mutáveis, mas por sua natureza, são boas, enquanto são. E não foram criadas para que pecassem, nem mesmo as que nunca deixaram de fazê-lo, como o diabo; ao revés, foram criadas para que ornassem o conjunto universal da criação, quer quisessem pecar, quer não o quisessem. Do que é lícito depreender que o objetivo por que o Criador decidiu criar tenha sido a ornamentação universal, que é também a sua ordenação.

### Cosmogonia: cosmética da criação

Se tudo o que Deus cria é bom, segue-se que tudo o que é bom seja correspondentemente belo, e não por outro motivo, a não ser porque esteja em conformidade com a ordem; numa palavra, porque esteja ordenado. De fato, o verbo "ornamentar" (*ornare* = *ordinare*), derivado do substantivo "ordem" (*ordo*),

significa tanto "ordenar", quanto "adornar" (*ad* + *ornare*), que, por sua vez, significa "pôr em ordem"[79]. O que é belo, como se viu antes[80], assim se diz por conformar-se com a ordem[81], de modo que algo seja tão mais belo quanto mais convenientemente ordenado esteja, segundo os padrões da ordem, indissociáveis das perfeições numéricas, aritméticas e geométricas, para pitagóricos, e a partir de Platão absolutamente conformes com a perfeição ideal das formas, em sua inteligibilidade eternamente estável. Portanto, ao criar as naturezas, a fim de que ornamentassem a universalidade, Deus pretendeu, como se depreende, não apenas embelezar o conjunto universal da criação, pela harmonia das partes com o todo e delas entre si, mas criar a própria ordem, naquilo que o grego denomina "cosmogonia". De fato, ao criar o mundo a partir do nada (*ex nihilo*), isto é, a partir de "não alguma coisa"[82] ou de "coisa nem uma", que faz o Artífice divino senão gerar a própria ordem, o *kósmos*, a partir do *kháos*, a ausência absoluta de forma, o estado original do universo antes de haver qualquer coisa? Logo a criação não apenas ornamenta o universo, mas instaura o próprio cosmo, instaura a própria Ordem, que é também Beleza e Harmonia, na perfeita consonância das partes entre si e entre elas e a universalidade. Assim sendo, pode-se dizer que Deus seja não apenas o Criador de todas as naturezas, mas também o seu divino Ordenador, o que equivale a dizer seu Ornamentador, ou

---

79 Os termos *decor* e *decus*, utilizados ambos para exprimir "beleza", "formosura", "ornamento" (*decoratio*) mas também "honra" e "dignidade" (*decorus, indecorosus*), segundo Ernout e Meillet, relacionam-se a *decet*, v. impessoal que expressa "adequação", "conveniência", em correspondência direta com o v. grego πρέπει – ambos os termos estão relacionados às noções de aparência e formosura. Dizem daí ter Cícero cunhado o termo *decentia*, "conveniência", "decoro", em sua obra *De natura deorum* (2,145), para traduzir εὐπρέπεια: "Pois os olhos julgam a beleza das cores e das formas, também a ordem e, por assim dizer, sua conveniência" (*colorum enim et figurarum uenustatem atque ordinem et ut dicam decentiam oculi iudicant*). Cf. A. Ernout; A. Meillet, *Dictionnaire Étymologique de la Langue Latine*. Paris: Librarie C. Klincksieck, 1939, pp. 256-257.

80 Cf. 2,8,24,94-95; 16,41,163; 42,164-167.

81 Lembre-se dos sentidos do vocábulo grego *kósmos* (κόσμος), que refere-se tanto à ordem, em contraposição ao *kháos* (χάος), a ausência primordial da ordem, por assim dizer, como também à própria beleza, de onde os termos derivados: [i] *kosméō* (κοσμέω), "ordenar" ou "pôr em ordem", mas também "embelezar"; [ii] *kosmogonía* (κοσμογονία), "geração do cosmo", ou seja, "geração da ordem"; [iii] *kosmētikós* (κοσμητικός), "cosmético", ou antes, "posto em ordem", "segundo a ordem".

82 *Nihilum* = *ne* + *hīlum*. De origem e sentido duvidosos, *hīlum* aparece no *Oxford Latin Dictionary* com o sentido de "quantidade mínima", "a menor parte". Esteja ou não correta a sua significação, contudo a ideia conforma-se bem com o modo de expressão clássico, como se pode constatar pelo grego οὐδέν, que significa "não alguma coisa" (cf. οὐδεμία).

Cosmético, ao fazer sair do nada a ordem e a beleza de cada coisa, em si mesmas e em relação recíproca. Ademais, como poderia ter havido alguma ordem, ou beleza, se antes da criação não havia nada? E que coisa poderia ser bela ou ordenada, nada havendo? Como pode a treva ser bela? Como pode o nada estar em ordem? Como pode o informe ser formoso? Se as noções de belo subsomem as de forma, que, por sua vez, não prescindem de medida, de número e de ordem, vê-se que nada que seja desprovido de medida, número e da própria ordem possa ser belo. Logo, sendo as naturezas todas igualmente boas e belas, porque ordenadas, não poderiam servir a outro propósito senão ornamentar o universo, em si mesmas, pois elas é que constituem a beleza e a ordem do universo, e para si mesmas, em consonância com o único fim que é fim em si mesmo, a própria Beleza e Bondade absoluta, eterna e infinita. Portanto, se Deus cria as naturezas todas para que sejam o ornamento da criação, criação que se constitui delas mesmas, as naturezas todas, Deus, a Beleza suprema, fonte de que emana, por assim dizer, toda beleza, cria as naturezas para que sejam ornamento para si mesmas. De fato, não diz o filósofo que Deus as cria para agradar-se de sua beleza, como se carecesse de algo para distrair-se ou para fazer "passar o tempo" em sua eternidade atemporal, tampouco para locupletar-se delas, como se estivesse sentindo um "vazio interior", uma necessidade qualquer que carecesse de ser preenchida; nada disso, criou-as apenas, aquele que por ser perfeito é absolutamente pleno e basta-se a si mesmo, apenas e tão somente, como diz a palavra do livro do *Gênesis*, porque ele "viu que elas eram boas", ou que assim "seriam", depois de criadas, com o tempo, assim como sempre foram em sua mente atemporal; e não apenas boas, mas também belas[83]. Criou-as, pois, para

---

83 Gên. 1,21: "e viu Deus que [eram] boas" (καὶ εἶδεν ὁ θεὸς ὅτι καλά). // A Vulgata, por sua vez, traz o seguinte: "viu Deus que seria bom" (*uidit deus quod esset bonum*). Vê-se que o grego da versão dos LXX se utiliza do adjetivo *kalós*, que pode ser traduzido por "belo". A famosa expressão grega *kalokagathía* (καλοκἀγαθία), de καλὸς καὶ ἀγαθός, literalmente "belo e bom", deixa entrever a distinção que já se fazia na Grécia arcaica entre as duas noções, ainda que intrinsecamente ligadas, pois não se era considerado bom o que não fosse igualmente belo, e vice-versa, quer se atenha ao sentido figurado dos termos, quer não. O dicionário bíblico de J. D. Douglas *et alii* explica que o termo hebraico, correspondente ao latino *bonum* e ao grego *kalá*, é *ṭôḇ* (בוֹט), cuja tradução se dá pelo adjetivo "agradável", mas cujo sentido primário remete "àquilo que gratifica os sentidos e de modo derivado àquilo que traz satisfação estética ou moral". Douglas lembra que algumas versões da LXX trazem o adjetivo *agathós*, "bom", em sentido físico ou moral, outras, *kalós*, "belo", o que deixa entrever a simbiose entre os termos. Importa notar ainda que o Novo Testamento emprega os dois termos, *kalós* e *agathós*, segundo esse autor, "de modo indistinto", como por exemplo em Rm 7,12-21, o que, contudo, não se

que constituíssem o ornamento do universo e se locupletassem disso, porém em gratidão e louvor do próprio Criador, seu Princípio e seu Fim; elas, cuja beleza, derivada da Beleza suprema, são elas mesmas, e nada mais.

## Imprescindíveis: a sociedade das criaturas celestes e supracelestes

**113.** A – [...] Pois se ao mundo[84] faltassem as almas, as quais obtivessem o próprio fastígio da ordem na criação universal[85], de modo que, se tivessem querido pecar, a universalidade [da criação] fosse enfraquecida e arruinada, algo grande faltaria à criação, pois faltaria aquilo, que, tendo sido removido, a estabilidade das coisas e sua conexão seriam perturbadas[86].

O pecado das criaturas não pode perturbar a Ordem universal, ainda que o pecador, mesmo o mais renitente na maldade, seja um grande bem, enquanto natureza, não em decorrência de seu pecado, principalmente se comparado às criaturas mais baixas da escada das naturezas, que apenas são, ou que são e vivem, porém não inteligem, sendo por isso mesmo incapazes de pecar. Todavia um grupo de criaturas há cujo pecado não apenas enfraqueceria, mas também faria ruir a Ordem das coisas, diz o rétor, por ser imprescindível para a estabilidade universal e para a conexão entre as criaturas das mais diversas espécies e dos mais diversos graus. Se essas criaturas resolvessem um dia pecar, seria como se deixassem de ser o que são, descendo para o grau das que ora pecam, ora não pecam, como os descendentes do primeiro homem. Se assim o fizessem, adverte o filósofo, haveria perturbação no ordenamento das coisas, em decorrência de seu enorme valor e posição elevada na escada das naturezas, de cuja perda ou

---

deve acolher tão pacificamente, sem investigação mais cuidadosa. Seja como for, essa "indistinção" apenas corrobora o que se vem dizendo, que as duas noções, de beleza e bondade, se encontram inextricavelmente ligadas. Vale notar ainda que a versão bíblica de que dispunha Agostinho, a *Vetus Latina*, aproximava-se mais da Septuaginta, de que provavelmente era tradução direta e por vezes adaptação popular, do que da Vulgata de Jerônimo, contemporâneo seu, cujas traduções nem sempre lhe agradaram, e que só foram adotadas pela Igreja oficialmente em 1545, no Concílio de Trento, apesar de logo terem suplantado a versão latina antiga e se difundido largamente. Cf. J. D. Douglas; N. Hillyer; D. R. W. Wood (editors). *The New Bible Dictionary*. 3rd ed. Leicester; Downers Grove: Inter-Varsity Press, 1996.

84 Liter.: "às coisas do mundo" (*rebus*), isto é, às criaturas todas de que o mundo se constitui.

85 Isto é, se acaso não existissem as criaturas mais sublimes da criação, aquelas que nunca pecaram nem haverão de pecar, como os anjos e afins.

86 Apesar de o verbo estar no singular, em concordância por proximidade, compreende-se que ambas, tanto a estabilidade das coisas como a sua conexão, é que serão perturbadas pelo pecado de tais criaturas.

diminuição o conjunto se ressentiria gravemente, ainda que, presume-se, Deus fosse perfeitamente capaz de suprir sua lacuna de algum modo, do contrário não seria onipotente.

## Estabilidade e conexão: ofício celestial

**114.** A – Tais almas são as melhores, não apenas santas, mas também criaturas sublimes dos poderes celestes ou supracelestes[87], sobre as quais só Deus exerce seu império, às quais, porém, o mundo inteiro está sujeito[88]. Sem os seus ofícios[89], justos e perfeitos, a universalidade não pode existir.

Essas criaturas impecáveis são santas, diz Agostinho, além de sublimes, criaturas dos poderes celestes e supracelestes, acima das quais, só Deus; abaixo das quais, a universalidade das criaturas. No *Enchiridion*, obra de sua maturidade, em que pretende epitomar a doutrina cristã para seu amigo Laurêncio, Agostinho admitirá ignorar os modos de organização da sociedade celeste e supra: "de que modo, pois, se estabelece aquela sociedade beatíssima e superior [...] digam os que podem, se, contudo, podem provar o que dizem; eu, de minha parte, confesso que ignoro essas coisas"[90]. A sublimidade dessas criaturas celestes, porém, não impede que aqui reconheça sua supremacia sobre as demais criaturas, estando abaixo apenas de Deus, a cujo império se submetem. Não apenas por sua posição superior na escada das naturezas, nem mesmo por serem santas e sublimes, ou porque sejam as melhores entre todas as criaturas, e sim por seus ofícios, seus deveres justos e perfeitos. E de fato, é por causa de seus ofícios que as criaturas celestes e supracelestes fariam falta à universalidade da criação, caso pecassem e fossem demovidas de seu excelso degrau, sem as quais, vai

---

87 Cf. Col 1,16: "Nos céus e sobre a terra, visíveis e invisíveis, sejam tronos ou domínios, sejam principados ou potestades" (ἐν τοῖς οὐρανοῖς καὶ ἐπὶ τῆς γῆς, τὰ ὁρατὰ καὶ τὰ ἀόρατα, εἴτε θρόνοι εἴτε κυριότητες εἴτε ἀρχαὶ εἴτε ἐξουσίαι).

88 Ou então "foi submetido". Preferiu-se traduzir pelo presente, seguido de particípio, em lugar da passiva no perfeito indicativo, para que se mantivesse o paralelismo com a oração anterior, *solus deus imperat*, cujo complemento indireto é o relativo *quibus*, no dativo. Assim só Deus comanda as criaturas celestes, as quais estão, por sua vez, acima das demais. Evidente que, se estão acima das demais, isso se deve ao fato de terem sido ali colocadas, em algum momento, depois de sua criação. Portanto as duas opções são válidas, presente ou perfeito.

89 As tarefas, ou deveres, dos seres celestes e supracelestes.

90 Cf. *Ench.* 15,58: *"Quo modo autem se habeat beatissima illa et supera societas [...] dicant qui possunt, si tamen possunt probare quod dicunt; ego me ista ignorar confiteor"*.

além Agostinho, o conjunto universal das criaturas nem sequer poderia existir. Infelizmente não se pode saber exatamente quem ou como são, como se admitirá na suprarreferida obra, que só será escrita anos mais tarde. Sabe-se apenas que estão no céu ou acima dele, o céu do céu, o que não significa dizer de sua posição geográfica, no espaço, e sim de sua condição espiritual, como naturezas puramente inteligíveis, acima da própria perfeição que se concede aos santos, abaixo apenas do Criador, o que não é nada desprezível. Sabe-se também que exercem seu poderio sobre as demais criaturas, embora não se saiba muito mais além do fato de que a estabilidade das criaturas seria perturbada sem sua presença, ou antes, sem seu ofício, do que se depreende que ao menos parte de sua tarefa seja manter a estabilidade universal do conjunto da criação divina, o que certamente tem que ver com a "conexão" entre as criaturas de que fala Agostinho. Portanto são estabilizadoras e conectoras, o que permite, *mutatis mutandis*, relacioná-las de algum modo ao *nexus causarum* dos estoicos, a rede de causas e efeitos que mantém interligados todos os eventos do universo, passados aos presentes, e estes aos futuros, uns causados pelos outros, de que são a consequência obrigatória, porém redundando num determinismo inescapável; o que, contudo, iria de encontro ao que aqui se defende[91].

## Nem tão prescindíveis

> **114.** A – [...] se faltassem aquelas, as quais, quer pecassem, quer não pecassem, nada seria diminuído à ordem da universalidade[92], ainda assim muitíssimo faltaria.

Posto que o pecado das criaturas não provoque qualquer ruptura na Ordem universal[93], ainda assim, faltassem as almas pecadoras, algo de importante

[91] Note-se que essa rede de causas e efeitos deve referir-se, neste caso, ao contrário do que advogava a física estoica, não especificamente à Ordem universal do cosmo, regida pela Razão suprema, mas ao relacionamento entre as criaturas, sobretudo as inteligentes.

[92] Isto é, nada lhe seria subtraído.

[93] Necessário fazer a distinção entre o *ordo diuinus* estabelecido e sustentado pela *summa ratio* ou *lex aeterna*, que é tão imutável quanto imutável é a Providência divina, que administra a universalidade da criação, com o ordenamento dessa mesma universalidade, que se constitui das criaturas, quer consideradas isoladamente, quer consideradas como parte do conjunto universal delas. Do que decorre naturalmente certa oscilação ser permitida, e mesmo desejável, seja em cada criatura, seja em sua relação recíproca, em virtude de seu arbítrio livre, cujo movimento, inevitável, causa rupturas passageiras no equilíbrio da balança, mas que são logo corrigidas pela lei inexorável da retribuição; do contrário nenhum movimento seria possível

faltaria à universalidade da criação. Decerto não como os anjos do céu ou acima dele, cujo pecado seria tão mais nocivo para o ordenamento da universalidade quanto sua ausência, mas como criaturas racionais que são, superiores a todas as demais, que apenas são, ou que são e vivem, sem contudo serem capazes de pecar. Pecassem ou não, as almas fariam falta, caso não as tivesse criado Deus, pois, do contrário, haveria galáxias, estrelas e planetas, como este, em que haveria plantas, rios, mares, animais da água e da terra, que rastejam, correm ou voam, animais invisíveis a olho nu de tão diminutos, animais enormes, e depois, nada mais. Sopraria um grande vento, cairiam as folhas das árvores, o pólen das flores seria ventilado, as frutas amadureceriam até cair, as estações se sucederiam sem sobressaltos, os dias às noites, e estas a outros dias, até que um meteoro caísse sobre a Terra, ou o Sol se esfriasse por completo. Sem dúvida não haveria mortandades, a não ser a das feras saciáveis, nem cidades, apenas ninhos e ninhadas, nem ódio ou inveja, nem Caim matando Abel, nem rios desviados, matas derrubadas ou cabeças decepadas, nem impérios dominantes, ou cidades protegidas por muros circundantes, nem taumaturgos, pois não haveria pobres nem doentes, tampouco sacerdotes e predicantes, mesmo porque não haveria livros ou leitores, e nem Eva comendo da maçã, onde nenhum preceito seria imposto, nenhuma lei escrita, nenhum rei ungido ou bezerro adorado, e nenhum pão seria fermentado, nem bebida destilada. Nada disso, é bem verdade, o que, contudo, não faria do mundo um lugar melhor, porque "melhor" não existiria, nem "pior", tampouco "igual", e com sua ausência faltariam também as noções de "bem" e "mal", de "certo" e "errado", que procuram conformar os eventos com certos padrões eleitos. O mundo não seria muita coisa, onde nenhuma predicação fosse possível, sendo todas essas noções, e as inumeráveis que se puderem acrescentar ainda, fruto daquele fruto cuja ingestão havia sido proibida, a inteligência. E de fato, sem ela não há certo ou errado, bom ou mau, melhor ou pior; não há comparações, diminuições, propósitos ou interdições. É bem verdade, contudo, que, se as almas tivessem sido completamente irracionais, não teria havido persuasão por parte da serpente, tampouco interdição de fruto

---

entre as criaturas. Porém essa pseudodesordem, momentânea, não é apenas permitida pela Razão suprema, mas é também prevista, nenhuma perturbação causando ao *ordo diuinus*, o que se comprovaria, se pudesse ser observada a partir de um prisma universal. Portanto, embora se diga que as almas excelsas e impecáveis, que também foram criadas por Deus, sejam imprescindíveis para o bom ordenamento da universalidade da criação, não são de modo nenhum imprescindíveis para o *ordo diuinus;* numa palavra, para a justa aplicação da Lei eterna, aquela Razão suprema que rege o universo em perfeita estabilidade.

algum da parte de Deus, menos ainda expulsão e queda. Logo as almas não teriam deixado o jardim delicioso da infância, tão mais ingênua quanto ignorante, e sido precipitadas nos caminhos esconsos da busca pelo conhecimento e pela verdade, no caminho de volta para a felicidade perdida. O que, contudo, visto pelo prisma de sua natureza racional, não parece ser um mal irreparável, ao contrário, porque a ignorância é incapaz da Verdade ou da Sabedoria, numa palavra, o irracional é incapaz de Deus, cuja contemplação apenas é o que há de torná-lo feliz. Portanto não se pode dizer que as almas pecantes sejam completamente prescindíveis, ainda que não sejam imprescindíveis para a manutenção do ordenamento da universalidade da criação, como as almas dos celestes e supracelestes. Embora sua tarefa na ordenação das coisas seja compatível com a inconstância e a predisposição de sua tíbia vontade para o bem, muitíssimo abaixo da importância e excelência do ofício das almas supracelestes, ainda assim, por lhes equivalerem quanto à sua natureza, racional, guardam também considerável importância, na medida em que são o que são, posto que não sejam imprescindíveis para o ordenamento da universalidade. Novamente, se tudo o que Deus fez é bom, e por isso digno de louvor, as almas, conquanto pecadoras, devem ser igualmente louváveis, mas não por seu pecado, apenas pela dignidade de sua natureza, como criaturas que são, que vivem e que inteligem, posicionadas acima das demais criaturas desprovidas de inteligência, embora louváveis também, em seu respectivo gênero.

## Os ofícios das almas

### 3,11,33,115-116. Dos ofícios das almas (*de officiis*)

> **115.** A – Logo aquela natureza [superior] é de ofício mais sublime[94], a qual, não somente se não existisse, mas também se pecasse, diminuiria a ordem da universalidade. [...] E não é por isso que permanece em sua boa vontade, porque recebeu este ofício, mas por isso é que o recebeu, porque foi previsto, por aquele que o deu, que *ela* haveria de permanecer nela[95].

As naturezas celestes e supracelestes são imprescindíveis para a Ordem universal, seja por seus encargos na manutenção das conexões e na

[94] A criatura celeste é mais apropriada, por sua natureza superior, às responsabilidades inerentes a um ofício mais elevado. A inversão confunde, pois teria sido mais fácil se se tivesse dito que o ofício superior era próprio da criatura angelical, e não o contrário, como fez o rétor.

[95] Quer dizer, ela foi vista *antes*, por Deus, que haveria de permanecer na boa vontade.

estabilidade entres as criaturas, seja pela dignidade de sua natureza sublime. As demais almas racionais, inferiores por sua propensão para o desvio pecador, não são imprescindíveis por causa de seus encargos, mas apenas pela dignidade de sua natureza, acima das demais criaturas que apenas são ou que são e vivem, sem contudo inteligir. E não é o caso de os ofícios sublimes, por serem mais dignos de responsabilidade e consequente importância, tornarem as criaturas que se encarregam deles igualmente sublimes e imprescindíveis, mas, bastante ao contrário, a perseverança das criaturas sublimes na boa vontade, cuja consequência é a permanente adesão ao Bem comum, é o que as torna estáveis e dignas da confiança do Criador. De fato, sendo o Criador previdente, não haveria de confiar os grandes e importantes encargos, dos quais dependeria toda a estabilidade da universalidade e a regência da relação entre as mais diversas criaturas, sobre os ombros tíbios de almas pecadoras, egoístas e inconstantes. Logo as criaturas celestes e supracelestes não são sublimes em decorrência das tarefas elevadas que cumprem, e sim, ao revés, por serem sublimes e preservarem sua boa vontade é que os encargos superiores lhes foram confiados. Numa palavra, não guardam uma boa vontade inquebrantável como prêmio pelas tarefas que foram escolhidas a desempenhar, mas desempenham-nas precisamente pela inconcussa boa vontade que detêm sempre consigo. E seus ofícios, imprescindíveis para a manutenção da universalidade, não poderiam ser desempenhados pelas almas pecadoras, embora racionais, porque elas não têm a constância necessária para a tarefa, ora convertendo sua vontade ao Bem comum e imutável, ora convertendo-a no sentido contrário, em perseguição dos bens próprios e mutáveis. E assim é, de fato, em conformidade com o que disse a Palavra divina, que aquele que no pouco é fiel, fiel no muito será; mas aquele que no pouco é injusto, injusto no muito será[96].

## Majestade por adesão

**116.** A – E contudo não é por sua majestade que [a natureza superior] mantém todas as coisas, mas aderindo à majestade daquele e obedecendo-lhe muitíssimo devotadamente aos imperativos, aquele, a partir do qual, através do qual e no qual foram feitas todas as coisas[97].

---

96 Cf. Lc 16,10: "ὁ πιστὸς ἐν ἐλαχίστῳ καὶ ἐν πολλῷ πιστός ἐστιν, καὶ ὁ ἐν ἐλαχίστῳ ἄδικος καὶ ἐν πολλῷ ἄδικός ἐστιν"; Mt 25,21: "ἐπὶ ὀλίγα ἦς πιστός, ἐπὶ πολλῶν σε καταστήσω".

97 Cf. Rm 11,36: "ὅτι ἐξ αὐτοῦ καὶ δι' αὐτοῦ καὶ εἰς αὐτὸν τὰ πάντα".

Aos poucos Agostinho deixa entrever algo do que pensa a respeito das sociedades celestes e de seus habitantes. Embora sublimes, abaixo apenas de Deus e acima das demais criaturas, constantes em sua boa vontade, sempre convertida para o Bem supremo e imutável, pelo que jamais pecam, fazendo-se essenciais, não apenas pela dignidade de sua natureza, mas também pela dignidade do ofício de que estão encarregados, imprescindível para a ordenação da universalidade, enfim, nada obstante esses predicados todos, resta claro que não são mais do que criaturas; criaturas cuja majestade, em verdade, pertence ao próprio Criador. Não é o caso de dizer que da Fonte sublime de toda majestade é que recebem a sua própria majestade, mas, ao invés, que participam da majestade divina, por meio da qual apenas é que mantêm todas as coisas estáveis e conectadas no universo, e não por sua própria majestade. Sua *maiestas* deriva mais de sua obediência, com extremada devoção, do que de sua presuntiva altivez, uma vez que sabem bem, estando diante da Face da própria Sabedoria divina, quem é aquele por meio de quem todas as coisas foram feitas, entre as quais se incluem, e a partir de quem, e em quem.

## Jugo partilhado: um ofício, duas almas

**116.** A – [...] Porém a esta [natureza inferior][98], seguramente à qual não está pecando[99], foi dado o potentíssimo ofício de manter todas as coisas, não de modo particular, contudo, mas na companhia daquela [natureza superior], tanto quanto àquela[100] foi conhecido antes que esta haveria de pecar[101].

Se a manutenção da Ordem universal, imprescindível para a universalidade da criação, foi depositada na boa vontade inconcussa dos seres celestes e supracelestes, seres igualmente imprescindíveis, tanto por sua natureza quanto pelo encargo que cumprem com fidelidade e firmeza, aparece agora um não se sabe bem que gênero de tarefa, igualmente de manutenção das coisas, porém desempenhado pelas criaturas tanto mais inconstantes quanto pecadoras. Foi-lhes confiado, desde que não pequem, embora sejam criaturas muito propensas a

98 Refere-se às almas racionais, que ora pecam, ora não pecam, e que estão muitíssimo abaixo das criaturas celestes e supracelestes na ordenação das naturezas.

99 Isto é, na medida em que não esteja pecando.

100 Na medida em que foi conhecido antes pelas próprias criaturas celestes e supracelestes que a criatura racional inferior iria pecar.

101 Quer dizer, na proporção em que soube, através de sua presciência, que ela haveria de pecar.

fazê-lo, quando não, passíveis de se desviarem, o ofício de manter as coisas todas, mas não por si só, e sim em conjunto com as naturezas sublimes e impecáveis. Estas sabiam que aquelas haviam de pecar em algum momento, pelo que, presume-se, não lhes confiariam tarefas que não seriam capazes cumprir até ao fim. Logo, posto que cumpram tarefas igualmente importantes para a manutenção do ordenamento da universalidade, não põem em risco o equilíbrio da Ordem universal, caso se desviem pelo pecado, uma vez supervisionadas pelas criaturas superiores prescientes.

## Conjunção sem acúmulo e disjunção sem diminuição

> **117.** A – [...] Por certo todas as [criaturas][102] espirituais possuem entre si não apenas uma conjunção sem acúmulo[103], mas também uma disjunção sem diminuição[104]...

A "espiritualidade", por assim dizer, o que provavelmente inclui todos os seres de natureza espiritual, seja em que grau se encontrem, guarda consigo, além das propriedades esparsamente mencionadas, ainda outras duas de notável interesse: [i] conjunção sem acúmulo e [ii] disjunção sem diminuição, ou seja, a possibilidade de associar-se umas às outras "sob o mesmo jugo" (*iugum*), contudo sem sofrer algum tipo de incremento ou acúmulo em sua natureza, ou de dissociar-se das demais, sem contudo sofrer algum tipo de diminuição ou decréscimo naquilo que seja. Embora aparentemente insólitos, os termos são bastante apropriados, como sói ocorrer tanto no pensamento como na escrita do filósofo. De fato, ao dizer que dois seres se encontram conjungidos, o que equivale a considerá-los atados sob o mesmo "jugo", estrutura de madeira que atrelava uma parelha de bois ao arado, Agostinho quer fazer ver que as duas naturezas de ordem racional, a superior impecável e a inferior passível de pecar, podem ser associadas por um certo vínculo, que na sequência se define como sendo a paridade das afeições, embora nessa associação nem a natureza superior seja diminuída, ao acumular para si algo da inferior, nem a inferior aumentada, ao receber algo da superior, como se quisesse evitar que se compreendesse por essa

[102] O adjetivo está no neutro plural, *spiritalia*, o que pode ser interpretado de modo genérico como referindo-se a todas as naturezas espirituais.

[103] Quer dizer, possuem a capacidade de unir-se ou conectar-se entre si, que não implica acúmulo e consequentemente mudança em sua natureza. Cf. 3,11,32,113.

[104] Quer dizer, a capacidade de desconectar-se ou desligar-se, que não implica diminuição ou mudança em sua natureza.

conjunção algum tipo de metamorfose espiritual ou processo de viés panteísta. Portanto as duas criaturas, superior e inferior, ao unir-se sob o mesmo "jugo", não acumulam nada da natureza do ser com que dividem o encargo, tampouco, ao se dissociarem do jugo comum, perdem algo do que são, diminuindo-se, no que tange à sua natureza.

**117.** A – [...] de modo que nem aquela [criatura superior] fosse ajudada na facilitação de sua atividade, quando esta [inferior] estivesse a si conjungida, nem se fizesse àquela mais difícil a atividade, se esta desertasse de seu ofício, ao pecar.

Parece, contudo, que se quer prevenir não o acúmulo ou a diminuição das naturezas, e sim dos ofícios. Com efeito, não é pela companhia da natureza superior que a inferior seja ajudada em seu encargo, o que seria uma interferência em sua liberdade, como tampouco a natureza superior seja obstada em sua tarefa pela deserção pecaminosa da inferior, o que causaria por certo uma perturbação no ordenamento da universalidade. Isso, porque, como se viu, o pecado das criaturas inferiores não pode perturbar a Ordem, assim como a liberdade de pecar ou de não pecar não pode ser tolhida de modo invito, seja por quem for, sob pena de anulação da própria faculdade atribuída por Deus às almas no ato da criação, e com isso de ruptura da própria Ordem universal[105]. E de fato, sem liberdade, nem pecado, tampouco virtude pode haver, de onde nem prêmio, tampouco castigo, o que faria ruir a meticulosa edificação da Justiça divina, sendo preciso atribuir a causa do mal unicamente ao Criador, que se tornaria o autor de autômatos, que, segundo alguns, têm circulado por todos os séculos, desde priscas eras.

---

[105] Cf. 3,11,33,115. Percebe-se a distinção entre o ordenamento da universalidade das criaturas e a própria Ordem divina, instaurada e mantida pela Razão suprema. Se se suprimisse a liberdade de querer ao homem, aí, sim, a Ordem universal seria abruptamente perturbada. Porém, ao contrário do que se supõe, equivocadamente, ao pecarem as criaturas, cujo querer é livre, essa Ordem não é abalada, visto sua liberdade de pecar e de fazer o bem estar prevista na Lei eterna, cujas provisões, como a retribuição punitiva ou premiadora, constituem dois dos mecanismos apropriadamente justos e racionais para a sua manutenção equilibrada. Portanto, ao ordenamento equilibrado da universalidade das criaturas o pecado não é ameaça, visto que a punição sempre restaura o equilíbrio de modo absolutamente equitativo. Seria, contudo, uma interrupção desse ordenamento, se as criaturas não mais pudessem pecar, nem fazer o bem, pois aí então nenhuma retribuição seria possível, aniquilando com essa interdição a própria Justiça, que restaria inútil, e com ela o próprio ordenamento da universalidade. Isso, sim, seria uma subversão da Ordem universal.

## Paridade e disparidade das afeições

**117.** A – [...] Pois não é segundo os lugares[106] e a massa dos corpos, mas pela paridade de suas afeições[107] que podem ser conjungidas as criaturas espirituais, e pela disparidade, disjungidas...

Aquele "jugo" posto sobre as "escápulas" espirituais, tanto dos impecáveis celestes e supracelestes como das almas pecáveis, a fim de que, conjungidos, pudessem cumprir o "poderosíssimo ofício" de que foram encarregados, na "manutenção de todas as coisas", obviamente não pode constituir-se de uma natureza carnal, visto que os seres superiores encontram-se bem distantes da mortalidade da carne. Por isso diz Agostinho que essa conjunção, essa união sob um mesmo jugo, não pode dar-se segundo as coordenadas próprias do mundo corruptível, numa palavra, esse jugo que liga as almas, por não ser material, não está sujeito às variações espaciais, não podendo ser locomovido como uma canga de pau, de um a outro lado, tampouco segundo algum tipo de mudança na massa dos corpos, como se um corpo tomasse outro para si, incorporando-o de algum modo, ou a ele se misturasse, por algum tipo de conúbio, por assim dizer. A associação das almas, ao contrário, dá-se pela paridade de suas afeições, assim como a sua dissociação, pela disparidade. Isso equivale a dizer que, não importa onde estejam, nem qual o volume ou a forma de seus corpos, as almas se unem sob o "jugo" das inclinações de sua mente, sob o jugo suave[108] de sua "sintonia espiritual", quando então sua vontade encontra-se em perfeita coincidência, convertida para o Bem supremo e imutável. Assim sendo, as almas que querem contemplar face a face o Ser, que é também Verdade e Sabedoria, una, eterna e comum, essas se conjungem, conectando-se sob o jugo par de sua inclinação para o Bem supremo. Por outro lado, quando a vontade da alma tíbia, propensa ao mal, averte-se do Bem comum e converte-se ao bem próprio e mutável, então esse jugo se desata, tornando-se as vontades díspares, voltadas agora para polos opostos, uma vez que os seres celestes nunca pecam, avertendo sua vontade do Bem supremo, ao qual aderem com estabilidade inconcussa. Destarte, por causa da disparidade de suas inclinações, se disjungem, se afastam, uma permanecendo inabalável em seu amor

[106] Quer dizer, através de deslocamento espacial.

[107] Quer dizer, através da sintonia entre suas inclinações mentais.

[108] Cf. Mt 11,30: "Pois o meu jugo é benevolente e minha carga, leve." (ὁ γὰρ ζυγός μου χρηστὸς καὶ τὸ φορτίον μου ἐλαφρόν ἐστιν.).

do Bem comum e imutável, enquanto a outra, abalada e perturbada no amor de si, chafurda na *libido* dos bens próprios e mutáveis.

**117.** A – [...] ainda que algumas delas possuam os seus próprios corpos.

Portanto essa associação entre as almas pecadoras e as celestes não se estabelece por critérios ou instrumentos de natureza carnal, cerceada pelos limites de uma suposta massa corpórea, como se pudessem entrar em algum tipo de conúbio mais íntimo, pelo entrelaçamento dos corpos, que, nada obstante, algumas delas possuem.

## 3,11,34,118-119. O corpo dos anjos

Parece que assim como as almas inferiores encontram-se em corpos, assim também se dá com as celestes e supracelestes, de alguma maneira um tanto enigmática, posto que coerente e racional. Com efeito, à parte o Ser supremo e eterno, que se diz inefável e incompreensível, exatamente por ser infinito, ou seja, por não poder circunscrever-se a um limite qualquer que o determine, impondo-lhe dimensões passíveis de apreensão racional, e menos ainda sensorial, como dizer que algo indeterminado exista verdadeiramente? De fato, aquém da infinitude inapreensível do É, que se diz, de modo impróprio, a suprema Forma, não por ser determinado por uma forma de natureza excelsa, mas apenas por ser a Fonte de todas as demais formas, numa palavra, por ser a Fonte do ser de tudo o que existe, como dizer que algo seja, sem que seja determinado por uma forma? Logo não seria possível a existência de anjos, nos céus ou acima deles, sem que possuíssem algum tipo de determinação, algum tipo de forma, por assim dizer, ainda que seja uma forma de natureza absolutamente espiritual, provavelmente também invisível e intemporalmente imutável, em consonância com sua natureza.

**118.** A – Porém, tendo sido ordenada[109] em corpos inferiores e mortais após o pecado, ela[110] rege seu próprio corpo, não completamente em virtude de seu arbítrio[111], mas como as leis da universalidade o permitem.

---

[109] Quer dizer, disposta, segundo a ordem.

[110] Refere-se às almas pecadoras, depois do pecado do primeiro homem.

[111] Percebe-se que a onipotência do arbítrio livre da vontade principia a ser relativizada pelo filósofo.

As almas inferiores, danadas após o pecado do primeiro homem, viram-se presas a um corpo de natureza terrestre, mortal, e por isso inferior, corpo que dirigem apenas até certo ponto por meio de seu arbítrio livre, dentro do que as leis da universalidade permitem. Agostinho não explica exatamente a que se refere quando aponta o controle limitado das almas sobre o corpo que as reveste, mas pode-se aventar duas hipóteses bastante prováveis. Primeiro o fato de que manutenção da vida do corpo não depende exclusivamente da vontade da alma; corpo cujos órgãos vitais mantém-se em perfeito funcionamento, mesmo quando em repouso, ou quando a alma esteja inconsciente, por assim dizer. Depois, porque muitas vezes a alma dá uma ordem ao corpo, contudo sem ser obedecida, como quando o incontinente não encontra meios de controlar seus impulsos de natureza carnal ou concupiscente, como acusara Paulo, em sua epístola aos romanos, ou o próprio Agostinho, no oitavo livro de *Confissões*[112].

**118.** A – [...] E por certo a veste andrajosa de um servo condenado é muito inferior à veste daquele que mereceu ser bem [recompensado], e que foi constituído em grande honra ao lado de seu senhor, mas o próprio servo é melhor do que qualquer veste preciosa, porque é um homem[113].

Na ordenação dos seres, em conformidade com a escada das naturezas tantas vezes citada[114], os corpos terrenos, em si mesmos, ocupam o último degrau em importância, ou seja, o primeiro, desde a base em direção ao cume, pois, enquanto matéria desprovida da vida que lhe confere a alma, o corpo apenas é (*esse*), nem vivendo (*uiuere*), muito menos sendo capaz de inteligência (*intellegere*). Daqui ter sido dito e redito que toda alma, por mais celerada fosse, ainda assim seria sempre muito superior a qualquer corpo de qualquer natureza, fosse um raio de luz solar, fosse uma sublime melodia. Logo, sendo uma regra derivada da ordenação das naturezas, deve ser válida para a universalidade das criaturas, do que se depreende forçosamente que todo e qualquer corpo, seja o corpo de natureza espiritual de um serafim, seja de um querubim, seja de um arcanjo, será sempre inferior às almas, ainda que obstinadamente pecadoras. E mesmo que todos os demais corpos de natureza terrestre estejam muito abaixo dos corpos dos seres celestes e supracelestes, pois não se pode admitir que o corpo angélico seja inferior ao de uma planária ou a uma estalactite,

---

112 Cf. Rm 7,14-25; *Conf.* 8,9,21-22 *in L.A.* 1,13,29,97.

113 Traduz *homo*, que neste caso se refere à humanidade, não ao gênero masculino.

114 Que também pode ser referida como "escada ontológica".

ainda assim nenhuma alma, por inferior seja na escada dos seres, por causa de sua renitência no pecado, pode ser considerada abaixo de qualquer corpo, quer supraceleste, quer infraterrestre. Neste sentido, pois, segundo o exemplo aduzido pelo próprio filósofo, nenhum servo, enquanto ser humano dotado de vida e inteligência, por mais esfarrapado e seviciado esteja, é menos do que a veste preciosa de um outro, por maior lhe seja a honra e consideração diante de seu senhor, ainda que a veste preciosa deste seja muitíssimo mais brilhosa, formosa e perfumosa do que os farrapos imundos daquele outro.

## Ornamento celeste em corpo terrestre

**119.** A – Logo aquela [alma superior] adere a Deus e, no corpo celeste, por meio de seu angélico poder, orna e rege também o corpo terrestre, assim como ordena aquele, cujo aceno[115] ela considera[116] de modo inefável.

De que modo, pois, os seres celestes e supracelestes, que aderem perfeitamente a Deus, de quem jamais se afastam por sua própria vontade, fruindo de sua Sabedoria, de sua Paz, de sua Eternidade e de sua Verdade, eles que habitam também cada um seu respectivo corpo, de natureza celeste, enfim, como se fazem não apenas ornamento dos corpos terrestres inferiores, mas também os dirigem? A que corpos especificamente se refere o filósofo? Aos corpos de carne, habitados por almas, ou aos demais corpos, celestes e terrestres, que apenas são, ou são e vivem? Deus ordena, diz Agostinho, por meio de um comando seu, um sinal, o qual os seres espirituais veem "de dentro", isto é, a partir de seu íntimo, de modo inefável, para que, lançando mão de seu poder angélico, ornem e dirijam os corpos terrestres. No entanto, se residem junto a Deus, que fazem neste orbe, a fim de ornarem a criatura terrestre? Muito provavelmente Agostinho se refere a dois tipos de ornamentação, referentes a dois tipos de relação entre os seres celestes e as criaturas que lhes são inferiores. No primeiro caso, quando se põem em comunhão com as almas inferiores, as quais, embora presas na carne, decidem não pecar, como dito acima[117], naquela "conjunção", que se dá "sem acúmulo", visto que os anjos permaneçam anjos, sem qualquer diminuição em sua natureza, e as almas,

[115] Quer dizer, "comando" ou "sinal".

[116] Os anjos "veem" o sinal de Deus a partir de dentro (*in-tueor*), pelo olhar de sua mente.

[117] Cf. 3,11,33,117.

almas, sem qualquer acréscimo indevido. Assim, supõe-se, conjungidas sob o "jugo" suave de suas afeições de natureza semelhante, o corpo mortal das almas inferiores presas à carne é ornado pelas almas superiores, as quais aderem indefectivelmente ao Ser, sem, contudo, que o arbítrio das menores seja aniquilado, quando não, dirigido indevidamente pela boa vontade inconcussa das maiores, no que se constituiria injustiça flagrante, numa supressão da liberdade individual, conferida neste caso, e com impiedade[118], pelo próprio Criador. Essa conjunção sem acúmulo, como explica Agostinho, assim como a disjunção sem diminuição, não se dá de modo nenhum pela simbiose entre corpos, os quais são evidentemente de natureza díspar, mas pela paridade e disparidade de suas disposições, de natureza espiritual, ainda que as almas inferiores estejam presas a um corpo, e algumas das espirituais – Agostinho não diz quais – habitem também cada qual o seu respectivo corpo, de natureza correspondente à sua elevação. No segundo caso as naturezas celestes e supracelestes, sem cujos "ofícios, justos e perfeitos, a universalidade não pode existir", potências "sobre as quais só Deus exerce seu império, às quais, porém, o mundo inteiro está sujeito"[119], nada obstante não ter sido dito de modo específico pelo autor, presume-se que ornem os corpos terrestres também e principalmente por meio de seus ofícios imprescindíveis para a universalidade, ofícios que consistem basicamente em duas operações fundamentais: [i] estabilizar e [ii] conectar, operações que, se faltassem as almas que as executam, diz Agostinho, haveria uma instabilidade na ordenação da universalidade e uma desconexão entre os eventos e as criaturas, seus atores. Enfim, se se trata da manutenção das órbitas planetárias, da regularidade dos movimentos das estrelas, das estações, das marés, ou coisas deste gênero, relativas ao perfeito funcionamento da natureza, ou se se trata das relações entre os atores da criação, as almas racionais, com a consequente imposição da justiça sobre elas e o decorrente e necessário equilíbrio de sua balança, ou mesmo se se trata de ambas as cosias, não se pode mais do que especular.

**119.** A – [...] Essa [alma inferior], por sua vez, onerada por membros mortais, a duras penas administra intrinsecamente este próprio [corpo], pelo qual é premida, e contudo orna-o quanto pode; e os demais objetos que lhe são extrinsecamente adjacentes, por meio de uma operação de longe mais fraca é que ela os atinge extrinsecamente, assim como pode.

---

[118] O que seria inaceitável e contrário aos postulados do princípio de piedade assentados no início.

[119] Cf. 3,11,32,113-114.

E sendo a regra, como dito antes[120], que as naturezas superiores ornem as inferiores, nunca o contrário, assim como os anjos ornam seus corpos espirituais e também os corpos terrestres alheios, os quais, ao comando divino, são ordenados a dirigir, do mesmo modo as almas pecadoras, cuja natureza contudo é sempre superior à dos corpos, sejam eles terrestres ou celestes, ornam os corpos que habitam, embora tenham enorme dificuldade em dirigi-los, não apenas pelo peso de seus membros, mas sobretudo pela tendência para o pecado que arrastam consigo, desde a danação. Interessa notar, contudo, para uma antropologia (do homem enquanto alma encarnada), que as almas dirigem os corpos "desde seu interior", o que faz supor que estejam neles como se revestidos de uma armadura pesada, que a duras penas é controlada, na medida do possível. E sendo esse traje de carne tão oneroso, não seria surpreendente que a alma tivesse grande dificuldade de lidar com os demais corpos, que lhe são extrínsecos, o que se dá por meio de uma "operação mais fraca", em comparação com os resultados que obtém com o próprio corpo. Com efeito, mais fácil e direto para a alma o movimento do próprio corpo, em que está ínsita, do que o deslocamento de um dado objeto que lhe esteja ao lado, pelo simples fato de que não se move nenhum objeto senão por meio do corpo, direta ou indiretamente, o que subentende, portanto, um movimento duplo. Logo, se mover o corpo já é um ônus, muito maior movê-lo para através dele mover algo além, como quem carregasse dois enormes fardos, e não apenas um.

## 3,12,35,120. Ordem, ornamento e pecado

**120.** A – De onde se colige[121] que não teria faltado ornamento perfeitamente congruente à ínfima criatura corpórea, mesmo se ela[122] não tivesse querido pecar...

O pecado não é necessário à Ordem universal, pois uma alma não orna a criatura corpórea, que lhe é inferior, por meio do seu pecado, que é a aversão deficiente de sua vontade do Bem comum e imutável, e sim por meio de sua

[120] Cf. 3,9,28,101-102.

[121] Quer dizer, "do que se conclui que...".

[122] Refere-se às almas inferiores que habitam corpos terrestres. A objeção seria essa: se não houvessem pecado, não haveriam de habitar corpos terrestres, e por consequência não ornariam as criaturas corpóreas ínfimas, como o fazem, desde que pecaram. Logo o pecado seria necessário à ornamentação das criaturas inferiores. Argumento semelhante já foi apresentado antes (cf. 3,9,26,92-95).

natureza superior, natureza que é, vive e intelige; quer ela peque, quer deixe de fazê-lo. No entanto, se a alma nunca houvesse pecado, e como consequência habitado a carne mortal, seria lícito indagar do modo como seriam ornadas as criaturas corpóreas inferiores, que apenas são e vivem. Pois bem, se pecado nenhum houvesse sido perpetrado, diz Agostinho, ornamento congruente por certo não faltaria à criatura inferior. Porém não se pode perder de vista a relação íntima entre ornamento e ordem, ou seja, entre beleza e justiça[123], sob pena de perder-se a questão em considerações indevidamente limitadas. Com efeito, não se trata aqui apenas de tornar a criação mais bonitinha pela aposição de meros adornos, como se fossem uma fonte de deleite para o Artista divino e sua corte celeste, mas principalmente pô-la e mantê-la em ordem, ordem cuja perfeição é sumamente bela, beleza que não é senão a ordenação perfeita de todas as coisas que são.

> **120.** A – [...] visto que aquela que pode reger o todo também rege a parte, porém a que pode o menos, não se segue de imediato que possa o mais. De fato, um médico perfeito[124] também sana a escabiose de modo eficaz, mas não se segue de imediato que aquele que consulta com proveito um escabioso possa remediar a saúde humana universal[125].

De que modo, pois, dar-se-ia essa ornamentação das criaturas corpóreas, não o diz o filósofo, senão por meio de um argumento retórico, elaborado sobre uma simples variação do tópico do mais e do menos: "se no mais, também no menos", cuja inversão, contudo, é veementemente recusada: "se no menos, não necessariamente no mais"[126]. Pois bem, as almas superiores, não apenas por sua natureza, visto habitarem corpos celestes igualmente superiores, mas por sua inabalável disposição em não pecar, disposição que as habilita a que cumpram os mais altos encargos atribuídos pela Administração divina na manutenção da universalidade da criação, enfim, essas almas, sendo aptas para reger o universo, sem qualquer dúvida o seriam também para reger suas partes menores, pois não seria razoável imaginar que um anjo, apto para cooperar com a estabilidade cósmica, fosse incapaz de ornar, isto é, embelezar para a

---

123 Cf. 3,11,32,113-114. No que tange ao sentido de "ornamento" e sua relação íntima com as noções de "ordem" e de "justiça", veja-se adiante: 3,12,35,122-124.

124 No sentido de "muito versado", cuja instrução é completa, e não um diletante.

125 Quer dizer, não é porque é capaz de sanar a escabiose que será igualmente capaz, como consequência imediata e necessária, de curar todas as enfermidades da humanidade. Neste caso não se aceita como válido o tópico: "quem pode o menos pode o mais", apenas o seu contrário: "quem pode o mais pode também o menos".

126 Cf. 2,10,29,116-118; 18,48,182-185; 49,186-188 etc.

ordem e ordenar para a beleza, simples corpos mortais. O contrário, contudo, não se tem por razoável, pois uma alma pecadora, que porventura orne um corpo terrestre, não por isso seria capaz de manter em ordem o mecanismo cósmico. E como experimentado rétor que era, Agostinho não deixa de ilustrar o argumento assentado sobre esse tópico com um outro, construído dessa vez com o recurso do *exemplum*. Não é por ser capaz de curar uma doença de pele específica, que desponta num determinado indivíduo, que o médico, por mais capacitado e instruído seja, se faça necessariamente apto a cuidar também de todas as enfermidades existentes no mundo.

## 3,12,35,121-122. Impecabilidade espontânea

> **121.** A – E se de fato se considera certa a razão[127], pela qual se torna manifesto que conveio existir uma criatura que nunca tenha pecado e nunca há de pecar, que o seja também aquilo que a mesma razão comunica[128], que ela se abstém do pecado por meio de sua vontade livre, e que não é coagida a que não peque, mas não o faça de modo espontâneo.

No caso da criatura superior, contudo, que não peca, nunca pecou e que não há de pecar em tempo algum, deve-se considerar não apenas que deveria ter sido criada por Deus[129], por ser necessária à manutenção do ordenamento da universalidade das criaturas, mas sobremodo que sua condição de impecabilidade é decorrente não de um dom imerecido, mas de sua própria vontade livre. De fato, diz Agostinho, essa criatura impecável mantém sua vontade convertida de modo inconcusso para o Bem supremo e avertida dos bens inferiores de modo espontâneo, não coagido, do contrário não teria mérito algum, tampouco seria responsável pelo pecado que cometesse, automatismo cuja consequência seria sua supressão do mais alto degrau da escada das naturezas, o degrau das criaturas racionais, precipitação essa que a tornaria apenas uma criatura dotada de existência e vida, porém não de inteligência.

## Mas nem os anjos não são imprescindíveis

> **122.** A – [...] se também ela própria pecasse, seria suficiente o poder da inefável potência de Deus para reger essa universalidade.

[127] O raciocínio aduzido em 3,11,32,114.

[128] Isto é, que o mesmo raciocínio conclui.

[129] Cf. 3,11,32,114.

O criador é onipotente e absolutamente autossuficiente, o que equivale a dizer que nele não há qualquer inópia, que ele não carece de nada, muito menos de alguma de suas criaturas, as quais criou simplesmente porque as criou, quando não, apenas e tão somente porque quis. E por isso, por sua onipotência e autossuficiência, na hipótese de que alguma de suas criaturas, ou quiçá todas elas, mesmo as mais excelsas, viessem algum dia a pecar, o que seria impossível, pois ele previu que nunca pecariam, embora essa previsão, um tanto imponderável à razão humana, não lhes subtraísse jamais a liberdade de querer, enfim, ainda que pecassem todas, avertendo-lhe a vontade e com isso precipitando-se adrede escada ontológica abaixo, ainda assim o Criador em nada seria prejudicado, nem sua obra sofreria detrimento algum[130]. O poder inefável de sua autoridade divina daria conta de manter a Ordem em perfeito funcionamento, sustentando o equilíbrio da balança da Justiça, ao premiar os bons, por suas virtudes, e castigar o maus, por seus vícios, recompensas justas, ambas, pois congruentes com o mérito individual, decorrente de escolhas livremente arbitradas.

## 3,12,35,122-124. A beleza da Justiça: ordem e ornamento

**122.** A – [...] retribuindo a todos [recompensas] congruentes e condignas, nada permitisse em todo seu império que fosse torpe e indecoroso[131].

Deus ordena ornamentando e ornamenta ordenando, antimetábole, bem ao sabor do rétor e filósofo, que não significa outra coisa senão que Deus, ao promover e manter a Ordem da universalidade de sua criação, simultaneamente a ornamenta, ou seja, torna-a bela, beleza que se faz tão mais perfeita quanto perfeita é a ordenação implementada. E de que modo essa ordem é instaurada, senão por meio da Justiça? De fato, Ordem e Justiça silenciosamente se confundem, deixando entrever, passo a passo, sua feliz coincidência. No início do livro segundo[132] Evódio não justifica a origem divina do homem senão em decorrência da própria punição dos pecados, visto ser de Deus que decorre toda a Justiça, ele que é o justo ultor do que não é o mau autor[133], sendo também o justo

---

130 Mesmo porque ele poderia criar outras, ainda melhores, se quisesse, visto ser onipotente.

131 Quer dizer, nada que fosse vicioso e disforme, ou contrário ao Bem e ao Justo, igualmente belos.

132 Cf. 2,1,2,3-4.

133 Cf. 3,4,11,40-41.

Ordenador[134], o ecônomo celeste[135], cuja balança está perfeitamente aferida[136], de cujo equilíbrio forçado não escapou nem mesmo o diabo[137], o injusto que não pôde evadir-se de sua soberana Justiça. Ora, sendo o princípio supremo do ordenamento prescrito pela Lei eterna, também denominada Razão suprema, o imperativo da manutenção da soberania do superior face ao inferior, desobedecido esse imperativo, entra de imediato em vigor a Justiça, fazendo aplicarem-se as penas decorrentes da desordem, a qual em si mesma constitui um castigo amargo, cuja consequência imediata é a dor. A Justiça é por princípio ordenadora, ou antes, reordenadora, pois sua função não é outra senão a manutenção da Ordem, que não se dá sem o mais perfeito equilíbrio de sua balança. Não se faz necessário recurso a mais exemplos, sendo o próprio diálogo todo um verdadeiro hino de louvor à Ordem, por assim dizer, e por consequência, à Justiça[138]. O belo, por sua vez, não é senão aquilo que está em perfeita ordem, cada parte em harmonia com o todo e com as demais partes, do que resulta que o Belo em si não seja nada além da própria Ordem em si mesma, pois o princípio ordenador de todas as coisas é também ornamentador, e não se admite que algo possa ser belo sendo simultaneamente desordenado.

Portanto, ainda que lhe faltassem as almas superiores, encarregadas da manutenção do ordenamento e da beleza da universalidade da criação, seria capaz por si só o Supremo Juiz e Ordenador de fazer valer sua Justiça, mantendo a Ordem e simultaneamente a Beleza em toda a sua obra. E vê-se que assim o é, segundo o pensamento do filósofo, pois é pelas retribuições congruentes e condignas, distribuídas pela Justiça divina, que seu império se mantém justo e belo, eliminando seus antagonistas, o injusto ou torpe, e o indecoroso ou disforme. Logo resta patente que a Justiça divina não apenas mantém ordenado, mas também mantém decorado, ou antes, ornamentado, o universo, ao sustentar o equilíbrio de sua balança, impondo retribuições congruentes e condignas a cada uma das criaturas inteligentes.

---

134 Cf. 3,6,19,65-67.

135 Cf. 3,9,27,96-99.

136 Cf. 3,10,29,105.

137 Cf. 3,10,31,110.

138 Note-se que uma das primeiras obras de Agostinho, o diálogo *De ordine*, anterior ao próprio *L.A.*, já propugnava por uma exaltação da ordem, porém em escala bastante menos abrangente e em menor complexidade do que o filósofo aqui empreende, como se se tratasse de um primeiro passo, propedêutico, ao tratamento cosmológico que por certo germinava já em sua mente.

## Da contemplação racional ao inefável louvor

**123.** A – Porque, ou se por nenhum dos poderes fundados precisamente para isto (se toda natureza angélica, pecando, houvesse operado a defecção de seus preceitos), por sua própria majestade *Deus* regeria todas as coisas de maneira perfeitamente adequada e ótima...

Portanto, se se avertesse a vontade de quem fosse, o Criador de todas as naturezas nada obstante manteria estáveis a bela ordem e a ordenada beleza de sua criação, pelo equilíbrio indefectível da balança de sua Justiça. De fato, [i] mesmo que o Criador se visse no comando solitário de todo o universo, sem o auxílio dos poderes instituídos por ele mesmo para a administração de sua obra, o que só aconteceria se os anjos pecassem e avertessem sua vontade dele, que se lhes constitui o Bem comum e imutável, convertendo-a para os bens mutáveis e próprios, ainda assim, se essa improvável aversão ocorresse, Deus regeria tudo de modo perfeito e absolutamente conveniente. E nem nesse caso, pois, por algum tipo de represália ou vingança, que o latim de Agostinho gostava de denominar "inveja", aquele olho maléfico e vicioso com que se costuma "secar" o sucesso alheio ou desejar o aniquilamento daquele cuja ventura não se pode sequer imitar, muito menos suportar, nem mesmo depois de terem desertado de seu amor os anjos, nos quais depositara o Criador tanta confiança, demonstrada na importância da tarefa que lhes havia confiado, na administração de sua obra, nem sequer aí lhes voltou olhado mau para sua condição espiritual, o que poderia ter feito, simplesmente eliminando-os, fazendo com que não mais existissem naquele degrau em que um dia estiveram. Poderia, mas não o fez, apenas por causa da enorme dimensão de sua bondade, que cria não apenas as criaturas excelsas, impecáveis, mas também as corpóreas e perecíveis, estas muito abaixo daquelas.

**123.** A – [...] nem assim invejando[139] a criatura espiritual, [a evitar] que ela existisse, ele, que por meio da enorme largueza de sua bondade também instituiu a criatura corporal, de longe inferior às espirituais que pecam,

A ele, pois, é devido inefável louvor, um louvor além das limitadas palavras, além da compreensão racional da criatura, inevitável a todo aquele que se

---

[139] Quer dizer, lançando *contra* ela um olho mau, pretendendo não criá-la ou destruí-la, como vingança por ter seus preceitos sido abandonados por essa criatura espiritual, que não deveria ter pecado.

disponha a contemplar-lhe interiormente a obra, por meio da própria razão. Embora inefável o louvor devido ao Criador de todas as naturezas, de modo paradoxal se diz que a contemplação de sua obra se faz racionalmente, o que se explica muito facilmente. Basta lembrar como, no segundo livro desta obra, a argumentação para provar racionalmente a existência de Deus partiu da apreensão sensorial da natureza corpórea em busca da contemplação racional do conjunto da criação, através do intermediário sentido interior, para que ulteriormente se pudesse ultrapassar a própria razão, quando então se esperava deparar com a Sabedoria inefável e eterna, cuja Verdade clama desde as profundezas de sua eternidade infinita, por meio daquele silêncio eloquente: "Eu sou".

> **123.** A – [...] de modo que não exista ninguém que considere racionalmente[140] o céu, a terra e todas as naturezas visíveis moderadas, formadas[141] e ordenadas em seus respectivos gêneros, que, ou creia que seja outro, e não Deus, o Artífice de todas as coisas, ou que não reconheça que ele deve ser inefavelmente louvado...

Ninguém, pois, em sua contemplação da criação, depois de ter apreendido pelos sentidos todos, de modo especial o da visão, o céu, a terra e as demais naturezas, todas elas visíveis, que então se dedique a considerações puramente racionais acerca de sua medida, seu número e sua ordem, cada qual em seu gênero apropriado, deixe de crer, como consequência inevitável, que Deus seja o Artífice de tudo o que existe, e que por isso mesmo deva ser louvado de modo inefável, para além das palavras, finitas por sua própria natureza, que podem ser excogitadas e proferidas a seu respeito. Se tudo o que é visível possui medida, número e ordem, o que permite que seja apreendido de algum modo, primeiramente pelos sentidos, depois pela razão, aquele que as criou, ao contrário, é inefável; ele, que se diz a suprema Forma, fonte invisível de toda forma; o Número eterno e infinito; e a Medida sem medida de todas as coisas, a Fonte ilimitada do limite de tudo. Logo, sendo inefável, não pode ser louvado senão de modo igualmente inefável, o que não significa dizer inteligível, pois então seria

---

140 Liter.: "que observe por meio da razão", ou "de modo racional".

141 Naturezas dotadas de medida (*modus*), forma (*forma*) e ordem (*ordo*). Cf. 2,19,54,203. A forma entra aqui em lugar do número, o que não provoca nenhuma substancial alteração, uma vez que tudo aquilo que tem forma tem igualmente número. Cf. também 2,16,42,164: "Considera o céu, a terra, o mar e todas as coisas que neles refulgem de cima, ou rastejam embaixo, ou voam, ou nadam. Elas têm formas porque têm números. Retira-lhes esta forma, nada serão! Logo de onde é que elas são, a não ser de onde é o número, visto que elas possuem tanto mais 'ser', quanto mais numerosas são?".

louvado pela razão, e sim para além da inteligência, para além das palavras, naquele silêncio eloquente em que tudo se cala diante da eternidade do Ser.

**123.** A – [...] se o poder angélico, pela excelência de sua natureza e pela bondade de sua vontade[142], não se sobrelevasse na disposição da universalidade, mesmo se todos os anjos houvessem pecado, nenhuma inópia causariam ao Criador dos anjos, para que regesse o seu império[143].

Portanto, nem mesmo [i] com uma suposta mas improvável deserção de todos os anjos, tampouco [ii] se o poder dos anjos não se destacasse em relação às demais criaturas, seja em virtude da superioridade de sua natureza, seja pela bondade de sua vontade, indefectivelmente voltada para o Bem comum, ou mesmo se todos eles, por uma indizível desventura, resolvessem pecar e se afastassem do Criador, nem assim, sustenta Agostinho, essa defecção em massa e improvável rebaixamento do degrau ontológico das criaturas angélicas seria fonte de algum tipo de carência, por menor fosse, ao próprio Criador de todos os anjos, de modo que lhe estorvasse a regência da universalidade da criação, pois Deus é onipotente e absolutamente autossuficiente.

## A ordem indefectível é digna de inefável louvor

**124.** A – Pois nem a sua bondade [...] nem sua onipotência [...] seria deficiente para criar outros [anjos], os quais ele colocaria em suas sedes [apropriadas], das quais, pecando, outros desertaram...

Deus poderia criar outros anjos quando e como quisesse, os quais substituiriam prontamente quaisquer desertores. Saibam eles que sua revolta em nada alteraria a Ordem indefectível da universalidade, pois nenhuma defecção entre

---

142 Diz-se "bondade" de sua vontade porque, estando sempre convertidos para Deus, que é o Bem supremo, comum e eterno, a vontade dos anjos impecáveis é boa (*bona uoluntas*); ao contrário, aquela vontade avertida de Deus e convertida para os bens próprios e mutáveis, é o próprio mal.

143 Nada obstante ter sugerido acima (3,11,32,113-114) que os anjos eram imprescindíveis para a manutenção do ordenamento da universalidade da criação, Agostinho deixa claro que nenhuma criatura é imprescindível diante de Deus, sendo todas facilmente suplantáveis pelo Criador. Na verdade os anjos são importantes, mas apenas enquanto criaturas impecáveis, para o bom ordenamento da universalidade da criação, o que não implica, contudo, que o Criador não pudesse fazer o que eles fazem, ou mesmo criar outros anjos ainda melhores do que eles. O que se deve salvaguardar, antes de tudo o mais, como demanda o princípio de piedade acatado no início da disputa dialética (1,2,5,12-13), é a onipotência e a autossuficiência divinas.

suas criaturas, fosse de ordem angélica, fosse de ordem inferior, lhe poderia minorar a bondade, causando-lhe algum aborrecimento ou aversão (*taedium*), ou diminuir-lhe a onipotência, como se enfraquecesse sua potência, porque Deus é aquele que: [i] embora mude todas as coisas, é sempre imutável; [ii] embora aja, está sempre em repouso; [iii] embora sinta pesar, jamais sofre; [iv] embora se irrite, permanece sempre tranquilo; [v] e embora mude sua obras, nunca modifica seus desígnios originais[144].

**124.** A – [...] ou mesmo a criatura espiritual, não importa em que número, se fosse condenada em virtude de seus méritos, [nem mesmo ela] poderia restringir a ordem, que de modo conveniente e adequado captura todas as [criaturas] condenadas.

Essa ordem indefectível a todos abrange, como uma teia ubíqua e onímoda, da qual nenhuma criatura em tempo algum pode evadir-se, nem mesmo a mais elevada de todas, a criatura puramente espiritual, a qual, se por ventura viesse a pecar, sofreria igualmente a justa condenação.

**124.** A – [...] Portanto [...] Deus deve ser louvado de modo inefável, o excelente Fundador de todas as naturezas e justíssimo administrador.

Em cada uma dessas supostas defecções angélicas deixou patente Agostinho, de modo tão mais evidente quanto mais irreais seriam, a perfeição da Ordem instaurada pelo Criador, constituinte da própria Beleza que lhe é indissociável, as quais Ordem e Beleza são mantidas de modo indefectível pelo equilíbrio da balança de sua Justiça divina, atribuindo a cada um segundo seus méritos, seja o prêmio, e a consequente felicidade, pelo bem que cometeram, seja o castigo, e o consequente sofrimento, pelo mal perpetrado.

## 3,12,36,125. A insuficiência das palavras e a contemplação do inefável

**36, 125.** A – [...] deixemos a contemplação da beleza das coisas àqueles que podem vê-la por dádiva divina, e não tentemos induzi-los a considerar[145] as coisas inefáveis por meio de palavras...

---

144 *Conf.* 1,4,4: *"[i] inmutabilis mutans omnia; [ii] semper agens semper quietus; [iii] paenitet te et non doles; [iv] irasceris ettranquillus es; [v] opera mutas nec mutas consilium..."*. Cf. *L.A.* 1,2,5,12-13.

145 Na falta de um vocábulo mais adequado, traduziu-se *contueor* por "considerar", que não se afasta demasiado do sentido de "contemplar", solução que se evitou por ter-se utilizado o filósofo, duas linhas acima, do vocábulo "contemplação" (*contemplatio*).

A ordem e a beleza das coisas só podem ser contempladas verdadeiramente por aqueles cuja visão foi capacitada por alguma dádiva (*munus*) de origem divina. Nesse caso as palavras são de pouca ou nula valia, pois se está referindo às realidades suprarracionais, muito além das possibilidades dos instrumentos de que razão humana foi dotada, ela que não raro peca pela loquacidade. Se a beleza das criaturas visíveis pode ser apreendida pelos olhos da carne, assim como a ordem que lhes é própria, por possuírem medida e número, que podem ser trabalhados pela razão, comparados e julgados, e se até mesmo a justiça pode ser compreendida pela mente humana, a partir de seus efeitos na vida das pessoas, contudo nem o Belo, tampouco a Ordem ou a Justiça divinos, em si mesmos, que são a própria Verdade e Sabedoria, una, imutável e eterna, podem ser considerados plenamente, a não ser num silenciar total da razão, no êxtase alcançado através de uma contemplação mística, quiçá, e apenas num curto e fugidio instante, posto que infinito, de que os neoplatônicos por vezes se vangloriavam, ou então apenas quando se estiver diante da face divina, na eternidade sabática intensamente esperada, aos que lograrem atingi-la. Portanto, seja em êxtase, seja depois de morto o corpo, somente aí é que se pode ambicionar a contemplação do Belo em si. Há, porém, uma outra maneira, menos intensa, é verdade, mas bem mais estável e permanente do que a fugacidade dos exercícios ascéticos dos neoplatônicos: o louvor, louvor-contemplação por meio do qual o coração daquele que crê, com fé, esperança e caridade, em mística contemplação, é lançado, qual uma âncora, até Sião, a Jerusalém celeste tão esperada, embora esteja ainda preso à carne, atado aos pesados grilhões do corpo, nesta Babilônia nebulosa em que deve peregrinar, banhado apenas e tão somente pelas luzes da fé e da sabedoria[146].

**36, 125.** A – [...] percorramos tamanha questão por meio de um brevíssimo resumo[147].

Embora a tarefa de dizer o indizível seja inglória, por causa dos homens de língua comprida – por certo os maniqueus[148] –, promete agora o filósofo tratar de questão da maior importância e envergadura, a contemplação da Beleza inefável, contudo apenas por meio de uma brevíssima sinopse.

[146] Cf. 2,16,41,161 (*En. in ps. 64*, 3); 3,7,21,73.

[147] *Complexio* [*complector*, "abraçar"] significa, neste caso, uma sinopse, um resumo que "abraça" o conteúdo todo dito até aqui.

[148] O que se depreende claramente a partir do que se dirá na sequência.

## Louvor e vitupério
(Da corrupção do bem)

### 3,13,36,126-127. A contemplação do Bem: brevíssimo resumo

A contemplação e o necessário louvor da eterna beleza do Bem imutável, por meio de palavras, ou seja, racionalmente, conquanto ele seja inefável, só pode ser feita através da consideração de sua obra, a obra da criação. Na verdade toda a argumentação desde o princípio do livro inaugural não pôde furtar-se a empreender uma incansável consideração da criatura, que se empreendeu em vista do louvor que se crê devido ao Ser – *laudandus deus* –, o Criador de todas as naturezas, o Bem supremo, a eterna e inefável Beleza, Justiça, Verdade e Sabedoria. E isso não se justifica apenas por causa dos "palavrosos" maniqueus, que insistiam em esquivar-se da responsabilidade pelo mal perpetrado e acusar, segundo suas doutrinas, uma das duas divindades que supostamente pelejavam pela presidência universal. A necessidade de consideração das naturezas, criadas todas pelo Ser supremo, se justifica sobremodo porque se constituem, em pequenina escala, um reflexo do próprio Criador, quando não, da estrutura da Ordem criada. E não apenas individualmente, como células microscópicas de um grande organismo (não se está referindo a Deus, ao modo panteísta, e sim à universalidade de sua criação), por possuírem em si medida, número e ordem[149], espécie de DNA da criatura, mas também em relação umas às outras, segundo seu posicionamento na escada ontológica ou das naturezas: ser (*esse*), viver (*uiuere*) e inteligir (*intellegere*)[150], umas sendo tanto mais (o que significa também ser melhor) do que outras, quanto mais acima na escada estejam, posicionamento superior que corresponde igualmente a uma proximidade tanto maior do Ser supremo. E, em conformidade com o que se viu antes[151], esse escalonamento ascendente não se refere à mera superioridade de seu prestígio espiritual, mas principalmente a uma preeminência ontológica, uma vez que, quanto mais acima na escada, mais se aproximando do Ser supremo, tanto mais ser acumula; sendo o contrário igualmente válido, quanto mais se averte do Ser, tanto mais

---

149 Cf. 2,19,54,203.

150 Cf. 2,3,7,21-24.

151 Cf. 3,7,21,71-75, esp. §74.

descende na escada, e de modo correspondente diminui a quantidade de ser que possuía. Essa ordenação triádica, a evitar, por prudência, o termo "hierarquização", que seria utilizado mais tarde por Dionísio, o pseudo-convertido do Areópago[152], em verdade, conquanto tenha sido reduzida a uma díade[153], corpo e vida, ou carne e espírito, poderia ser ainda mais reduzida, a uma mônada, o "ser", que é também o bem. De fato, o universo agostiniano estrutura-se todo a partir de sua "célula-mãe", o ser, que é sempre bom, podendo ser considerado uma grande peregrinação ascendente (das almas racionais apenas) desde a ausência total de ser ou bem, o nada absoluto, de onde tudo teria saído, pela ação criadora de Deus (*ex nihilo*), até à eterna e plena beatitude do Ser supremo, que é igualmente o sumo Bem (*summum bonum*), posto que grande parte das criaturas, que apenas são e vivem, não tenham sido vocacionadas à ascensão peregrinante, apenas à ornamentação do conjunto universal da criação, porque "são", o que as torna igualmente boas. Portanto, sendo o Ser inefável e imperscrutável, não resta à criatura racional, se quiser evitar os arrebatamentos místicos dos "presunçosos" neoplatônicos[154], senão a contemplação de sua obra, que equivale ao conjunto de todos os bens, obra ordenada com beleza e embelezada com a mais perfeita ordem, seja intrinsecamente, na estruturação de cada uma de suas partes, em seu gênero particular, seja na relação justa e adequada entre elas e o todo. Por conseguinte, ao contemplar-se a Justiça da Beleza universal, não há como não tecer inefáveis louvores a seu Artífice, como o próprio Agostinho deu conta de dizer[155].

## O bem do mal: álgebra ontológica

Portanto, se contemplar o bem das criaturas é o caminho necessário para todo aquele que tenha pretensões de contemplar o Bem inefável, deve-se principiar por uma consideração meticulosa desse bem, a que se compreenda sua gradação, isto é, o motivo por que algumas criaturas, embora pertençam ao mesmo degrau ontológico, o dos seres racionais, contudo possuam mais ser que outras. Ou então, do ângulo oposto, por que algumas

---

[152] Cf. At 17,34.

[153] Cf. 2,17,46,175-177.

[154] Cf. *Conf.* 7,20,26; Paulo, 1Cor 8,1.

[155] Cf. 3,12,35,123 etc.

criaturas são menos boas do que outras? Como perdem seu bem? Essa diminuição ontológica, que Agostinho denomina "corrupção", não é senão o mal. Portanto indagar de sua origem implica retomar a questão do mal e de suas causas. Logo considerar a corrupção do bem é também considerar o próprio bem, mas a partir do mal, como se fosse um ângulo hermenêutico privilegiado, por assim dizê-lo. Portanto contemplar a corrupção das naturezas pelo metro do mal redunda na contemplação do bem segundo sua diminuição, seu defeito, como se se pudesse computar quanto de bem falta a uma dada natureza para que possa voltar a ser plenamente boa; diferença essa que se define, seja como mal, seja como pecado, seja como corrupção da natureza, seja como movimento de aversão do Bem comum e imutável para os bens próprios e mutáveis. Portanto, seja com que nome se refira a ela, deve-se compreender que essa diferença não existe, enquanto natureza, apenas enquanto defeito ou deficiência dela, como se se dissesse que na operação algébrica de subtração de uma quantidade *Q* de um total T, que resultasse na diferença $D_{tq}$, todos os operadores pudessem ser mensurados, sendo T o homem íntegro, antes do pecado, *Q*, a quantidade de pecado cometido, e $D_{tq}$ o mesmo homem, depois do pecado. Se T e $D_{tq}$ podem dizer-se em algum momento terem existido, contudo *Q*, o pecado, enquanto substância, uma natureza com medida, número e ordem, embora tenha sido perpetrado e deixado consequências inquestionáveis, não existe, enquanto uma determinada quantidade, pois trata-se apenas da subtração de T, ou seja, da diminuição da quantidade de ser de T, que, ao ser corrompido pelo pecado, simplesmente deixa de existir, e não vai para outro lugar, como se houvesse um repositório para *Q* e demais quantidades subtraídas. A diferença $D_{tq}$ resultante pode um dia retornar a seu estado ontológico original, voltando a ser plenamente T, se se lhe adicione novamente uma quantidade equivalente ao *Q* subtraído. Contudo o *Q* original está irremediavelmente perdido, pois simplesmente deixou de ser. A nova quantidade $Q_n$, que poderia substituir o *Q* perdido de T, não pode ter outra fonte senão Deus, a fonte de todo ser. De fato, o ser que foi conferido a T, quando de sua criação, se pode ser corrompido até à aniquilação, pelo pecado de T, não pode ser recuperado pelo simples esforço arrependido de T, deve ser "redado", por assim dizer, ou melhor, "recriado"; porém o único capaz de redar ou de recriar *Q* ou outra quantidade qualquer de ser, só pode ser aquele único com o poder de dar e de criar, Deus.

## Diminuição do bem

**126.** A – Toda natureza, que pode tornar-se menos boa, é boa[156]; e toda natureza, enquanto se corrompe[157], torna-se menos boa. Pois ou não a prejudica a corrupção e não se corrompe, ou então, se se corrompe, prejudica-a a corrupção, e se prejudica, diminui algo de seu bem e torna-a menos boa[158].

No silogismo: $P._1$. Tudo o que existe foi criado por Deus; $P._2$. Deus fez todas as coisas boas (ou seja, tudo o que Deus faz é bom); C. Logo tudo o que existe é bom, as premissas $P._1$ e $P._2$ assentam-se sobre os pressupostos estabelecidos a partir do princípio de piedade apresentado logo no início da obra[159], os quais foram "comprovados" na segunda parte[160], quando Agostinho deu conta de demonstrar [i] a existência de Deus e [ii] a origem divina de todos os bens. Todavia, tão importante quanto ter demonstrado a origem de todos os bens, foi ter conseguido provar também a impossibilidade do mal, como decorrência da criação *ex nihilo* e da suma bondade divina; numa palavra, ter conseguido provar a impossibilidade da existência do mal, enquanto natureza. De fato, se

---

156 Boa em menor grau (*minus bona*), por meio de uma diminuição em sua natureza, isto é, um diminuição em sua bondade, uma vez ser bom tudo o que é. Por outro lado, aquilo que não é não pode ser bom, mas apenas um nada. Essa diminuição das naturezas se refere obviamente à criatura, natureza mutável, jamais a Deus, que é imutável. Vale notar, contudo, que, embora tanto em latim como em vernáculo os comparativos dos adjetivos "bom" (*bonus*) e "mau" (*malus*) sejam irregulares, respectivamente "melhor" (*melior*) e "pior" (*peior*), Agostinho não está dizendo que a natureza se torne "pior", tradução que seria um grave erro. De fato, quando se diz que $N_p$ é pior do que era antes do pecado, assim se está dizendo de sua qualidade, não de sua quantidade de ser. Se é verdade que, ao deteriorar-se, ela até pode ser dita "pior", em relação a algum padrão ético desejável, ontologicamente isso é um erro, pois ela é sempre boa, enquanto existe. Logo nunca é pior, apenas menos um bem, ou antes, menos boa, pois permanece boa (visto ser um bem) até que deixe de existir por completo, assim como todo o seu bem, caso essa supressão total do ser se dê de fato.

157 Durante o tempo em que se está corrompendo ou que pode corromper-se.

158 A corrupção de uma dada natureza, que é sempre boa em algum grau, causa dano a seu bem, fazendo com que o bem, B, que possuía originalmente, seja diminuído de uma certa quantidade, *q*, tornando-se $B_{q-1}$, $B_{q-2}$, $B_{q-3}$,..., $B_{q-n}$, à proporção que se vai corrompendo, até perder completamente o seu bem, quando então se aniquila por completo, deixando de ser. O que, em relação às criaturas inteligentes, significa afastamento total do Ser, e não deixar de ser por completo, aniquilação essa que, neste caso, compete exclusivamente à vontade imperscrutável de Deus, pois só ele pode descriar o que criou, lançando de volta para o nada aquilo que do próprio nada havia tirado.

159 Cf. 1,2,5,12-13.

160 Cf. 2,16,41,161-17,46,177.

Deus criou todas as coisas a partir do nada, e se todas elas são boas, porque ele é bom e não faz senão o bem, não poderia existir o mal, enquanto criatura, salvo se criado por alguma outra potência que lhe fosse antagônica. Como só há um Deus, segundo estabelecido pelos axiomas assentados desde o princípio piedoso, já desde o início da disputa dialética, nenhuma outra criação houve senão a do bom Criador. Logo tudo o que existe deve necessariamente ser bom. Pois bem, essa totalidade existente das coisas criadas por Deus compreende o que o filósofo denomina *naturae*, cada uma das substâncias (*substantiae*) criadas por Deus, seja as que apenas existem e vivem, seja as que existem, vivem e também inteligem. Todas elas, pois, que possuem medida, número e ordem, se dizem "naturezas", porque "são", ser que possuem em virtude do ato criador de Deus, o Ser supremo. No entanto, parece que o Artífice divino planejou criar dois gêneros de criaturas, estáveis e instáveis, duas qualidades de naturezas, ambas as quais são, e por serem, necessariamente são boas. Assim, se todas as naturezas são boas, as que podem fazer-se menos boas, ainda assim permanecem boas, enquanto são, posto que em menor grau. Essa instabilidade, que permite com que uma natureza perca algo do seu bem, denomina-se "corruptibilidade"; seu contrário, a incapacidade de sofrer alguma mutação em sua natureza, ou seja, a impossibilidade de perder algo de seu ser, diz-se "incorruptibilidade". No entanto, se a criatura, ao sair da mão do Criador, é integralmente boa, do contrário ele a teria criado defectiva, a perda de algum grau de sua bondade, fazendo com que se torne menos boa, por distar de seu estado original, não pode ser considerada como algo de bom, embora certamente previsto pela Providência. De onde se depreende a corrupção ser algo mau, porque causa dano ao bem da criatura, retira-lhe algo de sua plenitude, subtraindo seu ser, diminuindo sua natureza, fazendo com que se corrompa, não apenas moralmente, como se se tratasse de mero desvio de conduta, mas integralmente, substancialmente; numa palavra, seu ser é corrompido, deixando de ser tão bom quanto havia sido, quando saiu da linha de produção divina. Por outro lado, aquela que não se corrompe, não sofrendo detrimento algum em sua natureza, é dita incorruptível, porque mantém para sempre seu ser, que não sofre diminuição.

## O corrompido incorruptível

**126.** A – [...] se [a corrupção] a priva completamente de todo o seu bem, qualquer coisa que dela remanesça já não poderá corromper-se, porque nenhum bem existirá, por cuja retirada a corrupção possa prejudicá-la. Porém o que a corrupção não pode prejudicar não se corrompe.

**127.** E depois, uma natureza que não se corrompe é incorruptível. Logo haverá uma natureza – o que é absurdíssimo dizer! – que se tornou incorruptível pela corrupção.

O que se disse acima parece levar a uma conclusão paradoxal. Se a corrupção da natureza subtrai-lhe o bem, decorre forçosamente disso que uma corrupção constante e prolongada cedo ou tarde aniquile totalmente o bem da criatura. E se todo o seu bem fosse aniquilado, não restaria bem algum que pudesse ser corrompido, e a criatura deixaria de ser prejudicada pela corrupção. Logo uma natureza totalmente corrompida deixaria de ser corruptível. O argumento paradoxal assim se esquematiza:

1. Toda natureza passível de corromper-se é corruptível;
2. Toda natureza que não é passível de corromper-se é incorruptível;
3. A corrupção diminui o bem da natureza corruptível;
4. Logo toda natureza corruptível tem seu bem diminuído;
5. Uma natureza *N* que teve todo seu bem diminuído não tem mais bem, sendo uma natureza totalmente corrompida;
6. Logo o bem da natureza *N* não pode corromper-se mais[161];
7. Logo a natureza *N*, totalmente corrompida, torna-se incorruptível;
8. Logo a natureza *N* torna-se incorruptível em virtude de sua própria corrupção;
9. Logo a corrupção torna as naturezas corruptíveis incorruptíveis.

Na verdade não se trata de um argumento paradoxal, e sim adrede capcioso, em virtude de um erro grosseiro em (6), pois nada não pode ser corrompido. De fato, diz a premissa (5) que a natureza que teve todo o seu bem subtraído não tem mais bem, pelo que não poderia vê-lo ainda mais diminuído, pois já não era. Sabe-se que algumas naturezas exclusivamente corpóreas, como as que apenas são, mas não vivem nem inteligem, têm seu corpo corrompido, e com ele, presume-se, sua natureza, pois não têm alma, muito menos mente, deixando totalmente de ser, como por exemplo a cera de uma vela, que se queima até desaparecer por completo[162]. Todavia Agostinho está tratan-

161 Na verdade não há mais bem na natureza *N*, se ela foi totalmente corrompida. E se isso de fato se deu, ela não existe para que possa ser qualquer coisa, muito menos incorruptível.

162 Isso, contudo, caso não se recorra à teoria platônica das ideias, nem faça aproximar-se dela o que Agostinho disse no livro segundo a respeito das formas.

do aqui das almas, pois uma vela não é capaz de pecar. Portanto, no que tange às almas, resta obscuro até aonde possam de fato corromper-se. Se o nada é a ausência total de ser, caso pecassem renitentemente até que seu ser fosse totalmente diminuído, deixariam completamente de ser, e nem se poderia dizer que habitavam o nada, pois nem o nada é algum lugar onde pudessem resistir, nem elas seriam alguma coisa que pudesse dizer-se resistir[163]. Ademais, se se precipitassem no nada, nada haveria para que fosse julgado pelo supremo Juiz, no fim de sua existência. Nesse caso, quanto mais pecado cometessem, de modo a aniquilar totalmente seu ser, tanto melhor, pois fugiriam à Justiça divina, desaparecendo totalmente[164]. A questão que se coloca, em última instância, respeita ao estatuto ontológico do diabo, a alma pecadora por excelência: teria ele perdido todo seu ser e consequentemente deixado de ser, ou restaria nele algum ser, algum bem, o que lhe daria por certo esperanças de remissão? Se existisse, fosse onde e como fosse, em algum grau teria de ser bom, pois nada que existe pode não ser bom em algum grau. Se ainda é bom, enquanto natureza, porém sendo terrivelmente mau, enquanto pecador, quanto de ser ainda lhe restaria? Ou seria o nada sua fronteira, seu *non ultra?* Sendo boas as naturezas, que critério adotar para ordená-las, ou seja, como medir o quanto de ser cada uma delas possui, sendo a proximidade ou o afastamento do Ser supremo uma distância de mensuração complexa, quando não, impraticável?

## 3,13,36,127. Dois gêneros de naturezas: corruptível e incorruptível

> **127.** A – [...] toda natureza, enquanto é natureza, é boa, porque, [...] se é corruptível, visto que enquanto se corrompe se torna menos boa, sem dúvida é boa.

Logo não é possível que uma natureza totalmente corrompida seja incorruptível, simplesmente porque não é, visto que o que não é não pode ser coisa alguma. Portanto dois são os gêneros de naturezas, segundo esse critério da corruptibilidade: [i] corruptível e [ii] incorruptível. Os dois, contudo, são bons, do contrário não seriam nada. No entanto a natureza incorruptível se diz melhor do que a corruptível. De fato, sendo ambas as naturezas boas, e sendo a corrupção a diminuição de seu bem, decorre forçosamente que aquela natureza cujo bem não pode

[163] Cf. 3,5,15,56-16,60; ver adiante (3,16,45,154) a "solução" deste problema.

[164] O que seria um tiro no próprio pé, tornando-se um incentivo ao pecado.

ser diminuído seja melhor[165] do que a natureza cujo bem é passível de diminuição. De qualquer modo, o que Agostinho quer deixar patente, especialmente para uma parcela de seus interlocutores, os maniqueus, é que toda natureza, mesmo a corruptível, é boa, do contrário simplesmente não seria. E essa bondade universal das criaturas isenta o Criador da acusação de ter criado o mal, ao menos no que respeita aos corpos, considerados pelas seitas de ascendência gnóstica, como eram os próprios maniqueus, como um grande mal. Disso, contudo, já se tratou com riqueza de detalhes e profundidade mais que suficiente ao longo do segundo livro[166].

## 3,13,36,128. Natureza, substância e bem: nenhuma vontade é incorruptível

**128.** A – Porém toda natureza ou é corruptível, ou é incorruptível. Logo toda natureza é boa[167]. Chamo de "natureza" aquilo que costuma dizer-se também "substância". Portanto toda substância ou é Deus, ou é a partir de Deus[168], porque todo bem ou é Deus, ou é a partir de Deus[169].

Se dois são os gêneros que contêm todas as naturezas, o das corruptíveis e o das incorruptíveis, natural seria indagar do das incorruptíveis, que obviamente não inclui as criaturas que se corromperam, perdendo completamente o seu ser, como o silogismo acima capciosamente provocou. Deus é a Natureza incorruptível suprema, de que todas as demais foram criadas, não de si, mas por si, do nada, através de sua ação bondosa. Logo todas as naturezas ou são Deus, ou foram por ele criadas. Não há outra opção. E não importa se sejam chamadas de "naturezas" (*naturae*) ou de "substâncias" (*substantiae*), pois ambos os termos referem-se à mesma coisa, àquilo que é, e que, exatamente por ser, deve ser bom, como Deus é bom e boa toda a sua obra. Porém a natureza incorruptível por princípio é Deus, o Ser estável que jamais pode corromper-se, sofrendo mutação em sua natureza. Agostinho não o diz, mas é possível depreender-se que

---

165 Isso, ao menos no que tange à quantidade de bem que possui em si.

166 Cf. **2**,16,41,161-17,46,177; **3**,5,12,42-44; 9,27,96-99 etc.

167 É boa porque nenhuma natureza poderia corromper-se se não fosse boa, uma vez que a corrupção corrompe precisamente o bem das naturezas.

168 Quer dizer, "vem de Deus", significando que obtém sua existência a partir da ação criadora de Deus, como um dom, não que tenha saído dele, como se existisse antes, ou tendo emanado dele, como se fosse parte de sua própria substância. Toda substância é a partir de Deus porque foi por ele criada, a partir do nada. Portanto toda substância ou é Deus, ou foi criada por ele. Cf. *esse ex deo* no LÉXICO T-F.

169 Cf. 2,16,41,161-17,46,177.

as almas que conquistaram a excelsitude e a eternidade, as quais previu Deus que jamais deixariam de aderir a ele, pelo fato de fazerem-no espontaneamente, não por necessidade decorrente da presciência divina, devem também elas ser passíveis de alguma corrupção em sua natureza. Com efeito, se, como dito antes[170], mantêm-se elas junto a Deus por sua própria vontade, firme e estável, vontade que não se averte do Bem supremo, ainda que possam fazê-lo, precisamente pelo fato de serem capazes de averter-se é que se deve dizer que sejam corruptíveis também, isto é, que sejam passíveis de padecer a diminuição de seu ser. Se as criaturas supracelestes não pecassem senão por necessidade, seriam absolutamente incapazes de pecar, assim como de fazer o bem, pois não possuiriam nenhuma vontade, tendo sido comprovado que onde impera a necessidade inexiste a vontade[171]; logo seriam incorruptíveis, posto que deixando de ser criaturas racionais. Contudo, como são criaturas racionais, possuem uma vontade livre, a qual, por ser livre, pode averter-se, conduzindo-as à consequente e inevitável corrupção. Elas não se avertem apenas por que não querem averter-se, o que se dá em virtude de sua inconcussa boa vontade. Porém, em possuindo uma vontade, enquanto vontade, não pode não ser corruptível, pois toda vontade é por natureza corruptível, do contrário não seria vontade, já que uma vontade que não é livre para querer e não querer, *ad libitum*, não pode ser dita verdadeiramente vontade. Logo nenhuma alma racional pode ser incorruptível por natureza, pois nenhuma alma que possui vontade livre pode dizer-se absolutamente incapacitada de corromper-se. Com efeito, se sua vontade é livre, pode em algum momento averter-se do Bem comum e precipitar-se na corrupção do ser de si. E mesmo que Deus as tenha conhecido eternamente como impecáveis, pelo fato de tê-las criado almas racionais, são necessariamente possuidoras de vontade livre, não podendo, por causa dessa mesma faculdade, não serem passíveis do movimento de aversão, segundo se depreende do pensamento defendido pelo próprio filósofo, que nega com veemência que a presciência divina elimine o livre querer das almas. A não ser que se desconsidere toda a argumentação do filósofo no início deste livro terceiro, e se discorde de sua defesa da manutenção da liberdade, em vista da presciência divina; ou seja, a não ser que se considere que a presciência divina seja incompatível com a liberdade da vontade, determinando irrevogavelmente o querer de suas criaturas inteligentes. Se assim fosse, os anjos, que Deus conheceu desde sempre jamais haveriam

170 Cf. 3,5,14,53-54; 12,35,121.
171 Cf. 3,3,6,21-22; 7,27-28.

de pecar, na verdade nunca possuíram liberdade para fazer mal, sendo de preferência simples autômatos criados sem essa possibilidade, pois o que previu Deus deveu ocorrer por necessidade inevitável, recolocando sobre sua divina escápula, ainda uma vez, a culpa pelo malfazer de suas criaturas[172].

## 3,13,37,129. O critério da fruição do Bem

**129.** A – [...] [1] Toda natureza racional, tendo sido fundada[173] com o arbítrio livre da vontade, se mantém-se na fruição[174] do Bem supremo e absolutamente imutável, longe de dúvida deve ser louvada; [2] e toda natureza que tende a manter-se [na fruição do Bem][175], também ela deve ser louvada. [3] Porém toda a natureza que não se mantém nele e que não quer agir para que se mantenha, enquanto ali não está e enquanto não age para que ali esteja, deve ser vituperada.

Não poucos critérios estabeleceu Agostinho para definir o estatuto da alma: ético, no livro primeiro, segundo a posse da boa vontade e a prática das virtudes cardeais; ontológico, na sequência, segundo a posição na escada das naturezas; dinâmico, no início deste terceiro livro, segundo a direção do movimento da vontade, de aversão ou conversão[176]. Pois bem, se todas as naturezas são boas, enquanto naturezas, porque Deus é bom e tudo o que criou é igualmente bom, inclusive as naturezas passíveis de corrupção, como justificar as naturezas pecadoras e más? Que critérios utilizar para fazer o balancete ontológico de cada criatura, calculando o débito de corrupção que lhe corroeu a natureza e o crédito de bem que ainda lhe resta? Já se sabe que, se sua vontade estiver avertida do Bem supremo e imutável, ela é pecadora e merece vitupério, em lugar de louvor, ainda que, enquanto criatura, deva ser louvada, mas não por seu pecado, e sim pelo bem que há em si, nada obstante esse mérito ser todo de Deus, seu autor[177]. Por outro lado,

---

172 Cf. 3,2,4,14-4,11,41.

173 Cf. verbete *condo* no LÉXICO T-F.

174 Liter.: "se permanece *no fruir* do Bem supremo e imutável...".

175 Quer dizer, que se está esforçando para manter-se estável na fruição do Bem supremo.

176 Critério do juízo (2,5,12,48; 12,34,133-136); critério da mutabilidade (2,6,14,55-57); critério do mais e do menos útil para a vida reta (2,18,49,186-188); critério da humildade e da misericórdia (3,9,28,102-103); critério negativo do pecado (3,5,15,55); critério da vontade (1,12,26,86-87); critério das virtudes (1,13,27,89-90).

177 Esse louvor é dito dever-se à criatura de modo impróprio, pois é a Deus, seu autor, que ele é devido. Na verdade a criatura só deve ser louvada enquanto obra divina, não em virtude de algum mérito seu, visto não ter feito nada para merecer o ser, nem a vida, muito menos a inteligência.

se por seu arbítrio livre da vontade, faculdade que recebeu de Deus no ato de sua fundação, estiver convertida a alma racional para o Bem supremo e imutável, perseverando na fruição dele, essa alma é digna de todo louvor. E mesmo que ainda não tenha podido atingir o estado beatífico de plena fruição, ainda assim, se sua vontade estiver direcionada para o Bem, num esforço estável para permanecer voltada para ele, também essa alma será digna de louvor. Porém a criatura que não se mantém nele, se não o faz de modo voluntário, não sendo coagida para manter-se afastada, essa é digna de vitupério e de punição, não de louvor, embora, enquanto natureza, esteja acima das demais, que apenas são e vivem, merecendo o criador delas grande encômio. Portanto há três classes de naturezas racionais, as quais são dotadas de arbítrio livre da vontade, segundo o critério da fruição (voluntária) do Bem supremo: [i] criaturas que fruem dele de modo estável; [ii] criaturas que ainda não fruem, mas esforçam-se por fazê-lo, ou que já fruem e querem a todo preço manter-se nesse estado de fruição; [iii] criaturas que nem fruem, nem querem fazê-lo. Se o primeiro critério refere-se aos anjos; o segundo refere-se à criatura pecadora, que procura por todos os modos a fruição, superando suas limitações e os óbices que lhe surgem no caminho; ao passo que o terceiro diz respeito aos pecadores renitentes, como o diabo e sua corte, que nem fruem, nem querem fazer por onde fruírem, preferindo a distância do Ser e a consequente proximidade miserável do nada. Todavia, ao contrário do que havia sido dito até aqui, o terceiro grupo, das naturezas que nem fruem, nem querem fazê-lo, ao invés de serem louvadas, devem ser vituperadas. Pois o louvor não lhes é devido pelo fato de serem naturezas, e sim ao seu Criador[178]. Na verdade, sendo o louvor meritório, louvam-se apenas aquelas naturezas que, através da conversão de sua vontade para o Bem, vontade que reside nelas e é livre, ou já fruem dele, ou procuram diligentemente fazê-lo. Daí ser essa conversão louvável, porque voluntária, assim como a aversão é vituperável, porque igualmente voluntária. No primeiro caso louva-se a boa vontade dos que fruem; no segundo, a má vontade dos que se recusam a fruir.

---

178 Na verdade, enquanto natureza, que é, vive e intelige, até o diabo deve ser louvado, mas apenas na qualidade de obra de Deus (quando então é Deus, seu autor, que se louva), não enquanto pecador impenitente. Isso, porque ele nenhum mérito possui por ser, viver ou inteligir, na medida em que isso lhe seja possível, visto que seu ser é próximo ao nada, sua vida mais assemelha-se à morte, e sua inteligência está completamente corrompida pela malícia.

## 3,13,37,130. Louvor e vitupério da criatura

**130.** A – Logo, se é louvada a criatura racional que foi feita, ninguém duvida que deve ser louvado aquele que *a* fez; e se é vituperada, ninguém duvida que o seu Fundador, na própria vituperação *dela*, seja louvado.

Se o menos, também o mais, como registra o tópico do grau, tantas vezes utilizado pelo rétor de Hipona[179]: se a criatura merece louvor, quanto mais não deverá ser louvado o seu Criador, assim como se costuma enaltecer ainda mais o pintor, a partir da admiração despertada por seus quadros; ou o poeta, em virtude de seus versos. No entanto, ao contrário dos pintores e poetas, que quando criam quadros ou poemas sofríveis são merecidamente criticados, Deus é aquele cujo louvor jamais deve descansar. Com efeito, se ele merece louvor pela boa vontade, livre, com que a criatura racional adere à fruição beatífica de sua eterna Beleza, e até mesmo quando ela ainda ali não tenha chegado, contudo tenha convertido seu coração para o Fim supremo, merece louvor também quando as criaturas, de modo igualmente livre, convertem sua vontade para si mesmas, como se elas fossem os fins supremos, ao invés de fruí-lo, do qual se avertem, precipitando-se na corrupção do pecado. E por que motivo mereceria ele louvor, se as suas criaturas pecaram, avertendo dele sua vontade? Não se refere aqui Agostinho ao louvor devido pelo ser que ainda possuem, embora elas o tenham diminuído através da prática do pecado corruptor, mas porque a própria rejeição da criatura é prova da grandeza e laudabilidade de seu Criador. Com efeito, quando a criatura despreza voluntariamente a fruição do Ser, o próprio vitupério que merece o desertor argumenta em favor do Criador, visto que ninguém seria vituperado pela rejeição de algo mau, e sim de algo bom; e quanto maior o vitupério, tanto maior se depreende seja o bem que tenha desprezado. Logo, se a criatura é veementemente vituperada pelo desprezo da fruição do Bem supremo e eterno, esse vigoroso vitupério não se dá senão porque a fruição do Bem supremo e eterno é um enorme bem. Se o bem fosse insignificante, não mereceria nenhuma censura; se fosse pequeno, sua censura seria correspondentemente mínima. Portanto é lícito dizer que o próprio vitupério do mal empreende o louvor do bem. Indo além, pode-se dizer ainda que, quando a criatura é vituperada e por seu vitupério o Criador é louvado, isso se dá porque o que se censura na criatura, cujo ser foi corrompido pelo pecado, é

[179] Cf. **2**,11,32,127; 18,48,182; 49,188; **3**,5,14,54 etc.

também o bem que lhe falta, ou antes, o bem íntegro que teria, caso não houvesse pecado e o diminuído, e que não é obra senão de Deus, digno de todo louvor. Em qualquer caso, portanto, o criador deve ser louvado: *laudandus deus*.

## Necessidade imperativa do louvor

> **130.** A – [...] quão intensamente deve ser apregoado e honrado o Criador de todas as coisas, seja de modo inefável por todas as línguas, seja de modo inefável por todas as cogitações[180], Deus, sem cujo louvor nem podemos ser louvados, nem vituperados!

Portanto resta claro, por toda a insistência argumentativa do filósofo, que Deus deve ser louvado pelo Bem incomensurável que é, seja por meio das palavras sonoras, em todas as línguas, seja através do pensamento, inteligível apenas, posto que em ambos os casos o verdadeiro louvor deva ser, oximoristicamente, inefável, pois inefável é a sua natureza, muito além das possibilidades limitadas do instrumento que ele mesmo conferiu às almas racionais[181]. No entanto, para além da inefabilidade do Ser, que não se constitui propriamente um tema central desta obra, chama a atenção a subordinada relativa em que se diz que o louvor do Criador de todas as coisas é imprescindível, tanto para que a criatura seja louvada, quanto para que seja vituperada. Explica-se. A criatura não pode ser louvada com retidão e justiça senão através do louvor do Criador, porque, em primeiro lugar, ela só se faz digna de louvor, como dito no início do parágrafo §129, se se mantenha estável na fruição do Bem supremo e incomutável, ou então, se se mantenha estável na perseguição dessa fruição, o que se dá, em ambos os casos, por intermédio do arbítrio livre de sua vontade, faculdade essa que lhe foi concedida no ato de sua fundação, pelo próprio Deus. Ora, sendo o louvor do Criador imprescindível para que a criatura chegue à sua fruição, pois ninguém que opte vituperá-lo converterá sua vontade para a sua fruição, muito ao contrário, resta claro que apenas por

---

180 Quer dizer, por todos os pensamentos. Trata-se sem dúvida de um oximoro, figura de grande expressividade, pois se o louvor se diz inefável, assim se diz porque nem pode ser pensado, muito menos proferido. E de fato, que palavras e pensamentos seriam dignos de Deus, ou dariam conta de enaltecer sua incomensurável grandeza? Cf. Agostinho, *En. in ps. 145*, 6: "E o que é que louvamos? Imenso é o que louvamos. Mas o que louvamos ainda é insuficiente. Quando é que satisfaz o louvador a excelência do louvado?" (*et quid est quod laudamus? magnum est quod laudamus; sed quod laudamus adhuc infirmum est. quando implet laudator excellentiam laudati?*).

181 Cf. 3,12,36,125.

meio do louvor é que a criatura atinge a fruição estável do ser, fruição que é também contemplação e louvor, que hão de ocorrer na eternidade, como dirá Agostinho na parte final de *Cidade de Deus* (22,30): "ali descansaremos e contemplaremos, contemplaremos e amaremos, amaremos e louvaremos: eis o que será no fim sem fim"[182]. Depois pode-se dizer que a criatura não seja louvada senão no louvor do Criador, porque, sendo sua obra, enorme incoerência seria se fosse louvada em detrimento de seu autor, como se, por exemplo, as lindíssimas *Madonne* de Sassoferrato[183] fossem enaltecidas, mas seu criador, completamente desprezado, como se elas pudessem ter sido pintadas sem sua paleta. Portanto toda vez que se louva a criatura, como consequência e de imediato, se estará louvando igualmente o seu Criador; ou antes, e melhor, só se empreende qualquer louvor da criatura porque se louva o Criador, uma vez que tudo o que se contempla na criatura como digno de louvor, se há de imaginar não apenas ter sido criado pelo Criador, mas estar nele em grau infinito, como um paradigma inconcebível, de tão perfeito. Por outro lado, como se disse acima, toda vez que se vitupera a criatura, esse vitupério não se faz senão porque lhe falta, por espontâneo desprezo, esse bem tão louvável que é Deus.

## 3,13,37,131. O Bem inefável: supremo e primeiro

**131.** A – [...] porque manter-se nele é nosso grande Bem, não apenas o supremo, mas também o primeiro.

Tanto maior o vitupério da criatura, pois, quanto maior o bem que despreza por meio de seu arbítrio livre. Logo, sendo Deus o Bem supremo, o maior de todos e o primeiro, pois Criador de todas as naturezas, quão grande não será o vitupério devido ao desertor dele? Tratando-se de um bem cuja grandeza é inefável, parece justificada a correspondente inefabilidade do vitupério.

**131.** A – [...] por que é que se poderia encontrar em nossos pecados [um motivo] a partir de onde ele devesse ser vituperado[184], quando a vituperação dos nossos pecados não é nenhuma outra coisa, senão que ele seja louvado?

---

182 *Ciu. dei* 22,30: "*ibi uacabimus et uidebimus, uidebimus et amabimus, amabimus et laudabimus; ecce quod erit in fine sine fine*".

183 Giovanni Battista Salvi da Sassoferrato, pintor romano do séc. XVII, célebre pelos quadros que pintou da mãe de Jesus, entre outras obras muito belas, de temática cristã.

184 Quer dizer, um motivo porque ele deva ser vituperado.

Logo, se o próprio vitupério da criatura implica o louvor do Criador, vitupério de que se faz merecedora por voltar-lhe as costas, desprezando a fruição dele pela aversão de sua vontade do Bem comum e imutável e conversão para os bens próprios e mutáveis, como acusá-lo de ter criado o mal, como faziam os maniqueus, e considerá-lo digno de alguma outra coisa, exceto de imenso louvor?

## O vício e a natureza

### 3,13,38,132-133. Vício e vitupério

**132.** A – [...] o que é que se vitupera também nas próprias coisas que são vituperadas, senão o vício de cada uma delas? Porém de nenhuma delas se vitupera o vício, senão daquela cuja natureza é louvada.

Em nenhuma das criaturas que merecem algum tipo de vitupério, nada além de seu próprio vício é que merece ser vituperado, pois jamais a substância em si mesma, enquanto substância criada por Deus, que é sempre boa, merece qualquer censura. E que é o vício, senão a corrupção, o defeito de uma dada natureza, que deveria ser perfeita, como quando saída das mãos do Criador? Logo, se toda natureza, enquanto natureza, é sempre louvável, depreende-se que seu vício seja vituperável na exata proporção de sua laudabilidade: tanto mais vituperável quanto mais louvável. De fato, nenhum vício seria vituperável, não fosse de uma natureza louvável, pois, sendo um defeito, só seria digno de vitupério se aquilo de que se constituísse defeito fosse digno de louvor, do contrário, ninguém se importaria. Portanto, se o vício não destruísse algo bom, não seria considerado mau.

### O vício antinatural (*contra naturam*)

**132.** A – [...] ou o que tu vituperas é segundo a natureza e não é um vício [...] ou então, se é um vício, para que possa ser retamente vituperado, é necessário também que seja contra a natureza[185].

---

[185] Se o vício nada mais é do que a corrupção da natureza, deve-lhe ser contrário, pois, se não o fosse, não seria vício, e sim algo natural. Do que se depreende que o natural não é corromper-se, e sim manter-se estável (o que se refere à natureza das almas, não à dos corpos).

Todavia, se se censurasse algo na natureza que não fosse vicioso, seja porque ela não se tratasse de uma natureza viciosa, seja porque se empreendeu a crítica da natureza enquanto natureza, e não de seu suposto vício, em qualquer um desses casos, contudo, o vituperador é que devia ser corrigido, não a natureza que ele injusta e invidamente censurava. Para que se censure justamente o vício de uma dada natureza, pois, é preciso que esse suposto vício não apenas seja contrário à própria natureza *sensu lato*, mas também à natureza de que é vício *sensu stricto*, ou seja, que esse vício específico corrompa a própria natureza de que ele se diga ser um vício. E de fato, o que destrói algo não pode não ser considerado contrário a ele.

> **133.** A – [...] todo vício, pelo próprio fato de que é um vício, é contra a natureza. Pois se não prejudica a natureza, não é um vício; porém se é um vício porque a prejudica, por isso [mesmo] é que é um vício, porque é contra natureza[186].

Duas, portanto, são as condições do vício: [i] causar dano à natureza, o que significa corrompê-la, diminuí-la, do contrário não se trata de vício; [ii] e ser contra ela, o que é consequência da primeira condição, pois o que destrói algo se mostra frontalmente contrário àquilo que destrói. E que é o vício, senão outro nome para aquele movimento de aversão da vontade, que se diz pecado, e também mal? Logo o mal tem duas características: [i] ser contrário à substância ou natureza, [ii] e causar-lhe prejuízo. O vício, pois, diminui o ser da natureza, ao afastá-la do Ser supremo, mas também condu-la ao nada, ao não ser, pela mesma diminuição progressiva de seu ser. Esse vício, ou mal, ou pecado, ou movimento de aversão, seja o nome que se queira dar-lhe, é o grande inimigo do Ser, pois rouba-lhe o ser de suas criaturas. Porém, como não pode ser receptador da mercadoria roubada, não podendo acumular em si o ser roubado das criaturas, resta-lhe diminuí-las, invidamente, até que sejam o mínimo possível, arrastando-as para tanto mais longe do Ser quanto possa, de modo que sejam, porém, o máximo possível infelizes por isso.

## Investigação da origem dos vícios: próprio e alheio

> **133.** A – [...] se alguma natureza não se corrompe pelo seu vício, mas pelo vício alheio, é vituperada injustamente.

---

186 Posto que uma aparente redundância, isso mesmo é o que Agostinho está dizendo, que o vício é vício precisamente por causar dano à natureza *N*; e causar dano à natureza *N* significa ser contrário a ela. Logo tudo o que é contrário a *N* igualmente causa prejuízo a *N*.

Se se diz que uma dada natureza, que é corrompida pelo vício de outra, é vituperada injustamente, é porque não foi corrompida voluntariamente, e sim de modo coagido, ou natural. Do contrário mereceria justo vitupério. Com efeito, para que uma natureza seja considerada culpada, sofrendo o decorrente castigo, faz-se preciso que tenha agido por livre e espontânea vontade, o que equivale a dizer que necessita possuir em si o vício pelo qual é corrompida. Com efeito, aquele que possui em si algum vício, como se verá na sequência, é o primeiro a ser corrompido por ele.[187]

## O primeiro corruptor

**133.** A – [...] e deve-se investigar se acaso aquela natureza não seja corrompida por seu vício, por cujo vício outra natureza pôde ser corrompida.

No caso de uma qualquer natureza, $N_q$, ser corrompida pelo vício de outra, $N_v$, deve-se procurar saber se $N_v$ havia antes sido corrompida pelo vício de outra, ou se, pelo contrário, foi corrompida por seu próprio vício. Trata-se da sequência da investigação que se iniciou antes[188], ao se reconhecerem duas as origens do pecado: [i] cogitação espontânea (*cogitatio spontanea*) e [ii] persuasão alheia (*suasio aliena*), tendo em vista uma solução definitiva para a questão da origem do mal. Neste caso, procurar saber se uma dada natureza viciou-se por contra própria ou se foi viciada por outra, equivale, *mutatis mutandis*, a procurar a origem da maldade. Se a natureza que foi viciada por outra está livre de culpa, pois não tem em si o vício por que foi corrompida, o mesmo não se dá com a natureza corruptora. Contudo é preciso saber quem foi a primeira corruptora, pois pode ocorrer que aquela natureza, pela qual a primeira se corrompeu involuntariamente, e por isso não pode ser vituperada com justiça, enfim, se ela possui o vício em si mesma, ou se foi ela também corrompida involuntariamente, isto é, por iniciativa ádvena. Numa palavra, deve-se procurar saber se a natureza viciante viciou-se a si mesma ou se foi viciada por outra, ainda anterior a ela, a fim de que, recuando o máximo possível, possa chegar-se enfim à natureza originalmente autoviciante, aquela cujo vício não teve motivação externa, cuja vontade foi corrompida por si mesma, sem qualquer auxílio ádvena. Encontrada essa natureza, que se viciou a si mesma, por livre conta e risco, sem nenhuma motivação estrangeira que não a que ela mesma gerou, encontra-se a origem do mal.

---

[187] Cf. 3,14,39,135.

[188] Cf. 3,10,29,104.

## Vício e corrupção da natureza

> **133.** A – [...] Mas que outra coisa é ser viciado, senão ser corrompido pelo vício?

Que outra coisa significa ser viciado (*uitiari*), indaga-se Agostinho, senão ser corrompido pelo vício? E que é ser corrompido pelo vício, senão ter sua natureza diminuída pelo defeito? De fato, o vício nada mais é que o pecado, compreendido desde o livro segundo como um movimento defectivo da vontade, um movimento de aversão do Bem comum e imutável e de conversão aos bens próprios e mutáveis, movimento esse defectivo cujo efeito é a corrupção da própria natureza de seu possuidor. Portanto o mal corrompe a natureza do malvado; daí não ser possível, quando não, aconselhável, a separação entre mal ontológico e mal moral, porque simplesmente não há nenhuma. Aquele que pratica o mal, levado pelo movimento livremente avertido de sua vontade, sofre detrimento inevitável em sua natureza, padecendo uma diminuição em seu ser, pelo afastamento voluntário do Ser supremo. Esse movimento, seja dito moral ou ontológico, é sempre um só, cujas consequências são as mesmas: corrupção da natureza, afastamento do Bem comum, infelicidade, perturbação decorrente da insegurança, medo, escravidão das inclinações de ordem sensual, entre outros. E seja como se o denomine, o fato é que ele, enquanto movimento voluntário, independente de suas consequências na vida dos pecadores, inexiste, pois o defeito não é uma substância, assim como o vício não é uma natureza, ou o pecado, algo que possua medida, número e ordem. O movimento de aversão do Bem comum, ou mal, é apenas a destruição da natureza; natureza que é a única coisa que de fato existe.

## 3,13,38,134. Vício, vicioso, viciado

> **134.** A – [...] uma natureza que não é viciada carece de vício; porém aquela por cujo vício uma outra natureza é corrompida sempre possui vício.

Uma natureza que não foi corrompida obviamente não possui nenhum vício, nenhum defeito, restando intacta e íntegra, não tendo sofrido qualquer diminuição. Aquela, porém, cujo vício serviu para viciar outra, para corrompê-la, essa, ao contrário, possui o vício em si. E sendo o vício a perversão da vontade, pode-se compreender que uma dada natureza cuja vontade esteja corrompida, quando age como corruptora da vontade alheia, embora esteja corrompendo

outra, em si mesma já está corrompida, pois o vício é seu. Sua própria natureza está corrompida, por cuja corrupção, que se chama "vício", empreende corromper ou "viciar" as demais.

**134.** A – [...] Logo a primeira é viciosa[189] e é corrompida primeiro por seu vício, por cujo vício uma outra também pode ser corrompida. Do que se colige que todo vício seja contra a natureza, mesmo a daquela coisa de que é vício.

Toda natureza, cujo vício está em si mesma, vício pelo qual empreende viciar outras, além de viciosa, é a primeira viciada, a primeira a beber do próprio veneno. E, como dito pouco antes, se vicia a natureza, é contrário a ela. Porém não é apenas contra as naturezas que destrói, naturezas alheias, mas em primeiro lugar é contra a sua própria natureza, pois esta é a primeira que se destrói, pelo presença do próprio vício. De fato, todo vício é um "defeito" de determinada natureza; o vício $V_x$ da natureza $N_x$ é a corrupção, ou o defeito, da natureza $N_x$. Logo, se todo vício *V* é contrário à natureza *N*, segue-se que o vício $V_x$ da natureza $N_x$ seja também contrário à natureza $N_x$.

**134.** A – [...] visto que em qualquer coisa não se vitupera senão o seu vício, porém por isso mesmo é que é vício, porque é contra a natureza daquela coisa, da qual é vício...

Portanto nenhuma natureza, enquanto natureza, deve ser vituperada, apenas o vício que lhe é contrário, porque lhe causa dano.

**134.** A – [...] de coisa nenhuma é retamente vituperado o vício, a não ser daquilo cuja natureza é louvada...

E esse vício é tanto mais vituperado quanto mais louvável a natureza de que ele se diz vício. De fato, se a natureza que o vício estraga não fosse boa, tampouco o vício seria mau, porque, como dito, ele é tanto pior quanto melhor é aquilo que põe a perder.

**134.** A – [...] Pois não te desapraz retamente no vício, senão o fato de que ele vicia aquilo que te apraz na natureza.

---

[189] Das duas citadas na oração anterior, aquela, por cujo vício uma outra é corrompida, é viciosa, e por isso é corrompida primeiro por seu próprio vício, antes mesmo que corrompa outras. Cf. 1,10,20,73. O comparativo *prior*, que aparece duas vezes, está sendo utilizado aqui como adjetivo e advérbio.

Pois o vício estraga, causando enorme desprazer, aquilo mesmo que causava deleite, porque era bom. De fato, se a natureza não fosse boa, vício algum seria mau. Do mesmo modo, não houvesse o Bem, ninguém cogitaria da existência do mal.

## 3,14,39,135-137. Próprio e alheio: motivações extrínsecas

**135.** A – [...] se é de modo verdadeiro que se diz que uma dada natureza é corrompida pelo vício de outra natureza, nenhum vício seu tendo sido adjungido.

No §139 destacara-se uma afirmação um tanto surpreendente de Agostinho, onde ele diz que, se uma determinada natureza não se corrompesse por seu vício, mas, ao contrário, pelo vício de outra, seria censurada de modo injusto. Nesse caso a natureza corrompida teria sido viciada de modo absolutamente involuntário, tornando-se por isso mesmo vítima inocente da corrupção sofrida – sem que tenha associado seu próprio vício ao vício da corruptora. No entanto, reconhece o filósofo, é preciso verificar com mais cautela se de fato é possível que ela seja assim vitimada de modo inocente, não tendo tido participação alguma em sua própria corrupção, como se houvesse sofrido a maior das injustiças.

**135.** A – [...] Pois, se uma natureza, que com seu vício se aproxima de outra para corrompê-la, não encontra naquela algo corruptível, não a corrompe...

Para que a corrupção ocorra, de fora para dentro, faz-se preciso haver um elo entre corruptor e corruptível, uma espécie de jugo comum a ambas as naturezas, que, no caso, é o próprio vício. De fato, para que uma natureza $N_1$ corrompa uma natureza $N_2$ é preciso que ambas estejam igualmente desafinadas pelo diapasão do mesmo pecado, do contrário não pode haver viciação nenhuma. Porém, se tanto a natureza corruptora $N_1$ como a corruptível $N_2$ não possuírem nenhum vício em si, não haverá viciação. E se apenas $N_1$ for viciosa, mas $N_2$ não, nenhuma viciação tampouco poderá haver. E se houvesse, seria uma violação, absolutamente injusta. Logo o jugo da corrupção é o vício, que pode ser dito também pecado ou mal, aquele movimento voluntário de aversão do Bem comum e de conversão aos bens próprios e mutáveis. Mas, para que haja vício, é preciso haver vontade, do contrário haverá apenas coação, necessidade, jamais pecado. Se $N_1$ obriga $N_2$ a pecar, não deixando-lhe escolha ou meios para evitá-lo, $N_2$ não será culpada, apenas $N_1$, pois não houve arbitragem livre da vontade por parte de $N_2$.

## O diapasão do pecado

**135.** A – [...] porém, se encontra [algo corruptível na natureza a ser corrompida], tendo seu vício sido adjungido ao dela, opera-lhe a corrupção.

No entanto, se $N_1$ encontra vício em $N_2$, ambas desafinam pelo mesmo diapasão, a dissonância do pecado, quando então seus vícios são atrelados um ao outro pela canga pesada do defeito (*defectus*). $N_1$ se torna capaz de corromper $N_2$ porque suas vontades vibram na mesma dissonância, ambas avertidas do Bem comum e eterno e convertidas para o bem próprio e mutável, que se denomina pecado. Ambas querem pecar, pois ambas têm em si o vício, a corrupção da própria natureza, que se traduz por aquele movimento de aversão. Tanto $N_1$ como $N_2$ amam as mesmas coisas, porém em detrimento de si mesmas, o que as torna "comparsas" (*socii*) no vício, que dividem em comum, contudo cada qual com o seu, pois suas vontades são individuais e sua corrupção, intransferível.

## Economia da corrupção

Na observação das relações que se estabelecem entre as naturezas, com o propósito de verificar a origem da corrupção pelo vício, ou seja, o movimento original de aversão da vontade do Bem comum e imutável em direção aos bens próprios e mutáveis, que se diz pecado ou mal[190], Agostinho admite três situações bem definidas em que pode ou não ocorrer a ação viciadora de uma natureza sobre a outra.

**135.** A – [...] se a mais potente não queira ser corrompida pela mais fraca, não é corrompida; porém, se o queira, primeiro começa a ser corrompida[191] por seu próprio vício do que pelo alheio.

No primeiro caso, em havendo disparidade de potência entre duas naturezas, a mais potente das duas, $N_{p+}$, não pode ser corrompida pela menos potente, $N_{p-}$, a não ser com o consentimento de sua vontade. Contudo nesse caso, ao consentir com a corrupção, $N_{p+}$ demonstra já possuir em si o vício, sendo antes por seu próprio defeito corrompida que pelo defeito alheio. Demais, em havendo

[190] Essa "economia da corrupção" tem valor propedêutico da maior importância, assentando os fundamentos filosóficos para o tratamento das motivações do primeiro homem, ao deixar-se seduzir pelo pecado, como se verá a partir de 3,19,53,180.

[191] Cf. 1,10,20,73.

vício em si, estabelece-se aquela condição para a corrupção, pela sintonia do pecado, como dito antes.

**135.** A – [...] E não menos uma igual por outra igual, se não queira ser corrompida, não o pode.

Num segundo caso, supondo-se que ambas as naturezas sejam iguais em potência, nenhuma das duas pode corromper a outra, sem que haja consentimento. Nesse caso, como no anterior, o consentimento implica a adesão da vontade, que é torta, ou antes, avertida. E quando há vontade, não há coação, tampouco necessidade, apenas consentimento livremente arbitrado, pelo que também responsabilidade moral.

**136.** A – [...] uma qualquer natureza, com vício, que se aproxima de outra, que é sem vício, para corrompê-la, não se aproxima como uma igual, mas como uma mais fraca, por causa de seu vício.

Na suposição acima das duas naturezas iguais em potência, $N_1$ e $N_2$, se porventura uma delas, $N_2$, diga-se, resolva viciar a outra, $N_1$, ao conceber esse desejo, concebe com ele também o vício, ou seja, ao averter a vontade livre do Bem comum, instantaneamente a corrompe, corrompendo igualmente sua própria natureza. Assim, se antes era igual a $N_1$, ao conceber o desejo do mal, vicia-se, tornando-se doravante defeituosa e, como consequência, inferior a $N_1$. Logo não pode mais corromper $N_1$, porque sua natureza foi diminuída, depois de concebido o desejo do mal, sendo doravante incapaz de operar a viciação, a não ser que $N_1$ o consinta, quando então sua natureza seria diminuída também, podendo daí haver a corrupção, mas não por coação, e sim pela vontade livremente consentida. Por isso Agostinho diz que uma natureza jamais se aproxima de outra para corrompê-la como igual, sendo a primeira com vício, e a segunda, sem, mas sempre como uma natureza inferior.

**136.** A – [...] Por sua vez, se uma mais potente corrompe uma mais inválida[192], ou ambas se fazem corromper pelo vício, se ambas se fazem corromper por seu desejo depravado[193]...

No terceiro e último caso, supondo-se que uma natureza mais potente se entregue ao desejo perverso de corromper uma outra menos potente – ou antes,

---

192 Quer dizer, "desvigorosa", isto é, "sem vigor". Preferiu-se manter a lítotes utilizada pelo rétor, pois ele não diz que se trata de uma natureza "mais fraca", nem de uma "menos vigorosa", e sim de uma natureza "mais não vigorosa", daí "mais desvigorosa" (*in-* + *ualidus* + *-ior*).

193 Liter.: "pravo", isto é, "torto", "desviado", como oposto a "reto" (*rectus*).

cuja potência é mais impotente, para lançar mão da figura utilizada pelo rétor –, no caso de duas naturezas racionais, isso só é possível se ambas o fizerem por sua própria vontade, jamais de modo coagido. De fato, se a natureza mais potente $N_{p+}$ resolvesse viciar uma menos potente, $N_{p-}$, ao abrigar essa intenção maléfica, sofreria uma diminuição em sua natureza, de modo que se tornaria daí incapaz de operar a viciação, provavelmente tornando-se igual ou inferior a $N_{p-}$. No caso de ambas acolherem o desejo perverso em si, ambas pecam pelo vício que em si fez morada, não pelo vício alheio, do qual não poderiam ser responsáveis. Com efeito, após o consentimento, que é sempre voluntário, a natureza que decide pecar se torna autora de seu próprio malfeito, ainda que a sugestão lhe tenha advindo de fora, ou seja, ainda que a ideia lhe tenha sido incutida por outro, não tendo sido ela própria a sua autora intelectual, conquanto a tenha acolhido e voluntariamente posto em prática.

**136.** A – [...] ou então pelo vício da mais potente, se a excelência desta natureza é tamanha, que, ainda que viciosa, preceda a inferior, a qual corrompe.

Porém pode dar-se que a natureza mais potente, $N_{p+}$, seja muitíssimo superior à natureza corrompida inferior, $N_{c-}$, como ocorre quando se trata de duas naturezas de gênero distinto. Por exemplo, quando um homem, uma natureza inteligente, invariavelmente a corruptora, vicia uma natureza desprovida de inteligência, como uma besta, ou mesmo uma natureza desprovida de inteligência e vida, como um utensílio qualquer. Agostinho ilustra o caso com um exemplo, construído a partir de um *tópos* a que já recorrera, tanto no primeiro, como no segundo livro.

**137.** A – Pois quem há de vituperar retamente os frutos da terra, porque os homens não usam bem deles, e, corrompidos por seu vício, os corrompem, abusando deles para a luxúria...

Se tanto no primeiro livro[194], como no segundo[195], Agostinho deixa claro que não são as criaturas que se devem inculpar pelo mau uso que os homens desordenados delas fazem, agora não faz diferente. O fruto da videira pode ser desfrutado, como um bem inferior que é em comparação com outros bens mais elevados, desde que o seja com moderação, quando então é possível auferir dele

[194] Cf. 1,15,33,113.

[195] Cf. 2,18,48,182.

grandes benefícios à saúde e à vida; ou pode ser desfrutado de modo vicioso, quando então o fruto da videira é corrompido, ao ser "abusado", isto é, usado de modo desviado (*ab* + *utor*).

**137.** A – [...] seja próprio de um dementado duvidar que a natureza do homem seja mais excelente e mais potente, ainda que viciosa, do que quaisquer produtos não viciosos da terra[196]?

Todavia, mesmo quando essas naturezas inferiores são utilizadas de modo desviado, sendo corrompidas pelo vício dos seus abusadores, os mal utentes, para finalidades invariavelmente inferiores e sem dúvida muito distantes do Bem comum e eterno, voltadas apenas para o gozo dos bens próprios e mutáveis, sob a hegemonia das inclinações sensuais, mesmo assim não se pode dizer que sejam corrompidas por outras naturezas que lhes são semelhantes, muito menos inferiores. Com efeito, posto que intensamente viciosa, uma alma racional será sempre superior ao objeto corpóreo desprovido de razão, seja ele qual for, pois enquanto o objeto apenas é ou é e vive, as almas racionais são, vivem e inteligem, o que as coloca no topo da escada das naturezas. No que se restringe às almas, contudo, resta claro que nenhuma natureza pode corromper outra, do contrário ter-se-ia de admitir definitivamente a natureza positiva do mal[197]. Isso, porque, se o pecado pudesse ser cometido de modo coagido, não seria voluntário, e sim necessário, o que faria do Criador seu único responsável, a não ser que se admitisse, como os maniqueus, uma divindade exclusivamente má, em contraposição a uma exclusivamente boa. Logo, se pudessem as almas ser corrompidas para que pecassem, pelo vício alheio, estariam isentas de toda culpa, tornando-se, ou autômatas, almas totalmente irresponsáveis, por serem completamente desprovidas de arbitragem livre, desprovidas que seriam da faculdade da vontade, ou então, se possuíssem vontade, mas mesmo assim pudessem praticar o mal de modo involuntário, pelo vício alheio, seriam condenadas à Justiça divina de modo injusto, uma vez seriam vítimas inocentes, o que destruiria por completo todos os axiomas assentados de acordo com o princípio de piedade exposto no início do primeiro livro[198], principalmente os pressupostos da bondade e justiça de Deus. De fato, como poderia ser justo um Deus que aplicasse sua justiça com injustiça,

---

196 Lat.: *fruges*.

197 E com isso a inocência do primeiro homem e a culpabilidade de Deus.

198 Cf. 1,2,5,12-13.

condenando inocentes ao fogo eterno? Logo não pode haver corrupção pelo vício alheio, ou seja, ninguém pode ser condenado pelo pecado de outrem; pelo que ninguém pode corromper outro pelo próprio vício, de modo invito, se esse mesmo vício não estiver também no outro.

## 3,14,40,138. A corrupção sem vício: não antinatural

**138.** A – Pode acontecer também que uma natureza mais potente corrompa alguma natureza inferior, e que isto não aconteça pelo vício de nenhuma delas...

Na sequência da investigação iniciada acima[199], acerca das relações corruptivas possíveis entre duas naturezas, com o propósito claro de chegar à motivação original do pecado do primeiro homem, Agostinho abre um parêntese importante, realçando a distinção entre corrupção e vício. Situações há, pois, em que a corrupção ocorre, entre uma natura superior, $N_s$, e uma inferior, $N_i$, contudo sem a presença de qualquer vício. Se todo vício é contrário à natureza, de onde ser viciado não é senão ter sua natureza corrompida pelo vício[200], decorre disso que uma corrupção sem vício seja natural. E se é natural, obviamente não deve ser vituperada, sob pena de vituperar-se a Lei divina.

**138.** A – [...] quem ousaria vituperar o homem frugal, que não pede dos produtos da terra nada além de um suplemento para a sua [própria] natureza[201]...

Logo, se nem toda corrupção é viciosa, pois nem sempre se dá motivada pelo pecado, aquela vontade avertida do Bem comum, podem ocorrer casos em que a corrupção seja lícita, por assim dizer, segundo as ordenações da Justiça, posto que a recíproca não seja de modo nenhum verdadeira, uma vez que todo vício é contrário à natureza que o abriga. No caso de um homem frugal, uma natureza superior, porque é, vive e intelige, quando lhe bastam os produtos da terra (*fruges*), os quais são naturezas inferiores, visto que apenas são, mas não vivem nem inteligem, não se pode vituperá-lo por viver na virtude, sobretudo a temperança, o que seria absolutamente contraditório,

---

199 Cf. 3,14,39,135.

200 Cf. 3,13,38,133.

201 "Suplemento", no sentido de algo que sirva para suprir uma necessidade (*sub + pleo*). Pois o homem frugal não busca mais do que a satisfação parcimoniosa suas carências naturais, evitando os abusos da superfluidade e da luxúria.

não apenas porque nenhuma virtude pode ser contra a natureza, uma vez que não a corrompe, mas porque seria ainda mais contraditório se se dissesse que era virtuoso, sendo vicioso. De fato, não pode ser temperante e simultaneamente vicioso, ao ponto de corromper os produtos da terra, dos quais vive, através do vício, que é sempre contrário à virtude. Logo não há vício em sua frugalidade, ainda que essa se manifeste pela corrupção dos produtos da terra, em benefício da suplementação de sua natureza[202].

> **138.** A – [...] esses mesmos produtos da terra, porque são corrompidos pelo uso [no preparo] de seus alimentos? [...] acima de tudo o nome "corrupção" costuma ser próprio do vício.

E tampouco se podem vituperar com justiça os próprios produtos da terra, por terem sido "corrompidos" pelo homem frugal, ao serem por ele preparados e consumidos. Isso mesmo já havia sido dito pelo filósofo[203], ao isentar as criaturas inferiores de censura pelo abuso a que as superiores as submetem. E de fato, não se costuma nem se deve dizer que ao comer uma folha de agrião alguém a esteja corrompendo; ou então que, ao beber água, a esteja viciando, porque o termo "corrupção" costuma ser empregado de modo negativo, em associação ao vício, ou seja, como algo adversário da natureza.

## 3,14,40,139. Dois tipos de corrupção sem vício

> **139.** A – [...] também nas coisas [comuns] se pode voltar facilmente a atenção ao fato de que[204] na maior parte das vezes não é para nenhuns usos com o fim de suprir sua indigência que uma natureza mais potente corrompe uma inferior...

Há dois outros casos, além da frugalidade, em que uma natureza superior corrompe uma inferior, porém sem qualquer vício. Nesses dois casos, contudo, ao contrário do exemplo anterior, em que o homem frugal corrompe os frutos da terra para suprir a indigência de sua natureza, ou seja, para preencher a lacuna causada pelas necessidades naturais, a corrupção se dá sem essa finalidade suplementar.

---

202 Ele corrompe os frutos da terra, por exemplo, ao cozê-los e depois triturá-los pela manducação.

203 Cf. **1**,15,33,113; **2**,18,48,182.

204 Que uma natureza mais potente pode corromper uma inferior, mas não pelo vício de nenhuma delas.

## 1. O sacrilégio do sacripanta

**139.** A – [...] seja conforme a ordem da justiça, quando pune uma falta – regra a partir da qual foi dito aquilo pelo apóstolo: "Se alguém houver corrompido o templo de Deus, Deus o corromperá"[205]...

O primeiro exemplo ocorre quando uma natureza superior, $N_s$, pune uma inferior, $N_i$, segundo as disposições da justiça. Nesse caso $N_s$, provavelmente um magistrado da lei, ao condenar um criminoso qualquer, $N_i$, por exemplo a um castigo corporal, como a flagelação, não corrompe sua natureza por algum vício de sua própria natureza, nem pelo vício do condenado, posto que todo condenado se diga "vicioso", e sim pelas ordenações da própria justiça. Agostinho ilustra seu exemplo com uma breve passagem da primeira epístola de Paulo à *ekklēsía* de Corinto, em que o apóstolo afirma que todo corruptor da casa de Deus será por ele corrompido também. Não resta dúvida de que esse sacrílego não será corrompido por Deus com vício, muito menos pelo mesmo vício com que o sacrilégio foi cometido, e sim segundo as ordenações da Justiça divina. Deus, a natureza mais potente, $N_s$, "corrompe" uma menos potente, $N_i$, o sacrílego sacripanta, ao fazê-lo pagar por seu crime, porém não pelo diapasão do pecado, pois em Deus não há pecado, mas pelas disposições de sua Lei eterna. Logo não há vício nessa corrupção, ainda que o haja no sacripanta. E isso não significa que o vício de $N_i$ não corrompa sua própria natureza, porque sem dúvida a corrompe, mas apenas que a condenação divina seja uma corrupção mais rápida e retumbante, condenação à corrupção que se dá sem qualquer vício da parte do "corruptor", Deus.

## 2. Lei natural: a cadeia alimentar

**139.** A – [...] seja conforme a ordem das coisas mutáveis, que cedem umas às outras, segundo as leis perfeitamente congruentes dadas, em virtude do valor de cada uma das partes da universalidade.

O segundo exemplo refere-se ao que Agostinho chama de "ordem das coisas mutáveis", que se aplica não apenas às criaturas, enquanto criaturas, mas também aos eventos a elas relacionados, ou seja, às vicissitudes da vida.

---

205 1Cor 3,17: "εἴ τις τὸν ναὸν τοῦ θεοῦ φθείρει, φθερεῖ τοῦτον ὁ θεός".

Ilustra bem isso a simples necessidade que a maior parte dos animais têm de se alimentarem uns dos outros, ou seja, de "cederem" às necessidades naturais dos outros animais, na cadeia alimentar. Quando um cetáceo se alimenta de uma sardinha, por exemplo, obviamente a "corrompendo", não o faz por vício algum em sua natureza, mas em natural conformidade com a "ordem das coisas mutáveis", o que ocorre de acordo com as Leis perfeitamente congruentes, as quais foram instituídas por Deus e "dadas" às suas criaturas, em perfeita consonância e justiça com a posição de cada uma das criaturas na escada ontológica. Assim sendo, um condimento qualquer, retirado da simples casca de uma árvore, a canela, que apenas é (*esse*), de acordo com a escada das naturezas, conquanto seja um bem, é menos do que um fruto, como a banana, por exemplo, com que a canela é "corrompida", "cedendo" a ela para a confecção de um doce de banana. Pode-se dizer que a banana seja melhor do que a canela, porque não apenas é, mas também vive (*uiuere*), ao menos enquanto presa à bananeira, de cuja seiva se alimenta para vicejar e amadurecer. Contudo uma ave qualquer, como uma sabiá laranjeira, por exemplo, a que a banana "ceda", por sua vez, quando por ela é corrompida para alimentá-la, sem dúvida é melhor do que a banana, que apenas é e vive, pois, embora a sabiá também seja e viva, assim como o fruto da bananeira, pode-se dizer que a ave "viva" mais do que a fruta, porque possui em si movimento, podendo deslocar-se pelos espaços, sendo inclusive capaz de edificar para si algum tipo de estrutura habitacional rudimentar, o que evidencia até mesmo um certo grau de inteligência (*intellegere*), se se pode dizê-lo, posto que instintiva e limitada, quando em comparação com os homens. Os quais, por seu turno, "corrompem" a ave para com ela satisfazer suas necessidades nutricionais; eles, cuja natureza é, vive e intelige, ainda que corrompam a ave por mero "esporte", por mais estúpido seja, ainda assim, segundo a escada das naturezas, se consideram melhores do que os demais todos: condimento, fruto e ave. Nessa ordenação, os superiores guardam "direitos", segundo as Leis naturais, congruentíssimas, que lhes foram dados por Deus, de corromper os inferiores, porém não para saciar sua inclinação sensual pela luxúria ou pela necedade[206], apenas em benefício da suplementação de sua natureza, o que nem sempre ocorre, no caso do homem perverso.

---

[206] Que os mentecaptos chamam de "esporte".

## 3,14,40,140. O esplendor solar: um caso de corrupção sem vício

**140.** A – [...] se o Sol corrompa por seu fulgor os olhos de alguém, inválidos[207] para suportar a luz por causa da pequena medida[208] de sua natureza...

Há ainda um outro exemplo de corrupção em que se pode dizer com acerto não haver vício nenhum, que ocorre quando o Sol, natureza superior, $N_s$, corrompe os olhos de alguém, natureza inferior, $N_i$. Essa corrupção não se dá por alguma característica viciosa da estrela luminosa, mas por seu intenso fulgor, em contraste com a "invalidez" ou insuficiência de vigor dos olhos para suportar a luz, infinitamente mais potente do que a constituição ocular foi feita para tolerar. A invalidez dos olhos é decorrência natural de sua posição inferior na escada ontológica, aquilo que Agostinho denomina "pequena medida de sua natureza". Vale notar, contudo, uma aparente discrepância nesta comparação, que poria em risco os critérios todos de a ordenação das criaturas até aqui elaborados. Por um lado os olhos, posto que sejam apenas "instrumentos" do sentido da visão, contudo por sua capacidade de movimento, pode-se dizer sem dúvida que possuam alguma "vida" em si mesmos, atributo que os situa no segundo degrau da escada, o das naturezas que são e que vivem, portanto acima das naturezas que apenas são. Por outro lado o Sol não tem vida, o que o colocaria em posição inferior aos olhos, no degrau das criaturas que apenas são. Contudo não se dá bem assim. Embora os olhos provavelmente não estejam sendo considerados aqui como simples instrumentos do sentido da visão, o qual instrumento se diria "estar vivo", o Sol por certo está sendo considerado como um corpo celeste de estatuto ontológico elevadíssimo, abaixo apenas da inteligência, um organismo verdadeiramente vivo, como costumavam os antigos considerar os astros. E de fato, o Sol se move, brilha, aquece, mantém a vida na Terra, a não dizer da luz que provê e que dissipa as trevas, luz que desde priscas eras tem sido associada à própria inteligência, depois à própria divindade, como talvez a melhor metáfora que se possa elaborar para ilustrá-la, pois o Sol é uno, eterno, ubíquo, brilha sobre todos indistintamente, é um bem comum, imutável; (aparentemente:) estável,

---

207 Quer dizer, sem vigor (*in* + *ualeo*) para suportar a luz do Sol.

208 O diminutivo de "modo", *modulus,* justifica-se pela posição inferior do olho na escada das naturezas, constituindo apenas um instrumento (ὄργανον) do sentido da visão (*uisus*), que por si só também é inferior, se comparado com a razão, por exemplo.

aquece sem perder calor, ilumina sem gastar sua luz, inesgotável; e ainda pode ser fruído em comum por todos, sem sofrer qualquer detrimento em sua natureza, e assim sucessivamente[209]. Logo o Sol está sendo considerado aqui como uma natureza muito superior aos olhos, o que não desvirtua a escada ontológica, ainda que tenha sido dito[210] que os corpos celestes são apenas corpos, "no que se refere à luz que pode ser sentida pelos olhos corpóreos", pelo que não podem ser nem felizes, nem infelizes. Todavia deve ser lembrado que os animais irracionais tampouco são capazes da felicidade ou da infelicidade, que são afecções do espírito, em muito diferentes dos prazeres e incômodos instintivos por eles sentidos.

**140.** A – [...] nem se deve pensar que ele os mude completamente para suprir uma indigência de sua luz, nem que o faça por algum vício seu...

Portanto, supondo alguma corrupção ocular causada pelo fulgor solar, Agostinho aponta três razões para que isso não seja considerado vicioso. Primeiro o Sol não corrompe os olhos, transformando sua natureza, que então perde sua principal característica[211], nem demais objetos corpóreos, expostos ao seu brilho e calor, para usá-los como suplemento de sua própria natureza, como o homem frugal o faz, ao servir-se dos frutos da terra para suprir suas carências naturais. De fato, imaginar que o Sol se esteja nutrindo dos olhos dos homens a fim de satisfazer sua indigência de carotenos beta, de tão estapafúrdio, nem vale comentários. Segundo, não se deve imaginar que o Sol corrompa os olhos incautos de um observador por causa de algum "vício" em si existente. O brilho do Sol não pode ser inimigo da natureza, como todo vício o é, do contrário ou seria um antideus, entidade antagônica ao Criador de todas as naturezas – pois tudo o que é contra a natureza se coloca também como contrário ao seu Criador –, ou então teria sido criado com defeito, a não ser que se queira imaginá-lo como sendo uma criatura capaz de pecar.

---

[209] Cf. **2,**7,16,62-19,78; 9,27,107-108; 12,33,130-132; 13,35,140; 37,142; 14,38,147-150; 19,52,196-198; **3,**9,25,89-91. Esses atributos todos do Sol se disseram a partir da mentalidade dos antigos, não do que se sabe hoje acerca da natureza dessa estrela, em torno da qual circula o nosso sistema planetário.

[210] Cf. 3,9,25,90.

[211] Quer dizer apenas que o Sol, ao corromper os olhos de um observador incauto, nenhum detrimento sofre em sua natureza, como se perdesse calor através da emanação de seus raios (segundo se pensava).

**140.** A – [...] nem mesmo que os próprios olhos devam ser vituperados, porque cederam não apenas ao seu senhor, de modo que contra a luz fossem abertos, mas também à própria luz, de modo que fossem corrompidos.

Terceiro, não se deve aventar a hipótese de que os olhos mereçam vitupério pela corrupção sofrida, como se estivessem sendo punidos por terem "cedido" ao seu senhor, o sentido interior, a mando da razão, para que se abrissem negligentemente diante do esplendor solar, posto que corressem o inevitável risco de se estragarem; e muito menos merecem os olhos o mesmo vitupério que é devido aos viciosos, apenas por terem "cedido" ao próprio esplendor solar, permitindo-se corromper. Os olhos não têm autonomia para pecar, logo não merecem vitupério algum pela corrupção de sua natureza, que ocorre sem vício algum. Portanto, na ordem das coisas mutáveis, segundo as leis perfeitamente congruentes instauradas pelo Criador, as naturezas inferiores cedem umas as outras, deixando-se corromper, por assim dizer, porém não por vício, mas pela ordenação natural da universalidade das criaturas. Deste modo os olhos servem ao sentido interior, comandado pela razão, a fim de que se abram diante do Sol, cujo fulgor acabará por corrompê-los, assim como ocorreu aos os olhos de diversos astrônomos antigos, que acabaram cegos por sua contemplação, mas se diz também que cedem à própria luz, quando tentam vê-la e são por ela cegados. Em ambos os casos, contudo, essa corrupção dos olhos pelo fulgor solar se dá sem vício algum, seja quando cedem ao comando de seu senhor, o sentido interior, seja quando cedem diretamente ao seu corruptor, o Sol.

## 3,14,40,141. Lição de etimologia: "aparelhagem para o vício"

**141.** A – Portanto, de todas as corrupções [supracitadas][212], somente a corrupção que é viciosa é retamente vituperada

Sendo o vício contrário à natureza, nenhuma corrupção em que inexista qualquer vício pode dizer-se *contra naturam*, do que decorre a conclusão inevitável de que algumas corrupções são naturais. E se um determinado gênero de corrupção é natural, não pode ser retamente vituperado, sob pena de vituperar-se a congruência perfeita das Leis divinas. Segue-se que apenas as corrupções

[212] Cf. 3,14,39,135-40,141.

em que há vício, e que por isso são contrárias à natureza, merecem vitupério. Na verdade não é a corrupção, em si mesma, que é digna de censura, pois, como se viu, muitas são ordenadas pela Providência divina, e sim a corrupção viciosa, ou antes, o próprio vício que há nela, aquele movimento de aversão do Bem comum e imutável e conversão aos bens próprios e mutáveis, que se diz pecado. Logo, onde não há pecado, não pode haver vício; e onde não há vício, não há corrupção viciosa; e onde a corrupção não é viciosa, nenhum vitupério é devido, a não ser que se queira vituperar, por pura e impiedosa invídia, as perfeitas e congruentes ordenações divinas.

> **141.** A – [...] porém as restantes, ou nem sequer devem dizer-se "corrupções", ou certamente, porque não são viciosas, não podem ser dignas de vituperação.

Assim sendo, as corrupções em que não se encontram vícios, porque não os há de fato, não deveriam nem sequer merecer o nome "corrupção", a que não se pense mereçam vitupério, como as viciosas. De fato, se não se trata de um pecado, apenas uma transformação prevista e ordenada de sua natureza, vituperá-las equivale a vituperar a própria criação, o que seria ímpio, como Agostinho deu conta de prevenir um sem-número de vezes ao longo desta obra.

> **141.** A – [...] Na verdade também a própria "vituperação", porque [seu étimo] seja: "preparada só para o vício", isto é, "adaptada" e "devida"[213], crê-se daí ter sido o vocábulo derivado[214], de modo a que se dissesse "vituperação".

Essa discrepância terminológica não poderia passar em branco, em se tratando de um rétor como Agostinho. Se algumas transformações naturais se dizem de modo impróprio "corrupções", isso ocorre porque nem sempre se costuma associar ao termo um caráter perverso, digno de censura. Com efeito, o verbo "corromper" (*corrumpo*) significa "destruir", "estragar", e coisas semelhantes; contudo o vocábulo não carrega em seu étimo nenhuma noção particularmente associada, quer ao vício, quer ao pecado. Daí ter preferido Agostinho,

---

213 A vituperação se diz "devida" ao vício porque sem vício não há vituperação. A censura se deve ao fato de que a corrupção tem causa viciosa (e voluntária), não natural.

214 O verbo latino utilizado aqui é *traho*, que está no infinitivo perfeito passivo, *traxisse*, "ter sido arrastado", o que significa dizer que o vocábulo *uituperatio* foi "arrastado junto", ou melhor, reunido a partir de dois outros vocábulos, "preparar" e "vício". Nada obstante a etimologia da palavra estar correta, o rétor não a justifica com exatidão, porque o sentido de *uitupero* é antes "encontrar culpa" ou "inculpar".

agora como filósofo, buscar antes na causa a explicação filológica que não pudera encontrar apenas no sintoma. Ora, a corrupção é sintoma do vício, e não o contrário, uma vez que é somente depois de deflagrado o movimento inicial de aversão da vontade que a alma se corrompe, e não o revés. Porém Agostinho inverte o argumento, de onde se poderia crer que nenhuma corrupção possuísse em si algum vício, a não ser a corrupção que merecesse censura por causa do próprio vício, como se o fato de ser censurada servisse de critério para definir que gênero de corrupção é ou não viciosa[215]. Essa inversão, na verdade, é apenas aparente, porque, se a corrupção que merece censura é aquela que tem vício, não poderia a censura de uma tal corrupção chamar-se senão "vitupério", pois "vituperar", segundo o étimo por ele apresentado, deriva do vocábulo "vício", numa aglutinação entre os termos *uitium* e *paratio*, que Agostinho explica como sendo uma "preparação para o vício", como se a "vituperação" estivesse "adaptada" (*apta*) ou associada ao vício, sendo-lhe inclusive "devida" (*debita*), já que ao vício se deve retribuir com censura. Na verdade o verbo *uitupero* significa "imputar" ou "atribuir culpa", ou ainda "falta", sentidos todos associados ao vocábulo *uitium*, e não exatamente a explicação dada por Agostinho. Mas isso pouco importa, pois necessário era apenas deixar claro que nem toda corrupção, que implica transformação destrutiva de uma dada natureza, ocorre com vício, de onde se conclui também que nem toda transformação corruptiva seja contra a natureza.

## 3,14,41,142. O vício e o mal: recapitulação

**142.** A – Porém o vício, como eu havia começado a dizer[216], não é mau por outro motivo[217], a não ser porque se volta contra a natureza daquela própria coisa de que é um vício.

Estava evidente, desde alguns parágrafos acima, aonde Agostinho pretendia de fato chegar. Se toda natureza, que se diz também substância[218], é boa, e se o mal não é senão uma deficiência do bem, logo uma deficiência da própria natureza, resta necessário que tudo aquilo que corrompa ou cause defeito nessa natureza, que é originalmente boa, não se diga apenas contrário a ela, mas

---

[215] Cf. 1,3,6,15.

[216] Cf. 1,13,38,132 *et seq.*

[217] Liter.: "a partir de outro lugar" (*aliunde*).

[218] O que se pode compreender também como "ser", ou seja, aquilo que simplesmente é. Cf. 3,13,36,128.

também contrário ao próprio bem. E que outra definição mais apropriada para o mal, que se vem buscando desde o início do livro primeiro, senão dizer que seja contrário ao bem, ou à natureza? No entanto, se *m* é contrário ao bem, *m* então é alguma coisa. Porém o mal não é coisa alguma, apenas deficiência do próprio bem. Logo *m* não pode ser nada. E assim é de fato, pois sendo contrário ao bem, que é o próprio ser, *m* é contrário ao ser. Logo *m* não é ser, restando que seja nada. Porém como nada não pode ser, resta simplesmente que *m* não seja. Logo *m* não é. Nesse caso, contudo, vale notar que Agostinho está se referindo ao vício particular de cada natureza, que corrompe seu próprio ser, e não ao vício em si, enquanto vício, como se se tratasse de um antagonista do Ser ou do Bem. Portanto o vício de uma dada natureza $N_p$, por exemplo, é considerado mau porque corrompe o ser, ou a natureza de $N_p$, sendo-lhe um "defeito" particular, e não um defeito universal, como se fosse uma substância absoluta, que afetasse todas as naturezas indistintamente.

## Louvor da natureza

**142.** A – [...] esta mesma coisa, cujo vício é vituperado, é uma natureza louvável.

E como dito antes também[219], a corrupção dessa natureza $N_p$ só é digna de vitupério porque possui vício. Porém nenhum vício há onde não há bem, vício que é um defeito da natureza, uma carência de bem ou de ser, do que resulta que a natureza que está sendo corrompida pelo vício, se em alguma medida ainda existe, só pode ser boa. E de fato, como se viu no livro segundo, tudo o que existe, possuindo medida, número e ordem, deve ser bom. Logo, se o vício é a corrupção do bem, só pode haver vício onde haja bem, onde haja medida, número e ordem, sendo o vício a corrupção desses três elementos. Do que decorre que até mesmo a natureza viciosa, enquanto natureza, seja um bem. E como todo bem deve ser louvado, conclui-se que toda natureza, enquanto natureza, viciosa ou não, deve ser louvada.

## Louvor do vitupério

**142.** A – [...] reconheçamos completamente que esta própria vituperação dos vícios das naturezas é um louvor, daquelas [naturezas], evidentemente, cujos vícios são vituperados.

---

[219] Cf. 3,13,38,132.

No entanto, se mesmo as naturezas viciosas merecem louvor, enquanto naturezas, não deixam de merecer igualmente o vitupério, que só é digno das naturezas em que há vício. Disso decorre que vitupério e louvor andam de braços dados, pois, se nenhuma natureza, enquanto natureza, deixa de ser digna de louvor, e se nenhuma natureza, enquanto viciosa, deixa de ser digna de vitupério, decorre disso que nenhuma natureza viciosa, enquanto natureza, deixe de merecer tanto louvor como vitupério: louvor, por ser natureza; vitupério, por ser viciosa. Porém Agostinho vai mais além, ao dizer que o próprio vitupério não deixa de ser um louvor (*laus*), na medida em que se louve aquela natureza particular de que o vício, que está sendo vituperado, seja um vício. Não que o vitupério seja um louvor enquanto vitupério, ou seja, enquanto censura da corrupção da natureza que se dá pelo vício, o que seria paradoxal[220], mas enquanto memória, ou melhor, anseio do bem original, em sua integridade, anseio da perfeição que foi destruída pelo vício corruptor. Nesse sentido, portanto, vituperar um vício não é senão louvar a memória da natureza perfeita que já não é mais.

## Economia das naturezas: quanto mais vício, tanto menos ser

**142.** A – [...] porque o vício se volta contra a natureza, o [mesmo] tanto que se adiciona à malícia[221] dos vícios é o quanto se diminui da integridade das naturezas.

No balancete contábil das naturezas, como visto antes[222], a aritmética não é menos simples, nem menos objetiva, do que num levantamento vulgar entre débitos e créditos, pois a mesmíssima quantia que se adiciona a uma coluna deve ser subtraída de outra. No caso das naturezas racionais, todo vício consta da coluna "débito", assim como o ser, daquela cuja rubrica diz "crédito". Logo cada lançamento de uma determinada quantia $Q$ de vício deve ser acompanhado de lançamento correspondente na coluna da natureza, porém com sinal invertido. Assim, a cada tanto de malícia que se adiciona, pelo pecado, o mesmo tanto da natureza é diminuindo, pela corrupção, de modo que se possa dizer que o ser de uma natureza decresce na proporção exata do acréscimo de seu vício. Porém como o mal não tem estatuto ontológico, a adição de malícia aos vícios não se dá de modo positivo, e sim negativo, $-Q$, assim como o remanescente

---

220 De fato, apenas num oximoro seria aceitável que o louvor fosse vitupério, ou o vitupério, louvor.

221 Quer dizer, a quantidade de mal existente em um vício.

222 Cf. 3,5,15,57-16,60; 13,36,126.

da natureza, por ser, enquanto algo ainda remanesce, tem valor positivo, $+N$, ou simplesmente $N$. Isso, porque a natureza que se vai viciando deve deixar de ser, como se o débito de um balancete fosse apenas o montante perdido, não o montante devido, ou seja, algo que já não é mais, por não poder ser recuperado. De fato, ninguém pode creditar ser a nenhuma natureza, senão o Credor divino, o Fundador supremo de todas as naturezas. As almas racionais, quando muito, podem conservar o crédito de ser que dele receberam, jamais acrescê-lo, apesar de poder diminuí-lo, e muito, caso avertam sua vontade do Credor.

## 3,14,41,143. Louvor da integridade

**143.** A – [...] Logo, quando vituperas o vício, sem dúvida louvas aquilo cuja integridade anseias. Porém a integridade de que coisa, a não ser a da natureza?

Uma natureza sem vício algum é perfeita, porque íntegra, ou seja, nada lhe falta. Se o vitupério do vício implica o louvor da integridade ardentemente desejada, isso significa que a natureza já não é mais íntegra, e sim que está corrompida. Logo falta-lhe um pedaço, por assim dizer, uma certa quantia daquilo que se lhe corrompeu. Ora, o que se lhe corrompeu foi a própria substância, seu ser, aquilo que realmente era. Logo falta-lhe um pedaço de si mesma. Essa integridade, ou melhor, a memória dela, é o que se louva, diz Agostinho, quando se vitupera o seu vício. Na verdade, se não se pode vituperar o que não é – que seria algo como golpear o vapor –, quando se vitupera o vício de uma natureza, se está vituperando em verdade o efeito causado por ele, sua corrupção, a exata quantia de ser que simplesmente foi destruída. Portanto, quando se vitupera $N_{q}$, se está na verdade louvando a quantia positiva $_{q}$ que falta a $N$ para que volte a ser uma natureza perfeita, como era quando criada por Deus, porque todo ser é digno de louvor, sendo o vitupério, como ilustrado pelo étimo, reservado exclusivamente ao vício.

## 3,14,41,143. Memória nervosa de uma natureza amputada *ou* síndrome fantasma

**143.** A – [...] o que tenhas percebido faltar à perfeição de uma natureza, tu o chamas "vício", testemunhando[223] que ela suficientemente te apraz, a qual [natureza], por meio da vituperação de sua imperfeição, [tu atestas que] querias que ela fosse perfeita.

---

223 O verbo *contestor* pertence ao campo semântico do direito e significa algo como "servir como testemunha" (*testis*), daí também: "declarar", "dar testemunho", "atestar" etc.

O movimento de aversão da vontade do Bem comum e imutável e de conversão para os bens próprios e mutáveis, que se denominou pecado ou mal, e que se demonstrou no final do segundo livro não ser mais que um defeito, um nada[224], agora se define também como sendo contrário à natureza, logo contrário também ao ser e ao bem, porém ainda um nada, uma mera ausência. A natureza íntegra, sem vício algum, é perfeita. Porém, quando viciosa, falta-lhe algo da perfeição que possuía e que foi corrompida. Esse algo faltante, que não existe mais, pois totalmente corrompido, diz-se "vício", pois não é uma substância, apenas a falta dela. E se essa ausência é digna de vitupério, isso se dá apenas porque aquilo que ela representa, ou seja, aquilo de que ela é ausência, era bom e digno de louvor, como se a natureza guardasse em si a memória nervosa de um membro amputado, cuja imagem cerebral não pode apagar-se, embora o membro não esteja mais ali. De fato, não se vitupera o membro que falta, ao contrário, ele merece louvor, por tudo o que era e por tudo que podia fazer, enquanto era membro. Vitupera-se apenas a corrupção viciosa dele, sua ausência, que na verdade não é algo em si, pois não possui uma substância. Ou alguém já teria visto a ausência em si mesma, seja do que for? E com efeito, o vitupério da corrupção não comprova senão que o membro, enquanto membro, de cuja existência guarda-se apenas a "memória nervosa", seja algo bom, cuja ausência dói, pois melhor seria se sua natureza fosse íntegra e perfeita novamente.

Indo além, pode-se dizer inclusive que o desejo inato do bem, aquele coração inquieto de que falará Agostinho no parágrafo inaugural de *Confissões*[225], traçando um paralelo, não opere de modo muito distinto dessa "memória nervosa" de uma natureza amputada. O homem, natureza originalmente íntegra, ao pecar, vê partes de si como que amputadas, literalmente, na proporção exata de seus vícios, como dito antes: quanto mais malícia acrescenta a seus vícios, tanto mais sua natureza é diminuída. E por mais vicioso seja, nunca chega a apagar totalmente a memória nervosa de suas partes amputadas, esquecendo-se de sua natureza integral. De fato, estabelece-se um conflito na natureza viciada, cuja parte amputada, como um membro decepado que permanece no cérebro como imagem, mesmo depois da perda anatômica, mantém-se em sua "memória", não se permitindo jamais esquecer. O vício pode corromper grande parte do ser de uma dada natureza, mas a parte corrompida, como lembrança de sua

---

224 Cf. 2,19,54,202-206.

225 *Conf.* 1,1,1: *"et inquietum est cor nostrum..."*.

origem divinamente íntegra, causa-lhe inquietação incessante, até que obtenha o completo refazimento de si – o que só se dá pela ação restauradora do Médico divino. Instaura-se aquilo que a medicina por vezes denomina "síndrome do membro fantasma", um conflito gerado pela ausência do membro anatômico ainda presente no cérebro, cujas dores e incômodos, geralmente crônicos, exigem árdua terapêutica. No caso da alma racional, contudo, dir-se-ia tratar-se de uma síndrome de natureza fantasma, cujos efeitos causam grande desassossego. De fato, assim como aquele que tem um membro qualquer amputado sente pruridos no membro ausente tanto mais inquietantes e desesperadores quanto menos se vê capaz de aliviá-los por algum tipo de fricção, porque não se pode friccionar o que simplesmente não existe, do mesmo modo a alma pecadora padece "pruridos" inquietantes pela ausência de parte de sua natureza "amputada", pruridos que só pode aliviar pela "fricção" da fé, da esperança e da caridade, restando a terapêutica definitiva aos cuidados exclusivos do Médico divino e do "enxerto" da Graça.

## O defeito
(Economia do pecado: dívida e restituição)

### 3,15,42,144. O vício da arte

**144.** A – [...] se a vituperação dos vícios, até mesmo das próprias naturezas das quais [esses vícios] são vícios, recomenda seu decoro[226] e dignidade, quanto mais Deus, o Fundador de todas as naturezas, até mesmo nos vícios delas deve ser louvado!

Se até mesmo as naturezas viciosas se fazem dignas de louvor, não por seu vício, mas enquanto naturezas, que são sempre boas, embora também seu vício, como visto logo acima, remeta à sua natureza de antes da corrupção, íntegra e absolutamente louvável, muitíssimo mais louvável se dirá o Criador de todas elas. De fato, se o vício de uma natureza permite se entreveja sua perfeição ausente, cujo autor é a própria Perfeição suprema, sendo a perfeição inferior ausente laudável, muito mais o será a Perfeição suprema, sempre presente. Não se trata de nenhum argumento mais complexo, que extrapole o tópico do grau, inúmeras vezes mencionado: se no menos, muito mais no mais[227].

---

226 Quer dizer, beleza ou ornato.

227 Cf. **2**,11,32,127; 18,48,182; 49,188; **3**,5,14,54 etc.

**144.** A – [...] que sejam tanto mais viciosas, quanto mais se afastam da arte[228] dele, pela qual foram feitas, e que fossem tanto mais vituperadas, quanto mais o vituperador delas vê a arte pela qual foram feitas, de modo que vituperasse nelas aquilo mesmo, que ali não vê.

Da suma perfeição do Fundador as criaturas todas receberam: [i] sua própria natureza ou substância, ou seja, seu próprio ser; [ii] a Lei eterna, segundo a qual tanto mais viciosas se tornem quanto mais se afastem do Ser supremo, que é também o Bem supremo, o que equivale a dizer que têm seu ser tanto mais corrompido, e consequentemente diminuído, pela viciação, quanto mais avertem sua vontade da arte do Bem comum e imutável, convertendo-a em sentido contrário, aos bens próprios e mutáveis. E isso é lógico, pois quem converte-se para a mutabilidade, fugindo à imutabilidade, se torna mutável com ela, o que, no caso dos seres que possuem corpo, significa corromper-se. E se o vício constitui um defeito da natureza, tanto mais defeituosas se tornam, quanto mais viciosas. Logo, como consequência imediata e inevitável de [i] e [ii], resta-lhes o vitupério, que merecem tanto mais, quanto mais aquele que vitupera se dá conta da arte divina pela qual as criaturas todas foram feitas, ou seja, quanto mais percebe a perfeição da integridade que havia antes da corrupção viciosa, tanto mais sente desejo de vituperar as almas viciosas, que corromperam a própria natureza, abrindo mão da arte divina com que foram criadas. Dá-se mais ou menos como alguém que, tendo chegado a Atenas ou Roma, no dias de hoje, depois de ter contemplado em livros coloridos as reconstituições da arquitetura dessas cidades em seu apogeu na Antiguidade, reconstituições feitas por especialistas, através de computação gráfica, se condoesse de ver o quanto falta à sua grandeza original, ao observar as ruínas da acrópole ateniense ou do fórum romano.

## 3,15,42,145. Arte e Sabedoria

**145.** A – E se a própria arte, através da qual foram feitas todas as coisas, isto é, a suprema e absolutamente imutável Sabedoria de Deus[229], é de modo verdadeiro e supremo, como de fato o é, reconsidera[230] para onde tenda qualquer coisa que se afasta dela!

---

[228] O termo "arte" não deve ser compreendido em sentido romântico, e sim no sentido clássico de τέχνη. Vejam-se os verbetes *ars* e *artifex* no Léxico T-F.

[229] Cf. Paulo, 1Cor 1,22-24; *L.A.* 1,2,5,12.

[230] Liter.: "olha para trás" ou "em sentido contrário" (*re* + *spicio*). O rétor não costuma dispensar prefixos a esmo, sem motivo preciso. Neste caso deve-se olhar em sentido reverso, porque o antípoda da Sabedoria de Deus, que é sumamente, só pode ser o nada, o não ser situado no polo oposto.

A arte (*ars*) divina pela qual foram criadas as naturezas todas, outra coisa não é senão a própria Sabedoria incomutável e suprema do Fundador paternal, que desde muito cedo havia sido associada a Cristo, depois que Paulo percebe a necessidade de aproximar o pensamento religioso palestino do filosófico grego, através de sua elaborada cristologia[231]. Essa Sabedoria, portanto, que é Cristo, aquele mesmo Princípio no qual o Pai criou todas as coisas, desde sua Eternidade, simplesmente é – de modo supremo e verdadeiro – porque é a Fonte suprema de todo ser e de toda verdade. E se é desse modo, se é o próprio Ser, aquilo que se afasta dela, nenhuma outra coisa resta que seja senão o nada, o não ser, ou então o contrário da Sabedoria, da Verdade, da Vida, do Bem, da Eternidade, da Estabilidade, entre tais absolutos. Talvez seria melhor se se dissesse que o antípoda de tudo isso seja a sua mais completa negação ou a ausência: ausência absoluta do Ser (nada), ausência absoluta do Bem (mal), ausência absoluta da Sabedoria (ignorância), ausência absoluta da Luz (treva), ausência absoluta da Verdade (mentira ou erro), ausência absoluta de Eternidade (tempo), ausência absoluta de Estabilidade (instabilidade ou impermanência), ausência absoluta da Segurança ou Paz (insegurança, temor ou perturbação), ausência absoluta do Amor (desamor ou ódio), ausência absoluta da Vida (morte), e assim sucessivamente. Logo resta mais que evidente aonde se dirige aquilo que se afasta da Arte divina, com a qual Deus criou integramente, cada coisa em seu gênero apropriado, tudo aquilo que veio a ser. E nenhuma outra noção se põe como contrária ou como a própria negação da "arte", seja divina, seja humana, no sentido estritamente técnico do termo grego (τέχνη), senão o "defeito", que é ausência de perfeição (imperfeição), ou seja, aquilo que não está acabado, tampouco ordenado, segundo as regras dessa mesma Arte.

## Defeito, vício e vontade

**145.** A – [...] Contudo o defeito[232] não seria digno de vituperação, se não fosse voluntário.

Ninguém vitupera o que está em harmonia com a natureza, não apenas porque o vitupério, como deixou claro o étimo apresentado pelo rétor, só se aplica onde há vício, mas também porque o vício só é digno de vitupério por ser

---

[231] Cf. Henry Chadwick, *The Early Church*. London: Penguin, 1993, p. 20.

[232] Esse "defeito" (*defectus*) é o nada para onde tende toda criatura que se afasta da eterna Sabedoria.

contrário à natureza[233], e o que está em harmonia com a natureza não lhe pode ser contrário. Logo o que é segundo a natureza não merece vitupério, porque o que é natural não pode ser vicioso, do contrário não apenas o natural seria paradoxalmente antinatural, e mau, mas também seu próprio Criador. Portanto, a fim de que um vício seja retamente vituperado, é preciso que esteja em franca oposição à natureza de que se constitui vício, corrompendo-a, embora nem tudo o que corrompa a natureza, como visto, seja de fato um vício[234]. Pois bem, sendo o defeito aquilo que se afasta da perfeição da Arte divina, não pode ser vituperado, se nele nenhum vício for encontrado. Se o defeito for causado pela própria natureza, como o defeito ocasionado por alguma enfermidade congênita dos olhos, por exemplo, não será vicioso, tampouco vituperável. Logo, para que seja vituperável, deve ser antinatural, ou seja, contrário à natureza de que se constitui um vício; contrariedade que não pode ocorrer senão nas almas racionais, almas dotadas de arbítrio livre da vontade, que podem averter-se da Arte divina espontaneamente. Portanto nenhum vício haverá onde não houver vontade. E consequentemente nenhuma vituperação, onde o defeito for involuntário. Logo nenhuma alma se afasta da Arte divina, fazendo-se livremente defeituosa, senão por meio do arbítrio da própria vontade, do contrário não poderia merecer nenhuma vituperação.

## O devedor antinatural

> **145.** A – [...] considera se acaso vituperas retamente aquilo que é assim, do modo como devia ser [...] [ao contrário,] sempre [vituperas] o que não é assim, do modo como devia [ser].

Se nenhum defeito ou corrupção das naturezas é digno de vituperação, a não ser aqueles causados pela ação livremente arbitrada pela vontade, ação que se configura como viciosa, e precisamente por isso, digna de vitupério, o contrário, os eventos naturais, não apenas não são viciosos, como tampouco vituperáveis. Porém o que define algo como sendo natural, estando em perfeito acordo e harmonia com a natureza, senão o fato de ser exatamente o que deveria ser, e do modo como deveria? Logo aquilo que não está de acordo com a natureza, que está em desarmonia com ela, não está senão *contra naturam,* não sendo, portanto, aquilo que deveria ser, muito menos do modo como deveria. E se o que

---

233 Cf. 3,13,38,132.

234 Cf. 3,14,40,140.

é natural não merece vitupério, tem-se, como sequência necessária, que aquilo que é o que deveria ser, e do modo como deveria, não merece vitupério algum, porque nenhum vício há em si, do contrário seria contra si mesmo, visto que o vício é contrário à natureza. De fato, se houvesse vício na natureza, o natural seria antinatural, o que seria paradoxal, logo inaceitável. Por outra, o que não é como devia ser, porque antinatural, merece vitupério, pois em si não pode não haver vício, do contrário não seria contra si mesmo. O que está de acordo com a Arte divina não pode ser contra si mesmo, sendo o que devia ser, do modo como devia ser; porém o que está em desacordo com a Arte divina está contra si mesmo, pois não é o que devia ser. E àquilo que não é o que "deve" ser, que outro nome se *lhe* pode atribuir, senão o nome de "devedor", pois sem dúvida "deve" algo a alguém.

## 3,15,42,145. Ninguém deve o que não recebeu

**145.** A – [...] Porém ninguém deve o que não recebeu.

Portanto há dois estados, o natural e o voluntário, dos quais o primeiro se define por ser o que deveria ser e do modo como deveria; e o voluntário – no caso das almas pecadoras, em que há defeito vicioso, ou seja, antinatural, pelo qual merecem vitupério –, por ser diferente do que deveria ser e do modo como deveria ser. O primeiro é digno de louvor; o segundo, de vitupério. No primeiro não há dívidas nenhumas, pois ninguém deve nada a ninguém, estando tudo onde e como deveria estar, segundo as disposições da Arte divina. Ou seja, no estado natural nenhuma criatura deve nada ao Artífice divino, pois tudo aquilo que ele criou, do modo como criou, permanece íntegro, em sua condição de pureza original, sem qualquer defeito. No segundo estado, o voluntário, surge uma dívida, pois aquilo que foi dado às almas, sua natureza íntegra e sem qualquer defeito, já não mais existe. Portanto a alma pecadora faz-se devedora do Criador, que se constituiu, desde sempre, o divino Credor. Não há dúvidas de que o rétor Agostinho se aproveitou da polissemia do verbo "dever" (*debeo*)[235], utilizado tanto como auxiliar, no sentido de expressar uma obrigação, um dever, como no sentido específico e jurídico de estar preso a uma pendência legal, uma dívida. Isso, contudo, não diminui nem a beleza da passagem, muito menos seu poder argumentativo, ou ainda sua correção. De fato, quando se

[235] O que cria problemas insolúveis para algumas línguas não românicas, como o inglês.

"deve" ser algo que se não é, não é menos verdade que se está em dívida com algo ou alguém, assim como quem "deve" um montante qualquer a outrem[236]. Porém, se na linguagem vulgar nem sempre está explícito o credor dessa dívida, expressa pelo verbo auxiliar "dever", como quando alguém diz que "deve chegar em casa mais cedo", ou que "deve ser mais paciente", Agostinho deixa patente que a dívida de uma qualquer natureza, que não é como deveria ser (antinatural, portanto), está absolutamente vinculada ao Credor divino, pois quem não é o que "deveria" ser, está em dívida, devendo esse "ser" que voluntariamente deixou de ser àquele de quem recebeu o "ser" íntegro, para que se mantivesse exatamente do jeito como criado, como "deveria" ser e permanecer. E mais, ninguém diz que "deve", seja o que for, a não ser que tenha recebido aquilo que se diz "dever". Se se diz que o que é natural é do modo como deve ser, assim se diz porque o que é natural é exatamente do modo como recebeu o ser do Fundador divino, não lhe devendo a integridade de seu ser, a qual dá conta de manter. Porém recebeu dele também o próprio ser, que lhe deve, assim como todas as criaturas o devem, porque dele todos o receberam. No entanto aquele que deve a integridade de seu ser, corrompido pelo vício, esse deve ao Credor divino não apenas o ser que dele recebeu, mas também a integridade, que destruiu, voluntariamente, pois ninguém deve o que não recebeu.

## Dívida eterna

> **145.** A – [...] E todo aquele que deve, a quem é que deve, a não ser àquele de quem recebeu, de modo que lhe fique devendo?

Porém, se deve o que recebeu, presume-se que tenha recebido de alguém. Logo deve a alguém, de quem recebeu aquilo que deve. E se aquilo que deve é que seja o que deveria ser, deve a esse alguém que seja o que deveria ser. Mas quem é que determina o que algo deva ser, exceto aquele que lhe comunica que seja, que lhe confere o ser, seu Autor, Artífice, Fundador, ou Criador? Logo a quem é que deve aquele que devia ser aquilo que recebeu, senão a seu Criador? Portanto deve ao Criador, que se torna igualmente Credor, que

236 No primeiro caso esse "dever" exprime obrigatoriedade de ação; no segundo, a atrelagem a uma dívida, que "deve" saldar, isto é, que tem o "dever" de solver. Seja em que caso se considere o sentido do verbo, resta invariavelmente patente o sentido de "obrigação", que implica sempre algo devido, seja de caráter moral, seja pecuniário, pouco importa, porque em ambos os casos o que é devido deve ser pago.

seja, ou melhor, que volte a ser do mesmo modo como era, quando foi criado. Porém que fique claro que não seria dito que deve, se aquilo que está faltante não tivesse sido corrompido voluntariamente, mas naturalmente. De fato, se não fosse mais o que era quando foi criado, porém de modo natural, nada deveria, pois seria exatamente como deveria. Logo, se deve, só pode ter contraído a dívida de modo voluntário, do contrário não haveria dívida nenhuma, apenas a Lei natural[237]. Em síntese, pode-se dizer que há duas maneiras de compreender esse *status* de devedor das almas pecadores. Em primeiro lugar ninguém deve nada a não ser daquele de quem recebeu alguma coisa, de modo que, após tê-la recebido, se torne um devedor. Neste caso o homem se constitui um devedor porque recebeu sua natureza perfeita de Deus, natureza que corrompeu voluntariamente. Ora, se recebeu-a perfeita por parte de Deus, deve-lhe a perfeição que arruinou, de modo vicioso. E nesse caso é devedor duas vezes, pois não apenas deve a natureza a Deus, como todas as criaturas a devem, mas também deve-lhe a integridade da natureza corrompida, natureza que recebeu perfeita. Porém há uma outra maneira de compreender essa dívida. Todo aquele que deve está em dívida com aquele de quem recebeu o próprio "dever", ou seja, "que deva" (*ut debeat*), ou ainda, "para que deva". Neste caso a conjunção *ut* se compreenderia como substantiva, ou até mesmo como adverbial final. O que se pode compreender do seguinte modo: o homem recebeu de Deus o ser de modo a tornar-se devedor dele; numa palavra, para que reconhecesse humildemente sua dívida com seu Criador, jamais se esquecendo de que foi por ele criado, do nada, e que deve absolutamente tudo àquele que o criou. Todavia, seja como for que se interprete a conjunção, para além da sintaxe, conclui-se indubitavelmente que Deus constituiu o homem, criatura sua, para que dele fosse eterno devedor, por assim dizer, ao dar-lhe do próprio Ser, para que também fosse, como se quisesse que o homem fosse seu companheiro e ornamento da universalidade da criação, nada obstante dependesse de si, de seu Ser. Em ambos os casos, contudo, o fato é que o homem tem uma dívida com Deus, seja por ter-lhe dado o ser, seja pela perfeição que ele mesmo deu conta de estragar. Se a segunda dívida, a voluntária, é passível de restituição, a primeira, jamais.

237 Percebe-se, para além da argumentação, como Agostinho se utiliza com frequência da linguagem jurídica, de que sem dúvida alguma era bastante conhecedor, devido à sua atividade de rétor – o orador era o causídico da Roma antiga –, cujo campo de atuação, para além da teoria ensinada em sala de aula, era o fórum, nas disputas legais.

## 3,15,42,146. Dívida e restituição I: criaturas inferiores

**146.** A – [...] não apenas as coisas que são restituídas[238], comunicando[239], são restituídas àquele que as tenha comunicado...

A ideia por detrás desse exemplo foi expressa no parágrafo anterior (§145): ninguém deve o que não recebeu; e quem deve, seguramente deve àquele de quem recebeu. Pois bem, aquilo que é restituído assim o é àquele que o legou por primeiro, seja isso uma herança, seja outro bem qualquer. Se fosse o caso de uma herança, como se costuma traduzir o termo pós-clássico *translego*, contudo, assumindo que aquele que deixa o legado esteja morto, seus legítimos sucessores é que receberiam a restituição devida, em representação do defunto. Seja como for, a despeito da dificuldade criada pela linguagem jurídica utilizada, trata-se apenas de um exemplo para explicar a máxima anteriormente expressa: ninguém deve o que não recebeu. Logo, se há alguma restituição de dívida, é porque há dívida; e se há dívida, é porque alguém (o credor) comunicou ou transferiu algo a alguém (o doravante devedor). Logo a restituição da dívida se comunica àquele que por primeiro comunicou o empréstimo[240], porque se deve àquele de quem se recebeu alguma coisa.

---

[238] Liter.: "dadas de volta" (*re* + *dare*), ou seja, "devolvidas".

[239] Traduz o v. *tralego* [= *translego*], que em latim clássico significava simplesmente o ato de ler algo para alguém (*trans* + *lego*). Em linguagem jurídica, por derivação de sentido, veio a significar a transmissão legal de algo, uma vez que este ato jurídico era cumprido através da leitura pública de documentos, como testamentos, por exemplo. O dicionário *Oxford* não cita o termo com essa acepção, pois os paradigmas que ilustram seus verbetes não ultrapassam o século II d.C. Já os dicionários Harper e Gaffiot incluem essa acepção, de transmissão de herança – transações jurídicas que soíam ocorrer pela leitura pública dos documentos, diante de testemunhas –, acepção que ambos os dicionários justificam com um único exemplo, do próprio Agostinho, exemplo tirado do quinto tratado acerca do Evangelho de João (§20), quando o autor argumenta que Cristo não legou por herança a nenhum de seus servos o poder de batizar pelo Espírito, poder que lhe pertence com exclusividade: "Porque ele próprio é que batiza no Espírito santo e a nenhum servo seu 'comunicou' o poder de batizar..." (*quia ipse est qui baptizat in spiritu sancto et nulli seruo suo 'translegauerit' potestatem baptizandi...*). Na passagem supradestacada do *L.A.*, ao que parece, Agostinho está utilizando essa transmissão em sentido bem amplo, de simples comunicação legal de algum bem, e não necessariamente de herança, pois quem deixa uma herança comumente está morto.

[240] É o que se depreende, pois se fosse doação não haveria dívida, porque ninguém costuma estar em dívida por um presente recebido, o qual, se não fosse gratuito, não poderia ser chamado de "presente" (*donum*). Isso, contudo, desde que se não esteja referindo a uma dívida de gratidão, apenas por assim dizê-lo.

**146.** A – [...] mas também o que é restituído aos justos[241] sucessores[242] dos credores[243], aos próprios [credores] por certo é restituído, aos quais esses sucedem por direito; do contrário não se deve nomear "restituição", mas "cessão", ou "perda", ou alguma outra coisa do gênero.

O paralelismo pretendido pelo rétor pode ser explicado do seguinte modo. Assim como uma quantia qualquer devida é restituída pela transmissão legal, por meio de leitura pública dos documentos, àquele que primeiro havia transmitido legalmente o empréstimo, do mesmo modo uma quantia devida a um credor qualquer, quando restituída a seus legítimos herdeiros, considera-se como tendo sido restituída legalmente ao próprio credor, ainda que este esteja morto, porque seus herdeiros legítimos o representam perante a lei, e o que se lhes faz legalmente, faz-se igualmente ao seu antecessor.

## Embriões doutrinários

Difícil dizer exatamente o que pretende Agostinho com esses dois exemplos extraídos do campo jurídico. Sabe-se bem como os africanos Tertuliano e Cipriano se utilizaram de seus vastos conhecimentos na área jurídica para aplicá-los à teologia latina, que graças a essa "imersão" no direito romano se distancia paulatinamente dos interesses da metafísica especulativa grega, sendo absorvida por questões éticas sobremodo, não raro pautadas exatamente pelo alcance da linguagem e dos interesses jurídicos, a mostrar como a forma exerce grande influência no conteúdo, ao contrário da ideia tão mais comum, quanto simplista, de que seja apenas sua vestimenta. Pois bem, se o que se deve, deve-se àquele que comunicou a transferência legal, tornando-se doravante credor, por que motivo incluir seus sucessores? Deve-se a integridade da natureza corrompida ao Criador de todas as naturezas, ou então à sua Sabedoria, una e coeterna com ele, que presidiu a criação do mundo, Cristo. Porém não são apenas as dívidas diretas, as que se comunicam ao Credor divino, em restituição à perfeição da natureza que ele comunicou às almas no ato de sua criação, mas também, diz Agostinho, tudo aquilo que se restitui aos sucessores, os legítimos herdeiros do Credor,

---

241 Quer dizer, "legítimos".

242 No sentido de "herdeiros" (*successor*).

243 O dever de restituição de uma dívida contraída com o credor *C* passa para seus herdeiros legais $H_1$, $H_2$... $H_n$, daí um indivíduo qualquer *D*, que tenha contraído uma dívida com *C*, depois de morto *C*, passa a ser devedor de seus herdeiros, $H_1$, $H_2$... $H_n$.

também se considera como restituição ao próprio Credor, pois esses sucessores o são por direito legítimo. Nenhum problema com isso, se se soubesse com certeza a que sucessores estaria Agostinho fazendo referência. Seria possível que se tratasse de uma referência aos sucessores de Pedro e demais apóstolos, representados pelo clero? Talvez, embora o texto de modo nenhum o endosse. Pelo contrário, uma tal interpretação se mostra completamente deslocada de tudo o que se tratou até agora neste diálogo. O mais provável, contudo, é que não seja apenas mais um exemplo do campo jurídico, como outros tantos que foram e serão ainda utilizados pelo autor em todas as suas obras, e sim propedêutico ao que será tratado adiante, a transmissão do pecado de origem aos descendentes do primeiro homem, seus herdeiros, por assim dizê-lo[244]. Porém é preciso que se dê um passo a cada vez. Por ora, seja como se interprete o exemplo, evitando, contudo, extrapolações, o fato é que, se há o dever de restituição, isso se dá porque há dívida. Do contrário não haveria restituição, se não houvesse dívida, apenas cessão, quando não, perda. Com efeito, se não se tratasse de devolver algo a alguém, o que se compreende pelo termo "restituição", não se trataria de dívida, mas de "cessação", ou "doação", ou mesmo "perda". Portanto deve necessariamente haver uma dívida para que haja a correspondente restituição. Se não há dívida, então é porque houve doação, algo comunicado perfeitamente *gratis*, que implica, quando muito, uma dívida moral, a chamada "dívida de gratidão". Essa distinção será importante nas obras do autor sobre a Graça, entre as concepções de dívida (*debitum*) e de restituição (*redditio*), relacionadas a mérito ou salário (*merces*); e de cessão (*cessio*) ou doação (*donatio*), referentes à Graça (*gratia*) ou dom (*donum*). Aquilo que é cedido não pode ser considerado nem uma dívida, tampouco uma restituição, mas apenas um dom gratuito[245], indevido, do contrário ter-se-ia de considerar o Criador em dívida com a criatura, o que seria, no mínimo, contraditório, pois como poderia dever algo àquilo que ainda não existia, pois nem havia sido criado? Por outra, o que é comunicado a título de empréstimo deve ser restituído, do contrário estabelece-se um débito, que terá de ser saldado, a que se restabeleça o equilíbrio das relações entre as partes, agora retesadas.

---

244 De fato, não são apenas os herdeiros (*successores*) do credor que estão habilitados legalmente à comunicação de sua herança, mas também os herdeiros do próprio devedor, aos quais é comunicada a obrigação de quitar as dívidas do defunto endividado.

245 Perdoado seja o pleonasmo, pois, se é dom, deve, por definição, ser gratuito.

## O defeito natural e o tempo

> **146.** A – [...] Por isso todas as criaturas temporais, as quais foram colocadas nesta ordem de coisas, de modo que, se elas não forem deficientes[246], as futuras não podem suceder às pretéritas, a fim de que toda a beleza dos tempos, em seu gênero, seja perfeitamente acabada...

Desabrocha uma das mais interessantes relações dentre todas as até aqui estabelecidas pelo rétor e filósofo de Hipona, entre o defeito das criaturas e o tempo. Num primeiro plano, referindo-se de modo geral a todas as criaturas ditas temporais, ou seja, que se modificam no decurso do tempo, cada uma em seu degrau ontológico, é possível dizer que, se nenhuma delas fosse "deficiente", haveria uma interrupção na sucessão dos tempos. Essa "deficiência" pode ser compreendida como um defeito em sua natureza, uma "imperfeição natural", se se pode dizê-lo. Pois há criaturas que não têm defeito, como os anjos, cuja natureza, não sendo deficiente, não termina com o tempo. Porém, em não havendo essa deficiência perceptível nas criaturas inferiores, estaria rompida a sucessão dos tempos, na ordem das coisas. De fato, as folhas das árvores não cairiam no outono, até porque não haveria um outono, sucedendo o verão, em que pudessem cair; nem as flores brotariam na primavera, pois não apenas não haveria nascer ou morrer, mas tampouco uma primavera em que medrassem os vegetais; nem os animais se reproduziriam no tempo devido, não sendo possíveis animais nem reprodução; nem as gerações se sucederiam; nem os pais seriam seguidos por seus filhos, nem os filhos, por seus próprios filhos; numa palavra, se não houvesse essa "deficiência" natural das criaturas, cada qual com seu limite, umas morrendo para que outras nascessem, o tempo pararia, ou talvez não tivesse existido jamais; ou, se tivesse de algum modo existido, não seria possível percebê-lo, muito menos demarcá-lo, não havendo um antes, nem um depois.

> **146.** A – [...] é do modo mais absurdo que dizemos que elas [as naturezas temporais] não devem ser deficientes.

Portanto, alega Agostinho, seria o absurdo dos absurdos imaginar um mundo sem defeito, ou melhor, sem esse "defeito" natural das coisas, esse

---

[246] Traduz o v. *deficio:* "falhar", "faltar", mas também: "acabar", "ter um fim". Cf. verbetes *deficio, defectus, defectiuus* e *defectio* no LÉXICO T-F.

nascer e morrer contínuos que move a universalidade da criação, desde as coisas que apenas são, passando pelas que são e vivem, até às que são, vivem e inteligem, como é lícito supor-se, ao menos por ora[247]. E mais, não havendo deficiência, que se compreende como sendo essa "imperfeição" natural, que permite que a vida não apenas se renove, mais sobretudo se movimente, nem a própria vida haveria, que nada mais é que movimento. De fato, não haveria antes nem depois, nem aqui e ali, ou acima e abaixo, ou cedo e tarde. Nenhum movimento, nenhuma vida, mas também, depreende-se, nenhum pensamento, que não pode ser compreendido como algo imóvel, muito menos imutável. Embora não se possa dizer que o pensamento seja corruptível, carnal ou corpóreo, não se pode deixar de dizê-lo temporal, pois, com exceção da Mente divina, ninguém pensa tudo ao mesmo tempo, e sim de modo linear, numa sucessão de palavras e imagens, ou de formas-pensamento. O fato, contudo, é que sem essa deficiência natural, que permite que as coisas morram e nasçam, nasçam e morram, numa sequência interminável, tampouco seria possível qualquer vida inteligente, como é razoável supor-se. E sendo assim, sem dúvida alguma não haveria pecado, o vício corruptor das naturezas, pois onde não há pensamento não pode haver arbítrio livre da vontade, apenas instinto ou desejos motivados pelas percepções sensoriais, as quais, contudo, sem esse mesmo defeito, tampouco seriam possíveis. Diante de um tal quadro, como compreender a dívida das criaturas? E se não há dívida, tampouco pode haver defeito voluntário da natureza, apenas natural, que, na verdade, nem deveria ser chamado de defeito.

Trata-se, como resta claro, de mais uma apologia da criação em toda a sua diversidade, uma apologia da vida como ela é, com começo, meio e fim, ao menos a vida das criaturas que não são eternas e que nem podem almejar sê--lo, pois não têm nem sequer a faculdade de almejar. Enfim, se não houvesse deficiência nas naturezas, se elas não tivessem um fim, tampouco teriam um começo, pois não haveria entre elas qualquer cessão e sucessão, que sem dúvida alguma despertou em Agostinho interessantes e profícuas reflexões acerca do tempo, que parece inextricavelmente relacionado a essa deficiência natural das naturezas inferiores. De fato, fossem eternas, incorruptíveis, não-deficientes, por assim dizer, não haveria mudança em sua natureza, tampouco havendo, em relação a elas, um antes e um depois, devendo estar, ao revés, na eternidade,

[247] O defeito das criaturas racionais será tratado a partir de 3,15,43,149.

num misterioso repouso diante da face do Criador, quando então seriam um com ele, embora não se misturassem a ele, ao modo panteísta. O defeito, portanto, não deve ser entendido como um deficiência da criação, muito menos do seu Criador, e sim como sua temporalidade, transitoriedade, ou coisa do gênero, a qualidade de ser limitado, de ter fim, de nascer e morrer, cada coisa em seu devido tempo, pois "para tudo há um tempo e um tempo apropriado a todo evento sob o céu: há o tempo apropriado de nascer e o tempo apropriado de morrer..."[248]. E isso foi recebido pelas naturezas, o que justifica sua condição, pelo que nada devem, pois não se trata esse defeito de uma corrupção viciosa, voluntária, e sim de uma condição natural.

## O defeito, o tempo e o pecado de Adão

E se esse defeito é algo natural, ao contrário do defeito voluntário, aquela corrupção viciosa da natureza inteligente, pode-se indagar um tanto mais a respeito de sua relação com o tempo. Ora, a vida inteligente também parece ser dependente do movimento ocasionado pela sucessão, marcada pelo defeito das naturezas inferiores, pois se nenhum antes ou depois houvesse, nenhum pensamento seria possível, como o conhecemos e praticamos, e consequentemente nenhum pecado, de onde tampouco qualquer corrupção voluntariamente viciosa da natureza. Nesse caso o vício também seria decorrente do defeito natural. Ou seria o contrário: o defeito natural é que deve sua origem à viciação das naturezas, isto é, vem depois dela? Não se pretende aqui ir além do que o texto permite, apenas especular um tanto com ele, sem contudo levar muito em conta os subsequentes desenvolvimentos da teologia, a partir das demais obras de Agostinho, o que por si só seria tarefa das mais interessantes, posto que difícil de realizar. A pergunta que se quer fazer é simples: teria o pecado do primeiro homem deflagrado a corrupção das naturezas inferiores, e consequentemente a criação do tempo, como o conhecemos, ou essas naturezas inferiores já existiam, exatamente como são, embora muito distantes do paraíso adâmico, ou da eternidade angélica, onde nenhuma morte, corrupção ou defeito se faziam permitidos? Se o defeito natural é bom, cooperando para a beleza da ordem, na sucessão dos tempos, tendo sido causado pelo pecado, tem-se forçosamente não a apenas a utilidade do pecado

248 Cf. Ecl 3,1-2: "Τοῖς πᾶσιν χρόνος καὶ καιρὸς τῷ παντὶ πράγματι ὑπὸ τὸν οὐρανόν· καιρὸς τοῦ τεκεῖν καὶ καιρὸς τοῦ ἀποθανεῖν...".

para a ordenação da universalidade da criação, em sua perfeição e beleza, mas também sua necessidade, pensamento que sem qualquer dúvida seria considerado dos mais repulsivos por parte de Agostinho, diante de todo o esforço argumentativo empreendido até aqui. Pelo que se depreende de uma rápida leitura do *Gênesis*, é lícito supor que o defeito original das criaturas inferiores já existisse, não tendo sido causado pelo pecado, pois havia frutos que comer, como a maçã proibida, o que implica necessariamente aquela corrupção sem vício de que tratou Agostinho antes[249]. Demais, se havia frutos, havia o medrar e grelar das plantas, sem o que nenhum fruto seria possível, como instituído pelo próprio Criador, logo no início, ao determinar que a terra fizesse crescer a vegetação e as plantas produzissem sementes, flores e frutos de toda sorte[250]. Depois, ao instituir a luz e a treva, chamando uma de "dia", outra de "noite", estabeleceu igualmente a sucessão dos tempos e os movimentos todos dela decorrentes; e do mesmo modo ao criar as bestas e os grandes monstros marinhos[251], aves do céu e outras feras da terra[252], devia sem dúvida ter provido sua alimentação, fosse apenas de plantas, como parece ser o caso[253], mesmo para as feras selvagens, segundo o que Deus diz: "E a todas as feras da terra e a todas as aves do céu e a tudo que rasteja sobre a terra, que possui em si o sopro da vida, toda planta verde [eu provi] como alimento"[254]; fosse ainda de outros seres vivos (o que não está dito, mas pode ser excogitado, em virtude da presença ali das feras, presumivelmente carnívoras), os quais seriam, assim como as plantas, "corrompidos", "cedendo" sua vida para a manutenção da cadeia alimentar[255]. Mas acima de tudo, ao criar o homem e dar-lhe o domínio (ἀρχέτωσαν) sobre todas as bestas do ar, da terra e do mar[256], sobre as quais lhe deu "carta branca", por dizê-lo, para dispensar delas como lhe aprouvesse[257],

---

[249] Cf. 3,14,10,139.

[250] Cf. Gn 1,11-12.

[251] Cf. Gn 1,21: "τὰ κήτη τὰ μεγάλα".

[252] Τὰ θηρία τῆς γῆς.

[253] Cf. Gn 1,29; 2,9; 3,18 (depois do pecado).

[254] Cf. Gn 1,30: "Καὶ πᾶσι τοῖς θηρίοις τῆς γῆς καὶ πᾶσι τοῖς πετεινοῖς τοῦ οὐρανοῦ καὶ παντὶ ἑρπετῷ τῷ ἕρποντι ἐπὶ τῆς γῆς, ὃ ἔχει ἐν ἑαυτῷ ψυχὴν ζωῆς, πάντα χόρτον χλωρὸν εἰς βρῶσιν.".

[255] Cf. Gn 1,20-24.

[256] Cf. Gn 1,26: "Καὶ εἶπεν ὁ θεός· Ποιήσωμεν ἄνθρωπον κατ' εἰκόνα ἡμετέραν καὶ καθ' ὁμοίωσιν, καὶ ἀρχέτωσαν τῶν ἰχθύων τῆς θαλάσσης καὶ τῶν πετεινῶν τοῦ οὐρανοῦ καὶ τῶν κτηνῶν καὶ πάσης τῆς γῆς καὶ πάντων τῶν ἑρπετῶν τῶν ἑρπόντων ἐπὶ τῆς γῆς".

[257] O que não implica necessariamente o direito de comê-las, embora isso tampouco lhe tenha sido explicitamente vetado.

e a permissão explícita de se alimentar de todas as árvores e plantas do jardim das delícias[258], além do comando para que crescesse (αὐξάνεσθε), se multiplicasse (πληθύνεσθε) e preenchesse a terra toda (πληρώσατε τὴν γῆν)[259], o que indubitavelmente implica, se não o morrer, ao menos o nascer contínuo de sua descendência, assim como dos vegetais todos que lhe serviriam de alimento. Portanto, ao que parece, esse "defeito", além de natural, também foi original, e não uma consequência do pecado do primeiro casal. E de fato, depois de seu pecado, ao vesti-los, homem e mulher, com túnicas feitas de peles, isto é, de couro animal[260], presume-se Deus as houvesse curtido, depois de tê-las extraído, esfolando algum animal morto[261], quer tenha sido morto exclusivamente para esse fim, quer naturalmente, o que permite especular, no mínimo, que ao menos algum tipo de morte não era nada estranha à vida no jardim das delícias.

## 3,15,42,147. Uma apologia do defeito? Restituição e realização das criaturas

**147.** A – Pois tanto quanto receberam, realizam, e o mesmo tanto restituem àquele, a quem devem o que são, tanto quanto são.

Cada uma das criaturas na escada ontológica, desde as que apenas são, passando pelas que são e vivem, até àquelas que são, vivem e também inteligem, todas elas realizam tanto quanto receberam do Criador realizar, segundo a quantidade de ser que dele obtiveram: as que receberam mais, são mais; as que receberam menos, menos; cada qual em seu degrau particular. Nesse sentido, contudo, extrapolando a razão e fincando raízes na metáfora, até mesmo os seres irracionais "restituem" suas dívidas para com o Criador, de que receberam esse empréstimo[262] de ser, para que fossem. Não se trata, sem dúvida, de uma restituição por dívida, como se dá no caso das naturezas que se corrompem

258 Cf. Gn 1,29; 2,9.

259 Cf. Gn 1,28.

260 Cf. Gn 3,20: "χιτῶνας δερματίνους".

261 Pois em nenhum momento foi dito que Deus criou as túnicas de pele a partir do nada.

262 É lícito dizer "empréstimo" porque todas as criaturas corpóreas um dia deverão "restituir" o ser de si ao divino Mutuante, quando então deixam de ser. Se seu "ser" retorna ao seio do Criador, ao modo panteísta de pensar, não se sabe, porém não parece conveniente dizer que possuam de fato aquilo que não sejam capazes de reter consigo, em segurança.

pelo vício, apenas figurada, porque elas "restituem" ou "devolvem" ao Criador o montante de Ser que ele lhes conferiu através do ornamento de beleza que conferem, naturalmente, à universalidade das criaturas, apenas e tão somente por ser aquilo que são, e nada além, o que jamais configura um ato voluntário, visto que o façam por absoluta necessidade. Essas criaturas, portanto, de modo perfeitamente natural, são o que devem ser, ao contrário daquelas que se põem como antagônicas à própria natureza, ao corrompê-la pelo vício, quando então deixam de ser o que deviam ser, não realizando o tanto quanto receberam que fossem, pelo que devem restituir o tanto que lhes falta para realizarem completamente o quanto receberam do Credor divino.

## O defeito necessário do discurso

**147.** A – [...] E àquele, a quem dói que elas[263] sejam deficientes, convém que preste atenção ao seu discurso, ao próprio, por certo, pelo qual se queixa dessas coisas[264] [...] De cujo discurso – no que se refere ao seu som –, se alguém tiver amor diligente por uma única partícula[265], e não quiser que ela, por ser deficiente[266], dê lugar às restantes partículas, que cedem e sucedem [umas às outras][267], por meio das quais aquele discurso todo é tecido, [esse indivíduo] será julgado de uma admirável demência.

O exemplo aqui dado por Agostinho em defesa da deficiência das criaturas, entendida *grosso modo* como sua curta existência temporal, ou seja, o fato de que têm um fim, foi sendo pensado e repensado ao longo de sua vida, de onde é possível identificar versões e ecos dele em outras de suas obras[268].

---

263 As criaturas temporais.

264 Quer dizer, que o ínvido censor analise seu próprio discurso de censura, percebendo sua estrutura e seu funcionamento, a ver como suas críticas são descabidas, pois aquilo mesmo que ele censura nas criaturas inferiores, seu "defeito", é absolutamente imprescindível a fim de que teça seu discurso adequadamente.

265 Refere-se sem dúvida aos fonemas, que se sucedem nas palavras, morrendo uns para que outros ganhem vida, numa linearidade que se constrói sobre a própria "deficiência", por assim dizer. O mesmo se dá numa melodia qualquer, cujos sons se sucedem uns aos outros, sem cuja sucessão ter-se-ia apenas um grande e confuso "acorde", com todos os sons tocados simultânea e ininteligivelmente.

266 Por sua deficiência, o que significa dizer, neste caso, "por ter fim".

267 Fonemas que se extinguem e são imediatamente sucedidos por outros, numa sequência determinada que constitui os semas e as palavras. Uns fonemas "cedem" seu lugar aos outros, por assim dizer, para que se formem as sílabas em sucessão linear, e a partir dessa disposição ordenada as próprias unidades portadoras de significação, as palavras.

268 Desde o *De musica* até *Confessiones*, *Ciuitas dei* e mesmo *De trinitate*, entre outras.

Para aquele ínvido da criação que acha que Deus não deveria ter criado seres deficientes, seres que acabam, porque têm começo e fim, a despeito de tudo o que já se disse, resta ainda refletir sobre seu próprio discurso, a ver como as palavras queixosas que saem de sua própria boca, as quais têm, elas próprias, começo, meio e fim, se não fossem corruptíveis, se não possuíssem esse "defeito" que se costuma censurar, não apenas a comunicação, mas o próprio pensamento seria inviável. De fato, quem, além de Deus, pode pensar tudo de uma só vez, em perfeita tautocronia, por assim dizê-lo, sem qualquer ordenação sequencial, fonema após fonema, sílaba após sílaba, palavra após palavra? Se não morre uma palavra, como há de nascer outra em seguida, para que se forme uma frase? Se uma ideia não se esvai, cedendo espaço para que outra a suceda, na construção linear e sucessiva da tessitura dos discursos, falados ou excogitados, como seria possível elaborar alguma atividade inteligente? Na própria música, ainda que restem na memória os ecos das notas tocadas, as que vêm depois devem ter o silêncio sonoro como pano de fundo[269], sob pena de transformar tudo em um ruidoso e disforme acorde, confuso, pois não se tem uma melodia senão na sucessão dos sons, uns após os outros, num morrer e nascer contínuos, interrompidos ora e vez apenas por algumas breves pausas para que o silêncio dê a sua mensagem, dando forma às unidades e frases melódicas, e também aos ritmos, por meio de sua bem-vinda e oportuníssima intrusão.

Parece, pois, que se deve tanto louvor à deficiência das criaturas inferiores como à própria criação, pois sem ela não haveria diversidade, nem beleza, muito menos movimento, e com essas ausências todas, como se poderia conceber a alma racional, como se a conhece? Portanto, que aquele que se afeiçoe a uma determinada partícula, por exemplo o pronome relativo masculino singular *qui*, no célebre verso do segundo livro das *Geórgicas* de Virgílio, *felix qui potuit rerum cognoscere causas*[270], se não quiser abrir mão de seu apego por essa partícula discursiva monossilábica, permitindo que ela "ceda" seu espaço sonoro, cumprindo seu papel sintático e semântico, às partículas subsequentes, não haverá nenhum verso, muito menos poema, e esse indivíduo ciumento e possessivo será chamado, com toda razão, de dementado, em grau absolutamente admirável.

---

269 Posto que restem por alguns instantes as vibrações remanescentes das notas recém-tocadas.

270 Públio Virgílio Maro (70-19 a.C.), possivelmente o maior de todos os poetas: "Feliz aquele que pôde conhecer a causa das coisas" (*Geórgicas* 2, v. 490).

### 3,15,43,148. Defeito natural: *non ultra esse*

**148.** A – Portanto nestas coisas, as quais são deficientes[271] por isso, porque não receberam mais "ser"[272], de tal modo que todas elas sejam completadas[273] em seus respectivos tempos, ninguém vitupera o defeito retamente, porque ninguém pode dizer: "Devia permanecer", visto que não poderia ir além das metas[274] recebidas.

O defeito das criaturas inferiores, portanto, não pode ser compreendido como uma deficiência da criação, muito menos de seu Criador, e sim como uma deficiência natural de ser, por assim dizer (mas de modo impróprio), uma deficiência ontológica, que Agostinho explica pelo fato de que elas não receberam ser em maior quantidade, ou ainda, não receberam mais ser do que o ser que possuem, quantidade que lhes é, ao contrário do que o vernáculo "deficiência" faz supor, perfeitamente suficiente, segundo as disposições previstas por seu próprio Fundador. Portanto só se pode dizer que sejam "deficientes" de modo impróprio, quando não, de modo relativo, apenas quando comparadas às criaturas que receberam mais ser do que elas. Do contrário não se pode dizer que sejam deficientes, senão deficiente deveria ser igualmente essa parte da criação, e com ela o que a projetou e executou, Deus. Assim sendo, sua deficiência de ser explica-se por sua submissão às cadeias da temporalidade, que lhes determinam um tempo oportuno para que simplesmente deixem de ser, ou "faltem" (*deficere*). E ninguém lhes vitupera esse "defeito", estando a vituperação atrelada ao vício, como está, porque nessas naturezas temporais, ditas "deficientes", conquanto tenham recebido do Criador menos ser, são louváveis em seu gênero, tendo sido criadas exatamente do modo como deveriam, e sendo menos porque assim o desejou aquele que as criou, que não pretendeu senão que possuíssem a exata quantia de ser que possuem. E se assim é, se são como deveriam, estão em harmonia com a natureza,

---

271 Liter.: "que têm defeito" (*deficiunt*).

272 Quer dizer, não receberam "ser" além da quantidade que naturalmente possuem. A deficiência, neste caso, consiste nesse *non ultra esse*, "não ser além"; o que se diz apenas quando se as compara com outras criaturas que "são" mais.

273 Encontrem seu término, sua finitude, cada uma em seu tempo determinado.

274 As "metas" (*metae*) eram as colunas, situadas na *spina*, o pequeno muro que dividia longitudinalmente o circo das cidades romanas, cujo nome, *circus*, tem que ver com sua forma circular, ou antes, elíptica. As *metae* demarcavam o circuito em torno do qual os corredores de carros, com suas velozes e perigosas quadrigas, disputavam os louros dos jogos circenses, não raro a custo da própria vida.

"devendo" ao Criador, se é que se pode falar de "dívida", apenas o ser que dele receberam, na quantidade que receberam, ser que restituem ornamentando a universalidade, simplesmente sendo, porém de modo absolutamente natural. Logo ninguém pode dizer delas que deveriam ser diferentes do que são, porque assim elas são naturalmente, segundo as disposições de seu Criador, e não de modo voluntário, como se possuíssem algum vício. Portanto seu defeito não é vicioso, e sim natural, porque todo vício é *contra naturam*.

## 3,15,43,149-150. O defeito da criatura racional

> **149.** A – Porém nas criaturas racionais, nas quais, seja as que pecam, seja as que não pecam, a beleza universal é determinada por medidas as mais congruentes...

Como previsível, o que se disse acerca do defeito não poderia referir-se à universalidade da criação, sem que se excetuassem as criaturas racionais. Isso, porque, como se especulou acima, se o defeito das criaturas inferiores, desprovidas de razão, não pode ser contra a natureza, exatamente por serem desprovidas daquilo que lhes permitiria pecar, o arbítrio livre da vontade, o defeito das criaturas dotadas de razão o pode. De fato, nenhum vício há no defeito das criaturas irracionais, que apenas são e vivem, apenas uma Lei necessária segundo a qual seu tempo é demarcado, não podendo escapar das metas que lhes foram traçadas pelo Criador, cada qual em seu circuito apropriado. Porém as criaturas racionais, enquanto mentes racionais, fogem a esse padrão, nada obstante o fato óbvio de que os corpos habitados por almas racionais estejam igualmente submetidos à Lei necessária que rege o defeito das criaturas inferiores e temporais, pois ninguém duvida que a carne, humana ou não, seja putrescível. Evidente ainda a existência de tais "defeitos" naturais em todas as partes, por assim dizer, de que o corpo carnal habitado pelas almas inteligentes se constitui, como o nascer e crescer de pelugens, unhas, dentes, o ciclo menstrual, a reconstituição natural da epiderme nos processos de cicatrização após lesões, o surgimento das rugas, o enfraquecimento dos ossos, o encanecer e a queda dos cabelos, entre inúmeros outros exemplos. Portanto certas criaturas racionais, as que habitam a carne putrescível, pode-se dizer que estejam, quanto a este aspecto, submetidas a esse "defeito" natural, uma vez que seus corpos, se não fossem habitados por suas almas, seriam simples matéria inerte. Por isso figura o

corpo entre as criaturas inferiores, como dito um sem-número de ocasiões pelo filósofo[275], cuja cessão e sucessão, nas cadeias do tempo, cooperam também para a beleza e harmonia do conjunto universal da criação. Todavia Agostinho está fazendo aqui uma referência específica aos seres racionais, enquanto seres racionais, enquanto espíritos ou mentes dotados de inteligência, não enquanto os corpos perecíveis que esses princípios inteligentes habitam. Logo, para essas criaturas dotadas de razão, dentre as quais se incluem sem dúvida os anjos, em todos os degraus em que se encontrem, desde os mais sublimes, por sua maior proximidade do Ser supremo e sua indefectibilidade, aos menos sublimes, eles todos voluntariamente impecáveis, de par com as almas racionais defectivas, voluntariamente pecáveis, as mais afastadas do Ser e convertidas para si mesmas, a despeito do defeito natural dos corpos que algumas delas habitem, há um outro defeito, este voluntário, daí necessariamente livre, além de antinatural ou vicioso. Com efeito, em benefício da beleza da universalidade, o poder ordenador da Lei eterna dispõe essas criaturas segundo critérios bem mais congruentes, diz Agostinho, criaturas que, pequem ou não, por sua liberdade de arbitrar a própria vontade são todas defectíveis, ou seja, estão todas, inclusive os anjos mais excelsos, sujeitas ao defeito, ainda que a respeito de algumas delas tenha sido antecipadamente conhecido, pela Providência divina, desde sua eternidade criadora, que em tempo algum haveriam de pecar. O que, contudo, jamais tolhe sua liberdade, em conformidade com o que exaustivamente argumentou o filósofo.

## Quatro perspectivas para o defeito

Consideradas apenas enquanto mentes racionais, portanto, não enquanto os corpos que animam, quatro são as possibilidades de referir-se ao defeito das criaturas racionais.

**149.** A – [...] ou nenhuns pecados existem – o que é um enorme absurdo dizer, pois no mínimo peca aquele que até mesmo condena como pecados as coisas que nada são...

[i] Por primeiro seria possível argumentar simplesmente não haver quaisquer pecados, o que, no entanto, se trata do maior dos absurdos, adverte

[275] Cf. **1**,10,20,72; 16,34,114; **2**,8,48,182; **3**,5,16,58; 9,27,96-99; 11,34,118-119, etc.

Agostinho, porque se considera pecado até mesmo o fato de acusar de pecado aquilo que não o é. Logo não apenas o pecado existe, como também dizer o contrário se constitui um pecado, assim como é pecado ainda dizer que seja pecado o que não é pecado.

**149.** A – [...] ou os pecados não devem ser vituperados – o que não é menos absurdo, pois sem dúvida os atos retamente praticados começarão a não ser louvados, e todo intento[276] da mente humana há de perturbar-se[277], e a vida se subverterá...

[ii] E se há pecados, pecado maior seria não vituperá-los, diz Agostinho, porque sem a vituperação dos pecados não haveria louvor do seu contrário, os atos praticados com retidão, o que causaria uma subversão total na vida, como se a compreende, além de uma perturbação na ordem dos propósitos humanos. Porém, para que nenhum pecado fosse vituperado, seria necessário ou que os pecados não existissem, ou que não fossem importantes, ou nocivos, numa palavra, que não incomodassem, ou que fossem ignorados, do contrário seria difícil de crer que não fossem de algum modo censurados. Com efeito, como supor que o roubo, o estupro ou o assassinato não fossem motivo de censura por parte dos habitantes de uma dada cidade, os quais desse modo sofreriam passivamente a subtração de seu patrimônio, a violação de seus corpos e de suas vontades, e a extinção da sua vida e a de seus entes queridos? Resta, pois, que se considere a alternativa [i] como inválida, admitindo que os pecados existam, mas também que a alternativa [ii] seja compreendida, ou como um ato voluntário de recusa do vitupério do pecado, o que seria absurdo, ou como uma abstenção motivada por ignorância. Neste caso, como adverte o filósofo, a ordem das coisas seria subvertida totalmente, pois roubos, crimes e assassinatos seriam aceitos normalmente, porque não se saberia se eram ou não pecados. E isso explica o motivo de ter sido dito que o intento da mente humana seria igualmente perturbado, porque, se não se sabe o que é fazer mal, tampouco se haveria de conhecer seu contrário, o benfazer; o que permite dizer-se que o bem nem mesmo seria conhecido, fosse o mal desconhecido. De fato, é preciso haver ao menos duas cores para que haja uma, que se faz então conhecer pelo contraste diante da outra. Logo é possível depreender

276 Todos os propósitos ou intenções que motivam os atos humanos serão subvertidos, caso não se saiba mais distinguir o certo do errado, se os pecados deixarem de ser vituperados.

277 Será posto em desordem [v. *turbo*].

não ser possível determinação alguma inexistindo o contraste, a diferença, que possibilita a distinção diante do outro. O argumento de Agostinho, conquanto do maior interesse, não foi por ele desdobrado, o que permite seja reconstruído do seguinte modo tentativo:

1. Um evento só pode ser louvado ou vituperado, se conhecido;
2. Um evento só pode ser conhecido, se determinado;
3. Um evento só pode ser determinado em contraste com sua alteridade;
4. O pecado é uma ação torta – um evento, portanto;
5. O pecado só pode ser determinado, conhecido e vituperado por meio de sua alteridade;
6. O outro do pecado é a ação reta, que é também um evento;
7. Logo o pecado só pode ser vituperado em contraste com a ação reta;
8. Logo a ação reta também só pode ser determinada, conhecida e louvada pelo contraste com a ação torta, seu outro;
9. Logo o vitupério da ação torta é necessário para o louvor da ação reta;
10. Logo deve-se vituperar o pecado para que se louve a ação retamente praticada.

Portanto a segunda alternativa deve igualmente ser descartada, pois não apenas os pecados existem, como também devem ser vituperados.

**149.** A – [...] ou então se vituperará um ato que foi praticado do modo como devia, e uma insanidade execrável, ou, para dizer de modo mais brando, um erro muito infeliz surgirá...

[iii] Rejeitadas tanto a possibilidade da inexistência do mal como da abstinência de vituperação, uma terceira possibilidade de lidar com o defeito das criaturas racionais é vituperar os atos naturais, por assim dizer, atos que, ao contrário dos vícios, antinaturais, são levados a efeito do modo como deviam, como ocorre no caso das criaturas inferiores, cujos defeitos não apenas não merecem vitupério algum, pois seus movimentos nada têm que ver com a vontade livre, mas cooperam para a beleza da universalidade e a sucessão da ordem dos tempos. Se esses defeitos forem vituperados, diz Agostinho, há de cometer-se uma insanidade execrável, que eufemisticamente se pode chamar de "erro", posto que dos mais infelizes. Com efeito, como visto antes, quem critica o que é como devia ser não critica senão a Ordem da criação e, com ela, seu Instituidor,

Deus, o qual, contudo, conforme se tem visto desde o princípio da obra, deve ser invariavelmente louvado.

**150.** A – [...] ou ainda, se a razão mais verdadeira coage, como de fato coage, não apenas a que se vituperem os pecados, mas também a que aquilo que se vitupera retamente se vitupere por isso, porque não é do modo como devia ser...

[iv] Nada resta, portanto, senão seguir as evidências da razão, que constrange de modo suave, por meio de seus argumentos verdadeiros, a que se vituperem os pecados, ou seja, as ações tortas, o "outro" das ações retamente praticadas. Portanto devem-se vituperar os pecados, não apenas [i] porque se praticam, [ii] e porque a sua não vituperação levaria ao não louvor dos atos retamente praticados, [iii] ou porque a vituperação dos defeitos naturais das criaturas de ordem inferior seria uma execrável censura ao Criador, [iv] mas principalmente porque os defeitos das criaturas racionais, que são movimentos de aversão da vontade do Bem comum e eterno e de conversão aos bens próprios e mutáveis, defeitos antinaturais, que corrompem com vício a natureza dos pecadores, diminuindo o seu ser, não são do modo como deveriam ser. Logo os pecados devem ser vituperados não apenas porque a corrupção que provocam nas naturezas é viciosa, do que decorre a sua necessidade, isto é, a necessidade do vitupério, como ilustra o étimo, mas por ser necessário para aliviar a tensão causada pela dívida que representa o pecado. Todos os seres devem ao Criador o ser que dele receberam, restituindo sua "dívida" quando são aquilo que foram destinados a ser, ornando a universalidade da criação, cada qual em seu gênero, e cooperando para a beleza do todo. Isso, contudo, no que tange às criaturas inferiores, incapazes de pecar, que apenas são e vivem, o que não exclui os corpos em que as almas racionais habitam. Porém as criaturas inteligentes, que foram dotadas de liberdade para arbitrar sua vontade, essas se fazem espontaneamente devedoras, na própria acepção do termo, mas não pelo ser de que foram dotadas, embora também isso devam ao seu Criador, e sim pela vontade livre que receberam para fazer o bem, vontade que perverteram. Assim sendo, não fizeram o que deviam, nem como deviam, que era a conversão do dom recebido para o Bem supremo, imutável, eterno e comum, mas, ao invés, averteram indevidamente a vontade desse Bem e converteram-na para as criaturas inferiores, que podiam ser gozadas de modo particular, contudo por brevíssima duração e sem nenhuma estabilidade.

## Dom e dívida

**150.** A – [...] procura saber o que é que a natureza pecadora deve, e encontrarás [como resposta] o ato retamente praticado; procura saber a quem é que ela o deve, e encontrarás Deus.

Se a natureza pecadora "deve", provoca Agostinho, faz-se mister perguntar que coisa deve e a quem deve o que deve. Ora, deve o ato retamente praticado, diz ele, porque é o que devia ter feito com o dom recebido, o arbítrio de sua vontade, que, embora seja um bem médio passível de uso ambivalente – ambivalência que se justifica pela preservação da liberdade e consequente responsabilidade moral, previstas e desejadas por Deus para as criaturas inteligentes –, não lhe foi dado senão para a prática do bem, ou seja, para ser direcionado para o Bem comum. Se o livre arbítrio lhe foi dado para o Bem comum e está sendo utilizado para o bem próprio, decorre disso que não esteja sendo utilizado do modo como deveria, nem para o que deveria. Logo essa perversão do uso, que se diz pecado, merece justíssimo vitupério, porque corrompe a natureza do pecador, com vício, diminuindo-lhe o ser que lhe foi dado, tanto mais quanto mais se afasta do Ser supremo e se aproxima do nada. E a quem deve restituir o uso reto, senão àquele que lhe deu o instrumento para que dele se servisse bem, o Criador e supremo Doador de todas as naturezas? Portanto a Deus é que a natureza pecadora deve a ação retamente praticada, com quem está em dívida, desde a herança do pecado.

**150.** A – [...] Pois daquele de quem *a natureza pecadora* recebeu [o dom de] poder agir retamente, quando queira[278]...

A natureza racional recebeu do Criador de todas as naturezas o dom de poder arbitrar livremente sua vontade em direção a ele mesmo, o Bem comum, movimento voluntário que se traduz, na dimensão dos corpos, sujeita às coordenadas de tempo e espaço, a agir com retidão, através da prática das virtudes. Poderia, pois, fazer o bem, se quisesse, pois lhe foi dado o poder para tanto, o que implica sua liberdade, pois ninguém, não sendo livre, pode fazer o que quer. Logo lhe foi dado o poder de querer livremente fazer o bem. Porém não

[278] Agir retamente, ou praticar um ato de modo reto, equivalem a fazer o bem, ou seja, a agir de modo não desviado, não avertido do Bem supremo, mas em "linha reta", no rumo da Verdade e da Sabedoria.

o quis. Devia tê-lo querido e feito, mas não restituiu sua "dívida", querendo e fazendo o que devia. Logo deve duplamente àquele de quem recebeu os dons, de ser e de arbitrar livremente sua vontade.

## Bônus e juros de mora

**150.** A – [...] dele recebeu também que seja infeliz, se não tiver agido, e feliz, se tiver agido.

Desse mesmo Credor recebe ainda um bônus, o prêmio da felicidade, quando restitui sua dívida, não apenas sendo o que deveria ser, mas principalmente agindo como deveria, aplicando o dom da vontade livre do modo como prescrito, na prática das ações retas. Porém sofre uma pesada penalidade, quando escolhe espontaneamente manter-se um devedor renitente, não procurando restituir a dívida contraída pela conversão de sua vontade livre para onde não devia, o juro de mora da infelicidade, salário absolutamente merecido por seu pecado.

## 3,15,44,151. Dívida e restituição II: criaturas racionais

**151.** A – [...] porque ninguém é superior[279] às Leis do Criador onipotente, não é permitido que a alma não restitua seu débito.

Ninguém está acima da Lei eterna, como Agostinho tem propugnado por demonstrar desde o princípio da obra, não apenas porque instituída pelo próprio Legislador divino, onipotente Administrador da universalidade da criação, mas também para justificar sua teodiceia. O estatuto de "devedor" do ser humano é por demais importante para a estrutura erguida pelo filósofo e pela teologia cristã. Com efeito, se o homem não deve nada a Deus, tampouco deve à Verdade, ou à Sabedoria, ou ao Bem; quando muito se julga devedor às leis dos homens, que pode, contudo, defraudar em benefício próprio, quando imagina conveniente à sua pretensa felicidade. E mais, se não deve nada a Deus, nem mesmo o ser lhe deve, imaginando "dever" sua existência a alguma outra fonte natural, porém de modo nenhum criadora, como muito provavelmente o acaso. Portanto seria essencial fundamentar a dívida humana na Justiça divina, não para que haja inúmeros devedores de um único e irredutível Credor, mas para que o próprio mal possa ser justificado, e seu autor, encontrado; porém outro que não

[279] Quer dizer, ninguém está acima das Leis do Criador.

Deus. Porque, em não havendo dívida, não haveria cobrança correspondente, o que de imediato destruiria a ideia profundamente fincada desde o início, de que o sofrimento padecido pelas criaturas decorre da Justiça divina, que atribui equitativamente a cada um o que lhe cabe, segundo seu mérito: o bônus da felicidade aos bons, o juro de mora do sofrimento aos maus[280]. De fato, se quem peca não se endivida com parte nenhuma, a não ser quando flagrado em delito pelas leis dos homens, nenhuma restituição lhe é demandada. Logo nunca será punido, caso não seja jamais capturado. Do que decorre forçosamente que o seu sofrimento deverá ser justificado de algum outro modo, jamais como reparação legal por parte de alguma Justiça suprema, em que muito provavelmente não haveria de crer. De que modo, pois, justificar o mal sofrido, então, a não ser através de algum tipo de relativismo, em que nem o mal em si mesmo, que seria apenas um desprazer individual, sem qualquer vínculo ético, tampouco o bem em si mesmo, que seria apenas o prazer individual, poderiam ser ditos de fato existir? Logo "devem"[281] as almas; do contrário, se nenhuns débitos nunca contraíssem, nenhum credor haveria. E se devem, devem obrigatoriamente restituir seus débitos, do contrário restariam eternamente em dívida, resgatando juros sobre juros de misérias e mais misérias, num estado de inquietação que jamais encontraria repouso, pena acerba que prazer nenhum poderia compensar. Porém Agostinho diz que não *lhes* é permitido não restituir seus débitos, como se fossem forçadas a isso pelo próprio Credor, ou por suas Leis. E assim de fato o é, porque, se contraíram dívidas e não as restituíram, tornaram-se maus pagadores, verdadeiros defraudadores do Banco celeste, tendo recebido um determinado bem de valor, a título de crédito, para que o restituíssem pelo bom uso, do contrário deveriam aceitar o juro de mora, sanção contratual, por assim dizer. Portanto nenhuma escapatória à alma: ou restitui pelo bom uso, recebendo o dividendo da felicidade, ou restitui pelo juro de mora da infelicidade.

## A penhora de um bem médio

> **151.** A – [...] Pois ou restitui usando bem o que recebeu, ou restitui perdendo o que não quis usar bem.

Entretanto, se não quer restituir o débito pelo bom uso, preferindo o juro de mora da infelicidade, decorre disso uma interessante consequência, refere

[280] Cf. 1,1,1,1-2; 5,11,33; 6,15,48-49.

[281] Quer dizer, contraíram dívidas.

Agostinho, quiçá pela primeira vez em toda sua obra: perde[282] a alma racional aquele bem de estatuto ontológico médio de que não quis fazer bom uso, o arbítrio livre da vontade. Portanto a alma pecadora que livremente não quer fazer bom uso do bem recebido para tanto, vê-se de algum modo, ainda não especificado pelo filósofo, privada do dom pelo qual se averteu do Bem supremo, contraindo sua dívida. Trata-se, em verdade, de uma Penhora divina, como se o livre arbítrio tivesse sido tomado por caução, uma espécie garantia para o compromisso de pagamento firmado. Agostinho ainda não o disse, mas sem a integridade de sua vontade, agora ineficaz, depois do pecado, para perfazer o bem, o devedor vê-se obrigado a recorrer novamente ao socorro do Banco divino, contudo não pela contração de novo empréstimo, visto não ter mais crédito na praça, mas deprecando-lhe, ao invés, uma doação misericordiosa, desse mesmo Credor que lhe havia tomado a eficácia do bem, a título de mora e de má vontade, a fim de que possa, futuramente, restituir-lhe o débito, doravante fazendo bom uso da faculdade de que, embora penhorada e ineficiente, ainda carece para saldar sua dívida. Sem esse *donum*, obviamente gratuito, o devedor não logra restituir o que lhe é devido, voltar sua vontade para o Bem comum e eterno, avertendo-a dos bens próprios e mutáveis, aos quais se vê preso pelas cadeias da mortalidade, o peso de seu hábito carnal, seduzido e iludido por sua própria ignorância e dificuldade.

## Reparação indefectível: se deve, deve!

> **151.** A – [...] se não restitui fazendo a justiça, restitui padecendo a infelicidade, porque em ambos [os casos] ressoa a palavra[283] "débito". Na verdade, deste modo também poderia ser dito o que se disse: "Se não restitui fazendo o que deve, restitui padecendo o que deve".

Seja pela escolha que fizer, a alma racional deve restituir seu débito: ou pela prática devida da justiça, cujo dividendo é a felicidade, ou pagando os juros devidos do sofrimento. Ambas as alternativas são cláusulas contratuais, pelo que obrigatórias. Trata-se, na verdade, de cláusulas disjuntivas, sem dúvida excludentes, porque não se lhe pede que pague duplamente; ao contrário: ou a justiça, ou o sofrimento; porém se a justiça, não o sofrimento; mas se o sofrimento,

---

282 Ainda que parcialmente, pela ineficácia. Cf. 3,16,45,155.

283 O dicionário latino *Oxford* sugere como primeira opção para o vocábulo *uerbum* a tradução "palavra", porém como "expressão de uma ideia". Ou seja, a palavra enquanto sua "imagem acústica", associada a um determinado significado, no caso uma "dívida".

não a justiça. Em todo caso, um dos dois é inevitável, pois a reparação é indefectível, assim como indefectíveis são as Leis do divino Credor.

## 3,15,44,152. Reparação instantânea

**152.** A – Porém essas coisas não se separam por nenhum intervalo de tempo, como se em um determinado tempo a alma não faça o que deve, e em outro padeça o que deve, para que nem mesmo por um instante do tempo[284] a beleza universal seja deturpada, de modo que nela exista a indecorosidade[285] do pecado sem o decoro[286] da reparação.

Se o pecado desequilibra a balança da Justiça[287], criando algum tipo de desordem, não o faz senão num átimo infinitesimal, se se pode dizê-lo, na impossibilidade de expressar um evento desprovido de duração. Na verdade, como diz Agostinho, essa perturbação existe apenas para deixar de existir, de imediato, sem que a beleza do conjunto universal da criação seja de algum modo afetada, pois não há sucessão temporal alguma, e sim simultaneidade entre o débito e reparação. Do contrário, sem dúvida haveria desequilíbrio deletério na balança da Justiça, e consequentemente uma ruptura da Ordem divinamente instituída, o que seria uma prova inaceitável, ou da inexistência da Providência, ou de sua incapacidade administrativa. Logo, assim que a beleza da universalidade se vê ameaçada pelo opróbrio do pecado, numa ação simultânea é deflagrado o decoro da reparação, a fim de que a perfeição universal se mantenha em intocado equilíbrio.

## O Juízo futuro

**152.** A – [...] No entanto está reservado para o juízo futuro [...] tudo aquilo que desde agora está sendo reparado da maneira mais oculta[288].

---

284 Traduz o latim *ne uel puncto temporis*, liter. "nem mesmo em um ponto do tempo".

285 No sentido de "opróbrio". Cf. 3,9,26,95.

286 No sentido de "beleza" (*decus*) ou "ornamento". O "decoroso" e "honrado" (*decus*) decora tudo aquilo em que se faça presente, como um ornamento. Preferiu-se o termo "decoro" a evitar uma indesejável sinonímia com *pulchritudo*, traduzido logo antes por "beleza".

287 Cf. 3,10,31,110-112. Na verdade o desequilíbrio refere-se às relações que se estabelecem na universalidade da criação, não propriamente ao *ordo diuinus*, enquanto Lei eterna ou *summa ratio*.

288 Quer dizer, está reservado para tornar-se manifesto, no Juízo que ocorrerá após esta vida, tudo aquilo que agora está sendo reparado ocultamente. Daí não deve o homem preocupar-se se não vê os maus sendo punidos, pois a indecorosidade de seu pecado quase sempre é contrabalançada pelo decoro da reparação de modo oculto aos olhos da carne.

Dívidas há, contudo, que parecem nunca ser pagas, porque a infelicidade de alguns pecadores notórios se mantém oculta aos olhos dos homens. Porém, embora possa estar encoberta, a infelicidade dos maus é inevitável, como garantem as Leis divinas, uma vez que a reparação se diz imediata. Portanto os pecadores todos pagam de imediato os juros de mora da infelicidade, ainda que pretendam ignorá-la por algum tempo, até que lhes vença o montante principal da dívida, quando então terão de ajustar suas contas definitivamente, tornando-se manifesto o seu pecado e sendo declarada a sua insolvência. Naquele dia do Juízo futuro, tudo virá às claras e sua infelicidade será sentida como a mais acerba de todas, quando nada que houver sido encoberto deixará de ser revelado[289].

## 3,15,44,153. Ausência instantânea de felicidade

**153.** A – [...] assim como aquele que não vigila dorme[290], assim também todo aquele que não faz o que deve padece sem qualquer intervalo[291] aquilo que deve, visto ser tamanha a felicidade[292] da Justiça, que ninguém, a não ser em direção à infelicidade, possa dela afastar-se.

Imediata é a reparação do pecado, porque a alma que peca, enquanto peca, afasta-se simultaneamente do Bem comum e eterno, tanto mais quanto mais peca, voltando-se em sentido contrário, para os bens próprios e mutáveis. Quem não age retamente sente de imediato a infelicidade da injustiça, do mesmo modo como deixa paulatinamente de ser, à medida que averte sua vontade do Ser supremo. A suprema Justiça, de que deriva toda ação justa, não é apenas a Fonte de toda felicidade, mas é ainda a própria Felicidade suprema. Logo quem se averte dela, preferindo agir de modo torto, se afasta

---

289 Cf. Mc 4,22: "Pois não existe [nenhum] segredo, a não ser para que seja revelado; nem se fez [nada] oculto, senão para que venha a público." (οὐ γάρ ἐστιν κρυπτὸν ἐὰν μὴ ἵνα φανερωθῇ, οὐδὲ ἐγένετο ἀπόκρυφον ἀλλ' ἵνα ἔλθῃ εἰς φανερόν.)

290 O exemplo parece pouco adequado, contudo o objetivo do filósofo é apenas destacar a suposta simultaneidade da transição entre os dois estados, vigília e sono, traçando um paralelo com a simultaneidade existente entre o pecado e a reparação. Para Agostinho, que não teve acesso aos modernos estudos da neurociência voltados para o sono e suas fases (de 1 a 4 e REM), nenhum intervalo parecia haver entre o estado de vigília e o sono propriamente dito, pois ou se estaria desperto, ou então se estria dormindo, já que quem cai no sono de imediato perde a consciência e não percebe a passagem de um a outro estado.

291 Quer dizer, de imediato, sem que haja uma distância temporal entre o pecado e a reparação.

292 Cf. os verbetes: *beata uita, beate uiuere, beatificus, beatitas, beatitudo* e *beatus* no Léxico T-F.

da Felicidade, tornando-se tanto menos feliz, quanto mais dela se afasta, assim como se faz tanto menos, quanto mais se aproxima do nada. Não se trata, obviamente, da Justiça futura, nem mesmo da justiça dos homens, mas do estado de infelicidade em que se penetra ao afastar-se da Felicidade. Parece que a infelicidade, consequência do pecado, trata-se, como o próprio pecado, muito mais de uma ausência do que algo substancialmente mau. Quem pratica um furto, por exemplo, pode sentir-se de certo modo feliz pelo sucesso de sua ousadia e pelos benefícios que imagina apto a adquirir com o butim alheio, que maliciosamente tomou para si, contudo se engana, pois ao fazê-lo e afastar-se da Justiça, afasta-se irremediavelmente da Felicidade que lhe é própria, posto que prefira iludir-se na inconsciência por algum tempo. Portanto não há um meio termo, como tampouco parecia haver meio termo entre o estado de vigília e o sono[293]: ou se está desperto, ou se está dormindo; ou age com justiça e é feliz, ou peca e de imediato se faz infeliz, porque, ainda que demore a dar-se conta da própria desdita, sem dúvida afastou-se da Felicidade da Justiça. Por outro lado, fazer o bem traz tamanha felicidade ao espírito, que a sua omissão constitui por si só uma infelicidade, pois quem se priva da enorme e indizível felicidade do bem, apenas e tão somente por essa privação já se pode considerar um infeliz, como se alguém se infelicitasse, não propriamente porque empobrecia, mas porque perdia uma enorme fortuna.

## O defeito das criaturas irracionais e racionais: nova recapitulação

> **153.** A – [...] Logo, em todos os defeitos, ou as criaturas que são deficientes não receberam mais ser[294] e nenhuma culpa existe [...] ou então não querem ser, porque, se quisessem, receberam ser, e porque é bom, há reato[295], se não o queiram.

É possível subdividir as criaturas todas em dois grandes grupos: irracionais e racionais. O primeiro inclui as criaturas que apenas são (*esse*) e as que

[293] Cf. 3,24,73,254, onde Agostinho irá recorrer à mesma comparação, entre o sono e a vigília. Porém, ao contrário do que faz aqui, admitirá ali estágios intermediários entre um e outro, na seguinte sequência: 1. adormecer, 2. dormir, 3. despertar e 4. vigilar.

[294] Cf. 3,15,43,148.

[295] Traduz o latim *reatus*, outro termo do universo jurídico, relacionado a *reus*, "réu". Na Antiguidade tardia *reatus* denomina tanto a condição da parte acusada de culpa em um litígio, ou seja, sua condição de réu, como também a própria culpa ou acusação, como quando se dizia: *reatus sanguinis*, "culpa de sangue". Cf. verbete *reatus* no Léxico T-F.

não apenas são, mas também vivem (*uiuere*). No segundo grupo se encontram as criaturas que são, vivem e também inteligem (*intellegere*). Todas elas são defectíveis, isto é, passíveis de defeito. Porém as criaturas do primeiro grupo apresentam defeitos "naturais", por assim dizer, cuja corrupção não é viciosa, exatamente porque não possuem aquilo que lhes permitiria viciá-la, o arbítrio livre da vontade. São irracionais, e por isso não podem pecar. Seu defeito, portanto, consiste apenas no fato de que receberam menos ser do que outras criaturas, segundo o seu degrau na escada das naturezas. Por exemplo uma pedra, que apenas é, mas não vive, tem menos ser do que uma árvore, que é e também vive, segundo seu gênero, a qual, contudo, tem menos ser do que uma ave, que igualmente é e vive, mas possui um certo grau de inteligência, se se pode dizê-lo, ainda que de modo instintivo, quando não, algumas propriedades a mais do que as plantas, pois ao menos podem deslocar-se no espaço. Seria errado dizer que têm insuficiência de ser, pois são exatamente aquilo que foram designadas para ser, e do modo como deveriam realizá-lo, restituindo sua "dívida" para com o Criador, ao serem o que são, simplesmente, ornando a universalidade de sua criação. E de modo nenhum se pode dizê-las culpadas por terem recebido menos ser do que outras, ou por serem menos do que outras, o que seria como inculpar aquele mesmo que lhes comunicou que fossem e o quanto fossem; mesmo porque nada fizeram, de sua própria iniciativa, para que corrompessem pelo vício o seu ser, diminuindo-o.

## Réus do crime de lesa-natureza

No entanto, se as criaturas irracionais deficientes não são culpadas por serem o que são, ainda que possuam menos ser do que outras, o mesmo não se pode dizer das criaturas deficientes racionais, as quais, embora possuam mais ser do que as primeiras, não fazem aquilo que devem, não se utilizam do bem médio que receberam para praticar a justiça, porque o avertem do Bem imutável e comum e o convertem para os bens mutáveis e próprios, do que decorre a corrupção viciosa de sua natureza. Porém não se trata aqui da natureza de sua vestimenta carnal, que se estraga natural e inevitavelmente, como um bem temporal e corruptível, sem nenhum pecado da parte dela, enquanto natureza inferior que é, muito menos culpa, a não ser que se queira irrefletidamente acusar alguém, ou o seu corpo, de envelhecer ou de ter seus cabelos

encanecidos. Trata-se, em vez disso, da alma racional, cuja vontade avertida do Bem comum é malbaratada, de modo voluntário, o que justifica o vitupério que lhe é devido. As almas racionais não querem ser o que deveriam ser, recusa voluntária que é viciosa, porque receberam tudo aquilo de que precisavam para ser o que deveriam, mas recusaram, aplicando sua vontade em sentido contrário ao devido, de modo que fossem cada vez menos. E porque o ser é bom, como o Ser que o conferiu às criaturas, ao desprezá-lo, diminuindo sua natureza de modo vicioso, desprezam o próprio Bem e o dom que dele receberam, sendo então irremediavelmente culpadas de agir contra o bem (*contra naturam*), pelo que se tornam réus diante da divina Justiça.

## 3,16,45,154. Gratuidade dos dons

> **154.** A – Deus, porém, a ninguém deve coisa alguma[296], porque dispensa todas as coisas de modo gratuito. E se alguém disser que alguma coisa lhe seja devida por ele, à conta de seus méritos, que *fosse*[297], por certo, não lhe era devido, pois [ainda] não *era* [*algo*], ao qual se pudesse dever[298].

Porque "antes que eu existisse", dirá Agostinho no belo prólogo do último livro de *Confissões*, "existias tu, e eu nem existia, para que me concedesses que eu existisse"[299]. De que modo, pois, poderia o homem ter sido merecedor do primeiro e maior dom do Criador, o ser, se antes de ter sido criado não podia obviamente ter feito nada que lhe pudesse ser levado em conta, pois simplesmente não existia? O homem não era para pudesse ser credor de Deus, merecendo que fosse. Logo ele existe gratuitamente, como gratuitamente também é o modo como dispensa todos os seus dons o Criador. E dizer que dispensa seus dons de modo gratuito pode-se considerar uma afirmação pleonástica, porque o que não é gratuito não é *donum*, e sim *merces*, salário ou retribuição por algum serviço prestado. Com efeito, o "dom" é um presente, algo que foi "dado"[300], pelo qual não

---

296 Cf. *Conf.* 1,4,4: "Tu, que a ninguém deves..." (*nulli debens*).

297 Quer dizer, "que existisse". Se alguém dissesse, ainda que injustamente, que Deus lhe devia algo, ao menos isso não poderia dizer, que ele lhe devia a própria existência; isso, porque, antes de ter sido criado, ele não era nada para que pudesse merecer qualquer coisa.

298 Quer dizer, "a quem [a existência] fosse devida".

299 *Conf.* 13,1,1: *"Quia et priusquam essem, tu eras, nec eram, cui praestares ut essem."*.

300 Lat. *dare.* Cf. grego δῶρον (v. δίδωμι).

se espera paga, nem devolução. O salário, ao contrário, é sempre fruto de algum serviço prestado, pelo qual se espera, à conta de mérito, a devida retribuição. Portanto não se pode dizer que um dom seja merecido, muito menos devido, porque é completamente gratuito: se o doador não quiser dar, simplesmente não dá, pois não deve nada a ninguém, ao passo que o salário é uma dívida, uma troca entre um serviço ou mercadoria e um valor que lhe é equiparável. Percebe-se, assim, como os conceitos de *donum* e de *gratia* começam a vincular-se de modo inextricável, como será reforçado em obras posteriores do filósofo, o que tem importância fundamental em seu pensamento, de modo especial em sua doutrina acerca da Graça. Ora, se ninguém deveria ter crédito diante de outro por algum dom recebido, apenas pelo serviço prestado, muito menos diante de Deus. E não apenas porque o Criador dispensa todos os seus dons gratuitamente, a quem ele quer, simplesmente porque quer, mas principalmente porque ele não pode dever nada a ninguém, do contrário tornar-se-iam inválidos os pressupostos axiomáticos assentados sobre o princípio de piedade, os quais foram elencados no início do primeiro livro[301]. De fato, como imaginá-lo onipotente, infinito, eterno, numa palavra, supremo e absolutamente pleno em tudo o que se possa pensar dele – *et ultra*, naquilo que é impensável –, se se encontra em dívida com uma de suas reles criaturas, ínfima partícula de toda a sua criação?[302] Por outra, estar em dívida implica uma carência, ou seja, que Deus precisou de algo, que lhe foi dado a título de empréstimo, porque, seria lícito supor, ele não era autossuficiente, muito menos pleno; e mais, que por essa dívida está em estado de tensão, não em repouso, até que salde seu débito, o qual, ademais, colocaria a criatura na posição mais vantajosa de credor, ao passo que o todo-poderoso Criador – *pantokrátōr* –, na de devedor. E se essas considerações não bastassem, a pior de todas as implicações ainda se pode acrescer, ao imaginar a criatura como credora do Ser, sendo-lhe consequentemente coeterna, a não dizer anterior, do contrário não poderia ter essa dívida pendente. Não é preciso ir além para logo perceber a dificuldade da questão e a impossibilidade de imaginar qualquer gesto da parte do Criador que não seja absolutamente gratuito. Logo Deus faz tudo o que faz de modo gratuito, sob pena de ter de referir a ele também tudo o que se disse do débito das criaturas deficientes racionais.

---

301 Cf. 1,2,5,12-13.

302 Cf. *Conf.* 1,1,1: *"homo, aliqua portio creaturae tuae..."*.

## Não há mérito na conversão para Deus!

**154.** A – [...] E contudo que mérito há em converter-se para aquele, de quem tu és[303], para que dele próprio sejas ainda melhor, de quem tu possuis que sejas?

A estranheza causada pela pergunta retórica acima se explica facilmente, tanto pelo étimo, quanto pelo argumento. Primeiro deve-se lembrar que uma pergunta retórica não é elaborada para que seja respondida, porque já traz em seu bojo a resposta, que em forma interrogativa se faz bem mais persuasiva e menos comprometedora do que uma simples afirmação direta. Ao indagar de seu interlocutor[304] que mérito teria uma alma para converter-se ao Criador, Agostinho não pergunta como quem quer saber, apenas afirma retoricamente que nenhum mérito há na conversão. Isso se explica. O termo *meritum*, particípio substantivado do verbo *mereor*, refere-se ao preço ou salário a que se faz jus por algum serviço prestado, o que implica a noção de dívida. Quem cumpre uma tarefa recebe o preço estipulado em contrato anterior, tornando-se credor do contratante, até que este salde sua "dívida", pagando o salário contratado que lhe deve. Uma meretriz, por exemplo, cujo étimo é o mesmo[305], é aquela que "merece", ou seja, que faz jus ao pagamento, que após os serviços prestados lhe passa a ser devido. E essa noção de "mérito" se liga também às de "liberdade" e de "vontade", uma vez que o mérito de uma dada ação, seu salário, só pode ser mensurado em ações praticadas voluntariamente, como diz Agostinho logo no primeiro livro[306], ao situar o mérito na vontade, o que implica dizer também que nenhuma retribuição seria justa, fosse boa, na forma de prêmio, fosse má, na força de castigo, se uma dada ação não tivesse sido praticada por meio da vontade livre.

O homem recebeu o ser do Ser supremo, de modo absolutamente gratuito, ser pelo qual não possuía mérito algum, uma vez que nem existia ainda para que pudesse prestar algum serviço digno de preço. Em sendo assim, indaga o rétor, que mérito possui para converter-se para o Ser, de quem recebeu o próprio ser, conversão essa que lhe faria ser ainda mais, pela proximidade do Ser supremo? Por um lado, se houvesse mérito, deveria ter havido antes algum serviço prestado, de que se esperaria receber o salário agora, a própria conversão. A alma pecadora

---

303 Quer dizer, a partir de quem *tu* foste criado.

304 Evódio, que está "sumido" desde há muito (3,4,10,38), fará sua derradeira intervenção pouco adiante (3,16,46,160-17,47,163).

305 Cf. verbetes: *meretrix, mereor, meritum* e *merces* no LÉXICO T-F.

306 Cf. 1,14,30,101: *"in uoluntate meritum..."*.

se afastou de Deus porque quis, não porque foi obrigada. Logo afastou-se por sua livre vontade. Se a conversão lhe fosse de algum modo devida, seria salário, uma dívida da parte de algum credor, que no caso só poderia ser o próprio Criador. Ora, que lhe deve o Criador, à criatura que pecou livremente e dele se afastou, para que agora lhe restitua o salário da conversão? Nada, obviamente, pois quem deve não é o Criador, e sim a criatura. De fato, ela é que recebeu do Criador o ser, para que fosse com ele, além do arbítrio livre de sua vontade, para que o usasse bem, o que não fez. Logo a criatura é que deve ao Criador, não apenas o ser que recebeu, mas o bom uso da faculdade que perverteu. Então como dizer que há mérito na conversão, se quem deve é a criatura, não o Criador? Ademais, de que seria salário a conversão? Do pecado?! Essa questão, como dito acima, será por demais importante para os debates a respeito da Graça e do pensamento do autor acerca dos mistérios da Trindade. Portanto, ninguém tem mérito diante de Deus, seja ao converter-se para ele, sendo mais, seja ao manter-se diante de sua face eternamente, como os anjos, pois ter mérito diante de Deus significa tê-lo como devedor, o que entra em choque com tudo o que se pode pensar acerca dele, como exposto desde início nos pressupostos axiomáticos assentados sobre o princípio de piedade e por ambos os debatedores dialéticos consentidos.

**154.** A – [...] Logo de que o interpelas por antecipação[307], como se reclamasses um débito? Quando[308], se não quisesses converter-te para ele, nada lhe faltaria, porém ele a ti, que sem ele nada serias, e de quem és assim alguma coisa...

---

307 O verbo *praerogo* é ambivalente. Pode significar um pagamento antecipado ou uma interpelação diante de alguém a respeito de alguma pendência. Em ambos os casos o sentido é justo. No primeiro nenhuma hipótese há de o ser humano ter pago antecipadamente algo a Deus, para que o Criador lhe ficasse devendo depois, dívida essa que o ser humano se imaginaria então no direito de cobrar. No segundo, trata-se de uma interpelação de natureza judicial, em que o devedor é instado a restituir sua dívida, como se Deus pudesse estar em dívida com sua criatura, que nem mesmo existia para que pudesse ser credora de coisa alguma. Cf. *Conf.* 1,4,4: "muito se te dá a fim de que fiques devendo, e quem é que possui algo que não seja teu? (*supererogatur tibi ut debeas et quis habet quicquam non tuum?*). Note-se que essa relação de natureza "comercial" entre homem e divindade era comum tanto a romanos quanto a gregos, cujo princípio: *do ut des*, "Eu dou para que tu me dês", regia a religiosidade pagã, de que se percebem fortes resquícios até hoje, não apenas nos *ex-votos* que se ofertam a Deus e aos santos pelas graças alcançadas, mas principalmente nas "promessas" amiúde feitas, condicionadas à concretização das mais diversas (e muita vez estapafúrdias) rogativas. Tudo o que Deus dá é de graça, por isso não adianta tentar comprá-lo, ou suborná-lo, ofertando-lhe dádivas e mais dádivas, a fim de que ele "fique em dívida", ou seja, "na mão" do suplicante, por assim dizê-lo, diz Agostinho, o que jamais lhe seria possível.

308 A conjunção "quando", em vernáculo, pode expressar, entre outras, ideia de concessão, como é o caso aqui: "mesmo que não quisesses converter-te para ele, ainda assim nada lhe faltaria".

Deus não deve nada à criatura, pelo que não se deve interpelá-lo por dívida alguma, que jamais haveria de contrair. Se a alma pecadora se converte para o Criador, não o faz por mérito, ou seja, como se fosse um salário merecido por alguma ação digna deste preço, ao contrário, deve fazê-lo por dever, uma vez que recebeu o ser e o arbítrio livre da vontade, graciosamente, para que fosse mais e mais, por meio desse bem médio que veio a corromper. Portanto a criatura é que é devedora, jamais o Criador. Ademais, se a criatura não se convertesse, que faltaria ao Criador, que é perfeitamente pleno e autossuficiente, o mesmo Criador que existia antes de qualquer criatura? Muito pelo contrário, se a criatura não se convertesse, ela é que ficaria carente de seu maior e soberano Bem, que lhe concedeu que fosse e que permite graciosamente que siga sendo, tanto mais quanto mais queira acercar-se dele, pela conversão de sua vontade livre.

## A conversão ou a infelicidade: o nada não existe

**154.** A – [...] de modo que, a não ser que lhe restituas o que és a partir dele, convertendo-te para ele, seguramente não serás um nada, mas infeliz, contudo, serás.

Duas alternativas, desde o início, se descortinaram à alma racional: converter-se para o Ser supremo, imutável e eterno, Deus, o Bem comum, ou averter-se dele, convertendo-se para suas criaturas, as quais, embora boas, porque criadas por ele, contudo são bens inferiores, deficientes, porque mutáveis e destinados a retornar ao nada de onde saíram. Portanto, ou voltar-se para a indefectibilidade de Deus, ou afastar-se dele em direção à defectibilidade das criaturas inferiores. A primeira se diz Bem, o movimento eficiente da vontade livremente arbitrada, ao passo que a segunda, mal, que na verdade inexiste enquanto substância, sendo apenas o movimento deficiente da mesma vontade, quando decide livremente averter-se do Ser. Quando se converte para o Criador, que é de modo supremo, a criatura restitui sua dívida, sendo aquilo que deveria ser, do modo como deveria ser, pois assim o recebeu dele, no ato de sua criação. Quando, por outro lado, se averte dele, dirige-se ao nada, pois o movimento deficiente, pelo qual se dirige para as criaturas igualmente deficientes, inexiste enquanto natureza, não tendo sido criado por Deus. Contudo, em resposta a questões levantadas anteriormente nestes comentários[309], acerca do destino das almas e do próprio diabo, Agostinho agora dá breve

[309] Cf. 3,5,17,61; 10,31,112; 13,36,126.

porém definitiva resposta. A alma endividada e má pagadora, que se afasta do Criador livremente, corrompendo sua natureza com vício e fazendo mau uso de sua vontade livre, não se desintegra no nada, que não existe como um buraco qualquer trevoso, do contrário ali não poderia haver nem lágrimas, nem dentes rangendo[310], mas seu castigo é outro, a infelicidade, tão mais duradoura, quanto mais se mantiver afastada do Bem supremo. Portanto, se acima[311] havia dito que haveria de perder o dom recebido, quando não, haveria de tê-lo penhorado indefinidamente, agora resta claro que seu castigo é possivelmente pior que o nada, o sofrimento. De fato, se fosse simplesmente a desintegração no nada, nada sentiria, nada sofreria, de nada se lembraria, nenhum remorso teria, pois quem não é não sente, nem sofre, nem tem qualquer lembrança de coisa alguma, porque simplesmente inexiste, o que nem se configuraria uma punição. Contudo um sofrimento acérrimo, como dito acima, parece mais insuportável que o simples deixar de ser.

## 3,16,45,155. Um levantamento das dívidas das criaturas

**155.** A – Logo todas as coisas lhe devem...

Portanto não é o Criador que deve às criaturas, que nenhum mérito podem ter diante dele, e sim, muitíssimo ao contrário, elas todas é que lhe devem, a ele, que lhes é eternamente anterior e perfeitamente autossuficiente, o dispensador generoso de todos os dons. Mas que é que a criatura deve ao Criador?

**155.** A – [...] primeiramente tudo *aquilo* que *elas* são, enquanto são naturezas...

Em primeiro lugar deve-lhe o ser, desde o momento em que a natureza passou a ser alguma coisa, a partir do nada (*ex nihilo*). Trata-se de um dom gratuito dispensado pelo Criador, em que nenhum mérito se sabe possível, uma vez que a criatura nem mesmo era, para que tivesse algum mérito por que ser.

**155.** A – [...] depois tudo o que de melhor podem ser, se queiram as coisas todas que receberam, para que queiram[312]...

---

310 Cf. Lc 13,28: "ἐκεῖ ἔσται ὁ κλαυθμὸς καὶ ὁ βρυγμὸς τῶν ὀδόντων".

311 Cf. 3,15,44,151.

312 Construção ambígua, cuja tradução depende de como se interprete a conjunção *ut*. Uma outra alternativa para o final deste segundo item seria: "se queiram as coisas que receberam,

Em segundo lugar devem ao Criador todo e qualquer incremento de ser que sejam capazes de auferir, o que só acontece, como se sabe, pela proximidade com o Ser supremo, através do movimento livre de conversão de sua vontade. Deste modo, quanto mais se aproximam do Ser, tanto mais são, aumentando o ser que possuem, o que se dá livremente, por sua vontade, do contrário seria apenas um movimento necessário, sobre o qual não teriam qualquer controle, muito menos responsabilidade ou mérito. Na verdade, melhor seria se se dissesse "débito", pois essa conversão, como visto, não é meritória, e sim devida, uma vez que diante de Deus ninguém pode ter mérito algum. Portanto, em não se tratando de mérito, e sim de débito, devem todo o acréscimo de ser que quiserem, se quiserem as coisas que receberam, exatamente para que quisessem. Embora o latim dessa passagem confunda pela ambiguidade, pode-se supor que Agostinho esteja fazendo referência aos dons recebidos, de modo principal o ser, para que quisessem ser mais, pela proximidade com o Ser supremo, depois a vontade livremente arbitrada, a fim de que quisessem, por meio da boa vontade (*bona uoluntate*), o que deviam querer, ser mais e mais, convertendo sua vontade para o Bem supremo e eterno, Deus. Portanto esses dons lhes foram dados gratuitamente, às criaturas, para que os quisessem, ao querer ser mais e querer cada vez mais. Para isso, pois, é que lhes foram dados tanto o ser como a vontade.

**155.** A – [...] e [finalmente] tudo o que convém que elas sejam.

Em terceiro lugar devem ao Criador, como supraexposto[313], tudo aquilo que devem ser, para que sejam completamente realizadas. As criaturas deficientes irracionais restituem seu débito, por assim dizer, simplesmente sendo, cujas beleza e diversidade cooperam para a perfeição da universalidade. As criaturas racionais, por sua vez, devem-lhe o ser, como as demais, mas sobretudo a conversão de sua vontade livre, para que sejam aquilo que devem, plenamente, pela proximidade do Ser supremo, na qualidade de almas racionais, muito acima das criaturas que apenas são e vivem, em estável aderência à Verdade e à Sabedoria supremas, eternamente felizes pela contemplação de seu Criador.

---

enquanto as queiram", ou seja, à medida em que exerçam a prerrogativa que lhes foi concedida, de querer livremente.

[313] Cf. 3,15,42,146-44,151.

**155.** A – [...] Portanto daquilo que não recebeu, ninguém é réu; todavia do fato de que não faz o que deve, é réu justamente.

Se as criaturas defectivas inferiores, que apenas são e vivem, mas não inteligem, não incorrem em pecado, porque seu defeito não é voluntário, portanto desprovido de vício, por cujo defeito não se constituem rés, muito menos dignas de vitupério, o mesmo não se pode dizer da criatura racional. Ora, nenhum cavalo, afora Pégaso, deve sair voando, pois isso não é devido à sua natureza, pelo que não pode ser considerado réu dessa dívida, que não contraiu e nem mesmo existe. Mas à natureza racional é devida a conversão ao Bem comum e imutável, porque o movimento contrário, a aversão, corrompe com vício o bem íntegro que recebeu, bem que deveria restituir do modo como recebeu. Logo, se a aversão do Bem é sempre viciosa, e se o vício, sendo contrário à natureza, a corrompe, disso decorre que o movimento de aversão é contra a própria natureza do pecador, corrompendo-a também; natureza essa que recebeu do Credor divino, e que deve restituir, no mínimo, tão íntegra quanto recebeu. Logo é réu com toda a justiça, porque contraiu um débito, que, por causa de sua insolvência, agora tem dificuldades de restituí-lo.

## Faculdade perfeitamente suficiente

**155.** A – [...] Porém deve, se recebeu a vontade livre e uma faculdade perfeitamente suficiente.

Portanto todo aquele que recebeu o dom da vontade livre é réu, porque deve sua restituição, pelo bom uso, para o que possui uma faculdade bastante, diz Agostinho. Percebe-se como neste passo ainda o ser humano é considerado "absolutamente suficiente" para fazer bom uso de seu livre arbítrio, voltando sua vontade para o Criador, restituindo a Deus o que lhe deve, por ter recebido: o bom uso de seu livre arbítrio. Não há até aqui nenhum indício[314] de que não tenha capacidade para fazer bom uso de sua vontade, ou que sua vontade seja insuficiente; insuficiência que irá posteriormente requerer uma grande ajuda, a Graça divina, para que a prática do bem lhe seja possível; bem que admite desejar, mas não logra executar, como se vê na epístola aos romanos e no oitavo livro de *Confissões*, por exemplo[315]. O homem deve a Deus o bom uso da vontade

[314] Exceto, talvez, o que se disse em 3,15,44,151.

[315] Cf. Rm 7,14-25; *Conf.* 8,9,21.

livre, o que lhe é factível, por natureza, pois recebeu junto com esse bem médio ambivalente uma faculdade perfeitamente suficiente[316], ou seja, uma capacidade para utilizá-lo, para querer bem, para que sua vontade seja boa e converta-se para o destino certo. E se não o fizer, a ninguém poderá inculpar, senão a si mesmo.

## SÍNTESE: I-V

### 3,16,46,156. Apologia do louvor (*laudandus deus*) – I

**156.** A – Porém, à medida que cada qual não faz o que deve[317], nenhuma culpa é do Fundador, de modo que até mesmo lhe seja devido o louvor, visto que cada um padece aquilo que deve, mas também naquilo mesmo que é vituperado, ao não fazer o que deve, que não seja louvado senão aquele ao qual se deve.

Prenunciando a transição para a parte final da obra, quando Evódio reaparecerá para fazer sua derradeira intervenção, Agostinho empreende uma síntese-relâmpago do que se propugnou por dizer desde o início deste terceiro livro[318], que pode ser reduzido na fórmula sintética de gerundivo: *laudandus deus*, "Deus deve ser louvado". Deve ser louvado, como assentirá Evódio na sequência, não apenas porque não se lhe devem imputar os pecados humanos, praticados livremente pelas almas pervertidas, mas porque, como Agostinho demonstrou de modo poético, posto que imerso no campo semântico jurídico, porque até mesmo os seus pecados entoam-lhe louvores. Portanto, quando as almas não fazem o que devem ao Credor divino, não apenas nenhuma culpa se lhe imputa, mas, ao contrário, se lhe deve imenso louvor, porque a reparação devida aos pecadores, que recebem da Justiça divina o preço correspondente de seu pecado por não terem restituído a dívida contraída, coopera para a manutenção da beleza equitativa da universalidade, reparação que é simultânea com o pecado, de modo que em momento nenhum a Ordem divina se veja perturbada[319]. Portanto, quando peca a criatura, deve-se louvar o justo Juiz, cuja Justiça,

---

316 Como será visto adiante (3,18,52,177), essa suficiência da vontade refere-se exclusivamente ao primeiro homem, cuja condição prelapsária difere em muito da condição de sua progênie, cuja vontade tornou-se insuficiente depois do pecado.

317 Quer dizer, enquanto a alma permanece em dívida, não fazendo o que deve, ou até que deixe de dever.

318 Cf. 3,5,12,42.

319 Cf. 3,10,31,110-112; 15,44,152.

atribuindo seja o dividendo da felicidade aos bons, seja cobrando o juro de mora da infelicidade aos maus, mantém a beleza universal, mas sobretudo imprime um sentido maior ao sofrimento humano, que desde o início da obra se associou axiomaticamente à retribuição da Providência. Porém não é apenas na reparação, quando o pecador recebe o preço de sua deformidade, que se deve empreender o louvor do Criador, mas também no próprio vitupério. De fato, o defeito de uma dada natureza, quando digno de vitupério, por causa do vício que há em si, invariavelmente *contra naturam*, implica aquilo mesmo de que se constitui a corrupção, ou seja, a parte deficiente da natureza que falta à sua perfeição; e conquanto esta não exista mais enquanto natureza, o vício permite contudo imaginar a sua integridade original. Deste modo, quando se vitupera um defeito qualquer, como visto antes[320], está-se simultaneamente louvando a natureza perfeita que foi corrompida, o que redunda obviamente na louvação daquele que criou a natureza perfeita, Deus. Portanto, seja quando a Justiça do Criador entra em ação, ornamentando o universo pela reparação, seja quando o vitupério de um vício louva a natureza íntegra que devia estar ali, em ambos os casos o Criador deve ser louvado.

## Um *tópos* em defesa do louvor

> **156.** A – [...] Pois, se tu és louvado ao ver o que deves fazer, ainda que não o vejas senão naquele que é a Verdade absolutamente imutável, quanto mais aquele, que não apenas prescreveu o querer, mas também outorgou o poder, e não permitiu impunemente o não querer![321]

E como ocorreu algumas vezes ao longo da obra, esse argumento não prescinde do reforço de um tópico de gradação: "se no menos, muito mais no mais". Se as criaturas racionais devem ser louvadas quando reconhecem sua dívida e esforçam-se por restituí-la, muito mais se dirá acerca do próprio Criador. Essa virtuosidade, contudo, como ficará muitíssimo patente nas obras maduras de Agostinho, de modo especial as que têm a doutrina da Graça por pano de fundo, dependerá muito mais de um dom divino, do que do mérito da criatura, que, como se viu acima, inexiste diante do Credor divino[322]. Com efeito, as criaturas não podem ver o que devem fazer para restituir suas dívidas

---

320 Cf. 3,13,37,130; 14,41,142-143.

321 A edição dos maurinos interpreta essa oração como interrogativa, embora nem sempre aqueles que dela se utilizam seguem sua lição neste ponto.

322 Cf. 3,16,45,154.

diante do Credor divino, senão através de Cristo, Verdade e Sabedoria imutável de Deus. Mesmo assim, diz Agostinho, a criatura que vê através desse dom divino o que deve fazer e restitui sua dívida, ainda que seu mérito seja nulo, se faz digna de louvor. E se é assim, se a criatura é digna de louvor quando simplesmente cumpre seu dever, através do óculo divino da Verdade, muito mais se dirá da própria Verdade, isto é, que seja digníssima do maior louvor, ela que não apenas prescreveu às almas que deviam fazer bom uso de sua vontade, querendo o que deviam querer, mas também outorgou-lhes a faculdade para tanto, perfeitamente suficiente, diga-se, além de ter proibido a abstenção, ou seja, não ter permitido que as almas que receberam a vontade livre deixassem de querer retamente com impunidade. Portanto Deus, que deu a vontade, a capacidade para dela fazer bom uso, mas que também aplica a justa punição aos que não pagam sua dívida, restituindo seus dons pelo bom uso, muito mais que as criaturas, é que deve ser imensamente louvado.

## 3,16,46,157. Nenhum pecado é involuntário – II

**157.** A – Pois, se cada um deve o que recebeu, e se o homem foi feito de modo tal, que peque necessariamente, o que deve é isto: que peque. Logo, quando peca, faz o que deve. O que, se é algo celerado de dizer, a ninguém sua própria natureza coage a que peque, e nem uma outra [qualquer]. Pois ninguém peca, enquanto padece aquilo que não quer[323].

Se, como dito acima (§157), cada um deve de fato o que recebeu, e se, em conformidade com a opinião refutada no início deste terceiro livro, as almas pecam por necessidade[324], e não de modo voluntário, então deve-se pecar! De fato, se foi recebido do Criador o dom do pecado, que seria então necessário, segundo essa opinião, à criatura estabeleceu-se desde o princípio uma dívida de pecado diante do Criador. Logo deve ela restituir o que lhe deve, cujo preço não é senão o próprio pecado. Portanto, quando pecasse, o pecador restituiria sua dívida diante do Criador, não fosse essa conclusão tão disparatada quanto a premissa que lhe deu origem, de que o pecado seria necessário. Se dizer que quem peca faz o que deve é abominável, então não se deve dizê-lo, do que decorre, como provado ao longo da obra, que nenhuma natureza pode ser obrigada a pecar, nem mesmo por outra natureza qualquer, mesmo que lhe

323 Quer dizer, ninguém peca sem que o faça livremente.

324 Cf. 3,1,1,3-2,5.

seja superior[325], pois quem é forçado a pecar, seja por quem for, simplesmente não peca, porque seu ato foi fruto de coação, não voluntário. E para não ter de retomar todos os argumentos aduzidos em defesa da voluntariedade do pecado, Agostinho resume tudo em mais uma simples fórmula: "ninguém peca, enquanto padece algo que não quer", ou seja, nenhum pecado é possível quando se age de modo involuntário.

## 3,16,46,158. O pecado é voluntário – III

**158.** A – Com efeito, se padece justamente, não peca nisso que padece invito[326], mas pecou naquilo que fez querendo, de modo que padecesse de direito o que não queria. Porém, se padece injustamente, de que modo peca? Pois o pecado não é padecer algo injustamente, mas fazer algo injustamente.

Se o pecado, que não é involuntário, se define como aquilo que se pratica com injustiça, parece óbvio que aquele que sofra algo de modo injusto não esteja pecando. Todavia a pretensa obviedade se justifica plenamente. Agostinho, como pensador arguto que era, pretende deixar claro que o pecado não está propriamente na injustiça, e sim na vontade. De fato, é possível que alguém sofra uma injustiça por parte de um outro por alguma razão conhecida apenas pela divina Providência, sem que tenha sido precedida, essa injustiça, por um pecado qualquer conhecido. Seja o que for, para a definição de pecado, importa não a injustiça em si, mas a vontade, porque o pecado não é padecer uma ofensa com injustiça, e sim praticá-la, desde que levada a efeito por intermédio da vontade livre, sem qualquer coação (*cogente nullo*). Portanto Agostinho apresenta uma nova definição de pecado, que outra coisa não é senão agir voluntariamente, e não sofrer involuntariamente, de modo injusto[327]. Claro está que a

---

325 Cf. 1,10,20,73; 16,34,114-115.

326 Quer dizer, ninguém é acusado de pecado quando sofre algo injusto e a contragosto.

327 O que remete ao que se disse logo no início do livro primeiro, que o mal sofrido é apenas a Justiça da Providência em ação. Cf. 1,1,1,1-2. Todavia, se o que se padece é a obra justa da Providência divina, em contraste com o mal praticado, originado pelo arbítrio livre da vontade, não é possível que alguém sofra algo com injustiça, do contrário haveria um terceiro gênero de mal, que se teria deixado de parte: aquilo que se padece injustamente. E se assim fosse, os axiomas piedosos assentados no início estariam em risco, pois com isso se estaria admitindo a injustiça na administração da Providência. De fato, se é possível a prática da injustiça, fruto do arbítrio livre da vontade humana avertida de Deus, o sofrimento injusto seria o quê? Não poderia ser fruto da Justiça, do contrário a Justiça seria injusta. Se todo

injustiça importa, pois nenhuma ação justa é considerada pecado. Porém não é pecado porque injusta, e sim porque voluntariamente injusta; numa palavra, se a injustiça é condição necessária do pecado, não é suficiente, visto que uma qualquer ação involuntária, ainda que injusta, não será pecado. Portanto, além de injusta, deve ser voluntária, embora nem mesmo a vontade seja condição suficiente para o pecado, conquanto necessária, visto ser possível também fazer o bem voluntariamente. Demais, quem age com injustiça não peca porque padece contra a sua vontade, embora de modo justo, as consequências de seu ato injusto, e sim porque pratica o que é injusto, de modo voluntário. Logo não é no que sofre involuntariamente, posto que com justiça, mas na injustiça que pratica de modo voluntário, que uma dada ação se qualifica como pecado. E se é assim, duas são as condições necessárias e suficientes do pecado, mas apenas quando ocorrem simultaneamente, a injustiça e a vontade.

**158.** A – [...] E se nem por sua, nem por outra natureza se é coagido a pecar, resta que se peque pela própria vontade.

Portanto, se nenhum pecado há que seja involuntário, depreende-se que seja voluntário. Logo o pecado não pode estar senão na vontade. De fato, se não é coagido a pecar, fazendo algo contra a própria vontade, seja através de sua própria natureza, o que significa dizer por necessidade, como quando alguém sofre de algum distúrbio psíquico, por exemplo, sendo por natureza levado a fazer o que em sã consciência jamais faria, seja através da natureza alheia, quando então seria levado a fazer algo pelo uso da força, enfim, se não é coagido a pecar em um desses dois casos, o que configuraria a ação como necessária e consequentemente involuntária, resta que peque por sua própria vontade. Logo, se não é contra a própria vontade, é a favor; e não sendo necessário, deve ser voluntário.

---

sofrimento é justo, mesmo que a causa seja presentemente ignota, se se admite injustiça no sofrer, com isso admite-se forçosamente, ou a impotência da Providência divina na administração justa da universalidade, ou a sua própria injustiça, o que seria incoerente. Todavia não se deve confundir o sofrimento aparentemente injusto administrado justamente pela divina Providência, que seria uma "injustiça justa", como a expiação por algum delito anteriormente perpetrado pelo agora sofrente, ou como prova propedêutica para a alma, seja para fortalecer sua paciência, seja para abrandar seu orgulho, seja para torná-la mais humilde, com a "injustiça injusta", que nenhuma justificativa encontraria, nem prova, muito menos expiação, para além da maldade humana descontrolada.

## 3,16,46,159. Se a criatura não pecou, muito menos Deus! – IV

**159.** A – E se quiseres atribuir [o pecado] ao Fundador, purgarás aquele que peca, que [em tese] não cometeu nada contrário[328] às instituições de seu Fundador; o qual *pecador*, se é retamente defendido, não pecou; logo não existe o que atribuas ao Fundador.

Admitindo que se quisesse, ao invés, inculpar a Deus dos pecados das almas racionais, decorreria disso, por um lado, a consequente "depuração" do pecador, que então deveria ser isentado de culpa e inocentado com justiça de todo pecado, pois não teria cometido crime algum contra as Leis instituídas por Deus. Assim sendo, se esse pecador não é culpado, obviamente não pecou, ou seja, se é possível defendê-lo com justiça, isso se deve ao fato de não ter havido pecado. Logo, se o pecador não pecou, não houve pecado, pelo que tampouco Deus deveria ser inculpado do mal, inexistente. O argumento de Agostinho, um tanto inesperado, pode ser desdobrado do seguinte modo, tentativo:

1. Nenhuma criatura pecou;
2. O pecado é o mal;
3. Logo não houve mal *ou* pecado algum;
4. Logo nenhuma criatura é culpada de nenhum mal, que inexistiu;
5. Logo não se pode inculpar a Deus de nenhum pecado *ou* mal cometido pela criatura, pois nenhum pecado *ou* mal foi cometido;
6. Logo não se pode inculpar a Deus pelo mal.

## Na apologia ou no vitupério do pecador, louve-se o Fundador!

**159.** A – [...] Pois, se *ele* é defendido justamente, não é pecador; logo louva o Criador! Porém, se *ele* não pode ser defendido, é tanto mais pecador quanto mais se averte do Criador...

Se se defendam os pecadores, dizendo que nenhuma transgressão dos estatutos divinos cometeram, deve-se igualmente louvar o Fundador, porque, se não houve pecado, ele não deve ser inculpado, ao contrário, deve ser louvado por seus Estatutos. Por outro lado, se os pecadores devem ser vituperados pela corrupção

---

328 A preposição *praeter* pode significar: 1. "além de"; 2. "contrário a", sendo a ideia por trás de ambas acepções praticamente a mesma. De fato, aquilo que ultrapassa as Leis instituídas por Deus não apenas vai "além do que" é permitido, mas também "é contrário aos" seus limites. Cf. *Oxford Latin Dictionary*, p. 1445, verbete *praeter*, item n.º 3.

viciosa de sua natureza, muito mais, nesse caso, deve ser louvado o seu Criador, porque eles são cada vez mais pecadores à proporção que mais se afastam da Natureza perfeita do Criador, o que implica seu louvor. De fato, tanto mais se louva a perfeição de uma natureza, quanto mais se vitupera o vício da natureza de que é vício. Logo, ao afastar-se do Criador, faz-se cada vez mais pecador, merecendo tanto mais vitupério, quanto mais se afasta da sua Perfeição digna de todo louvor.

## 3,16,46,160. Deus não é o autor do mal – V (antimaniqueísmo)

**160.** A – [...] não existe um modo de atribuir os nossos pecados ao nosso Criador, Deus, quando até neles próprios o descubro louvável, não somente porque os pune, mas também porque são cometidos quando da sua Verdade alguém se afasta.

Pode-se dizer que esta seja de fato a conclusão não apenas da primeira grande parte do livro terceiro, mas de toda a obra, o que, para muito além da apologia do Deus cristão, constitui uma crítica muitíssimo bem fundamentada do dualismo maniqueu. Com efeito, a célebre pergunta negativa que dá início à obra, se não seria Deus seria o autor do mal[329], encontra agora sua resposta definitiva: não há como imputar a Deus a causa do mal, pois até mesmo nos pecados das criaturas ele deve ser louvado, seja porque seu vitupério é um cântico de louvor à natureza em sua integridade, seja porque sua Justiça suprema, cuja reparação é simultânea com o pecado, mantém a beleza e a ordem da universalidade, seja, sobretudo, porque o próprio mal se define como afastamento dele, que é o Bem supremo, que não poderia, a não ser de modo absolutamente contraditório, causar o afastamento de si mesmo. Enfim, seja por esses, seja pelos inúmeros outros motivos interconectados e até aqui aduzidos, Deus deve ser indefectivelmente louvado, jamais inculpado do pecado das criaturas, cuja origem, como se argumentou, não está senão na livre vontade.

## A causa última do mal
(A vontade antes da vontade)

## 3,16,46,160. Evódio ressurge para uma última questão

**160.** E – [...] consinto ser absolutamente verdadeiro que de modo nenhum pode acontecer que os nossos pecados sejam retamente atribuídos ao nosso Criador.

---

[329] Cf. 1,1,1,1: *"utrum deus non sit auctor mali"*.

Evódio desperta de seu silêncio, que talvez represente sua ausência física[330], ressurgindo para uma última pergunta. Na verdade, como se há de ver, trata-se de uma reelaboração das perguntas levantadas no início deste livro terceiro, acerca da origem da própria vontade, pois, ao que parece, essa faculdade por si só, como causa ulterior do mal, não era o bastante para mitigar as dúvidas do discípulo. Se ficou assente entre ambos que Deus deu ao homem o bem médio da vontade, aquele movimento livremente arbitrado pelo qual a criatura racional pode converter-se para o Bem comum e imutável ou averter-se para os bens próprios e mutáveis, restava ainda a dúvida acerca de seu desvio original. Ora, se Deus, embora sendo o dador da faculdade pela qual a criatura peca, não pode ser imputado de pecado algum, resta saber como essa faculdade foi originalmente mal utilizada, visto ser inadmissível aventar que ele tenha criado uma faculdade viciada. E se não foi Deus, quem poderia ter sido, a não ser o próprio usufrutuário da faculdade? Logo, se a criatura viciou sua própria vontade livremente, tendo sido suficientemente provado que ninguém pode obrigar ninguém a pecar sem seu consentimento voluntário, e que Deus, que é bom, criou boas todas as coisas, deve-se então investigar como é que se deu esse primeiro desvio da vontade, e por que motivo. Numa palavra, de onde lhe adveio, à criatura, a inclinação primeira para o mal, se não é possível que lhe tenha advindo da parte de Deus, nem que tenha sido coagida a pecar? Eis o que na última parte da obra pretende Agostinho descobrir, como verdadeiro filósofo que era, e não simplesmente provar, como se se tratasse de algo já conhecido. De fato, esse movimento livre, típico das mentes honestamente especulativas, foi percebido desde o alvorecer de sua caminhada intelectual, e em nenhum de seus trabalhos está mais patente do que neste. Nada obstante os pressupostos axiomática e piedosamente elencados no início da obra[331], sobre os quais ele erige o arcabouço de suas ideias, percebe-se nitidamente com que passos meticulosamente firmes Agostinho caminha, argumento após argumento, de modo absolutamente sincero e cirurgicamente preciso, com verdadeiro amor à sabedoria, rumo à verdade buscada.

---

330 É possível que Evódio não esteja mais participando da disputa dialética deste livro terceiro, que se converteu em *oratio perpetua*, um discurso contínuo, destituído de interlocução. Mas também é possível que sua resposta tenha sido enviada a Agostinho por escrito, ou mesmo, o que não é menos possível, que o discípulo simplesmente esteja ouvindo, em silêncio abstinente, por crer-se incapaz de contribuir.

331 Cf. 1,2,5,12-13.

## 3,17,47,161-163. Evódio e a causa da causa

**161.** E – Contudo eu ainda gostaria de ter ciência, se isso pudesse ser feito, do motivo por que aquela natureza não peca, a qual Deus conheceu antecipadamente que não haveria de pecar, e por que motivo essa peca, a qual foi prevista por ele que haveria de pecar. Pois já não penso que a própria Presciência de Deus coage aquela a não pecar, ou essa, a pecar .

Embora tenha ficado assente entre ambos os interlocutores dialéticos que a Presciência divina não constrange as criaturas a não pecar, muito menos a pecar, criaturas que pecam ou que deixam de pecar exclusivamente por vontade própria, de modo absolutamente livre[332], uma questão ainda incomoda Evódio, e com ele os leitores do *L.A.*, o motivo por que umas vontades seriam boas, outras, más. E mesmo que se aceite que a previsão divina não determine quem haja de pecar e quem haja de abster-se do pecado, ainda assim não resta muito evidente o motivo por que algumas criaturas, saídas todas invariavelmente de um Deus perfeita e indefectivelmente bom, haveriam de pecar, ao passo que outras, não. Essa questão remete, em última instância, à origem da própria vontade. Com efeito, essa faculdade, definida no livro segundo como sendo um bem médio, e por isso ambivalente, podendo ser bem ou mal utilizado, foi dada ao homem gratuitamente por Deus, que, por ser indefectível, não poderia tê-la dado deficiente. Porém, se à criatura foi dada uma faculdade perfeita, posto que ambivalente, resta conhecer a causa por que se teria estragado no início em algumas criaturas, não em outras, fazendo com que umas pecassem, outras, não; ou ainda melhor, por que algumas criaturas teriam sido inclinadas a fazer mal uso dessa faculdade ambivalente, corrompendo-a, ao passo que outras, jamais. E mesmo que Deus conhecesse por antecipação quais criaturas iriam pecar, quais não, exclusivamente em virtude de sua vontade deficiente, não estava resolvida a questão da própria deficiência, de sua causa, a não ser que se quisesse retroceder e acusar a Presciência divina de negligência, não tendo percebido o defeito logo no ato da criação, ou o que seria pior, não fazendo caso algum das vontades que lhe sairiam deficientes das mãos artificiosas. Isso, contudo, estava fora da questão, a qual foi dada por resolvida, em comum assentimento, não restando agora senão inquirir, na própria criatura, do móvel para sua primeira inclinação defeituosa.

---

[332] Cf. 3,2,4,14-4,11,41.

## Uma vontade, três partes

**162.** E – Contudo, se nenhuma causa existisse, a criatura racional não se repartiria assim, de modo que uma nunca peque, e outra persevere no pecar, uma outra, como se no meio entre ambas, algumas vezes peque, outras converta-se para agir retamente.

A dúvida de Evódio é tão mais pertinente quanto interessante. Sendo o Criador um só e o mesmo, e sendo igualmente justo, não seria nada coerente imaginá-lo criando umas almas melhores que outras, por simples gosto pela diversidade, a não dizer injustiça. Logo presume-se tenha criado todas iguais[333], o que equivale a dizer que as cria com capacidades perfeitamente equivalentes. Portanto é lícito depreender que lhes tenha dado vontades igualmente boas e aptas a querer o bem, pelas quais podiam não pecar, se quisessem, como ocorreu no caso da maioria dos anjos[334]. No entanto, se as vontades das criaturas se assemelham em poder, não tendo sido dadas com nenhumas deficiências, por que motivo umas pecaram, ao passo que outras, não? Se nenhuma culpa se pode atribuir ao Criador das almas e Distribuidor de seus dons, todos eles equivalentes, que causa se pode encontrar para a deficiência de umas vontades, causa que não se encontra na perseverança de outras, e que em muitas ora se encontra, ora não? Se a vontade é uma só, dada indefectível por Deus, que é um só, e perfeitamente justo, é preciso justificar a existência de sua repartição em três, como se fossem três dons distintos, ou pior, como se Deus tivesse criado seres diferentes, uns destinados à felicidade suprema, outros condenados à desgraça inevitável, por nenhum outro motivo justificável além de simples gosto pela diversidade.

## Qual a causa da vontade tripartida?

**163.** E – [...] eu estou procurando a causa da própria vontade. Pois não é sem causa que aquela criatura nunca quer pecar, essa nunca não quer[335], e que alguma outra às vezes quer, às vezes não

---

[333] Seria possível que tivesse Deus criado anjos, homens e demônios, ao prever que as almas inteligentes iram tripartir-se nessas direções distintas? Embora se esteja aqui apenas especulando, não dogmatizando, vale notar que é o próprio Evódio que afirma, na sequência, que todas as criaturas racionais, quer impecáveis, como os anjos, quer oscilantes no pecado, como os homens, quer pecadoras impenitentes, como o diabo e sua corte demoníaca, pertencem todas elas ao mesmo gênero, situado no degrau das naturezas correspondente ao que é, vive e intelige: §163. *"cum eiusdem generis omnes sint"*.

[334] Não de todos, como se sabe.

[335] Duas negativas em latim se anulam. Portanto, quando se diz que "nunca não quer pecar", significa dizer que "sempre quer pecar", ou seja, que "não quer nunca deixar de pecar".

quer, posto que *todas elas sejam do mesmo gênero*. Pois somente isto é o que me parece evidente, que não é sem causa que é tripartida essa vontade da criatura racional...

E se a causa do mal foi descoberta na vontade, seria redundância ineficaz dizer que a causa da vontade estivesse simplesmente na própria vontade. O que se quer saber, em última instância, é a causa da própria vontade, bem médio, dado por Deus à criatura, de modo gratuito, porém inquestionavelmente justo. Com efeito, pertencendo todas as criaturas capazes de pecar ao mesmo gênero, visto que elas são (*esse*), vivem (*uiuere*) e inteligem (*intellegere*), nenhuma causa ainda foi apresentada por que sua vontade devesse diferir entre si, movendo-se ora para o Bem comum e imutável, ora para os bens próprios e mutáveis, ora cambiando sua direção intermitentemente entre a conversão e a aversão. Portanto três são os padrões de movimento, para os quais deve haver alguma causa, pois nada se move, seja para onde for, sem que tenha sido movido por algum impulso original, ainda que seja movido por si mesmo, como o semovente[336] que é a alma, cujos impulsos lhe são inatos.

## 3,17,48,164. Causa ou princípio?

**164.** A – [...] agora inquires tu da causa da própria vontade; se puder descobri-la, não hás de procurar também a causa da causa que houver sido descoberta?

Em sua tradução latina da demonstração platônica da imortalidade da alma[337], constante de uma de suas últimas obras, as já citadas disputas *Tusculanas*[338], reproduzida também nos fragmentos remanescentes do sexto livro do *De republica* (§§27-28), Cícero, de quem Agostinho foi leitor e grande admirador por toda a vida, "diz" que nenhum princípio pode ter uma origem, uma vez que todas as coisas têm sua origem no próprio princípio, o qual, exatamente por ser um princípio, não poderia ter origem alhures, do contrário não poderia ser um princípio:

> Nenhuma é a origem do princípio, pois do princípio é que nascem todas as coisas. Porém o próprio não pode nascer de nenhuma outra coisa. Pois não seria princípio aquilo que fosse gerado de outro lugar.[339]

---

[336] Cf. *Fedro* 246c4-6: "αὐτὸ αὑτὸ δοκοῦν κινεῖν διὰ τὴν ἐκείνης δύναμιν...".

[337] *Apódeiksis* constante do diálogo *Fedro* 245c-e.

[338] Cf. Cícero, *Tusc.* 1,23,53-55.

[339] Cícero, *De re publica* 6,25,27: "*Principii autem nulla est origo, nam ex principio oriuntur omnia. ipsum autem nulla ex re alia nasci potest. nec enim esset id principium, quod gigneretur aliunde.*". O grego

O termo utilizado por Cícero para traduzir o grego ἀρχή é *principium*, que se compreende não apenas como aquilo a partir de que as coisas têm seu começo, mas também o próprio começo que têm, quando vêm a ser. Já o termo αἰτία, em vista de seu sentido de "acusação", "responsabilidade", muito comum nos discursos de gênero judiciário, se costuma traduzir pelo latino *causa*. Ora, na investigação acerca do mal, o que é que se pretende, acima de tudo, além de conhecer aquele ou aquilo a quem se deva a responsabilidade pelo mal? O escopo sem dúvida tende mais para o âmbito jurídico, com todas as implicações éticas dele decorrentes, do que para o exclusivamente metafísico. De fato, quando se diz "princípio", ainda que as distinções se deem apenas nas filigranas, é lícito imaginar que não se esteja buscando a responsabilidade penal, como se dá na "causa", apenas a "fonte" ou "origem", como ocorre com o movimento. Assim, por exemplo, não se diz que uma fonte seja culpada por jorrar água, ou mesmo que a alma seja culpada por mover-se, embora possa dizer-se que seja "culpada" por ter sido movida em certo sentido considerado indesejável. Na verdade a distinção entre princípio e causa, se se quiser de fato empreendê-la, assenta-se, neste caso, na própria vontade. Pois a fonte não jorra água voluntariamente, assim como a alma, criada semovente, não é culpada por possuir em si a capacidade de movimento, o que lhe é natural. Todavia a direção do movimento, que é exatamente o que define o pecado, isso, sim, é passível de culpa, logo deve ter uma causa, e talvez não propriamente um princípio, embora o argumento acerca da imortalidade da alma sirva tanto para a causa, como para o princípio, pois assim como o princípio não pode ser gerado, do contrário não seria princípio, do mesmo modo, presume-se, a causa não poderia ser causada, do contrário não seria causa. Porém, se assim fosse, a discussão estaria encerrada, visto que nenhuma causa do mal poderia ir além da própria causa, encontrada na vontade. Parece então que essas distinções não se fazem com

---

platônico difere um pouco da versão latina de Cícero (*Fedro* 245d): "Porque é preciso que do princípio seja gerado tudo o que é gerado; o próprio, porém, de nenhum [princípio pode ser gerado]. Pois, se o princípio fosse gerado a partir de um [outro], não seria gerado de um princípio." (ἐξ ἀρχῆς γὰρ ἀνάγκη πᾶν τὸ γιγνόμενον γίγνεσθαι, αὐτὴν δὲ μηδ' ἐξ ἑνός. εἰ γὰρ ἔκ του ἄρχὴ γίγνοιτο, οὐκ ἂν ἐξ ἀρχῆς γίγνοιτο). A diferença reside apenas no fato de que Cícero se deu ao trabalho de desdobrar as implicações do raciocínio de Platão, fazendo as alterações necessárias para preservar o sentido do original, abrindo mão de sua forma. Assim, se um princípio é gerado por outro, o que foi gerado não pode ser um princípio, daí ter dito Cícero que o que é gerado não pode ser chamado de princípio, o que Platão faz apenas subentender.

tanta clareza, ou não se querem fazer, porque na passagem acima resta claro que Agostinho está considerando o termo *causa* exatamente como Cícero se utilizou de *principium* para traduzir o platônico ἀρχή, como aquele princípio que não pode ter nenhum princípio, como se se tivesse chegado de fato ao fim da linha. No entanto, se Deus é o Princípio e a Causa, absolutamente una e última, de todas as coisas, inclusive das almas inteligentes, que nele têm sua origem, e que não podem ter existido senão depois e a partir dele, do contrário ele não seria o Princípio e a Causa delas, contudo ele não lhes causa o que fazem com sua vida e com suas faculdades livres, como a vontade. Nesse sentido, portanto, embora seja-lhes o Princípio (ἀρχή) e a Causa (αἰτία) eficiente, inclusive de sua vontade, no caso das criaturas racionais, não pode ser acusado por nenhum defeito nela, isto é, na vontade, do que decorre um estranho paradoxo, quando se pode dizer que a Causa de todas as coisas não é a causa de todas as coisas, ou seja, que o Princípio e Causa da vontade humana, a qual foi acusada de ser a causa do mal, ele mesmo, Deus, não é a causa do mal. Todavia não há nenhum paradoxo, pois Deus é dito ser a Causa eficiente de tudo, o Criador de todas as naturezas; porém o mal é uma deficiência, não uma substância. Logo Deus não pode ser causa do mal, do contrário seria eficiente a causa da deficiência, ou ainda, o Ser, do próprio não ser ou nada, como se nada pudesse ter sido causado.

Portanto o que se procura, a bem dizer, não é a causa eficiente da vontade, que é o próprio Deus, nem a causa eficiente do defeito dela, o que inexiste, como dito, mas apenas a causa deficiente do defeito, ou seja, da deficiência da vontade. Essa causa, se existe e se encontra na própria vontade, não pode estar nela enquanto vontade, isto é, enquanto bem médio, dado por Deus, mas apenas em seu defeito, numa palavra no defeito da própria vontade, o qual, como ficou provado no livro segundo, não pode possuir uma causa eficiente. Porém essa causa última do mal, que não pode ser eficiente e que está na deficiência da vontade, ao contrário do que disse Platão com respeito ao princípio, não é eterna, do contrário seria coeterna com Deus, além de incriada (ἀγένητος)[340]. Portanto a causa do mal não pode dizer-se propriamente um

---

[340] Platão, *ibid.* "o que sempre se move é imortal... e se é incriado, é necessário também que seja incorruptível" (τὸ γὰρ ἀεικίνητον ἀθάνατον.... ἐπειδὴ δὲ ἀγένητόν ἐστιν, καὶ ἀδιάφθορον αὐτὸ ἀνάγκη εἶναι) // Cícero, *ibid.* "o que sempre se move é eterno ... e se nunca nasce, nem sequer em tempo algum morre" (*quod semper mouetur aeternum est... quodsi nunquam oritur, ne occidit quidem unquam*).

princípio (ἀρχή), ao menos não como o compreendeu Platão e o interpretou Cícero[341]. Isso, porque, ao contrário do princípio de movimento platônico, esse malfazer que se procura teve, sim, um princípio, em sentido estrito de "início" ou "começo", mas não como uma natureza o teve, ao ser criada por Deus a partir do nada, e sim um princípio corruptor, quando sua substância começou a ter defeito, a deixar de ser. Nesse sentido, apenas, é que é lícito dizer que teve um "princípio", no tempo, e também um autor, ou "causa", posto que deficiente. Demais, a causa do primeiro pecado deve ser coincidente com o seu princípio, visto que o movimento inicial de aversão da vontade deu-se em algum momento, que poderia ser demarcado, cuja causa, por fim, é precisamente o que se propugna por conhecer.

**164.** E qual a medida do teu procurar, qual o limite do perguntar e do discutir, quando não é necessário que procures nada além da raiz?

Se a linguagem da filosofia platônica não facilitava a questão, muito menos a do universo jurídico, restava o socorro das Escrituras, fonte primeva e porta de acesso à solução, que já estava se complicando demais. Se se busca a causa ou o princípio de algo, nada melhor do que penetrar o solo até ao fundo, até alcançar a "raiz" do problema, além do que seguramente nada mais se poderá encontrar.

## 3,17,48,165. A raiz de todos os males

**165.** A – Acautela-te, pois, para que não penses que algo poderia ser dito de modo mais verdadeiro do que o que se disse: "A raiz de todos os males é a avareza"[342], isto é, querer mais do que é suficiente. E "suficiente" é o quanto exige para si a medida da natureza, em seu gênero apropriado, para que seja conservada.

Portanto nem causa, nem princípio, mas "raiz". Com efeito, a deficiência da vontade não pode ser um princípio, porque todo princípio, ao menos

---

[341] Mesmo se se atente apenas ao nada, poder-se-ia dizê-lo incriado e eterno, se de fato existisse. Porém, como não existe, não é possível considerá-lo nenhum dos dois.

[342] 1Tim 6,10: "Porque a raiz de todos os males é a avareza", ou liter.: "o amor da prata" (ῥίζα γὰρ πάντων τῶν κακῶν ἐστιν ἡ φιλαργυρία). A Vulgata traduz *philarguria* por *cupiditas* (*radix enim omnium malorum est cupiditas*), termo que aqui nesta obra porta carga semântica "neutra", tendo sido traduzido por "desejo" (cf. 1,4,9,22; 4,10,28). Ver *auaritia, cupiditas* e *libido* no LÉXICO T-F.

em sentido platônico, deve ser eterno e não pode ter princípio, nem mesmo uma causa, a que se não confunda a causa eficiente da vontade, Deus, com sua causa deficiente, que por ser uma deficiência tampouco mereceria ser chamada de "causa", a não ser em sentido impróprio, talvez, se se queira atribuir o nome de "causa" ao nada que é o defeito[343]; enfim, se não é causa nem princípio, será raiz, a partir da autoridade do apóstolo. Eis, pois, a medida além de que não se deve inquirir, a raiz de toda a questão, de todos os males, a avareza, que Agostinho define como um querer mais do que o que é suficiente. A medida da suficiência, por seu turno, é dada para cada coisa, em seu respectivo gênero, pela natureza, ou seja, cada natureza sabe o quanto é suficiente para sua própria conservação. Logo a raiz de todos os mais é querer mais do que aquilo que é suficiente para a conservação de sua natureza, o que se pode compreender como uma desmedida do querer, uma desmedida da própria vontade; um defeito, portanto, que se põe contra a própria natureza, pois o excessivo lhe é igualmente nocivo. Logo a raiz de todos os males outra coisa não é senão uma deficiência da própria vontade, ou então, dito de outro modo, a causa da deficiência da vontade é a própria deficiência da vontade.

No que tange à noção de suficiência, atrelada à de natureza, deve-se lembrar que toda natureza é dotada de medida, número e ordem[344]. Assim sendo, o suficiente para a conservação de cada natureza, segundo seu gênero, não pode romper os limites impostos por essas três coordenadas; numa palavra, não pode ser desmedido, como a avareza, nem desproporcional ou indecoroso[345], segundo a razão dos números eternos, muito menos desordenado, quando o inferior esteja em situação de predomínio sobre o superior. Neste sentido, portanto, a vontade deve ser comedida, perfeitamente adequada (decorosa) e absolutamente ordenada, o que implica que não pode voltar-se para os bens inferiores em lugar dos superiores, o que seria absolutamente contrário à ordem.

---

[343] Na verdade, por mais contraditório possa parecer, se o movimento de aversão da vontade do Bem comum e imutável e conversão para os bens próprios e mutáveis, que se diz pecado, é nada, ainda que não tenha estatuto ontológico, enquanto movimento, sim, é correto dizer que teve uma "causa", mesmo que deficiente, como Agostinho dará conta de ilustrar no fim desta obra (cf. 3,25,74,255-77,267).

[344] Cf. 2,19,54,203.

[345] Note-se que as noções de adequação, proporção, harmonia e beleza estão inextricavelmente ligadas.

## 3,17,48,166. Avareza ou o amor da prata (φιλαργυρία)

**166.** A – Pois a avareza, que em grego se diz *philarguría*, não ressoa[346] com mais intensidade apenas na prata ou nas moedas, de onde o nome foi tirado[347] – pois entre os antigos as moedas eram feitas de prata, ou mais frequentemente de prata misturada[348] –, mas deve ser inteligida em todas as coisas que são desejadas[349] imoderadamente[350], em todo e qualquer lugar onde alguém quer mais do que é suficiente.

Portanto a "avareza" (*auaritia*), cujo equivalente helênico φιλαργυρία, "amor da prata", ou "do dinheiro", em sentido mais amplo, parecia relacionar-se exclusivamente aos valores pecuniários, tem sua definição extrapolada, significando um desejar além da medida do suficiente para a conservação da natureza de cada desejante. Um "querer" (*uelle*) imoderado, não apenas de metais preciosos, como a prata, mas de tudo aquilo que ultrapassa a medida do bastante e necessário, numa palavra, um desejo desordenado (sem medida, número e ordem), análogo à *libido* do primeiro livro, e que ecoa com ondas de intensidade interessante aquilo mesmo que advogava Plotino acerca do tema. Com efeito, no oitavo tratado da primeira de suas seis *Enéadas*[351], o filósofo neoplatônico considera que o mal, no que tange à dimensão da alma, pode ser dividido em três partes, por assim dizê-lo, as quais ele chama de "males da alma" (ψυχῆς κακία): [i] ἀμετρία ou "desmedida" (ἀ- + μέτρον); [ii] ὑπερβολή ou "excesso"; e [iii] ἔλλειψις ou "carência", mas também "defeito", "falta", "ausência". Desses três males, diz Plotino, resultam muitos outros, os quais, contudo, constituem-se "afecções involuntárias" (ἀκουσία παθήματα)[352], porque causadas pelos três primeiros, dentre as quais afecções cita apenas duas: [iv] ἀκολασία ou "intemperança"; [v] δειλία ou "timidez", que também pode ser compreendia como "covardia", "tibieza de alma" ou algo semelhante. Essas afecções involuntárias, causadas pela desmedida, pelo excesso e pela carência, fazem com que a alma sustente "falsas opiniões" (δόξας ψευδεῖς) acerca dos bens e dos males, aos quais ela se submete *ad libitum* com o fito

346 Cf. 3,15,44,151: "... a palavra 'débito' ressoa...".

347 Φιλαργυρία [< φιλία + ἄργυρος] significa liter. "amor da prata". O latino *argentum* deriva da mesma raiz do termo grego.

348 Quer dizer, liga de prata.

349 O v. utilizado aqui é *cupio* (*cupiditas*).

350 Sem medida (*in* + *modus* // ἀ- + μέτρον).

351 *En.* 1,8,4,9 Πόθεν τὰ κακα;

352 *En.* 1,8,4,10-11: ἡ ἀκουσία = "ação involuntária" (ἀκούσιος = *inuitus*).

de satisfazer os anseios do corpo, ou seja, suas inclinações sensuais. No entanto, dirá Plotino mais adiante, dentre os três males da alma, o primeiro de todos é a desmedida (τὸ ἄμετρον)[353], que não por acaso Agostinho chama de "avareza", ou de *"philarguría"*, porém a partir da expressão do testemunho escriturário, não da fraseologia plotiniana. De fato, assim como a "desmedida" (ἀμετρία / ἄμετρον) plotiniana é a causa das demais afecções desordenadas da alma, assim a "avareza" (φιλαργυρία) agostiniana, que é também uma ausência de medida[354], que faz com que se deseje mais do que o que é necessário à natureza de cada um, é a origem dos restantes males da alma; avareza que a metáfora bíblica ilustra, de modo tanto mais singelo quanto colorido, como sendo a "raiz" de todos os males, a fonte que faz jorrar a água contaminada de todos os vícios[355]. E se essa avareza radical se define como um querer excessivo, além de toda medida, conclui-se, obviamente, que seja ela também uma vontade, ou melhor, que seja apenas o nome dado à desmedida do querer, o que permite, como consequência, seja considerada aquele mesmo movimento de aversão do Bem comum e imutável e de conversão aos bens próprios e mutáveis, que se diz "pecado". Contudo, vale notar ainda uma vez, o que torna a avareza um pecado não é o querer (*uelle*) em si mesmo, enquanto querer *simpliciter*, que sem dúvida é um bem, posto que ambivalente e médio, e sim o seu defeito, expresso aqui por sua desmedida, ou "ausência" (*defectus*)[356] de medida (*modus*). E que outra coisa seria essa ausência de medida, em termos técnicos, em conformidade com o que cuidadosamente explicou o filósofo no livro segundo, senão também deformidade, ou ausência de forma; desordem, ou ausência de ordem; e mesmo desproporcionalidade, ou ausência de número? Portanto a raiz de todos os males nada mais é que uma deficiência de medida, número, ordem e, consequentemente, de forma, do próprio

---

353 *En.* 1,8,8,37-38: "ἔστω δὴ πρώτως μὲν τὸ ἄμετρον κακόν".

354 Vale lembrar a máxima da cultura clássica: "nada em excesso", que em grego se dizia μηδὲν ἄγαν; em latim, *ne quid nimis*.

355 Essa consonância entre o que dizia o pensamento dos mais variados filósofos e o que diziam as Escrituras judeu-cristãs não é fortuita. Pois é notório que os primeiros padres buscavam nas categorias da filosofia grega subsídios para justificar passagens escriturárias apenas delineadas e pouco fundamentadas racionalmente, seja por meio de parábolas, seja por meio de imagens e comparações, seja ainda por meio de outras construções mais intuitivas, sedimentadas no patrimônio do inconsciente coletivo, por assim dizê-lo, do que fruto de alguma técnica retórico-literária mais apurada.

356 No grego de Plotino, ἔλλειψις.

querer; numa palavra, da própria vontade: portanto trata-se de um movimento deficiente da vontade, que, contudo, não é nada.

## O desejo é uma vontade ímproba

**166.** A – [...] Porém esta avareza é um desejo cúpido[357], e o desejo cúpido, por sua vez, é uma vontade ímproba.

Se a raiz de todos os males, a avareza, se define como sendo o amor de tudo o que se deseja para além da medida necessária à conservação da própria natureza, compreende-se acima de tudo como um "desejo", que Agostinho aqui expressa pelo termo *cupiditas*. Desde o livro primeiro, contudo, esse termo recebeu uma carga semântica "neutra", nem boa, nem má, pelo que foi sistematicamente traduzido ao longo de toda a obra pelo vernáculo "desejo", sem qualquer qualificação[358], ainda que Agostinho lhe tenha apensado alguns adjuntos, conforme o sentido que pretendia imprimir-lhe, positivo ou negativo. Apesar desta conotação "neutra", a *cupiditas* se aproxima mais dos "desejos" de ordem sensual reprováveis, como as *libidines*, os quais se circunscrevem apenas ao gênero das criaturas racionais, pois as irracionais certamente não possuem uma "vontade" (*uoluntas*), apenas "apetites" (*adpetitus*) de caráter sensual[359], os quais, nesse aspecto[360], presume-se aproximem-se do desejo (*cupiditas*), o qual, diz Agostinho[361], tem também seus apetites (*adpetit*), quando procura a satisfação daquilo que quer. Seja como for, pois essa distinção não faz muita diferença neste passo, os desejos (*cupiditates*) são movimentos da alma, que, em si mesmos, são sem dúvida

---

357 Cf. verbetes *cupiditas* e *libido* no Léxico T-F.

358 Cf. **1**,4,9,22; 4,10,28; **3**,8,23,82; 10,31,110 etc.

359 Cf. 1,8,18,62: *"adpetere uoluptates corporis et uitare molestias ferinae uitae omnis actio est"*.

360 Dizer que os desejos têm seus apetites significa dizer que muita vez são motivados pelos impulsos sensoriais, assim como os que propelem os animais. E de fato, muita vez simplesmente se deixam conduzir com autoindulgência pelos sentidos, de modo completamente passivo, como os animais, perseguindo prazeres ou evitando dores, sem querer saber por que, nem resistir. Todavia, ao contrário dos animais, as almas racionais têm ciência, quando não, lampejos de consciência, de estarem sendo arrastadas, ou melhor, de se deixarem dominar pelos sentidos, o que as torna amiúde responsáveis. Numa palavra, embora não saibam por que querem o que querem, sabem que querem o que muita vez não deveriam querer, o que seria ciência suficiente para que impusessem um freio a seus impulsos.

361 Cf. 1,4,9,22.

bens, posto que indômitos, potencialidades que, nas almas racionais, precisam ser capitaneadas pela razão, sua mestra e senhora.

Pois bem, se a raiz de todos os males é um desejo, dizê-lo bom seria como dizer que a raiz do mal é boa. Agostinho não o diz; di-lo, ao invés, uma "vontade ímproba", ou seja, uma vontade desonesta, desvirtuosa, numa palavra, uma vontade má. Porém, se foi dito ao longo de toda obra que o desejo em si mesmo não era mau, por que motivo agora diz que é uma vontade má (*inproba uoluntas*)? Na verdade a avareza não é a raiz de todos os males pelo fato de ser um simples desejo, e sim por ser um desejo imoderado, além da medida ditada pela natureza, segundo seu gênero. Com efeito, ao dizer que a avareza é um desejo, e que o desejo é uma vontade má, Agostinho não se está obviamente referindo ao desejo enquanto desejo, enquanto apetite que cada criatura traz consigo, desde sua saída das mãos artificiosas do Criador, para a conservação de sua natureza, o que seria um contrassenso. Isso, porque o desejo além da medida do que é suficiente para a conservação da natureza é que é a raiz de todos os males, o que não se deve confundir com o desejo suficiente e sem dúvida necessário à conservação de cada natureza, em seu gênero. Não fosse assim, não tivessem apetites para a satisfação de suas necessidades, que em todas as naturezas constituem fonte de prazeres tanto mais intensos e satisfatórios quanto mais prementes e intensas as necessidade de satisfação que os motivaram, ou de cessação da dor, conforme o caso, enfim, não possuíssem esses "desejos" naturais, os animais não buscariam nutrir-se, reproduzir-se ou defender-se dos predadores, para não ir além das obviedades deste exemplo. Portanto Agostinho não está condenando o desejo em si mesmo, como algo mau, ou pior, como a fonte de todos os males, do contrário aquele que deseja o bem estaria também pecando, mas está apenas referindo a desmedida (ἄμετρον) do desejo, numa tradução que talvez se esclarecesse com o acréscimo dos seguintes adjuntos: "E no entanto esta avareza é um desejo *sem medida*, e o desejo *sem medida*, por sua vez, é uma vontade ímproba". Logo a ausência, ou ainda, o "defeito" da medida é que seria, em si mesmo, a raiz de todos os males.

Indo além, se se restringisse à tipologia apresentada no livro primeiro, seria até lícito admitir que o desejo, em certo sentido, seja "mau", mas não enquanto substância, e sim enquanto movimento desordenado e perverso da alma, que teima em não submeter-se aos ditames da razão, os quais imperam na boa vontade, que se diz ordenada. De fato, nada é tão contrário à

vontade boa quanto a inclinação sensual (*libido*), disse Agostinho ao final do primeiro livro[362]. Nesse sentido, portanto, seria lícito dizer que os "desejos" (*cupiditates*) são maus quando constituem potências desgovernadas da alma, as quais não deveriam reger as ações humanas, mas que nas criaturas desordenadas (*inordinatae*), chamadas de "estultos" (*stulti*)[363], a partir da célebre terminologia estoica, para sua completa infelicidade, exercem o indevido e perverso domínio. Logo Agostinho não está referindo o desejo em si mesmo, enquanto potência desiderativa da alma, que é seguramente um bem, aquela faculdade do espírito de estatuto ontológico médio[364], dada por Deus, e sim apenas enquanto movimento desordenado do espírito, ou mesmo "defeito", porque se trata de um movimento defectivo[365] de uma potência inferior à razão, que deveria por ela ser governada, em conformidade com os ditames da Lei eterna[366], que determina que os bens superiores devem dominar os inferiores, sob pena de precipitar-se em desordem, que é o pecado, digno de reparação imediata.

## 3,17,48,167. Uma vontade adversária da natureza e dos maniqueus

> **167.** A – [...] a vontade ímproba é a causa de todos os males [...] a raiz de todos os males não seja segundo a natureza[367], o que é suficiente contra todos os que querem acusar as naturezas[368].

Se o movimento voluntário de aversão do Bem comum e imutável e conversão para os bens próprios e mutáveis, que se diz pecado[369], e agora também *inproba uoluntas*, "vontade ímproba", é a raiz de todos os males, sendo ele defectivo[370], defectiva será também essa vontade. Logo a raiz de todos os males é um defeito. E o defeito, se contém vício em si mesmo, o que só ocorre nas criaturas racionais, é contrário à natureza de que se constitui um defeito[371]. Logo a raiz de todos os males é contrária à natureza (*contra naturam*). E mais, se toda natureza

---

362 Cf. 1,13,27,92: *"Quid autem tam inimicum bonae uoluntati est quam libido?"*.

363 Cf. 1,9,19,67.

364 Cf. 2,19,50,191; 52,196.

365 Falta-lhe ordem, número e medida. Se fosse pleno, seria ordenado e submisso à razão.

366 Cf. 1,16,15,51; 8,18,64.

367 Cf. 3,13,38,132.

368 Referência clara aos maniqueus.

369 Cf. 2,19,53,199-54,202.

370 Cf. 2,19,54,202; 204.

371 Cf. 3,13,38,132-133.

é boa, enquanto natureza[372], seu inimigo, por lhe ser contrário, deve ser mau. Porém essa maldade, que se diz um "defeito vicioso", não é uma substância, portanto simplesmente não é. Do que decorre que a raiz de todos os males, inimiga da natureza, simplesmente não tem estatuto ontológico, sendo apenas uma ausência ou defeito, que por ser vicioso, merece vitupério. Por outro lado, aquilo que está de acordo com a natureza (*secundum naturam*) não lhe causa nenhuma pernície, sendo exatamente aquilo que deveria ser, um bem íntegro, segundo seu gênero, conforme destinado a ser por aquele que o criou. Assim sendo, se a vontade ímproba corrompe a natureza, desfazendo-a (*deficere*), a vontade proba tem efeito contrário, aperfeiçoa-a (*perficere*), aumentando-lhe o ser, tanto mais quanto mais a natureza se aproxima do Ser supremo[373].

Essa constatação, por sua vez, dá conta de aniquilar por completo a tese maniqueísta da substancialidade do mal, cuja causa seria eficiente, não deficiente. De fato, para os sectários das doutrinas do persa Mani, dois elementos pelejavam literalmente pelo poder do universo, Bem e Mal, ou Luz e Trevas, ou ainda Espírito e Corpo, os quais elementos, em algum momento, de modo oportunista, tendo em vista o rápido crescimento do cristianismo no Oriente e das seitas gnósticas, com os quais se misturaram elementos do zoroastrismo e da mística neoplatônica, foram associados com as "duas" divindades – segundo sua hermenêutica dualista –, presentes nas Escrituras judeu-cristãs: o Deus malvado do Velho Testamento, altivo e sectário, vingador inflexível e cruel de todos os seus inimigos, e o Deus bondoso de Jesus Cristo, no Novo Testamento, uma divindade misericordiosa, mansa e humilde. Para os maniqueus, portanto, a existência da maldade se justificava pelos elementos perversos existentes no mundo e no próprio ser humano, identificados com a matéria, de que era preciso purgar-se, por meio de exigente liturgia, regida pelo sacerdócio dos "eleitos", sua casta superior. Tratava-se, pois, de uma maldade substancial, cuja causa, alheia à vontade humana, se identificava com a própria divindade, daí todo o esforço de Agostinho, que havia sido adepto da seita como "ouvinte" por quase dez anos, e responsável pela conversão de vários de seus amigos, para desconstruir essas doutrinas, isentando de toda a responsabilidade pelo mal o Deus cristão, que devia ser crido como único e supremamente bom[374].

---

372 Cf. 2,16,41,161-17,46,177; 18,47,178; 49,186-188.

373 Cf. 3,13,36,126; 11,33,115-117.

374 Um bom resumo da doutrina maniqueísta pode ser encontrado no quinto capítulo, *"From Cicero do Mani"* (pp. 29-36), constante da tradução de Antonia Nevill da excelente obra de

## E a causa da raiz?

**167.** A – [...] Porém, se tu requeres a causa desta raiz, de que maneira será ela a raiz de todos os males? Pois ela é que será a causa desta; a qual, quando tiveres encontrado, como disse, também a causa dela própria hás de procurar, e não terás nenhuma medida em teu procurar.

Se a causa, compreendida seja como princípio (ἀρχή), seja como responsabilidade (αἰτία), for de fato considerada como última, ou seja, como aquele movimento inicial autodeflagrado, sem causa anterior, antes do que nada mais poderia haver, Agostinho tem razão de aborrecer-se e querer dar por encerradas as investigações. E sem dúvida é nesse sentido de causa final que ele se apropria da metáfora bíblica da "raiz", pois se a má vontade é a causa do mal, não poderia haver nada além dela, ou melhor, aquém, que a tivesse causado, sendo então a causa da vontade simplesmente ela mesma, vontade. Nesse sentido pode-se dizer também que Deus criou tudo *ex nihilo*, "do nada", não apenas porque não havia nenhuma matéria que lhe fosse coeterna, de que pudesse tirar o resto todo que viria a criar, contrariando a física pré-socrática, tendo, ao contrário, tudo tirado de sua divina cartola, por assim dizer, mas sobremodo porque nada lhe serviu de princípio ou causa, sendo ele mesmo o Princípio e a Causa eficiente de todas as coisas, seu começo, e também seu fim, A e Ω. Ademais, se sua vontade divina não fosse suficiente em si mesma e se não estivesse só no universo, não apenas não teria criado do nada, mas também poderia ter sido ele de algum modo causado ou motivado por aquilo que existisse com ele desde sempre. Logo a Causa, nesse sentido, não pode não ser absoluta, por definição, do contrário não seria essa Causa última de todas as coisas, pois não se pode imaginar uma causa da causa, para além do Absoluto, sob pena de não ser causa, mas causada. Portanto o Ω de tudo é Deus, assim como o A, o Princípio, aquela medida do procurar (*quaerendi modus*) que reclama Agostinho. Entretanto não se está tratando da vontade de Deus, preexistente à criação, muito menos dele, que é a própria Preexistência[375], mas de algo que teve um início, um começo, porque não foi por ele iniciado; algo deficiente, cuja raiz se encontra não nele, mas fora dele, embora a partir dele é que tenha saído o instrumento, de cujo defeito se quer conhecer a última causa, ou melhor, o porquê e o quando. Logo há um momento

---

Serge Lancel, *Saint Augustine* (London: SCM Press, 2002). Para uma visão integral das doutrinas gnósticas consulte-se a bem cuidada edição de Jean-Pierre Mahé *et alii* (Paris: Gallimard, 2007): *Écrits gnostiques: La bibliothèque de Nag Hammadi.*

375 Na verdade, assim como ele não é preexistente, sendo a própria Preexistência em si mesma, do mesmo modo tampouco possui uma vontade, sendo ele mesmo a sua própria Vontade.

em que, o "quando" dessa corrupção original, porque não foi causada por Deus em sua divina eternidade; e do mesmo modo deve haver um "porquê", o motivo pelo qual, nesse quando originário, o que era perfeito desfez-se num defeito. Para além da abstração, quando se diz que a causa da vontade é sempre vontade – o que não deixa de ser correto –, em algum momento pontual, alguma vontade particular de alguma criatura qualquer sem defeito algum, por alguma razão ou causa, moveu-se, desfazendo-se de sua perfeição, desfazimento que se diz pecado, ou mal. Isso, portanto, é o que Evódio quer saber, e que Agostinho precisará responder, se não quiser permanecer pairando sobre a face do abismo metafísico em que uma vontade autocausada o mantém, e com ele o leitor. E se a raiz brota da semente, ou a se semente, da raiz, nada importa, porque em um ou em outro caso o que se quer conhecer não é o brotado, mas quando brotou e por quê brotou aquilo de que brotou o brotado. E se de fato a vontade brota da vontade, a tarefa resta facilitada, pois já se tem, de uma só vez, o brotado e o de que brotou, faltando apenas o quando e o porquê do brotar. Numa palavra, quer-se conhecer a "motivação" pela qual uma vontade qualquer, boa, porque saída das mãos boas do Criador, a qual fazia o que devia fazer, aderindo estavelmente ao Bem comum, "em algum momento", que se quer também conhecer, resolveu averter-se do Bem comum e imutável, em direção contrária, aos bens próprios e mutáveis. Pois, se um movimento qualquer é involuntário, não pode ser condenável, porque nele não há pecado; mas se é voluntário, deve forçosamente ter tido uma causa, ainda que esta lhe seja ínsita, posto que não lhe seja natural. Com efeito, sendo a natureza da alma mover-se, o próprio mover-se, considerado em si mesmo, não pode ser pecado. Agora, se o pecado não é o mover-se, mas a direção desse movimento, então deve-se investigar o porquê da mudança, pois nem a metafísica, muito menos a mecânica, aceitaria seja uma mudança de direção, seja de sentido, de um dado movimento qualquer *m*, sem que tenha havido alguma força qualquer *f* que lhe causasse essa mudança, rompendo a inércia (de movimento) em que se encontrava.

## 3,17,49,168-169. A causa da vontade antes da vontade

> **168.** A – Mas afinal qual poderá ser a causa da vontade antes da vontade? [...] [i] ou a vontade é a causa primeira do pecar, [ii] ou nenhum pecado é a causa primeira do pecar.

Seja qual for a causa da vontade, obviamente anterior à própria vontade, antecipa Agostinho, lançando mão de uma proposição disjuntiva: [i] ou essa causa será ela mesma uma vontade; [ii] ou não será uma vontade, o que sem dúvida

alguma exclui outras alternativas. Na verdade não se pode tratar de outra coisa senão de vontade, considerada como o próprio movimento das almas. Porém, quando Agostinho diz que, se não é vontade, não pode ser pecado, quer simplesmente dizer que, sendo a vontade condição necessária do pecado, ou a causa é voluntária, ou então não é pecado. E como se está investigando acerca do pecado, está-se invariavelmente especulando acerca das almas, se não se quiser dizer que quem peca é o Criador. Portanto a questão do pecado não deixa de ser em certo sentido análoga à que havia motivado Platão, no *Fedro*, com algumas diferenças cruciais. Primeiro importa menos para Agostinho a conclusão do argumento, a imortalidade da alma, do que sua causa, por assim dizer, o motivo por que moveu-se pela primeira vez de modo desordenado[376]. Depois, Platão não faz distinção entre os movimentos voluntários e os involuntários ou necessários, o que para Agostinho é questão crucial. De fato, não se trata de simples movimento, mas de um movimento antinatural, desordenado, dentre os movimentos ordenados possíveis. Logo não importam todos os movimentos, apenas os movimentos livremente arbitrados da vontade, prerrogativas das criaturas racionais apenas, porque nenhum arbítrio é possível sem o concurso da razão, e dentre esses movimentos, quer investigar-se apenas os contrários à sua natureza. Portanto, ou a causa do movimento da vontade é ela mesma um outro movimento da vontade, quando então não deixará de ser vontade, ou então não é um movimento da vontade, e aquele desvio no sentido e na direção do movimento deu-se motivado por alguma força ádvena e incógnita. Todavia, se esse impulso motor não for da vontade, não poderá ser chamado de "pecado", muito menos se lhe imputará culpa alguma. De onde a necessária sequência: [iii] se a causa do movimento da vontade é ela também vontade, então a causa do pecado, o movimento de aversão da vontade, será forçosamente vontade; [iv] porém, se a causa da vontade não é vontade, então a causa primeira do pecado, o movimento de aversão da vontade, não será um pecado, porque nada que não seja movido pela vontade pode dizer-se pecado. E como quer-se conhecer apenas a causa última dos movimentos arbitrados livremente pela vontade contrários à natureza e avertidos do Bem comum, ditos "pecados", seria paradoxal se se dissesse que sua causa fosse qualquer coisa que não livremente arbitrada pela vontade. Logo nenhuma causa da vontade pode não ser livremente arbitrada pela vontade, o que se dá com algum concurso da razão,

376 Uma alma que se move eternamente, supõe-se, nunca começou a mover-se, pois não tem começo. Daí talvez se compreenda o motivo por que Platão não tenha se ocupado da causa de seu movimento, pois seria incoerência investigar a origem de algo que não tem origem (do contrário não seria princípio).

obviamente. Por isso se diz que os irracionais não pecam, pelo mesmo motivo por que se diz que ninguém peca contra a própria vontade ou invito.

**168.** A – [...] E não existe a quem se impute retamente o pecado, a não ser àquele que peca[377].
**169.** Logo não existe a quem se o impute retamente, a não ser àquele que quer.

Bem, se se quisesse ignorar o paradoxo aparente em [iv], aceitando ser possível que a causa do pecado não seja pecado, ter-se-ia de imputar o pecado injustamente a alguém que não pecou, ou simplesmente deixá-lo impune. Não pode haver pecado sem pecador. Logo a causa do pecado não pode ser encontrada sem que alguém tenha pecado, sem que alguma vontade tenha sido livremente arbitrada de modo desordenado. Logo não pode haver pecado sem que tenha havido alguma vontade a precedê-lo, o que reconduz o argumento para a primeira conclusão, que diz que a causa primeira do pecado está na vontade.

**169.** A – [...] qualquer que seja a causa da vontade, ou sem dúvida é justa, ou injusta. Se justa, aquele que lhe houver obedecido[378] não pecará; se injusta, não se lhe obedeça e não pecará.

Pois então, se a causa última do pecado está na vontade, uma outra disjuntiva pode estreitar ainda mais o foco da questão: ou essa causa é justa, ou injusta. Se é justa, a causa do pecado não será pecado, cuja consequência é a própria anulação do pecado, ou um paradoxo. Porém se é injusta a causa, basta não ceder à injustiça, diz Agostinho, para que se evite o pecado. No entanto não se estava querendo saber como evitar o pecado, nem mesmo tirá-lo do âmbito da vontade, mas conhecer-lhe a causa, ou seja, mantendo-o na vontade, conhecer a causa da vontade anterior à vontade. Nenhuma dúvida há que basta não ceder à vontade ímproba para que se evite o pecado, estando sua causa na própria vontade[379]. Porém o que se quer saber antes não é apenas quem foi a primeira

---

[377] Quer dizer, não se imputa o pecado com justiça, a não ser ao que comete o pecado.

[378] Liter.: "que lhe terá obedecido". Embora seja preferível o uso do futuro do subjuntivo, o português possui o futuro perfeito, conquanto pouquíssimo usual, porém apenas na forma composta, tempo também chamado de futuro "anterior" em outros idiomas, como o francês, por exemplo. Optou-se por utilizar aqui a forma composta do futuro do subjuntivo, a fim de tentar preservar ao menos o aspecto perfectivo do original latino, tendo sido necessário a intercambiar os modos, indicativo pelo subjuntivo.

[379] Isso, obviamente, diz-se em relação ao primeiro homem, antes do pecado, não à sua prole, depois da queda, cuja vontade não tem eficácia para simplesmente deixar de pecar, sem qualquer ajuda ádvena.

criatura que cedeu à sua vontade perversa, mas por que motivo cedeu e, acima de tudo, qual a origem dessa primeira vontade perversa a que essa criatura primordial se viu exposta. Em se tratando de uma vontade, óbvio é que não pôde ter sido gerada senão na alma da primeira criatura racional, o que de certo modo torna menos complexa a investigação, pois agora se sabe que não se pode buscar a origem do pecado senão num movimento da vontade da primeira criatura; numa palavra, não se pode buscar a causa do pecado fora da criatura racional. Resta saber então quem foi essa primeira criatura e o motivo por que sua vontade moveu-se de modo desordenado pela primeira vez contra a própria natureza, visto que nenhum movimento é deflagrado sem uma causa.

## 3,18,50,170-171. Nenhum pecado é irresistível

**170.** [E[380]] – E se [essa causa] é violenta e coage [alguém a pecar] invito? A – Não teremos de desenrolar[381] as mesmas coisas várias vezes, ou teremos!? [...] se é laborioso mandá-las todas para a memória[382], retém [apenas] este brevíssimo [epítome]: *qualquer que seja essa causa da vontade, se não se lhe pode resistir, sem pecado se lhe cede; porém, se se pode, não se lhe ceda e não se há de pecar*[383].

Ninguém peca invito, o que Agostinho deu conta de explicar suficientemente nas páginas precedentes[384], pois se alguém é obrigado a fazer algo contra a própria vontade, não peca, para o que a condição necessária é que seja praticado por um

380 Três manuscritos: [i] Londiniensis, séc. X; [ii] Oxoniensis, séc. X; [iii] Trecensis 40, séc. XII, interpretam esta pergunta como sendo de Evódio, e não uma prolepse de Agostinho. Porém a lição desses manuscritos não encontra respaldo nos demais, muito menos nas edições críticas conhecidas.

381 O verbo é *re-plico*, que liter. referia o "desenrolar" dos rolos de papiro (*uolumina*). A cada vez que se quisesse voltar atrás na leitura de uma parte inicial de determinada obra, se se estivesse fazendo uso de um "rolo" (*uolumen*) e não de um códice (*codex*), era preciso "desenrolar" literalmente a parte lida, o que consistia uma trabalho penoso. Esse "desenrolar", através de um processo metonímico veio a significar uma repetição ou retomada de algo anteriormente tratado.

382 Quer dizer, "se é difícil rememorar tudo o que já foi discutido". Note-se que a memória era considerada tanto a capacidade de lembrar-se de algum conteúdo e processá-lo, sendo parte inseparável da própria razão, quanto o próprio "depósito" em que esses conteúdos eram armazenados. Daí que mandar um conteúdo para a memória significava buscá-lo nos escaninhos em que estava armazenado e reprocessá-lo pela mente.

383 Liter. "não se pecará" (*non peccabitur*), onde esse "se" funciona como índice de indeterminação do sujeito. Em suma, diz o filósofo: qualquer que seja a causa do pecado, se for irresistível, não haverá pecado, visto que o suposto pecador agiu de modo necessário, quando não, inevitável; se a causa for resistível, basta não ceder a ela para evitar o pecado, do contrário, se não resistir, pecará.

384 Cf. 1,10,20,73; 16,34,114-115.

ato da própria vontade[385]. Se um determinado ato é de tal modo irresistível, passa a ser necessário, ou natural, se o queira, e nenhum pecado é segundo a natureza, e sim contra ela. De fato, ninguém resiste à sede, sob pena de morte; portanto um gole d'água, que é segundo a natureza, jamais contra ela, não pode ser considerado pecado; porém a ingestão de uma garrafa de aguardente, cuja necessidade natural inexiste – à parte o caso dos que se tornaram dependentes químicos e já não conseguem mais resistir ao consumo do álcool –, isso, sim, se considera pecado, pois o consumo não foi motivado por uma necessidade irresistível, e sim por um ato voluntário, a não ser que alguém tenha sido obrigado a seu consumo movido por irresistível coação ou ameaça. Nesse caso, sem dúvida, por ter ingerido a aguardente contra a própria vontade, não há pecado. Por outro lado, se alguém se visse diante de um copo de bebida qualquer, seduzido e atraído pelo próprio desejo de consumi-la, ainda que se costume dizer que um tal desejo seja "irresistível", o que se faz, contudo, de modo absolutamente impróprio, não sendo um dependente, não há como não dizê-lo capaz de resistir, de evitar seu consumo, pois não está sendo coagido por nenhuma força ádvena e a si superior, muito menos inevitável. Nesse caso sua vontade de consumir a bebida é maior do que sua vontade de abster-se, se houver alguma. Portanto o consumo se dá de modo absolutamente voluntário, o que torna o consumidor responsável por seus atos, que, sendo antinaturais (*contra naturam*), são chamados de "pecados". E assim o é, pois o consumo de algumas substâncias, nada obstante o prazer que possam proporcionar, sabe-se notoriamente deletério à própria natureza física do consumidor. Enfim, mesmo que o exemplo fosse contestável e nem mesmo pertencesse ao conjunto dos menos infelizes, o que importa apenas, como um epítome do que se disse, é a simples conclusão de que nenhum ato involuntário pode jamais ser considerado um pecado.

**171.** [E[386]] – E se *essa causa* engana o incauto? A – Que se acautele, pois, para que não seja enganado! [E[387]] – Se o engano é tamanho, que de modo nenhum possa acautelar-se? A – Se é assim, não existem pecados nenhuns. Pois quem é que peca em algo contra o que não pode acautelar-se de modo nenhum? Porém peca-se. Portanto pode acautelar-se.

Logo nenhum ludíbrio, nenhum engodo, por mais intenso ou sedutor seja, pode levar alguém a pecar contra a vontade, pelo simples fato de que nenhum pecado involuntário é possível. Se o ludíbrio for tamanho que não seja possível

385 Porém não suficiente, como visto antes. Cf. 3,16,46,158; 17,49,168-169.

386 Q. atribuída a Evódio pelo manuscrito Londiniensis 10940.

387 Q. atribuída a Evódio pelo mesmo manus. *supra.*

resistir-lhe à tentação, então não se pode dizer haver pecado, pois nem mesmo houve cedência, e sim coação, assim como ocorre com os dependentes químicos, que não podem resistir ao desejo, neste caso incontrolável, de entregar-se, seja à bebida, seja aos entorpecentes. Nesse caso não houve pecado, e sim a coação de uma força superior às suas possibilidades de defesa, contra o que carecem de auxílio externo, não de vitupério. E se é verdade que não nasceram nessa condição, que se fizeram dependentes por vontade própria, cedendo livremente à sua vontade em algum momento pregresso, quando eram aptos a controlá-la e resistir à tentação[388]; agora, contudo, embora sua dependência seja decorrência de um pecado pregresso, sem dúvida digno de vitupério quando de sua perpetração, não mais se encontram nessa condição de autonomia pecaminosa da vontade, precisando muito mais de auxílio do que de vitupério. Portanto, se se pode resistir e ainda assim se escolhe livremente ceder ao ludíbrio da vontade, posto que contra a própria natureza, peca-se, merecendo vitupério. Se, ao contrário, resistir não é possível, ainda que se pratique algo contrário à própria natureza, assim se o faz coagido, portanto invito, não havendo pecado nenhum, muito menos necessidade de vitupério.

## A Condição Penal
Ignorância e dificuldade

### 3,18,51,172. O pecado em condição de ignorância

> **172.** A – [...] até mesmo certos atos praticados por ignorância são reprovados e julgados que devam ser corrigidos, assim como lemos nas divinas autoridades. Pois diz o apóstolo[389]: "Consegui misericórdia, porque fiz ignorando"[390]; e diz o profeta: "Não te lembres dos delitos de minha juventude e [dos delitos] de minha ignorância!"[391].

---

388 Esse argumento, é imperioso ressalvar, não encontra eco nem simpatia nas recentes pesquisas da ciência genética, cujos apologistas mais radicais, como Sam Harris, para citar apenas um exemplo, defendem um componente irresistível de hereditariedade nas tendências ao consumo de agentes químicos, como o álcool ou os entorpecentes, o que tem por consequência fazer ressurgir com toda a sua força as correntes "deterministas", assim como ocorreu com os estoicos, na Antiguidade.

389 Cf. Agostinho, *Natura et gratia* 67,81; *id.*, *Ret.* 1,9,5.

390 1Tim 1,13: "ἀλλὰ ἠλεήθην, ὅτι ἀγνοῶν ἐποίησα".

391 Sl 24,7 (LXX): "ἁμαρτίας νεότητός μου καὶ ἀγνοίας μου μὴ μνησθῇς...". Na vulgata lê-se de acordo com o grego: *"delicta iuuentutis meae et ignorantias meas ne memineris"*, que acarreta uma pequena diferença de tradução: "Não te lembres dos delitos de minha juventude e de minhas

Se até aqui o pecado podia ser evitado, ao que parece uma mudança drástica começa a operar nessa economia da vontade. Difícil saber ao certo todos os fatores que provocaram a transformação, mas sem dúvida não se deve excluir a influência das "autoridades divinas", em que mais e mais Agostinho se via imerso, ao menos por dever de ofício. Sabe-se que este terceiro livro foi terminado por volta de 395, quando o filósofo já contava com uma experiência de cerca de quatro anos como presbítero em Hipona, já que havia sido ordenado em 391, e provavelmente estava em vias de sagrar-se bispo coadjutor, ao lado do helênico Valério, cujo domínio do idioma latino era admitidamente insuficiente. Pois bem, tenha sido a influência das Escrituras, de modo especial a carta paulina aos romanos, ou então sua própria experiência pastoral com os simples e pequeninos de seu rebanho, muitos dos quais nem sequer compreendiam os seus sermões mais sofisticados, falantes que eram do berbere, dialeto camítico[392] bastante vivo na província da Numídia, tenha sido, por fim, sua própria especulação filosófica a conduzi-lo a este desfecho, o fato é que, até o parágrafo anterior, bastava apenas e tão somente fazer valer sua vontade para que o homem comum pudesse evadir-se do pecado. De fato, se não quisesse, simplesmente não pecaria. Agora, contudo, parece que novas variáveis adentram o proscênio. Primeiro a ignorância, que se imaginaria isentasse o pecador de qualquer responsabilidade pelo mal perpetrado, tendo praticado algo sem o saber, sem ter ciência do que estava fazendo, de onde se presume que o tenha feito de modo involuntário, pois quem em sã consciência poderia ter vontade de fazer aquilo de que nem ao menos tivesse conhecimento? Que tais atos devam ser censurados e corrigidos, entende-se, mas que sejam tidos por pecado, parece estranho. Porém Agostinho não diz por suas próprias palavras que sejam pecados, mas recorre à autoridade, citando uma passagem da primeira carta de Paulo a Timóteo, que supostamente sugeriria que a ignorância merecesse censura e correção: "Consegui misericórdia", diz Paulo, "por que agi ignorando". À primeira vista pode parecer que o exemplo paulino esteja em contradição com o filósofo, porém não é o caso. Se Paulo diz que alcançou misericórdia, que significa o

---

ignorâncias", e não "dos delitos de minha ignorância", como se presume a partir da versão de Agostinho, em virtude da regência. Seja como for, trata-se dos delitos praticados por causa da pouca idade e da ignorância.

392 Os "camitas" eram supostos descendentes de Cam (Ḥām), o segundo dos três filhos de Noé (Cf. Gn 5,32: καὶ ἐγέννησεν Νωε τρεῖς υἱούς, τὸν Σημ, τὸν Χαμ, τὸν Ιαφεθ); na Vulgata (vv. 31) lê-se respectivamente: *Sem, Ham et Iafeth.*

perdão dos pecados, por ter agido sem conhecimento, depreende-se, como o fez Agostinho com não pouca sagacidade, como lhe era peculiar, primeiramente que ele tenha de fato pecado, e apenas depois, que o tenha feito em estado de ignorância, do contrário não mereceria o perdão. Logo, se foi perdoado por ter agido na ignorância, isso se deu porque pecou, do contrário não precisaria ser perdoado. Portanto pecou, ainda que ignorando. Logo, depreende-se, há situações em que se pode pecar inclusive por ignorância, ou seja, mesmo sem que se soubesse o que se estava fazendo. A questão que se coloca, contudo, é se nesse estado de ignorância o homem age de modo voluntário, ou não. Se faz o que não sabe que está fazendo, ainda assim seria lícito dizer que o faz de modo voluntário? Se a resposta é não, então não pecou. Porém a autoridade divina diz que alcançou misericórdia; logo pecou, posto que ignorante. Logo aquele que peca por ignorância, de algum modo inaudito, ainda assim peca, o que faz supor a voluntariedade da sua ação. E nem precisava muito esforço especulativo, se se quisesse apenas ater-se ao testemunho da autoridade, pois o profeta já havia sido bastante objetivo nos salmos, ao imprecar do Senhor o perdão de seus pecados, não apenas juvenis, mas dos pecados praticados inclusive em condição de ignorância: "Não te lembres dos delitos de minha juventude e dos delitos de minha ignorância!".

## 3,18,51,172-173. O pecado em condição de necessidade

**172.** A – [...] E mesmo os atos praticados por necessidade devem ser reprovados, onde o homem quer agir retamente e não o pode.

No entanto as Escrituras não recomendam apenas a reprovação de atos praticados em estado de ignorância, mas também alguns atos naturais, por assim dizer, aqueles que se praticam por necessidade, o que sem dúvida, como dito por diversas vezes ao longo da obra, não poderiam ser considerados voluntários[393], muito menos pecados. E assim foi, ao longo dos três livros, porém é possível Paulo ainda não tivesse sido estudado com o devido cuidado, cujos pensamentos levantaram questões inusitadas, que ultrapassavam em muito a ética clássica recebida por Agostinho em sua formação, de tendência predominantemente estoica. Pode-se dizer que apenas Aristóteles, quando muito, posto que de modo sucinto, no sétimo livro de sua Ética Nicomaqueia, ao tratar da *akrasía*, a fraqueza

[393] Cf. 3,16,46,157-158.

da vontade, levanta a questão, fazendo um claro contraponto ao radical intelectualismo socrático[394]. E com efeito, se para o filósofo ateniense bastava conhecer o bem para ser capaz, sem grandes dificuldades, de praticá-lo, o estagirita aponta uma grande dose de ingenuidade no pensamento do mestre de seu mestre Platão, fazendo ver que muitas vezes o autodomínio não era servo dócil e obediente da razão. Porém apenas com Paulo, em sua carta aos romanos, a questão é colocada em toda a sua perplexidade, fazendo ver que o que a razão comandava raramente era posto em prática pelo sujeito, e com enorme dificuldades; sujeito "impotente" (ἀκρατής), que não raro agia em flagrante desacordo com os ditames de sua razão mais reta. Paulo não menciona especificamente uma faculdade da "vontade", deixando a questão para que alguns séculos mais tarde Agostinho dela se ocupasse com toda sua capacidade especulativa.

**173.** A – Com efeito, de onde é que são aquelas vozes[395]: "Pois não faço o bem que quero, mas o mal que odeio[396], isto é o que realizo"[397]; e aquilo: "O querer está próximo a mim, porém perfazer o bem, não descubro[398] [como]"[399]; e aquilo: "A carne cobiça contra[400] o espírito e o espírito, contra a carne; pois eles se voltam um contra o outro reciprocamente[401], de modo que não façais as coisas que quereis"[402]?

Pois bem, embora não se saiba exatamente nem como, tampouco em que momento exato deu-se essa leitura cuidadosa da epístola paulina, percebe-se o discurso agostiniano imerso na mesma perplexidade apontada pelo tarsense, três séculos antes. De que modo, pois, conciliar o otimismo racionalista de matiz socrático que se percebe nos dois primeiros livros, e mesmo na primeira metade deste terceiro, com essa passagem da carta aos romanos? Como justificar, diante de tudo o que se disse, que a vontade, soberana no livro primeiro, aquela mesma faculdade, que, para que fosse possuída fazia-se necessário

394 Cf. Aristóteles, *E.N.* VII, 1145b23-27.

395 Quer dizer, "Qual é a origem daquelas palavras do apóstolo...?".

396 Quer dizer, "eu pratico o mal que não quero pôr em prática".

397 Rm 7,19: "οὐ γὰρ ὃ θέλω ποιῶ ἀγαθόν, ἀλλὰ ὃ οὐ θέλω κακὸν τοῦτο πράσσω".

398 Liter.: "não encontro". Faz contraponto, ao menos em latim, com o v. *adiacere*, "estar perto", "estar ao alcance", seja das mãos, seja da visão. De fato, o querer fazer algo está ali, ou seja, é de fácil acesso; porém o ser capaz de fazê-lo, não, porque não se descobre onde, nem como.

399 Rm 7,18: "τὸ γὰρ θέλειν παράκειταί μοι, τὸ δὲ κατεργάζεσθαι τὸ καλὸν οὔ".

400 Liter.: "voltado contra", "adversário".

401 Quer dizer, eles são adversários um do outro.

402 Gl 5,17: "ἡ γὰρ σὰρξ ἐπιθυμεῖ κατὰ τοῦ πνεύματος, τὸ δὲ πνεῦμα κατὰ τῆς σαρκός, ταῦτα γὰρ ἀλλήλοις ἀντίκειται, ἵνα μὴ ἃ ἐὰν θέλητε ταῦτα ποιῆτε."

somente querer[403], e que se encontrava ao imediato dispor de si mesma, agora já não seja nem mais capaz de querer aquilo mesmo que sabe que deve querer? E mais, como inculpar o homem de pecado, quando apenas faz o que pode, uma vez que não pode não pecar, pois não está mais em seu poder fazer o que quer; numa palavra, não tem mais uma vontade capaz de querer o bem? E se é assim, como dizê-lo pecador, se, para que seja pecado, um ato deve necessariamente ser voluntário, o que ato nenhum pode ser dito, quando praticado por uma vontade que não é mais capaz de querer plenamente? Portanto, se não tem mais uma vontade autônoma, como inculpá-lo de pecado, cuja condição *sine qua non*[404] é a própria vontade? Ou como inculpá-lo de má vontade, quando não pode mais possuir uma vontade boa, tão necessária nesse ambiente hostil em que se encontra, quando sua natureza carnal coloca-se como adversária feroz de sua natureza espiritual, abrindo uma fenda tanto mais profunda quanto aparentemente irremediável em sua unidade originária? Enfim, se o homem não faz o que quer, e se o pecado, para ser considerado pecado, deve ser praticado pelo querer, de que modo dizê-lo pecador sem incorrer em injustiça? Em que momento aquele universo perfeitamente ordenado se perturbou, se é possível dizê-lo, ao menos para o homem, em seu microcosmo? Quando, pois, perdeu a autonomia de sua vontade, sua capacidade de fazer o bem e de manter-se ordenadíssimo, em perfeita comunhão com a natureza perfeita, conforme recebida de Deus, seu Criador?[405]

## 3,18,51,173. Condição penal I: decorrência da pena capital

> **173.** A – [...] Mas todas estas coisas próprias dos homens[406] são provenientes daquela condenação de morte. Com efeito, se essa não é uma pena do homem, mas [apenas efeito de] a natureza, essas coisas não são pecados nenhuns.

Esse estado descrito por Paulo, que nas citações acima reproduz Agostinho, refere-se a algo novo para a mentalidade clássica, uma condição até então inaudita, justificada não mais pela razão dialética, a partir das ferramentas herdadas pela filosofia helênica, mas pela autoridade das Escrituras judeu-cristãs. A fraqueza, a

---

403 Cf. 1,12,26,87.

404 Como dito antes, a vontade é condição necessária do pecado, mas não suficiente, pois o bem é também voluntário. Cf. 3,16,46,158; 17,49,168-169.

405 Cf. 3,15,44,151.

406 Quer dizer, essa é condição típica do gênero humano.

não dizer impotência da vontade humana, estriba-se não mais em silogismos, mas na herança do pecado do primeiro homem, condenado à morte por seu crime capital de desobediência, como se depreende do poético relato do *Gênesis:*

> [E disse Deus:] – E da árvore do conhecer o bem e o mal, dela não comereis; no dia em que dela comerdes, morrereis de morte![407] // A serpente era o mais astuto de todos os animais dos campos que o Senhor Deus tinha feito. Ela disse à mulher: – Então Deus disse que vós não podeis comer de todas as árvores do jardim? A mulher respondeu à serpente: – Nós podemos comer do fruto das árvores do jardim. Mas do fruto da árvore que está no meio do jardim, Deus disse: "Dele não comereis, nele não tocareis, sob pena de morte!". A serpente disse então à mulher: – Não, não morrereis! Mas Deus sabe que no dia em que dele comerdes vossos olhos se abrirão e vós sereis como deuses, versados no bem e no mal.[408] // E disse Deus [depois do pecado]: – Vê-se que Adão tornou-se como que um de nós, dado conhecer o bem e o mal, e agora que não estenda a mão e tome da árvore da vida[409] e coma e viva até ao fim dos tempos! E o Senhor o expulsou do jardim da*s* delícias, a fim de trabalhar a terra, da qual foi tirado.[410]

Essa condição humana fraturada, em que sua natureza carnal é adversária feroz de sua natureza espiritual, apontada por Paulo e reconhecida por Agostinho, decorre de um estado pseudonatural, por assim dizê-lo, pois, embora essa patologia da vontade seja de certo modo inata, a bem dizer não é natural[411], porque

---

407 Gn 2,17 *iuxta* LXX: "ἀπὸ δὲ τοῦ ξύλου τοῦ γινώσκειν καλὸν καὶ πονηρόν, οὐ φάγεσθε ἀπ' αὐτοῦ, ᾗ δ' ἂν ἡμέρᾳ φάγητε ἀπ' αὐτοῦ, θανάτῳ ἀποθανεῖσθε".

408 Gn 3,1-5 *iuxta* LXX: "ὁ δὲ ὄφις ἦν φρονιμώτατος πάντων τῶν θηρίων τῶν ἐπὶ τῆς γῆς, ὧν ἐποίησεν κύριος ὁ θεός, καὶ εἶπεν ὁ ὄφις τῇ γυναικί· Τί ὅτι εἶπεν ὁ θεός· Οὐ μὴ φάγητε ἀπὸ παντὸς ξύλου τοῦ ἐν τῷ παραδείσῳ; καὶ εἶπεν ἡ γυνὴ τῷ ὄφει· Ἀπὸ καρποῦ ξύλου τοῦ παραδείσου φαγόμεθα, ἀπὸ δὲ καρποῦ τοῦ ξύλου, ὅ ἐστιν ἐν μέσῳ τοῦ παραδείσου, εἶπεν ὁ θεός· Οὐ φάγεσθε ἀπ' αὐτοῦ οὐδὲ μὴ ἅψησθε αὐτοῦ, ἵνα μὴ ἀποθάνητε. καὶ εἶπεν ὁ ὄφις τῇ γυναικί· Οὐ θανάτῳ ἀποθανεῖσθε, ᾔδει γὰρ ὁ θεὸς ὅτι ἐν ᾗ ἂν ἡμέρᾳ φάγητε ἀπ' αὐτοῦ, διανοιχθήσονται ὑμῶν οἱ ὀφθαλμοί, καὶ ἔσεσθε ὡς θεοὶ γινώσκοντες καλὸν καὶ πονηρόν".

409 Cf. Jo 15,1-4; Jo 6,47-51.

410 Gn 3,22-23 *iuxta* LXX: "καὶ εἶπεν ὁ θεός· Ἰδοὺ Αδαμ γέγονεν ὡς εἷς ἐξ ἡμῶν τοῦ γινώσκειν καλὸν καὶ πονηρόν, καὶ νῦν μήποτε ἐκτείνῃ τὴν χεῖρα καὶ λάβῃ τοῦ ξύλου τῆς ζωῆς καὶ φάγῃ καὶ ζήσεται εἰς τὸν αἰῶνα. καὶ ἐξαπέστειλεν αὐτὸν κύριος ὁ θεὸς ἐκ τοῦ παραδείσου τῆς τρυφῆς ἐργάζεσθαι τὴν γῆν, ἐξ ἧς ἐλήμφθη.".

411 Se se considere como "natural" apenas o estado em que foi criado o primeiro homem, não a condição em que o homem pós-lapsário vem ao mundo.

não é a condição em que o Criador concebeu o primeiro homem. Trata-se, pois, de uma estado punitivo, penal, não de um estado natural, concebido pela Razão suprema e doadora da vida. Não fosse assim, não haveria pecado algum, pondera Agostinho. E se essa condição é penal, depreende-se que seja absolutamente antinatural, como visto, pois todo pecado é contrário à natureza. Portanto não apenas não se diz natural, como corretamente se diz antinatural o estado penal em que se precipitou a alma, em decorrência de sua condição de condenada à morte.

## 3,18,51,174. Condição penal II: incapacidade do bem

**174.** A – Pois, se não se desvia do modo pelo qual naturalmente assim foi feito[412], de modo que não possa ser melhor, [então ele] faz o que deve, quando faz estas coisas.

Se a criatura fosse exatamente do modo como planejada e realizada por Deus, seria como deveria ser, e nenhuma dívida teria com seu Criador[413]. Agiria voluntariamente ou invito, porém agiria segundo sua natureza, nela nenhum pecado havendo.

## O homem é mau e incapaz de ser bom

**174.** A – [...] se o homem fosse bom, seria de outro modo. Porém agora, porque é assim, não é bom, nem possui em seu poder que seja bom, quer não vendo de que maneira deve ser, quer vendo e não tendo forças[414] para ser da maneira como vê que deve ser.

Porém a criatura não age assim, segundo deveria, como é notório, deixando-se arrastar por sua vontade doentia, numa direção contrária ao Bem comum, em detrimento de sua própria natureza. Portanto o homem é mau. Não fosse mau, seria diferente. Sua vontade está avertida de Deus e convertida para si mesmo, tendo em vista o gozo efêmero dos bens não menos efêmeros. Todavia, além de não ser bom, ao contrário de tudo o que se disse até aqui na obra, agora Agostinho diz que tampouco tem a capacidade para sê-lo, ainda que o queira. Portanto é mau e não tem forças para ser bom, muito ao contrário do otimismo decantado anteriormente. Essa transformação em sua mundividência, não

---

412 O modo pelo qual foi criado por Deus.

413 Cf. 3,5,42,145.

414 O verbo é *ualeo*, que, neste caso, significa literalmente que não tem saúde, forças ou condições de ver o certo ou de pô-lo em prática, caso o veja.

se pode senão especular, é bastante provável tenha sido influenciada por dois graves fatores, como dito, de par com seu próprio amadurecimento intelectual. Primeiro por suas leituras paulinas, especialmente a carta aos romanos, cujos trechos supracitados prescindem de comentários adicionais. Depois em virtude de própria experiência de vida, de modo especial após a conversão, ao perceber que tanto o otimismo intelectualista dos socráticos-menores, como os estoicos, quanto a mística neoplatônica, eram ambos insuficientes para operar uma transformação substancial no ser humano. O neófito sem dúvida não tardou a dar-se conta de que era impossível qualquer conversão mágica e instantânea, muito menos qualquer mudança definitivamente irreversível a partir de um ingênuo "chaveamento", como se se pudesse simplesmente desligar o homem velho e ligar o novo. Muito pelo contrário, deve ter percebido sem demora que era necessário bater, buscar, pedir, insistentemente, com fé, esperança e caridade, contando acima de tudo com a ajuda divina, sem a qual ninguém lograria operar qualquer modificação para melhor em sua própria natureza, pois a porta larga sempre foi a mais agradável e sedutora. E bastante ao revés dos relatos milagrosos de metamorfoses súbitas e espetaculares, a verdadeira conversão era interior, lenta e paulatina, sofrida e regada por lágrimas sem conta, em cuja duração, ao longo de toda uma vida, era sempre mais fácil tropeçar e cair, que entoar o hino da vitória definitiva. A metanoia era apenas o primeiro passo, talvez o mais fácil, que requeria um esforço tanto mais perseverante quanto incansável na direção do objetivo a alcançar, posto que invisível, inefável, inatingível. E mesmo assim não poucos dentre os de seu rebanho não se convertiam de fato como deviam fazê-lo, preferindo apenas os ritos exteriores, a convivência de grupo, os benefícios materiais da caridade, o consolo das palavras fáceis, a salvação da última hora, na mais completa e espetacular fuga da responsabilidade pessoal. Agostinho sabia, portanto, como era difícil a verdadeira conversão, a não dizer a perseverança incansável no caminho escolhido, a fortaleza no combate, a manutenção da fé, diante dos inumeráveis descaminhos que se apresentavam, das terríveis tentações que desabrochavam no interior da alma, como o próprio orgulho, a vaidade, a incontinência, a não dizer das tenazes inclinações sensuais, contra as quais todos lutam e padecem os mais atrozes revezes, ninguém jamais sendo capaz de dizer-se vencedor, senão após o último suspiro.

Seja por esses supostos motivos, seja por outros quaisquer, o fato surpreendente, diante de todos os operosos argumentos apresentados pelo filósofo, é que o homem não é mais considerado bom, posto que, enquanto natureza, sempre

será um bem, porque saído das mãos operosas de um Criador sumamente bom. E o que é mais grave, além de não ser bom, tampouco tem condições de vir a sê-lo por intermédio de sua exclusiva vontade, o que se dá por dois graves impedimentos: [i] umas vezes ele vê de que modo deve ser e agir, mas não consegue ser como sabe que deve, muito menos agir do modo como sabe que deve; [ii] outras vezes nem mesmo consegue ver como deve fazer, nem como deve ser. Duas deficiências terríveis, dois grandes impedimentos: [i] ignorância (*ignorantia*) do bem que deve fazer e [ii] dificuldade (*difficultas*) para pô-lo em prática.

## 3,18,51,175. Dois pesos, uma medida

> **175.** A – Que isso seja uma pena, quem é que duvidaria? Porém toda pena, se é justa, é pena de pecado, e se denomina "castigo"[415]. [...] porque é próprio de um dementado duvidar da onipotência de Deus e de sua Justiça, esta pena é justa, e pende [da balança da Justiça] em contrapartida a algum pecado[416].

Se a criatura encontra-se nesse estado penal, consequência de sua condenação à morte, pode-se questionar se essa punição seja de fato justa, ou se injusta. Para Agostinho não resta dúvida de que se trata de uma condição penal, de uma punição, pois nada justificaria a aberração apontada por Paulo e por ele chamada de *monstrum* no oitavo livro de *Confissões*[417], quando a alma quer praticar o bem e se vê incapaz. E se a punição é justa, trata-se de um castigo decorrente de algum pecado praticado; porém, se injusta, trata-se de alguma punição imposta por alguma potência superior ao punido, ainda que de modo injusto. No entanto, como visto antes[418], nenhuma potência superior pode obrigar uma outra a pecar, sem que descaia de sua condição de superioridade, como consequência imediata de sua injustiça. Nesse caso, se algum potência superior quisesse impor alguma pena injusta à criatura, de imediato seria derribada de sua cidadela de domínio e ver-se-ia incapaz da empreitada.

---

415 Cf. os verbetes *poena* e *supplicium* no Léxico T-F.

416 Na balança da divina Justiça, em um dos pratos (suspensos por ganchos) pendem os pecados, no outro, as penas correspondentes, de modo a preservar-se em equilíbrio a Equidade. Portanto *pro peccato aliquo penditur* significa dizer que a punição está pendida de um dos pratos da balança, em justa proporção a algum pecado que tenha sido cometido, pois Deus, que é justo, não puniria a alma por pecado nenhum; e se está sendo punida, é porque algum pecado em algum momento necessariamente cometeu.

417 *Conf.* 8,9,21-22.

418 Cf. 1,10,20,73; 16,34,114-115.

Pelo que, como consequência necessária, resta que a pena seja justa, pois nenhuma alma, nesse universo perfeitamente ordenado desdobrado e louvado pelo filósofo ao longo dessas páginas, poderia sofrer algo de modo injusto, muito menos de alguma natureza superior, sob pena de ser questionada a própria Bondade divina, e com ela sua Onipotência e sua Justiça. Portanto trata-se de uma punição justa, não apenas porque pôr em dúvida a Onipotência do Criador e sua Justiça seria próprio de um mentecapto, mas principalmente porque isso estaria em perfeita harmonia com a própria balança da Justiça universal, de cujos pratos devem pender pesos absolutamente equivalentes, estabelecendo um contraponto harmônico e equitativo, sob pena do mais flagrante e injusto desequilíbrio no *ordo diuinus*. Em sendo assim, se de um prato pende uma punição, que se crê perfeitamente justa, diante de tudo o que se propugnou por dizer até aqui, do outro deve pender um pecado de peso equivalente, sob pena de tombar a balança em injusto desequilíbrio.

## 3,18,51,176. Herança danada

> **176.** A – Pois não poderia algum injusto dominador surripiar o homem a Deus, como se ele o ignorasse, ou extorqui-lo [dele] invito[419], como se ele fosse mais inválido[420], seja aterrorizando, seja conflitando[421], de modo a que cruciasse o homem por meio de uma pena injusta.

Absolutamente desnecessário "desenrolar" uma vez mais os argumentos utilizados pelo filósofo desde o livro primeiro[422] para demonstrar como nenhuma alma, por superior seja, pode dominar outra, seja impondo-lhe algum sofrimento injusto, seja alguma penalidade, contrariamente à Justiça e à Ordem divinas. Pois, como dito, se uma alma mais potente quisesse fazer outra pecar, a mal intencionada deixaria sua posição de superioridade tão logo pensasse em cometer a injustiça, tornando-se de imediato incapaz de perpetrar

[419] Arrancá-lo à força da presença de Deus, contra a Vontade divina.

[420] Liter. "mais incapaz", ou seja, como se Deus fosse menos capacitado (*in* + *ualidior*) do que esse hipotético dominador injusto.

[421] Seja por meio do terror, seja pelo uso da força, como se se pudesse superá-lo de algum modo.

[422] Cf. 1,1,1,1-2; 10,20,73; 16,34,114-115. Vale lembrar que o sofrimento das almas é sempre decorrente da punição da Justiça da Providência, seja através da maldade livremente perpetrada por agente ádvena, seja resultante das próprias ações inconsequentes do sofrente pecador. Em ambos os casos, contudo, a Providência não permite ocorram injustiças. Numa palavra, não há balas perdidas nem vítimas inocentes, exceto Cristo, neste universo perfeitamente ordenado de Agostinho, onde tudo tem uma causa, ainda que seja incógnita.

o delito. Do mesmo modo nenhuma potência superior poderia impor uma punição injusta, que seria uma maldade, a qualquer alma, pelo mesmíssimo motivo, porque, ao empreender fazê-lo, ver-se-ia de imediato precipitada da cidadela de seu domínio, tornando-se simultaneamente incapaz de cometer o delito. E se assim é em relação à alma, muito mais se pode dizer em relação ao Criador, lançando mão do argumento[423] do mais e do menos. De fato, se não pode cometer injustiça contra o homem, muito menos contra Deus onipotente, o que serve para aquietar as mentes temerosas, pois nenhuma potência superior, seja um anjo qualquer, seja o diabo, será capaz de arrebatar o homem do poder de Deus, como se Deus todo-poderoso (παντοκράτωρ) pudesse sofrer na mão de alguma de suas criaturas, infinitamente inferiores. Nem instilando o terror, nem incitando o conflito, nem por qualquer outro meio poderia uma alma ser punida, se não o merecesse, ou seja, se não pendesse do outro braço da balança alguma punição que precisasse do contraponto da reparação. De onde o decreto da Lei eterna: nenhuma alma sofre qualquer punição que não seja justa. Se o prato penal da balança pende, é porque a contrapartida pende com peso equivalente, ou seja, o prato do pecado está sendo forçado para baixo, com peso equivalente[424].

**176.** A – [...] Logo resta que esta justa pena venha da condenação do homem.

Logo, conclui Agostinho, se o homem nasce num estado de ignorância e de incapacidade do bem, inatos, estados esses que ele afiança não serem naturais, o que seria obrigatoriamente imputado ao Criador das naturezas, resta que sejam consequências de alguma pecado anterior. Portanto estas duas condições, ditas "penais", ignorância e dificuldade, enquanto "massas" pendentes do braço penal da balança da Justiça, devem necessariamente, se se quiser salvaguardar essa mesma Justiça divina, contrapor-se a algum outro "conteúdo" de "massa" equivalente, que force o braço do ato voluntário da balança, por assim dizê-lo, para baixo, com "peso" igual. Numa palavra, se num prato pesa o prato penal da ignorância e da dificuldade, deve pesar no outro, com medida equivalente, o peso de algum pecado cometido, que deve ser investigado. Porém, se o ser humano não existia, antes de ter sido criado, para que pudesse merecer ser

[423] Quer dizer, tópico (τόπος ou *locus*).

[424] Embora se costume falar de "peso", a balança na verdade mede a "massa" dos corpos. Contudo, por tratar-se apenas de uma balança metafórica, preferiu-se insistir no "erro" comum.

criado, como poderia então merecer o nascimento penal, nesse estado limitado de ignorância e dificuldade do bem? Numa palavra, se nem existia antes de nascer, de que modo poderia ter pecado, ou ainda pior, como poderia sofrer justamente a pena de um pecado que nem pôde cometer?

## 3,18,52,177. Não possui o livre arbítrio da vontade!?

**177.** A – E nem se deve admirar que[425]...

Iniciar o parágrafo advertindo contra uma possível estupefação tem o efeito contrário ao pretensamente pretendido por Agostinho, pois o que seu discurso deflagra é o exato oposto – o que certamente adrede foi feito, rétor magistral que era –: não apenas o que afirmou no parágrafo anterior, mas principalmente o que ratificará e aprofundará na sequência, a saber, que o homem não tem condições de fazer o bem, embora o queira, deve ter causado enorme espécie em seus ouvintes-leitores, como o faz ainda hoje.

## O arbítrio anulado pela ignorância

**177.** A – [...] [i] ignorando, não possui o livre arbítrio da vontade para eleger o que retamente deva fazer...

Primeiro, devido à sua condição penal de ignorância, a criatura racional não logra arbitrar livremente sua vontade, de modo a eleger o que sua reta razão lhe determina, o agir com retidão; numa palavra, a alma racional em verdade não possui o livre arbítrio da vontade, a fim de que possa praticar o que é reto, porque sua condição penal de ignorância obnubila-lhe a razão, impedindo-a de arbitrar o certo e identificar o seu contrário. Assim sendo, ainda que seja livre, não pode arbitrar sua vontade, porque seu estado penal de ignorância a mantém cativa nas trevas do erro, não lhe permitindo fazer as escolhas corretas. Podem-se vislumbrar aqui certamente alguns ecos autobiográficos, uma vez o próprio filósofo ter reconhecido sua cegueira intelectual, não apenas em sua fase de adesão ao maniqueísmo, mas também quando frequentou, desesperançado, os céticos da Nova Academia: buscava a verdade, mas não lograva discerni-la, tendo sido precipitado de um lado a outro, de um erro a outro mais

---

425 Quer dizer, "nem mesmo deve provocar admiração o fato que..."

grave, até ser resgatado pela Graça divina, como dá conta de narrar ao longo de *Confissões*, e um tanto sucintamente, já no início desta obra[426].

## A vontade anulada pela dificuldade

**177.** A – [...] [ii] ou que, por causa do resistente costume carnal, que de certo modo natural implantou-se[427] pela violência da sucessão[428] mortal, veja o que retamente deva ser feito, e o queira [fazer], e não o possa implementar.

Em segundo lugar, devido ao resistente hábito carnal que criou raízes profundas em si, de certo modo natural[429], diz Agostinho, por causa da herança de mortalidade a que se vê submetida, a alma racional não consegue mais fazer o bem, ainda quando o veja e o deseje; numa palavra, ainda que a ignorância em alguns casos não predomine sobre seu arbítrio, sendo o bem a fazer por demais evidente para ser desconhecido, ainda assim não consegue a alma concretizá-lo, porque sua vontade tornou-se ineficaz, tendo perdido a capacidade para praticá-lo, mesmo quando sabe o que deve fazer. Neste segundo caso a criatura racional viu implantar-se em sua vontade, ou em si mesma, um hábito carnal tenacíssimo, que ali fincou raízes profundas a partir da transmissão da mortalidade, herdada sucessivamente desde o primeiro casal pecador. Por causa dessa sucessão de gerações que se seguiram umas às outras, a humanidade acostumou-se à carne, vendo enraizar-se em sua vontade esse hábito carnal, acostumada doravante não apenas à mera satisfação de suas necessidades fisiológicas, mas também a deleitar-se nelas, e até mesmo a procurá-las com sofreguidão, como se fossem seus fins últimos, seus bens supremos. O homem acostumou-se com seu estado mortal, com sua condição penal, mergulhando irremediavelmente na carne, não apenas cedendo aos prazeres, mas apaixonando-se por eles, de que se sente contente e satisfeito, como se tivesse atingido a felicidade plena. E por causa desse estado penal de dificuldade, em que não consegue pôr em prática o bem, mesmo quando sabe o que deve fazer, ainda que o queira, sua vontade acabou por tornar-se deficiente, defeituosa, incapacitada de levá-lo de volta ao seu estado primitivo.

---

426 Cf. 1,2,4,10.

427 Quer dizer, criou raízes profundas, crescendo no interior do ser humano.

428 Isto é, a herança de mortalidade.

429 Não apenas porque o hábito é uma segunda natureza, mas porque a descendência de Adão já nasce nessa condição mortal, de ignorância e dificuldade, o que não quer dizer que a humanidade tenha sido originalmente criada por Deus dessa maneira.

## 3,18,52,178. Ignorância e dificuldade: duas penas justíssimas

**178.** A – Pois essa é uma pena justíssima do pecado, que cada um perca aquilo que não quis usar bem[430], embora pudesse [fazê-lo] sem dificuldade alguma, se o quisesse.

Portanto nem ignorância, nem dificuldade, cujo efeito é a perda da eficácia do livre arbítrio da vontade, são estados naturais das almas, em que foram criadas pelo divino Fundador, mas, ao revés, uma condição penal, decorrente de quaisquer pecados obviamente anteriores a esse estado punitivo. E se esse estado penal de ignorância e dificuldade se identifica pela perda da eficácia do livre arbítrio da vontade, depreende-se que em algum momento a alma possuiu esse arbítrio livre de modo íntegro e completamente eficaz, certamente quando saída das mãos operosas do Criador. Porém em que momento pecou, não fazendo uso digno daquilo que recebeu íntegro e bom, embora fosse totalmente capaz de fazê-lo, é uma das coisas que se vem investigando, desde o início. O fato, contudo, é que recebeu o livre arbítrio da vontade da parte do Criador, de modo íntegro e eficaz, e que era totalmente capaz de fazer bom uso dele, sem nenhuma dificuldade, sem nenhuma ignorância, bastando para tanto que o quisesse, pois o bom uso da vontade livremente arbitrada não estava alhures, senão no interior de sua própria vontade. Eis, portanto, o primeiro gênero de pecado: não ter usado bem a própria vontade; pecado esse que mereceu o primeiro gênero de punição: a corrupção ou perda da eficácia da faculdade mal utilizada.

**178.** A – [...] que aquele que, tendo ciência, não age retamente, perca [a capacidade de] ter ciência do que seja reto...

O segundo gênero de pecado, se se pode dizê-lo, é conhecer o bem e não fazer bom uso desse conhecimento, cuja penalidade é a perda dessa faculdade, a perda da capacidade de conhecer o bem. Na verdade não perde a faculdade de conhecer *simpliciter*, mas a capacidade de conhecer o bem, ou seja, sua capacidade de conhecer se torna tão ineficaz quanto sua vontade, estando ambas inextricavelmente ligadas naquilo que se tem denominado arbítrio da vontade. Neste estado, pois, a alma busca a verdade, sendo, ao invés, atraída pela mentira, como o próprio Agostinho se viu ludibriado

[430] Cf. 3,15,44,151.

por longos anos, primeiro pelos maniqueus, depois, pelos neoacadêmicos, a não mencionar as vãs ilusões acalentadas pelas seduções da retórica forense e de suas ambições mundanas[431]. Essa perda da ciência, contudo, como já havia dito Plotino[432], *mutatis mutandis*, em que a alma passa a aceitar falsas opiniões (δόξας ψευδεῖς), é decorrência da desmedida (ἀμετρία), do excesso (ὑπερβολή) e da carência (ἔλλειψις), males da alma (τὰ τῆς ψυχῆς κακά), cuja causa, tanto para o neoplatônico como para Agostinho, decorre acima de tudo de seu comércio com a matéria (ὕλη), numa palavra, decorre de seu hábito carnal profundamente arraigado. De fato, a alma, presa aos sentidos do corpo, cuja vontade está voltada para os próprios bens, mutáveis todos, daí obviamente temporais e corruptíveis, perdeu a capacidade de perceber os bens imutáveis e comuns, e com isso a capacidade de converter-se para o Bem supremo e eterno. Isso se dá por razões óbvias, como reiterado ao longo desses comentários. Ao voltar-se para o temporal, que não é verdadeiramente, destinado que está a perecer no nada, deixando de ser, a alma se afasta da ciência do que *é* verdadeiramente, porque permanece, sendo imutável, atemporal, daí também incorruptível, visto estar além dos sentidos, cuja apreensibilidade é apanágio exclusivo da razão.

**178.** A – [...] e que aquele que não quis agir retamente, embora pudesse, perca [a capacidade de] poder fazê-lo, ainda que o queira.

Portanto, assim como deixa de ser capaz da ciência do que é de fato, sendo ludibriado pela mentira e seduzido pela aparência especiosa dos bens temporais, que na verdade não são de fato, assim também perde a alma racional a capacidade de querer eficazmente, vendo-se impossibilitada de fazer o bem que quer, arrastada ao malfazer que não quer, como admitira Paulo. Isso também pelos mesmos motivos, porque o hábito de sua natureza carnal, profundamente arraigado, não lhe permite desprender-se dos sentidos, que exercem tirania irresistível sobre sua vontade através de seus impulsos sedutores, contra os quais sua mente racional, enfraquecida pelas opiniões falaciosas às quais se apegou, além de ineficaz, não apenas pelo hábito da carne, mas principalmente pela ignorância do bem, encontra-se completamente impossibilitada de oferecer resistência.

---

431 Cf. *Conf.* 4,1,1; 6,6,9; 7,20,26 etc.

432 *En.* 1,8,4,9-11.

**178.** A – [...] toda alma que peca, na realidade, possui essas duas [deficiências][433] penais: ignorância e dificuldade[434]. Em virtude da ignorância, o erro desonra; em virtude da dificuldade, aflige o tormento.

E se se trata de uma condição penal, obviamente não é agradável, muito menos desejável. De fato, o ignorante é aviltado pelo erro, que o precipita de um a outro lado, não apenas desacreditando-o da busca da verdade, mas de si mesmo, que, perdido, não sabe mais aonde buscar a verdade, nem de quem socorrer-se. Por outro lado a dificuldade provoca-lhe aflições sem conta, por ser absolutamente incapaz de conter suas inclinações de ordem sensual, que o arrastam à roda e o escravizam, até exaurir-lhe as forças todas. Duas penalidades, portanto, que o situam nesse "estado" penal, uma condição defeituosa, em que suas faculdades se tornam ineficientes, a não dizer ausentes, cuja consequência é uma inquietude interior, paradoxalmente congênita, embora não propriamente natural[435], decorrente da ausência da plenitude perdida, como aquele prisioneiro da caverna platônica[436], que, depois de ter conhecido a luz, retorna ao breu da cova, acossado pela cegueira da ignorância e da dificuldade. Porém no caso agostiniano não há de fato um retorno à furna umbrosa, mas uma como que intuição embrionária, enraizada em si desde o nascimento, de sua condição perdida, como a memória nervosa de um membro amputado[437], ausência essa que o inquieta por toda vida, um acúleo encravado em suas entranhas[438], até que desperte e decida conhecer-se, confessando a própria deficiência, que possa enfim reencontrar, *hic et nunc,* aqui e agora, ao menos pela fé, esperança e caridade, o estado de equilíbrio repousante, naquele mesmo que é a Fonte de sua plenitude perdida, de que só poderá fruir definitivamente no Sábado, que se quer eterno.

---

433 Agostinho referiu duas perdas (*amitto*) – que nada mais são do que defeitos, ou deficiências – a que a alma pecadora está sujeita: [i] a perda do conhecimento do que seja reto; [ii] a perda da capacidade de agir retamente, ainda que o queira. Trata-se, por conseguinte, de duas perdas (*amissiones*), penalidades impostas à alma, em decorrência de seu pecado. Porém ele não faz aqui nenhuma referência direta ao pecado do primeiro homem, ainda, e sim de qualquer homem, sendo sua privação (*defectus*) de caráter penal uma consequência de seu pecado individual.

434 Se se traduzisse literalmente a passagem, descartando (de modo nada aconselhável) a construção com dativo de posse, ter-se-ia algo como: "De fato, existem na realidade para toda a alma que peca essas duas penalidades: ignorância e dificuldade".

435 Porque o ser humano não foi criado por Deus nesse estado.

436 Cf. Platão, *Rep.* VII 514a-517c.

437 Cf. 3,14,41,143.

438 Cf. Paulo, 2Cor 12,7.

## 3,18,52,179. A ineficácia do livre arbítrio é condição penal, não natural

**179.** A – Mas aprovar coisas falsas em lugar de verdadeiras, de modo que erre invito, e, devido à dor[439] resistente e torturante do vínculo carnal, não poder temperar[440] as obras das inclinações sensuais[441]...

As almas em condição penal, cujo livre arbítrio da vontade não é mais eficaz, padecem dois gêneros de penalidades: [i] por causa de sua condição de ignorância são levadas à aprovação de falsidades em lugar das verdades, cometendo erros, de modo involuntário, que as desonram e aviltam; e [ii] por causa de sua condição de dificuldade, decorrente do hábito carnal enraizado, herdado pela sucessão das gerações, não se fazem capazes de temperar suas inclinações sensuais, sofrendo as "dores" das paixões que buscam satisfação sem fim, e que na verdade nunca são saciadas, provocando inquietações lancinantes e aparentemente irremediáveis, tanto mais intensas quanto mais seus caprichos são servidos. Se no primeiro gênero de penalidade padecem as dores do desconhecimento desesperançado, cuja consequência é a peregrinação sem fim de uma doutrina a outra, de um erro a outro ainda mais tenaz; no segundo padecem a secura daquela sede insaciável de desejos que nunca encontram satisfação, roubando qualquer esperança de pacificação, que só a continência, ou temperança, poderiam amenizar, virtudes tanto mais distantes de seu alcance quanto mais ineficaz se tornou sua vontade corrompida.

**179.** A – [...] [mas isso] não é a natureza do homem como instituído [na criação][442], mas a pena de um condenado.

Porém essas penalidades não são originais, por assim dizê-lo, não pertencem ao estado da alma como foi "instituída" pelo Instituidor divino; numa palavra, a alma não saiu da fábrica celeste nem ignorante, tampouco em dificuldade, do contrário o seu divino Projetor e a sua linha de produção novamente

439 Trata-se, obviamente, de uma dor moral, mas não apenas a aflição causada pelos desejos insaciáveis dos prazeres, e sim a dor da própria condição da carne, que aprisiona e limita a vida do espírito.

440 Quer dizer, reprimir, seja pela *continentia*, seja pela *temperantia*, os impulsos da *libido*.

441 Ou seja, não poder abster-se das obras libidinosas (da *libido*).

442 Note-se que um dos muitos epítetos com os quais Agostinho refere-se a Deus é *institutor*, "Instituidor" (3,5,12,44), daí a referência à instituição do homem. Cf. os verbetes *creator, artifex, conditor, administrator, institutor, adiutor, auctor, ordinator* no Léxico T-F.

incorreriam em responsabilidade, sendo-lhes justamente cobrado o devido *recall*. Logo a alma não foi criada nesse estado deficiente, que é, ao revés, consequência de sua justa condenação à morte, ou antes, da danação do primeiro casal. Em verdade, como visto antes[443], o pecado corrompe a natureza do pecador, fazendo com que seja menos do que era, do que se depreende que tanto Adão, como Eva, ambos, simultaneamente com o pecado cometido, tenham corrompido pelo vício sua natureza íntegra e até então incorrupta, deflagrando, se se pode dizê-lo, a própria sucessão mortal, que doravante passou a atingir sua descendência toda. Logo, depois que pecam Adão e Eva, corrompendo viciosamente sua natureza e precipitando-se num estado doravante congênito de ignorância e de dificuldade, essas deficiências são transmitidas a sua descendência, como se por propagação "genética", pois todos os nascidos do primeiro casal nascem nesta condição penal, depois do pecado. E para que sua natureza pudesse ser "retificada", ou seja, tornada plena novamente, seria preciso uma como que "recriação", o que só a Retífica divina poderia operar. De fato, se o defeito, provocado pelo vício corruptor, sempre foi livre, por causa da liberdade com que a alma foi instituída, a retificação, ao revés, requer uma "recriação", pois apenas o Ser supremo, dador de todo ser, é verdadeiramente capaz de redar a quantidade de ser de que carece a criatura com defeito[444], algo que extrapola em muito a liberdade do arbítrio e da vontade, agora deficientes. Quem, pois, senão o Ser supremo, pode conferir o ser, de par com a vida e a inteligência, corrompidos livremente pelo vício da ousadia e desobediência das almas? Precisariam elas, pois, ser criadas novamente, recebendo o tanto de ser que lhes faltasse, a cada uma, a fim de que pudessem retornar ao seu estado original, conforme instituídas pelo Instituidor divino, coisa que não pode ser feita pelo querer humano.

## O livre arbítrio da vontade não é deste mundo!

> **179.** A – [...] Porém, quando falamos da vontade livre de agir retamente, é daquela, evidentemente, na qual o homem foi feito, que estamos falando[445].

Semelhante ao modo como Cristo se esquivara das capciosas perguntas de Pilatos, silenciando qualquer perspectiva de debate, ao afirmar que seu reino não

[443] Cf. 3,13,38,132-14,41,143 etc.

[444] Cf. os verbetes *deficio, defectus, defectiuus* no LÉXICO T-F.

[445] Cf. *Ret.* 1,9,5.

era deste mundo[446], Agostinho desconstrói todo o enorme arcabouço teórico até aqui edificado por ele mesmo com esforço imensurável, implodindo de um só golpe, numa só frase, praticamente tudo o que disse a respeito do arbítrio livre da vontade, desde o início da obra. De fato, tudo o que ficou dito a respeito do livre arbítrio da vontade, de sua capacidade para implementar o reto agir, desde o exórdio do livro inaugural, sentencia agora o rétor, sem qualquer sombra de hesitação, refere-se apenas à vontade livre original, com a qual a alma foi criada por Deus, em seu estado propriamente natural, não à condição deficiente da prole adâmica, mergulhada na ignorância e dificuldade de seu estado penal. Logo nada do que se disse a respeito do livre arbítrio se refere a este mundo e ao homem pós-lapsário, de carne e osso, apenas ao mundo paradisíaco anterior ao famigerado pecado primordial, cometido pelo miserável casal, cuja vontade averteu-se do Criador, seu Bem supremo, e converteu-se para si mesmo, por algum movimento igualmente voluntário, cuja motivação original ainda não se fez conhecer.

## Soam os primeiros sinos do Medievo

Em vez de lamentar o desvio de rumo empreendido por Agostinho, num saudosismo injustificado do então moribundo mundo clássico, celebram-se os primeiros badalos do Medievo[447]. Desaconselhável imaginar retrocesso, ao invés de vislumbrar o enorme avanço conquistado pelo filósofo, ao abrir mão do

---

446 Cf. Jo 18,36: "ἡ βασιλεία ἡ ἐμὴ οὐκ ἔστιν ἐκ τοῦ κόσμου τούτου".

447 Na verdade esse "desvio" não é questão pacífica, pois pode ter sido pretendido pelo autor já desde o início do livro primeiro, embora nenhuma evidência disso tenha sido jamais percebida. Ao leitor de hoje resta a impressão de que houve uma mudança inesperada, em contraste com o suposto otimismo advogado, ao menos até ao final do livro segundo, quando Agostinho diz que o homem, que caiu por sua livre e espontânea vontade, já não mais pode soerguer-se livremente (cf. 2,19,54,205-206). Porém o que mais importa neste passo é notar a evolução das ideias do autor, de sua mundividência, que sempre propugnou por conciliar uma afeição pelo idealismo platônico com a realidade cruenta que deparava no cotidiano. Não se trata apenas de embrulhar a filosofia no tecido do testemunho escriturário, mas muito mais o reconhecimento de que uma visão ingênua e decadente do mundo precisava revista urgente, para dar conta da novíssima ordem que se instaurava, em tautocronia com o caos deflagrado pela derrocada da unidade imperial e o consequente avanço pulverizador bárbaro, com todas as consequências dramáticas que isso acarretava. Demais, se se queira acusar as premissas piedosamente axiomáticas de Agostinho de fantasiosas e quiméricas, deve-se reconhecer que ainda mais inatingíveis eram os ideais da sabedoria estoica e da perfeição geométrica da *paideía* platônica, os quais, por sua vez, já haviam sido testados, por séculos, sem nenhum sucesso, como atestaram, por exemplo, Sêneca, ao tutelar Nero, ou Platão, séculos antes, com o tirano Dionísio II de Siracusa.

ingênuo e simplista intelectualismo plurissecular socrático, desgastado e absolutamente quimérico, como socráticos menores todos deram conta de tornar patente, de modo espetacular e especial, acima de todos os demais, o estoico Lúcio Aneu Sêneca, cuja suposta sobriedade e parcimônia se justificavam, sem qualquer pudor, pela máxima: *de uirtute, non de me loquor*, "é da virtude que falo, não de mim mesmo"[448]. Ora, de que modo podia Agostinho seguir imaginando que bastava simplesmente querer, pois nem a autoridade das Escrituras, muito menos sua própria experiência de vida, corroboravam uma visão tão simplificada da existência?! E o que era mais assustador ainda, diante do pano de fundo da derrocada inevitável do Império Romano, ineficientemente decadente e por isso devastado pela corrupção perigosamente desagregadora e pelas atrozes incursões bárbaras, e com elas o abalo sísmico de toda mentalidade e estrutura de um mundo cuja origem se perdia na lenda, para muito além dos esforços dos primeiros analistas ou dos primeiros historiadores, enfim, diante do cenário de um mundo à beira do caos, como confiar apenas nas cambiantes e ambiciosas faculdades humanas, sua frágil e volúvel vontade, ou sua inteligência muita vez ingênua e absolutamente incerta, dominada por paixões tão mais mesquinhas quanto violentas, como a cobiça, a ambição, a inveja e o ódio desmedidos? Se de fato nada estivesse tanto na vontade como própria vontade, como Agostinho sentenciara com enorme otimismo no primeiro livro, nada mais estaria além dela, nem mesmo Deus, pois nenhuma outra potência ou capacidade, além da própria vontade livre, seria jamais necessária para chegar à Fonte da Felicidade suprema, a qual, se não existisse, a própria vontade daria conta de inventá-la, como se fez com a *eudaimonía* alexandrina. Assim fosse, aquele homem de tipo grego, não exatamente platônico, nunca criado, senhor de si, eterno semovente, de nada careceria, de nenhuma Verdade com inicial maiúscula, de nenhum apoio, de nenhum Paradigma, de nenhuma Lei, pois, autossuficiente, seria ele mesmo sua própria medida, quando não, haveria de idealizá-la, para depois gozar de sua contemplação, para o que seria necessário apenas seguir as normas igualmente por ele idealizadas. Sem dúvida Platão não pode ser acusado de qualquer relativismo, como os sofistas, muito menos do ceticismo pessimista e materialista de seus epígonos. Porém não se pode deixar de reconhecer que era absolutamente senhor de si e de seu destino, fosse qual fosse, bastando para tanto apenas seguir seu projeto propedêutico, sua προπαιδεία[449]. Não o

---

[448] Cf. Sêneca, *De uita beata* 18.

[449] Cf. *República* 536d.

homem agostiniano, contudo, cuja consciência de sua própria fragilidade e de sua condição fraturada, nada confiante na pretensa onipotência das faculdades humanas, de modo especial a razão, sem deixar de parte a vontade, de modo nenhum merece a pecha de retrógrado; muito ao contrário, sua humildade permite um enorme avanço rumo ao autoconhecimento, ainda que no cadinho dos séculos, como sói ocorrer em todos os movimentos intelectuais de todas as épocas, depois da exaustão do modelo que atingiu sua perfeição e seu limite, restem apenas a cristalização e obstinada defesa, movida por interesses sectários, de um ícone, por assim dizer, imagem tão mais indefensável quanto desgastada, assim como ocorreu com o ingênuo intelectualismo de tipo socrático, congelado ao longo do período alexandrino como um contrassenso, que nem mesmo Sócrates endossaria, pois, se ninguém poderia dizer-se nem mesmo conhecedor de si, como provocava ironicamente Sócrates, muito menos sábio ou absolutamente autônomo.

E se o teocentrismo (anticientificista) medieval incomoda hoje a muitos, a humildade filosófica, a consciência da fragilidade humana, a desconfiança de sua autoproclamada onipotência e de sua presunção científica, muito pelo contrário. Portanto, se Agostinho, a certa altura, seja pelos motivos aludidos, seja por outros tantos, percebe que estava por demais preso às categorias e pressupostos da moribunda mentalidade greco-romana, que lhe era tão mais distante no tempo e no espaço quanto nos valores, isso não constitui um defeito, mas uma ruptura salutar, uma tomada de consciência e um despertar para uma nova mundividência, que talvez não imaginasse de fato inaugurar com suas ideias, não apenas em sua própria sua vida, mas no mundo à sua volta. E se muitas conclusões se podem tirar disso, a que mais importa talvez de todas seja a mais evidente, a dura constatação de que converter-se não era nada simples, ao contrário do que imaginaram os antigos, e com eles o próprio autor, nos primeiros livros desta obra. Embora nada absolutamente careça de ser desdito, deve-se reconhecer que muito deve ser repensado e mesmo relativizado, à nova luz da autoconsciência desperta de sua própria fragilidade. Numa palavra, dever-se-ia doravante repensar o próprio papel da vontade humana, evidente e inquestionável, e com ela do arbítrio e de sua liberdade, igualmente insuspeitos, porém bem menos onipotentes e autônomos do que imaginavam os socráticos, menores todos, como os radicais estoicos, e com eles todos os que de um modo ou de outro sorveram da mesma fonte inesgotável desse ingênuo otimismo.

## Se Adão pecou, que culpa temos nós?

## 3,19,53,180-182. Se Adão pecou, que culpa temos nós?

**180.** A – Ocorre aqui aquela questão, que, murmurando entre si, os homens costumaram ficar remoendo[450] [...] Pois dizem: "Se Adão e Eva pecaram, que fizemos nós, infelizes, para que nascêssemos com a cegueira da ignorância e os tormentos da dificuldade...?

Sendo a cegueira da ignorância do bem e o tormento da dificuldade de praticá-lo consequências "inatas", posto que não naturais, e sim penais, do pecado do primeiro homem, as quais infelicitam sobremodo a vida das criaturas racionais que peregrinam neste orbe, nada surpreendente, menos ainda injustificável, a pergunta que Agostinho atribui à roedura dos murmuradores. De fato, se o primeiro casal é que pecou, corrompendo sua natureza, até então íntegra, diminuindo a quantidade de ser[451] recebida do Ser supremo, seu Criador, por que motivo toda a humanidade que lhe sucedeu, como se pudesse ter mascado o resquício do pomo deixado pelo par desobediente, mereceria justamente padecer da pena devida por sua transgressão? Numa palavra, por que motivo a descendência de Adão haveria de nascer submersa nas trevas da ignorância do bem e ser torturada pela dificuldade de cumpri-lo?[452]

**180.** A – [...] primeiro errássemos, desconhecendo o que por nós deveria ser feito, depois, quando começassem a ser abertos[453] para nós os preceitos da justiça, quiséssemos cumpri-los e não sei por que necessidade retentiva[454] da concupiscência[455] carnal não fôssemos capazes?"[456].

---

450 Liter.: "roer".

451 Cf. 3,14,41,142; 15,43,148; 44,153.

452 Essa pergunta surge naturalmente como decorrência do que acabara de afirmar o filósofo, que o arbítrio livre era condição do homem pré-lapsário, não deste, pós-lapsário. De fato, se assim o foi, indagaria o suposto interlocutor, que temos nós com isso? Se o homem adâmico era livre para querer e controlar suas faculdades, se pecou e as corrompeu, que tem que ver com isso a humanidade toda? Por que pagam os descendentes pela culpa de seus pais, perdendo a eficácia de sua vontade?

453 Quer dizer, "desvelados", ou "revelados". Tendo os preceitos da Justiça, apregoados por Cristo, sido revelados e disseminados entre os homens, agora não mais totalmente ignorantes, ainda assim eles se viram incapazes de cumpri-los.

454 Por alguma necessidade de natureza carnal concupiscente as almas se veem obstadas, impedidas em seu propósito de pôr em prática o bem que lhes foi apresentado pela Verdade.

455 Esta é a única instância do termo *concupiscentia* na obra.

456 Cf. *Conf.*, livro 8.

Se Adão e Eva é que pecaram, desprezando a bondade e o preceito divinos, por que motivo haveria de nascer toda a humanidade, desde então, condenada ao estado penal da ignorância do que fazer? E depois, tendo a Verdade sido revelada, através da humanidade de Cristo, por que motivo, agora já nem tão ignorantes assim, permaneceria essa mesma humanidade retida nesse estado penal, impedida de seguir-lhe os preceitos, submetida de algum modo necessário ao hábito carnal em si enraizado através de sua herança de mortalidade? E na verdade, esse próprio hábito carnal, como dito antes, não criou raízes na criatura mortal senão como consequência do pecado daquele casal, que tornou todos os seus herdeiros como que prisioneiros de seu pecado. Se isso se coaduna com o ideal de Justiça divina ou não, é o que ruminam os suprarreferidos murmuradores, aos quais Agostinho pretende doravante responder.

## Estado penal: preponderância da mentira e das inclinações sensuais

**181.** A – Aos quais brevemente se responde que fiquem quietos[457] e desistam de murmurar contra Deus! Pois talvez se queixassem retamente, se nenhum dentre os homens saísse vencedor[458] do erro e da inclinação sensual.

Embora se possa considerar bastante razoável a pergunta suprarreferida, sobre as responsabilidades da humanidade pelo pecado de um só, Agostinho os acusa de murmuradores injustos, os que não reconhecem o fato de que ao menos algumas dentre as criaturas todas se saem bem diante do estado de ignorância e de dificuldade em que nasceram, o que faz supor tal "salvação" seja de fato possível. Mas primeiro vale destacar a associação entre a ignorância (do bem, ou do reto fazer) com seu contrário, ou sua consequência, o erro; depois entre a dificuldade de implementar o bem de que se tomou alguma ciência, com a inclinação sensual, ou seja, entre a boa e a má vontade. Pois bem, assim como a ignorância leva ao erro, assim também a dificuldade, à inclinação sensual; ou, dito de outro modo: em virtude do estado penal de ignorância, vê-se a criatura prisioneira do erro; em virtude da dificuldade de agir retamente, ela é escravizada e flagelada pelas inclinações de ordem sensual. Logo esse estado penal de ignorância e dificuldade pode ser referido igualmente como um estado

---

457 Ou ainda: "que se calem!".

458 Quer dizer, "se saísse vitorioso contra o erro e contra a inclinação sensual".

de predomínio do engano e da mentira, que são adversários da Verdade, e da inclinação sensual, que é inimiga da boa vontade; numa palavra, um estado de predomínio dos erros e das *libidines.* Porém, apesar dos erros ou enganos e dos desejos incontroláveis, alguns há que se salvam, que conseguem não apenas conhecer a verdade, mas também praticá-la, o que seria motivo suficiente, argumenta com certa autoridade Agostinho, para crer que a herança do pecado adâmico não seja tão irreparável, podendo de algum modo ser superada.

## Primeiras badaladas: o sino da Graça!

**181.** A – [...] Na verdade, porque seja ubiquamente presente aquele[459], que, de muitos modos, através da criação que o serve como seu Senhor, [i] chame o avertido, [ii] ensine o crente, [iii] console o esperançoso, [iv] exorte o amante diligente[460], [v] ajude o esforçado, [vi] atenda o deprecante[461]...

O modo como algumas criaturas em estado penal conseguem superar o ludíbrio do erro e a tirania das inclinações sensuais, diz Agostinho, fazendo tinir, ainda que de modo bastante tímido e sussurrante, o bronze da Graça que há de ecoar por todo Medievo e além, tem origem de certo modo externa, apesar de ser deflagrado a partir de dentro. Com efeito, a vitória de alguns sobre o estado penal de ignorância e dificuldade se justifica pela presença ubíqua do Senhor da criação, seja pela intervenção de suas palavras de Sabedoria, o Verbo encarnado, Cristo Jesus, seja pela inspiração de seu Amor, o Espírito santo da Verdade, seja pelo poder de sua Graça reparadora, que se manifestam, de modo uno e trino, através das próprias criaturas, utilizadas triplamente como instrumentos, de muitos e inumeráveis modos distintos, dentre os quais cita o autor: [i] vocação do avertido à conversão; [ii] instrução do que já crê; [iii] consolo do que espera com fé as promessas; [iv] exortação do que ama com diligência; [v] auxílio do que se esforça com afinco; e [vi] audição atenta das súplicas. Portanto, além de estar em toda parte, Deus chama de volta à conversão, como a pródigos filhos, os que lhe voltaram as costas, ensina os que creem e não compreendem, consola os que sustentam as esperanças, a fim de que não desfaleçam ante a morosidade da espera, exorta ao amor cada vez maior os que se entregam à caridade diligente, presta socorro infatigável aos que se esforçam

459 O Deus-Trindade, quer como Pai, quer como Filho, quer ainda como Espírito.
460 Liter.: "o que ama" (*diligens*). Cf. verbetes *amo, adamo, diligo* no Léxico T-F.
461 Liter.: "ouça [as súplicas do] que depreca".

com sinceridade, além de ouvir e atender as súplicas sinceras de todos. Por isso, argumenta Agostinho, embora a posteridade de Adão tenha nascido nesse estado penal de ignorância e dificuldade, que reclama injustamente de injusto, ainda assim pode evadir-se das trevas do erro e da sujeição da *libido*, pois não está desprovida jamais da onipresente bondade prestativa do Criador. Embora essa bondade ainda não tenha sido chamada de *gratia*, não tardará a sê-lo, pois nenhum desses "gestos" do Criador podem ser considerados devidos, e sim completamente gratuitos.

## Os dois verdadeiros pecados: negligência e desprezo

> **181.** A – [...] não se te imputa culpa pelo que ignoras invito, mas pelo fato de que negligencias buscar saber o que ignoras, nem porque não coliges os membros vulnerados, mas porque desprezas aquele que te quer sanar[462]; esses são os teus próprios pecados.

Improcedentes, portanto, as queixas remoentes dos que murmuram contra a Justiça divina, pois ninguém está privado de suas providências dadivosas. Pelo contrário, a ignorância, embora seja característica desse estado penal, não lhe é de modo algum imputada à conta de pecado, desde que se trate de uma ignorância involuntária, não de algo que se não procurou conhecer, embora fosse possível investigar. O pecado das almas, pois, não é desconhecer, ou seja, ter nascido nessa condição penal involuntária, mas não querer conhecer, não esforçar-se por sair da cova trevosa da ignorância para conhecer a Verdade, nem esforçar-se por praticar as ações retas que possam ser conhecidas por intermédio dessa Verdade. Ademais, não se lhe imputa à culpa se não logre reunir os membros feridos e dilacerados, mas se recuse a medicina daquele que quer curá-lo. O exemplo, para o leitor de hoje, não é dos mais evidentes, ao menos em sua primeira parte, embora a segunda indubitavelmente refira-se à aceitação de Cristo e à confissão de fé em sua Encarnação salvadora. Porém a primeira, referente às feridas corpóreas, que não constitui pecado não ser capaz de coligir, resta um tanto obscura. Não poucas vezes Agostinho referiu-se aos desejos de ordem sensual como potências dilaceradoras, que dissipam as energias da alma, dispersando-as para todos os lados, como animais famintos, cada um atrás de

[462] Liter.: "[...] o que tu ignoras, invito, não te é imputado à título de culpa, mas [te é imputado à culpa] o fato de que negligencias buscar saber o que ignoras, nem [te é imputado à culpa] o fato de que não ajuntas os membros feridos, mas [te é imputado à culpa] o fato de que desprezas aquele que *te* quer sanar".

sua própria presa, dispersão essa que só a virtude da continência, dom divino, poderia corrigir, fazendo retornar à unidade a alma despedaçada[463]. Embora uma tal leitura seja possível, ainda assim resta um tanto obscura, não sendo suficientemente endossada pelo próprio texto. Não murmurem, pois, contra o Criador os ruminantes, reconhecendo que o estado penal de ignorância não é imputável à criatura, à conta de pecado, nem o de dificuldade em operar o bem, pois seria muito injusto um Criador que condenasse sua própria criatura por algum defeito involuntário, através do qual nada teria feito para merecer penalidade qualquer. Seu pecado, porém, consiste na negligência em não procurar conhecer o que deveria e poderia, o bem que se lhe revele, além de recusar a medicina salvadora que lhe pode curar. Portanto nem ignorância, nem dificuldade, mas negligência do conhecimento, que o mantém preguiçosamente nas trevas do erro, e desprezo da medicina salvadora, que o mantém incapacitado para temperar suas inclinações sensuais.

## O erro da ignorância e o labor da dificuldade

> **182.** A – Pois a nenhum homem foi retirado que buscasse utilmente ter ciência do que inutilmente é ignorado, e humildemente confessasse sua fraqueza...

Portanto a ignorância do bem e a dificuldade de temperar as inclinações sensuais, cujas consequências são a inumação nas trevas do erro e da mentira, distante do convívio com a Verdade, de par com a escravidão tormentosa dos desejos insaciáveis, embora sejam condições penais, não são pecados, pois não se cometem voluntariamente, uma vez que já se nasce com essas deficiências. E se não se praticam pela vontade, não podem ser consideradas como pecados, ou antes, como supradito, não se imputam à conta de pecado. Porém, visto que as criaturas recebem inúmeros dons do Criador, como o chamamento à conversão, a instrução, o consolo, a exortação, e toda sorte de socorro, Criador que jamais deixa de lhes ouvir e atender as súplicas, a criatura se faz pecadora por outros motivos, sem dúvida justos: negligência e desprezo. De fato, não seria nada equitativo que se lhe imputasse a

---

463 Cf. *Conf.* 10,29,40: "... através da continência somos coligidos e reconduzidos para a unidade, longe dela descaímos para a multiplicidade" (*... per continentiam quippe conligimur et redigimur in unum, a quo in multa defluximus*); *ibid.* 2,2,2: "E ia para mais longe de ti, e tu permitias; e era arremessado, e dispersado, e me dissipava, e entrava em ebulição por causa das minhas fornicações" (*et ibam longius a te et sinebas et iactabar et effundebar et diffluebam et ebulliebam per fornicationes meas...*).

ignorância e a dificuldade, uma vez que tais estados, conquanto penais, lhes são congênitos e involuntários. Porém nada injusto que se lhes imputasse à culpa tanto a negligência quanto o desprezo da salvação, quando desconsiderassem o chamamento à conversão, fugissem à instrução, rejeitassem o consolo, repelissem a exortação, numa palavra, pecassem, afastando desdenhosamente para longe de si a cura ofertada pelo Médico celestial. E se a ninguém a Bondade divina recusa seu socorro, não se deve imaginar que os estados penais de ignorância e dificuldade obstem irremediavelmente o conhecimento útil daquilo cuja ignorância não lhes guarda utilidade alguma. Do mesmo modo não se deve imaginar que a Justiça divina rejeite sua subvenção caridosa e misericordiosa a toda criatura que confesse humildemente sua fraqueza, reconhecendo sua condição de criatura inferior, conferindo-lhe o conhecimento necessário do Bem e da Verdade, para que seja capaz de sobrepor-se, tanto quanto lhe seja útil e necessário à sua salvação, ao estado penal de ignorância em que veio ao mundo, evadindo-se do erro e da mentira perniciosos, além de suprir-lhe com o dom da continência necessária e útil à temperança de suas inclinações sensuais despóticas. Portanto, se procure com humilde perseverança conhecer a Verdade e se confesse sua fraqueza, recebe os dons do conhecimento necessário e da capacidade suficiente para temperar suas inclinações sensuais tirânicas.

**182.** A – [...] que ao que busca e confessa subvencione aquele, que nem erra enquanto subvenciona, nem labora [com dificuldade][464].

Se confessar a criatura humildemente sua fraqueza, diante das dificuldades da condição penal em que se encontra, de par com sua ignorância, porém sem deixar de procurar conhecer a Verdade, insistentemente, além de não negligenciar a cura oferecida divinamente, receberá seguramente os dons daquele que subvenciona sem erro e sem qualquer labor. Trata-se essa última frase, elaborada num canoro paralelismo, de um contraponto sutil, que somente uma leitura cuidadosa do original latino faculta compreender, entre a dificuldade penal da criatura e a completa ausência de dificuldade

[464] Quer dizer, "nem padece as dificuldades do labor". Note-se que o v. latino *laborare* não necessariamente significa "trabalhar", em sentido positivo e virtuoso, e sim padecer o incômodo do esforço físico, como se costuma referir ao "trabalho de parto" das mulheres, por exemplo. Portanto algo mais sacrificial que prazeroso, cuja gratificação é fruto da paciência e da perseverança com que se suporta a fadiga laboriosa.

do Salvador. De fato, se a criatura tem dificuldade para fazer o bem que deseja, Cristo não padece esforço algum para subvencioná-la. Por outro lado, se a criatura sofre a ignorância penal de sua condição, Cristo é aquele cuja ajuda está acima de qualquer ignorância, pois sua ciência é perfeita, isenta de qualquer erro. Portanto ao erro da ignorância penal contrapõe-se a Verdade daquele que subvenciona sem erro algum; e à dificuldade da vontade humana, que sofre as dores inesgotáveis dos trabalhos "de parto" do combate contra a tirania das inclinações sensuais, em si profundamente arraigadas pelo hábito carnal de sua condição mortal, contrapõe-se o dom daquele que subvenciona sem qualquer fadiga. Portanto, se a condição penal expõe a criatura à dificuldade e à ignorância, não está irremediavelmente perdida nas trevas e na tibieza, porque seu Salvador é a Verdade sem erro e a Fortaleza sem qualquer fadiga, cuja Sabedoria basta não negligenciar, e cuja fácil Subvenção basta não desprezar, pelo que nenhum remoer murmurante se tem por justificável, não sendo interdita a evasão da condição penal decorrente do pecado do primeiro homem.

## 3,19,54,183. Quando ignorância e dificuldade se dizem "pecados"

**183.** A – Com efeito, aquilo que, ignorando, alguém não faz retamente, e o que, querendo retamente, não pode fazer[465], se dizem "pecados" por isso, porque derivam sua origem daquele pecado da vontade livre[466].

Nascer ignorante do bem e incapaz de praticá-lo, sujeito às inclinações sensuais devido à mortalidade da carne, herança da danação do primeiro casal, além de ser uma condição penal, involuntária, em que toda a humanidade, desde Adão, se viu precipitada, agora se diz também "pecado", pelo simples motivo de derivar sua origem (*originem ducere*) daquele mesmo pecado original, que não poderia senão ser um pecado da livre vontade, do contrário, fosse involuntário, nem seria pecado. Assim sendo, embora nasçam mergulhados na ignorância do bem e na dificuldade de praticá-lo, o que se depreende como algo involuntário, os pós-lapsários rebentos do conúbio transgressor se dizem, precisamente por causa dessas duas penalidades, pecadores. Mas, por quê?!

---

[465] Refere-se às condições penais da ignorância e da dificuldade.

[466] O pecado do primeiro homem, que livremente comeu do fruto proibido.

## O preço da antecedência é a consequência

**183.** A – [...] Pois aquele [pecado] precedente mereceu[467] esses consequentes[468].

A justificativa, ao que parece, funda-se na noção jurídica de "mérito", o salário devido pelo ato praticado, cujo "preço" (*merces*) presume-se tenha sido acordado antecipadamente entre as partes. Ora, quem precede é o primeiro conúbio, para cujo pecado, comer da árvore proibida, perpetrado de livre e espontânea vontade, o Criador havia estipulado claramente um preço determinado e aparentemente inegociável: "morrer de morte" (θανάτῳ ἀποθανεῖσθε)[469]. Ato cometido, salário devido! O primeiro casal transgride a norma determinada, transgressão cujo preço havia sido claramente estipulado, contraindo uma dívida com o doravante Credor divino. Se é correto dizer que o Credor merece a restituição correspondente à dívida contraída, igualmente correto dizer que o conúbio transgressor merece o salário estipulado no contrato. O preço a ser restituído ao Credor e Criador divino, como exposto antes por Agostinho[470], é a natureza reparada, conforme foi doada à criatura, numa palavra, a humanidade deve-lhe o bom uso da vontade livre que foi corrompida pelo vício do pecado. O preço merecido ao conúbio transgressor é a morte, como estipulado em contrato previamente acertado entre as partes. Pecou, deve tornar-se mortal. O precedente, portanto, é o pecado original, cuja transgressão acarretou o consequente, que, precisamente por isso, também se chama "pecado", a condição penal, que é mortal. A consequência dessa "morte", como tem sido dito, para além do primeiro casal, cuja morte se perde nas brumas do tempo quase mítico, é que sua descendência, nascida dessa e nessa mesma condição, envelopada num invólucro mortal, sujeito a todo tipo de necessidades naturais prementes,

---

467 O verbo "merecer" (*mereo, meritum*) deve ser compreendido aqui em seu sentido primeiro, de preço ou salário – devido, e por isso merecido – por algum serviço prestado ou por ato cometido, seja este considerado moralmente bom, ou não. Cf. **2**,16,43,170; **3**,15,42,145; 43,149-150; 45,155. Vejam-se também os verbetes *mereor, merces* e *meritum* no LÉXICO T-F.

468 Liter.: "que seguem" ou "sequentes". Portanto a ignorância e a dificuldade se dizem pecado apenas de modo indireto, quando não, impróprio, porque são consequências, ou resultados, do pecado de livre vontade cometido pelo primeiro casal paradisíaco.

469 Gn 2,17 *iuxta* Vulg.: *"morte morieris"* (תוּמָת תוֹמ). Esse hebraísmo, como se vê também na expressão superlativa amiúde utilizada, "rei dos reis" (אֲיִכָלְמ.ךְלֶמ // βασιλεὺς βασιλέων), pode ser compreendido como um reforço intensificador, no sentido de garantir que a morte será inevitável.

470 Cf. 3,15,42,144-16,45,155.

torna-se, pelo hábito contraído através das sucessivas gerações de sua descendência, tão mais atada à carne e às suas necessidades, quanto mais prazer deriva de sua satisfação, fazendo-se cada vez mais íntima da morte e desconhecida de Deus. A ignorância e a dificuldade, consequências desse estado mortal e dessa íntima união carnal, se dizem pecados porque não apenas representam a condição da descendência adâmica, que se tornou carnal e naturalmente concupiscente, mas porque são o preço contraído pela ruptura contratual com o Criador, uma dívida contraída que não poderia excluir, com natural justiça, todos os frutos da árvore contaminada do primeiro casal. De fato, se a natureza do primeiro casal corrompeu-se com o vício do pecado perpetrado livremente, nada mais natural que seus frutos todos, como se saíssem de uma árvore infectada, nascessem em condição analogamente corrompida. Não se trata de punir injustamente os pomos supostamente saudáveis de uma árvore apodrecida, mas apenas de constatar que, estando sua raiz imersa em solo insalubre, e deteriorada, contaminando sua própria seiva, não haveria como serem bons o frutos que lhe fossem gerados, o que só poderia ocorrer se a árvore fosse "podada" e "replantada", por assim dizer, num solo fértil e incontaminado, até que sua seiva fosse purificada e tornada sã novamente.

Portanto não convém falar de injustiça, uma vez que o preço foi estipulado claramente por antecipação entre as partes, às quais resta apenas aceitar as consequências detalhadas em contrato. Destarte, se uma das partes diz à outra que o preço da transgressão é a mortalidade, sancionada a pena, como esperar algo além do que foi estipulado? Numa palavra, como aceitar que de um casal mortal nascessem frutos imortais? Se o preço do pecado era a morte, justo nascessem frutos mortais de uma árvore tornada mortal. A ignorância e a dificuldade, por sua vez, são apenas consequências, inevitavelmente naturais – escusada seja a redundância –, dessa mortalidade, pois não se pode imaginar que um ser, cujo espírito esteja preso à carne, possa conhecer plenamente as coisas do espírito, nem supor que o mesmo espírito, sujeito às necessidades de natureza carnal, possa, enquanto na carne, superá-las totalmente, como se pudesse viver sem beber, comer ou satisfazer outras tantas urgências da natureza de seu invólucro, sem deixar-se influenciar por ele. O exagero e a desmedida, como Agostinho deu conta de dizer ao falar da avareza[471], apenas recrudesce ainda mais a relação, tornando a alma, que por natureza está sujeita aos desejos da carne,

[471] Cf. 3,17,48,166.

espontânea e intimamente "viciada" nessas inclinações de ordem sensual, que deveria conter, tanto quanto lhe fosse possível, se bem que a continência indefectível e o predomínio absoluto sobre a carne sejam dons sobrenaturais, de que se pode esperar apenas uma certa medida nesta vida.

## 3,19,54,184. A consequência do pecado é também pecado

**184.** A – De fato, assim como dizemos "língua" não somente o membro que movemos na boca enquanto falamos, mas também o que se segue[472] ao movimento deste membro, isto é, a forma e o teor[473] das palavras, segundo o qual modo se diz que uma língua é grega, outra, latina...

Curiosa a analogia elaborada pelo rétor para explicar o estatuto de "pecado" devido à condição penal de ignorância e dificuldade, defeitos, por assim dizer, que acossam as criaturas racionais nascidas neste mundo a partir do pecado de origem. Duas eram as acepções comuns do vocábulo latino *lingua*: primeiro referia-se ao órgão muscular apenso à boca e à faringe; depois ao discurso, o sistema simbólico utilizado para comunicar-se e expressar-se, para não ir além dessa rudimentar definição. Pode-se compreender, ainda que de modo igualmente deficiente, a fala como sendo a faculdade do músculo lingual de produzir discurso. Portanto a língua seria o instrumento, a fala o processo, e o discurso o produto, por assim dizer. Pois bem, Agostinho parece utilizar-se da relação entre esses sentidos, especialmente entre "órgão" e "produto", derivados do vocábulo *lingua*, para supostamente dar conta de justificar o motivo por que se denomina "pecado" a condição penal da humanidade, embora apenas seus progenitores tenham de fato cometido o ato livremente arbitrado que assim se define. De fato, se um mesmo vocábulo, como "língua", pode ser utilizado para exprimir duas coisas distintas, seja o órgão muscular do interior da boca, utilizado para a fala, seja aquilo mesmo que é produzido por intermédio dele, a fala, cujo produto é a língua enquanto sistema, uma analogia com outro termo, como "pecado", só se faz possível, sendo os vocábulos cotejados distintos, se a relação entre eles for semelhante, estabelecendo algum tipo de paralelo. E qual seria então essa relação, entre a língua-músculo e língua-sistema ou língua-fala – pouco importa a distinção –, que permita sua utilização como

---

472 Quer dizer, o que é consequência do movimento da língua na boca.

473 Teor (*tenor*), seja como "conteúdo", que se opõe à forma, seja como movimento contínuo das palavras na frase, que constitui a língua, sistema simbólico de comunicação, como a entendiam os antigos.

argumento para justificar a relação entre pecado como ato voluntário praticado e pecado como estado penal involuntário? Para a ciência do tempo de Agostinho, ao que parece, pois não se deve recorrer aos conhecimentos de anatomia contemporâneos para tentar interpretar uma metáfora do século IV, a língua-músculo bucal compreendia-se não apenas como instrumento, mas também "causa" da língua-fala, ou mesmo da língua-sistema de comunicação, que seria seu produto, ou consequência, por assim dizer. Assim sendo, tem-se na primeira parte da analogia uma relação de tipo causal, instrumento-produto, ou, quando não, causa-consequência.

**184.** A – [...] assim também dizemos "pecado" não somente aquilo que é chamado propriamente de "pecado", porque é cometido através da vontade livre e por quem tem ciência[474], mas também o que agora é necessário seja a consequência do castigo dele.

No caso de *peccatum*, vocábulo derivado do verbo *peccare*, que em sua origem significava um simples "erro", ou mesmo "um passo dado em falso"[475], como o definem Ernout e Meillet, a partir do sentido encontrado no poeta Horácio[476], Agostinho acresce uma nova opção ao seu paradigma lexical, atribuindo-lhe uma significação inusitada. Pois bem, o primeiro sentido de "pecado" está compreendido tanto no acervo da língua latina de modo geral, como no patrimônio lexicográfico da teologia cristã, como aquilo que se pratica espontaneamente, através do arbítrio livre da própria vontade, um "erro", portanto. O pecado, nesse sentido primeiro, deve então ser cometido de modo voluntário por algum ser dotado de razão, que seja capaz de arbitrar sua vontade, do contrário tem-se apenas um apetite, como se vê nos animais irracionais. Porém, para além desse sentido vulgar, mas dele diretamente derivado, atribui o rétor um outro, inesperado, de "consequência", porém não algo que se segue ao pecado em si, mas o que se segue ao castigo merecido pelo pecado. Neste segundo sentido, por

474 Liter.: "por um [indivíduo] ciente" (*ab [aliquo] sciente*).

475 F*aire un faux pas.*

476 Horácio, *Epistulae* I, 8-9: "... deixe ir o senescente corcel, sensato*, no tempo certo, para que não tropece ao fim, **risível, e arqueje." (*solue senescentem mature sanus equum ne peccet ad extremum ridendus et ilia ducat*). Cf. Ernout e Meillet, *op. cit.*, 1939, p. 745. *Horácio provavelmente está referindo o adjetivo *sanus*, que está no nominativo, a si mesmo, que teria sido aconselhado a parar de escrever no momento oportuno, ou maduro, o que seria "sensato", ou "saudável" (*sanus*), para não fazer como o cavalo velho, que acaba "pecando", ao tropeçar, porque não foi aposentado a tempo; isso, posto que o caso esperado para o adjetivo aqui fosse o vocativo. **Quer dizer, sendo caçoado, pelo ridículo do tropeço.

conseguinte, o pecado não consiste no ato moral arbitrado livremente e voluntário, mas nas consequências da penalidade que se seguem à sua perpetração. Logo diz-se "pecado" também a própria condição de ignorância e de dificuldade em que nasce a humanidade, condição penal consequente do pecado do primeiro conúbio. Embora tenha sido criada uma nova definição para o termo, a analogia se mostra eficaz, uma vez ter sido assentada não no parentesco entre os sentidos comuns dos vocábulos "língua" e "pecado", mas nas relações de causa e efeito entre os dois sentidos assumidos de cada um dos termos. De fato, assim como a língua-sistema é consequência da língua-músculo, do mesmo modo o pecado-pena (de ignorância e dificuldade) é consequência do pecado-malfeito (cometido livremente pelo arbítrio da vontade); ou então, em sentido contrário: assim como a língua-músculo é causa da língua-fala, assim também o pecado-malfeito (do primeiro conúbio) é causa do pecado-condição penal (de toda a humanidade). E do mesmo modo como entre a língua-músculo e a língua-sistema há a língua-fala, assim também entre o pecado-malfeito (voluntário) e o pecado-condição penal (de ignorância e dificuldade) há o pecado-castigo (de morte), pois, como dito, a condição penal de ignorância e de dificuldade é consequência da pena de morte e do enraizamento do hábito carnal que se sucederam como punição do pecado de origem.

## 3,19,54,185. Filhos da ira, por natureza

**185.** A – Assim também dizemos a própria "natureza" de um [certo] modo, quando falamos propriamente da natureza do homem, na qual primeiro, em seu gênero, ele foi feito inculpável; de outro modo [diferente, quando referimos] esta, na qual, a partir da pena daquele condenado[477], nascemos não apenas mortais, mas também ignaros e súditos da carne[478], de acordo com o qual modo é que diz o apóstolo: "Pois fomos também nós naturalmente filhos da ira, assim como os restantes."[479].

Estendendo um tanto mais a analogia para além da díade língua-pecado, Agostinho inclui a própria "natureza" da criatura, em seu "duplo" significado. Primeiro a natureza recém-saída das mãos do Artífice divino, obviamente

---

477 Liter.: "danado", em referência ao primeiro homem. O latim prefere o substantivo *damnatio*, ou até mesmo *damnum* (termo jurídico), para referir a própria condenação; daí ser clara aqui a referência ao condenado, *damnatus*, e não à condenação.

478 Quer dizer, "submetidos aos prazeres da carne".

479 Ef 2,3. "καὶ ἤμεθα τέκνα φύσει ὀργῆς ὡς καὶ οἱ λοιποί.".

sem qualquer pecado, consequentemente sem que se lhe impute culpa alguma (*inculpabilis*). Segundo a natureza após o pecado, natureza corrompida e culpada, a partir da herança mortal do primeiro condenado, Adão. Se a primeira era inculpável, pelo que imortal, ciente do Bem em grau suficiente para praticá-lo, e senhora de sua própria vontade; a segunda se diz culpável, pelo que mortal, ignara e súdita da carne. Contrapõem-se, pois, alguns atributos importantes, relativos à natureza criada: ciência, autonomia da vontade, culpa e mortalidade. No primeiro caso nenhuma culpa há, o que significa que nenhum débito com o Criador foi contraído e a natureza está como se "saída da fábrica", do modo como deveria; e se não houve pecado, tampouco houve condenação, cuja pena terá sido a morte; logo a natureza nesse estado paradisíaco pré-pecado manteve-se, presumivelmente, imortal; ademais, se nenhum pecado e nenhuma condenação houve, nem sua vontade foi corrompida, permanecendo essa natureza criada senhora de seu próprio querer, em livre, estável e inconcussa aderência ao Bem comum e imutável; e por isso não se enraizou nela qualquer hábito carnal, dificultando-lhe o reto agir; e por fim, porque se encontra nesta intimidade com o Criador, partilha de sua Sabedoria e de sua Verdade, sendo tão mais conhecedora de si e do Bem, quanto mais próxima desse mesmo Bem se encontre. Já a natureza que pecou, ao contrário, além de ter corrompido sua vontade, sofrendo a pena de morte, e por isso deixando de ser imortal, afastou-se do Bem supremo, tornando-se tanto mais incapacitada de conhecer o Bem, quanto mais dele averteu sua vontade, a qual, como consequência da herança de mortalidade, viu em si enraizada mais e mais a tenacidade do hábito carnal, que se tornou uma espécie de segunda natureza, fazendo com que a alma se apegasse cada vez mais a tudo aquilo que excitava suas inclinações sensuais. Todas essas características da natureza nesse estado penal: mortalidade, ignorância e dificuldade da vontade, seguindo o padrão causa-consequência da analogia anterior, entre língua e pecado, se sucedem como resultante dos movimentos desordenados daquela primeira natureza, impecável, imortal e autônoma. Portanto, assim como há dois sentidos para o vocábulo "língua", um resultante do outro, e dois para "pecado", um consequência do outro, há também dois sentidos para o termo "natureza", um rebento do outro, em conformidade com o que diz o apóstolo Paulo, que somos todos, por natureza, a progênie da ira. E "por natureza" (φύσει), diz o apóstolo, porque a herança de mortalidade da criatura carnal não pode engendrar a imortalidade, o que seria contrário à sua

própria natureza; "da ira" (ὀργῆς), diz, porque esse estado penal de pecado decorre da condenação da Justiça divina; e "filhos" (τέκνα), por fim, porque rebentos todos de um mesmo tronco.

### 3,20,55,186. Entre a Justiça do Moderador e a Misericórdia do Mediador

> **186.** A – [...] visto que nascemos daquele primeiro conúbio não apenas com ignorância, mas também com dificuldade e mortalidade, uma vez que eles[480], porque houvessem pecado, foram precipitados não apenas no erro, mas também na provação[481] e na morte...

O *status* penal da humanidade pós-Adão caracteriza-se: [i] primeiramente por sua mortalidade, pena que foi imputada ao primeiro casal por sua desobediência, e com ele, a toda sua descendência; [ii] em seguida pelas condições de ignorância do Bem e [iii] de dificuldade em cumpri-lo, dificuldade que se faz aparente na ineficácia de sua vontade. Portanto: mortalidade, ignorância e dificuldade, três penas, das quais as duas últimas decorrem da primeira, a condição mortal, como dito antes. E as três se dizem pecados também, ainda que de modo derivado e impróprio, porque consequência do pecado de origem. Toda a humanidade, portanto, descendência do primeiro conúbio, nasce nesse estado penal, com a pecha de pecadora, como consequência do pecado primordial, cuja consequência imediata, para o primeiro casal, foi a precipitação [i] na morte, [ii] no erro e [iii] na provação. Logo a precipitação de Adão e Eva na morte causou a condição de mortalidade de toda a sua descendência, assim como sua queda no erro, que é a ignorância, e sua fadiga na provação, que é a dificuldade.

> **186.** A – [...] aprouve de modo justíssimo ao Moderador[482] das coisas, Deus, que não apenas no surgimento[483] do homem originalmente aparecesse a Justiça do que pune, mas também no seu progresso, a Misericórdia do que liberta[484].

Isso se deu, explica Agostinho, por dois motivos fundamentais, que se tornarão duas enormes colunas de seu pensamento acerca do Ser inefável: Justiça

[480] Refere-se a Adão e Eva.

[481] Também "desventura".

[482] Moderador, neste caso, é aquele que mantém tudo na "medida" (*modus*) apropriada, que "ajusta" (*moderor*) todas as coisas, mantendo a ordem e o decoro.

[483] Na "origem" ou "nascimento" (*orior, ortus*), como se dá no caso do Sol, por exemplo.

[484] A Justiça do Pai e a Misericórdia do Filho.

e Misericórdia, que, ao menos para a razão humana, revelar-se-ão absolutamente inconciliáveis, constituindo um dos mais fecundos oximoros de toda tradição cristã[485]. Pois bem, visto a descendência de Adão ter nascido submersa na ignorância do Bem e na dificuldade volitiva de experienciá-lo, além de mortal, o que a mantém afastada de sua eternidade imutável, aprouve ao próprio Bem supremo, Deus, que não por acaso aqui é referido como aquele que modera (*moderor*), que equilibra todas as coisas, imprimindo-lhes sua justa e perfeita medida (*modus*) e preservando a Ordem retíssima (*ordo rectissimus*) da universalidade da criação, enfim, aprouve a esse Moderador, desde a criação do primeiro homem, mostrar sua Justiça inabalável, explícita na punição, mas também, com o progresso de sua descendência, mostrar igualmente sua gratuita Misericórdia, explícita na salvação operada por Jesus Cristo, além de outros tantos modos ocultos, e nem tão ocultos assim. De fato, embora fosse justíssimo que a criatura restituísse o preço de morte por seu pecado, segundo o que as partes haviam contratado, cujas consequências, pelo afastamento do Bem e pelo hábito carnal enraizado, foram a ignorância e a dificuldade, era igualmente misericordioso que esse mesmo Moderador prestasse auxílio a essa criatura devedora, a fim de que conseguisse restituir o que recebera, o bom uso de seu livre arbítrio, sem cujo auxílio seria doravante impossível que fosse restituído o preço de que era credor. Portanto, se o fio de aço da espada da Justiça de Deus, o Pai e Moderador, resplandeceu com toda sua fria equidade na condenação do pecado de origem do primeiro casal e na consequente condição penal de sua descendência, o coração da Misericórdia de Cristo, o Filho e Mediador, por outra, pulsou escarlate, insuflado de todo seu amor, na libertação de seus descendentes da morte, da ignorância e da dificuldade.

Justiça e Misericórdia, portanto, dois pesos da mesma Medida, o Bem supremo, quem mantêm em perfeito equilíbrio a Ordem universal. Se sobre um dos pratos da balança da Justiça se deposita o peso do pecado, no outro, o da pena correspondentemente equitativa; porém na balança da Misericórdia, por assim dizer, se deposita igualmente o peso do mesmo pecado em um dos pratos, para que no outro se deposite não o fardo do castigo, mas o "jugo suave"[486] do perdão. As duas balanças, contudo, equilibram-se cada qual em um dos pratos de um outra Balança, se se pode dizê-lo, infinitamente maior e mais abrangente, a balança do Bem inefável: dois pesos que se contrapõem, de modo

485 Cf. *Conf.* 1,4,4: *"reddis debita nulli debens, donas debita nihil perdens"*.

486 Cf. Mt 11,30.

aparentemente paradoxal, mas que na mediação do Mediador supremo, cuja Medida perfeita é incompreensível, repousam em harmônico e estável equilíbrio. Portanto, se a Justiça do Deus-Moderador parece demasiado austera em virtude de sua gélida impassibilidade, que condena aparentemente sem mérito, a Misericórdia do Deus-Mediador compensa-lhe a rijeza metálica, perdoando com o calor macio da compaixão, também aparentemente sem mérito, num mecanismo tanto mais insondável quanto misterioso.

## A prole de Adão: decoro e ornamento

**186.** A – [...] ao primeiro homem, condenado, não lhe foi retirada a felicidade, de modo que também se lhe retirasse a fecundidade, pois era possível também que algo da prole dele, em seu gênero, se bem que carnal e mortal, se fizesse decoro[487] e ornamento do mundo terreno[488].

Embora condenado, o primeiro casal não foi de modo nenhum privado da presumível felicidade de gerar uma prole, sendo-lhe preservada a fertilidade, porque, como dito amiúde[489], posto que carnais e mortais, as criaturas racionais, que são, vivem e inteligem, estão muito acima das demais na escada das naturezas, cooperando para a beleza e ornamentação da universalidade, ainda que pequem. Portanto Deus permitiu que o primeiro casal mantivesse alguma alegria em sua vida, mantendo-lhe a perspectiva de gerar descendência, como de fato se deu, pois, embora sua prole nascesse em condição penal, condenada à mortalidade da carne, cega pela ignorância do Bem e ineficaz para pô-lo em prática, ainda assim, enquanto naturezas, dotadas de ser, vida e inteligência, poderiam os rebentos adâmicos cooperar para a ornamentação do conjunto universal da criação.

## 3,20,55,187. De um mau pai, nunca um filho bom

**187.** A – E depois não era próprio da equidade que [o primeiro homem] gerasse [descendentes] melhores do que ele próprio fosse.

---

487 No sentido de embelezamento, adequação, quer em sentido físico, quer moral.

488 Liter.: "das terras" (*terrarum*), o que se refere apenas à criação terrena, excetuados o céu e seus ornamentos próprios, como as estrelas e astros todos. O homem está sendo referido aqui apenas enquanto ornamento do mundo "terreno" em que vive, nada obstante ser considerado superior a qualquer corpo celeste, pois além de ser e viver, igualmente intelige, o que de nenhuma estrela se pode dizer.

489 Cf. 3,9,27,96-28,103; 11,32,113-12,35,124.

De par com o argumento apresentado acima, de que Deus teria permitido a geração da descendência do primeiro homem, embora condenada por natureza à morte e às suas consequências funestas, a ignorância e a dificuldade, para que ela simplesmente servisse de ornamento para sua criação, apresenta-se agora uma outra razão, por assim dizer, que curiosamente ecoa uma *sententia*, uma máxima latina bastante conhecida, apesar de seu anonimato: *nunquam ex malo patre bonus filius*, cuja tradução literal seria algo como: "Nunca de um mau pai, um bom filho", ou seja, jamais se pode esperar que de um mau pai nasça alguma outra coisa que não um mau filho. Todavia, se desde o início da obra[490] se deixou patente que do bem não pode derivar mal algum, o contrário nem sempre se mostrou verdadeiro[491], já que até dos pecadores Deus deriva algum bem, ainda que um simples ornamento. Neste caso, contudo, embora ressoe o eco da célebre *sententia* latina, o que Agostinho está dizendo ultrapassa em muito o senso comum dos provérbios. Com efeito, se Adão e Eva se corromperam, com vício, afastando-se do Bem supremo, comum e imutável, voltando-se para os bens próprios e mutáveis, precipitando-se na condição mortal, cujos efeitos são a ignorância desse mesmo Bem de que se afastaram voluntariamente e a ineficácia da vontade, que cria enormes dificuldades para a realização desse bem que se deseja tibiamente e quase nada se conhece, como supor, de modo justo, que seus filhos nasçam em condição diferentemente melhor? Se sua descendência foi concebida na carne mortal, como haveria de nascer fora dela, imortal? E se foi concebida pelo impulso natural das inclinações sensuais, como haveria de viver sem esses mesmos impulsos, que em grande medida são necessários à própria conservação da vida corpórea? E mais, como imaginar que conceberia sua própria descendência? Se a condição de seus pais não apenas favorecia, mas de certo modo conduzia coercitivamente à ignorância, como imaginá-los adeptos da Sabedoria eterna e cientes do Bem comum? Logo não seria equitativo, ou seja, não estaria de acordo nem com a Ordem, muito menos com a Medida divina, que a descendência do casal adâmico lhe saísse melhor. O argumento, para muito além do senso comum, é absolutamente lógico e irrefutável: de uma natureza deficiente, não apenas afastada do Bem comum, ignorante e em dificuldade, mas ontologicamente tornada inferior, não seria nada equitativo que nascesse qualquer natureza perfeita[492].

---

490 Cf. 1,1,2,6; 3,9; 4,9,24; 7,17,60.

491 Cf. 1,5,23,35.

492 Essa conclusão obviamente não se aplica à máxima supracitada, pois sabe-se bem que maus pais têm em todas as épocas e culturas gerado filhos melhores, ainda que isso seja considerado infrequente.

## Segundas badaladas: o sino da Graça!

**187.** A – [...] Mas para que alguém vencesse, em virtude de sua conversão para Deus, o castigo que sua origem havia merecido, em virtude de sua aversão, convinha não somente que o querente não fosse proibido[493], mas também que fosse ajudado.

Se a condição penal de ignorância e dificuldade, decorrente da condenação à carne mortal, é impedimento insuperável à reconversão ao Bem comum e imutável e à aversão dos bens próprios e mutáveis, numa palavra, se o pecado, ou mal, é um impedimento inevitável para o retorno da alma pecadora para Deus, a divina ajuda é a garantia de exequibilidade da empresa. A descendência de Adão se diz pecadora, em sentido derivado, como visto acima, por ter nascido nas trevas da ignorância do Bem supremo, incapacitada para querer com eficácia o que sabe, ainda que pouco, que deve querer, e condenada à carne mortal, com todas as consequências impeditivas disso resultantes, o que lhe obsta a conversão. Porém, se a Justiça divina é fria como o aço de um punhal, sua Misericórdia arde de compaixão pela humanidade decaída, jamais deixando uma só de suas criaturas desamparadas de seu socorro, pois, estando presente em toda parte, chama o avertido, ensina o crente, consola o esperançoso, exorta o amante diligente do Bem, ajuda o esforçado, ouve as preces do suplicante[494]. E sem cuja ajuda, diz Agostinho, nenhuma conversão é possível, deixando definitivamente vibrar, desta vez com intensidade duplicada, as segundas badaladas do sino da Graça[495]. Portanto, para que a descendência de Adão supere a pena da mortalidade, e com ela a ignorância e a dificuldade decorrentes, três condições parecem necessárias: [i] querer; [ii] não ser impedido; [iii] e ser ajudado. Destas três, contudo, se a mais importante é a ajuda divina, que desimpede as brumas do erro e compensa a ineficácia da vontade, contudo o próprio querer é pré-requisito essencial.

**187.** A – [...] assim também o Criador das coisas mostra com quanta facilidade teria podido o homem, se tivesse querido, reter[496] o [estado em] que foi feito, visto que a prole dele pôde[497] também superar o [estado em] que nasceu.

493 Quer dizer, "impedido", "obstado".

494 Cf. 3,19,53,181.

495 Cf. 3,19,53,180-182.

496 No sentido de "conservar".

497 Também: "poderia".

E se a prole de Adão, nascida na obscuridade da ignorância, escravizada pelas inclinações sensuais por causa da ineficácia de sua vontade, além de condenada à morte, pode converter-se para o Bem comum e imutável, avertendo-se dos bens próprios e mutáveis, numa palavra, deixando o nada mortal e retornando ao Bem imortal, porque, apesar de todas as suas dificuldades, decorrentes da justa Justiça divina, jamais deixa de ser abraçada pelo socorro gratuito da Misericórdia, prenunciando a Graça divina[498], com muitíssimo mais facilidade poderia tê-lo feito o casal pecaminoso primevo. De fato, antes de ter avertido sua vontade do Bem imutável, Deus, Adão e Eva possuíam uma vontade íntegra e completamente eficaz, além de não estarem sujeitos nem à morte, nem à ignorância, muito menos à dificuldade, decorrente do jugo das inclinações sensuais, pois não estavam contidos num invólucro de carne perecível. Portanto eram muitíssimo mais capazes de ter permanecido no estado impecável em que foram criados, tivessem apenas mantido sua vontade convertida para o Ser supremo e não tivessem acolhido o vício em seu coração, aceitando livremente a sugestão serpentina e com ela a corrupção fatídica de sua natureza. Logo, se era viável no menos, muito mais, no mais, como argumentou Agostinho tantas vezes ao longo desta obra com o subsídio do tópico retórico do grau[499].

## Hipóteses para a transmissão do pecado original
(*ou* Da origem das almas)

### 3,20,56,188-190. A transmissão do pecado e a origem das almas – Introdução

A resposta à pergunta "Se Adão pecou, que culpa temos nós?" era tão mais importante quanto difícil. Importante, porque, se não fosse convincente, não apenas os maniqueus se sentiriam justificados em suas pretensões de inculpar a Deus pelos males da humanidade, autoisentando-se, mas também porque quaisquer esforços de sustentar uma teodiceia cristã redundariam fracassados, sendo impossível conciliar a existência do mal no mundo com a ideia de uma divindade onipotente, onisciente e onibenevolente. Porém, como se depreende da insistência de Agostinho, não era tarefa das mais fáceis convencer

498 Cf. **2**,19,35,122-124; 54,205-206; **3**,3,7,26; 15,42,146; 16,45,154; 19,53,181.

499 Cf. **2**,18,49,186-188; 48,182-185; **3**,4,10,39; 5,14,53-54; 13,37,130; 15,42,144.

da necessidade e da justiça da transmissão do pecado original, sem afetar de algum modo seja a própria Justiça divina, seja a divina Bondade. Para conseguir tal intento era preciso retornar à origem, a fim de procurar compreender de que modo ter-se-ia dado essa transmissão do estado penal em que nascem as almas, estado de ignorância e de dificuldade herdado do pecado do primeiro casal; e "justificar" significa "tornar justo", ou seja, "provar a inocência de alguém", que, neste caso, outro não é senão Deus. De fato, se a herança do pecado de origem não se justifica, como tornar justo o estado penal de ignorância do bem e de dificuldade em praticá-lo, testemunhado e autorizado pelo apóstolo Paulo? E se as conclusões da investigação acerca da origem do mal desaguaram naturalmente no pecado da primeira alma, era preciso agora investigar como esse pecado individual de um só homem transmitiu-se para toda sua posteridade, de modo que as almas nascessem em condição distinta da que ele havia sido feito por seu Criador. Portanto não se trata diretamente de uma investigação acerca da origem das almas, mas do método de transmissão do pecado original, para o que, contudo, era preciso primeiro compreender como elas teriam sido criadas, e de que modo o pecado de seus primeiros pais lhes havia sido transmitido.

## 3,20,56,188. Hipótese I – Transmissão natural: criação das almas por derivação

**188.** A – [...] se uma única alma foi feita, a partir da qual são tiradas as almas de todos os homens que nascem, quem é que pode dizer que não tenha pecado, quando aquele primeiro pecou?

Na primeira hipótese uma única alma teria sido criada no princípio, a alma do primeiro homem, a partir da qual todas as outras teriam sido "derivadas". Neste caso, pergunta retoricamente Agostinho, como não imputar aos restantes homens o pecado cometido pelo primeiro? Para compreender seu raciocínio e não surpreender-se indevidamente com sua indagação, faz-se necessário retomar o que ele disse acima[500], que o vício, entenda-se pecado, implica uma corrupção da natureza. Se assim é, o pecado da primeira alma corrompeu-lhe a própria natureza, de modo humanamente irremediável. Logo, dizer que as almas são retiradas, ou derivadas, de uma única alma, implica dizer que o pecado, que passaria da primeira às demais, não deve ser compreendido em seu

[500] Cf. 3,11,33,115-117; 13,38,132-133; 14,41,142 etc.

sentido moral apenas, mas principalmente ontológico, ou melhor, natural, como se houvesse sido originado da mesma matriz genética, por assim dizê-lo[501]. Portanto deve-se ter em mente que, quando Agostinho fala de pecado, não se refere exclusivamente ao ato moral da criatura, mas às consequências para sua natureza, ou seja, a corrupção pelo vício que se dá no pecado acarreta uma diminuição ontológica, um decréscimo de seu ser, decréscimo que só pode ser revertido pelo divino Dador de ser, que outro não é senão o próprio Criador. De onde ser lícito dizer-se que essa subtração substancial seja irreversível, ao menos para as possiblidades reparadoras da criatura. Logo, quando uma criatura peca, tendo seu ser diminuído, sua descendência nasce de um progenitor substancialmente diminuído; numa palavra, um progenitor cuja natureza já não é íntegra; ao contrário, irremediavelmente mudada para pior. Essa mutação ontológica, para não dizer "genética", não poderia não ser seguida de uma descendência igualmente modificada, pois essa passa a ser a sua própria natureza herdada. Assim sendo, quando o pai pecou, tendo sua substância sido automaticamente corrompida, toda sua descendência "pecou" com ele, se não moralmente, sem dúvida "naturalmente", pois nasce com a marca do pecado em sua própria natureza, como uma criança que herdasse, inocentemente, a enfermidade contraída pelos pais.

## Hipótese II – Transmissão legal: criação individual das almas

> **188.** A – [...] se são feitas uma a uma em cada um dos que nascem, não é perverso[502], pelo contrário, parece muitíssimo conveniente e ordenado, que o mérito mau[503] do anterior seja por natureza do que se segue[504], e que o mérito bom do que se segue seja por natureza do anterior.

---

501 Agostinho parece, sim, estar referindo um princípio "natural" de pecado, não moral. Os filhos não pecam moralmente, por terem os pais pecado, mas pecam "naturalmente", por serem herdeiros de sua condição pecadora. Ou seja, sua natureza nasce na condição pós-pecado em que seus pais foram precipitados, como se se tratasse de uma herança genética do pecado.

502 Traduz o latim *peruersus* [*per* + *uerto*], que significa algo que está "completamente voltado", em sentido obviamente contrário, opondo-se assim ao que é conveniente e ordenado. Portanto o perverso é contrário à ordem e ao decoro divinamente instaurados pela Providência.

503 Compreenda-se "mérito mau" ou "mau merecido", o que nada muda. De fato, o mérito, que equivale a preço ou salário acordado por ação praticada, pode ser bom ou mau. Se bom, diz-se um bem; se mau, um mal. Em qualquer caso trata-se sempre de algo merecido, porque decorre de resultante de acordo firmado antecipadamente, que torna-se dívida, depois de praticado o ato.

504 Da criatura ou alma que vem depois.

Nesta segunda hipótese, se as almas são criadas individualmente, uma a uma em cada um dos homens que nascem, diz Agostinho, não se pode dizer seja contrário nem ao que é conforme à ordem, nem ao que se tem por decoroso[505], que o pecado da alma que precedeu seja natural à subsequente, e que a virtude da alma que veio depois seja natural à precedente. O que, em outras palavras, significa dizer que o preço do pecado do primeiro homem é como que herdado por sua descendência, como se por meio de uma herança legal se pudesse operar outra substancial; e do mesmo modo, o preço da virtude do homem que viria depois[506], contudo de modo reverso, seria herdado, se se pode dizê-lo, de modo impróprio, pela criatura que o antecedeu.

Para compreender o que Agostinho está dizendo, que não é nada simples, convém antes compreender melhor o sentido específico das expressões: [i] *bonum meritum*, que pode tanto significar "mérito bom", quando então *bonum* se compreende como adjetivo, e *meritum*, como substantivo neutro; ou então, "bem meritório", quando *bonum* está sendo compreendido como substantivo neutro, e *meritum*, como particípio adjetivado (*mereor*); e [ii] *malum meritum*, que também pode significar tanto "mérito mau", como "mal meritório". Pois bem, compreendendo-se o mérito como o preço acordado por alguma tarefa, que depois de cumprida torna-se o salário devido, tem-se que esse preço pode ser bom ou mau. Por exemplo, quando se diz que o "mérito" do pecado seja a morte, está-se dizendo que o preço acordado pelo pecado, entre o Criador e o primeiro conúbio, no paraíso[507], seja a morte indesejável, que, depois de perpetrado o pecado, passa a ser o salário justamente devido, daí dizer-se "merecido". Neste sentido, portanto, o mérito não se refere apenas ao resultado, ou seja, à consequência de uma dada ação, boa ou má, mas também à antecedência acordada, por assim dizer, o próprio preço estipulado a ser depois restituído, como dívida, de modo justo, que se dirá por isso mesmo "meritório". Do que se disse é possível concluir que o mérito bom ou o bem merecido praticamente não se distinguem – desde que se considere *bonum* em sentido estrito, como o adjetivo *bonus* substantivado, ou seja, como um bom resultado, e não em sentido lato, como aquele bem metafísico de que tanto se falou no livro segundo –, pois se o preço combinado e devido, depois de cumprida a tarefa, seja ela de que

---

505 Lembre-se que as noções de conveniência e beleza (ou decoro) são inextricáveis.

506 Poderia ser uma alusão a Cristo, cuja virtude operou uma regeneração na natureza das almas anteriormente pecadoras, mas não se trata disso, como se há de ver na sequência (§189).

507 Cf. Gn 2,17.

natureza for, é bom, ou seja, algo agradável, tem-se então o que se pode denominar "mérito" bom, ou bom "salário", que passa a ser justamente merecido. Em ambos os casos, pois, se está referindo, seja ao bom preço antecipadamente acordado, seja ao bom salário resultante, depois de cumprida a tarefa. Porém o que importa não é se se trata de um mérito bom ou de um bem merecido, nem de um mérito mau ou de um mal merecido, ou se as expressões de fato indicam coisas equivalentes, e sim o modo como esse mal merecido, ou mérito mau, da criatura que veio antes, torna-se natural na criatura que sucede; e como esse bem meritório, ou mérito bom, daquele que veio depois, se faz natural na criatura que precedeu. Essa transmissão, como se pode depreender do raciocínio do autor, dá-se de modo jurídico, por assim dizê-lo, como se fosse uma comunicação legal de herança, em que as dívidas do progenitor são quitadas pelo espólio deixado por ele aos herdeiros.

O salário mau de Adão, que é também o seu merecido mal, ou seja, sua punição, pois fruto de seu pecado, mesmo se as almas que lhe sucederam não foram criadas a partir de sua própria alma, torna-se natural às almas que vieram depois, como se elas herdassem a dívida do progenitor. Por exemplo, morto $P_d$, o pai devedor, sua prole torna-se legalmente responsável por quitar-lhe o débito, deixado por herança, que deverá ser pago com o espólio deixado por $P_d$, espólio que, neste caso, não pode ser outra coisa senão a própria natureza que $P_d$ comunica a seus descendentes, sua herança genética, se se permite dizê-lo. Nada inverossímil ou mesmo desconhecido do direito romano, ainda hoje, que as dívidas contraídas por algum indivíduo sejam transferidas a sua descendência, que herdará o patrimônio remanescente apenas depois de restituídos os credores do defunto. Se no primeiro caso há uma transferência natural, quase genética, neste segundo trata-se de uma herança baseada no *ius*, no direito, ou melhor, na própria Justiça divina.

## 3,20,56,189. Adões em série?

Quanto ao mérito bom ou bem meritório do que segue, seria natural a referência a Cristo, cujo mérito bom reparou a natureza do anterior, a descendência adâmica. Porém não é assim. Então a que estaria fazendo referência Agostinho, quando diz que o bem meritório ou o mérito bom da criatura que vem depois haveria de ser natural na criatura que veio antes, como se a restauração da natureza da descendência pudesse de algum modo comunicar, em sentido reverso,

algum tipo de reparação na natureza dos antecedentes mortos. Na verdade, nem aquele que veio antes refere-se exclusivamente ao primeiro homem, Adão, nem o que vem depois, a Cristo, mas ao ser humano comum, em seu progresso, desde a origem *in saecula saeculorum*. De fato, se o homem é criado um de cada vez, como aventado nesta hipótese, presume-se, não sem justa causa, que Deus continue criando. Se na primeira hipótese havia criado apenas Adão, sendo sua descendência tirada dele, como se se tratasse de um único primeiro princípio de que todos os demais seres humanos foram criados, mesmo que tenham sido todos criados por ele através da mediação do concúbito, contudo foram criados a partir da matéria-prima adâmica; neste caso, ao contrário, há uma nova criação a cada vez, o que faria supor que a cada nova criação a criatura recomeçaria, do zero, por assim dizer, pura, sem pecado, com sua vontade livre intacta e absolutamente eficaz, sem qualquer ignorância ou dificuldade. Porém tampouco é assim que se dá, pois, segundo esta hipótese, Deus criaria individualmente, um por vez, em sequência: o último sempre retomando o ponto deixado pelo antecedente, num progresso de tipo linear, em que a humanidade seguiria caminhando, como de fato se vê, cada nova geração construindo seu futuro a partir das bases deixadas pela anterior, nunca desde o ovo (*ab ouo*)[508], para lançar mão da célebre expressão latina, que significa: "do zero". O que é óbvio, pois o Império Romano em que Agostinho nasceu possuía uma cultura solidificada, uma língua muitíssimo sofisticada, estruturas de poder estáveis, estratificações sociais rígidas, usos e costumes arraigados; numa palavra, segundo essa hipótese, embora Deus crie uma nova alma a cada vez, individualmente, isso não significa de modo nenhum que crie um novo Adão e uma nova Eva indefinidamente, que terão de recomeçar sempre do ovo, como se pela primeira vez. Porém, assim como há uma transmissão cultural de conteúdos, de geração a geração, daquilo que se considera como importante para a preservação do grupo social maior e de sua identidade, há também, é lícito supor, uma transmissão legal do mérito, como dito: o bom mérito dos pais passa para sua descendência, assim como sua língua, seu patrimônio, seus valores, em suma, seus bens todos; e o mesmo se dá com o mérito mau, o preço de sua má vontade: o pecado dos pais é herdado pelas gerações que lhe seguem, como um patrimônio inalienável, que não pode ser recusado, pois, para muito além de usos e costumes que devem ser

[508] A expressão latina "*ab ouo usque ad mala*" traduz-se, liter., "desde o ovo até às maçãs", o que significa: do começo até ao final. O provérbio, segundo Lewis e Short (*op. cit.*, p.1104), tem origem no costume romano de iniciar suas refeições com ovos e terminá-las com frutas.

preservados, *mores maiorum*, os filhos herdam também a natureza pecadora dos pais, porque Deus, ao criar cada alma, individualmente, quis manter em todos os aspectos o progresso da civilização, o que ilustra a superioridade da humanidade em relação às demais criaturas, e não seria justo que apenas o agradável fosse herdado e passado adiante, mas tudo[509].

**189.** A – Pois, por que seria indigno, se o Criador quis mostrar assim também até aonde a dignidade da alma é mais excelente do que as criaturas corpóreas, de modo que o surgimento de uma possa dar-se a partir do grau ao qual conduziu-se o ocaso[510] de outra?

As almas são mais excelentes do que as criaturas corpóreas, como se disse amiúde ao longo deste *L.A.*, porque, enquanto estas últimas apenas são, as primeiras, além de ser, também vivem e inteligem. No entanto, nada obstante essa vantagem natural, Agostinho diz que a superioridade da humanidade em

---

509 Interessa muito lembrar, posto que em contexto absolutamente outro, que o mítico rei Édipo também herda, por assim dizer, um destino tanto mais maldito quanto divinamente inevitável, previsto profeticamente desde sua infância, do qual, ao tomar ciência, procura a todo custo evadir-se, contudo sem sucesso algum: matar o pai e casar com a própria mãe, Jocasta. E com efeito, segundo a lenda Édipo é vitimado, antes mesmo de nascer, pelo fado que lhe foi semeado pela suposta *húbris*, ou insolência (ὕβρις), de seu próprio pai, Laios, rei de Tebas, amaldiçoado por Pélops de Élida em virtude da morte de seu filho, Crisipo, atribuída ao jovem príncipe tebano. Na verdade, segundo a mentalidade da era trágica dos gregos, a desgraça inevitável de Édipo era considerava uma *némesis*, isto é, "retribuição" (νέμεσις), da parte dos deuses (ἐκ θεῶν), em virtude do suposto ultraje insolente de seus prógonos (διὰ τὴν τῶν προγόνων ὕβριν): uma desventura herdada dos antepassados, portanto, assim como a prole adâmica herda seu castigo da *húbris* de seus progenitores, embora inexistissem quando se deu a insolência fatídica. Percebe-se, contudo, que a cultura grega aceitava essa herança como algo inevitável, que se devia simplesmente acatar, como uma maldição irremediável, em virtude de sua origem divina, cujas motivações, mesmo que fossem um dia desvendadas, em nada leniam o trágico fado. Ideia essa, *mutatis mutandis*, que também não foi estranha à mentalidade hebraica, muito pelo contrário, como se pode constatar claramente nas seguintes passagens, paradigmáticas: (a) Êx 34,6-7: "[...] o Senhor Deus [...] que impõe as ilegalidades [*anomías*] dos pais sobre os filhos e sobre os filhos dos filhos até a terceira e a quarta geração" (ἐπάγων ἀνομίας πατέρων ἐπὶ τέκνα καὶ ἐπὶ τέκνα τέκνων ἐπὶ τρίτην καὶ τετάρτην γενεάν); (b) Êx 20,5-6: "[Sou] um Deus zeloso, que retribuo, aos que me odeiam, os pecados [*hamartías*] dos pais sobre os filhos até a terceira e a quarta geração" (θεὸς ζηλωτὴς ἀποδιδοὺς ἁμαρτίας πατέρων ἐπὶ τέκνα ἕως τρίτης καὶ τετάρτης γενεᾶς τοῖς μισοῦσίν με).

510 Traduz o latim *occasus*, que pode referir-se aos astros, como o Sol, cujo "ocaso" se presencia sem maiores prejuízos cotidianamente, ou, em sentido metafórico, à "ruína", "queda" ou "declínio" de algo. Neste caso, contudo, refere-se às criaturas, cujas mortes de umas são seguidas de imediato pelo nascimento de outras.

relação às demais criaturas se faz perceber também através de um critério de progresso, por assim dizê-lo. O que se evidencia quando o nascer de uma alma se dá no mesmíssimo grau em que se deu o ocaso da anterior, havendo, por conseguinte, uma continuidade, como, escusado o mau exemplo, numa prova de revezamento, em que o corredor que está à frente espera pelo bastão do que vem de trás, continuando a prova, sendo os revezadores todos uma só equipe. E de fato, se um cai, perdem todos; se o último cruza a linha de chegada na frente, vence a equipe, e todos são igualmente coroados. Deste modo, portanto, é que as almas avançam, retomando uma a uma o progresso das gerações anteriores a partir do mesmo ponto em que esse progresso foi deixado, quando deu-se o ocaso da geração anterior, de cada alma que viveu antes e que cumpriu o seu papel. A partir desse raciocínio, a progênie de Adão recebeu dele o bastão do pecado, a fim de continuar sua corrida, o que se sucedeu com todas as demais gerações, até Cristo, uma retomando a herança deixada pela outra, ao surgir na posição exata em que a anterior declinou.

E por que motivo esse progresso das almas seria mais digno do que a simples existência das restantes criaturas inferiores? Talvez porque nenhum progresso supunha-se haver entre as pedras, que permanecem pedras, *in saecula*; ou entre os irracionais, uma vez que Argos, o célebre e longevo cão de Odisseu, não parece ter sido muito diferente dos que hoje se veem[511]. Enfim, as almas progridem, cada qual partindo do exato ponto onde a anterior deixou de existir, permitindo entrever sua enorme dignidade, em comparação com as demais criaturas, e o quanto, por isso, o Criador deve ser louvado. Essa sequência, que se pode denominar progresso[512], se faz ver igualmente na própria condição penal, que sucedeu a natureza adâmica.

**189.** A – [...] Com efeito, quando aquela [alma] pecadora chegar[513] à ignorância e à dificuldade, diz-se retamente "pena", porque antes desta pena ela foi melhor.

E ainda segundo essa hipótese, supondo tenham sido criadas as primeiras almas individualmente, uma após outra, primeiro Adão, depois Eva, em seguida toda a sua prole, pode-se já nesta primeira geração constatar essa

---

[511] À parte o que dirá Darwin, uns quinze séculos mais tarde.

[512] Deve-se compreender o termo "progresso" em seu sentido etimológico, de "avançar" (*progredior*), ou seja, um "caminhar adiante", não necessariamente do pior ao melhor, ou do ultrapassado ao novo, embora esse sentido sem dúvida seja aceito e recomendável também.

[513] Liter. "houver chegado" (fut. perf.).

noção de progresso supra-aludida, em que uma retoma os passos deixados pela anterior, pois o estado da segunda é muito diferente do da primeira, que nem era ignorante, muito menos incapacitada de escolher e fazer o bem que quisesse, desde que o quisesse de fato. No entanto, talvez o termo "progresso" seja enganador, cuja conotação positiva e construtiva de melhora, crescimento, elevação, e conceitos semelhantes, não faz jus ao "progresso" da humanidade, desde Adão. Na verdade o progresso havido, nesse sentido, é nulo, não tendo as almas melhorado sua condição. Ao contrário, houve uma piora significativa, pois a primeira geração vivia não apenas numa condição melhor, mas também era mais capacitada para viver melhor, pois nem era cega pela ignorância, muito menos sobrecarregada pela dificuldade. Por isso o crime do primeiro casal considera-se mais grave, porque eram tão mais capazes de evitá-lo, quanto piores foram ao praticá-lo. Porém, depois do pecado, paras as demais gerações que sucederam ao casal transgressor, tornou-se mais difícil, tendo as almas nascido na ignorância e na dificuldade, pelo que se diz retamente que esta condição subsequente é penal, porque sem dúvida é pior do que a condição original. Com efeito, nenhum castigo, cujo termo equivalente, "pena", implica também a dor e o sofrimento dele decorrentes, poderia ser melhor do que uma condição sem castigo. Houve um avanço, pois, um progresso, mas que talvez fosse mais apropriadamente denominado "retrocesso", ao menos em sentido natural, de um estado melhor a um pior, o que justifica o termo "pena".

## 3,20,56,190. Em louvor do progresso

> **190.** A – Logo, se uma alma começa a ser de um modo tal, não somente antes do pecado, mas também antes de sua vida toda, qual uma outra se fez depois de sua vida culpável, não é um bem pequeno que possui, de onde deve dar graças a seu Fundador, porque seu próprio surgimento e começo é melhor do que qualquer corpo perfeito.

Causa enorme espécie a pecha de pessimismo atribuída tradicionalmente ao pensador de Hipona, tanto mais, quanto menos se conheça de fato sua obra, para além dos compêndios e manuais didáticos de história da filosofia, únicas fontes geralmente utilizadas para resumir-lhe o complexo e opulento pensamento. Como subsidiar o juízo pessimista diante de passagens como esta, em que está evidente o esforço de Agostinho para ver com bons olhos mesmo aquilo cuja defesa parece indefensável? Se uma determinada alma,

tendo sido criada individualmente por Deus, ainda de acordo com a segunda hipótese, embora jamais tenha pecado, deve começar sua jornada de vida do exato ponto em que deixou a vida uma outra alma qualquer, também criada individualmente, porém que tenha pecado, poder-se-ia acusar a Providência de injusta, pois aquela que nasce sem pecado tem seu ponto de partida no pecado que nunca cometeu, pertencente à outra. Porém Agostinho discorda, dizendo que, ao invés, essa alma deve dar graças ao Criador, pois ter nascido como uma alma racional, que é, vive e intelige, num universo de tantas criaturas inferiores, em si mesmo é já um evento merecedor de enorme e justo louvor. De fato, embora nasça em situação penal, cega pela ignorância e atulhada sob a dificuldade, situação decorrente de um pecado que não podia ter cometido, uma vez que nem existia para que pudesse pecar, ainda assim deve essa alma louvar o Criador, não pelo pecado em si, muito menos por sua condição penal de ignorância e de dificuldade, mas por ser, viver e inteligir, o que a situa no topo da escada das naturezas todas da criação. Pois, como se viu, uma pedra não pode pecar, tampouco uma abelha, contudo a alma, embora possa fazer mal, tem faculdades que essas duas criaturas não têm, nem jamais terão, faculdades que lhe possibilitarão, a essa alma agora pecadora, regenerar-se e atingir uma condição de bem-aventurança interdita às criaturas inferiores.

## Vontade, virtudes e libertação da condição penal

> **190.** A – [...] Pois [essas duas coisas] não são bens medíocres[514], não somente o fato de que *é* uma alma, natureza pela qual precede agora a todo corpo...

E não é pouca coisa ser uma alma, posto que se trate de uma alma diminuída, do modo como ela veio a ser depois do pecado, porque a alma que começou a ser, mesmo depois da queda, não precisou progredir do zero, mas já começou sua existência sendo, vivendo e inteligindo, o que a coloca no topo da escada das naturezas. Isso, porque mesmo que tenha pecado e perdido sua dignidade, muito de seu ser, ainda assim a alma pecadora é melhor do que as criaturas que apenas são, ou que as que são e vivem, porém não possuem inteligência. E de fato, uma alma é sempre melhor do que o mais perfeito dos corpos.

---

514 No sentido de "médio".

**190.** A – [...] mas também o fato de que possui uma faculdade, para que, com a ajuda do Criador, cultive [com zelo] a si própria, e por meio de um estudo[515] piedoso possa adquirir e captar as virtudes todas, através das quais se liberte não apenas da dificuldade que crucia, mas também da ignorância que cega.

Deve-se o devido louvor ao Criador por esses dois bens, de modo nenhum medíocres: [i] ser, viver e possuir uma inteligência, [ii] e possuir uma faculdade especial, por meio da qual a alma é capaz de: (a) cultivar-se a si própria, (b) adquirir e captar por meio de um estudo piedoso todas as virtudes, o que sem dúvida inclui as quatro cardeais: sabedoria, coragem, prudência e justiça, a não dizer fé, esperança e caridade, as três teologais, ainda não trabalhadas por Agostinho, virtudes pelas quais (c) será capaz de libertar-se do estado penal de ignorância e de dificuldade. Portanto, para além de ter sido colocada pelo Criador numa posição hierárquica privilegiada no conjunto universal da criação, acima das demais, por possuir o ser, a vida e a inteligência, a alma possui ainda um outro atributo, a vontade, por meio de que pode adquirir e possuir todas essas virtudes e livrar-se do estado penal em que se encontra, estado em que é ignorante do Bem e incapaz de praticá-lo, especialmente porque essa mesma faculdade, a vontade, opera de modo ineficaz, excruciada que está pela dificuldade.

Interessa notar que a posse das virtudes não é o bem último a ser buscado em si e por si mesmo, mas apenas instrumento para a vida feliz, de que se espera fruir, diante da face do Criador, na eternidade. Essa mesma vida feliz, seja vivida aqui, seja nos céus, não se coaduna com a desordem, oposta à Lei eterna que foi impressa nas almas desde o princípio, que estabelece que o superior deva governar o inferior[516]. De fato, como imaginar que num estado de ignorância do Bem, em que predominam as trevas do erro, e de dificuldade de praticar o que é reto, onde a vontade é ineficaz, sendo dominada pelas inclinações sensuais, impere alguma ordem? Numa alma cega pela ignorância não é possível que a razão, potência superior, predomine sobre os seus movimentos inferiores; do mesmo modo, numa alma soterrada pela dificuldade, cuja vontade é ineficaz, tampouco se pode imaginar que a temperança brilhe com todo o seu esplendor.

---

[515] O termo latino é *studium*, "estudo", mas também "esforço" ou "aplicação intelectual" (cf. 2,9,25,97). Ao contrário da ideia equivocada de muitos contemporâneos, que querem resumir todo o processo educativo a meras brincadeiras dóceis e fáceis (*ludi sine laboribus*), os termos "estudo" e "esforço" são praticamente sinônimos, permitindo entrever que, ao menos para a sabedoria dos antigos, nenhum aprendizado se fazia sem grande labuta e muita "disciplina", quer dizer "aprendizagem" [*disciplina* < *disco*], outro termo que igualmente se pode associar aos dois primeiros.

[516] Cf. 1,6,15,51

## Terceiras badaladas: o sino da Graça!

No entanto, se nessa alma ignorante e obstada pela dificuldade as virtudes não têm a primazia, pois aquela faculdade responsável pela própria manumissão da alma da servidão das inclinações sensuais, a boa vontade, encontra-se ineficaz, como seria possível que essa alma cultivasse a si própria com zelo? E se precisa da boa vontade para adquirir e captar as virtudes, sem as quais não apenas não se faz feliz, mas também não se pode libertar da ignorância e da dificuldade, as quais, num círculo vicioso inescapável, tornam a mesma vontade ineficaz, como evadir-se? De fato, sem as virtudes não se escapa jamais da ignorância e da dificuldade; porém na ignorância e na dificuldade não se consegue a eficácia da vontade, condição necessária para a felicidade; e sendo a vontade ineficaz, não é possível cultivar-se, nem esforçar-se, muito menos libertar-se, restando a alma nesse estado um verdadeiro flagelo para si mesma, pois se fosse uma pedra não sofreria por causa da ineficácia de sua vontade, nem por causa de sua ignorância.

Não se escapa desse círculo vicioso senão com a ajuda gratuita do Criador, pois, embora tenha sido dotado dessa faculdade especial, além do ser, da vida e da inteligência, não logra nem cultivar-se com zelo, nem adquirir as virtudes, muito menos libertar-se do estado penal de ignorância e de dificuldade. Portanto, embora Agostinho não se detenha muito nesse aspecto, não tardará a perceber adiante em sua obra que a alma se encontra num círculo inescapavelmente vicioso, pois se sua vontade é ineficaz, e se carece de sua plena eficácia para que deixe de ser ineficaz, ou a alma se abandona, desanimada, na aporia, ou recebe algum subsídio exterior, o que se pode começar a perceber na reduzida de particípio, *adiuuante creatore,* que, ao modo de uma verdadeira subordinada condicional, estabelece as condições para que se possa cultivar, estudar e libertar: "com a ajuda do Criador", ou seja, "se o Criador ajudar", do contrário...

## 3,20,56,191. Proficiência e perfeição: um protréptico

**191.** A – O que, se é assim, a ignorância e a dificuldade não serão um castigo do pecado[517] às almas nascentes, mas uma admoestação de proficiência[518] e um exórdio de perfeição.

---

517 Liter.: "não será...". A concordância se faz com o sujeito ou com o predicativo. Neste caso, como o latim é uma língua que frequentemente privilegia o final da oração como seu pico entonacional, a concordância está sendo feita com *supplicium* e não com o sujeito composto *ignorantia et difficultas.*

518 Liter.: "uma admoestação de ser proficiente" (*pro-ficio*), que se contrapõe a "ser deficiente" (*de-ficio*).

Esta segunda hipótese, portanto, que considera a possibilidade de ter cada alma sido criada individualmente, uma depois da outra, cuja consequência para a transmissão do pecado original é uma certa noção de continuidade, ou de progresso, que, no início, sem dúvida não foi ascendente, não é uma hipótese nem indigna, nem contrária à ordem, muito menos perversa ou indecorosa, diz Agostinho. Ao contrário, parece que o filósofo, quanto mais problemática a hipótese, tanto melhor se sai, como se o desafio de provar o improvável lhe fizesse desabrochar os melhores argumentos. Neste caso, embora a hipótese da continuidade seja menos consistente do que a primeira, cuja natureza do pecado, como uma herança natural, parece mais coerente e adaptada a toda a estrutura metafísica até aqui elaborada, Agostinho se sai bem, ao insistir no viés perspectivista, se se pode dizê-lo, procurando extrair dessa noção de continuidade uma necessária ideia de progresso, em sentido evolutivo. Esse continuísmo progressista acarreta um otimismo e uma boa dose de valorização da vontade (não se esquecendo do *adiuuante creatore* supramencionado), fazendo ver a herança do pecado original menos como uma condição penal que um protréptico à proficiência[519], uma exortação para que se persiga o caminho contrário ao defeito (*deficere*), que é o mal, e um ponto de partida para a perfeição (*exordium perfectionis*), que é o destino antípoda do nada, a imperfeição total.

Trata-se, sem dúvida alguma, de uma exortação suficientemente filosófica, cujo postulado inicial, não por acaso, é uma simbiose entre o délfico-socrático e o ciceroniano: que a alma "cultive", com zelo, a si própria (*se ipsam excolat*), pela aplicação de caráter intelectual sobremodo (*studium*), porém piedosa, o que significa dizer que este esforço diligente deve estar sempre voltado para as coisas do alto; e depois, como sequência imediata desse *pium studium*, deve adquirir e possuir as virtudes todas, o que não é menos filosófico, muito ao contrário, para enfim libertar-se do jugo das inclinações sensuais, os movimentos irracionais da alma, e chegar à sabedoria, que dissipa as trevas da ignorância e permite a vida feliz na quietude plena do Ser.

## 3,20,56,191. Juízo natural: sabedoria e quietude

> **191.** A – [...] Pois não é pouco ter recebido antes de todo mérito da boa obra um juízo natural[520], pelo qual preponha[521] a sabedoria ao erro, a quietude à dificuldade...

---

[519] Expressão que traduz o latim *proficiendi admonitio*.

[520] Cf. **1**,6,15,51; **2**,15,40,157-160.

[521] Liter.: "pôr à frente"; daí também: "preferir".

Se a alma recebeu algo por antecipação, mas não como salário devido, trata-se de um dom, obviamente gratuito. Porém o dom, se é gratuito no sentido de ser absolutamente não meritório, porque nada se fez por merecê-lo, num outro sentido não pode ser gratuito, porque, em verdade, trata-se de um crédito, pelo qual o recipiente terá de não apenas prestar contas, mas pagar um certo juro, posto que suave, visto que todo crédito se converte em uma dívida diante de algum credor[522]. De fato, como o próprio Agostinho disse antes[523], ninguém deve o que não recebeu, e se recebeu, deve restituir o que recebeu. Recebeu, pois, a alma, a vontade livre eficiente. Logo deve restituí-la fazendo bom uso dela, pois de nada adiantaria, fosse possível, restituir ao Criador a própria vontade, dizendo algo como: "Toma, não quero mais! Fica com a tua vontade, pois eu não a pedi! E daqui em diante não mais farei uso dela, pois não quero mais querer!"[524]. O Criador não precisa de nada, muito menos da vontade desprezada, geralmente porque mal utilizada. O que quer, porque quer e nada mais, é o bom uso dela, por parte de sua criatura, diz Agostinho. Ademais, não parece seja possível não querer, pois o próprio não querer, suposta negação da vontade, constitui em si mesmo um querer ainda mais intenso, uma vez que aquele que diz negar a vontade não quer nada além de querer não querer, e quer esse não querer tão mais intensamente, quanto mais sente-se dominado pelo querer que não quer querer. Logo todo dom é de fato um crédito recebido, que deverá ser restituído ao credor, mesmo que seja denominado "doador", por meio do bom uso daquilo que foi creditado, sob pena de tornar-se um débito sujeito a pesada multa[525]. Na qualidade de crédito, contudo, não se lhe impõem juros, nem condições pesadas, apenas, como dito, o bom uso, fardo suave, embora pouco carregado. Nesse sentido, portanto, quando se diz um dom "gratuito", não se deve compreender como algo que nada custe, pelo qual não se deva pagar, mas algo que tenha sido dado sem que o recebedor tenha merecido; porém isso não significa que não será cobrado um preço por ele; ao contrário, quem o recebeu terá de pagar um certo preço, depois de conferido o dom, mesmo que não tenha pedido

---

522 Cf. Lc 12,48: "A todo aquele a quem muito foi dado muito lhe será pedido; e a quem muito foi confiado mais ainda demandarão dele" (παντὶ δὲ ᾧ ἐδόθη πολύ, πολὺ ζητηθήσεται παρ' αὐτοῦ, καὶ ᾧ παρέθεντο πολύ, περισσότερον αἰτήσουσιν αὐτόν).

523 Cf. 3,15,42,145-43,150.

524 Como ingenuamente fazem muitos, quase sempre os mais piedosos.

525 O que inevitavelmente remete ao célebre axioma americano, cujo acrônimo, não menos conhecido, é TANSTAAFL: *"There ain't no such thing as a free lunch!"*.

nada ao Criador. E de fato, ninguém pediu-lhe o dom da vida, que se diz gratuito precisamente porque não foi merecido pelo recebedor; porém será cobrado um preço por esse dom, que não é gratuito ao recipiente. Logo cobra-se um preço ao recebedor pelo dom que é gratuito ao doador.

Pois bem, à alma foi creditada uma prerrogativa das mais interessantes, que Agostinho denomina "juízo natural" (*naturale iudicium*), que se diz "crédito" porque lhe foi conferida gratuitamente, no sentido de não ter sido merecida, e não no sentido de que nada se imponha ao seu recipiente. Por meio desse dom dado de modo gratuito pelo Criador à criatura, ela se faz capaz de operar a distinção entre a sabedoria e o erro, além da distinção entre a quietude e a dificuldade. Trata-se, sem dúvida, de uma potencialidade inata, de uma verdadeira Graça, em seu estrito sentido teológico, pois não foi merecida. Um verdadeiro socorro, para que a alma possa evadir-se do estado de ignorância e de dificuldade. Com efeito, por meio desse juízo natural ela consegue distinguir o erro que deve evitar da sabedoria que deve buscar, de modo que a ninguém se aceite a escusa de ignorância completa do bem e do mal. Por outro lado esse juízo natural também possibilita que a alma consiga diferenciar a quietude da perturbação decorrente da escravidão das inclinações sensuais, que precipitam a alma numa sede insaciável de desejos e apetites, exaurindo-lhe as forças. Saberá, pois, por meio desse juízo inato, quando sentir a quietude pacificadora da continência, em contraste com a excitação perturbadora e irremediável dos apetites de toda sorte, que se denomina "dificuldade".

**191.** A – [...] para que alcance estas coisas, não nascendo, mas se esforçando[526].

Pois bem, se recebeu, a título de crédito, esse juízo natural, que não se constitui um salário por algo feito antes, porque nem mesmo existia nesse "antes", para que pudesse ter feito algo por merecer tal preço; enfim, se recebeu a Graça do juízo natural, isso não significa que não terá de pagar um preço merecido (ao Credor divino) pelo dom imerecido que recebeu, o preço do *studium*, o esforço voluntário do espírito, que não pode ser pago simplesmente nascendo, como se fosse um privilégio aristocrático. E isso configura uma distinção das mais interessantes, pois não é ao nascer, ou seja, por meio do simples nascimento, que a alma poderá restituir o crédito contraído, que não é de fato gratuito para a criatura, em sentido vulgar, apenas

[526] Ou seja, "não pelo nascimento, mas pelo esforço" (*studium*).

para o Criador, pois se ela não mereceu receber, deverá, contudo, pagar por ele, mas não simplesmente sendo, ou vivendo, como as demais criaturas inferiores, que nascem e morrem sem sabê-lo, e sim por meio de sua inteligência, *intellegendo*, por meio da qual deve esforçar-se (*studium*) para evadir-se da ignorância e da dificuldade, e respectivamente alcançar seus contrários, a sabedoria e a quietude. O interessante é que aquela herança do pecado original, representada por esses dois "espinhos" na carne, das trevas da ignorância e da tormenta da dificuldade, a partir dessa perspectiva, deixam de ser penas, constituindo simples sintomas do progresso natural das almas, progresso rumo à quietude das virtudes e à iluminação do conhecimento[527], que também se chama "sabedoria".

**191.** A – [...] O que, se não quiser cumprir, *a alma* será de direito considerada ré de pecado, como alguém não tenha usado bem da faculdade que recebeu[528].

E se fosse um dom gratuito, no sentido do que não requer pagamento, nenhum juro se cobraria por ele, nenhuma restituição, muito menos se imputaria pena ao que deixasse de restituí-lo, como se houvesse de fato um principal devido. Porém não é o que se depreende absolutamente do que diz o rétor, pois quem não faz bom uso da faculdade recebida, ainda que não a tenha solicitado, será réu de pecado, em justo juízo, por não ter restituído o bom uso do bem recebido. Nesse caso, contudo, não há nenhuma quebra de contrato apalavrado, pois a alma não existia para que pudesse ter contratado qualquer coisa com o Criador. Se se diz que lhe deve a restituição do bom uso, assim se diz porque recebeu algo, e quem recebe, di-lo Agostinho, deve! Por outra, se recebeu gratuitamente, como crédito, deve também, minimamente, a título de gratidão; quando não, também porque o dom do juízo natural recebido lhe é suficiente para saber discernir o certo do errado, o sábio do ignorante, e não restituir o que se deve não apenas não é sábio, mas igualmente injusto. Ademais, mesmo que não tenha pedido dom algum, deve louvor ao Criador, disse amiúde Agostinho, pelo simples fato de ter compreensão de sua existência, além de sua alegada falta de obrigação, que lhe constitui outro dom gratuito, o dom da liberdade, pelo qual pode simplesmente declarar moratória de sua dívida, enquanto procura questioná-la judicialmente.

---

527 Conhecimento de si (da alma) e de Deus.

528 Cf. 3,15,44,151-16,45,155; 18,52,178.

## 3,20,56,192. Perfeição e felicidade meritórias

**192.** A – Pois, conquanto tenha nascido em ignorância e dificuldade, contudo *a alma* não é comprimida por alguma necessidade a permanecer nesse estado em que nasceu.

E do mesmo modo como tem a liberdade de não querer restituir o que deve, fazendo bom uso dos dons recebidos, mas usando deles como se fossem fins em si mesmos, avertendo-se do Bem imutável e convertendo-se para os bens próprios e mutáveis, tem a liberdade de evadir-se da condição penal de ignorância e dificuldade. De fato, nenhuma alma está atada indefinidamente a esta condição, seja pela necessidade que se queira imaginar, conquanto tenha nascido ignorante e imersa na dificuldade resultante da ineficácia de sua vontade, porque não lhe falta auxílio, desde que o queira, para cujo querer não lhe falta a quantidade mínima de vontade, suficiente, do contrário seria a Justiça indefensável.

**192.** A – E nem de modo nenhum poderia ser outro também, a não ser Deus onipotente, o Criador de tais almas, as quais, [mesmo] não [sendo antes] amado com dileção[529], ele próprio as faz, [e se] amado com dileção, as aperfeiçoa, o qual também às *almas* que não existem concede que sejam, e às que o amam, a partir de quem elas são[530], concede que sejam felizes.

Nenhum dos dons ditos gratuitos de Deus foram jamais merecidos pelas criaturas, embora por esses mesmos dons e por muito mais mereça ele todo louvor, sob pena de pecado. Assim sendo, nenhuma criatura foi por ele criada por mérito de amor, por tê-lo amado tão diligentemente a ponto de merecer o dom de ser, viver e inteligir; pois, se pudesse tê-lo de algum modo amado, já existiria, não carecendo de ter sido criada. Porém, se não mereceu ser criada, contudo deve de algum modo merecer seu aperfeiçoamento, se se pode dizê-lo, pois, segundo tudo o que se disse ao longo da obra até aqui, nenhuma alma chega perto da perfeição, que é divina, senão por meio de seu amor diligente da própria Perfeição, amor que outra coisa não é senão a própria conversão da vontade, livremente arbitrada, em direção a essa mesma

---

529 Enorme desafio conciliar no mesmo parágrafo os dois verbos, *diligo* e *amo*, ambos significando aqui o mesmo amor de Deus. Acrescentou-se uma locução adverbial apenas para simular algum tipo de distinção em vernáculo, a qual sem dúvida era existente em latim. Cf. *adamo, amo, diligo* no LÉXICO T-F.

530 De quem elas recebem sua existência.

Perfeição, Bem supremo, Deus onipotente, Sabedoria eterna, Justiça, Misericórdia, entre tantas outras expressões utilizadas para dizer o indizível. E se concede Deus às almas, que não existem e que por isso mesmo ainda não são almas, que existam, não o faz senão livre e graciosamente, sem qualquer mérito da parte delas; porém que sejam felizes, ao que parece, não concede senão às que o amam – portanto a partir de sua própria vontade, pois ninguém ama invito –; almas essas que não haviam merecido ser, nem viver ou inteligir, mas que, de algum modo misterioso, devem merecer seu progresso rumo à perfeição a partir de onde foram criadas, e a felicidade a que foram destinadas, desde que o queiram[531].

## 3,20,57,193-197. Hipótese III – Transmissão encarnacionista involuntária (*ou* Da preexistência das almas)

**193.** A – Na verdade, se em algum recôndito secreto[532] de Deus as almas, já existentes[533], são enviadas para insuflar [vida][534] e reger os corpos de cada um dos indivíduos[535] que nascem...

Numa terceira hipótese para a transmissão do pecado original as almas seriam preexistentes, o que de modo nenhum deve fazer supor sua eternidade. Pelo contrário, embora não se o diga aqui, a partir dos postulados de caráter axiomático sobre os quais se estribou o princípio de piedade[536] elencado no início do livro primeiro, é lícito supor que tenham sido criadas, ainda que na qualidade de almas apenas, destituídas do corpo de carne. Logo, sendo preexistentes ao corpo, jamais coeternas com o Criador, são enviadas por ele, a partir de algum misterioso recôndito celeste, para soprar vida no interior dos corpos

[531] Deve-se compreender, por mais paradoxal seja (e de fato o é), que, se esse querer é condição necessária, contudo não é suficiente, pois os dons de Deus são todos, sem exceção, absolutamente gratuitos.

[532] Traduz o latim *secretum*, que aponta para algum lugar oculto da misteriosa morada celeste.

[533] Trata-se de uma hipótese "encarnacionista", por assim dizer, que admite a pré-existência das almas, antes que "desçam" a fim de penetrar e habitar os corpos de carne.

[534] Liter.: "soprar dentro" (*in* + *spiro*): soprar vida no interior dos corpos, ou animá-los. O grego πνεῦμα, que se costuma traduzir por "espírito", a partir do latim *spiritus* [< *spiro*], guarda significação semelhante, de "sopro", pois os antigos imaginavam a alma como o sopro de vida que animava os corpos, sopro que se esvaía no último suspiro do moribundo. Ademais, "animar" outra coisa não é senão dotar de *anima*, o sopro vital presente em praticamente tudo o que se move por si só.

[535] Quer dizer, de cada um, individualmente, ou seja, de todos os que nascem neste mundo.

[536] Cf. 1,2,5,12-13.

de carne, ou seja, animá-los, e também governá-los[537]. Note-se que Agostinho diz que são enviadas por Deus, como se lhe obedecessem a um comando irresistível, não que venham de livre iniciativa, por conta própria, ou à revelia do Criador.

## 3,20,57,193. Purificação propedêutica do corpo pelo látego das virtudes

> **193.** A – [...] para este ofício é que invariavelmente são enviadas, para que preparem também para o próprio corpo, que nasce a partir da pena do pecado, isto é, da mortalidade do primeiro homem, ao administrá-lo bem, ou seja, ao castigá-lo[538] por meio das virtudes e sujeitá-lo a uma servidão perfeitamente ordenada e legítima, na ordem e no tempo oportuno, o seu lugar [na morada] da incorrupção celeste.

Se se admita a preexistência das almas, em relação ao corpo, sua posterior encarnação deve ter alguma razão de ser, que Agostinho supõe seja propedêutica, além de purificatória: as almas são enviadas para insuflar vida nos respectivos corpos nascituros a fim de preparar-lhes um lugar na morada celeste incorrupta. Logo a função da encarnação das almas individuais é a preparação dos corpos para que estejam aptos para a eternidade, numa espécie de purificação de ascendência órfico-pitagórica, a partir da herança platônica herdada por sua geração, sem que se deixem de parte ideias análogas vigentes tanto no gnosticismo, como no maniqueísmo, doutrinas que defendiam a ascese purificadora. Porém, ao contrário de outras correntes, que propugnavam por um progressivo desapego do corpo e de suas sensações, no pensamento embrionário de Agostinho refere-se essa purificação ao preparo do corpo de carne para que seja de algum modo revestido, como dissera Paulo[539], da incorruptibilidade do corpo espiritual. O seu pensamento está claro: as almas são enviadas para soprar vida nos corpos de carne, cuja mortalidade constitui-se a pena do pecado original do primeiro homem, a fim de que, ao administrá-los de modo conveniente, reprimindo neles as inclinações sensuais pelo látego das virtudes e os sujeitando

---

537 O vocábulo "alma", neste caso, implica ambos os princípios, de vida e de inteligência.

538 Castigar (*castigo*), neste caso, não guarda conotação pejorativa, mas virtuosa, significando o refreio dos impulsos e apetites do corpo, que devem ser submetidos aos ditames da reta razão.

539 Cf. 1Cor 15,53-54: "Pois é preciso que isto que é corruptível revista-se da incorruptibilidade, e o que é mortal revista-se da imortalidade. E quando o que é corruptível revestir-se da incorruptibilidade e o que é mortal revestir a imortalidade..." (δεῖ γὰρ τὸ φθαρτὸν τοῦτο ἐνδύσασθαι ἀφθαρσίαν καὶ τὸ θνητὸν τοῦτο ἐνδύσασθαι ἀθανασίαν. ὅταν δὲ τὸ φθαρτὸν τοῦτο ἐνδύσηται ἀφθαρσίαν καὶ τὸ θνητὸν τοῦτο ἐνδύσηται ἀθανασίαν...).

ao governo da razão, a parte superior da alma, sejam estes mesmos corpos preparados para a morada da incorrupção celeste. Numa palavra, para que possam tornar-se eternos, embora permaneçam, de algum modo misterioso, “corpos”, porém de natureza espiritual. Se tudo que existe deve possuir medida, número e ordem[540], do contrário perde-se na indeterminação do nada, como imaginar um ser, posto que espiritual, sem alguma determinação, sem alguma forma? Se não possui uma medida, será infinito como Deus; se não tem número, será eterno, ou, no mínimo, desproporcional; se não tem ordem, será caótico. Numa palavra, sem forma, se algo existisse, seria como aquela matéria informe, de que fala Agostinho em *Confissões*[541], ao tratar da criação do mundo material, um quase-nada-informe, que uma alma, dotada de ser, vida e inteligência, não pode ser de modo nenhum. Portanto não se pode, sem cair no panteísmo, imaginar a sobrevivência da alma individual após a morte sem algum tipo de determinação, numa palavra, sem medida, número e ordem, chame-se a isso de “corpo”, ou de outra qualquer coisa.

Quanto à sujeição ordenada e legítima a que os corpos devam ser submetidos, não se refere a outra coisa senão aos dispositivos da Lei eterna, como dito no livro primeiro[542], segundo a qual a Ordem suprema e perfeita se realiza na submissão do inferior ao superior, o que, neste caso, implica a submissão do corpo inferior à natureza que lhe é superior, a razão. Por outro lado a boa administração dos corpos é operada segundo as disposições estudadas no livro primeiro, de forte ascendência tanto platônica como estoica: as almas devem castigar os impulsos volitivos dos corpos por meio do freio temperante das virtudes cardeais, dependentes todas elas da razão, de modo que sirvam submissamente ao comando dessa mesma razão, rainha suprema das almas.

## 3,20,57,194. Ministério de reparação da incorruptibilidade original do corpo

> **194.** A – As quais *almas*, quando entram nesta vida e se submetem[543] [*aos corpos*] para gerir os membros mortais, também é necessário que se submetam não apenas ao esquecimento da vida anterior, mas também ao labor da *vida* presente[544]...

---

540 Cf. 2,19,54,203.

541 Cf. *Conf.* 12,5,5-6,6.

542 Cf. 1,16,15,51; 8,18,64.

543 Liter.: “ir para debaixo de” (*sub* + *ire*).

544 Refere-se o termo *labor* às fadigas e trabalhos intermináveis desta vida.

Nesta terceira hipótese de transmissão do pecado original para a descendência de Adão, admitindo-se a possibilidade da preexistência das almas, ou seja, sua existência em algum lugar dos céus, antes de encarnar-se, o que, como dito antes, não significa de modo nenhuma sua eternidade, como queria Platão, em seu diálogo *Fedro*, interessa notar as justificativas encontradas pelo filósofo para dar conta de dois aspectos sempre lembrados em conexão com alguma versão de (re-) encarnação, a saber: [i] a amnésia das almas preexistentes, que, quando incorporadas, não se lembram de detalhes nenhuns de sua suposta vida pregressa; [ii] a aceitação prévia das fadigas da existência corpórea, de natureza "contratual", a que as almas pré-existentes devem subscrever, antes de adentrarem os corpos[545]. Talvez não fosse fácil justificar para grande parte das almas uma transmissão *ad libitum* do estado de ignorância e dificuldade em que se haveriam de encontrar, quando em corpos, neste mundo carnal. Se não fossem "enviadas" – de certo modo involuntário, ou, quando não, constrangido – para reparar a natureza incorruptível do corpo, corrompida de modo voluntário pelo pecado original, talvez lhes fosse difícil aceitar o desafio, salvo em se tratando de almas excelentes, como as dos anjos.

**194.** A – [...] de onde se seguirá [como consequência] aquela ignorância e a dificuldade, que no primeiro homem foi o castigo da mortalidade para contrapesar a infelicidade do [seu] espírito[546], porém nessas almas, a porta do ministério para reparar a incorrupção[547] do [seu] corpo.

Portanto a transmissão da herança mortal do pecado do primeiro homem, a condição penal de ignorância e dificuldade, se se constituiu originalmente para ele uma pena de morte pelo pecado, cometido por causa da miserabilidade de sua alma, que preferiu-se a si mesma em lugar do amor do Criador, a Fonte da suprema Felicidade, nas almas subsequentes esse estado penal se justifica de maneira bem mais misericordiosa, como sendo uma oportunidade concedida. Assim a posteridade do primeiro homem, cujo corpo espiritual e imortal se tornou carnal e consequentemente mortal, tem ocasião de reparar a incorrupção original de seu veículo, esse mesmo receptáculo de carne que

545 A encarnação voluntária das almas será a quarta hipótese. Cf. §§198-199.

546 Para compensar, como contrapeso à miserabilidade de seu espírito, devido ao pecado, colocou-se a morte no prato da balança oposto ao prato do pecado. Portanto a morte é o preço pago pelo pecado, ou, na economia antiga, o contrapeso da balança correspondente ao peso do pecado, que deveria ser saldado.

547 Do latim *in + corruptio*, equivalente à *in + corruptibilitas.*

encarna e ornamenta, pela dignidade de sua natureza. Diz-se ministério, ou seja, "serviço", porque se trata de uma submissão às penas e agruras da vida mortal, ofício que, na Roma antiga, podia tanto ser atribuído a um escravo, de modo invito, como a um servidor livre, assalariado, o que pode significar, aqui, supõe-se, que seja assumido de bom grado pelas almas, *ad libitum,* as quais desejam de coração arrependido remendar sua rota roupagem, embora possa ser igualmente compreendido como uma pena irremediável às impenitentes, que então se encarnariam à revelia, por assim dizer, recusando saldar suas dívidas espontaneamente. Posto que nada ou pouco ortodoxa, essa hipótese se torna interessante, não tanto por sua coerência, mas por seu charme de ascendência órfico-pitagórica e sobretudo platônica, e principalmente por seu tom misericordioso, que transforma o estado penal em "ministério da reparação". No entanto, se agrada de um lado, levanta muitas questões de outro, algumas das quais Agostinho antecipa na sequência.

## 3,20,57,195. Propagação da morte pela carne: mergulhia

**195.** A – [...] segundo este modo [de pensar[548],] também essas coisas não se dizem "pecados", senão porque a carne, que vem da propagação[549] do pecador às almas que vêm a si, faz [existir] esta ignorância e dificuldade, pelas quais não se deve atribuir culpa nem a elas, nem ao Criador.

Uma das questões que esta hipótese da transmissão do pecado pela encarnação levanta refere-se às condições mortais da carne. Se as almas preexistentes descem do céu para habitar corpos terrestres, seria lícito indagar se sua missão era restaurar a incorrupção dos corpos corrompidos por elas mesmas, ou apenas por Adão. E mais, se vêm habitar corpos, soprando sua *anima* neles, então vivem no céu sem qualquer corpo, sendo sopros informes; ou, ao contrário, teriam deixado seus corpos celestes para habitar outros inferiores, terrestres, de onde ter dito Agostinho que sua tarefa seria um "ministério", uma espécie de serviço amoroso que lhes teria sido confiado por Deus?[550] Nesse caso então se trataria de anjos restauradores, almas celestes cuja missão seria consertar o estrago feito por

[548] Refere-se à terceira hipótese para a transmissão do pecado original.

[549] Traduz o latim *propages* ou *propagŏ*.

[550] Agostinho não diz se as almas preexistentes viriam de modo involuntário, apenas que seriam enviadas por Deus. Porém a hipótese seguinte tratará das almas que virão voluntariamente, o que faz supor que as almas desta terceira hipótese não venham *ad libitum,* mas mandadas, no mínimo, com algum constrangimento.

Adão, ao purificarem a carne corrompida por ele? Dos quais anjos, porém, muitos sem dúvida fracassam em seu ministério, pois, ao invés de reparar o estrago, causam danos ainda maiores. Seja como for, o que diz Agostinho, com relação ao corpo de carne, neste passo ao menos, é que, segundo essa terceira hipótese, a ignorância e a dificuldade só se dizem pecados por causa da propagação da carne do pecador, que é animada pelas almas preexistentes, carne essa que é a verdadeira culpada pelo estado penal da criatura neste orbe, não as almas preexistentes, muito menos Deus[551]. Portanto o estado de ignorância do bem e de dificuldade em praticá-lo, mediante uma vontade ineficaz, decorre das limitações impostas à alma, enquanto presa a um corpo de carne. O que faz sentido, pois sendo a Verdade inteligível, compreende-se a dificuldade da alma, enquanto presa e submissa aos sentidos, de alcançá-la pela mente, perturbada e iludida pelas apreensões do corpo pesado. Demais, se a verdade é eterna e imutável, estando presa a um receptáculo temporal e mutável, a alma deve empreender um esforço sobre-humano para superar as limitações do hábito carnal e das impressões decorrentes das coordenadas espaço-tempo, como se percebe, por exemplo, nos exercícios espirituais ou ascéticos (ἀσκήσεις) de várias correntes, desde os orientais aos pitagóricos, e destes aos neoplatônicos, exercícios que Agostinho praticou, como relata em *Confissões*, algumas vezes, das quais uma ao lado de sua própria mãe, Mônica, antes de sua morte, em Óstia Tiberina[552]. Nesses exercícios parte-se da contemplação da criação através dos sentidos exteriores, por meio de um esforço de interiorização, rumo à contemplação mental, para então, num esforço inaudito de desprendimento, tanto das impressões comunicadas pelos sentidos à mente, como também do próprio pensar, silenciando as palavras de

---

[551] Essa culpabilidade da "carne" (= matéria [ὕλη]) também foi usada como justificativa por Plotino. Cf. *En.* 1,8,14 15-26. Com efeito, a fraqueza (ἀσθένεια), ou *difficultas*, da alma não se encontra em si mesma, enquanto separada do corpo, quando ela se diz perfeita e pura, assevera o pensador neoplatônico, mas quando está misturada à matéria, o que não lhe acarreta uma ausência, mas a adição de um elemento estranho (23-34): "οὐκ ἀφαίρεσις τινός, ἀλλ' ἀλλοτρίου παρουσία". Pois a matéria é um elemento ádvena que importuna a alma, querendo a todo custo penetrá-la (*En* 1,8,14 35-36). Mas o lugar à parte da alma é precisamente não ser matéria, diz Plotino (*En.* 1,8,14 30-31): "ὁ τόπος τῇ ψυχῇ χωρὶς τὸ μὴ ἐν ὕλῃ". Portanto essa *difficultas* da alma é causada pelo contato com a matéria (corpo), diz o filósofo (*En.* 1,8,14 45-46), em decorrência do qual contato ela perde suas forças (ὅτι πᾶσαι αἱ δυνάμεις οὐ πάρεισιν), sendo impedida de agir livremente (κωλυούσης ὕλης...). E não é só fraqueza que a matéria (corpo) causa na alma, sendo ela também a causa de seus próprios vícios ou males (*En.* 1,8,14 49-50): "ὕλη τοίνυν καὶ ἀσθενείας ψυχῇ αἰτία καὶ κακίας αἰτία".

[552] *Conf.* 7,17,23; 9,10,23-25.

quaisquer pensamentos, ultrapassar a própria razão e a alma em si mesma, se é possível dizê-lo, até penetrar a plenitude insondável e inefável do Ser, de que não se pode senão abeirar-se, para no mesmo instante precipitar-se novamente na escuridão da carne[553], na perturbação ruidosa das palavras e dos pensamentos, dos sons e das imagens, longe da Natureza imperscrutável do Inteligível supremo. Muito compreensível, portanto, que a carne seja de certo modo a responsável por esse estado de ignorância e de dificuldade, pois o peso do corpo, essa "tenda" ou habitação terrena, como diz o livro da Sabedoria, torna tudo mais difícil, fazendo pesar a alma e deprimindo-lhe a percepção, além da própria mente, que, ao pensar muitas coisas, nem sempre alcança a verdade, e sim a agitação[554].

No entanto, se a carne dificulta as coisas, não se deve dirigir contra ela censuras apressadas, pois a ignorância e a dificuldade se dizem pecados de modo indireto ou mediato. Com efeito, se a descendência de Adão se multiplicou pela terra, segundo dizem as Escrituras, não o fez, de acordo com essa hipótese, senão segundo a carne, como quem aplica a técnica reprodutiva dita "mergulhia", cujo termo latino, pinçado a dedo com enorme felicidade, é *propages* (ou *progagŏ*), "propagação", que significa mergulhar, afixando[555], uma raiz ou ramo na terra, esperando que depois medre e se faça uma planta toda nova. Assim, pois, é que se teria multiplicado a descendência adâmica, pelo sistema da "mergulhia", a partir de sua carne. Trata-se de um pensamento correto, sem dúvida, se se imagine que um determinado grupo tenha um tronco inicial comum. Mas se a carne se propaga por essa "mergulhia", as almas, não, uma vez que vêm do céu, uma a uma, apenas para nela encarnar-se, em missão restauradora, em cada corpo individual que nasce. Assim sendo, cada indivíduo tem dupla origem: [i] enquanto corpo de carne, tem origem no corpo de Adão, propagado por toda a sua descendência; [ii] enquanto alma, que anima os corpos vindo de algum recôndito celeste, origina-se imediatamente de Deus. Não que a descendência carnal de Adão não tenha sua origem em Deus também, uma vez Adão ter sido criado imediatamente por ele e a Providência divina velar por toda a universalidade da criação, o que inclui sem dúvida o seu processo reprodutivo, porém essa origem é de certo modo indireta, visto ser intermediada pela cópula.

---

553 *Conf.* 10,40,65: "Mas precipito-me novamente em direção a estas coisas pelos pesos desgraçados e sou tragado pelos hábitos" (*sed recido in haec aerumnosis ponderibus et resorbeor solitis*).

554 *Conf.* 7,17,23: "Porque o corpo, que se corrompe, torna pesada a alma e essa habitação terrena deprime o pensamento, que se põe a cogitar muitas coisas" (*quoniam corpus, quod corrumpitur, adgrauat animam et deprimit terrena inhabitatio sensum multa cogitantem...*); cf. Sb 9,15; *L.A.* **2**,11,30,122-123.

555 Latim: *pango*; grego: πήγνυμι.

Portanto a ignorância e a dificuldade, decorrentes da carne, só se dizem pecado, nesta terceira hipótese encarnacionista, por causa da própria carne, tornada mortal pelo pecado do primeiro homem, porque nem Deus, o Criador da carne e do espírito, nem as almas preexistentes, que descem do céu para soprar vida nos corpos de carne propagados, se podem dizer com justiça dignos de culpa. De fato, Deus, como provado desde há muitas páginas, não tem culpa nem pelo pecado de Adão, nem por ter-lhe dado a vontade com a qual pecou, muito menos pelo salário de morte acordado, que sem dúvida Adão fez por merecer. Do mesmo modo as almas preexistentes, que vêm cumprir seu ministério de reparação da carne mortal, não podem inculpar-se pela corrupção do corpo que descem para animar, corpo que elas mesmas não tornaram mortal. Logo, para as almas, o estado penal de ignorância e dificuldade seria somente um ministério reparador, que só se diz pecado por causa do pecado que precipitou a carne, que elas vêm reparar, nesse castigo de morte.

### 3,20,57,196-197. Quartas badaladas: o sino da Graça!

Os dois parágrafos seguintes (§§196-197), elaborados numa sintaxe das mais complexas, sintetizam e resumem essa terceira hipótese para a transmissão pecado original, pelo que merecem algum desdobramento.

> **196.** A – Pois ele lhes deu não apenas a faculdade de operar[556] bem *nos ofícios laboriosos*[557], mas também a via da fé na cegueira do esquecimento...

Às almas preexistentes, que descem do secreto celeste para insuflar vida nos corpos de carne, condenados à mortalidade e responsáveis pela condição penal de ignorância e dificuldade, a fim de reparar a sua incorrupção, concedeu o Criador dois dons, por assim dizer: [i] a possibilidade de fazer o bem, mesmo nas tarefas as mais penosas; [ii] e o caminho da fé, para contrapesar as trevas do esquecimento. Se a possibilidade de operar o bem nos ofícios laboriosos é um antídoto contra a dificuldade, a fé, por sua vez, é um medicamento contra a ignorância, decorrente da cegueira do esquecimento, referente à suposta vida pregressa da alma, antes da encarnação[558]. De fato, pela fé na Justiça e na Bondade

[556] Traduz o latim *operor*, no sentido de "realizar" ou "cumprir".

[557] Tarefas que requerem grande esforço e que causam fadiga (*labor*).

[558] Cf. 3,20,57,194.

divinas, mas principalmente no retorno à vida celeste de que se originam, podem as almas crer em seu "ministério" de reparação dos corpos, mesmo que nada se lembrem de sua vida pregressa, cuja "cegueira do esquecimento" poderia estorvar sua paciência para suportar a condição penal da carne, fazendo-as fracassar. Portanto capacidade para fazer o bem e fé, dois dons divinos, constituem contrapesos à dificuldade e à ignorância, fazendo ver que, a despeito da condição penal a que essas almas que encarnam se submetem, Deus não as deixa desprovidas de sua misericordiosa intervenção, cujo *modus operandi* se descreve na sequência.

> **196.** A – [...] [dons que constituem] de modo especialíssimo aquele juízo [natural][559], porque toda alma não apenas concede que deve ser buscado aquilo que inutilmente desconhece, mas também que deve perseverantemente, *nos oficiosos labores*[560], fazer esforços para vencer a dificuldade de agir retamente...

Tanto a possibilidade de operar o bem nos ofícios laboriosos, quanto a fé na cegueira do esquecimento, fazem parte daquele *naturale iudicium* suprarreferido, "juízo natural" que as almas recebem do Criador de modo antecipado, como um crédito sem garantia alguma, ou seja, "antes de todo mérito da boa obra", a fim de que não possam alegar depois nem ignorância completa do bem, nem impossibilidade de pô-lo em prática. Pois por meio desse juízo natural, que recebem gratuitamente de Deus, as almas [ii] admitem que devem investigar aquilo cuja ignorância de modo nenhum lhes é proveitosa, ou seja, que devem procurar conhecer o que não devem desconhecer, [i] além de fazer esforços perseverantes para superar a condição penal de dificuldade de agir retamente. Portanto, apesar de encarnarem em corpos cuja mortalidade lhes cria as condições penais de ignorância do bem e dificuldade em praticá-lo, as almas, ao receber o dom gratuito do juízo natural, se fazem sabedoras de suas obrigações prementes, no sentido de superar esse estado penal em que são precipitadas. Essa investigação do que não devem ignorar e o esforço perseverante de superação da dificuldade da boa ação, contudo, não se faz unicamente pelo reconhecimento de seus deveres, muito menos pelo esforço ou estudo solitário e autônomo de cada alma, uma vez que, nada obstante o juízo natural recebido,

---

559 Cf. 3,20,56,191. O juízo natural permite que a alma distinga a sabedoria do erro da ignorância e a quietude da perturbação da dificuldade.

560 Interessante a construção retórica utilizada pelo rétor, que mescla algumas figuras sofisticadas de repetição: antimetábole, quiasmo, paralelismo, paronomásia e poliptoto: *laboriosis officiis... officiosis laboribus*, "nos ofícios laboriosos [/laboriosos ofícios]... nos oficiosos labores".

ainda assim não se deve esquecer que se encontram numa condição penal grave, de ignorância e dificuldade, luta que requer sacrifícios ingentes. Logo carecem de alguma ajuda extra, bem acima de suas próprias possibilidades, que só pode vir do alto.

## 3,20,57,196. Lágrimas: extrínsecas e intrínsecas

**196.** A – [...] e implorar do Criador o recurso[561], a fim de que ele ajude aquele que se esforça, [Criador] que, seja extrinsecamente, por meio de sua Lei[562], seja no íntimo [de cada um], por meio de uma alocução do coração, prescreve que deva esforçar-se...

Nenhuma alma encarnada poderá lograr vitória contra a condição penal da ignorância e da dificuldade, impostas à toda carne mortal em que vieram soprar vida, se não contarem com a ajuda da Providência divina. Ajuda que se obtém "implorando", diz Agostinho, que provavelmente se refere àquela prece de coração contrito e humilhado, regada de lágrimas, como o étimo sugere[563]; prece a que o Criador responde de duas maneiras: [i] de modo exterior, através de sua Lei, através dos preceitos da Autoridade, constantes das Escrituras sagradas, que devem ser lidas e meditadas pelos crentes; [ii] de modo interior, quando então se faz ouvir a "alocução" divina, na intimidade daquele mesmo coração compungido e apequenado, banhado de lágrimas. Porém não se pense que a resposta da Providência seja leniente, menos ainda conivente, com a fraqueza da alma; ao contrário, seja pela meditação das Escrituras, seja pela voz que se faz ouvir no recôndito profundo do coração contrito, a palavra que prescreve é justa, nada obstante seja comunicada pela via da misericórdia: que se esforce a alma; que lute com todas as forças por vencer a condição penal em que se encontra, superando a ignorância, por meio da fé, e a dificuldade do bom ofício, por meio do labor perseverante.

## Triunfo na cidade de Deus...

**196.** A – [...] e prepara a glória da felicíssima Cidade[564]...

---

561 O latim diz *opes*, que se pode traduzir por uma infinidade de termos correlatos, como: recursos, riquezas, opulência, meios, forças; daí também: auxílio, socorro, assistência etc.

562 Por meio das admoestações constantes nas Escrituras.

563 Em latim "chorar" se diz *plorare*, daí: *in* + *plorare*.

564 *Ciuitas beatissima*, "Cidade beatíssima", a Jerusalém celeste, o Reino de Deus.

E como recompensa pela manutenção da fé no curso corrido e a vitória no bom combate[565], Deus prepara a glória da beatíssima *ciuitas*, a Cidade celeste, para as almas triunfantes, que lograram reparar a natureza imortal dos corpos de carne, do contrário não poderiam cruzar os portais da Cidade, muito menos ali habitar.

## ...aos vencedores do diabo

> **196.** A – [...] para os que triunfam daquele[566], que conduziu o primeiro homem a essa infelicidade, vencido por uma péssima persuasão...

O triunfo da condição penal, e obviamente muitíssimo infeliz, de ignorância e dificuldade do bem, decorrentes ambos da carne mortal, pena imposta merecidamente ao homem, depois do seu pecado, como não poderia ser diferente, constitui-se um verdadeiro triunfo, uma vitória sobre o próprio diabo, aquele anjo caído que arrastou o primeiro homem consigo, para longe do seu Criador, por pura inveja. Se o primeiro homem foi "convencido" (*con* + *uincere*) pelas palavras persuasivas do anjo prevaricador e ínvido, ao superar as penas que lhe foram impostas, as quais sem dúvida muito apraziam o persuasor diabólico, pois, ao estorvar o conhecimento e a prática do bem, o diabo mantém o homem distante do Bem supremo, que lhe está interdito, mantendo-o próximo ao nada em que ele mesmo se encontra prisioneiro, agora o homem vence (*uincere*) o invejoso persuasor, merecendo a entrada triunfante[567] na Cidade celeste. Portanto, se antes o diabo triunfou do homem, conduzindo-o, vencido, em lúgubre procissão, num cortejo fúnebre, atado aos grilhões do corpo mortal, ao longo da via da condição penal de ignorância e dificuldade do bem, rumo ao templo do nada, as almas, por sua vez, ao vencerem a condição penal que lhes foi imposta, triunfam do diabo, adentrando a Cidade celeste, em cortejo glorioso e feliz, caminhando libertas pela via da vida, rumo ao templo do Ser supremo[568].

---

565 Cf. Paulo, 2Tim 4,7.

566 O diabo, por certo. Cf. 3,10,29,106.

567 Vale notar que a cerimônia tipicamente romana do *triumphus* consistia na entrada faustosa em Roma de algum general recém-vitorioso, em grande pompa, cujo cortejo celebrante seguia em procissão solene até ao templo de Júpiter Capitolino, o rei de todos os deuses. Tratava-se, em última instância, de uma celebração das vitórias e da supremacia gloriosa da própria Roma.

568 Note-se que a *uia crucis* de Cristo, rumo ao Gólgota, faz interessantíssimo contraponto ao *triumphus* romano, muito provavelmente não ao acaso. Pois, se de um lado o *dux* vitorioso, em

## Revestidas de morte para a milícia da morte

**196.** A – [...] infelicidade que essas almas [que encarnam em corpos mortais] tomam sobre si a fim de vencê-lo[569]...

Neste terceira hipótese para a transmissão do pecado original, as almas, preexistentes ao corpo, "descem" dos recônditos celestes, enviadas por Deus, para soprar vida nos corpos mortais, propagados por toda a descendência do primeiro homem, depois de seu pecado, para cumprir um ministério de reparação, resgatando a incorruptibilidade desses corpos carnais, a fim de que possam habitar a Cidade celeste, evadindo da condição penal de ignorância e dificuldade. E, como dito logo acima, os que triunfam dessa penalidade ignorante e dificultosa, condição infeliz, ao reparar a incorrupção do corpo, que por isso deixa de ser mortal, triunfam igualmente do diabo, aquele cuja persuasão serviu de instrumento para a queda do homem, embora não lhe seja imputada culpa solitária, pois nenhuma persuasão se aceita invito. Portanto, ao triunfarem da condição mortal do corpo, triunfam igualmente do preposto da morte. Para essa vitória, contudo, devem submeter-se, como dito, não apenas ao esquecimento de sua vida pregressa (ignorância), mas também aos labores deste condição penal (dificuldade), duas condições que, pelo fato de serem penais, são desagradáveis e tornam as almas infelizes[570]. É preciso, então, que as almas que encarnam, segundo essa terceira hipótese, assumam, ou seja, tomem sobre si os corpos mortais, a fim de repará-los; e tomá-los não significa senão tomar a própria morte sobre si, o que se faz quando se assume a condição mortal do corpo, que, por causa da ignorância e da dificuldade que causa, tornam a alma encarnada muito infeliz. Se aceitam de bom grado ou não, importa menos que

procissão solene, celebrava o *imperium* de Roma sobre os povos vencidos e doravante submetidos, *hic et nunc*, na Babilônia das nações, a via sacra celebra, em procissão ainda mais solene, a vitória de Cristo, o *dux caelestis*, o general celeste, sobre o diabo, o preposto da morte, e seus asseclas, porém *ibi et tunc*, na Jerusalém celeste, que espera os que se dispuserem a seguir o cortejo sagrado. Todavia, ao contrário do triunfo militar dos primeiros, cuja "glória" foi obtida à força e ao custo altíssimo do sangue alheio derramado com ódio e de muita devastação, o triunfo "inglório" de Cristo foi obtido pacificamente e com amor, ao preço de seu próprio sangue e da "devastação" de sua própria carne. Daí a glória de Roma ter sido efêmera; a de Cristo, duradoura, pois se a primeira estava voltada exclusivamente à carne e à posse dos bens temporais mutáveis, putrescíveis todos; a segunda, ao espírito e aos bens imutáveis e eternos.

569 Traduz o latim *sub + capere*.

570 Cf. 3,20,56,189.

sua finalidade, o ministério da reparação da incorrupção, que, quando bem sucedido, é uma vitória sobre morte e sobre seu preposto.

## A fé dos vencidos e dos vencedores

**196.** A – [...] [para vencer o diabo] por meio de uma fé excelente[571].

A vitória sobre a condição mortal do corpo, contudo, não se faz apenas por meio da boa-vontade, ou do esforço perseverante, mas também por meio de uma fé excelente, que se contrapõe à péssima persuasão do diabo. De fato, se o homem caiu por meio das palavras más do persuasor, a que deu crédito, deve-se reerguer por meio de um crédito reverso, ou seja, deve dar crédito às Palavras boas do Salvador. Logo, à uma fé péssima, contrapõe-se uma fé ótima, pois ao se deixar convencer pela persuasão do diabo, muitíssimo má, teve fé em suas palavras mentirosas, portanto uma fé muitíssimo má; porém ao deixar-se convencer pelas Palavras salvadoras da Escritura, tem fé na Verdade, uma fé muitíssimo boa. Duas fés, portanto, uma muitíssimo má; outra, muitíssimo boa; uma é a responsável por sua ruína; a outra, por sua salvação.

## Glórias militares

**197.** A – Pois não é uma milícia [digna] de pequena glória vencer o diabo, tendo tomado sobre si o mesmo castigo, para o qual ele se vangloria de ter conduzido[572] o homem.

Ao preservar a metáfora de cunho militar, sem dúvida de ascendência paulina[573], iniciada com a imagem do *triumphus*, que se fez sustentar pelo recurso

---

571 *Optima fides* vs. *pessima suasio.* Deve-se lembrar que a *suasio* não faz do homem uma vítima inocente do diabo, pois ele não poderia ser obrigado a aceitar seus conselhos, o que faz livremente, portanto com total imputabilidade. Cf. 3,10,29,104.

572 Cf. 3,10,29,106.

573 Cf. 1Cor 15,53-57: "E quando o que é corruptível revestir-se da incorruptibilidade e o que é mortal revestir a imortalidade, então há de cumprir-se a palavra que está escrita: 'A morte foi tragada na vitória. Onde, ó Morte, a tua vitória? Onde, ó morte, o teu ferrão?'. O ferrão da morte é o pecado; o poder do pecado, a lei. Graças a Deus, que nos concede a vitória por meio de nosso Senhor Jesus Cristo." (ὅταν δὲ τὸ φθαρτὸν τοῦτο ἐνδύσηται ἀφθαρσίαν καὶ τὸ θνητὸν τοῦτο ἐνδύσηται ἀθανασίαν, τότε γενήσεται ὁ λόγος ὁ γεγραμμένος· κατεπόθη ὁ θάνατος εἰς νῖκος. ποῦ σου, θάνατε, τὸ νῖκος; ποῦ σου, θάνατε, τὸ κέντρον; τὸ δὲ κέντρον τοῦ θανάτου ἡ ἁμαρτία, ἡ δὲ δύναμις τῆς ἁμαρτίας ὁ νόμος· τῷ δὲ θεῷ χάρις τῷ διδόντι ἡμῖν τὸ νῖκος διὰ τοῦ κυρίου ἡμῶν Ἰησοῦ Χριστοῦ).

ao verbo *uincere*, "vencer", o rétor agora qualifica de digna de não pouca glória a milícia travada contra a mortalidade do corpo e seu preposto, o diabo, especialmente porque a batalha foi vencida com as próprias armas do inimigo. De fato, ao assumir um corpo mortal, as almas que se encarnam, cumprindo com sucesso seu ministério de reparação da incorrupção, tomam sobre si a própria mortalidade, cujo preposto é o príncipe dos pecadores. Portanto a milícia contra a morte é vencida pela própria morte, aponta o rétor, ao fazer ver, com muita perspicácia, que as almas preexistentes, ao assumir um corpo mortal, assumem o castigo imposto ao primeiro homem, a morte, em decorrência da vitória diabólica, perpetrada por sua maliciosa persuasão, a que deram fé Adão e Eva, de modo tão mais livre e espontâneo, quanto péssimo. E se o diabo se vangloriava, quer dizer, se enchia de glórias vãs, em virtude de ter conduzido o primeiro casal à mortalidade da carne, as almas agora se fazem dignas da verdadeira glória celeste, conduzindo o corpo mortal à vida imortal, depois de ter tomado sobre si, espontaneamente, o mesmo castigo infligido ao homem, invito, pelo preposto da morte, ou seja, merecem honras militares da mais alta patente, pois derrotaram o inimigo com suas próprias armas.

## Torpe estipêndio

**197.** A – [...] Porém aquele que houver negligenciado isto...

Se o triunfador é digno de não pouca glória, que se dirá daquele que deserta do campo de batalha, negligenciando (§196) [i] operar bem nos ofícios laboriosos; [ii] manter a fé na cegueira do esquecimento; [iii] buscar o que não é útil nem proveitoso desconhecer; [iv] esforçar-se com perseverança nos labores oficiosos; [v] superar a dificuldade de fazer o bem; coisas que ele deve empreender: [vi] implorando ao Criador forças; [vii] deixando-se ajudar externamente por sua Lei; [viii] e também intimamente, ao ouvir suas palavras?

**197.** A – [...] capturado pelo amor dessa vida, de modo nenhum imputará justamente o flagício de sua deserção ao império[574] de seu Rei[575], mas estará antes sob o [império daquele] senhor de

[574] Traduz o latino *imperium*, "poder", "autoridade", "domínio".

[575] Assim como um soldado não pode acusar o Rei pelos castigos que lhe são impostos penalmente por causa de sua deserção das forças armadas de sua pátria, às quais deveria servir até à morte, do mesmo modo aquele que deserta da milícia divina não pode acusar a Deus pelas penas que lhe são impostas por sua deserção.

todas as coisas[576], ordenado a seu lado[577], cujo torpe estipêndio[578], de tal modo que desertasse do seu acampamento [militar], muito amou.

As almas que se encarnam nos corpos mortais, preexistentes no céu, de onde foram enviadas por Deus para reparar a incorrupção dos corpos, perdida pelo primeiro homem após o seu pecado digno de morte, o qual precipitou a propagação de sua descendência na condição penal e infeliz de ignorância e dificuldade, se, ao invés de cumprirem fielmente seu ministério, forem seduzidas e capturadas pelo amor dos corpos carnais que devem restaurar, e de suas sensações e limitadas possibilidades, ao invés de entrar em triunfo glorioso da Cidade celeste, permanecerão sob o império tirânico do preposto da morte e príncipe deste mundo, que Agostinho agora chama de "senhor de todas as coisas". Ao invés de servirem na milícia de seu Rei, sob o império justo e misericordioso do divino General, a que não poderão imputar o opróbrio de sua própria deserção, pois não foram capturadas senão livremente, tendo podido livrar-se, se não pelo juízo natural que lhes foi dado, ao menos pelo socorro de uma fé excelente, serão obrigadas a servir nas fileiras do preposto da morte, o diabo, cujo torpe estipêndio, os prazeres ilusórios e inquietantes das inclinações sensuais do corpo mortal, preferiram amar, desertando da segurança e estabilidade do "acampamento" militar da Sabedoria e da Verdade de seu Rei.

## 3,20,58,198-199. Hipótese IV – Transmissão encarnacionista voluntária

**198.** A – [...] se as almas, constituídas em outro lugar, não são enviadas pelo Senhor Deus, mas vêm, espontaneamente, para habitar nos corpos...

Esta quarta hipótese é apenas uma variação da terceira, pois trata-se ainda de considerar a possibilidade de que as almas tenham vindo de algum recôndito celeste habitar no interior (*in* + *habito*) dos corpos mortais, a fim de reparar sua incorrupção. A diferença, contudo, reside em sua motivação para a "descida". Se

---

576 Refere-se aqui ao diabo. Cf. 3,10,29,106.

577 Liter.: "em suas partes", o que provavelmente significa, segundo essa metáfora militar elaborada por Agostinho, "disposto em suas fileiras", ou seja, "ordenado para a batalha ao lado do diabo", como um servidor de sua milícia do mal.

578 Traduz o latino *stipendium*, o soldo pago aos militares de baixa patente. A alma preferiu amar o torpe estipêndio oferecido pelo diabo, os prazeres dos sentidos, ao invés de servir na milícia do Senhor, desertando assim de sua fortaleza militar (*castra*).

na terceira hipótese as almas eram enviadas por Deus, o que faz supor sua descida involuntária, quando não, apenas consentida, quer dizer, que as almas não vieram *sponte sua*, por sua livre e espontânea vontade, mas foram de alguma maneira constrangidas pelo Criador, nesta quarta hipótese, contudo, elas teriam vindo de livre iniciativa. Essa distinção é crucial, porque, sendo enviadas por Deus, de algum modo poder-se-ia (em tese) imputar-lhe a culpa por seu estado de ignorância e de dificuldade, uma vez as almas terem sido constrangidas a habitar corpos condenados por pecados que elas mesmas não haviam cometido. Porém, se vieram por conta própria, como imputar ao Criador as consequências de sua livre iniciativa?

**198.** A – [...] qualquer [vestígio] de ignorância e de dificuldade que se houver seguido à sua própria vontade, de modo nenhum o Criador deve ser culpado por isso, quando, mesmo se ele próprio as houvesse enviado, das quais também na própria ignorância e dificuldade não retirou a vontade livre de pedir, de buscar [conhecer] e de esforçar-se...

Neste caso, tendo "descido" por sua livre e espontânea vontade, toda ignorância e dificuldade da condição penal, provocada pelos corpos, no interior dos quais vieram habitar, não pode ser imputada ao Criador. No entanto, pondera Agostinho, ainda que houvessem sido enviadas por ele, como se dá na hipótese anterior, ainda assim não se poderia inculpá-lo, porque, mesmo no estado de ignorância e de dificuldade do bem, as almas, como que presas no interior dos corpos que desceram para habitar, nunca foram privadas da vontade livre, seja para pedir, seja para buscar o conhecimento, seja para esforçar-se por praticar o pouco de bem que conheceram, o que poderiam sempre ter feito, se assim o desejassem. Portanto, mesmo que se vissem em dificuldades por causa da ignorância do bem e da dificuldade em praticá-lo, requisitos necessários para a redenção do corpo, que vieram resgatar da mortalidade, ainda assim poderiam contar com o subsídio de seu Criador onipotente, que lhes concederia o que pedissem, o que buscassem conhecer e o bem que se esforçassem por realizar, pelo que não poderiam imputar-lhe qualquer culpa.

**198.** A – [...] [ainda assim] ele haveria de dar aos que pedem, de demonstrar aos que buscam [conhecer], e haveria de abrir [a porta] aos que batem[579], estando absolutamente fora de culpa.

---

[579] Cf. Mt 7,7-8: "Pedi e vos será dado; procurai e encontrareis; batei e se vos abrirá; pois todo o que pede, recebe; e o que procura, encontra; e ao que bate, se lhe abrirá." (Αἰτεῖτε καὶ δοθήσεται ὑμῖν, ζητεῖτε καὶ εὑρήσετε, κρούετε καὶ ἀνοιγήσεται ὑμῖν· πᾶς γὰρ ὁ αἰτῶν λαμβάνει καὶ ὁ ζητῶν εὑρίσκει καὶ τῷ κρούοντι ἀνοιγήσεται.).

Isso significa que, a despeito da ineficácia da vontade, estando a alma presa no interior dos corpos e mergulhada na ignorância e na dificuldade por causa de sua má influência, isto é, do peso do hábito carnal, nenhuma alma pode alegar incapacidade de conhecer o bem, muito menos de praticá-lo, pois nenhuma alma se encontra desamparada do socorro gratuito de seu Criador, que dá a quem pede, que demonstra ao que busca conhecer e que abre a porta da facilidade de fazer o bem a todos os que nela batem com diligência, humildade e perseverança. Ou seja, a ineficácia da vontade não é absoluta, pois é à própria vontade que cabe o querer bater, o querer buscar e o querer pedir, sem o que não se logra receber, ver demonstrado ou ter aberta a porta. E se as almas não pedem, nem buscam ou batem, a culpa não pode ser do Criador, pois, apesar de sua vontade estar obstruída pela ignorância e pela dificuldade, não está totalmente obstruída ao ponto da incapacidade de pedir, buscar ou bater, incapacidade essa que nenhuma alma pode alegar em sua própria defesa, em detrimento do Criador.

**199.** A – Pois ele concederia aos estudiosos[580] e benévolos que fossem capazes de vencer esta ignorância e dificuldade, para [receber] a coroa da glória[581]...

Interessante notar como começa a tornar-se complexa essa questão dos dons divinos, que mais tarde será referida como "Graça", motivada em grande parte pelas polêmicas com os epígonos de Pelágio. Se Deus dispensa seus dons gratuitamente, sendo gracioso com quem quer[582], como dissera o apóstolo Paulo, sem que ninguém possa dizer-se credor dele, ou então, posto de outro modo, sem que ninguém tenha qualquer mérito diante dele, que nenhum salário deve a nenhuma de suas criaturas, agora parece haver uma contradição no que diz Agostinho. Se Deus concede aos dedicados (*studiosis*) e benévolos (*beneuolis*) o necessário subsídio para que se façam capazes de vencer a condição penal de ignorância e de dificuldade, recebendo, após o curso corrido e o combate vencido, a imarcescível coroa da glória, uma alusão às coroas de louros tradicionalmente entregues aos vencedores dos jogos atléticos dos helênicos, decorre forçosamente disso que a dedicação, ou aplicação intelectual (*studium*), e a benevolência, ou disposição para fazer o bem (*beneuolentia*)[583], sejam pré-requisitos para os dons divinos. A questão não é fácil, a não dizer insolúvel. Pois, se ninguém têm mérito diante

580 Traduz o latino *studiosi*, que neste caso significa "aplicados" ou "esforçados".

581 Cf. 1Pd 5,4: "A imarcescível coroa da glória" (τὸν ἀμαράντινον τῆς δόξης στέφανον).

582 Cf. Rm 9,15.

583 Latim: *bene* + *uolo*, "querer bem".

de Deus, o que, como explicado, significa dizer que nenhum crédito pode ser atribuído à criatura, que nem mesmo existia, a fim de fosse criada, além do fato de que o Criador onipotente não pode dever nada a ninguém, o que lhe colocaria numa posição inferior e estranhíssima de devedor de sua própria criatura, com as implicações gravíssimas disso decorrentes, amiúde discutidas[584], como compreender essa afirmação de que Deus concede aos dedicados e bondosos, aos que se esforçam por conhecer e fazer o bem, superando a ineficácia de sua vontade, oriunda da condição penal, sem que isso signifique algum tipo de retribuição meritória, ou seja, algum tipo de salário devido por serviço prestado? Por outro lado, como se poderia dizer justa uma dispensação de dons totalmente gratuita e arbitrária, sem qualquer mérito, para bons e maus, independentemente de sua disposição íntima de fazer o bem? Numa palavra, existiria algum limite cognoscível e perscrutável entre Graça e mérito, ou essas questões se circunscrevem ao "âmbito" do mistério insondável de Deus?[585]

> **199.** A – [...] porém aos negligentes, querendo defender[586] também os seus pecados [com a desculpa] da fraqueza, [Deus] não lhes objetaria[587] essa mesma ignorância e dificuldade como crime, mas os puniria com um justo castigo, porque quiseram mais permanecer nelas do que chegar até à verdade e à facilidade[588] por meio do esforço estudioso[589] de buscar conhecer e de aprender, e da humildade de confessar [os pecados] e de orar [suplicando auxílio].

No entanto, como a questão da dispensação absolutamente gratuita dos dons divinos ainda não estava na ordem do dia, e como seus pensamentos, aqui constantes, ainda não haviam sido "emprestados" pelos pelagianos, em detrimento de seu próprio autor, Agostinho segue no mesmo raciocínio, que permite entrever, neste passo, uma evidente supremacia da Justiça, baseada muito mais na Razão suprema e na Lei eterna, como expostas no livro primeiro, do que na Misericórdia. De fato, assim como os dedicados e benevolentes serão auxiliados, à conta do mérito de sua boa vontade para conhecer o bem (*studium*) e praticá-lo

---

584 Cf. 3,15,42,144-16,45,145.

585 Na verdade o esforço diligente para conhecer a verdade e a disposição benevolente para pôr em prática o bem, se se dizem condições necessárias à salvação, contudo não podem ser ditas suficientes, caso se aceite que Deus dispense gratuitamente seus dons.

586 No sentido de escusar-se, alegando fraqueza.

587 Deus não lhes acusaria de crime por sua ignorância e dificuldade, argumentando contra (*ob + iacio*) sua alegação de fraqueza.

588 A verdade contrapõe-se ao erro da ignorância; a facilidade, à dificuldade de fazer o bem.

589 Traduz o latino *studium.* Cf. os verbetes *studium* e *studiosus* no LÉXICO T-F.

(*beneuolentia*), a vencer a ignorância e a dificuldade da condição penal, rumo à coroação gloriosa na Cidade celeste, do mesmo modo, em sentido reverso, os negligentes, os que não quiserem nem esforçar-se por conhecer, muito menos fazer o bem, esses serão devidamente punidos. Em ambos os casos, não apenas quem se esforça (*studere*) e quer bem (*bene uelle*), mas também quem despreza esforçar-se e querer bem (*neglegere*), nenhum deles o faz senão por meio da vontade, seja querendo *x*, seja não querendo *x*. Trata-se, portanto, de uma questão de vontade – sempre imputável –, seja de querer vencer o estado de ignorância e dificuldade, seja de não querer, preferindo manter o *status quo* limitado. Se os querentes são recompensados pelo auxílio divino, a fim de que recebam a coroa da glória, os não querentes são punidos em virtude de sua não-querência negligente.

Todavia os negligentes não serão condenados pela ignorância e dificuldade em que se encontram, condição pela qual não se lhes pode imputar culpa alguma, uma vez que não foram eles que cometeram o pecado capital, o qual precipitou os corpos nesse estado penal. Sua fraqueza, portanto, posto que seja utilizada por eles a título de escusa para manter-se acomodados na condição em que se encontram, não lhes será imputada por Deus à conta de pecado, porque, em verdade, ninguém é acusado de ser ignorante ou incapaz de operar o bem, seja em virtude de ineficácia involuntária da vontade (embora tenham descido dos céus espontaneamente), seja em virtude de outro motivo qualquer inevitável. Ao contrário, não se lhes imputaria, à conta de crime, a condição penal decorrente do pecado alheio, mas sua própria incúria e negligência, voluntárias ambas, em querer aquilo que, nada obstante a ineficácia parcial da vontade, poderiam querer, mas não quiseram. Portanto trata-se de um pecado de vontade, que por isso lhes pode e deve ser imputado com justiça, pois não quiseram deixar a condição penal, preferindo nela permanecer. Numa palavra, ao invés de querer converter-se ao Bem comum e imutável, que se traduz pelo desejo de buscar a verdade e a facilidade de fazer o bem (contrários à ignorância e a dificuldade), preferiram gozar dos bens próprios e mutáveis, avertendo sua vontade do Bem supremo. Não apenas não quiseram converter a vontade para Deus, mas preferiram permanecer na condição penal, inferior em comparação com a condição celeste de que saíram, fruindo dos corpos como se fossem fins em si mesmos. Ademais, ao invés de humildemente rogar ao Criador o auxílio para superar a condição penal, confessando seus pecados, preferiram a arrogância orgulhosa de desculpar-se, dando com justificativa o mesmo estado penal, que imaginavam não lhes poder ser imputado à conta de crime, uma vez não terem sido os responsáveis por sua instauração.

Agostinho não se demora muito nessa quarta hipótese, por tratar-se apenas de uma variação da terceira, deixando adrede de debruçar-se sobre a questão principal, da transmissão do pecado original. Na verdade não era necessário retornar a isso, pois as almas aqui são igualmente preexistentes, como na hipótese anterior, pelo que o que se argumentou antes serve igualmente para este caso. A transmissão da herança mortal dá-se na carne, como dito acima, sendo as almas criadas por Deus[590]. A carne é que perece, sendo ela a responsável pela condição penal de ignorância e dificuldade. No caso das almas que descem do céu para habitá-las, se elas vêm mandadas por Deus, são culpadas se não quiserem vencer a condição de ignorância e dificuldade, que podem fazer com a ajuda de Deus, desde que o queiram, para o que basta que peçam, procurem e batam, o que sem dúvida são capazes de fazer, nada obstante a parcial ineficácia de sua vontade. Portanto, mesmo que tenham sido enviadas por Deus, serão culpadas se não triunfarem da condição penal, pois não são enviadas desprovidas do necessário auxílio. Nesta quarta hipótese, contudo, sua situação é ainda mais delicada, porque as almas não podem nem mesmo escusar-se com a descida involuntária, uma vez que escolheram espontaneamente habitar os corpos carnais mortais, limitados pela ignorância e pela dificuldade, de que estavam cientes. E se não vencem a condição penal, assim como as almas que teriam sido enviadas por Deus, não o fazem por pura negligência, porque simplesmente não quiseram pedir, buscar ou bater; numa palavra, porque recusaram o auxílio divino e preferiram o amor dos bens próprios e mutáveis em lugar do amor do Bem comum e imutável, daí merecendo, com justiça, o castigo devido.

## 3,21,59,200-202. Resumo: nenhuma das quatro hipóteses pode ser confirmada

> **200.** A – Porém destes quatro pensamentos[591] acerca da alma: [i] se acaso elas vêm da propagação [de uma única alma][592], [ii] ou se são criadas almas novas em cada um dos que nascem[593], [iii-iv] ou se, para os corpos dos que nascem, existindo elas já em algum lugar, são divinamente[594] enviadas, ou precipitam-se de modo espontâneo[595], nenhum desses convirá afirmar temerariamente.

---

590 Cf. 3,20,57,195.

591 Traduz o latino *sententia,* “opinião”, “parecer”, de onde também “hipótese”.

592 Cf. 3,20,56,188: I hipótese – Transmissão natural: criação das almas por derivação.

593 Cf. 3,20,56,188: II hipótese – Transmissão legal: criação individual das almas.

594 Cf. 3,20,57,193-197: III hipótese – Transmissão encarnacionista involuntária: almas preexistentes.

595 Cf. 3,20,58,198-199: IV hipótese – Transmissão encarnacionista voluntária: almas preexistentes.

Nenhuma das quatro hipóteses acerca da origem das almas, cujo objeto, é preciso lembrar, era antes a transmissão do pecado original, deve ser afirmada com temeridade, adverte Agostinho. Na primeira delas uma única alma teria sido criada no princípio, a partir da qual todas as outras teriam sido como que "tiradas", de onde a natureza do primeiro homem, corrompida pelo pecado, ser transmitida à sua descendência, como se se tratasse de uma verdadeira herança genética. Na segunda as almas são criadas individualmente, uma depois da outra em cada um dos indivíduos nascentes, do que decorre que a transmissão do pecado ocorra ao modo de uma comunicação legal de herança, como se as dívidas do progenitor devessem ser quitadas pelo espólio deixado por ele aos herdeiros, geração após geração. Nas últimas duas, admitindo-se que a alma seja preexistente ao corpo, ela "desceria" do céu para habitar os corpos mergulhados no estado de ignorância e dificuldade, seja depois de ter sido enviada por Deus, o que supõe algum constrangimento inevitável, seja por livre e espontânea vontade. Nestes dois casos a alma não teria tido participação alguma no pecado de Adão[596], pelo qual não se lhe imputaria culpa, enquanto alma. Porém o corpo de carne que ela desce para habitar, esse, sim, carrega consigo a herança do pecado, expresso por sua condição mortal, que deve ser reparada pelas almas, cujo ministério deve ser voltado de modo perseverante para triunfar da condição penal de ignorância e dificuldade, com a ajuda divina.

**200.** A – [...] ou essa questão ainda não foi desenvolvida[597] e esclarecida pelos intérpretes católicos[598] dos Livros divinos, pelo mérito[599] de sua obscuridade e de sua perplexidade, ou então, se isso já foi feito, ainda não chegaram às nossas mãos obras desta natureza[600].

Creia-se na hipótese em que se quiser depositar fé, porém nenhuma delas deve ser temerariamente defendida, diz Agostinho, não apenas porque se supunha que nenhum dos intérpretes das Escrituras, os quais infelizmente quase

---

596 Nem mesmo genética, como na primeira hipótese, nem legal, como na segunda. E mesmo nessas duas hipóteses, nada apropriado dizer que as almas nascentes tivessem de algum modo "participado" do pecado de seus progenitores, o qual apenas herdaram, como a consequência daquilo que jamais fizeram.

597 Liter.: "desenrolada", como um rolo de papiro.

598 Traduz o latino *tractator.*

599 Quer dizer, em virtude de sua obscuridade.

600 Quer dizer, obras que tratassem desta mesma questão.

nunca costumavam ser citados, se havia ainda demorado sobre o tema, mas também porque, se acaso existia algum tratado acerca do assunto, nada ainda lhe havia chegado às mãos para que pudesse estudar e a partir daí embasar seus próprios argumentos, o que permite concluir que à época, por volta dos anos 392-395, nenhuma doutrina definitiva havia ainda sido formulada acerca da origem das almas e da transmissão do pecado original.

## Importa menos a origem do que o destino

**201.** A – Que a fé apenas se nos faça presente[601], para que não pensemos nada de falso e de indigno acerca da substância do Criador. Pois é para ele que tendemos...

Posto que nada se possa afirmar com segurança acerca da origem das almas, essa ignorância tem efeito nulo sobre seu destino. Pois, mesmo que não se saiba de onde se veio para esta vida, ao menos sabe-se aonde se quer ir depois dela. Por isso importa bem menos o começo, neste caso, do que o fim; o destino, do que a origem. Ora, se se disse desde as páginas primeiras deste livro terceiro que o que se quer é a conversão da vontade para o Bem comum e imutável e sua aversão dos bens próprios e mutáveis, pois esse é o caminho que leva à suprema Felicidade, diante da Sabedoria e da Verdade, em que se espera repousar, em eterna segurança, das fadigas desta existência, sem os sobressaltos e inquietações decorrentes do estado penal de ignorância e dificuldade, Repouso que é o próprio Deus[602], enfim, se assim é, então sabe-se bem aonde se quer chegar.

## Itinerário da piedade

**201.** A – [...] tendemos, pelo itinerário da piedade.

E mesmo que nenhum conhecimento se possa dizer possuído de fato acerca do destino das almas, assim como não se o possui acerca de sua origem, resta sempre o recurso da fé, contraponto da razão. Seja o que for que se queira pensar, deve-se partir sempre do princípio de piedade, cujos pressupostos "axiomáticos" foram elencados no início do livro primeiro[603], sobre os quais se há

---

601 Ou seja, "que tenhamos fé!".

602 Cf. *Conf.* 13,38,53.

603 Cf. 1,2,5,12-13.

de especular com o devido respeito religioso[604], para que se não venha pensar nada de indigno acerca da natureza de Deus, que deve ser considerado onipotente, eterno, infinitamente bom, justo e misericordioso, tendo criado boas todas as coisas, jamais merecendo senão o louvor incondicional de suas criaturas. Porém, para além de todo o esforço especulativo empreendido nesta obra, que se aproxima de seu final, resta o reconhecimento de que nenhum caminho, além do piedoso, está totalmente franqueado à alma, seja qual for a hipótese para a sua origem a que se queira dar crédito, imersa que está na condição penal de ignorância e de dificuldade. E de fato, se se encontra obnubilada pelas trevas da ignorância, como fiar-se totalmente na razão, sem o recurso piedoso da fé? E se se encontra dificultada pelo hábito oneroso da carne mortal, como apoiar-se apenas no autodomínio, no autocontrole sobre os movimentos irracionais da alma, como idealizado pela presunção estoica, sem recurso algum ao socorro da oração piedosa, da mão generosa que salva?

## Erros de origem e de destino

> **201.** A – [...] Portanto, se pensarmos algo a seu respeito [diferente] do que ele é, nossa intenção[605] nos compelirá a ir, não para a felicidade, mas para a vaidade[606]. No entanto, acerca da criatura, se pensarmos algo diferente de como ela é constituída[607], contanto que não tenhamos[608] isso como algo conhecido [racionalmente] ou como um percepto, não há nenhum perigo[609].

Muito mais grave, portanto, do que qualquer erro que se possa cometer ao especular acerca da origem das almas, é o que se costuma cometer ao ponderar sobre seu destino. De fato, se o destino das almas é Deus, qualquer erro que se cometa acerca de sua natureza implica um erro trágico acerca de seu próprio fim, que nunca poderá ser alcançado, senão pelo itinerário correto. Quem concebe o Ser supremo como algo distinto do que é, diz Agostinho, não alcança a

---

604 Lat.: *pietas*; gr.: εὐσέβεια.

605 Traduz o latim *intentio*: "intento", "propósito", "objetivo" etc.

606 Traduz o latim *uanitas*, "vaidade", em seu sentido etimológico de "vazio" (*uanus*). Provável alusão aos neoplatônicos, cujos exercícios ascéticos e práticas teúrgicas eram condenados maléficos e incapazes de fazer chegar até Deus.

607 Traduz o latim *quam sese habet*.

608 Quer dizer, que não consideremos desse modo...

609 Perigoso seria considerar uma mera hipótese (*sententia*) acerca da alma como se fosse um conhecimento verdadeiro, de caráter "científico", seja ele obtido empiricamente, seja exclusivamente pela razão, sem qualquer concurso da apreensão pelos sentidos corpóreos.

Felicidade em que ele se constitui, mas, ao contrário, ilude-se com a vaidade, o vazio do próprio erro. Por outro lado, se erro de natureza semelhante se cometa com respeito à origem da alma, desde que não se acredite que alguma dessas quatro hipóteses, ou outra qualquer, seja fruto de conhecimento científico ou de percepção sensorial derivada da experiência, quer dizer, desde que não se cometa o erro de imaginá-las mais do que meras hipóteses, não se incorre em risco de perder-se no itinerário para a Jerusalém celeste.

## A felicidade está no Criador, não na criatura

> **202.** A – [...] Criador, acerca do qual, se nos é persuadido algo diferente do que convém e de como a sua substância[610] é constituída, somos enganados por um erro dos mais perniciosos.

Todo aquele que, acreditando no Bem comum e eterno, averte sua vontade dos bens próprios e mutáveis, procurando convertê-la em sentido contrário, se se equivoca em sua concepção desse objetivo, não há como não desviar-se de seu destino, extraviando-se. Ao invés de chegar à Felicidade prometida e esperada, irá alcançar alguma outra coisa, mas não Deus. E ninguém, diz Agostinho, ninguém chega à Felicidade pelo caminho que não leva a ela, voltando-se ao que não pode fazer ninguém feliz. Vale notar que a frase que inicia este parágrafo pode-se dizer que, em certo sentido, resume todo o pensamento do autor, estabelecendo, inclusive, as bases sobre as quais a mentalidade teocêntrica do Medievo haveria de fundar-se: "não somos ordenados a tender em direção às criaturas, para que nos tornemos felizes, mas em direção ao próprio Criador". Não é a criatura, portanto, que fará o homem feliz, mas o Criador. Ninguém encontrará a tão sonhada felicidade (εὐδαιμονία), se se voltar para a obra, porém não em detrimento do Artífice, mas de si mesmo, pois o Ser divino nenhum detrimento pode sofrer. E embora não se saiba como tenham sido originadas as almas, sabe-se, contudo, que não puderam senão originar-se daquele mesmo que é não apenas a sua origem, mas também o seu destino, Deus. Portanto a alma, tenha sido criada como for, deve retornar para seu Criador, para sua Fonte, sob pena de descair no nada da infelicidade, longe da supremacia do Ser eterno. Não se trata, obviamente, de um panteísmo, pois a alma preservará sua individualidade, mas de uma vida plena, sem o temor do fim, sem sobressaltos, sem percalços, sem canseiras,

---

[610] Traduz o latim *res*.

uma vida sabiamente feliz diante da eterna Verdade[611] em que nenhum erro pode haver. Logo todas as forças do homem, doravante, devem voltar-se para esse objetivo, esse fim a ser alcançado, a contemplação da eternidade da Verdade, não havendo via alternativa, pois o sentido contrário, a aversão do Ser supremo, não apenas não faz feliz, mas é o mal, posto que em si mesmo não seja nada. E se é certo que esse pensamento consola, contudo não põe fim à questão da transmissão do pecado de origem, do motivo por que somos considerados culpados, se foi Adão quem pecou[612].

## Disciplina da fé
(Critérios hermenêuticos)

### 3,21,60,203. Uma via de saída: do tempo para a eternidade

**203.** A – Mas para contemplar a eternidade da Verdade, a fim de que sejamos capazes de fruir completamente dela e aderir-lhe, procurou-se para nossa fraqueza uma via [de saída] das coisas temporais[613]...

Para a contemplação dessa eternidade da Verdade, contudo, destino feliz da humanidade, nada obstante tudo o que se disse com respeito à condição penal, em que a alma se vê obnubilada pelas trevas da ignorância do bem e atolada na lama da dificuldade em praticá-lo, em virtude da ineficácia de sua vontade, preço do pecado de morte perpetrado pelo casal primeiro, não resta senão uma saída de natureza um tanto "sobrenatural", por assim dizer, porém que não anula de modo nenhuma o esforço (*studium*) cognitivo do ser humano; ao contrário, vem apenas socorrê-lo. De fato, como soltar o vínculo carnal pesadíssimo que ata a alma ao corpo, se os instrumentos que poderiam ser utilizados, sobrecarregados pela ignorância e pela dificuldade, se fazem ineficazes? Logo, se se quiser contemplar a eternidade da Verdade incorpórea, fruindo da quietude de sua Felicidade e aderindo à sua estável Sabedoria, faz-se preciso recurso a alguma potência capaz de triunfar da fraqueza humana, de dissipar as trevas da ignorância e facilitar o caminho do

---

611 Cf. *Conf.* 7,10,16: *"o aeterna ueritas et uera caritas et cara aeternitas!"*.

612 Cf. 3,19,53,180-182.

613 "Procurar", aqui, tem sentido de "aparelhar" ou "cuidar de" [*pro + curo*]. Portanto preparou-se um caminho de superação de nossa fraqueza, a fim de que nos desprendêssemos das cadeias do tempo.

bem à vontade cambaleante. Que faculdade seria essa, para além das que a criatura já recebeu como dons gratuitos no instante de sua criação? Que outro dom seria capaz de desprender a criatura, agrilhoada ao corpo de morte, das coordenadas espaço-temporais, catapultando-a, se se pode dizê-lo, para além da mortalidade da carne, para além dos sentidos, para além do tempo e das coisas condenadas à corrupção da carne? Numa palavra, que poderia desprender a criatura das cadeias do tempo, permitindo-lhe a contemplação da eternidade da Verdade, com tanta segurança quanto possível, desde esta vida, permitindo-lhe, enfim, aquilo mesmo que os exercícios ascéticos de tipo neoplatônico nunca poderiam lograr atingir, uma certa estabilidade contemplativa da eternidade, embora se esteja ainda no tempo?

## Pretérito e futuro: a disciplina da fé

**203.** A – [...] tanto quanto é suficiente para o itinerário dos que tendem para as coisas eternas, creiamos nas coisas pretéritas e futuras; via que é a disciplina da fé, governada pela divina Misericórdia, para que predomine por sua autoridade.

Por um lado, crer nas coisas pretéritas, naquilo que já passou; por outro, crer nas coisas futuras, naquilo que ainda não veio a ser. Numa palavra, crer tanto nos testemunhos acerca do que ocorreu, constante da autoridade das Escrituras, como a encarnação de Cristo e os eventos de sua vida terrena, como também nas promessas da vida futura, constantes de suas palavras e dos vaticínios dos profetas. Crer, pois, nesse pretérito e nesse futuro, tanto quanto seja suficiente para percorrer o itinerário do desprendimento das coisas mutáveis em direção às coisas imutáveis, das transitórias às eternas, movimento de libertação esse que não pode não ser voluntário, como se disse desde o princípio, pois nada além da vontade prende a alma ao corpo e às coisas próprias do corpo, aos prazeres dos sentidos, que constituem os bens próprios e mutáveis, em detrimento de sua conversão para o Bem imutável e comum, que é a Sabedoria divina. A disciplina da fé, pois, que compreende tanto o ensino daquilo em que se deve crer, como sua aprendizagem, sem deixar de parte obviamente o conteúdo em si mesmo, é a via de saída das coisas temporais para as eternas, que se diz "sobrenatural", porque governada pela Misericórdia divina: nem pela razão, nem pela vontade, ambas humanas. E se essa disciplina refere-se sobremodo à palavra, uma palavra da pregação, da audição e da leitura, para que predomine por sua autoridade sobre as demais disciplinas, deve ser administrada pela própria Misericórdia, que faz com que chegue

aos ouvidos mais distantes e menos preparados, tanto quanto aos mais doutos e abnegados, mas que tampouco deixa de contemplar os presunçosos e arrogantes.

## Presente: experiência e cognição

**203.** A – [...] as coisas presentes[614], tanto quanto isso pertence à criatura, são sentidas na mutabilidade e mobilidade do corpo e do espírito como transitórias[615], nas quais tudo aquilo que não experimentamos por meio da cognição[616], seja de que natureza for[617], não podemos reter.

Se o pretérito e o futuro pertencem à disciplina da fé, pois não se pode senão invocar o passado com base na autoridade de testemunhas, assim como esperar um futuro prometido também pelos testemunhos de alguma autoridade, o presente, por sua vez, pode ser percebido através das experiências de natureza corpórea, por meio dos cinco sentidos, mas também pelo espírito, por meio de sua mutabilidade e mobilidade próprias. É preciso contrapor aqui duas realidades distintas, espírito e corpo, cada qual pertencente, em certo sentido, a um universo igualmente distinto. Se a eternidade da Verdade, para ser contemplada, não prescinde da via da fé, a temporalidade dos corpos, por sua vez, é apreendida sensorialmente, mas também pelas habilidades transitórias do espírito. Os objetos corpóreos são apreendidos pelos sentidos igualmente corpóreos, cujos perceptos são enviados à razão pelo sentido interior, o mediador entre eles. Todavia a própria razão é mutável, embora não seja corpórea, cujos movimentos se dão segundo a coordenada de tempo, mas não segundo o espaço. De fato, o espírito pensa muitas coisas, umas antes, outras depois; umas de um modo, outras de outro; umas mais rápido, outras mais devagar; mas também muda suas opiniões, ora pensando uma coisa sobre determinado tema, ora mudando de ideia sobre o mesmo tema. Portanto, ainda que seja incorpóreo, não é imutável, tampouco imóvel o espírito. Essas duas características do espírito, mutabilidade e mobilidade, por sua vez, são necessárias a que se possam apreender as coisas igualmente mutáveis e móveis, pertencentes à natureza corpórea e sujeitas à ação do tempo e suas consequências.

---

614 Em contraposição às coisas pretéritas e futuras, em que se creem e que se esperam, respectivamente.

615 Traduz o latim *transire*: que se refere às "coisas que passam", que transitam do vir a ser ao deixar de ser.

616 Traduz o latim *cognitio*, "conhecimento".

617 Seja o conhecimento de tipo sensorial, seja o exclusivamente intelectual.

Porém, seja por meio dos sentidos, seja por meio da mobilidade e mutabilidade do espírito, nenhuma criatura pode reter algum conteúdo senão por meio do que se chama "cognição", ou "conhecimento". Logo, quer uma experiência sensorial qualquer, como o sabor amargo de um determinado alimento, quer uma apreensão de ordem intelectual, nada obstante ser mediada pelo sentido da visão, como a compreensão de um cálculo matemático, demonstrado numa determinada superfície, como uma tabuinha de cera ou um tanque de areia, ou a apreensão de um verso poético que atingiu suavemente os ouvidos para dali passar à razão, por exemplo, seja o que for, não pode ser retido no espírito, se não for de fato conhecido pela razão. Pois se a razão não processar os perceptos enviados a ela por meio do sentido mediador, efetuando comparações e associações, seja com sua cor, seja com sua forma, seja através de seu som, cheiro ou textura, enfim, não se lembrará de que um alimento tem sabor amargo, quando depará-lo novamente no futuro, nem de que as palavras constantes de determinado verso guardam tal ou qual sonoridade e sentido, em associação com outras sonoridades e sentidos que sem dúvida evocam, muito menos qualquer noção das dimensões e relações entre lados e ângulos de um dado poliedro, por exemplo, a não dizer de cálculos mais complexos. Essa combinação, pois, entre as possibilidades dos sentidos e as da razão, mutáveis e móveis, é a grande responsável pela apreensão e manutenção no espírito dos conteúdos que se dizem de fato "conhecidos", neste universo dos corpos, sujeito às cadeias do tempo e do espaço.

Portanto, no que se limita à disciplina da fé, conteúdos há, pretéritos, que devem ser cridos, por meio da fé, pois não foram experienciados, a fim de que sejam conhecidos; outros devem ser esperados, igualmente com fé, pois apenas prometidos, ou, se se queira, previstos e prenunciados; por fim, conteúdos da disciplina da fé há também que podem ser captados pelos sentidos, ou apreendidos pelas faculdades cognitivas do espírito, graças à sua mobilidade e mutabilidade, como as palavras ouvidas numa pregação ou lidas diretamente dos textos sagrados, ou então como os dons recebidos da misericordiosa intervenção da Graça divina, se assim se queira interpretá-los, como os diversos "sinais" percebidos e interpretados na vida de Agostinho e por ele narrados em *Confissões*[618].

---

618 Cf. *Conf.* 8,12,29, p. ex., onde se narram o episódio da misteriosa canção infantil: *tolle, lege; tolle, lege*, e a subsequente leitura aleatória da epístola paulina, interpretados como sinais divinos.

## 3,21,60,204. Critério hermenêutico para a disciplina da fé I: da criação[619]

A disciplina da fé foi dada às criaturas submersas na condição penal a fim de que pudessem superar a ignorância e a dificuldade decorrentes da mortalidade do corpo. Se os objetos e eventos presentes – posto que sob a tutela da fé – podem ser apreendidos, seja pelos sentidos, seja pela mutabilidade e mobilidade do espírito, os eventos pretéritos e futuros carecem de algo mais, pois não se pode reter no espírito aquilo que não se conhece, seja empírica, seja intelectualmente. Trata-se, na verdade, da determinação de um critério hermenêutico, que não apenas justifica os pressupostos "axiomáticos" assentados sobre o princípio de piedade, estabelecidos e consentidos logo no início das discussões[620], mas assenta as bases para toda hermenêutica cristã posterior.

> **204.** A – [...] todas as coisas que nos são narradas acerca de quaisquer criaturas, pretéritas ou futuras, devem ser cridas em virtude da autoridade divina, ainda que em parte elas tenham passado antes que tenhamos podido senti-las[621], em parte tenham alcançado os nossos sentidos...

Esse "algo mais", que se estabelece doravante como critério hermenêutico, não pode ser senão a Autoridade divina, cuja chancela confere estatuto de "cognição" aos eventos pretéritos narrados e às promessas esperadas para o futuro, a não dizer das experiências presentes. Logo a fé não se assenta senão na Autoridade do próprio Criador, cuja Providência não apenas regeu os eventos pretéritos e programou os futuros, para ela sempre presentes e simultâneos, mas também "procura", em seu sentido etimológico de "preparar", misericordiosamente, o predomínio de sua Autoridade pela governança presente de sua disciplina, a fim de que as almas que tendem para as coisas eternas sejam auxiliadas em seu caminho. Portanto, refira-se a disciplina da fé, seja aos eventos narrados de um pretérito que não pôde ser experimentado, seja aos eventos futuros que só podem ser aguardados com esperança, pois ainda não ocorridos, e por isso mesmo

---

619 Refere-se ao conjunto universal da criação, ou seja, às criaturas de Deus, e não ao seu ato criador.

620 Cf. 1,2,5,12-13. Note-se que esses "critérios" hermenêuticos se apresentam como antídoto contra as possíveis interpretações equivocadas das Escrituras, não apenas em relação ao tema recém-tradado, da origem das almas e da transmissão do pecado original, mas acima de tudo acerca da própria Divindade, sobre a qual quaisquer opiniões equivocadas seriam impedimento à felicidade futura das almas.

621 "Sentir" (*sentio*), com a significação de "experienciar", seja pelos sentidos corpóreos, seja pelo conhecimento adquirido através deles, como exposto no parágrafo anterior.

impossíveis de serem vivenciados e comprovados, seja, por fim, aos eventos presentes, únicos que podem de fato tornar-se objeto de cognição, quer pelos sentidos, quer pela mutabilidade e mobilidade do espírito, enfim, todos eles, eventos pretéritos, futuros e presentes devem ser cridos em virtude da Autoridade divina, segundo os pressupostos de caráter consentidamente axiomáticos estabelecidos sobre o princípio de piedade, os quais foram apresentados logo no início do livro inaugural. Eis, portanto, estabelecidas as bases para uma hermenêutica cristã, que prescreve o reconhecimento de sua autoridade supranatural aos eventos pretéritos narrados e futuros prenunciados, a não dizer dos presentes, seja por escrito, nos tratados, seja oralmente, nos concílios, debates e sermões, dos *tractatores catholici librorum diuinorum*, os intérpretes católicos[622] dos Livros divinos.

## Fé, esperança e caridade: pretérito, futuro e presente

**204.** A – [...] contudo, porque valem muitíssimo para roborar a nossa esperança e exortar nossa dileção[623], enquanto recomendam para nós através da sucessão[624] ordenadíssima dos tempos a nossa libertação[625], a qual Deus não negligencia, sem dúvida alguma devem ser cridas[626].

Nem todos os eventos pretéritos obviamente devem ser cridos pela critério da divina Autoridade, apenas os que colaboram para a elevação das almas e que constituem a disciplina da fé, constante dos Escritos dos autores sagrados. Tais eventos, como os que se preveem para um futuro incógnito, por exemplo, servem para encher os corações dos crentes de esperança, assim como os pretéritos, o que tampouco exclui os presentes, acendem a chama da dileção, o amor espiritual, com o azeite combustível dos exemplos narrados e os coruscantes retratos descritos de abnegados ministros do Amor e mártires da renúncia. Todos eles, por

---

622 Deve-se ter em mente que o termo "católico" [καθολικός < κατὰ + ὅλου] incluía à época muitas denominações cristãs que hoje não fazem parte da Igreja romana, como as igrejas do Oriente grego, que por toda a Antiguidade e ao longo da era Bizantina se autodenominaram igualmente "católicas", além de "apostólicas", como se pode atestar pelo Símbolo de Fé até hoje praticado pela Igreja Ortodoxa: "Creio em um único Deus, Pai, todo-poderoso, criador do céu e da terra... em uma única Igreja, católica e apostólica..." (Πιστεύω εἰς ἕνα Θεόν, Πατέρα, παντοκράτορα, ποιητὴν οὐρανοῦ καὶ γῆς... εἰς μίαν, ἁγίαν, καθολικὴν καὶ ἀποστολικὴν Ἐκκλησίαν...). Cf. Michael N. Vaporis (Editor), *Daily Prayers for Orthodox Christians – The Synekdemos*. Brookline, Massachussetts: Holy Cross Orthodox Press, 2007.

623 O amor espiritual (*dilectio*).

624 Liter.: "série", em referência à sequência temporal.

625 Traduz o latim *liberatio*, que porta também o sentido de "salvação".

626 Quer dizer, os eventos narrados acerca das criaturas devem ser cridos.

sua vez, além de serem verdadeiros discursos de exortação[627] à esperança (*spes*) e à caridade (*caritas*), duas das três virtudes teologais[628], têm o precioso mérito de conduzir as almas à salvação, o que, traduzindo, significa dizer à sua libertação da condição penal de ignorância e dificuldade, além da restauração da incorrupção de sua carne mortal, a fim de que estejam habilitadas para adentrar em triunfo e habitar a Cidade celeste. Portanto a própria Providência divina não negligenciou a condição lastimável da humanidade, posto que meritória, aparelhando-lhe uma via de saída, a disciplina da fé, pela qual os eventos devem ser cridos sob a chancela da Autoridade divina, critério hermenêutico, em sua perfeita ordenação na série dos tempos, seja os pretéritos, cuja narração exorta primordialmente à fé; seja os presentes, cuja demonstração e experiência recomenda a dileção; seja os futuros, cuja expectativa leva à esperança salutar na vida futura, embora em todos os três tempos, com fé, com esperança, com caridade, não é senão em virtude da Autoridade divina que os eventos da salvação devem cridos e interpretados. Vê-se, pois, que sob a chancela da Autoridade divina as virtudes teologais, se não operam como critérios hermenêuticos da disciplina da fé, ao menos lhes servem de faróis, seja para os eventos pretéritos que devem ser cridos, seja para os futuros que devem ser esperados, seja para os presentes que devem ser experienciados, conhecidos e amados, por intermédio da fé, gerida pela Misericórdia divina.

## 3,21,60,205. Critérios hermenêuticos para a disciplina da fé II: do Criador

**205.** A – Mas qualquer erro que assume para si a persona[629] da autoridade divina, por meio da seguinte razão[630] principalmente é repelido...

Não se pode saber ao certo se Agostinho está referindo algum erro específico, seja dos maniqueus, seja das concepções temerariamente assumidas e defendidas – e por isso tidas comumente por heréticas – a respeito da origem das almas e da consequente transmissão do pecado original. Porém o que importa aqui são os importantes critérios que adota, além do critério supramencionado, para repelir toda e qualquer doutrina que se arrogue o *status* de "revelação",

627 Προτρεπτικοὶ λόγοι.

628 Cf. 1Cor 13,13: "πίστις, ἐλπίς, ἀγάπη".

629 Quer dizer, qualquer erro que para si assume, de modo indevido, a própria dignidade da Autoridade divina, como se vestisse sua "máscara", se arroga injustamente o caráter de revelação.

630 Através do seguinte argumento, que será apresentado na sequência.

assentando-se indevidamente na cátedra da divina Autoridade, como no caso do próprio Mani e de muitos outros que se faziam "emissários" (ἀπόστολοι) de Deus, portadores de "novidades" (ἄγγελίαι), as quais, por sua suposta origem celeste, demandavam o estatuto de verdade absoluta. Se o primeiro critério, referente aos eventos pretéritos, presentes e futuros, relacionados à disciplina da fé, tratava especificamente da criação e de tudo o que a ela se relaciona, esses três critérios abaixo se referem ao Criador, visando corrigir e refutar erros na disciplina da fé que se possam conceber em relação a Deus. Portanto toda e qualquer doutrina errada, assumindo para si, de modo indevido, a "máscara" da divina Autoridade, pode ser refutada pelos seguintes três critérios:

**205.** A – [...] [i] se está convencido de que é possível crer ou afirmar alguma aparência[631], mesmo mutável, além da criação de Deus...

Critério primeiro: absoluto. Qualquer erro, a que se queira arrogar o estatuto de revelação, deve convencer, quando não, ao menos ser capaz de fazer crer na existência de algum aspecto, ainda que mutável, para além da criação conhecida. Dito de outro modo, qualquer heresia que queira advogar sua própria autoridade, atribuindo-se a si mesma origem divina, deve provar que exista alguma coisa além da criação, como se constata pela contemplação da natureza, ainda que seja apenas por fazer crer. Existiria algo com medida, número e ordem, além do que se vê e do que se confessa ter sido criado por Deus? Seres de alguma outra natureza, para além do que jamais se pôde conceber? Se não se puder prová-lo, resta evidente que Deus é absoluto, pois antes de sua criação vir a ser, era ele, de modo absoluto, assim como absoluta é sua criação, do contrário seria necessário imaginar um outro criador qualquer, ao lado dele, o que permitiria supor não apenas que estavam ambos em algum lugar, não criado por eles, mas também que lhes era preexistente, assim como a provável existência de uma outra divindade, além e acima deles, tanto como a possibilidade de outros universos e "criaturas", de par com estes conhecidos. Numa palavra, não fosse absoluto, não seria Deus.

**205.** A – [...] [ii] ou se alguma aparência mutável na substância de Deus...

Critério segundo: imutável. Seria possível aos defensores desse suposto erro provar haver algum aspecto mutável na própria substância divina? Essa

631 Latim *species*, termo de difícil tradução, mas que significa, entre outras coisas: aparência, visão, aspecto exterior, e mesmo beleza e forma.

imutabilidade divina é fundamental, como se sabe, para as relações temporais supraespecificadas em que se assentam os conteúdos de fé e as relacionadas virtudes teologais: crença no pretérito, caridade presente e esperança futura, chanceladas todas pela autoridade divina, para quem passado e futuro são um único e mesmo presente eterno. De fato, não pode haver qualquer aspecto mutável na natureza divina, sob pena de destruição dos postulados do princípio de piedade sobre os quais se assentou toda a edificação argumentativa elaborada até aqui, em defesa da laudabilidade divina, por mérito de sua Justiça e Bondade, sumamente perfeitas. Em Deus, como se viu, não pode haver passado nem futuro, apenas presente; tampouco pode haver aqui ou ali, apenas um todo, sem começo, nem fim, do contrário haveria um além ou um aquém do que não seria Deus, algum espaço vazio, outro universo, outra criação. Noutra palavra, não fosse imutável, tampouco seria absoluto, logo não seria Deus.

> **205.** A – [...] [iii] e se se põe a contender que a substância de Deus é [algo] mais ou menos do que a Trindade...

Terceiro critério: trinitário. Se um erro qualquer possa ser defendido para além dos primeiros dois critérios, este terceiro não seria ultrapassado. Se se diga que o Pai não seja absoluto e que o Filho não seja imutável, que se diria dos três, Pai, Filho e Espírito, que pudesse contradizê-los? Que o Pai não seria o Ser absoluto? Que o Filho não seria sua Sabedoria incriada, o Princípio no qual o Pai fez todas as coisas boas que fez? Que o Espírito não comunica o Amor do Pai, nem a Misericórdia do Filho? Se os dois primeiros podem ser contraditados, posto que de modo exclusivamente racional, jamais empírico, o terceiro, contudo, de modo nenhum, por restar totalmente no âmbito da disciplina de fé, a não dizer muito além da razão e suas possibilidades de apreensão.

## 3,21,60,205-206. A conversão da vontade para a Trindade

> **205.** A – [...] Trindade, que, para ser inteligida de modo pio e sóbrio, toda vigilância cristã se põe de sentinela[632], e para a qual faz tender todo o seu progresso. **206.** Trindade, acerca de cuja unidade, igualdade e uma certa propriedade[633] de cada uma das pessoas nela aqui não é o lugar de dissertar.

---

[632] Traduz o latino *excubo*, estar de sentinela, "deitado" à porta que se quer vigiar.

[633] Traduz o latim *proprietas*, que supõe uma certa qualidade individual, própria (*proprius*) de cada uma das pessoas da Trindade, nada obstante sua unidade e igualdade.

A Trindade é una e absoluta, além de ser imutavelmente igual em cada uma de suas três pessoas, constituindo-se, por isso mesmo, a suma dos três critérios: o absoluto, o imutável e o trinitário; ou seja, sendo una e igual, nada obstante ser três, ela é os três critérios em si mesma. Portanto nenhum erro pode emulá-la, ainda que suponha ser capaz de revestir-se de uma ou outra de suas personas. Todo o esforço (*studium*) cristão, por conseguinte, deve voltar-se em sua direção, pois aquele Bem comum e imutável a que se deve converter a vontade, em aversão dos bens próprios e mutáveis, que se diz "pecado", outra coisa não é senão a própria Trindade, Bem comum e imutável na Justiça bondosa do Pai, na Sabedoria misericordiosa do Filho, e no Amor incondicional do Espírito. Porém este tratado demanda um termo, não sendo o lugar apropriado para aprofundar questão das mais complexas, como os mistérios que cercam a Trindade, que ocupará mais de duas décadas da maturidade intelectual e espiritual do autor[634], tempo dedicado à escritura de seu importante tratado *De trinitate.*

## 3,21,60,206-207. Resumo do resumo

**206.** A – [...] rememorar certas coisas acerca do Senhor Deus, Autor, Formador e Ordenador de todas as coisas, as quais pertencem à fé salubérrima, e nas quais utilmente[635] o intento lactente[636] e incipiente de elevar-se das coisas terrenas em direção às celestes se escora[637], não é apenas facílimo de fazer[638], mas também já foi feito por um grande número de pessoas, repetidas vezes[639].

Numa ampla visão de conjunto, a julgar pelas palavras de Agostinho, não se tratou nesta obra de muito mais que trazer à memória apenas alguns conhecimentos a respeito de Deus, como, por exemplo, que ele é o Senhor, o onipotente Regente do Universo, mas também o seu Autor, ou seja, o Criador de todas as coisas, às quais imprime forma e ordem, segundo os preceitos de sua

---

634 Desde 399 até *c.* 422/426.

635 Quer dizer, "de modo proveitoso".

636 Cf. Hb 5,13: "Todo aquele que se alimenta de leite é inexperiente na palavra da justiça, pois [ainda] é pequenino; próprio dos crescidos é o alimento sólido, daqueles que, tendo suas percepções exercitadas pelo hábito, são capazes da distinção do bem e do mal." (πᾶς γὰρ ὁ μετέχων γάλακτος ἄπειρος λόγου δικαιοσύνης, νήπιος γάρ ἐστιν· τελείων δέ ἐστιν ἡ στερεὰ τροφή, τῶν διὰ τὴν ἕξιν τὰ αἰσθητήρια γεγυμνασμένα ἐχόντων πρὸς διάκρισιν καλοῦ τε καὶ κακοῦ.)

637 Traduz o latim *adminiculor*, "escorar com um suporte (*adminiculum*) a videira". Em sua origem refere-se a qualquer coisa sobre que a mão podia sustentar-se (*ad manum*).

638 Trata-se de um supino (adj. adv. de finalidade): *factu facillimum*, "muito fácil de fazer".

639 Traduz o latim *factito.*

própria Lei eterna, impostos pela suprema Razão de sua Providência, formando e ordenando cada criatura em seus respectivo grau, seja enquanto é, seja enquanto é e vive, seja enquanto é, vive e intelige. Foi dito "rememorar", ou trazer à memória, porque não se trata de inventar conteúdos, desprovido de qualquer fundamento, negligenciando a necessidade que toda ciência guarda em seu bojo de partir de certas premissas ou postulados, por assim dizer, que, ao modo de verdadeiros axiomas, operariam o sustento da estrutura argumentativa que se permitiria então erigir, as quais não são senão os amiúde mencionados postulados sobre os quais se assentou o princípio de piedade, expostos no início do livro primeiro[640]. Logo, não apenas os postulados "axiomáticos" assentidos sobre o princípio de piedade, mas também todo o arcabouço argumentativo cuidadosamente elaborado, ambos se podem dizer com correção "piedosos", pois pertencem à disciplina "salubérrima" da fé, tendo sido edificados a partir das bases piedosas assentadas, todas elas constantes das Escrituras sagradas, uma das principais fontes da disciplina da fé. Porém tudo o que se relembrou aqui, confessa o autor, servindo de esteio proveitoso – como as varas de pau que empam a videira –, para que todo aquele que ainda se alimenta de leite, sugerindo uma retomada da metáfora da escola paulina, e se encontra nos primeiros passos da corrida para o céu, ou seja, no esforço de elevação desde os interesses mundanos até aos divinos, em comparação com o esforço que se requer para penetrar os mistérios da Trindade, não apenas é muitíssimo fácil de compreender e de empreender, mas já teria sido feito inúmeras vezes por outros tantos autores, os quais, infelizmente, raramente são citados. Fácil, portanto, chegar até aonde se chegou, porém ir além, dizer do indizível, compreender os mistérios daquele Bem comum e imutável, uno, igual, trino, seria tarefa das mais intrincadas, que sem dúvida havia de tomar toda uma vida de estudos e meditações.

## *Captatio beneuolentiae a posteriori*

**207.** A – [...] Porém tratar completamente de tudo isso e revolver assim a questão, de modo que, tanto quanto nos é dado nesta vida, toda a inteligência humana seja subjugada a uma razão perspícua, não pode parecer muito expedito e fácil de empreender, nem pelo discurso, nem sequer pela [simples] cogitação, seja a cada um dos homens, seja certamente para nós.

Se a mera recordação edificante dos conteúdos de fé se dizia fácil e muito popular, um tratamento aprofundado das mesmas questões, de modo que as

[640] Cf. 1,2,5,12-13.

conclusões obtidas pelo esforço dialético fossem tão claras e evidentes que ninguém as pudesse contestar, nunca seria tarefa simples, muito menos expedita, seja para uma mente como a de Agostinho, seja para qualquer outro intérprete dos Livros sagrados; seja por escrito, seja apenas em pensamento. E se o Bem comum e imutável a que se quer converter a vontade é a própria Trindade, una e absoluta, igual e imutável, mas simultânea e misteriosamente trina, vê-se que aprofundar-se em seus mistérios não equivale senão a um convite para penetrar o infinito inefável e imperscrutável daquela escuridão além de toda luz, que é o próprio Ser supremo, Deus.

## 3,21,60,208-209. Critérios hermenêuticos para a disciplina da fé I-II: síntese

> **208.** A – Logo, para que concluamos agora o que estabelecemos[641] [...] no que se refere à criação, [diga-se que] quaisquer coisas, seja as pretéritas que nos são narradas, seja as futuras que nos são prenunciadas, as quais têm valor para recomendar a religião íntegra[642], estimulando-nos à dileção absolutamente sincera[643] de Deus e do próximo, sem dúvida devem ser cridas.

O primeiro critério hermenêutico para a disciplina da fé, portanto, que se refere à criação e aos eventos que nela se sucedem na série ordenadíssima dos tempos: eventos pretéritos narrados; eventos presentes experienciados e conhecidos, quanto possível; eventos futuros prenunciados e esperados, enfim, todos eles, por intermédio da fé, em virtude de sua divina Autoridade, devem ser cridos, desde que – e aqui tem-se um complemento do primeiro critério hermenêutico – sejam capazes de recomendar a religião íntegra, que se resume, segundo as palavras da Escritura[644], no amor a Deus e ao próximo. E assim as virtudes teologais: fé, esperança e caridade, permitindo sejam cridas as "narrativas" pretéritas de eventos não presenciados, esperadas as "narrativas" profetizadas, e vivenciadas e amadas com ardente caridade as "narrativas"

[641] Cf. 3,21,60,203-204.

[642] Em contraste com religiões que divulgam apenas parcialmente a verdade das Escrituras, ou que se aproveitam apenas da parte da Revelação que serve a seus interesses, como o maniqueísmo, sem dúvida.

[643] Traduz o latim *sincerus*, que significa "puro".

[644] Cf. Mt 22,37-38: "Amarás o Senhor teu Deus com todo o teu coração e com toda a tua alma e com toda a tua inteligência (ἀγαπήσεις κύριον τὸν θεόν σου ἐν ὅλῃ τῇ καρδίᾳ σου καὶ ἐν ὅλῃ τῇ ψυχῇ σου καὶ ἐν ὅλῃ τῇ διανοίᾳ σου); cf. Mc 12,30-31; Gál 5,14; Lev 19,18: "e amarás o teu vizinho como a ti mesmo" (καὶ ἀγαπήσεις τὸν πλησίον σου ὡς σεαυτόν).

presentes, recomendam, a partir da Autoridade divina, a verdadeira religião, resumida no amor da Trindade e de sua criação. Tudo o que foi, é e será na criação – segundo a série ordenadíssima dos tempos –, se coopera para o amor do Criador, e consequentemente do conjunto universal de sua criação, enquanto criação, mas não como um fim em si mesma, coopera igualmente para a religião íntegra, reaproximando a criatura do Ser supremo. Esse critério não importa apenas para justificar os postulados piedosos sobre os quais se erigiu todo o arcabouço argumentativo destas discussões acerca da origem do mal e do arbítrio livre da vontade, mas principalmente para as conclusões que se seguem, fundamentadas radicalmente sobre a disciplina da fé, ou seja, excogitadas a partir da hermenêutica dos eventos pretéritos narrados nas Escrituras sagradas, que devem ser cridos, sob pena de precipitar a discussão toda no monturo. Se nenhum crédito se deve dar aos relatos bíblicos da criação e de suas personagens, então nenhum crédito igualmente se poderia atribuir aos argumentos que se elaboram a partir deles. Portanto era preciso assentar tais critérios, não apenas para justificar o que se disse até aqui, mas para preparar o que se dirá em diante.

**209.** A – [...] contra os incrédulos, para que pela massa imensa da autoridade sua infidelidade seja esmagada, ou que ela lhes seja mostrada, quanto possível...

Nada do que se disse, pois, com referência aos critérios hermenêuticos estabelecidos, terá algum valor diante dos incrédulos, de cuja infidelidade, ou irreligiosidade, só a Autoridade divina pode triunfar, seja esmagando-a pelo peso de sua enorme "massa", o que talvez se referisse à crescente aceitação da religião cristã e de suas Escrituras à época, difundindo-se, agora oficialmente, pelos quatro cantos do mundo civilizado conhecido[645], ou pela demonstração, se não dialética, ao menos retórica, aos que pudessem seguir-lhe os meandros.

**209.** A – [...] deve-se defender até aqui: primeiro, que não seria estulto crer em tais coisas; depois, que seria estulto não crer em tais coisas.

645 O Édito de Milão, concedendo liberdade de culto em todo o Império Romano, havia sido promulgado pouco menos de um século antes, em 313, pelos tetrarcas do Ocidente e do Oriente, respectivamente Constantino, o Grande, e Licínio; e o de Tessalônica, que estabelecia o cristianismo como a religião oficial do Império, havia sido promulgado por Teodósio I, Graciano e Valentiniano II, em 380, portanto menos de uma década antes de Agostinho iniciar a escritura desta obra.

A falta de fé e de religiosidade dos descrentes, o que sem dúvida não excluía as heresias, deveria ser combatida com um argumento interessante, mais pela forma do que pela eficácia. Primeiro, diz Agostinho, não seria estulto crer nos eventos narrados; depois, ao contrário, seria estulto não crer neles. Embora o paralelismo da construção espelhada, que poderia ser interpretada como um quiasmo, cuja inversão gramatical dos termos faz com que se aproxime também de uma antimetábole, figura retórica de grande impacto sonoro e pujança argumentativa, contudo o argumento não argumenta, por assim dizer, apenas diz que aquele que crê não é estulto, e que, ao contrário, estulto é quem não crê. Porém, por que se diz que a descrença é uma estultícia, ou que a crença não seja, isso esse argumento específico não diz. De fato não o diz, porém o tratado todo acerca do livre arbítrio, em si mesmo um enorme e poderoso argumento, dera conta suficientemente de fazê-lo.

**209.** A – [...] convém repelir a falsa doutrina, não tanto acerca das coisas pretéritas e futuras, quanto acerca das presentes, mas principalmente acerca das absolutamente imutáveis, e, tanto quanto nos é dado, convencê-los por meio de uma razão perspícua.

Se os critérios hermenêuticos referentes à criação têm seu valor na excitação do amor de Deus e do próximo, estimulando, para esse fim, a fé nas "narrativas" pretéritas, presentes e futuras, sob a égide da divina Autoridade, os erros defendidos acerca das criaturas e dos eventos que lhe estão associados não são absolutamente imprescindíveis para a salvação. Ou seja, o erro e a descrença com respeito aos eventos pretéritos narrados ou aos eventos futuros prenunciados, embora devam ser combatidos, são menos graves e perniciosos à salvação do que os erros e crenças equivocadas em relação às "narrativas" presentes, como por certo a crença nas doutrinas maniqueístas, que se diziam cristãs também, ou os "erros" donatistas, arianos, entre tantos outros que pululavam à época de Agostinho. Porém o mais pernicioso de todos os erros, como dito antes, refere-se não ao passado ou ao futuro, nem mesmo ao presente, e sim ao que está fora do tempo, às verdades eternas de Deus, às suas "coisas" imutáveis, pois ele não é apenas o Criador de todas as almas, mas o seu destino, a Felicidade eterna que se persegue. Guardando-se, pois, uma concepção errada do destino, como quem segue um mapa mal desenhado, ou como quem se esquece de seu porto de chegada, não poderá senão desviar-se no erro cometido, perigando jamais alcançar sua meta. Esse, portanto, é o grande tema das preocupações intelectuais e espirituais de Agostinho; e parecia ser o seu projeto de vida, que

viu demorado e muita vez obstado, invito, por causa de seus inúmeros antagonismos, ao longo dos anos.

## 3,21,61,210. Prefigurações, promessas e testemunhos

**210.** A – [...] na série das coisas temporais, à investigação das pretéritas deve preferir-se a expectativa das futuras, visto que também nos Livros divinos[646] as que são narradas como pretéritas trazem diante de si seja uma prefiguração das futuras, seja uma promessa, seja um testemunho.

Estabelecidos os critérios para a disciplina da fé, naquilo que respeita à criação na ordem e sucessão dos eventos pretéritos, presentes e futuros que devem ser cridos em virtude de sua divina autoridade para a edificação e elevação das almas, devem ser priorizados os futuros, diz Agostinho, não apenas nos eventos da própria vida, mas também nos narrados nas Escrituras, porque estes não sinalizam senão para o futuro esperado. De fato, os eventos pretéritos narrados nas Escrituras podem constituir: [i] UMA PREFIGURAÇÃO de um evento que deverá ocorrer[647], como se dá, por exemplo, na profecia do nascimento do Messias por Isaías[648], nas profecias de Simeão a respeito da vida de Cristo[649], na antecipação que o próprio Cristo faz da traição de Judas[650], ou de sua própria morte[651]; todos esses, contudo, seja a profecia, seja o cumprimento dela, referem-se a eventos pretéritos, em relação ao leitor, pois a época da Revelação está terminada; contudo há prefigurações de eventos que ainda não ocorreram no tempo, fora da narrativa, como algumas previsões que Jesus faz de eventos catastróficos vindouros[652], ou de sua própria volta gloriosa[653]; [ii] UMA PROMESSA, como as muitas moradas na casa do Pai[654], ou a vinda do *paráklētos*, o Espírito santo consolador[655]; [iii] UM TESTEMUNHO, pois em inúmeras passagens[656] lê-se algo do tipo: “como foi dito pelo profeta”, “como

---

646 Refere-se aos eventos narrados nas Escrituras sagradas, que, mesmo quando pretéritos, prefiguram eventos futuros, seja na forma de promessas, seja na de testemunhos proféticos.

647 Na linha do tempo dos eventos narrados, não em relação ao leitor, obviamente.

648 Is 7,14.

649 Lc 2,33-35.

650 Jo 13,17-18.

651 Jo 12,23-24.

652 Lc 21,9-25.

653 Lc 21,27-28.

654 Jo 14,1-3; 14,26.

655 Jo 14,15-21.

656 Mt 1,22; 5,43-44; 12,17 etc.

estava escrito", "isso foi feito para que se cumprisse o que disse o profeta", entre tais, o que significa que o evento "futuro" narrado dá testemunho da veracidade da profecia anteriormente feita. Seja, pois, como prefiguração de um evento futuro, seja como alguma promessa de evento vindouro, seja, enfim, como testemunho de alguma narrativa pretérita, na sequência dos eventos temporais deve-se preferir o futuro, pois é nele que se encontra o destino das almas, feliz ou não.

## 3,21,61,210-213. Nada importa mais do que o futuro...

**210.** A – [...] também nas coisas que pertencem a esta vida, prósperas ou adversas, o que cada um tenha sido não preocupa muito; no entanto, naquilo, que se espere que cada um há de ser, aglomera-se o fervilhar todo das preocupações.

E se o futuro deve ser privilegiado nas Escrituras, não menos nos eventos da vida de cada um, sejam eles prósperos ou adversos, pois importa bem mais o que se há de fazer daqui em diante – e não se está referindo à vida futura celeste – do que o que se foi em algum momento pretérito, irremediavelmente transcorrido. Pode-se dizer, neste sentido, que Agostinho seja, antes de mais, um combatente esperançoso, voltado sempre para a expectativa do que há de vir, o que não significa de modo nenhum que seja um escapista, mas que prefere avançar sempre, no sentido paulino[657], ao que está adiante, sem perder tempo com lamúrias de uma era do ouro idealizada e absolutamente irrealizável, como muitos, dentre os quais se destacou sobremodo, no classicismo romano, o historiador Salústio, além do próprio Cícero.

**211.** A – Não sei ao certo por que íntimo e natural sentido as coisas que nos aconteceram, uma vez transcorridas[658], são tidas assim por um momento[659] de felicidade e de infelicidade, como se nunca houvessem acontecido....

---

[657] Cf. Paulo, Fil 3,13-14: "Irmãos, eu, de minha parte, não julgo que tenha alcançado; mas uma coisa [eu digo,] que, esquecendo-*me* do que [está] atrás e tendendo para o que [está] adiante, persigo o objetivo até [alcançar] o prêmio do chamado [que vem] do alto, de Deus, em Cristo Jesus." (ἀδελφοί, ἐγὼ ἐμαυτὸν οὐ λογίζομαι κατειληφέναι· ἓν δέ, τὰ μὲν ὀπίσω ἐπιλανθανόμενος τοῖς δὲ ἔμπροσθεν ἐπεκτεινόμενος, κατὰ σκοπὸν διώκω εἰς τὸ βραβεῖον τῆς ἄνω κλήσεως τοῦ θεοῦ ἐν Χριστῷ Ἰησοῦ.).

[658] Liter.: "visto que são transatas" (*trans* + *ago*).

[659] Agostinho refere-se aos eventos agradáveis ou desagradáveis da vida, cujas lembranças permanecem no espírito como um aceno qualquer, que, de tão fugazes, parecem nem mesmo terem existido.

Os eventos pretéritos, que simplesmente passaram, exercem influência limitada na felicidade ou infelicidade futura, diz, como se jamais houvessem acontecido. É fato que nem toda experiência da vida tem esse resultado, deixando muita vez marcas indeléveis na alma; porém, à parte esses eventos marcantes da existência, de modo geral Agostinho está correto, pois a grande maioria dos acontecimentos da vida de cada um simplesmente transcorre, passando do vir a ser ao deixar de ser, sem nenhumas consequências mais significativas, não deixando nenhuns vestígios de sua existência, até apagar-se por completo da memória, geralmente apenas poucos minutos depois de transcorridos.

**211.** A – [...] Logo, que me obsta, se desconheço quando comecei a ser[660], uma vez que eu sei que sou, e não me desespero de que serei?

Nada obstante nenhuma das hipóteses supraformuladas acerca da origem das almas se possa defender sem risco de erro, sabem-se as duas coisas que realmente importam, que se é, e que se há de ser[661] – para sempre, visto que a alma é imortal[662].

**211.** A – [...] Pois não me inclino para as coisas pretéritas, como se receie um erro perniciosíssimo, se pensar acerca delas de maneira diferente de como foram, mas para aquilo que hei de ser é que dirijo o meu curso, guiado pela Misericórdia do meu Fundador[663].

Portanto importa pouco se se desconheça a origem das almas, nem se deve considerar como um erro dos mais perniciosos, se se aceite equivocadamente uma das quatro hipóteses, ou outra qualquer, acerca de seu nascimento, porque os interesses e os esforços devem ser voltados para o futuro, para aquilo que se há de tornar-se depois desta romagem, e para aquele que se constitui seu próprio destino, Deus[664].

---

660 Quer dizer, a “existir”. Refere-se à impossibilidade de uma ciência exata da origem da alma.

661 Cf. 2,3,7,20.

662 Ou então, “desde que ela assim o seja”, o que depende do ponto de vista individual.

663 Cf. Fil 3,13-14 *supra*.

664 Se a origem das almas pouco importa, diz Agostinho, com certa razão, o mesmo não se pode dizer da transmissão do pecado original, questão que a esta está conectada de modo inextricável. De fato, se o pecado do primeiro homem não foi comunicado à sua descendência, torna-se difícil justificar os sofrimentos das almas, especialmente o das criancinhas, consideradas inocentes, de par com sua morte frequentemente prematura, o que soía ocorrer com frequência naqueles tempos.

**212.** A – [...] Portanto devo acautelar-me com veemência contra o erro, se crer ou pensar de maneira diferente do que se constitui a verdade acerca disto que eu hei de ser, e acerca daquele diante de quem eu hei de ser, para que não deixe de preparar para mim as coisas necessárias, ou que não possa alcançar o próprio fim de meu propósito...

A perníicie para a alma se constitui, pois, em desconsiderar seu destino e a condição em que poderá ali chegar, se vier a fazê-lo, não em adotar uma hipótese errada acerca da própria origem. De fato, se o erro de origem não causa maiores prejuízos, o de destino, por sua vez, pode perder definitivamente a alma, pois ninguém, que desconheça o fim a que se proponha, poderá alcançá-lo; demais, quem tenha concepções equivocadas acerca de Deus, não apenas escolherá o caminho errado, mas sem dúvida chegará a um destino bastante diferente do imaginado. Apesar do argumento ter sido bem construído e sua ideia ter sido ilustrada com bastante transparência, Agostinho empreende reforçá-la, elaborando dois símiles, para que não haja dúvidas. É possível que sua insistência com essa temática do futuro indique uma grave preocupação com respeito às hipóteses acerca da origem da alma supraelencadas, seja pelo receio de ser acusado de heresia, seja por sentir que estava avançando demais em sua interpretação das Escrituras, seja por alguma outra causa ignota[665]. Enfim, qualquer o motivo, o que possivelmente nunca se venha a saber, as duas comparações a seguir encantam por sua beleza, de modo especial a segunda, deixando entrever a sensibilidade poética do autor, que se tornará muitíssimo mais patente em *Confissões*, mas que nesta obra cedeu seu espaço para a sua perspicácia filosófica.

## Dois símiles acerca das almas

**212.** A – [...] assim como, para preparar uma vestimenta[666] nada me obstaria, se me houvesse olvidado do inverno pretérito, porém me obstaria, se não cresse que o frio futuro fosse iminente[667], assim também nada obstará à minha alma, se se olvidou do que acaso tenha suportado, se imediata e diligentemente volte-se e retenha [o destino] para onde em seguida é admoestada a que se prepare.

---

665 Talvez o motivo, suspeitamos, tenha que ver simplesmente com sua própria concepção da existência carnal como inevitavelmente passageira, que, nada obstante sua ascendência inequivocamente platônica, encontra eco substancial nas próprias e contundentes palavras de Cristo a Pilatos (Jo 18,36): "Meu reino não é deste mundo!" (ἡ βασιλεία ἡ ἐμὴ οὐκ ἔστιν ἐκ τοῦ κόσμου τούτου.).

666 Traduz o latim *uestis*, que não significa apenas uma peça de roupa, mas o traje todo adequado para uma certa estação do ano ou atividade específica.

667 Traduz o latim *inmineo*, "ameaçar", "ser ameaçador".

A preeminência do futuro da alma em relação a seu pretérito se ilustra primeiramente com uma comparação um tanto prosaica, embora graciosa. Assim como alguém que pretenda talvez empreender uma viagem, quando não, somente executar alguma tarefa específica, necessita de aparelhar-se para tanto, selecionando a vestimenta correta, seja para o frio, seja para o calor, seja para os trabalhos no campo, seja para os combates militares, enfim, seja para o destino ou para a atividade que for, assim também a alma deve aparelhar-se para a vida futura, diante da face de seu Criador, "revestindo-se" da vestimenta apropriada, desde já, tendo em vista a viagem, ou a tarefa, pretendida. Neste sentido muito pouco importa se a alma se esqueceu das viagens pregressas ou das atividades empreendidas no dia anterior, importando apenas o que lhe está adiante, aquele destino para o qual é aconselhada a aparelhar-se de modo adequado, o quanto antes, pois, ao contrário dos eventos efêmeros desta romagem terrena, o destino celeste jamais terá fim.

**213.** A – E assim como, por exemplo, ao que navega em direção a Roma nada prejudicaria, se lhe escapasse do espírito[668] de que litoral tenha soltado sua nau às velas[669], desde que, contudo, do lugar onde estivesse não ignorasse para onde dirigiria a proa, porém nada lhe aproveitaria estar lembrado do litoral de onde tenha nascido seu itinerário, se, estimando algo falso acerca do porto romano, caísse de encontro às pedras; assim também, se não tiver [em mente] o início do tempo da minha vida, coisa nenhuma me obstará, tendo ciência do fim em que hei de alcançar a quietude[670], nem aproveitaria coisa alguma, seja aquela memória[671], seja a conjectura[672] do começo da vida[673], se acerca do próprio Deus, que é o único fim[674] dos labores da alma, tendo opinado de modo diferente do que é digno, eu vá de encontro aos escolhos do erro.

Depois a situação da alma se compara a um navegante que pretenda soltar as amarras de sua embarcação em direção à "Cidade eterna", Roma[675]. A esse

---

[668] Traduz o latim *excido*, "esquecer-se" ou "escapar-se da memória".

[669] Traduz o latim *nauem soluerit*, liter.: "tenha desatado a nave", ou seja, "feito partir a embarcação". Refere-se tanto ao fato de que a nau ficava amarrada ao porto ou ancorada perto da costa, quanto ao fato de que era preciso soltar o velame para que os ventos pudessem enfunar as velas e mover a embarcação.

[670] Quer dizer, "em que destino encontrarei descanso".

[671] No sentido de "lembrança".

[672] No sentido de "suposição", "hipótese" (acerca da origem da alma). Cf. 3,20,56,188-59,202.

[673] Liter.: "conjectura da vida começada".

[674] No sentido de "destino" também, pois Deus não apenas é o fim último onde a alma espera repousar, mas também implica o próprio fim, ou seja, a interrupção definitiva das fadigas da alma.

[675] À época, contudo, a capital do Império Romano do Ocidente era *Mediolanum*, Milão, e não Roma.

navegante, pois, assim como à alma, pouco importa o porto de partida, e sim o de chegada. Logo, assim como nenhum conhecimento acerca do porto de origem seria necessário para chegar ao porto de Óstia, destino da viagem, nenhum conhecimento acerca da origem das almas tampouco seria imprescindível para empreender a viagem para a Jerusalém celeste. Muito mais, ao revés, importaria o desconhecimento do mapa e das coordenadas que levariam para o porto de destino, além do próprio destino, sob risco de navegar-se de encontro aos rochedos, assim como as diretrizes e preceitos necessários à salvação da alma, que lhe garantissem o percurso até ao destino, tanto como o próprio destino, Deus, a fim de que evitasse chocar-se contra os escolhos do erro.

## 3,21,62,214-215. A dúvida e a ortodoxia

> **214.** A – E esse discurso não serviu para que se julgue que estamos proibindo que os que puderem investiguem, segundo as Escrituras divinamente inspiradas...[676]

A preocupação do autor com respeito às suas hipóteses nada ortodoxas acerca da origem das almas, se antes era apenas suposição, agora parece confirmar-se. Muito provavelmente antecipando possíveis críticas, não apenas às suas quatro hipóteses, mas especialmente ao que disse em seguida, para justificar que nenhuma delas deveria ser acolhida pacificamente, que seria muito mais conveniente e oportuno voltar a atenção para o futuro destino das almas, uma vez que seu passado não lhe oferecia risco maior, Agostinho agora defende seu discurso, negando que pretendesse censurar hipóteses alheias, advogando em favor das suas. E mesmo que não fosse o caso, sua época favorece uma leitura deste gênero, não estando a ortodoxia plenamente assentada e pululando as ditas "heresias" de toda sorte, para assuntos que ainda não haviam sido pacificados em concílios ecumênicos e chancelados pela autoridade imperial, era até certo ponto "livre" a especulação, presume-se, ao menos dentro dos parâmetros ditados por uma interpretação razoavelmente aceitável das Escrituras. Orígenes de Alexandria, por exemplo, foi vítima dessa pseudoliberdade, tendo seu nome sido por séculos riscado do índice dos autores ortodoxos, sob a pecha de heresiarca, o que levou parte considerável de sua obra a ser não apenas esquecida, mas também "censurada", já desde a época de Jerônimo, cujas polêmicas acerca da obra de Orígenes com Rufino de Aquileia, seu tradutor e "editor", se

[676] Cf. 3,20,56,188-58,199.

tornaram célebres. No entanto Agostinho não interdita nenhuma especulação, desde que segundo as Escrituras, para aqueles que se sintam capazes de fazê-lo, de tema tão espinhoso quanto o da origem das almas, que implica, obviamente, a comunicação do pecado de origem.

**214.** A – [...] [se] [i] uma alma seja propagada de outra alma, [ii] ou se sejam criadas uma a uma no próprio corpo que cada uma anima[677], [iii-iv] ou se, para reger e animar o corpo, sejam enviadas de algum lugar por um aceno divino, ou se se insinuem pela própria vontade...

Se acaso as almas derivem de uma única alma criada no início, ou se sejam criadas individualmente, uma em cada corpo de carne nascente, ou se sejam preexistentes, sendo enviadas por Deus para habitar os corpos carnais que se formam pela reprodução, ou se, ao invés de serem enviadas por Deus, preexistindo ainda ao corpo, venham habitá-lo por livre e espontânea vontade, enfim, seja qualquer uma dessas hipóteses, ou nenhuma, que aqueles que se sintam capazes, se queiram investigar essas coisas, que o façam, mas segundo as divinas Escrituras, de par com dois outros "critérios" a serem especificados a seguir.

## O critério da necessidade

**214.** A – [...] se o raciocínio de alguma questão necessária, que se deve tornar expedita, exige que se considerem e analisem esses assuntos em detalhes, ou se é concedido o ócio[678] para investigar e discutir isso em lugar de assuntos mais necessários

Embora o filósofo não o diga, essas duas subordinadas condicionais estabelecem dois critérios para a investigação da origem das almas. Primeiro o assunto deve ser de algum modo "necessário" para destrinçar alguma questão mais importante, seja qual for, ou melhor, deve servir para desembaraçar o tratamento de alguma questão mais necessária. Depois, apenas as pessoas capazes e que dispõem de tempo livre para dedicar-se aos estudos, o famigerado *otium* antigo, tão mal interpretado e deturpado ao longo da história, poderiam tratar desse tema, desde que estivessem dispostas a deixar de parte assuntos mais necessários. Claro está, pois, que para Agostinho essa questão não carecia de ser tratada, salvo em situações eventuais e por pessoas muito preparadas e dotadas de tempo

677 Liter.: "se, para cada uma que sopra vida a seu [corpo], são feitas individualmente...".

678 O ócio (*otium*) na Antiguidade tem amiúde conotação positiva, significando o tempo livre que se pode dedicar aos estudos e discussões de natureza científica ou filosófica.

suficientemente disponível, por um simples motivo, que resume os dois critérios, o que torna a questão tanto mais interessante quanto intrigante, porque não era um assunto "necessário". Como se viu antes, a questão da origem das almas está inextricavelmente ligada à questão da transmissão do pecado original, extremamente importante para responder a pergunta, desde sua época muito popular: "Se Adão pecou, que culpa temos nós?". No contexto das discussões dificilmente se pode dizer que o tema seja de somenos importância, ainda que se leve em conta o argumento em que tanto insistiu, de valorização do futuro, em detrimento do pretérito, a fim de que a alma não se perca em seu caminho rumo à salvação. Sem dúvida nenhuma não se necessita da resposta da pergunta supradescrita para chegar ao céu, mas ela é muitíssimo necessária para os fins a que o filósofo se propôs desde o início das discussões, conhecer, por meio da razão, aquilo em que se crê pela revelação. Crê-se na bondade de Deus, nas Escrituras, e nos pressupostos assentados sobre o princípio de piedade, o que foi utilizado para isentar Deus de qualquer responsabilidade pelo mal no mundo, que recaiu sobre o arbítrio livre da vontade. Porém de que modo o pecado de Adão, o primeiro homem, pode-se dizer também o pecado de todos os homens, embora tenha sido explicado para cada uma das hipóteses acerca da origem das almas, isso não era nada desnecessário.

> **215.** A – [...] eu disse essas coisas[679], de preferência, para que ninguém em tal assunto censure de modo temerário aquele que não cede à sua opinião, talvez por uma dúvida mais humana...

Parece que sua intenção não tenha sido diminuir a importância da questão, nem sugerir que não fosse necessária, e sim, muito ao contrário, como se depreende de suas próprias palavras, defender o direito à livre especulação, o que inclui a sua, desde que piedosa, obviamente. No que respeita à questão da origem das almas, portanto, ninguém devia censurar quem se recusasse a aceitar uma dada opinião como certa, num assunto em que ainda não havia nenhuma opinião (δόξα) dada como reta (ὀρθή), ou seja, em que nenhuma "ortodoxia" (ὀρθοδοξία) havia sido definitivamente estabelecida, sendo toda e qualquer dúvida não apenas lícita, mas própria à condição humana. E de fato, duvidar de hipóteses pouco fundamentadas não era de modo nenhum desaconselhável, ao contrário, além de tipicamente humano, muitíssimo recomendável.

---

[679] Refere-se ao que se seguiu às hipóteses acerca da origem das almas, ou seja, ao fato de que nenhuma delas pode ser comprovada, pelo que deve-se ocupar mais com o futuro do que com o passado.

**215.** A – [...] se alguém vier a compreender daqui alguma coisa de modo líquido e certo, que não pense por isso que algum um outro tenha perdido a esperança nas coisas futuras, porque não se recorda do começo das pretéritas[680].

E mesmo que alguém imagine compreender a questão da origem das almas melhor do que os restantes mortais, ou, caso escolha crer em uma das quatro hipóteses, ou em outra qualquer, com fé inconcussa, ainda assim não seria por esse motivo que sua esperança futura se sobreponha à dos que não creem em nenhuma delas, preferindo a dúvida tão mais sadia quanto prudente. Ao contrário, como dito amiúde, inclusive por meio dos exemplos citados, o desconhecimento do passado não impede que se volte as atenções e esperanças para o ponto de destino, pois o passado importa bem menos, no que tange à salvação das almas, do que as atenções do presente concentradas nas expectativas futuras.

## Hipótese V – perfeccionista
Se a condição não é penal, mas natural

### 3,22,63,216. De volta à questão do mal

**216.** A – [...] seja como for que isso se dê[681] [...] nada impede que a presente questão se aclare...

Pois bem, seja como for que o pecado do primeiro homem se tenha propagado por toda sua posteridade, segundo cada uma das quatro hipóteses, ou quaisquer outras, a respeito da origem das almas, deve-se agora retomar a questão principal acerca da origem do mal e da inimputabilidade divina, pois, como dito inúmeras vezes, pouco importa como se tenha originado a alma[682], se a condição penal de ignorância e de dificuldade é um fato inegável, que pode ser

680 Liter.: "porque não recolhe [na memória] as pretéritas começadas".

681 Refere-se às hipóteses acerca da origem das almas.

682 Porém o meio pelo qual o pecado do primeiro homem foi transmitido à sua descendência e propagado importa para os objetivos da obra, visto que, se for injusto, Deus, por cuja Lei essa transmissão se deu, seria reputado igualmente injusto; ademais a maldade humana, se de fato originada com o desvio pecaminoso do primeiro homem, não poderia ser justificada em sua descendência, que nada teria feito por merecer a condição de ignorância e dificuldade. Portanto, seja qual método de propagação do pecado se aceite, ao menos um deles deve ser considerado, do contrário não haveria justificativa da passagem do pecado de Adão para os pecados de seus descendentes.

atestado não apenas na vida real, mas também nas páginas das próprias Escrituras, como se vê em Paulo, por exemplo[683].

**216.** A – [...] que é por meio da integérrima e justíssima e inconcussa e também absolutamente imutável Majestade e Substância do Criador que as almas solvam[684] os castigos de seus pecados.

As almas solvem suas dívidas diante da Lei divina, em decorrência de seus pecados livremente cometidos, pelos quais somente elas é que devem ser responsabilizadas, jamais o seu Criador. Na verdade é dito que elas saldam os "castigos" (*supplicia*) de seus pecados, ou seja, as consequências de seus erros, o que significa, em outras palavras, que o preço que pagam pelos pecados que cometem não é outro senão os castigos a que se veem forçadas a submeter-se. Esse "solver" punitivo das almas, como o verbo latino *luo* bem o indica[685], obtém-lhes uma certa remissão de sua dívida, pois ao "saldar" pelo sofrimento o mal cometido livremente, as almas reequilibram seu balancete penal, por assim dizer, fazendo com que seus débitos e créditos se igualem, obviamente se não venham a cometer mais delitos, cujas consequências, daí, seriam cada vez mais punições. Portanto "solver os castigos" significa tanto pagar o preço dos pecados cometidos, sofrendo as punições deles decorrentes, como também uma certa purificação da alma, que, ao ver-se remida, livre do peso das dívidas, pode retomar sua caminhada de regresso à pátria verdadeira, a Jerusalém celeste, cujos portais a nenhum devedor é permitido penetrar.

**216.** A – [...] Os quais pecados [...] não devem ser atribuídos senão à própria vontade delas; nem deve-se procurar causa alguma ulterior dos pecados.

Porém, antes de prosseguir, faz-se preciso reforçar que esses pecados, pelos quais as almas pagam o preço do castigo, se não fossem atribuídos exclusivamente a elas, à sua própria ação voluntária, seriam injustos, o que faria ruir todo arcabouço laboriosamente edificado e reconduziria as discussões ao estágio inicial. Deus não é o autor dos pecados, e sim as almas, do contrário não poderia puni-los[686]. E se pune os pecados, sendo ele um Deus justo, deve puni-los justa-

683 Cf. Rm 7,19 *et seq.*

684 No sentido de solvência [*soluo*] de uma dívida. Pois, ao serem punidas as almas, por meio do castigo que padecem, "dissolvem" seus débitos, ficando em dia com a Lei divina.

685 Cf. gr. λύω, "solver" etc.

686 Quer dizer, punir as almas, obviamente, pelos pecados que elas cometeram.

mente, do contrário seria injusto, e o mal, inequivocamente visível no mundo todo a partir dos sofrimentos da humanidade, restaria inexplicável, ou então, como queriam os maniqueus, ser-lhe-ia imputado. Logo não se deve procurar nenhuma outra causa do mal fora da própria vontade, como ficou patente ao longo das discussões, pois além dela não se pode encontrar senão seu Criador, que não é a causa do mal, a não ser que se queira imaginar um universo dividido entre divindades antagônicas.

Contudo resta entender por que motivo Agostinho teria dito que as almas solvam os castigos de seus pecados por meio da Substância do Criador, além de sua Majestade, as quais são perfeitamente íntegras, justas e incomutáveis. Da Majestade divina não carece dizer muito além do fato de que ela se constitui de seus próprios predicados, que são a Justiça, a Plenitude ou Integralidade, a Solidez inabalável e a Imutabilidade, que na verdade são o próprio Deus, que é também sua própria Eternidade, Bondade, Felicidade e tudo o que se possa dizer dele, Fonte de todo Bem e de toda Beleza. Portanto, ao dizer que as punições dos pecados são remidas pela Majestade divina, que é justa, imutável e inabalável e imutável, não se refere senão à sua Lei, que é justa, inabalável, imutável e plena, Lei eterna pela qual se aplicam as punições, como maneira de reequilibrar a economia das almas. De fato, se o pecado diminui a quantidade de ser que cada alma possui, a punição tem poder restaurador, quando aplicada divinamente, cujo efeito é uma espécie de ressubstancialização ou renaturalização das naturezas, se se permite dizê-lo, pois quem salda suas dívidas, deixa de dever, supõe-se; e quando paga o que deve, sua condição se renova, tanto quanto seja possível e previsto pelas determinações da própria Lei eterna, posto que se esteja imerso no estado penal. Porém de sua Substância deve-se antes lembrar que[687], quando um pecado é vituperado, por causa do vício que há em si e que corrompe a natureza de que esse vício se constitui um vício, a integridade dessa natureza está sendo louvada, antes de tudo o mais, e não apenas essa mesma natureza que está sendo corrompida, mas principalmente o próprio Criador dela. Ou seja, quando o pecado corrompe uma natureza, como se viu, louva-se indiretamente a Deus, pois se está vituperando a integralidade desperdiçada pelo vício, integralidade que merece louvor, tanto como seu Criador. Assim, pois, quando uma alma salda a punição de seus pecados, sofrendo justamente a consequência de seu vício corruptor, sua natureza, corrompida, remete à integralidade anterior à corrupção, cujo autor é Deus. Ora, não é senão por causa dessa integralidade perdida que a alma padece

---

687 Cf. 3,14,41,143.

os castigos, a fim de que a balança seja reequilibrada e sua natureza reparada, não perdida, pois o Criador não quer destruir sua obra, e sim vê-la livremente perfeita. Portanto, em conjunto, a universalidade dos pecados das almas, cujos castigos se fazem solver pelas punições da humanidade mortal, mergulhada na condição penal, assim se fazem solver por causa da Natureza íntegra de Deus, cujas Perfeição e Plenitude demandam o equilíbrio belo e bom da criação. Logo, quando se punem os pecados, não apenas se louva o Criador, pela perfeição de sua Natureza criadora de todas as naturezas íntegras, porém agora corrompidas pelo vício do pecado livremente perpetrado, mas também se opera sua restauração à condição original, íntegra, como saída das mãos do próprio Artífice divino, porque a Substância de Deus, integérrima, inconcussa, incomutável e justíssima demanda essa remissão reparadora das naturezas, cuja beleza coopera para a Beleza universal.

## 3,22,64,217. Deficiência: imperfeição: proficiência: perficiência: perfeição

**217.** A – [...] se a ignorância e a dificuldade é [condição] natural[688], a partir daí é que a alma começa a aperfeiçoar-se[689] e mover-se adiante em direção à cognição e à quietude, até que nela se faça perfeita[690] a vida feliz.

E se, ao contrário de tudo o que se disse acerca da origem das almas e da transmissão do pecado original, cujo salário teria sido a morte, de que derivou essa condição penal de ignorância do bem e dificuldade em realizá-lo, enfim, e se essa condição não fosse penal, não fosse um castigo imposto, mas apenas um estado da natureza? Supondo-se que fosse natural, as almas, criadas não importa como, começariam então a aperfeiçoar-se a partir desse ponto de partida. Esse "aperfeiçoar-se", por seu turno, que no latim de Agostinho, não por acaso, diz-se *proficere*, tem papel fundamental em seu pensamento, pois significa progredir, literalmente um "fazer por" ou "fazer adiante" (*profacere*), numa palavra, uma proficiência que leva à perficiência, (*perfacere*), e daí à perfeição (*perfectio*), condição daquilo que está "feito até ao fim" (*perfectus*), "acabado", "concluído". E como visto, essa perfeição se contrapõe radicalmente à questão fundamental desta obra, o mal, que em si mesmo não possui nenhum estatuto ontológico,

---

688 Agostinho parece considerar o binômio "ignorância e dificuldade" de modo unitário, como a própria condição em que predominam as duas penalidades, de onde a regência no singular.

689 Liter.: "ser proficiente", mas também "progredir.

690 Traduz o latim *perficio*, "fazer até ao fim".

sendo antes um movimento "defectivo" (*defectiuus*) da vontade, um "defeito" (*defectus*) da natureza, não uma substância em si mesmo, mas uma ausência ou carência de substância, um "deixar de ser", e mesmo um "desfazer" (*defacere*)[691].

Portanto, ainda que sejam naturais, se a alma deve aperfeiçoar-se, supõe-se que tanto a ignorância como a dificuldade sejam ao menos "imperfeições", se não se quiser dizer "deficiências", embora não penais, ao contrário do que havia sido dito[692]. E se toda alma deve aperfeiçoar-se, tornando-se perficiente – até à perfeição, caso isso seja realizável, Deus sendo o único perfeito, ou melhor, a própria Perfeição absoluta –, sua imperfeição, posto que natural, por algum motivo não é aceitável. Logo os contrários da ignorância e da dificuldade, que aqui se denominam cognição e quietude, de algum modo se constituem condições preferíveis à alma. Mas por quê? Se a ignorância e a dificuldade são estados naturais, o "marco zero" das almas, por que seriam repudiáveis, como se a própria natureza o fosse; ou além, se Deus criou as almas em estado de ignorância e de dificuldade, por que rebelar-se contra a condição divinamente estabelecida, o *status quo* concedido graciosamente pelo Criador? A causa não parece ser outra senão a *uita beata*, "vida feliz", que deve ser conquistada livremente, por meio da vontade individual, bem médio dado por Deus a cada alma, exatamente para isso. Embora a vontade seja um dom gratuito, assim como o ser que cada alma possui, conquanto sejam ajudadas pelo Criador em suas necessidades, mesmo assim devem esforçar-se, fazendo bom uso dos dons recebidos, para fazer-se dignas da vida feliz, também ela um dom, posto que paradoxalmente meritório[693]. E ninguém adentra a morada celeste, alma nenhuma cruza os portais dourados da Jerusalém excelsa, se não se fizer apta para tanto, o que implica deixar de ser o que é presentemente, para ser o que ainda não é, porém deve ser, se quiser ser feliz. Logo as almas não são criadas perficientes, apenas inclinadas à perficiência, que devem fazer por onde obter, por meio desse progredir do menos ser para o ser mais e mais, numa palavra, da deficiência (imperfeição) de ser até à perficiência do ser de si, o que se dará diante da plenitude do Ser, a fim de que também elas sejam plenamente, e assim sendo, sejam como devem

---

691 Vejam-se os seguintes verbetes no LÉXICO T-F: *defectus, defectio, defectiuus, deficio, proficio, profectus*. Note-se que, não por acaso, todos os vocábulos supracitados: proficiência, perficiência, perfeição, perfazer, aperfeiçoar, defeito, defectivo, deficiência, desfazer etc., todos são compostos do verbo *facere*, "fazer", o mesmo que se usa para referir os atos da criação, como se vê no *fiat lux* divino, por exemplo.

692 Cf. 3,18,52,179.

693 Cf. 3,15,43,149-150.

ser, felizes. Essa é a Jerusalém do alto, não um espaço físico essa morada, mas a própria perficiência de cada alma, que então se faz apta a fruir da Sabedoria e da Quietude, que são o próprio Deus. Com efeito, iluminadas pela Luz suprema da Sabedoria, de nada mais necessitam saber, não porque saibam tudo como a onisciência divina, mas porque de nada mais necessitam; e repousantes na Quietude serenamente eterna e eternamente serena do Ser, não se veem em dificuldades para operar o bem, não porque se fizeram onipotentes, mas porque se encontram na onipotência do próprio Bem supremo, nele repousando, não carecendo de esforçar-se por fazer o bem, nem por nada sendo obstadas, tampouco coisa alguma se interpondo entre elas e a fruição desse Bem eterno.

Por isso é que as almas devem aperfeiçoar-se, não porque a proficiência se oponha à deficiência, mas porque conduz à perficiência, à plenitude, única condição em que se pode realizar nelas a Vida feliz, que, em última instância, é Deus. No entanto isso não significa dizer que foram criadas defeituosas, como se o próprio Criador fosse impotente para fazê-las como deveriam ser, significa apenas que foram feitas ainda não perfeitas, mas com a capacidade, e o dever, de esforçar-se por atingir a perfeição. O defeito, contudo, que não lhes foi dado pelo Criador, é fruto podre de cada uma delas, aquele movimento contrário ao movimento eficiente, que se pode compreender como o movimento de aperfeiçoamento para a Perfeição. A alma, portanto, teria sido criada imperfeita, a fim de que se fizesse perfeita, e não para que se acomodasse na imperfeição – se de fato a condição penal de ignorância e dificuldade é natural –, muito menos para que se movesse em sentido contrário à perficiência, para a deficiência, ou antes, para o nada do defeito. Isso, porque ela só será feliz quanto for perfeitamente, quando não mais em si houver qualquer imperfeição, qualquer deficiência. Daí então não precisará mais aperfeiçoar-se, sendo tão mais perfeita quanto permitido pela divina Perfeição.

## Aperfeiçoamento e defeito: *profectus et defectus*

**217.** A – [...] O qual aperfeiçoamento[694], nos estudos[695] mais excelentes e na piedade, para os quais a faculdade não lhe foi negada, se *a alma* negligenciá-lo por vontade própria, *ela* é precipitada justamente numa mais grave[696] [condição de] ignorância e dificuldade, que agora

694 Traduz o latim *profectus*.

695 Traduz o latim *studiis*, que remete à aplicação intelectual, aquele "esforço" necessário para que a razão governe os movimentos irracionais da alma. Portanto não se trata de esforço de caráter predominantemente físico, e sim mental.

696 "Grave", no sentido de "onerosa", o que implica dizer "mais difícil" e "dolorosa".

é penal, sendo ordenada entre as criaturas inferiores por meio de um mecanismo moderador absolutamente adequado e conveniente das coisas.

Se a condição de ignorância e dificuldade é natural, não se pode imputar culpa à alma por nela ter nascido. Porém se lhe acusa o fato de nela querer permanecer. Por quê? Por que não seria permitido à alma simplesmente não ser feliz, recusando a Jerusalém celeste e acomodando-se na infelicidade da ignorância do bem e na dificuldade em praticá-lo? Na verdade, isso lhe é facultado, nenhuma dúvida, como se pode constatar, bastando para tanto apenas olhar ao redor. Ocorre, porém, que ninguém quer ser infeliz, muito menos ser cada vez mais infeliz[697]. E isso é o que acontece com as almas que pensam ser possível acomodar-se na ignorância e na dificuldade, iludindo-se quanto à possibilidade de estabilidade, paz, tranquilidade, prazer, entre outros benefícios desejados. Não se questiona o fato de que ninguém queira para si o incômodo da dor, seja física, seja espiritual. E nem há como evadir-se da dor, quando o corpo se vai corrompendo, as doenças roendo a saúde, os entes queridos partindo para nunca mais voltar, os desejos torturando o corpo e a alma por sede irremediável de satisfação, entre tantas outras aflições por que passam todas as almas nessa condição mortal, ainda que seja natural. Agostinho parte do princípio de que todos querem ser felizes de modo estável, fruindo do que jamais lhes poderia ser arrebatado, como as amizades preciosas, ou a presença dos entes queridos, a não dizer da própria segurança, que em si constitui um bem nada desprezível, assim como a paz, a alegria, o contentamento, a sabedoria e todas condições do espírito que se pode dizer façam parte dessa vida feliz. Porém essa estabilidade segura não pertence à dimensão temporal, em que não apenas a carne é corruptível, mas tudo se transforma, num deixar de ser para vir a ser, cujo único denominador comum, se se pode dizê-lo, como bem percebera o efésio Heráclito, é a própria transformação, o fluir incessante, como as águas nunca recorrentes de um "mesmo" rio.

Todavia, se à alma não é dado permanecer na impermanência da ignorância e da dificuldade, contudo lhe foi dada pelo divino Doador a faculdade para empreender não apenas os estudos necessários para progredir da ignorância à cognição do bem, mas também o socorro imprescindível do alto para realizá-lo, no alívio piedoso da prece, que lhe permite pedir, bater e ter a porta franqueada, segundo sua fé. E se a alma recebeu, como dito antes[698], agora

---

697 Cf. 1,14,30,100.

698 Cf. 3,15,42,145-43,150.

deve: deve restituir o bom uso daquilo mesmo que recebeu. Se recebeu os dons de esforçar-se por conhecer e cumprir o bem, além do auxílio piedoso da fé, ser-lhe-á imputada culpa se negligenciá-los, voluntariamente. Nesse caso, pois, sua ignorância do bem e sua dificuldade em realizá-lo se tornam penais, com toda justiça, não mais naturais, pelo que se dizem mais "graves", sendo então a alma ordenada, a partir dessa sua nova disposição não invito adquirida, entre as criaturas inferiores, para a manutenção da beleza e da ordem do conjunto universal da criação. Nessa suposição, que poderia sem qualquer hesitação ser compreendida como uma "quinta hipótese" para a origem das almas, embora não se trate propriamente de como tenham sido criadas, mas do modo como, depois de criadas, progridem rumo à perfeição, não se discute qual a sua ordenação, antes do pecado, porque, se são reordenadas num grau inferior, depois da negligência, supõe-se que estivessem em algum grau acima antes dela. Seja como for, o que importa não é necessariamente o grau em que estavam antes ou em que estarão depois do pecado, mas o pecado em si[699].

## 3,22,64,218. Pecado de negligência

**218.** A – Pois o fato de que ela naturalmente desconhece[700] e o fato de que naturalmente não pode[701], isso não se imputa à alma à conta de reato[702], mas o fato de que não se esforçou para ter ciência e o fato de que não teve um empenho digno para preparar a facilidade de agir retamente.

Em se considerando a condição de ignorância e de dificuldade como natural, não penal, nenhuma alma poderia ser ré pelo fato de ignorar o bem e de ser incapaz de realizá-lo, do contrário à natureza, ou a Deus, é que se imputaria antes um pecado mais grave, o da injustiça. Porém isso não lhe dá uma carta de alforria para que possa escapar ao bem ou negligenciá-lo, deixando de se esforçar por conhecê-lo e praticá-lo. Ao contrário, como visto, por ter recebido

---

699 Nessa hipótese, além do mais, desnecessário especular da comunicação do pecado de origem, visto que cada alma nasce ignorante e em dificuldades de modo natural, não penal. E se assim se deu, por natureza (φύσει), o pecado do primeiro casal absolutamente nada importa para a condição de sua suposta progênie, visto que todos nascem para a perfeição, pela qual devem labutar, mas não em virtude da culpa alheia, e sim para adquirir seu lugar, *ex merito*, na Jerusalém celeste.

700 Refere-se à ignorância (*ignorantia*) da verdade.

701 Quer dizer, não é capaz, em referência à dificuldade (*difficultas*) de fazer o bem.

702 Traduz o latim *reatus*, que é "a condição de réu" que se pode imputar ao pecador. Portanto não se imputa à alma a condição de ré, ou seja, não se lhe acusa de crime, pelo fato de naturalmente desconhecer o que por natureza não lhe era dado conhecer.

os dons necessários à conhecê-lo e cumpri-lo, com a ajuda piedosa da fé, a alma será culpada de negligência, se não se esforçar, pois quem recebe, seja o que for, passa à condição de devedor[703].

## 3,22,64,218. A "infância" da infância não é pecado

**218.** A – [...] não saber e não poder falar é natural à criancinha[704], ignorância e dificuldade[705] de fala que não somente é inculpável sob as leis dos gramáticos, mas que também é meiga e graciosa aos afetos humanos...

Arguto observador, Agostinho recorre a um exemplo dos mais felizes, cujos desdobramentos se destacam em algumas das mais célebres páginas do livro inaugural de *Confissões*, causando enorme espécie até hoje por sua agudeza e perspicácia. Ao contrário da pecha que se lhe imputa, amiúde injustamente, o pensador africano não era um radical defensor do pecado original destituído de todo bom senso. Ninguém acusaria um bebê por não saber falar, pois essa é sua condição natural, a condição em que nasce e de que deve partir, progredindo, até à eloquência, bem cultural dos mais cobiçados no mundo Antigo, já desde a era mítica de Homero. A criancinha, cujo termo latino *infans* ilustra bem sua condição, não apenas não sabe falar, como tampouco tem condições de fazê-lo. Logo padece, se se pode dizê-lo, posto que de maneira imprópria, de ignorância da fala e de dificuldade em realizá-la. Porém, sendo isso natural, não lhe pode ser imputado como pecado, do contrário – e isso é o que Agostinho está dizendo –, a criancinha já nasceria pecando, apenas por não saber e não poder falar, o que seria uma aberração, além de uma enorme injustiça, pois sua condição lhe foi dada por natureza, ou seja, pelo próprio Criador de todas as naturezas. E de fato não se constitui pecado, nem segundo as regras dos gramáticos, que eram os professores das primeiras letras do mundo Romano (e não os especialistas nas normas e na sistemática da língua, como se compreende hoje o termo), muito menos segundo a sociedade adulta eloquente, que sempre considerou essa incapacidade e ignorância discursiva dos bebês um encanto próprio da primeira idade.

---

703 Cf. 3,15,42,145.

704 Traduz o latim *infans*, "aquele que não fala" (*in* + *fari*).

705 Ignorância, neste caso, refere-se ao fato de que a criancinha ainda não aprendeu a falar; dificuldade, por sua vez, ao fato de que ela ainda é incapaz de articular os sons devidamente, em virtude de sua débil compleição, fruto da tenra idade. Neste caso, pois, Agostinho associa à ignorância a negação do verbo "saber" (*non nosse*), e à dificuldade, a negação do verbo "poder" (*non posse*).

**218.** A – [...] pois não foi por causa de algum vício que *a criancinha* negligenciou preparar[706] aquela faculdade, ou por causa de algum vício que perdeu a faculdade que preparou.

Nenhum bebê pode ser acusado do pecado de negligência, por não ter aplicado esforço suficiente para falar, quando ainda nem possuía os meios naturais de fazê-lo, muito menos de ter perdido sua capacidade, que nem mesmo havia adquirido, para que pudesse perdê-la. Portanto, assim como há um tipo de corrupção que não é contra a natureza, não se constituindo um defeito, porque nela nenhum vício pode ser encontrado[707], assim também nessa "imperfeição" natural das criancinhas – obviamente pelos padrões adultos da eloquência a que Agostinho as compara, segundo a mentalidade de sua época e os fins argumentativos a que se propõe aqui – nenhum pecado há, porque sua ausência de fala, ou seja, seu "defeito de eloquência", não é o fruto podre de nenhum vício, do contrário seria antinatural; e sendo essa condição infantil, de não saber e não poder falar, natural, não poderia ser contrária a si mesma.

## 3,22,64,219. Da infância à eloquência: o pecado de fala

**219.** A – E se na eloquência[708] nos tivesse sido constituída a felicidade, e assim se tomasse por crime quando se peca nos sons[709] da língua, do mesmo modo como quando se peca nos atos da vida, seguramente ninguém repreenderia à infância[710] o fato de que houvesse despontado dela para chegar à eloquência...

A "eloquência", ou seja, a fluência discursiva, que aqui se considera contrária à "infância", entendida como a incapacidade de fala própria às criancinhas, se se constituísse, por suposição[711], a própria felicidade, um fim em si mesma, estabeleceria padrões para sua obtenção e posse, que sem dúvida expurgariam erros de

---

706 Isto é, "deixou de aprender, por incúria".

707 Cf. 3,14,40,138.

708 A eloquência pode ser considerada aqui como a capacidade de falar com perfeição (*eloquor*), que se contrapõe à incapacidade de assim falar.

709 Não apenas quando se cometem erros de prosódia ou barbarismos, mas quando, no casos dos bebês, se balbucia, emitindo sons irreconhecíveis, ao invés produzir algo significativo.

710 Infância, em referência à fase em que predomina a incapacidade de falar (*in* + *fari*).

711 Suposição essa não muito disparatada, tendo em conta os valores culturais do mundo antigo, em que a oratória, de modo especial a forense, ocupava o ápice dentre todas as carreiras valorizadas socialmente (*cursus honorum*), constituindo-se verdadeiro trampolim para os mais altos cargos administrativos do Império Romano, à parte bajulações inomináveis de toda sorte e de todas as épocas, obviamente.

prosódia, solecismos, entre tais. Neste sentido aquele que "pecasse" na emissão dos sons da fala, pronunciando as palavras fora dos padrões considerados os corretos e necessários para tornar-se eloquente, cometeria um verdadeiro crime, não apenas de lesa-gramática, mas sobremodo de lesa-felicidade. Porém, como explicado logo acima, esse crime de lesa-gramática não se imputaria à infância, ignorante e incapaz da fala, mas apenas às idades subsequentes, seja à adolescência (*adulescentia*), seja à juventude (*iuuentus*), seja à idade adulta (*adulta aetas*), seja ainda à própria idade avançada (*uetustas*). Isso, porque a essas idades concederam-se não apenas os meios de aprender a falar, mas também a capacidade física para realizá-lo, estando seu aparelho fonador perfeitamente desenvolvido. E se, por algum motivo, não se põem a falar, os jovens e adultos, assumindo que essa incapacidade não seja resultado de algum estado patológico irreversível, isso se deve, ou porque negligenciaram o esforço necessário à aprendizagem, ou porque preferiram retroceder à condição infantil – talvez por preguiça, talvez por rebeldia ou pura perversão –, permanecendo nesse estágio por causa da perversidade de sua vontade. E se se trata de perversidade da vontade, trata-se daquele movimento avertido do Bem comum e imutável e convertido aos bens próprios e mutáveis, que se denominou "pecado", ou "vício", que, por ser contrário à natureza, é justamente digno de censura. Logo não é à infância que se deve imputar culpa, sendo sua condição natural a ausência da fala, o estágio inicial de onde partem as almas para a eloquência, condição da maturidade, mas à negligência delas, as quais, saídas da infância, ou não se esforçaram o suficiente para aperfeiçoar-se, ou retrocederam, voltando suas costas em flagrante desprezo ao que haviam antes aprendido.

## 3,22,64,220. Se ignorância e dificuldade é condição natural

**220.** [...] se a ignorância da verdade e a dificuldade do reto [agir] é [condição] natural ao homem, de onde comece a soerguer-se em direção à felicidade da sabedoria e da quietude, ninguém repreende retamente esta [condição], por causa de seu início natural...

Pois bem, isso tudo se disse apenas como suposição, caso se queira defender que o estado de ignorância da verdade e de dificuldade de agir retamente seja natural às almas, como se fosse um estágio inicial, um primeiro degrau a partir de onde iniciariam sua subida em direção às condições melhores e contrárias a essas, de sabedoria e quietude, onde conhecem o Bem e não sofrem por sua impotência para realizá-lo. Portanto essa condição, que antes se dizia penal por ser o castigo pelo pecado de morte do primeiro homem, não se consideraria de

modo nenhum repreensível, o que seria injusto e contrário à natureza. E nesse caso, ao revés, o pecado seria a própria censura da ignorância e da dificuldade, pois se estaria condenando algo natural.

## Quem não quer o que deve, deve padecer o que não quer

**220.** A – [...] mas, se não quiser aperfeiçoar-se, ou quiser retroceder[712] em sentido inverso ao do aperfeiçoamento, de direito e por mérito solverá as penas [devidas].

Porém, se a alma se recusasse a esforçar-se no sentido de seu aperfeiçoamento, deixando de ser ignorante e preparando a facilidade de agir retamente, ou ainda, o que seria pior, se decidisse retroceder, mergulhando no defeito, no abismo profundamente escuro da ignorância e no atoleiro da ineficácia, ser-lhe-ia certamente imputada grave culpa, porém não pelo estado natural em que nasceu, obviamente, mas por sua afrontosa negligência, invariavelmente voluntária. E se lhe foi imputada culpa, cabe-lhe o salário correspondente, visto ter contraído uma dívida com o divino Credor, ao não ter usado bem das faculdades recebidas. Se não solveu suas dívidas agindo bem, deve agora solvê-las padecendo o mal, pois quem não quer fazer o bem que deve, deve padecer o mal que não quer, a fim de que a balança da Justiça se mantenha em equilíbrio, assim como o próprio balancete da alma.

## 3,22,65,221-222. Suma da "hipótese" V: espinho na carne

**221.** A – Na verdade o Criador da [alma] em qualquer parte[713] é louvado, seja porque *ela*[714] tenha começado a partir de seus próprios exórdios em direção à capacidade do Bem supremo, seja porque ele ajude o aperfeiçoamento dela, seja porque complete aquela que se aperfeiçoa e

[712] Traduz o latim *re-labor*, "retroceder, caindo", daí também "recair" ou "cair para trás".

[713] Quer dizer, seja a condição de ignorância e dificuldade penal, seja, ao invés, natural.

[714] Há quem interprete o verbo *inchoho* como se fosse transitivo, imaginando que o Criador tenha iniciado, quando não, forçado o aperfeiçoamento da alma. Isso, no entanto, vai de encontro a tudo o que disse o autor até aqui, que é a alma que parte de um estágio primordial natural: §220. "uma condição natural ao homem, a partir de onde comece a soerguer-se em direção à felicidade da sabedoria e da quietude"; §219. "ninguém repreenderia à infância o fato de que houvesse despontado dela para chegar à eloquência"; §217. "a ignorância e a dificuldade, se essa condição é natural, a partir daí é que a alma começa a aperfeiçoar-se e mover-se adiante em direção à cognição e à quietude, até que nela se faça perfeita a vida feliz". Além disso, no parágrafo seguinte Agostinho se utiliza duas vezes do termo "exórdio" (*exordium*), e uma de "início" (*initium*), para referir-se ao começo da vida da alma, no mesmo sentido.

a perfaça[715], seja porque ordena[716] aquela que peca por meio de uma justíssima condenação em virtude de seus méritos, isto é, ou aquela que recusa elevar-se a si mesma desde seus inícios até à perfeição[717], ou aquela que agora retrocede de algum aperfeiçoamento [realizado][718].

Se a condição de ignorância do bem e dificuldade em realizá-lo fosse de fato natural, como se está supondo[719], ainda assim o Criador deveria ser louvado, diz Agostinho, ratificando novamente a proposta-chave da obra: *deus laudandus*. Isso, porque, se fosse o caso de a alma ter partido deste seu exórdio ignorante e cheio de dificuldades para que se fizesse capaz de contemplar o Bem supremo, em nenhum momento o Criador deixou de ajudar seu progresso, a fim de que se fizesse perficiente e fosse feliz. E tenha esse subsídio vindo na forma de complemento e perfazimento, por assim dizer, para a alma cuja vontade era ineficaz e cuja ignorância obnubilava o entendimento, a fim de que conseguisse triunfar das suas imperfeições, ou tenha vindo na forma de um justo ordenamento penal, deve igualmente o Criador ser louvado em ambos os casos. De fato, se ajudou a alma a chegar à perfeição, complementando o seu fraco conhecimento do bem e a ineficácia de sua vontade de agir com retidão, a fim de que pudesse triunfar de suas imperfeições e aperfeiçoar-se rumo à Sabedoria e à Quietude, mereceria por isso imenso louvor; se, por outro lado, condenou a alma que recusava espontaneamente esforçar-se para progredir, ou que preferia retroceder e desprezar o progresso já realizado, dispondo, de acordo com a Ordem por ele mesmo instituída, sua justíssima condenação a um estado mais agudo de ignorância e de dificuldade, que agora passaria a ser penal, por causa de sua desobediência voluntária, por isso mereceria igualmente imenso louvor, pois, como já visto, essa ação punitiva mantém o justo e perfeito equilíbrio da universalidade da criação.

**222.** A – Pois não a criou má por causa disso, porque ela ainda não é tanto, quanto, aperfeiçoando-se, recebeu que pudesse ser, ainda que em seu exórdio[720] as perfeições todas dos corpos lhe sejam de longe inferiores...

---

715 Quer dizer, "torne perficiente". Percebe-se aqui claramente a distinção entre *proficio* e *perficio*. O primeiro expressa um "fazer para" algum objetivo; o segundo, "um fazer até completar". Deus ajuda o proficiente a tornar-se perficiente, ajuda quem procura aperfeiçoar-se para que chegue à perfeição.

716 Liter.: "ordenar", no sentido de "dispor segundo a ordem" (*ordino*), e não de "dar um comando".

717 Traduz o latim *perfectio*.

718 Quer dizer, do progresso (*profectus*) realizado.

719 Cf. 3,22,63,216 *et seq.*

720 No início de sua vida, na carne.

Porém, ainda que a ajude a superar o estado supostamente natural de ignorância e de dificuldade, ainda assim se poderia imputar a Deus toda a culpa por tê-la criado imperfeita. A isso responde Agostinho, na esteira coerente de tudo o que propugnou por dizer desde o livro segundo até agora, que na Ordem da criação, pertençam ao grau mínimo, médio ou máximo, as criaturas todas são sempre boas. Neste sentido, embora não tivesse sido criada perfeita, apenas capacitada para tanto, ainda assim a alma sempre foi e será, desde sua origem e mesmo depois do pecado, muitíssimo superior às criaturas todas, que tão somente são e vivem, porém não são capazes de intelecção. E de fato, na criação de Deus, sumamente bom e perfeito, as criaturas todas são louváveis, em seu gênero, tanto as que apenas são, como as que são e vivem, mas principalmente as que são, vivem e inteligem, como as almas, por mais pecadoras sejam estas. E se Deus deve ser louvado pelas criaturas inferiores, muito mais ainda pela alma, superior a elas todas, nada obstante seu pecado, pois o que se aplica às coisas mínimas, muito mais às máximas, como reza o tópico retórico do grau[721]. Portanto, ainda que não sejam tão boas quanto deveriam e poderiam ser, ainda assim as almas são grandes bens, os mais elevados de toda a criação, e por isso deve-se louvor a seu Fundador.

**222.** A – [...] Logo, se ela ignora o que deve fazer, isso se deve ao fato de que ainda não o recebeu; mas o receberá também, se usar bem isto que recebeu. Porém ela recebeu que investigue de modo diligente e pio, se quiser.

No entanto, se a alma não conhece o bem que deve fazer, nem dispõe de meios para desejá-lo eficazmente, muito menos cumpri-lo, como poderá chegar à plenitude da perfeição que dela se espera e não ser eternamente imperfeita? Não seria o Criador culpável por essa sua "deficiência" incorrigível? Agostinho afirma peremptoriamente que não. Pois se a alma ignora o bem que deve fazer, isso se deve ao simples fato de que ainda não recebeu o conhecimento suficiente e pleno de que fruirá, num porvir luminoso. Essa sua ignorância, nesse caso, não é castigo, mas uma condição natural, prevista por Deus para o aperfeiçoamento da alma, a fim de que chegue à perfeição pelo mérito de sua vontade livre, posto que subsidiada pela Graça divina. Mas, se ainda não recebeu o conhecimento necessário, muito menos a Sabedoria de que fruirá eternamente, que não perca as esperanças, pois irá recebê-lo oportuna e progressivamente, na medida em que

---

[721] Cf. **2**,18,49,186-188; 48,182-185; **3**,4,10,39; 5,14,53-54; 13,37,130; 15,42,144.

faça bom uso daquilo que presentemente recebeu, a saber, que faça bom uso do conhecimento, por parco seja, de par com a fé piedosa no auxílio divino, fé que ensina a orar entre lágrimas de humilde penitência; numa palavra, que faça bom uso do dom de esforçar-se (*studere*), dissipando as trevas de sua ignorância pela luz da aplicação espiritual (*studium*), de modo a aperfeiçoar-se sempre mais.

**222.** A – [...] E o fato de que, reconhecendo o que deve fazer, não é eficaz para cumpri-lo de imediato, isto ainda não recebeu também.

Por outro lado, se ainda não consegue fazer valer sua vontade, por causa de sua natural ineficácia, tampouco se desespere por isso, pois irá igualmente receber o que lhe falta, uma vontade perficiente que ainda não lhe foi concedida. Agora, não por isso, porque a alma não recebeu nem a ciência perfeita, nem uma vontade eficaz, deve-se considerá-la má, muito menos seu Criador, sendo essa sua imperfeição "o espinho na carne", para lançar mão da metáfora paulina[722], que a impele adiante, para a perfeição.

Vale notar que ao dizer que "falta" à alma algo, além do que recebeu por natureza, como a "eficácia", por assim dizer, de sua vontade, ou o "conhecimento" pleno do bem, supõe-se também, por consequência, que a alma tenha consciência dessa "falta", ou seja, que se dê conta de que nasceu imperfeita, ignorante e ineficaz. Para tanto, contudo, deve ter-lhe sido dada uma capacidade de percepção e de raciocínio nada rudimentar, a fim de que não apenas se desse conta da perfeição ideal, mas também do quanto lhe faltava para chegar até ela. Logo alguma capacidade de "sentir" essas coisas deve lhe ter sido dada, do contrário nem seria capaz de sentir que houvesse um ideal a ser perseguido, muito o menos o motivo por que deveria persegui-lo voluntariamente, qual seja, a enorme distância que se encontra da perfeição.

## 3,22,65,223. O "sentir" próprio da carne e do espírito

**223.** A – Pois uma certa parte *da alma* precedeu [as demais], mais sublime[723] para sentir[724] o bem do ato retamente praticado, mas uma outra *parte*, mais tarda e carnal, não é consequentemente conduzida em direção a esse sentimento[725].

---

722 Cf. 2Cor 12,7.

723 Mais elevada e por isso apta a perceber o bem. Trata-se, obviamente, da razão.

724 Não tem que ver com os sentidos corpóreos, mas com uma certa "percepção" racional.

725 Traduz o latim *sententia*. Refere-se ao sentimento do benfazer.

A alma que nasce na condição natural de ignorância e dificuldade, de que deve partir em esforço piedoso de aperfeiçoamento, *ad perfectionem*, não foi criada má, como dito no parágrafo anterior, posto que ainda não tenha recebido aquilo com que, se fizer bom uso do que já recebeu, por fim, será contemplada. Embora esteja incompleta, por assim dizer, em seu estado imperfeito, há nela uma parte mais sublime, que se antepõe ao restante de que é constituída, por meio da qual ela é de algum modo capaz de "sentir" o bem do ato retamente praticado, que "sente" também ser desejável em si mesmo, ainda que não seja capaz de levá-lo a efeito por suas próprias forças. E ao senti-lo, sente também o quanto lhe falta para chegar até ele, e que essa falta, ou defeito, lhe causa enorme desprazer. Note-se que se está referindo à alma enquanto na carne, obviamente, cuja mortalidade é a grande responsável por sua ignorância e dificuldade[726]. Assim, a outra parte da "alma", vocábulo que aqui representa criatura íntegra, refere-se ao corpo, a parte retardada e carnal, como diz Agostinho, dos habitantes que nascem neste mundo para triunfar de sua condição natural de ignorância e de dificuldade. Mas se a parte mais sublime é capaz de "sentir" o bem que há no ato retamente praticado, a parte retardada pelo peso da carne, não. E essa distinção se ilustra no latim utilizado pelo rétor, em que se percebe um propositai paralelo entre a capacidade de "sentir" (*ad sentiendum*) o bem (*bonum*) da parte sublime e a incapacidade da parte carnal, que não é conduzida a esse "sentimento" (*in sententiam*). De fato, tanto o segundo termo, *sententia*, em sua forma participial arcaica, *sentientia*, quanto a forma nominal do primeiro, *sentiendum*, ambos derivam do mesmo verbo, *sentire*, que, assim como em vernáculo, não se limita às sensações corpóreas, mas se refere a todo tipo de percepções, seja dos sentidos, seja da mente. Portanto uma parte da "alma", enquanto na carne, pode sentir o bem quando pratica o ato reto, pode percebê-lo e apreendê-lo, pois é da mesma natureza do bem, sendo inteligível; porém a outra parte não pode ser levada até ao sentimento do bem, porque não comunga da mesma natureza dele, uma vez que ela é corpórea, ao passo que o bem, incorpóreo; além de ela ser corruptível, enquanto o bem, eterno e imutável. Numa palavra, o bem não pode ser nem captado, muito menos compreendido pelo corpo, pois não é corpo, e sim espírito; apenas a mente o pode, pois participa de sua natureza, sendo incorpórea como ele, apesar de ser mutável, enquanto ele é imutável. Recorde-se que se trata do mesmo motivo por que a carne mortal foi dita por Agostinho ser a grande responsável pela condição de ignorância e dificuldade, porque ela é absolutamente

---

[726] Cf. 3,20,57,195.

incapaz do bem, visto que apenas seja e viva, nunca intelija, o que se concedeu apenas ao espírito, que se pode também denominar, de maneira inespecífica e sem qualquer detrimento aqui, "mente" ou "razão".

E se se insistisse em indagar do motivo por que, sendo a condição de ignorância e de dificuldade natural, não tenha o Criador criado apenas almas, sem o óbice da carne, já que não as estava punindo, responder-se-ia ainda uma vez que, no conjunto universal da criação, nenhuma das obras do Artífice divino é má, muito menos a alma, a mais elevada das criaturas, por mais pecadora; porém, exatamente por lhe ter sido dada a inteligência, além do ser e da vida, lhe foi dada como complemento necessário e inevitável a liberdade do querer, com a qual ora quer bem, ora quer mal, quando então se averte da natureza espiritual e se converte em sentido ao nada da matéria; do contrário seria um simples instrumento, uma mera máquina de calcular, quando não, um computador, porém sempre desligado, por mais potente fosse, porque não haveria ninguém para servir-se dele além do próprio Criador, uma vez que nenhum instrumento pode servir a ninguém, ou seja, nenhum objeto pode servir de instrumento se não houver ninguém para dele se servir. Logo, ao criar seres inteligentes, criou-os Deus também livres, do contrário nada lhes serviria o dom da inteligência; ademais, se não pudesse querer livremente, tampouco poderia pensar, pois um pensamento necessário e involuntário, como as batidas de um coração, não se pode dizer "pensamento". Ou pode?

## 3,22,65,223. Quintas badaladas: o sino da Graça ressoa mais alto!

**223.** A – [...] a partir da própria dificuldade seja admoestada a implorar àquele mesmo Adjutor de sua perfeição, o qual sente ser o Autor de seu começo...

Aceitem-se ou não os motivos supraelencados para a alma ter principiado sua jornada na carne, obnubilada pela ignorância e obstada pelo peso de suas necessidades e limitações de natureza espacial e temporal, posto que seja natural essa condição, segundo se está agora supondo, a boa nova, contudo, que indubitavelmente implica o louvor incessante do Criador, é que à alma não se negaram subsídios para que triunfasse de suas imperfeições, seja a de ordem cognitiva, seja a de ordem corpórea, bastando apenas, para recebê-los, que suplicasse por eles. Todavia, para suplicar por eles, teria de ter recebido ao menos alguma noção ulterior, para além do sentimento do bem que há no ato retamente praticado, que apenas a parte mais sublime da alma pode sentir. Com efeito, deve lhe ter sido dado igualmente um certo "sentir" de algo superior,

algo a que pudesse recorrer, a que pudesse implorar, e um "sentir" de que esperasse receber aquilo por que suplicasse. Assim, se foi dado à alma suplicar pelo Adjutor de sua perfeição, depreende-se que lhe tenha sido dado igualmente que "sentisse" haver um Adjutor, e que esse não poderia ser senão o seu Criador. Logo deve ter sido dado à alma algum "sentimento" de Deus, do contrário, nem se daria conta de sua ignorância, muito menos de sua dificuldade, pois não teria nada com que se comparar, não lhe sendo de nenhum modo necessária, muito menos idealizada, qualquer perfeição, não esperando nenhum porvir, nenhum juízo, nenhuma admoestação e, por certo, nenhuma pena.

Pois bem, se a ignorância e a dificuldade são sua imperfeição, estágio inicial de que deve partir rumo à perfeição, não fará a jornada só, pois receberá imensurável ajuda na viagem de aperfeiçoamento, Deus sendo o Adjutor de sua perfeição, diz Agostinho. Essa ajuda, contudo, não é facultativa, pois todo dom acarreta uma dívida. De fato, se se deu à alma o auxílio gratuito, estabelece-se a dívida, pois o dom só se diz "gratuito", como explicado antes[727], porque foi dado sem que o recipiente tenha tido qualquer mérito para receber, o que não implica, contudo, que não se faça devedor daquele que lhe conferiu o dom que recebeu[728]. Logo, se recebeu, deve. E que deve? Deve o bom uso daquilo que recebeu. Recebeu, pois, a concessão para pedir, buscar e bater, com fé, esperança e caridade. Se não o fizer, ser-lhe-á imputada culpa, culpa de negligência, e aplicada a pena correspondente: mais ignorância e dificuldade, porém agora penais, não mais naturais.

## Cara alma, cara eternidade, cara quietude

> **223.** A – [...] que a partir disto[729] se lhe torne mais cara [a alma], até que, não por suas forças, mas pela Misericórdia dele, por cuja Bondade ela possui o "ser"[730], seja sublevada[731], a fim de que seja feliz. Porém quanto mais cara *ela* é àquele, *a partir de* quem *ela* é, tanto mais firmemente[732] nele se aquieta[733], e de maneira tanto mais úbere *ela* frui plenamente de sua eternidade.

---

727 Cf. 3,15,42,145-43,150; 20,56,191.

728 Na vida de relação tampouco causa espécie que assim o seja, pois ninguém parece conceder favores sem intenções segundas, assim como nenhum discurso, por mais inocente e imparcial se apregoe ser, está de fato destituído de intencionalidade, como ensina há tempos a linguística mais elementar.

729 Quer dizer, a partir da condição de dificuldade de praticar o bem.

730 Liter.: "ela possui que seja".

731 Elevada, como quem foi sustentada de baixo.

732 Isto é, de modo mais duradouro.

733 Atinge o estado de *quies*, a quietude espiritual, cuja plenitude se dará diante da Face divina.

No entanto, que é que se pede, que se busca, pelo que se bate, com fé, esperança e caridade, senão receber do Adjutor da perfeição alguma coisa, algum dom? Mas que dom? Que a alma se faça mais "cara" ao próprio Adjutor divino, o qual a alma "sente" ser também o Criador de seu começo. Mas que significa fazer-se mais "cara" ao Criador? Que ele se faça mais propício à alma, considerando-a mais digna de sua Misericórdia? Com efeito, o fazer-se mais caro a Deus implica um favorecimento, sem dúvida, pelo qual se espera que o Adjutor divino seja mais propício, conceda mais dons, ajude a vontade ineficaz a operar o bem com mais facilidade e menos dificuldade, ilumine a mente para conhecer a verdade, dissipando as trevas do erro, tudo o que, no fim, trará o benefício maior da felicidade. Mas, se se espera receber tudo isso por ter-se tornado mais "querido" do Senhor, espera-se então recebê-lo a título de dom, de modo gratuito – pois Deus não deve nunca nada a ninguém –, pelo qual nada se teria efetivamente feito, para além de implorar-lhe o subsídio, com humilde penitência. E de fato, Agostinho o diz, textualmente, que não é pelas próprias potencialidades meritórias da alma, "não por suas forças", mas, ao contrário, é por meio da Misericórdia de Deus, por cuja Bondade a alma foi criada, de modo gratuito, sem qualquer mérito, enfim, graças à sua Misericórdia é que a alma é sublevada, ou seja, como que "sustentada de baixo" (*sub leuare*), a fim de que seja feliz. Portanto nenhuma alma se faz feliz por conta própria, mas pela Misericórdia divina. E isto está claro, assim como está claro que sua elevação, requisito fundamental para a felicidade, não se dá por rito algum teúrgico, do tipo do neoplatonismo de um Jâmblico, por exemplo, nem pela simples força de vontade, como queriam pelagianos de todos os matizes e épocas, mas por meio daquela Bondade divina, que a tudo perdoa, relevando as ofensas mais onerosas da alma. E se assim é, gratuitamente então é que a alma se faz feliz, "não por sua própria vontade". E quanto mais "querida" for a alma para Deus, de quem ela recebeu que fosse, ou seja, de quem recebeu, sem mérito algum, gratuitamente, por pura bondade, que viesse a existir, ela que não existia para que pudesse merecê-lo, enfim, quanto mais "cara" ela se fizer para ele, tanto mais conseguirá permanecer naquele repouso sabático (*quies*), naquela quietude feliz que se dá somente "em Deus" (*in eo*), o Ser supremo, longe do qual há apenas *ignorantia et difficultas,* além de poder fruir plenamente de sua Eternidade, de modo tão perfeitamente úbere, que as palavras se fazem incapazes de descrever – Eternidade essa em que nada falta, nenhuma carência existe, nenhuma necessidade, pois tudo simplesmente é, num Amor sem fim que é o próprio Ser, fonte suprema de todo ser. Interessa notar que Agostinho não diz que se há de fruir de

Deus, e sim de sua Eternidade, pois quem se encontra longe dele, quem não lhe é caro, frui apenas do tempo, daquilo que nem é úbere, muito menos estável, e por isso não pode proporcionar quietude, apenas agitação, perturbação, dificuldade, naquela perseguição interminável aos prazeres corpóreos e a toda sorte de satisfação de ordem tanto mais passageira quanto ilusória.

## 3,22,65,224. Geórgica: os frutos da terra e do trabalho do homem

**224.** A – Pois, se de modo nenhum dizemos retamente que é estéril[734] o broto novelinho[735] de uma árvore e sua rude[736] ramagem, ainda que atravesse alguns verões[737] sem [dar] frutos, até que no tempo oportuno desabroche sua fertilidade[738]...

Bem ao gosto do brilhante rétor que era, Agostinho costuma terminar seus argumentos com comparações épicas[739] não menos cintilantes, geralmente construídas a partir de metáforas, como esta, de teor agrícola. Do lado geórgico, portanto, não é correto dizer que sejam estéreis os brotinhos e sua delicada folhagem, porque apenas medrem e frutifiquem no tempo próprio, segundo seu gênero, muita vez apenas depois de longo e paciente processo de crescimento, quando então se fazem árvores frondosas – desde que bem cuidadas, com esforço diligente e perseverante, para que possam vicejar, pois não basta aguá-las apenas após plantá-las, mas constantemente.

**224.** A – [...] por que não seria louvado o Autor da alma com a devida piedade, se lhe atribuiu um exórdio tal, que, esforçando-se[740] e aperfeiçoando-se[741], alcançasse plenamente o produto[742] da sabedoria e da justiça...

---

734 Agostinho se utiliza com frequência da concordância por proximidade, comum em latim, quando o adjetivo predicativo, ou o verbo, concordam apenas com o termo mais próximo de um sujeito composto.

735 Neologismo que se tomou a liberdade de formar, em licença poética, a partir do diminutivo de "novel". Traduz o dim. latino *nouellum* [*nouus*], liter.: "novinho".

736 "Rude", no sentido de "inculta", "não madura" etc.

737 Diz-se "verão" não em sentido estrito, em referência à estação do ano que se segue à primavera, e sim em referência aos meses em que não faz frio, mais propícios à floração e frutescência do plantio.

738 Traduz o latim *feracitas* [*ferax*].

739 Ditas também "clássicas" ou "homéricas", do tipo: "assim como... assim também...".

740 Traduz o latim *studendo.*

741 Quer dizer, "por meio do esforçar-se e do aperfeiçoar-se".

742 Traduz o latim *frux,* liter. "produto" ou "fruto da terra".

Do lado anímico da comparação assim se dá igualmente, de acordo com a hipótese que vem sendo admitida desde o §217, que a condição de ignorância e dificuldade não é penal, mas natural, a partir de onde partem as almas, em aperfeiçoamento constante, para a luz da Sabedoria e a facilidade da Quietude, desde que implorem ao Adjutor de sua perfeição, de modo piedoso e humilde, o devido subsídio. Portanto, assim como as plantinhas tenras e novelinhas não se dizem "estéreis", tampouco se dirão "estéreis" as almas, apenas porque partem da "semente", do estado embrionário inicial, ignorantes e incapacitadas do bem. Isso, porque elas também, assim como as tenras plantinhas, verão toda a sua frutescência desabrochar, no tempo oportuno, desde que se cuidem, mas também implorem o cuidado do divino Jardineiro. Jardineiro que deve ser muitíssimo louvado, com a piedade toda que lhe é devida, por permitir à alma esse exórdio limitado que a estimula, como um espinho na carne[743], a que faça por onde ser feliz. Diz o rétor que a alma se fará úbere, produzindo frutos de sabedoria e justiça, desde que se cultive com esmero, pelo "estudo" diligente e piedoso, o que não significa, contudo, que se fará úbere sozinha, apenas por meio de sua vontade, independentemente dos cuidados prudentes do divino Jardineiro, como ficou bem claro anteriormente. Deus, de fato, permite à alma, segundo essa hipótese das naturais ignorância e dificuldade, que se aperfeiçoe, por vontade própria, desde que o reconheça como Deus e seu Criador, implorando-lhe o auxílio, o que significa suplicar-lhe sob as lágrimas pungentes da humilde e sincera penitência.

**224.** A – [...] e se lhe concedeu um grau de dignidade tamanho, que poria ainda em seu poder, se quisesse, [a capacidade de] propender[744] para a felicidade?

Isso tudo, deve ser lembrado com a devida constância, é um dom, como o próprio ser que concedeu à alma. Deus quis, por ignotas razões, que a alma possuísse dignidade elevada sobre as demais criaturas, sendo, vivendo e inteligindo; alma essa, que, por tamanha dignidade, poderia, se Deus assim o quisesse e lhe houvesse concedido, tender espontânea e livremente para a sua felicidade. Poderia, pois ele é onipotente. Mas não quis, também por ignotas razões. Nem por isso deve-se deixar de louvá-lo, ou deve-se considerar a alma má, porque não foi criada de modo tal que não precisasse esforçar-se para triunfar da ignorância e da dificuldade, o que, como dito inúmeras vezes, faria

---

743 Cf. Paulo, 2Cor 12,7: "σκόλοψ τῇ σαρκί".

744 Liter.: "tender para a felicidade".

dela um autômato, ou tudo que se queira, menos uma alma, como se a conhece, que é, vive, sendo capaz de inteligir, daí também necessariamente livre e responsável por suas escolhas.

## Conclusão da "hipótese" V: o pecado original não é transmitido

Tudo o que se disse, desde o §217, refere-se à condição da alma nascente, cuja ignorância e dificuldade não seriam penais, mas naturais. Pode-se dizer, sem risco, que seja uma espécie de "quinta hipótese" para a origem das almas, além das quatro aventadas e discutidas com o devido esmero anteriormente[745]. Na primeira hipótese uma única alma teria sido criada no princípio, de que as demais teriam sido derivadas, e a natureza corrompida do primeiro homem teria sido propagada por toda sua descendência, hereditariamente, como se a partir da genética. Na segunda as almas teriam sido criadas uma a uma em cada um dos nascentes, e a transmissão do pecado teria ocorrido por herança de caráter legal, por assim dizê-lo, a dívida do progenitor sendo comunicada aos herdeiros a cada geração. Nas terceira e quarta hipóteses, sendo a alma preexistente ao corpo, que viria habitar para restaurar a incorrupção de sua carne, sem qualquer vínculo espiritual com o primeiro homem, viesse ela enviada por Deus, cumprindo uma ordem, ou viesse de livre vontade, porém o corpo que habitasse seria o portador da herança do pecado em sua condição mortal. Pois bem, se se considere essa possibilidade discutida aqui, de que o estado de ignorância e dificuldade não seja de fato penal, mas natural, e que as almas devam progredir livremente para a perfeição, implorando para tanto a ajuda divina, sem a qual não a alcançam, deve-se reconhecer que o pecado só se imputa à alma se esta negligenciar o esforço para progredir e o correspondente auxílio divino, quando então a condição de ignorância e de dificuldade, que antes era natural, recrudesce e passa a ser penal. Logo, se a alma não nasce em condição penal, não se lhe imputa nada anterior a ela, não havendo nenhum pecado em sua natureza nascente. Logo, ou não houve o pecado original, ou, se houve, não se imputa à alma nenhuma penalidade dele decorrente, pois aquilo que antes era castigo do pecado, a mortalidade da carne, cuja consequência se dizia ser a ignorância do bem e a dificuldade em praticá-lo, nesta hipótese se trata apenas de uma condição natural. Logo não há qualquer necessidade de justificar a transmissão de um pecado cujas penalidades não se transmitem, ainda que

[745] Cf. 3,20,56,188-58,199.

tenha sido outrora perpetrado. E assim, segundo esta quinta como que hipótese, que parece por ora ser a preferida do filósofo, ao menos neste *L.A.*, não há nenhuma transmissão do pecado original[746].

## Por que sofrem os pequeninos?

## 3,23,66,225-226. O sofrimento e a morte das criancinhas

**225.** A – Porém a esta disputa costuma ser objetada pelos imperitos uma certa calúnia[747] acerca das mortes dos pequeninos e de certos tormentos do corpo, pelos quais vemo-los frequentemente ser afligidos[748].

No contexto das discussões deste livro terceiro, depois de concedido e acordado entre os interlocutores a responsabilidade exclusiva da vontade na prática do mal e a consequente isenção divina, encetou-se compreender de que modo o pecado, ou *mal*, original, cujas consequências teriam sido a submersão na carne mortal e a decorrente condição penal de ignorância e dificuldade, teria

---

746 Se é de fato uma hipótese, visto que os intérpretes nunca a consideram como tal, e se era aqui a solução preferida de Agostinho, não se pode asseverar sem descair em temeridade; contudo é certo que prima pela coerência e pelo realismo, que faz dela a mais otimista, justa e moderna de todas as possibilidades, precisamente porque coloca de parte a terrível, quando não, insolúvel questão da comunicação do pecado original, para desconfiança dos mais dogmáticos. Note-se que das cinco hipóteses, parece que a primeira comunica o pecado apenas em âmbito carnal, as terceira e quarta também, apenas a segunda o considerando de algum modo psiquicamente comunicável, ao passo que esta última o desconsidera totalmente.

747 Quer dizer, é costume dos ignorantes fazer objeções ao que se discutiu, o que fazem, contudo, apenas por meio de afirmações caluniosas.

748 Na *Carta* 226, datada de 429, escrita pelo leigo Hilário ao então bispo Agostinho, um ano antes de sua morte, para referir a questão premente da predestinação, que estava sendo debatida calorosamente por alguns monges do sul da Gália, de modo especial em Marselha, faz-se referência explícita a esta passagem do *L.A.* No §8 da carta Hilário diz a Agostinho que suas palavras estavam sendo mal interpretadas, por causa da incerteza que exprimiam com respeito a essa questão da morte e do sofrimento das criancinhas: "Porém eles não aceitam que se alegue a causa dos pequeninos como um exemplo [para ser seguido pelos] maiores; [causa] que eles dizem a tua santidade ter outrora referido, [apenas] porque quiseste que ela permanecesse incerta e preferiste antes a dúvida com respeito às penas das [criancinhas]. O que tu estás lembrado, que está posto no terceiro livro acerca do livre arbítrio, de modo que esta ocasião lhes pôde ser apresentada [a fim de que levantassem essa objeção]." (*Paruulorum autem causam ad exemplum maiorum non patiuntur adferri. quam et tuam sanctitatem dicunt eatenus adtigisse, ut incertum esse uolueris ac potius de eorum poenis malueris dubitari. quod in libro tertio de libero arbitrio ita positum meministi, ut hanc eis occasionem potuerit exhibere.*). Veja-se também *De dono perseuerantiae* 11,26-12,31.

ultrapassado as dimensões do casal primeiro e se propagado por sua posteridade. Em todas as hipóteses trabalhadas, o que não exclui essa última, em que a condição de ignorância e dificuldade não é penal, mas natural, percebe-se o equilíbrio da Ordem divina, seja na Justiça da condição penal, nas duas primeiras hipóteses, seja na punição devida às almas, nas terceira e quarta hipóteses, se não se esforçarem por restaurar a imortalidade do corpo, ainda que não tenham causado sua ruína, seja, por fim, na punição que se aplica às almas que recusam a ajuda divina e preferem, ou estacionar, ou retroceder. Em todas essas situações vê-se que a balança da Justiça se equilibra perfeitamente, atribuindo a cada alma aquilo que lhe cabe, segundo suas disposições ordenadíssimas. No entanto, a despeito dessa Ordem indefectível que rege a universalidade da criação, surgem duas perguntas, como antecipa Agostinho, muito provavelmente dos maniqueus, embora o autor não os especifique[749], a respeito do sofrimento e da morte "prematura" das criancinhas, que desde sempre se constituem causa de enorme desespero a toda gente. Para muito além da questão do batismo infantil, que a toda essa questão se fez associar, no contexto desta disputa dialética crucial é sua importância, pois as perguntas põem em xeque a "teodiceia" que tanto esforçou-se por edificar o pensador, não apenas para conciliar a bondade divina com o malfazer observável no mundo, mas para preservar os pressupostos axiomáticos todos assentados no princípio de piedade, sobre os quais esse arcabouço argumentativo todo se erigiu.

## Duas perguntas: mérito e retribuição

> **225.** A – Pois dizem eles: [i] "Por que era preciso que nascesse aquele que, antes que obtivesse algum mérito de vida[750], foi-se embora da vida? [ii] Ou que qualidade de [retribuição] no juízo futuro será imputada àquele, que nem possui lugar entre os justos[751], visto que não agiu retamente, nem entre os maus, visto que não pecou?".

---

749 Os maniqueus rejeitavam toda Revelação oriunda do Antigo Testamento, o que incluía sem dúvida o relato da criação e do primeiro pecado, segundo o livro do *Gênesis*.

750 Liter.: "antes que *lhe* entrasse algum mérito de vida". Se se traduza *inire* como "entrar em", seu sentido clássico, o sujeito da subordinada deve ser *ullum meritum*. Porém, se se considerá-lo em seu sentido derivado, de "começar" ou "vir a conhecer", tem-se que *ullum meritum* seja seu complemento, do seguinte modo: "antes que ele começasse [a ter] algum mérito de vida", ou "antes que conhecesse algum merecimento em sua vida". Seja como for que se opte traduzir a passagem, o sentido está muito claro: há crianças que morrem antes que possam fazer o que lhes mereça retribuição, seja prêmio, seja punição.

751 Há um lindo dativo de posse aqui, comumente desapercebido dos mais apressados, cuja tradução literal seria algo como: "Para quem não há um lugar entre os justos... nem entre os maus...".

Se a vida da alma enquanto no corpo mortal, seja em que hipótese se queira apoiar, se constitui, ou uma peregrinação expiatória, ou uma missão reparadora da corrupção da carne, ou uma ascensão à perfeição, de que modo se justifica a morte das criancinhas, as quais, em virtude de sua tenra idade, não podem nem expiar as culpas herdadas pela condição penal decorrente do pecado de Adão, nem reparar o corpo mortal, nem aperfeiçoar-se pela aplicação espiritual (*studium*), a fim de conhecer mais e querer melhor, e nem mesmo implorar o auxílio divino, a fim triunfar da condição ignorante e dificultosa em que nasceram, seja por pena, seja por natureza? E de fato, nenhuma das hipóteses aventadas, seja as quatro primeiras, seja a última, que Agostinho não trata como uma hipótese, mas pode ser compreendida como tal, enfim, nenhuma delas aborda a questão das criancinhas, que agora precisa ser enfrentada. E mais, se nenhuma criancinha pôde fazer nada digno de mérito, seja bom, seja mau, como haveria de obter a justa retribuição no porvir luminoso, diante da Face divina? Se nada fez, nada merece receber: nem prêmio, muito menos castigo. E se assim é, se nasceu para nada fazer, por que motivo teria então nascido? E a situação se faz ainda mais desafiadora no caso das que morrem depois de muito sofrer, porque, se nada fizeram para merecer prêmio ou castigo, de que modo dar conta de seu padecer ingente?

## Nenhuma superfluidade na criação

**226.** A – Aos quais se responde, em conformidade com o complexo[752] da universalidade e a conexão ordenadíssima de toda a criação, seja através dos lugares, seja através dos tempos[753], que não pode ser criado qualquer homem supérfluo, onde nenhuma folha de árvore seria criada[754] de modo supérfluo.

No universo perfeitamente ordenado que propugnou por desvelar ao longo das páginas deste tratado, Agostinho faz ver uma conexão ordenadíssima entre todas criaturas, que no livro primeiro se confunde com a administração provídente da Razão suprema (*summa ratio*), que mantém em equilíbrio o complexo todo administrado pela suprema Regência, em cada recanto da massa visível, em cada instante transcorrido na sequência dos tempos. Nesse mecanismo perfeitamente racional e racionalmente perfeito, nenhum lugar seria justo

752 Traduz o latim *complexus*, liter. "abraço", ou seja, aquilo que envolve, como num "conjunto".

753 Segundo as coordenadas de espaço e tempo.

754 Cf. Mt 10,29; Lc 12,7.

presumir supérfluo para uma única peça da engrenagem, seja um grão de areia, seja a folha de uma árvore, muito menos um ser humano, dotado de ser, vida e inteligência. Portanto não se pode admitir, tendo em vista a Ordem divina, a existência, em tempo algum, de qualquer alma, sem que tenha havido algum motivo divinamente perfeito para que ela viesse a existir. Nenhuma alma, pois, nem mesmo a das criancinhas que morrem no útero de suas mães sem chegar a contemplar a luz do dia, escapa a essa perfeita ordenação, tão mais justa quanto bondosa, do Criador de todas as naturezas. Logo algum motivo justo e bom deve haver para que essas criancinhas tenham terminado abruptamente sua vida, seja ainda no útero, seja na mais tenra infância.

**226.** A – [...] mas sem dúvida é de modo supérfluo que se investiga acerca dos méritos daquele que nada tenha merecido.

Se nem mesmo uma minúscula criatura qualquer, como uma folha de árvore, infinitamente menos útil do que os bens considerados maiores e mais úteis, pode fluir em excesso, transbordando da universalidade e ultrapassando a Ordem instituída e governada pela Providência divina, o mesmo não se pode dizer da investigação da Lei eterna e da Razão suprema, que garantem o equilíbrio da Justiça, jamais permitindo que aquele que nada deve pague, nem que aquele a quem nada se deve receba. Supérfluo, ao revés, seria pretender aferir a balança da Justiça, que jamais se desequilibrou.

## Vida e juízo intermédios

**226.** A – [...] Pois não se deve recear que não seja possível existir[755] uma certa vida média entre o ato retamente praticado e o pecado, e que a sentença do Juiz não possa ser uma média entre o prêmio e o castigo.

Se nenhuma criancinha jamais pecou, pelo que não pode ser punida, nem agiu com retidão, pelo que não pode ser premiada, deve escapar ao Tribunal divino, ou ser retribuída segundo parâmetros outros, menos polarizados? Nem céu, tampouco inferno. Onde, pois? Assim como há um bem médio entre a impecabilidade das virtudes e a inutilidade para o bem das perfeições corpóreas, respectivamente bens grandes e mínimos, parece estar supondo o filósofo haver um

---

[755] Liter.: "que não tenha podido".

grau médio de retribuição, necessário para acomodar a infinita graduação moral em que as almas nasçam, vivam e morram. E ao contrário dos maniqueísmo, cujo dualismo radical se fez célebre, Agostinho admite um meio-termo, um equilíbrio flexível entre pena e prêmio, a fim de que cada situação seja adequadamente pesada na divina Balança. Se nenhum pecado cometeu uma criancinha, nem praticou o bem, nada surpreendente que nem receba prêmio, tampouco castigo, mas lhe seja dada alguma retribuição correspondente ao que viveu, de modo equitativo. Se assim se dá na justiça dos homens, surpreendente seria não imaginá-lo possível, e em grau infinitamente mais perfeito, na do supremo e bondoso Juiz.

## 3,23,67,227-228. O batismo das criancinhas: intermediação da fé

> **227.** A – Neste ponto também costumam perscrutar os homens que aproveitaria aos pequeninos o sacramento[756] de Cristo, visto que, depois de tê-lo recebido, muitos morrem antes que tenham podido conhecer alguma coisa a partir dele.

Se nenhum pequenino merece as recompensas do céu, muito menos as penas do inferno, porque antes de morrer não possui nenhum mérito, seja do pecado, seja do bem, difícil compreender como o sacramento do batismo lhes possa ser ministrado. Se não podem ainda responder pelo arbítrio de sua livre vontade, como poderiam responder pelas consequências do batismo? A pergunta não era de modo nenhum injustificável, pois, como se sabe, o batismo demandava uma mudança radical de comportamento e de propósitos, como uma espécie de última chance para passar a vida a limpo, que não se repetiria, de onde o costume de muitos à época de deixar para recebê-lo às portas da morte apenas, por medo de que viessem a pecar, após recebido o sacramento. O próprio Agostinho relata[757] o quanto procrastinou seu batismo, por receio de não conseguir a mudança radical de vida que acreditava lhe demandasse o sacramento, para a qual não sentia sua vontade preparada o suficiente. Por outro lado havia essa preocupação premente com as criancinhas que morriam sem o sacramento, que se acreditava garantir-lhes a salvação. Que fazer?

> **227.** A – [...] Nessa questão se crê de modo suficientemente pio e reto que ao pequenino aproveita a fé daqueles pelos quais ele é oferecido para que seja consagrado. **228.** E isto é o que recomenda a autoridade salubérrima da Igreja...

---

[756] Refere-se ao batismo.

[757] Cf. *Confissões*, esp. livro 8.

À parte questões histórico-doutrinárias referentes às práticas rituais dos primeiros cristãos, que podem ser melhor investigadas no sério estudo de Everett Ferguson acerca do Batismo na Igreja Primitiva[758], e que muito fogem ao escopo destes comentários, merece breve destaque o aspecto mediador da fé, como se sustenta, de par com outras tantas[759], na passagem neotestamentária infracitada, em que a fé de uma mãe consegue a ressurreição de seu filho morto. Esse aspecto "comunicador" da fé chama a atenção por sua consequente relação com a vontade livre e tudo o que se vem discutindo até aqui. De fato, a perspectiva de se obter a salvação de um terceiro, independentemente de sua vontade, nada obstante tratar-se de um incapaz, como uma criancinha, ou um defunto, acarreta uma considerável diminuição do *status* soberano da vontade, ao menos como descrita no livro primeiro, faculdade que possuía em si mesma tudo aquilo de que necessitava para a prática da vida reta e feliz[760]. Vê-se que, para muito além do esforço sistemático de qualquer mente, por mais poderosa, a realidade em seus multicoloridos aspectos ultrapassa qualquer tentativa de abarcar o todo. Agostinho não demorou a perceber e aprender, de sua própria experiência com os simples e pequeninos de seu aprisco, quanto estava distante de compreender todas as infinitas possibilidades que espreitavam o ser humano a cada passo, em sua peregrinação rumo à Jerusalém celeste. A questão das crianças, muitas das quais morriam praticamente antes de nascer, é apenas uma delas, que, por sua vez, levantava outras tantas, como esta acerca do sacramento do batismo. Indo além, um exame mais aprofundado das Escrituras não tardará a fazer ver como essas duas questões se relacionam com a da própria oração, prescrita e praticada por Cristo, seja em favor de si, de cada orante, seja em benefício alheio, pois, se se pode rezar e interceder diante de Deus por alguém, pode-se então interferir de algum modo em sua salvação e, consequentemente, em sua liberdade de querer, como sua mãe Mônica havia feito por toda uma vida em seu próprio benefício; do que se depreende um novo aspecto a ser considerado na questão do arbítrio livre e da responsabilidade pessoal, seja pelo bem, seja pelo mal. E mais, se a oração tem seu valor e eficácia, como ensinou Cristo, seria lícito supor então que fosse capaz de operar alguma mudança na própria vontade do Criador, tornando-o mais propício, adocicado, por assim dizer, como quem lhe

---

758 E. Ferguson, *Baptism in the Early Church. History, Theology, and Liturgy in the First Five Centuries.* Grand Rapids, Michigan; Cambridge, UK, Wm. B. Eerdmans Publishing Co., 2009.

759 Cf. Lc 7,1-10; Mt 8,5-13; Jo 4,46-54.

760 Cf. 1,12,26,86-87; 13,29,97.

captasse a benevolência, do contrário seria inútil suplicar, estado tudo irreparavelmente decretado? Essas e outras tantas questões se levantavam, fazendo ver até hoje, no mínimo, quão ingênuas e equivocadas as perspectivas contrárias à existência de uma especulação filosófica de cunho cristão.

## A intercessão de uma viúva

> **228.** A – [...] que cada um por isso sinta o que lhe aproveitaria a sua fé, quando também em benefício dos outros, que ainda não possuem a própria fé, ela pode ser dispensada[761] por ti. Pois que aproveitou ao filho da viúva a fé dela, que sem dúvida o morto não possuía, a quem, contudo, aproveitou a da mãe, a fim de que ressuscitasse?[762]

Se bem que a fé da viúva não opere diretamente a salvação de seu filho morto, contudo intercede junto ao Senhor, a fim de que ele o ressuscite. Estando morto, o filho da viúva não podia pedir por si. Portanto é a vontade da mãe que lhe granjeia a salvação, nem sua vontade, nem mérito seu algum. Nenhuma dúvida, no entanto, que a ressurreição se tenha dado pela Graça divina, ou seja, simplesmente porque o quis Deus, e nada além, do contrário seria possível sondar do poder da prece sobre a vontade do Salvador. Porém, se assim é, qual o papel da fé e a utilidade da prece, ensinada e prescrita pelo Senhor? Agostinho diz textualmente que a fé de um pode aproveitar a outro, especialmente no caso das criancinhas, que ainda não a possuem, tanto como a fé de sua mãe lhe aproveitou no passado[763]. Se a fé da viúva aproveitou ao morto, como ilustra a

---

761 Traduz o latim *commodo*, no sentido de quem dá ou empresta a alguém algo de utilidade.

762 Cf. Lc 7,12-15: "Quando ele se aproximou do portão da cidade, eis que vinha sendo carregado, morto, o filho único de sua mãe, e era ela uma viúva, e havia uma grande multidão com ela. E tendo-a visto o Senhor, teve afeição por ela e lhe disse: 'Não chores!'. E, aproximando-se, tocou o ataúde, e os que o carregavam permaneceram parados, e ele disse: 'Jovem, eu te digo, põe-te de pé!'. E o morto sentou-se e começou a falar, e ele o entregou à sua mãe." (ὡς δὲ ἤγγισεν τῇ πύλῃ τῆς πόλεως, καὶ ἰδοὺ ἐξεκομίζετο τεθνηκὼς μονογενὴς υἱὸς τῇ μητρὶ αὐτοῦ καὶ αὐτὴ ἦν χήρα, καὶ ὄχλος τῆς πόλεως ἱκανὸς ἦν σὺν αὐτῇ. καὶ ἰδὼν αὐτὴν ὁ κύριος ἐσπλαγχνίσθη ἐπ' αὐτῇ καὶ εἶπεν αὐτῇ· μὴ κλαῖε. καὶ προσελθὼν ἥψατο τῆς σοροῦ, οἱ δὲ βαστάζοντες ἔστησαν, καὶ εἶπεν· νεανίσκε, σοὶ λέγω, ἐγέρθητι. καὶ ἀνεκάθισεν ὁ νεκρὸς καὶ ἤρξατο λαλεῖν, καὶ ἔδωκεν αὐτὸν τῇ μητρὶ αὐτοῦ.).

763 Cf. *Conf.* 3,12,21: Diz um bispo a Mônica, preocupada com a salvação de seu filho: "Deixa-o ali! Peça apenas por ele a Deus! Ele mesmo, lendo, encontrará qual é o seu erro e a dimensão de *sua* impiedade!" (*Sine illum ibi. tantum roga pro eo dominum. ipse legendo reperiet quis ille sit error et quanta impietatis*). E depois, em virtude da insistência de Mônica, diz: "Vai! Deixa-me agora! Que *tu* vivas assim! Não é possível que o filho dessas *tantas* lágrimas pereça." (*Vade [...] a me. ita uiuas. fieri non potest ut filius istarum lacrimarum pereat*).

passagem do relato de Lucas, por que não acreditar que aproveitaria às criancinhas, que, assim como o morto, não podem pedir por si mesmas? O que neste caso não se aplica às criancinhas que morrem em tenra idade, que não podem nem ser condenadas, nem salvas, mas, ao contrário, às que nascem, e que por isso mesmo, porque estão vivas, podem morrer a qualquer momento, de onde ser-lhes ministrado o socorro do sacramento, como uma vacina, por assim dizer. Ora, se se pode evitar que uma criancinha morra sem poder ter sido salva, por que não fazê-lo? Se nada fez para merecer o inferno, é certo que tampouco fez algo digno do céu. E mesmo que não seja capaz de operar qualquer transformação em sua vida pós-sacramental, em virtude de ser ainda incapaz, o fato de ter sido oferecida à consagração através da fé de seus progenitores, lhe garantiria aquilo que lhe falta, permitindo-lhe morrer, fosse o caso, em situação menos dúbia do que a das crianças que morrem sem o sacramento do batismo.

> **228.** A – [...] Logo quanto melhor pode a fé alheia prover[764] ao pequenino, ao qual sua perfídia[765] não pode ser imputada!

Portanto a fé de um terceiro tem eficácia suficiente para conferir a um pequenino os benefícios que sua falta de fé não pôde obter-lhe; noutras palavras, bem ao gosto retórico do autor, que não costuma deixar escapar a oportunidade de lapidar uma *sententia* ao final de seus argumentos, a fé alheia serve tanto mais à salvação do pequenino quanto menos sua ausência fé lhe pode ser imputada, ou ainda, não podendo ser-lhe imputada a quebra da fé, que nunca teve, resta-lhe apenas a fé dos outros, que lhe serve à salvação.

## 3,23,68,229. O sofrimento dos inocentes

> **229.** A – [...] se as almas, pelas quais [seus corpos] são animados[766], não começaram a existir antes dos próprios homens[767]...

---

[764] Traduz o latino *consulo*, "consultar", "orientar" etc. A fé da mãe serve para atender aos interesses da criancinha incapaz, para olhar por ela.

[765] Pérfido (*per+fidus*) é aquele que quebra seu compromisso apalavrado, sua fé jurada, *fides*. A criancinha não pode ainda selar nenhum compromisso de fé, seja com quem for, de onde não poder ser acusada de romper o que não firmou.

[766] Os corpos são vivificados pela *anima*, que lhes "sopra vida", ou seja, que os "anima".

[767] Traduz o latim *homo*, liter. "homem", que se refere ao ser humano completo, corpo e alma. Considera-se aqui "alma" aquela individualidade, por assim dizer, que teria existido antes do nascimento do corpo de carne, segundo a quinta hipótese suprarreferida (§217 *et seq.*); por sua vez considera-se

Posto que ofereçam solução até certo ponto simples para a questão do sofrimento das criancinhas, Agostinho descarta logo de início as terceira e quarta hipóteses para a origem das almas e transmissão do pecado original, que supõe a sua preexistência[768]. Na verdade, mais platônica, ainda que de precedência órfico-pitagórica, que verdadeiramente cristã, a preexistência das almas justifica o sofrimento da criancinhas através de sua suposta anterioridade, ou seja, pelo fato de terem vivido antes, alhures, quando então puderam pecar, de onde agora merecerem o sofrimento devido. Logo, se as criancinhas estão sofrendo, segundo a hipótese da preexistência, isso se deveria ao fato de que em algum momento de sua existência pré-corpórea elas teriam cometido algum pecado, a cujo sofrimento agora fazem jus. Não se trata de reencarnação, o que Agostinho nunca menciona nesta obra, mas apenas de preexistência da alma em relação ao corpo que irá habitar. De fato, quando viveu, por quanto tempo, onde, em que corpo e de que natureza celeste, nada disso diz, muito menos que teria encarnado sucessivas vezes, ou que teria pecado neste orbe, quando na carne, em algum momento pretérito, não apenas porque pouco importem essas coisas para o destino das almas, mas porque não podem ser especuladas com o mínimo de plausibilidade, nem mesmo a partir das Escrituras.

**229.** A – Porém acerca dos tormentos do corpo pelos quais são afligidos os pequeninos, dos quais, por causa da idade, não existem nenhuns pecados...

No entanto, se não se admita a preexistência da alma em relação ao corpo, não se pode alegar que tenha pecado antes do consórcio carnal. E se não pecou antes de nascer, grande o desafio de justificar seu sofrimento na mais tenra infância, quando não teria feito nada para merecê-lo. Importa lembrar, antes de mais, que o sofrimento é de suma importância no contexto das discussões, pois desde o exórdio do livro primeiro ficou pacificamente assente que dos dois tipos de "males", o que se pratica e o que se sofre, apenas o primeiro de fato mereceria ser chamado assim, por ser de autoria exclusiva do livre arbítrio da vontade de cada malfeitor, uma vez que o outro, que se diz "mal" apenas de modo impróprio, decorreria da Justiça retribuidora de Deus, que distribui a cada um segundo suas obras: prêmios aos bons, penas aos maus. Pois bem, sabido que

---

"corpo" a vestimenta carnal que a alma celeste vem habitar; por fim considera-se "homem", ou "ser humano", a alma enquanto no corpo, ou melhor, o conjunto todo, corpo e alma.

768 Cf. 3,20,57,193-58,199.

nenhuma criancinha, incapaz de pecar ou de fazer o bem por causa de sua pouca idade, merece retribuição alguma, seja castigo, seja prêmio, faz-se preciso encontrar outra causa para seu sofrimento, se se quer defender a tese de que todo sofrimento seja de fato a consequência penal de algum pecado anterior. Embora Agostinho não ventile essa possibilidade, talvez pudesse ser dito que o sofrimento ou a morte das criancinhas fosse apenas uma corrupção sem vício, como dito anteriormente[769], uma corrupção que não seria contrária à natureza. Nesse sentido morreria a criancinha através de algum agente corruptor natural, sem nenhum vício, seja de sua parte, seja alheio. Porém, se no exemplo dado pelo filósofo a respeito desse tipo de corrupção não antinatural, em que o fulgor solar queimava a retina de um observador incauto, sem vício de parte alguma, nem dos olhos, muito menos do Sol, contudo poder-se-ia especular da incúria desse observador, ou de algum ato seu pretérito que lhe merecesse a cegueira como justa punição, o que no caso da criancinha não seria possível. Ademais, se fosse apenas corrupção natural, seria, no mínimo, excessivamente doído, a não dizer cruel, seja para a criancinha, seja para seus pais, em se admitindo o justo governo da Providência divina. E mesmo no caso daquele que ficou cego pela luz solar, sem qualquer vício, seria um acidente dificilmente justificável, num universo perfeitamente ordenado, em que, como dito acima, nem sequer uma folha de árvore existe sem razão de ser, o que exclui absolutamente qualquer intervenção do acaso. Diante de tudo isso como justificar o sofrimento das criancinhas e simultaneamente preservar a Justíssima ordenação do universo criado, de par com os outros todos pressupostos do princípio de piedade sobre os quais as discussões foram assentadas? Os maniqueus, entre outros, apontavam o dedo para essas questões, pondo em dúvida a Justiça do Onipotente.

**229.** A – [...] costuma apresentar-se querela [ainda] maior[770], e como se fosse [uma atitude] misericordiosa[771], quando se diz: "Que fizeram de mau para que padecessem essas coisas?".

---

769 Cf. 3,14,40,138-140.

770 Traduz o latim *querela*, que em vernáculo também se compreende como "queixume" ou "lamentação" [*queror*, "lamentar-se"], nada obstante sua acepção contenciosa, inclusive neste caso, porque essas querelas não eram simples lamentações motivadas pela dor, mas querelas polêmicas de detratores, como os maniqueus. Agostinho se refere às perguntas postas em 3,23,66,225.

771 Agostinho está sendo irônico, pois essas querelas não eram nada piedosas. Deve-se lembrar que esta obra tem caráter polêmico, além de filosófico. Logo não se trata das lamentações das próprias mães, cujos filhos sofrem, ou de pessoas de bom coração, condoídas pelas dores da humanidade, e sim das críticas dos maniqueus e de outros detratores de sua fé, que procuravam

No entanto, além das querelas supramencionadas (§225) acerca dos motivos por que deveriam até mesmo nascer os que morreram antes de obter qualquer mérito na vida – o que poderia ser compreendido como um caso de corrupção natural, que, embora sem vício, não dá conta de explicar a causa do problema, pois não se compreende o motivo para nascer daquele que nem vive antes de morrer –, ou acerca da retribuição cabível aos que nada fizeram para merecer qualquer retribuição, Agostinho aponta uma querela ainda maior da parte dos "caluniosos", os quais, como se estivessem condoídos de compaixão pelo sofrimento alheio, querelavam do sofrimento aparentemente injusto das criancinhas.

## Suspensão do juízo: a inocência não tem mérito!

**229.** A – [...] [dizem isto] como se a inocência pudesse ter mérito[772], antes que qualquer um pudesse cometer algo de nocivo![773]

Posto que inocentes, as criancinhas tampouco têm qualquer mérito, pois quem não é capaz de fazer o mal, ou seja, de ser "nocivo", tampouco guarda qualquer mérito por sua "inocência", já que é tão incapaz do mal, quanto do bem. Assim sendo, se não merecem punição pelo mal que não podiam praticar, tampouco merecem prêmio pelo bem que são incapazes de fazer, o que as situa numa condição moralmente neutra, como se fosse necessário empreender uma "suspensão do juízo", bem ao modo da ἐποχή cética, numa palavra, como se devesse haver para elas algum lugar intermediário em que se situassem, a espera de um juízo suspenso. Interessa notar que a visão contemporânea da inocência não possuía nem de longe o mesmo valor para os antigos, muito menos para um arguto pensador como Agostinho, que sabia perfeitamente que o inocente era tão incapaz da nocividade, quanto o nocente, do bem, ou seja, que nenhum inocente era bom apenas por ser incapaz de fazer mal, já que era igualmente

---

motivos para pôr os cristãos a ridículo, como ficará evidente na sequência (§232), quando Agostinho denomina esses (*isti*) querelantes de "caluniosos" (*calumniosi*) e "examinadores não muitíssimo estudiosos, mas fazedores de vento muitíssimo loquazes" (*non studiosissimi examinatores sed loquacissimi uentilatores*), o que obviamente não se refere ao pais que perderam seus filhos em tenra idade.

772 Trata-se de um dativo de posse, e não de genitivo. Logo não é um "mérito da inocência".

773 O latim de Agostinho contrapõe a "inocência" [*in* + *nocere*], que é a incapacidade de fazer o mal, à "nocividade" (embora não use esse termo), que é a capacidade de fazer o mal, de causar dano a alguém [*nocere*]. De onde o jogo antitético, que se tentou preservar na tradução, entre os substantivos "nocividade" e "inocência", e entre os adjetivos "nocivo" ou "nocente" e "inocente".

incapaz de fazer o bem. Logo, se não faz mal, mas também não faz o bem, que coisa faz o inocente? Uma alma em potencial, apenas, com todas as possibilidades, mas que não levou a efeito nenhuma delas, como a semente de uma árvore frondosa, mas que mal foi plantada, antes de ser exumada. Porém, se não tem mérito, nem bom, nem mau, por que sofre o inocente?

## 3,23,68,230. Sofrimento indolor, emenda dolorosa

> **230.** A – [...] quando Deus opera algo de bom na emenda dos maiores[774], quando são flagelados pelas dores e mortes de seus pequeninos, que lhes são caros, por que motivo não se fariam essas coisas, visto que, quando se houverem feito, elas serão naqueles em que se fizeram como se não houvessem sido feitas...

Se o sofrimento é a punição dos pecados, e se o inocente a ninguém teve oportunidade de perpetrar qualquer ato nocivo, não merecendo nenhuma retribuição penal, ou essa equação padece de algum vício que carece de ser reparado, ou a Ordenação universal não se justifica. A segunda hipótese, óbvio, Agostinho não pode admitir, a não ser que quisesse recomeçar *ab ouo*, desde as fundações. Não resta senão rever a equação, portanto. E de fato é o que faz Agostinho. Se não se pode negar que as criancinhas sofrem imerecidamente, às quais não se imputa culpa alguma por serem inocentes, nem se atribui qualquer mérito, por serem incapazes do bem, que outra saída se poderia encontrar, senão, por um lado, minimizar seu sofrimento, não se podendo negá-lo; por outro, encontrar algum motivo para ele, porém que estivesse fora delas, não se podendo atribuir-lhes responsabilidade alguma? E assim o faz Agostinho. Os sofrimentos das criancinhas, de tão fugaz, é como se nunca houvesse ocorrido; e sua causa estava nos progenitores, não nelas. Deus, que se utiliza de toda ocasião para fazer algum bem em benefício de suas criaturas, permite o sofrimento acutíssimo dos pais pelos tormentos ou morte de suas criancinhas ainda em terna idade, a fim de que seu comportamento torto possa ser emendado. Nesse sentido, pois, a dor pungente dos progenitores é o remédio necessário, segundo o justo Juízo do Criador, para que sejam curados de suas imperfeições morais, ou que sejam provados em sua fé, ou que sejam exercitados em sua misericórdia, na esteira do que diz o Eclesiástico[775], que o Criador prova aqueles

---

[774] Na correção dos adultos (*maiores*).

[775] Cf. Eclo 2,1-5.

que nele creem pela dor purificadora, assim como o ouro, pelo fogo depurador. E se se indagasse acerca da necessidade de infligir tormentos a inocentes apenas para emendar os adultos, responder-se-ia que seus sofrimentos, depois de acontecidos, serão como se nunca houvessem acontecido, provavelmente porque de fato nunca "aconteceram" para eles, sendo ainda incapazes do bem e do mal por causa de sua presumida inconsciência. Posto que a doutrina pareça fria, e mesmo cruel, sob os olhares afetadíssimos da aguda sensiblidade moderna, Agostinho sabia como ninguém que, para muito, muito além de qualquer dor de tipo físico, estava a dor incessante do espírito, especialmente daquele que não tem paz. E de fato, se os tormentos físicos têm um fim com a morte do corpo, ou antes, com a morte cerebral, os tormentos de cada espírito o acompanham *in saecula saeculorum*, até que o coração encontre repouso em seu Criador, o Porto seguro de sua verdadeira paz. Portanto a dor dos pais, consideravelmente maior do que a dos próprios inocentes, inconscientes, justifica-se plenamente por sua finalidade edificante, seja como provação para eles, seja como expiação de seus pecados, o que coopera para a manutenção da Ordem da universalidade, sendo a causa desse tormento "coletivo", por assim dizer.

**230.** A – [...] porém aqueles [adultos], por causa dos quais elas se fizeram, ou serão melhores, se, emendados pelos incômodos[776] temporais, elegerem viver mais retamente, ou então não terão escusa para o castigo do juízo futuro, se não quiseram converter o desejo[777] dos anseios desta vida para a vida eterna?

Embora os tormentos das crianças sejam de ordem temporal, sua causa, como se viu, não sendo outra senão a emenda de seus próprios pais, é de ordem espiritual. De fato, os incômodos das crianças são de ordem corpórea, sendo elas inocentes do mal e incapazes do bem, o que só ocorre nas almas ainda incipientes, cuja razão não está desenvolvida o suficiente para merecer qualquer responsabilidade, seja para o bem, seja para o mal.

**231.** [...] pequeninos, por cujos tormentos a dureza dos maiores é golpeada, ou sua fé exercitada, ou sua misericórdia provada?

Os maiores, contudo, em decorrência dos tormentos naqueles que lhes são mais caros, seus filhos inocentes, são açoitados por uma dor de ordem espiritual,

---

[776] Incômodo, no sentido de infortúnio, as vicissitudes da vida, que fazem sofrer.

[777] Traduz o latim *desiderium*, neste caso um "desejo" de ordem inferior que deve ser convertido.

que lhes golpeia a dureza do coração, exercita a paciência da fé, e lhes prova a capacidade de misericórdia, até que se dispam dos velhos hábitos e se revistam dos novos, quando então sua dor começará a ser remediada com o bálsamo da esperança e da paz de espírito. Nesse caso, se os pais, mesmo depois do ocorrido com sua criancinha, não converterem sua vontade para o Bem eterno, atribuindo justo e maior valor às realidades incorpóreas em lugar das transitórias e corruptíveis, como os próprios corpos carnais, continuarão sofrendo as dores decorrentes do apego insaciável, desde aqui até ao dia do Juízo, pois não fizeram bom uso do dom recebido, o remédio salutar da dor, terapia purificadora do espírito, que lhes permitiria averter a vontade dos anseios desta vida passageira e convertê-la para a estabilidade do Senhor. Numa palavra, não souberam aceitar sua dor com paciência.

## 3,23,69,231. Os santos inocentes na glória dos mártires

> **231.** A – Porém quem é que sabe o que [está reservado] aos pequeninos [...] quem é que sabe que boa compensação[778] reserva Deus para os próprios pequeninos no segredo de seus juízos [...] não é em vão que a Igreja recomenda[779] também aquelas criancinhas, recebidas na honra[780] dos mártires, as quais, como o Senhor Jesus Cristo estivesse sendo procurado por Herodes para ser morto[781], foram massacradas.

Portanto, embora a emenda dos maiores seja a causa dos tormentos dos inocentes, suas dores, mesmo que corpóreas e relativizadas, encontrarão uma gloriosa compensação, que se imagina tão gloriosa quanto a dos mártires, que se deixaram matar por testemunhar sua fé em Cristo. Essa esperança se justifica, diz Agostinho, pelo fato de que a Igreja não deixou de reconhecer aqueles inocentes massacrados por Herodes, considerando-os partícipes da glória dos

---

778 Traduz o latim *compensatio*, liter. "aquilo que contrapesa na balança" [*con* + *penso*], mantendo o equilíbrio, de onde também o sentido de "recompensa".

779 Recomenda a veneração de sua memória, assim como a dos mártires, cuja festividade nas igrejas cristãs das mais variadas denominações, denominada "Festa dos santos Inocentes", se celebra comumente entre os dias 27 e 29 de dezembro.

780 Na glória (*honos*) equivalente à dos mártires, que morreram ao testemunhar sua fé em Cristo, embora as criancinhas nada tivessem feito para merecê-lo.

781 Mt 2,16-18: "Então Herodes, tendo percebido que foi enganado pelos magos, irritou-se muito e mandou matar todas as crianças em Belém e seus limites, de dois anos para baixo, segundo o tempo que determinou, a partir [da visita] dos magos." (Τότε Ἡρῴδης ἰδὼν ὅτι ἐνεπαίχθη ὑπὸ τῶν μάγων ἐθυμώθη λίαν, καὶ ἀποστείλας ἀνεῖλεν πάντας τοὺς παῖδας τοὺς ἐν Βηθλέεμ καὶ ἐν πᾶσι τοῖς ὁρίοις αὐτῆς ἀπὸ διετοῦς καὶ κατωτέρω, κατὰ τὸν χρόνον ὃν ἠκρίβωσεν παρὰ τῶν μάγων.).

mártires, que lhes foi merecida por sua disposição voluntária de dar sua vida em testemunho de seu Senhor, Cristo, daí seu nome[782]. Todavia a situação de ambos, mártires e inocentes, causa enorme espécie, pois essa compensação honrosa não parece ser nada graciosa, e sim meritória. No caso dos inocentes, ainda que eles não tivessem mérito algum, nem para sofrer, nem para alcançar a felicidade, contudo fizeram-se de algum modo credores da compensação divina, por mais surpreendente[783] possa soar isso, porque sofreram um castigo, por menor se o considere, ainda assim injustificado, inocentes que eram. E de fato, se os inocentes foram recompensados com a glória merecida dos mártires, que entregaram a vida por Cristo, não se pode dizer que o foram de todo injustamente, porque, numa analogia com o sofrimento de Cristo, o Justo por excelência que padeceu injustamente, a fim de redimir as dívidas contraídas pela humanidade, que mereciam justa reparação, os inocentes redimiram em certo sentido as dívidas de seus pais, sofrendo por eles, injustamente, uma dívida que os progenitores mereceram justamente. Logo, se o sofrimento injusto de Cristo equilibra a balança, libertando justamente a humanidade das mãos daquele que os tinha cativos justamente, do mesmo modo o sofrimento injusto, se se pode dizê-lo, das criancinhas inocentes, equilibra a balança, permitindo que seus pais sejam libertados de suas dívidas, contraídas espontaneamente. Contudo, assim como a Graça salvadora de Cristo, por meio de seu sacrifício, repara a vontade ineficaz e o conhecimento débil apenas das almas que nele creem e que querem realmente ser salvas, assim também o "sacrifício", por assim dizer, das criancinhas, só não terá sido vão se seus pais se esforçarem por emendar-se, aproveitando a dor causada, seja pela morte, seja pelas tormentas infligidas às suas crias, para averter sua vontade dos bens próprios e corruptíveis e convertê-la ao Bem imutável e eterno, Deus. Do contrário, que aguardem o juízo. Porém, se se disse que o martírio das criancinhas inocentes pode ter sido vão, assim se o disse apenas em relação ao proveito dos pais, não dos pequeninos mártires, que não deixam de ser recompensados por sua dor, posto que involuntária.

E ainda que cause espécie essa permuta celestial, entre o martírio oferecido e a recompensa gloriosa retribuída, deve-se sempre ter em mente, antes de tudo o mais, a palavra paulina[784], que norteará ao longo de toda a vida o

---

782 O grego *mártur* (μάρτυρ) significa "testemunha".

783 E paradoxal também, visto que ninguém pode ter "mérito" diante de Deus. Cf. 3,16,45,154.

784 Cf. Rm 9,18.

pensamento de Agostinho, acerca da supremacia da Graça divina, ao rememorar o Senhor dizendo peremptoriamente a Moisés que será misericordioso com quem terá sido misericordioso, o que faz supor que, embora tenham os mártires e os inocentes algum mérito, só se pode considerá-lo diante dos homens, pois ninguém tem qualquer mérito diante de Deus. Assim, embora uns tenham sofrido injustamente para testemunhar Cristo, outros, pelos pais, também injustamente, ambos são colocados na glória celeste apenas e tão somente porque Deus o quis, e nada mais.

## Por que sofrem os animais?

### 3,23,69,232-233. As dores e os labores dos animais

**232.** A – Ainda que esses caluniosos[785] sejam examinadores não muitíssimo estudiosos[786] de tais questões, mas ventiladores[787] muitíssimo loquazes, também em relação às dores das reses[788] e de seus labores[789] costumam perturbar a fé dos menos instruídos, quando dizem: "Que mereceram de mau também as reses[790], para que padeçam tantos incômodos, ou que esperam de bom, visto serem exercitadas[791] por tantos incômodos?".

O rebanho de animais criados e domesticados para os mais diversos interesses humanos, especialmente de equinos e bovinos, cuja força propulsora era indispensável na agricultura e nos transportes, vivia sua vida toda a serviço dos homens, arrastando arados, puxando carros, carregando tropas e mantimentos, compondo-lhes a mesa com sua carne, com seu leite, com sua gordura, calçando-os com seu couro, vestindo-os com sua lã, no caso dos ovinos, além de lhes fazer soar as trombetas com seus cornos, entre incontáveis outras serventias. Nada obstante sua existência de labores intermináveis,

---

785 Justifica a ironia acima §229.

786 A expressão negativa "não muitíssimo estudiosos" [*studeo*] refere-se, neste caso, ao esforço e dedicação nada cuidadosos com que os detratores investigavam esses assuntos.

787 Traduz o latim *uentilator*, "fazedor de vento", em referência àqueles que "sopram" muitas palavras, falando demais, mas pouco dizendo.

788 Traduz o latim *pecus*, "rês" ou "gado", que se distingue de *bestia*, "animal", em sentido amplo, e de *fera*, o "animal feroz". Pelo que *pecus* pode ser compreendido como sendo o animal que foi adaptado para o uso doméstico (*domus*).

789 Traduz o latim *labor*, "fadiga", "cansaço", devido ao trabalho pesado.

790 Traduz o latim *incommodum*, que, neste caso, se limita às "dores físicas".

791 Traduz o latim *exerceo*, "exercitar", "ocupar", "fazer trabalhar" etc. No caso dos animais trata-se de um exercício nada voluntário, mas de um trabalho incessante a que são constrangidos, à força.

aparentemente sem quaisquer recompensas, presentes ou futuras, por sua serventia os animais eram considerados criaturas de Deus, que, na ordenação hierárquica adotada por Agostinho, não ocupavam o último lugar, porque além de serem, também eram dotados de movimento, tendo sido a vida "soprada" em seu interior. Se sob a sua perspectiva não padeciam dores morais, pois nem mesmo foram dotados de uma perspectiva, não se pode dizer que não padeciam dores corpóreas, a não dizer da fadiga, beirando o insuportável, a que eram submetidos incessantemente, desde o infeliz momento em que suas patas se firmavam no solo, muitos dos quais morrendo do próprio labor, quando não, tendo sua vida terrivelmente abreviada pelo esforço exaustivamente debilitante. Deus as teria criado, a essas criaturas tremendamente "infelizes", apenas para sofrer e ser sacrificadas? Os detratores, muito provavelmente maniqueus, julgavam deitar por terra os pressupostos todos assentados sobre o princípio de piedade[792], sobre os quais a doutrina cristã se apoia, com essa indagação, que guarda relação com a questão anterior, do sofrimento das criancinhas. De fato, essas duas questões pendem indiretamente da suposta quinta hipótese para a origem das almas, em que Agostinho especula a possibilidade de os sofrimentos decorrentes da ignorância e da dificuldade serem naturais, não penais. No caso dos animais, obviamente, não poderia haver penalidade, pois, sendo eles incapazes de pecar, não poderiam justamente ser punidos pela Providência, a não ser que Deus não fosse bom nem justo, ou que não houvesse uma única divindade. Logo era preciso dar conta do sofrimento dos animais, inquestionável e visível em toda parte[793].

Por primeiro, porém, não se pode dizer que os animais sejam infelizes, do mesmo modo como não se pode dizer que os inocentes sejam bons, se nenhum pequenino, como se viu, pode ser inculpado do mal que ainda não é capaz de fazer, tampouco pode ser premiado pelo bem, por causa de semelhante incapacidade. Com efeito, os animais também não podem ser considerados infelizes porque jamais poderiam ser o seu contrário, felizes, simplesmente porque esse atributo não lhes foi conferido pelo Criador, a inteligência, que lhes permitiria alcançar a beatitude. De fato, ter prazer ou viver uma vida sem labores não significa ser feliz, muito menos não padecer

---

792 Cf. 1,2,5,12-13.

793 Como aventado antes, presume-se que o uso dos animais já era permitido pelo próprio Deus, desde o paraíso, ao menos para a confecção de vestimentas, visto ele próprio ter cosido túnicas de pele para o casal envergonhado, após o pecado. Cf. *L.A.* 3,15,42,147 (Gn 3,20).

qualquer incômodo. Se pela manhã um equino foge a seu domador, a fim de não ser por ele exercitado e submetido, não o faz conscientemente, motivado por um desejo racional de liberdade, ou por outro qualquer princípio que seja fruto de deliberação, mas por instinto de preservação e por sua própria natureza selvagem, ainda não acostumada ao trato humano. E do incômodo se evade igualmente, seja do aguilhão das esporas, seja do peso do arreio e do cavaleiro, seja do desconforto dos freios que veio a experimentar em ocasiões anteriores e que lhe permanecem em alguma memória de caráter sinestésico. E se não são capazes da felicidade, tampouco são capazes do bem, muito menos do mal, pelo mesmo motivo, porque não pertencem ao grau superior da escada dos seres, em que se encontram as criaturas que são, vivem, mas também inteligem, como os humanos. Logo não são merecedores nem de penas, nem de prêmios, em decorrência dos pecados que não puderam cometer, ou das ações retas de que jamais seriam capazes. Assim sendo, suas dores, em que pese serem apenas corpóreas, têm outra causa que não seja penal. Pode-se dizer, sem risco algum, que, para os animais, assim como no caso das criancinhas, sua dores, depois de transcorridas, serão como se nunca houvessem ocorrido, não apenas porque eles não guardam mágoas de seus algozes humanos, apenas memórias de curtíssima duração, mais ou menos sensoriais, mas principalmente porque não têm expectativas com respeito ao futuro, muito menos frustrações em relação ao passado. Simplesmente são e vivem, sem dar-se conta disso, o que, contudo, sem dúvida não justifica suas dores, embora as diminua consideravelmente. E se não esperam recompensas futuras, muito menos se desgastam para procurar as causas de suas dores, o que lhes poupa muito incômodo, não deixam de fazê-lo senão porque não são capazes para tanto, o que os situa fora da economia moral em que a humanidade se encontra. De fato, nenhum pecado, nenhuma punição; nenhuma boa ação, nenhuma recompensa, num universo, como o dos animais, em que o bem e o mal não são possíveis. No entanto, se não são capazes do mal, por que então devem sofrê-lo da parte dos que são capazes de perpetrá-lo? Embora Agostinho pudesse minorar-lhes a dor, como fez com o sofrimento das criancinhas, que se concentrou mais intensamente em seus progenitores, ainda assim, posto que sejam apenas dores corpóreas que terminam com a morte, não se compreende o motivo de terem sido criadas, aparentemente apenas para padecer incômodos, não sendo nem mesmo capazes de fruir das recompensas felizes por que esperam os humanos sofredores.

## Zaratustra e os bens supremos de Mani

**233.** A – Mas dizem ou sentem estas [questões] aqueles que estimam de modo mais iníquo acerca das coisas[794]...

Refere-se por certo aos maniqueus, cuja natureza cintilante do Bem supremo pretendiam ver diminuída nas almas purificadas, ao modo de um panteísmo materialista às avessas. Porém seus argumentos são eficazes, de modo geral, contra quase todas as doutrinas de genealogia alexandrina, cujas concepções acerca dos bens supremos variavam consideravelmente, de acordo com seus interesses, contudo sempre de natureza corpórea e corruptível, fosse o prazer dos sentidos, fosse a glória popular, fosse o poder, fosse a honra política e militar, entre outras tantas possibilidades.

**233.** A – [...] embora não sejam capazes examinar o Bem supremo, o que e quão grande é, querem que todas as coisas sejam tais qual pensam ser o seu bem supremo. Pois para além dos corpos supremos, que são celestes e menos sujeitos à corrupção[795], não podem cogitar o Bem supremo.

Se os maniqueus houvessem considerado atentamente tudo o que foi dito acerca do Bem supremo nesta obra, em especial no segundo livro, talvez pudessem ter revisto suas concepções materialistas. Suposições à parte, o Bem supremo mostrou-se estar muito acima da própria razão, além da própria inteligibilidade, infinitamente distante de tudo o que se pode perceber por qualquer um dos sentidos do corpo, tendo sido identificado como a Verdade e a Sabedoria inefáveis de Deus. Assim sendo, não se poderia jamais confundir com corpo algum, nem mesmo celeste, como o Sol, muito menos terrestre. Os maniqueus, não sendo capazes de uma concepção do Bem supremo digna de sua majestade, inscientes do que seja ele e de suas "dimensões", por assim dizer, o que obviamente não se refere a nenhumas coordenadas de tipo espacial ou temporal, na esteira das escolas alexandrinas, esquecidas de Platão e de seu mundo aristocrático decadente, elegiam seu bem supremo pelo sufrágio dos sentidos, os quais viam na luz Solar, com todas as suas implicações

---

794 Traduz o latim *de rebus*, que neste caso se refere à natureza das criaturas, especialmente a dos animais.

795 Liter.: "que subjazem menos à corrupção".

metafóricas[796], o que de mais elevado fossem capazes de perceber. Não importa a intensidade e o fulgor da luz de um determinado astro, nem mesmo se própria, como no caso das estrelas, ou se reflexa, como no caso da Lua e de outros satélites do mesmo gênero, porque toda luz, não metafórica, é perceptível pelos sentidos; e o que é perceptível pelos sentidos é corpóreo; e todo corpo é corruptível – excetuado o corpo dito por Paulo "glorioso", cuja natureza incógnita talvez mereça outra denominação[797]. Logo a luz corpórea também é corruptível, não sendo, por conseguinte, digna do Bem supremo.

A razão para os maniqueus terem eleito o seu bem supremo nos céus decorre não apenas da regularidade do movimento dos astros, excetuados os planetas[798], obviamente, mas de sua suposta eternidade, o que se soía presumir no mundo antigo. Se o Bem supremo deve ser eterno, nada era tão imutável como os astros do céu; se deve ser responsável pela vida na Terra, o universo conhecido, nada mais importante do que o Sol, ou mesmo a Lua, com sua sabida influência nas marés e sua presumida influência na agricultura; se deve ser regulador e ordenador, nada era mais constante do que os movimentos dos corpos celestes, regulando as estações do ano e com elas a própria vida dos homens; e se o Bem supremo deve iluminar, literal ou metaforicamente, nada mais brilhante do que a luz solar, em que as próprias almas se deveriam constituir, depois de mortos os corpos, os grandes responsáveis pelo mal em que a humanidade se vê precipitada. Assim acreditavam os herdeiros de Mani, na sombra persa de Zaratustra, assim como os gnósticos e outras tantas correntes de pensamento assemelhado. Porém ser menos sujeito à corrupção, ou ser sujeito a uma corrupção mais lenta, isso não significa de modo nenhum ser incorruptível, o que digna e piedosamente se deve pensar do verdadeiro Bem supremo. E precisamente em virtude de sua apreensibilidade pelo sentido visão é que se considerava também finito, cujos limites podiam apreendidos, o que sem dúvida era indigno da natureza divina.

---

796 A dialética luz-trevas (φῶς-σκότος), cuja origem se perde no túnel do tempo, foi utilizada tanto por Platão (cf. *Rep.* 514a-520a), em referência à παιδεία e a ἀπαιδευσία, "instrução" e "falta de instrução", em sentido propedêutico-filosófico, como também pelos gnósticos, em sentido moral, cuja influência se vê claramente no próprio Evangelho de João (cf. Jo 3,19).

797 Cf. 1Cor 15,35-57.

798 Não era desconhecida aos antigos certa irregularidade no movimento dos planetas, cuja previsão não se conseguia calcular com a exatidão dos outros astros, como o próprio étimo da palavra deixa patente (πλανήτης – πλάνης = "vagabundo", "errante", ou seja, "sem rumo certo").

## O rebanho celeste da Pérsia

**233.** A – [...] e por isso exigem, de modo absolutamente desordenado, que os corpos dos animais não padeçam nem a morte, nem corrupção alguma, como se não fossem mortais, posto que sejam ínfimos, ou que sejam maus por isso, porque os celestes são melhores.

As naturezas todas são boas, porque criadas por Deus, o verdadeiro Bem supremo. Tenham sido dotadas apenas de ser, ou de ser e vida, ou de ser, vida e inteligência, elas todas derivam aquilo em que se constituem da Forma suprema, possuindo medida, número e ordem. Portanto, como se comprovou anteriormente, tudo o que existe, enquanto existe, é bom, por ínfimo ou pecador seja. E, ao contrário dos maniqueus, que reputavam a natureza corpórea má, no sistema, se se pode dizê-lo, ordenadíssimo desdobrado por Agostinho nesta obra, nenhum corpo é mau, seja um simples pedregulho, seja uma planária, seja um atleta olímpico, seja uma estrela ou constelação. E se os corpos são bons, não podem ser maus, como queriam os epígonos do persa Mani. Porém não ser mau não significa não ser corruptível, visto que nem em toda corrupção há vício[799], ainda que a corrupção seja uma corrupção da natureza. Isso, porque tudo o que está sujeito às coordenadas de tempo e espaço necessariamente tem um começo e um fim, do contrário seria eterno. Logo os corpos dos animais, sujeitos ao tempo e ao espaço, têm um começo e um fim, o que é perfeitamente congruente com sua natureza, não contrário a ela. De fato, nas disposições ordenadíssimas da universalidade da criação, há três grandes graus, ou gêneros de naturezas, dos quais ocupam os corpos o último lugar, se considerados enquanto corpos apenas e não vivificados por uma alma, pois eles apenas são (*esse*), ao passo que os degraus mais elevados são preenchidos por naturezas que além de ser, igualmente vivem (*uiuere*) e inteligem (*intellegere*). Dos três grandes gêneros em que as naturezas se subsomem, por sua vez, este último, dos corpos, compreende criaturas passíveis de corrupção, porque sua natureza está presa à cadeia espaço-tempo, não podendo penetrar os portais da Jerusalém celeste, por assim dizer, alcançando a imutabilidade. Trata-se, numa palavra, de uma natureza moldada por Deus para habitar a dimensão espaço-temporal, não a eternidade. Por outro lado os dois primeiros gêneros, de cima para baixo da escada nas naturezas, compreendem movimentos imortais, seja enquanto *anima* ou sopro de vida (ψυχή), nas

---

799 Cf. 3,14,40,138.

criaturas que são e vivem, seja enquanto *spiritus*, sopro inteligente (πνεῦμα), nas criaturas que são, vivem e inteligem. Diante dessa Ordenação divina, seria desordenado querer que criaturas moldadas pelo Artífice divino para adaptar-se à dimensão espaço-tempo se fizessem imortais, ou seja, adaptadas à dimensão espiritual ou inteligível, fora e além do tempo e do espaço. Agostinho não entra no mérito da eternidade ou não dos corpos celestes, como era crença vulgarizada no mundo grego, porém, embora pudessem ser cridos como eternos, pelo fato de serem apreensíveis pelos sentidos corpóreos não podiam jamais ser considerados o Bem supremo, a não dizer de sua movimentação e de suas dimensões limitadas, movimento e finitude que não se poderiam aplicar ao Infinito e à Eternidade que se imaginavam para o Bem supremo. Portanto, além de serem visíveis, eram também móveis, e por isso mutáveis, além de finitos, o que não se coadunava de modo nenhum com uma digna ideia da Divindade onipotente. E se os corpos celestes eram de fato melhores do que os demais corpos, porque assim se acreditava então de modo generalizado, isso não significa que o que lhes era inferior, apenas por isso, deveria ser mau, como se no Universo não houvesse uma Ordenação perfeita e divina, uma hierarquia, para utilizar um termo anacrônico que será cunhado apenas mais tarde, o que o dualismo maniqueu parecia ignorar, quando não, recusar.

Diante disso, pois, como imaginar que os corpos dos animais fossem imortais, que não sofressem qualquer corrupção, uma vez serem ínfimos entre as criaturas todas? Logo a corrupção dos animais não é má; ao contrário, é perfeitamente segundo a natureza, pois nela nenhum vício há, apenas submissão natural à dimensão espaço-temporal. Todavia eles ainda padecem dores e fadigas consideradas insuportáveis, mesmo para os padrões animais. Por quê?

## 3,23,69,234-236. Apetite de unidade: força bestial

> **234.** A – Porém a dor que os animais sentem indica uma certa força das almas animalescas[800] também, admirável e louvável em seu gênero. Pois nisto mesmo se torna bastante aparente, ao reger e animar seus corpos, o quanto eles têm apetite pela unidade.

Parece até que Agostinho se está referindo, com séculos de antecedência, à força intermolecular, uma força de atração presente nos corpos, que mantém suas partículas unidas; porém não é o caso. Há um sentido qualquer nos

---

[800] Liter.: "das almas bestiais" (*bestialis*), ou seja, o princípio de movimento das *bestiae*.

animais, que opera ao modo de uma força gravitacional, atraindo todas as partes da universalidade corpórea para um único núcleo comum, se se pode dizê-lo, com a finalidade de manter a unidade e a integridade do corpo. Arguto observador, Agostinho percebe haver alguma força de atração nos corpos dos animais, ainda que disso eles sejam completamente inscientes; força que os mantém unidos em suas partes, preservando a integralidade do conjunto. Força digna de "admiração" (*uis mirabilis*), diz ele, ciente do pré-requisito mais importante e primeiro de toda investigação filosófica, a capacidade de admirar-se (θαυμάζειν) com as coisas à sua volta; força que se permite entrever pela própria dor dos animais, o que sugere então sua função precípua. Nesse sentido, pois, a dor dos animais teria uma nobre aplicação, que a justificaria em face da Ordem suprema que rege a universalidade das criaturas, patentear o apetite de unidade intrínseco, contudo não nos corpos, e sim nas almas. De fato, Agostinho não diz que essa força era corpórea, mas anímica, presente nas almas bestiais, nas almas dos animais, o que a distingue sobremodo da suposta força intermolecular. Ao observar os animais, o pensador deve ter percebido como, em sua faina por sobrevivência, a alma deles os movia e regia com um único propósito, manter-lhes a unidade, evitando sua iminente desagregação, no ambiente hostil em que vivem desde sempre, mas principalmente depois de seu contato (deletério) com os humanos, porque, ao fugirem à dor e buscar o prazer, como é natural a toda vida animal, não fazem senão fugir às ameaças à sua própria unidade.

## Uma definição de "dor"

> **234.** A – [...] Pois que outra coisa é a dor, senão um sentido impaciente da divisão, ou da corrupção[801]?

Pois bem, não sendo a dor senão um sentido insuportável da corrupção, quem foge a ela não está fugindo senão da própria desagregação destrutiva, o que equivale a uma força instintiva de sobrevivência e de preservação do ser de si. Agostinho define a dor literalmente como sendo um sentido "impaciente" de divisão ou de corrupção, o que equivale a dizer uma sensação, ou percepção, que não consegue suportar a desagregação e a corrupção de seu

[801] Quer dizer, um sentido insuportável de algo; neste caso trata-se de um sentimento que não suporta sofrer [*in* + *patior*] a corrupção desagregadora.

próprio corpo, mas que poderia muito bem referir-se também à própria alma racional, *mutatis mutandis*, não apenas porque essa força admirável se encontra nela, mas porque ela também, enquanto alma, sente a desagregação e corrupção de si, ao averter sua vontade do Bem comum e imutável e convertê-la para os bens próprios e mutáveis, força essa que a faz reconhecer-se inquieta e infeliz e buscar a sua Unidade pacificadora. No caso dos animais, contudo, trata-se de um "sentir" irracional, instintivo, para dizê-lo com alguma redundância[802], como no caso dos pássaros, por exemplo, que espalham secreção salivar em suas asas para mantê-las impermeáveis à água e serem capazes de alçar voo, mesmo na chuva, fugindo de seus predadores; ou como os felinos, que protegem sua pelugem e se higienizam, igualmente pela secreção salivar; ou como tantas outras espécies, que protegem seus filhotes e a si mesmas, seja construindo ninhos, seja edificando casulos resistentes, seja escondendo-se em conchas camufladas pelas cores do ambiente em que se encontram. Portanto a dor, que é um sentido "impaciente" (*in* + *patior*), ou seja, que não se pode tolerar, da iminente desagregação ou divisão de seu corpo e de sua consequente corrupção, para muito além do efeito mais ou menos passageiro que causa nos próprios animais, ilustra o quanto cada ser, por inferior seja, busca a unidade agregadora. No caso dos animais, segundo o exemplo aduzido pelo filósofo, esse buscar se dá pelos sentidos, como ilustra o verbo utilizado, *adpetere*, que expressa o apetite de sua alma bestial; contudo nos seres racionais, embora Agostinho não o diga aqui, essa determinação pela unidade se dá, em suas almas, através da vontade, embora em seu corpo, considerado apenas enquanto veículo da alma, para muitas funções naturais e instintivas, através de uma força de gênero semelhante, que se pode inclusive chamar também de "bestial", quando não, "animal".

**235.** De onde se torna aparente, de modo mais claro que a luz, o quanto aquela alma, na universalidade[803] de seu corpo, é ávida de unidade, e tenaz...

A dor do gado, portanto, por pior possa parecer aos olhos racionais, nada mais representa do que um apetite intenso e resistente de sua alma irracional pela preservação de sua unidade e de sua integridade, que sente, impacientemente, ameaçadas pela desunião e destruição.

---

[802] O que se confirma pelo uso do verbo *adpetere* para descrever esse seu "apetite" de unidade.

[803] Quer dizer, na totalidade de seu corpo.

**235.** A – [...] ela que nem prazerosa[804] nem indiferentemente, mas antes renitente e relutantemente é inclinada em direção àquele padecimento[805] de seu corpo, no qual aceita molestamente[806] que sua unidade e integridade sejam arruinadas.

Logo o gado não se entrega à dor *ad libitum*, porque aquela força anímica bestial, sita em sua alma, não suporta a desagregação e a corrupção do corpo que habita, pois, se ela sopra vida em seu corpo, ao "animá-lo", por certo não o quer "exânime", sem vida, ao revés, o quer relutando e renitindo, quanto possa, para preservar sua unidade e integridade da ruína, se bem que isso seja invariavelmente inevitável.

**236.** A – Logo não se tornaria aparente quão grande apetite de unidade[807] possuiriam as criaturas inferiores animadas[808], senão por meio da dor dos animais. O que, se não se tornasse aparente, seríamos menos admoestados do que seria preciso, que foi por aquela suprema, sublime e inefável Unidade do Criador, que essas coisas todas foram constituídas.

Ao contrário da pouca precisão que tem até aqui adotado para distinguir os termos: alma, espírito, mente e razão[809], neste caso Agostinho mantém rigor terminológico surpreendente, jamais associando aos irracionais quaisquer verbos cujos sentidos se prendem de algum modo às potências racionais da alma. De fato, quase sempre o verbo desiderativo com que descreve os movimentos dos animais é *adpeto*, "buscar", "ir atrás", e o substantivo correspondente, que descreve o ato verbal, *adpetitus*, "apetite", nunca *uolo*, "querer", ou *uoluntas*, "vontade", nem mesmo *libido*, "inclinação sensual", posto que seja um desejo inferior, visto tratar-se neste caso de um desejo cuja malícia inexiste nos animais. Portanto o enorme apetite de unidade que possuem os animais, criaturas

---

804 Traduz o latim *libenter*, "de boa vontade", "espontaneamente". Porém, como se trata de almas de animais, não cabe utilizar nem o termo vontade, nem outro qualquer termo que seja indissociável da razão.

805 Traduz o latim *passio*, liter. "paixão", porém aqui no sentido de "sofrimento" (*patior*), não de *libido*. Note-se como teria sido inconveniente se se tivesse optado, ao menos neste *L.A.*, por traduzir *libido* por "paixão", como fizeram vários tradutores no século passado, especialmente para as línguas neolatinas.

806 Traduz o latim *moleste*, "de modo molesto".

807 Dativo de posse, cuja trad. liter. seria algo como: "Não se faria aparente quão grande apetite existiria para as criaturas inferiores dotadas de alma...".

808 Traduz o latim *animalis*, "dotado de alma", em referência aos seres irracionais em que a *anima* sopra alguma vida e, consequentemente, movimento.

809 Respectivamente *anima*, *spiritus* ou *animus*, *mens* e *ratio*.

inferiores, ainda que sejam dotadas de alma, só se permite conhecer através de sua dor, à qual esse apetite confere um significado e uma justificativa ulteriores, para além do que os próprios animais são capazes de sentir; e a sua dor, aquele sentido insuportável da desagregação e da corrupção de si, justifica-se em duas etapas. Primeiramente por constituir-lhes um mecanismo de defesa e preservação, através do qual se evadem, quanto podem, das ameaças à sua integridade e unidade. Depois porque constitui aos seres que lhes são superiores, os mesmos responsáveis por lhes infligir a dor, uma verdadeira exortação à Unidade divina, ao adverti-los e rememorá-los, quanto tenha sido julgado necessário pela Providência, que a causa de todo desejo de unidade é a suprema e sublime Unidade divina. Logo o dito popular, "a dor educa", não era menos verdadeiro para Agostinho, que nela via um grande convite à confissão de louvor e de reconhecimento da Unidade do Ser supremo.

## Nenhuma criatura é fim em si mesma

Posto que dê a impressão de frialdade e de certa indiferença em relação aos animais[810], a doutrina harmoniza-se perfeitamente com o arcabouço teórico todo edificado ao longo da obra. Isso, porque não se trata de desprezar a dor dos animais, ou subordiná-los, como seres inferiores, às necessidades dos seres humanos superiores, embora assim de fato se pensasse à época do autor[811]. Na verdade trata-se do resultado natural de todo o seu pensamento, de precedência platônica, cujos princípios moldaram o "sistema" metafísico elaborado com precisão ao longo desta obra. Explica-se. Na verdade a preocupação que a Ordenação prescreve para cada criatura é diretamente proporcional ao seu lugar na escada ontológica: quanto mais elevado, mais importante. Assim, pois, embora os corpos sejam sempre bons, pelo fato serem, em si mesmos, enquanto corpos apenas, bens menores do que as almas, visto que eles se corrompam e elas não, merecem menos amor por parte das criaturas do que as almas, as quais, contudo, tampouco devem ser amadas em si mesmas, como fins, mas apenas por causa do

---

810 Não se deve olvidar jamais da enorme injustiça, a não dizer dos erros históricos e de interpretação, que consiste avaliar os escritos dos antigos pelo prisma das concepções contemporâneas. Vale insistir que a leitura dos antigos deve ser feita, quanto possível, a partir de sua própria perspectiva, sob pena de deturpar-lhes, de modo tanto mais irremediável quanto injusto, a nobreza e verdade do pensamento.

811 Cf. 1,8,18,62.

próprio Fundador delas. Assim sendo, se o Criador é o único Fim em si mesmo, digno de ser amado e buscado em si, por si e para si, não surpreende que tudo o que esteja abaixo dele seja considerado, com maior ou menor intensidade, apenas como degrau até ele, seja uma pedra ou besta qualquer, seja uma figueira, que Cristo fez secar sem dó nenhum[812], não porque não tivesse consciência ecológica ou amor pela natureza, cuja criação ele mesmo havia presidido, mas porque o seu ensinamento de teor exclusivamente espiritual, ou seja, seu Verbo eterno e incorpóreo e os frutos de amor e justiça que dele se deveriam colher, eram ambos imensuravelmente mais importantes que qualquer árvore corpórea e seus frutos carnais. E do mesmo modo não se deve pensar que Agostinho não tivesse consideração alguma pelos animais, nem Cristo, pelos figos, mas simplesmente nenhum deles pensava como o indivíduo deste século, cujas preocupações não faziam parte do rol dos temas relevantes, mesmo porque o mundo em que viviam ambos ainda não havia sido devastado pela nuvem ortóptera voracíssima das inovações técnicas, tendo eles provavelmente muitíssimo mais respeito pela natureza do que seus pósteros distantes, contemporâneos nossos. Logo não se trata de desprezar a dor dos animais, mas considerá-los no grau em que se encontram, como seres inferiores, os quais são ornamentados[813], jamais deteriorados ou desrespeitados, através do "uso" [< *utor*] que os humanos lhes impõem. Pois o desprezo das criaturas inferiores, como pregavam os maniqueus, seria totalmente contrário a tudo o que Agostinho propugnou por defender ao longo desta obra e em toda sua vida, a saber, que todas as criaturas são boas, das ínfimas às excelsas, das planárias ao anjos, dos grãos de poeira às constelações, porque saídas todas do mais absoluto nada, pelo intermédio exclusivo da Bondade infinitamente gratuita e gratuitamente infinita do Ser supremo, aquele que simplesmente é, sem nenhuma causa ulterior.

## 3,23,70,237. E o firmamento anuncia a obra de suas mãos

> **237.** A – [...] a aparência e o movimento de toda criatura, que cai na consideração do espírito humano[814], fala à nossa instrução[815] por meio de seus diversos movimentos e disposições, como se por uma certa variedade de línguas, clamando e increpando por toda parte que se deve conhecer o Criador.

---

[812] Cf. Mc 11,12-14; Mt 21,18-19.

[813] Cf. 3,11,32,113-12,36,125.

[814] Que se oferece à contemplação da mente humana.

[815] Traduz o latim *eruditio*.

"Os céus narram a glória de Deus e o firmamento anuncia a obra de suas mãos"[816], salmodiava o profeta, convocando ininterruptamente as criaturas à contemplação e ao louvor do Criador através de sua obra, convite que será acolhido de bom grado e reproduzido por Agostinho, como se vê acima, e ao longo de sua escritura[817]. E não poderia ser diferente, pois, se a obra do Artista sumamente bom é toda boa, contemplá-la não é senão contemplar o bem do Bem, o que não significa, contudo, que a maior bondade de umas criaturas, consideradas superiores, justifique a maldade de outras, inferiores, como queriam maniqueus. Daí também ser risível a pecha de pessimista que se atribui ao filósofo, para quem não havia criaturas más, apenas boas, posto que umas mais, outras menos. E são boas porque saíram das mãos do Criador, de quem receberam medida, número e ordem, o que, posto de outro modo, diz também de seu "aspecto" (*species*) e de seu "movimento" (*motus*), de sua aparência exterior e dos movimentos de sua alma, fossem eles ativos, quando se move (*moueo*), fossem passivos, nos movimentos que nela se produzem (*adfectiones*). Portanto, se a cintilante beleza de uma estrela instrui as criaturas contemplantes, clamando e increpando por todo o universo que o Criador dela deve ser louvado, pois se um único item do acervo do Artista causa tamanha admiração pela luz que irradia e pelos sonhos de grandeza que desperta, que se dirá do próprio Artista, sendo a louvável estrela apenas um pirilampo no negrume do firmamento? E segundo o mesmo tópico de grau, porém agora em sentido inverso, do mais para o menos, se o Poeta divino se sabe infinitamente capaz da elaboração original de uma "epopeia" da envergadura do Universo, de que o Sol dadivoso não seria mais que uma simples metáfora, por assim dizer, posto que radiante, não seria o celeste Poeta igualmente capaz de compor elegias singelas, ou odes de menor envergadura? Logo, se toda a Ordem divina se ajusta perfeitamente, como um mecanismo tão mais regular quanto indefectível, como supor que o Administrador dessa Ordem não tenha sido capaz de impor sua ordenação a criaturas tão ínfimas, como o gado, cujo sofrimento foi trazido à tona, como se argumento fosse de envergadura tal que pudesse fazer ruir a própria ordenação universal? A Ordem divina é tão perfeita quanto seu Criador, o mesmo que provê a ordenação do gado, dos boieiros e aurigas, dos senhores pecuaristas, ou dos carniceiros, ditos magarefes.

---

816 Sl 18,2: "Οἱ οὐρανοὶ διηγοῦνται δόξαν θεοῦ, ποίησιν δὲ χειρῶν αὐτοῦ ἀναγγέλλει τὸ στερέωμα".

817 *Conf.* 6,9-10: "Interroguei a massa do mundo a respeito do meu Deus, e ela me respondeu: Eu não sou [seu Deus], mas foi ele quem me fez". (*interrogaui mundi molem de deo meo et respondi mihi: Non ego sum, sed ipse me fecit.*)

Portanto tudo o que se passa com as criaturas, seja em sua aparência, seja nos movimentos de suas almas e corpos, o que inclui suas dores e prazeres, tudo, sem exceção, serve a um propósito ulterior de edificação do espírito racional, que por esses movimentos e disposições todas é instruído, como se por línguas diversas, desde que se dedique a contemplar a obra do criador com olhos piedosos e diligentes.

## 3,23,70,237. Unidade das criaturas que apenas são – I

**237.** A – [...] nenhuma criatura[818] existe, dentre aquelas que não sentem nem dor nem prazer, que não atinja por alguma unidade o decoro[819] de seu próprio gênero, ou mesmo uma qualquer estabilidade de sua própria natureza.

Logo todos os pingos se encontram simetricamente acima de seus respectivos is no Universo regido e administrado pela Providência divina. Todas as criaturas, que apenas são, mas que não vivem nem inteligem, daí incapazes de sentir dor ou prazer, como os seixos e demais corpos inanimados, por mais ínfimas possam parecer, ainda assim são boas e cumprem à risca a parte que lhes foi atribuída no conjunto universal da criação, ao "atingir" o decoro a que foram destinadas, segundo o respectivo gênero de cada uma delas e a estabilidade pretendida pelo Artista divino para a sua natureza. Portanto, se a dor que os animais sentem, aquele sentido insuportável de divisão e de corrupção, indica uma potência de suas almas bestiais que lhes desperta um apetite pela unidade[820], e que, por ser anímica não poderia ser comparada a uma força de atração presente nos corpos, agora a situação é outra. De fato, além da potência anímica bestial, Agostinho reconhece algo nos próprios corpos, enquanto corpos apenas, incapazes de sentir dor ou prazer, portanto inanimados, algo que os mantém unidos, permitindo-lhes "atingir" a beleza própria de seu gênero, como as moléculas que se atraem e mantém um corpo qualquer sendo o que é, seja uma gema de ovo, decorosamente bela em sua espécie, seja uma estalactite, em sua forma e estabilidade peculiares. No entanto Agostinho não diz especificamente que essas criaturas ínfimas "alcançam" o decoro e a estabilidade próprios a seu gênero e à sua natureza, nem por alguma propriedade intrínseca,

---

818 Traduz o latim *res*, que se está referindo às criaturas, cujos movimentos e disposições falam à instrução dos homens, se eles se dispuserem a contemplá-las.

819 Traduz o latim *decus*, que, como dito antes, se pode compreender também como "beleza".

820 Cf. 3,23,69,234.

nem extrínseca. Logo não se sabe se se refere a algum força nelas presente, como nas almas bestiais, o que sugeriria algum pensamento de tipo atomista, ou se lhes é extrínseca. Se está nos corpos, sendo inanimados, haveria de admitir alguma propriedade da matéria que a ciência tardaria muito a reconhecer. Por outro lado, se estivesse fora, onde? Haveria uma *anima mundi*, uma alma do mundo, ou seria essa união patrocinada desde sempre e indefectivelmente pelo Espírito de Deus? Pois bem, pelo fato de apenas serem, essas criaturas não podem "alcançar" nem "atingir" o decoro próprio de seu gênero, se para este fim tiverem de avançar, movendo-se em direção a seu objetivo; ao contrário, elas se fazem decorosas apenas e tão somente sendo o que são, em virtude da ação criadora de Deus, porque é o que lhes cabe, simplesmente ser. Logo todas as criaturas que apenas são, belas em seu gênero específico, cumprem seu papel, como projetado pelo Arquiteto divino, simplesmente sendo aquilo que ele determinou que fossem, o que é suficiente para que realizem perfeitamente sua função ornamental, por assim dizer, no conjunto universal da criação.

## 3,23,70,238. Unidade das criaturas que são e vivem – II

**238.** A – Igualmente nenhuma criatura existe[821], dentre as que sentem, seja as moléstias da dor, seja as blandícias do prazer, por isso mesmo, porque fogem à dor[822] e perseguem o prazer[823], que não confessem[824] que fujam à separação e que persigam a unidade[825].

As criaturas do grau intermédio, que são e vivem, como os animais irracionais, de cujo sofrimento se vem discorrendo desde o §232, foi dito possuírem uma força qualquer admirável, intrínseca às suas almas bestiais, que lhes desperta e sustenta, por assim dizer, um apetite insaciável pela unidade. Porque têm alma, que sopra vida nos corpos que habitam e em que também se constituem, essas criaturas são capazes de sentir dor e prazer, sendo a dor aquela sentinela da unidade, o sentimento impaciente da desagregação e da corrupção. Logo, se têm dor, sentem igualmente a unidade ameaçada, que a potência inominada de

821 Traduz o latim *res*, retomando a construção do parágrafo anterior.

822 Traduz o verbo *adpeto*, que Agostinho faz associar ao desejo irracional dos animais.

823 Dor (*dolor*) e prazer (*uoluptas*), nesse caso, restringem-se ao corpo.

824 O verbo *fateor* é sinônimo de *confiteor* (φάω – *fari*, "falar"). A referência sem dúvida é o *Salmo 18*.

825 Mais sonoro teria sido, talvez, se se tivesse mantido a concordância, no singular, com "nem uma criatura existe..." (que não confesse... que fuja... e persiga...). Porém preferiu-se manter a proximidade do original latino, preservando a proposta de tradução apresentada no início.

sua alma bestial peleja por preservar. Porém, porque sua vida se limita à busca das blandícias do prazer corpóreo e à fuga das moléstias causadas pela dor[826], sua "confissão", assim como a narrativa dos céus e o anúncio do firmamento, referidos poeticamente no salmo[827], se fazem sem palavras, apenas pelas bocas contemplantes, como cantará o autor de *Confissões:*

> Não interrompe nem silencia os teus louvores o conjunto universal da tua criação; tampouco todo espírito, pela boca a ti convertida; nem as criaturas dotadas de alma; nem os corpos, pela boca daqueles que os contemplam, a fim de que se eleve para ti, [...] apoiando-se na obra que fizeste, e ao ultrapassá-la chegue a ti, que fizeste estas coisas de modo maravilhoso.[828]

## 3,23,70,238-239. Unidade das criaturas que são, vivem e inteligem – III

> **238.** A – [...] E nas próprias almas racionais todo apetite de cognição, com que aquela sua natureza se alegra, não apenas refere à unidade tudo o que percebe[829]...

A despeito de uma possível força de atração presente nos corpos, naturezas que apenas são, e da força unitiva das almas bestiais – ilustrada pela dor –, naturezas que são e vivem, no caso específico das naturezas que também inteligem, além de ser e viver, a unidade se atinge não através do corpo que apenas existe, nem do sopro vivificador que o habita, permitindo-lhe sensações, mas da natureza a mais excelente de todas, a mente, também chamada de "espírito", ou ainda de "razão"[830]. De fato, primeiro a natureza que apenas é, embora não seja capaz de sentir dor ou prazer, atinge a beleza e a estabilidade próprias a seu gênero e natureza através da unidade que mantém unidas as partes de que se constitui, seja como for que essa unidade se sustente, tendo sido estabelecida por Deus desde sua criação. Depois a natureza que é e vive, cuja unidade é perseguida e mantida por meio das sensações de dor e prazer, que nada mais são do que vestígios daquela potência agregadora de sua alma bestial. Já as almas

---

826 Cf. 1,8,18,61-62.

827 Cf. *Sl* 18,2.

828 *Conf.* 1,5,5: *"Non cessat nec tacet laudes tuas uniuersa creatura tua nec spiritus omnis per os conuersum ad te nec animalia nec corporalia per os considerantium ea, ut exsurgat in te [...] innitens eis, quae fecisti, et transiens ad te, qui fecisti haec mirabiliter".*

829 Seja por meio dos sentidos, seja pela razão.

830 Cf. 1,8,18,61; 65; 9,19,68.

racionais, que também são e vivem nos corpos que habitam, partes inferiores de sua universalidade, "confessam", por assim dizer, seu amor pela unidade de acordo com a sua natureza própria, cuja especificidade é o apetite pelo conhecimento. Se a natureza da pedra é apenas ser, a do corcel, ser e viver, a da mente é conhecer. Logo a unidade na pedra se dá simplesmente sendo, pois ser é o que lhe cabe e nada mais. A unidade do corcel, não apenas sendo, mas também vivendo, pois lhe foi dado sentir por meio de um corpo animado, ou por meio de uma alma habitante de um corpo, de onde, ao fugir à dor e perseguir o prazer, preserva sua unidade da corrupção desagregadora e da divisão. Porém a natureza da alma racional sendo outra, não lhe cabe preservar a unidade apenas sendo, nem apenas vivendo (ainda que muitas criaturas tardas e retrógradas o queiram e façam, sendo por isso punidas), mas inteligindo. Não é da alma racional a busca pelo prazer dos sentidos, porque isso cabe ao corpo, que apenas é e vive, quando animado. A satisfação de seus "apetites" apropriados se dá através da cognição, atividade elevada, porque imaterial e incorruptível, cuja natureza, no homem, é a que mais se aproxima da Natureza divina, seu passaporte para a Jerusalém celeste. Por isso, pois, é que é censurável à alma racional priorizar apenas a vida corpórea, fazendo-se serva das inclinações sensuais (*libidines*), porque isso é contrário à sua natureza, e não porque seja pecado. Muito ao revés, isso se diz pecado porque é mau; e mau, porque contrário à sua natureza, que é imaterial e incorruptível; ao passo que os sentidos, instrumentos do corpo de carne, pertencem a uma natureza inferior, que deveria apenas ser utilizada, não amada como fim em si mesma.

Portanto nas almas racionais é a cognição, ou melhor, o seu "apetite de cognição", não a dor, que indica a potência unitiva em si presente, embora seus corpos, enquanto corpos animados apenas, operem como os corpos dos animais, mantendo-se unidos por meio daquela mesma força admirável que mantém unidos os corpos de todos os seres dotados de movimento. Interessa notar que Agostinho se utiliza aqui de um termo comumente associado aos prazeres corpóreos, *adpetitus*, como se referisse alguma propriedade natural e instintiva da mente, que lhe impulsionaria ao conhecimento, assim como diz haver nos animais aquela potência interior que os impulsiona à busca do que lhes dá prazer e à fuga do que lhes causa incômodo. Assim parece haver na mente uma potência semelhante, em seu devido gênero, que desperte esse apetite por conhecimento, análogo talvez àquele inclinar-se (ὀρέγομαι) em direção ao conhecimento com que Aristóteles abre o livro alfa de sua *Metafísica*: "Todos os homens, por

natureza, tendem ao saber"[831]. E esse apetite cognitivo, responsável não pelo prazer (*uoluptas*), coisa que pertence às sensações, mas pela alegria (*laetari*) que lhe é dada desfrutar, opera na mente com a mesma finalidade da força unitiva presente nas almas bestiais, porém não diretamente pela dor de tipo sensorial, mas ao referir à própria unidade tudo aquilo que percebe, ou todos os perceptos recebidos pelo sentido intermediário, que foi denominado sentido interior, o que Agostinho de fato não o diz, mas é lícito supor. E porque não diga nada além disso, cabe especular como se dê essa referência à unidade a partir de seu contrário, que opera de modo análogo à dor corpórea nos animais.

## A dor da mente: erro e ambiguidade

> **238.** A – [...] [o espírito] no erro não foge a nada além de ser confundido pela ambiguidade incompreensível. Porém todo o ambíguo, de onde é molesto, senão porque não possui uma unidade certa[832]?

O erro, sendo o antípoda da verdade, opera na mente dissipação semelhante à que se percebe no corpo, quando este é perturbado pelas inclinações sensuais. O erro precipita de um a outro lado, de uma a outra opinião, de uma a outra falsa verdade, até que suas forças se esgotem[833]. Essa dúvida, que Agostinho aqui denomina "ambiguidade", o deambular a esmo, se opõe à certeza da verdade, que repousa, taxativa, numa única *sententia*, num único parecer, pois nenhuma verdade é meia, ou terça, ou quase, e sim íntegra, do contrário não seria verdade, mas dúvida. Nenhuns sentidos equívocos podem se arrogar a pretensão da verdade sem dividi-la com outros tantos, o que os condena irremediavelmente ao erro. Logo a mente, cujo apetite cognitivo refere tudo à unidade, tem também a sua "dor", como se fosse o "sentido" impaciente de sua dissipação e deterioração, em sua aversão[834] ao incômodo causado pela ambiguidade, que afasta o amor da cognição da unidade da verdade. De fato, se o amor do conhecimento conduz à unidade, que não pode senão pertencer à verdade, sempre una e indivisa, sua inimiga, a ambiguidade, opera como força contrária, dissipando a mente de uma opinião a outra, afastando-a da certeza,

---

[831] Cf. *Met.* A, 980a1: "Πάντες ἄνθρωποι τοῦ εἰδέναι ὀρέγονται φύσει".

[832] Traduz o latim *certus*, "indubitável", "firme", que se contrapõe à *ambiguus*, "que vai de um lado a outro", como que vagando a esmo (*ambigo*).

[833] Cf. 1,11,22,77-78.

[834] No sentido de "repulsa", daí a regência. Cf. verbetes *auersio* e *auerto* no LÉXICO T-F.

que não pode não ser una. E se toda mente quer chegar à unidade da verdade, movida por seu apetite cognitivo, que é também sua alegria, naturalmente rejeita o seu contrário, o erro dissipador, que arrasta a mente para longe da verdade pela moléstia da ambiguidade[835].

**239.** A – Do que se torna aparente que, seja quando ofendem ou são ofendidas, seja quando deleitam ou são deleitadas, todas [as criaturas] insinuam e apregoam a Unidade do Criador.

Diante desse "sistema", portanto, está plenamente justificada a condição dos animais, seja quando sofrem contusões em seu corpo, seja quando encontram satisfação nos prazeres dos sentidos. De fato, seja na dor dos corpos animados, aquele sentido impaciente da desagregação e destruição de si, seja na "dor" da mente, aquela ambiguidade, igualmente impaciente, das falsas opiniões que afastam da certeza do conhecimento, dissipando as energias da mente, como se os elétrons fugissem à força de atração nuclear de um determinado átomo, dissipando-se para todos os lados e fazendo ruir sua unidade; enfim, seja na natureza de que grau for, todas elas, sendo, vivendo ou inteligindo insinuam, se não podem falar, apregoando à universalidade da criação a Unidade do Criador. Ora, tendo sido criadas pela Unidade, não poderiam senão tender para ela, do que se depreende que todo movimento para a Unidade, seja qual e como for, não é senão um movimento natural em direção ao próprio Criador. E de fato, nos três casos, nas criaturas que são, nas criaturas que são e vivem, e nas criaturas que são, vivem e inteligem, parece que apenas o Criador poderia ter colocado nelas, respectivamente, [i] uma certa unidade pela qual atingem o decoro em seu gênero; [ii] a dor e o prazer, forças anímicas responsáveis pela preservação e integridade dos corpos animados; [iii] o apetite cognitivo e a aversão à ambiguidade da mente. Em nenhum desses três casos, como se vê, essas faculdades apetentes da unidade são adquiridas, mas dadas às criaturas, desde sua criação, como dons divinos, lhes sendo, portanto, naturais.

## Sentinela da unidade

Assim sendo, pode-se dizer que a dor é uma benção divina, sem a qual os corpos dotados de vida não lograriam sobreviver, mantendo-se unidos e

[835] Agostinho não menciona a Verdade, mas se a alegria da mente é o seu apetite cognitivo, seria lícito supor sua felicidade fosse a própria fruição da Verdade.

íntegros, pois, não fosse a dor, os animais irracionais não saberiam o que buscar, nem o que evitar, e sua vida perigaria a cada passo, não sendo capazes de fugir aos predadores e às ameaças à sua integridade, muito menos buscar os alimentos necessários à sua sobrevivência. Por sua vez o apetite de cognição da mente, como se fosse uma força de atração das partículas presentes em cada corpo, não se realiza com a ambiguidade. De fato, assim como nenhum corpo se mantém unido, enquanto corpo, se suas partes não se mantiverem atraídas a um núcleo central, assim também nenhuma mente satisfaz seu apetite de cognição, se as partes da informação não se fizerem atrair a um núcleo igualmente central; ou seja, se, para além da conexão das sílabas e da reunião das frases, não se atingir nenhuma convergência entre os argumentos e ideias, nem conclusão coerente, coesa e segura, não se poderá dizer que se obteve, de fato e de direito, alguma "cognição". Pois nenhuma lista de palavras desconexas leva ao conhecimento, como tampouco uma sucessão de ideias contrárias acerca de um mesmo objeto pode levar à certeza a seu respeito, apenas à dúvida e à dissipação do erro. Do contrário seria possível dizer que um mesmo objeto fosse redondo e quadrado em sua aparência, ou simultaneamente branco e preto, ou ainda que fosse mais leve que uma pluma e mais pesado que uma coluna de mármore, e assim sucessivamente, quando então a única certeza seria a precipitação inevitável da mente na mais absoluta confusão.

Logo pode-se dizer que a dor, assim como a fuga da mente da ambiguidade, servem ambas de "sentinelas da unidade", espécie de força de preservação intrínseca a toda criatura saída da própria Unidade divina, que, ao modo de uma força centrípeta, seja corpórea, seja mental, é atraída incessantemente para o centro de gravidade ao redor do qual gravita, evitando tanto mais a dissipação do erro, quanto para mais longe do centro não se permita afastar. Se se afasta do centro, ao invés de encontrar-se, perde-se no nada; se se deixa conduzir para a unidade de que saiu e aceita gravitar à sua volta, faz-se cada vez mais una e íntegra, mais certa e estável, ao realizar aquilo que foi criada para realizar, pacificamente, condição necessária à sua felicidade, no caso das almas racionais. No caso das bestas, sua dor indica apenas seu apetite de unidade, que se vê ameaçado, quando seu movimento convergente se vê desviado do centro para a periferia do nada, o que lhe causa um incômodo, tão maior quanto maior for a intensidade do movimento centrífugo, posto que invariavelmente passageiro.

## Prelúdio: ignorância e dificuldade no paraíso

**239.** A – [...] se a ignorância e a dificuldade, a partir de que é necessário que essa vida comece, não são naturais às almas, resta que ou tenham sido tomadas *sobre si* como um ofício[836], ou irrogadas[837] *às almas* como um castigo[838].

Como que preludiando uma mudança de rumo na discussão, Agostinho retoma novamente a quinta como que hipótese acerca das almas, porém agora supondo que a ignorância do bem e a dificuldade em praticá-lo não sejam condições naturais, mas imposições, cuja finalidade pode também ser educativa, não apenas penal. Por um lado, admitindo-se que a condição de ignorância e dificuldade seja de fato uma penalidade, ou ela foi herdada do primeiro homem, ou foi causada pela alma numa vida pregressa, antes do consórcio com o corpo, como visto. Porém, se se admita que não seja apenas um castigo, mas uma penalidade educativa, por assim dizer, assumida pela alma, como quem aceita algum encargo (*officium*), embora imposto, esta pode ser assumida com ou sem constrangimento, como exercício propedêutico para sua evolução, a fim de que se faça apta a habitar a Jerusalém celeste. Esse prelúdio, contudo, não visa recapitular o que foi dito, mas preparar o caminho para o final das discussões. Pois, embora não se possa afirmar com segurança como o pecado foi propagado pela descendência do primeiro homem, o qual corrompeu sua natureza, a fim de que ela nascesse toda na condição de ignorância e dificuldade – sobre o que se especulou suficientemente, admitindo quatro hipóteses para a origem das almas e a transmissão do pecado, depois uma quinta situação, em que essa condição de ignorância e dificuldade não era penal, mas natural –, Agostinho pretende agora encerrar as discussões da obra com uma última investigação, assumindo novamente a perspectiva penal. Neste caso, não sendo natural a condição de ignorância e dificuldade, a despeito do método de propagação do pecado, merece olhar mais detalhado a própria condição do primeiro crime, numa palavra, deve-se reexaminar aquele cuja herança proporcionou a condição penal, Adão, porque, se se quer conhecer de fato a origem do mal, deve-se investigar então como se deu o primeiro pecado, para

---

836 Traduz o latim *suscipio* [*sub* + *capio*], "aceitar", "assumir", no sentido de "suportar" [*sub* + *porto*], "carregar algo sobre si, tomando-o por baixo".

837 Quer dizer, "infligidas".

838 Preferiu-se manter a assonância entre *officio* e *supplicio*, a traduzir este último termo por "castigo".

conhecer se a vontade da primeira criatura corrompeu-se por causa dela somente, ou se se deve imputar alguma responsabilidade ao Criador. Por conseguinte, seja como for que o pecado tenha propagado para a sua posteridade, faz-se preciso saber antes em que condição foi criado o próprio Adão, porque, se foi criado ignorante, como podia ser acusado de pecado? E se foi criado incapaz de praticar o bem, como poderia ter obedecido ao preceito divino?

## A natureza do primeiro homem
## (*ou* Ignorância e dificuldade no paraíso)

### 3,24,71,240. A natureza do primeiro homem

> **240.** A – Por isso deve-se investigar mais de que qualidade[839] o próprio primeiro homem foi feito, do que o modo como a posteridade dele foi propagada. Pois parecem a si mesmos propor a questão de modo muito agudo[840] os que dizem: "Se o primeiro homem foi feito sábio, por que foi seduzido? Porém, se foi feito estulto, de que modo não é Deus o autor dos vícios, visto que a estultícia é o vício máximo?".

A investigação acerca da origem do mal dá seu último passo, além do que não será possível avançar. Se o mal tem origem naquele movimento deficiente da vontade, cuja causa, como insistiu com veemência Agostinho, não pode estar senão na própria vontade, resta saber como a primeira criatura racional dotada de alguma vontade pôde corrompê-la, assumindo-se que essa faculdade tenha sido dada intacta e boa por Deus. A primeira questão que se coloca – sem dúvida por parte dos maniqueus, que queriam incriminar a divindade a qualquer custo –, reproduzida com certa ironia por parte do filósofo, refere-se à própria condição em que esse primeiro homem teria sido criado por Deus. Pois, diziam eles, [i] ou foi criado estulto, [ii] ou sábio. Se sábio, de que modo deixou-se arrastar pela sedução serpentina? Se estulto, como não imputar a Deus a origem dos vícios, a estultícia sendo considerada o pior de todos eles?

A partir do que ficou definido no primeiro livro, a sabedoria é o reinado da mente humana sobre as inclinações sensuais[841], sendo sábio aquele homem cujas inclinações foram totalmente pacificadas pelo domínio de sua mente[842].

---

839 Quer dizer, "de que natureza", ou "com que propriedades".

840 Quer dizer, "com muita perspicácia".

841 Cf. 1,10,20,70.

842 Cf. 1,9,19,69.

Por outro lado o estulto, definido como o contrário do sábio, é o indivíduo em quem a mente não exerce o poder supremo sobre os movimentos irracionais da alma[843]. Pois bem, tratando-se de uma criatura racional, como seria possível que a alma de Adão, se fosse de fato sábia, pudesse ter sido seduzida pela serpente[844], que era viciosa, se, exatamente por ser viciosa, era-lhe necessariamente inferior? De fato, como visto antes[845], nenhuma potência pode ser derribada por outra de sua cidadela virtuosa sem o seu consentimento, muito menos uma melhor por uma pior. Mas se o primeiro homem era sábio, o que significa dizer que era superior por suas virtudes, estando sua mente em perfeito domínio das inclinações sensuais, não poderia ter sido arrastado por uma alma inferior, como a da serpente, por mais sedutora fosse. E nem a serpente, nem qualquer outra potência maliciosa, teria tido poder algum para seduzir o sábio a que pecasse, pois apenas por abrigar em si a vontade de fazê-lo se tornaria de imediato inferior, sendo incapaz de concretizar seu intento. Resta então que o primeiro homem tenha sido criado estulto? Mas se assim houvesse ocorrido, a Deus se poderia imputar a culpa de ter criado um ser cuja mente era, desde o incunábulo, escrava das inclinações sensuais e sujeita à malícia sedutora da serpente, que também era uma criatura sua. Ora, se as inclinações sensuais se definiram no primeiro livro como sendo o amor do que é passível de perda involuntária[846], que é também uma separação da sabedoria e da verdade, daí uma vontade perversa[847], a qual é o próprio pecado, movimento de aversão do Bem comum e imutável e conversão para os bens próprios e mutáveis, como não dizer que Deus seja culpado pelo malfazer humano, ao ter criado almas que lhe estavam sujeitas? De onde também justificar-se a afirmação de que a estultícia seja o pior dos vícios, ou antes, o maior deles, por ser a submissão da razão à *libido* – o movimento de aversão da vontade, que é o próprio mal –, o que é contrário à Lei eterna

---

843 Cf. 1,9,19,67.

844 A serpente, que "era o mais astuto de todos os animais dos campos que o Senhor Deus tinha feito", deve necessariamente ser considerada no relato bíblico como um ser racional, do contrário não poderia ter entabulado uma conversação com Eva, a quem seduziu com suas palavras. Isso, a despeito de ter sido designada θηρίον, "animal selvagem", ou "fera", em grego, o que a Vulgata hieronímica traduz por "ser animado" (*animantibus*), ou seja, dotado de uma *anima*, o princípio de movimento, algo mais próximo do hebraico *ḥăy·yāh* (חַיָּה), que também pode ser compreendido, *lato sensu*, como um "ser vivente".

845 Cf. 1,10,20,73; 16,34,114-115.

846 Cf. 1,4,10,31.

847 Cf. 2,14,37,144.

sumamente racional, que preceitua que as naturezas superiores devem governar as inferiores, não o contrário. Uma mente que se deixa dominar pelas inclinações sensuais está se deixando dominar pelo mal, livre e espontaneamente, pois o mal em si mesmo não teria poder para seduzir uma natureza superior, se esta não o consentisse. Porém, se a alma já nasce dominada pelo mal, então não resta outra conclusão senão acusar Deus de sua existência. Duas graves questões, portanto, que mereciam uma investigação bastante mais cuidadosa.

## 3,24,71,241-242. Estado intermédio entre a estultícia e a sabedoria

> **241.** A – [...] como se a natureza humana, além da estultícia e da sabedoria, não aceitasse[848] nenhuma disposição média, que não se possa dizer nem "estultícia" nem "sabedoria".

Parecia não haver escapatória, segundo o argumento, provavelmente maniqueu, que se colocava: ou o primeiro homem não podia ter sido seduzido, se criado sábio, ou não se lhe podia atribuir qualquer pecado, se criado estulto, quando então ao Criador é que se devia imputar a culpa pelo mal. No entanto, assim como se conceituaram os bens de estatuto intermediário, entre grandes e mínimos, dentre os quais a vontade, assim também se poderia imaginar uma gradação de estágios intermédios entre os dois polos, sabedoria e estultícia, o que demonstra, no mínimo, uma suficiente dose de bom senso por parte do filósofo. Com efeito, imaginar que a humanidade se dividisse em dois grandes e rígidos grupos, o dos perfeitamente sábios e o dos irreparavelmente estultos, seria uma visão muito ingênua, a não dizer paupérrima, da realidade. Natural, portanto, admitir-se ao menos um estágio intermediário entre os dois extremos, uma condição média, que distasse tanto da perfeição da sabedoria, quanto do vício da estultícia, em que as almas não estivessem nem em controle total de suas inclinações sensuais, nem irreparavelmente sujeitas a elas. Nesta condição, pois, as almas poderiam oscilar entre o domínio racional de suas inclinações sensuais e a submissão mais ou menos frequente a elas, como se devessem empreender algum esforço por dominar-se, do contrário seria necessário retomar a questão da liberdade, a ver se as almas numa condição de sabedoria realmente possuíam-na. De fato, onde não se pode não querer, tampouco se poderá querer, ou seja, se o sábio não pudesse querer deixar-se arrastar pelas inclinações sensuais, não seria verdadeiramente livre, ainda que, ao fazê-lo, deixasse de ser

---

[848] Traduz o latim *recipere*, que também pode ser compreendido como "receber" ou "acolher".

sábio; numa palavra, se ao sábio não fosse permitido deixar de ser sábio, caso assim o quisesse, não poderia dizer-se verdadeiramente "livre". O que, contudo, por ter sido tratado antes[849], foge ao problema que está agora sendo proposto.

## Genealogia da moral

**241.** A – [...] Pois *aí é que* o homem[850] começa ou a ser estulto, ou sábio, de modo que seja necessariamente chamado um destes dois, *quando* já pudesse possuir a sabedoria, se não a negligenciasse, de modo que a vontade seja ré da estultícia viciosa.

O homem passa a ser sábio, ou estulto, diz Agostinho, a partir do momento em que seja capaz de possuir a sabedoria. Aí então pode ser chamado retamente de "sábio", ou do seu contrário, "estulto". Nessa situação, sendo capaz, será réu se não alcançá-la, negligenciando esforçar-se para chegar à sabedoria e preferindo, ao invés, entregar-se, estulto, às inclinações sensuais. Dito de outro modo, se não converter sua vontade, sendo capaz de fazê-lo, para o fim a que deve convertê-la, o Bem comum e imutável, preferindo, ao invés, avertê-la desse Bem e convertê-la aos bens próprios e mutáveis, o que o torna um servo estulto das *libidines*, será réu desse crime, que é um crime de vontade. Sua vontade, portanto, se dirá "ré", pois preferiu a estultícia viciosa à sabedoria virtuosa, quando preteriu a fruição estável e sutil do Bem supremo em favor do gozo passageiro

849 Cf. 3,2,4,14-11,41, esp. 3,3,6,21-22.

850 Embora o termo latino *homo* se aplique quase sempre ao ser humano, ou seja, à humanidade como um todo, pelo fato de o autor utilizar-se várias vezes do adjetivo *humanus*, preferiu-se traduzir o termo por "homem", a evitar uma falsa homonímia. Ademais, em vernáculo, o substantivo "homem" sempre guardou esse sentido genérico, como atesta o correspondente verbete do dicionário Houaiss: "Mamífero da ordem dos primatas, único representante vivente do gên. *Homo*, da espécie *Homo sapiens*, caracterizado por ter cérebro volumoso, posição ereta, mãos preênseis, inteligência dotada da faculdade de abstração e generalização, e capacidade para produzir linguagem articulada". Assim sendo, a despeito das ideologias contemporâneas antissexistas e de suas ingentes pressões, preferiu-se adrede a esquiva, ao considerar-se a língua em seu contexto histórico, esperando antes que as ideias criem raízes em seu devido tempo, ao invés de intentar enraizá-las à força, o que apenas deturpa o real sentido de obras de épocas e contexto muito longínquos e distintos do nosso, que devem ser cientificamente conhecidas em sua especificidade, agradem ou não a mentalidade contemporânea. Ademais, quando se marca uma língua com traços e cores de uma determinada ideologia, apagam-se forçosamente outros traços e marcas, não apenas de ideologias que se quer combater e riscar do mapa, mas muita vez também vestígios importantes e essenciais que fundamentam a própria história e a cultura de um povo, constituindo-lhe a própria identidade; o que importa muito, ao menos àqueles que procuram ter alguma consciência disso, para além de seus interesses particulares, mais ou menos relevantes.

dos sentidos grosseiros. Pois bem, se criado sábio, depreende-se que o homem sempre tivesse condições de dominar suas inclinações sensuais pela razão, fazendo-se imune às seduções serpentinas, coisa que, contudo, não se deu, como se sabe. Por outro lado, se criado estulto, não teve condições de chegar à sabedoria, não podendo ser acusado de deixar-se seduzir. Se nesses dois casos era respectivamente capaz e incapaz da sabedoria, podendo ser seduzido ou defender-se, que dizer da condição intermédia? Assim como a vontade, bem médio, podia ser convertida tanto para o bem, como para o mal, o que concorreu para a liberdade humana, assim também esse estado médio entre a sabedoria e a estultícia. De fato, se fosse sábio, pelo prisma de um racionalismo radical como o estoico ou o desposado pelo autor na primeira parte da obra, seria até possível supor aqui, num exercício de pura especulação, que o homem não tivesse tanta escolha, uma vez que não poderia deixar-se seduzir se quisesse permanecer na sabedoria, embora fosse tecnicamente livre para fazê-lo e sofrer o prejuízo correspondente, que não seria nada desprezível; ao contrário, se estulto, não poderia não deixar-se seduzir, estando à mercê da serpente; porém, sendo nem um nem outro: nem sábio, nem estulto, mas estando a meio caminho de ambos, era supostamente "mais livre", podendo tanto escolher um como outro, "com menos prejuízo", por assim dizer. E se era deste modo "livre", era igualmente responsável, devendo responder por suas escolhas.

Eis, portanto, pelo prisma estrito do racionalismo, e para especular um pouco além, uma como que genealogia simplista[851], porém não da vontade, nem do estado intermédio entre a sabedoria e a estultícia, mas da liberdade da vontade, decorrente dessa condição média. Com efeito, o ser humano só se torna responsável por seus atos a partir do momento em que se torna capaz de escolher, o que só ocorre nos seres dotados de razão, quando ela é suficiente para fazer frente às inclinações sensuais. Mas e a moralidade, que tem que ver com isso? Não seria antes uma genealogia da culpa? Na verdade trata-se de uma tripla genealogia, por assim dizer, preceito, liberdade e culpa, exatamente como se deu no relato do *Gênesis*. Pois nenhuma culpa há sem que haja preceito; assim

---

[851] Diz-se "simplista" porque, como dito no parágrafo anterior, se criado sábio, o homem era perfeitamente livre para transgredir o preceito se quisesse, embora fosse bem menos inclinado a fazê-lo, pois, como visto antes (1,10,20,73; 16,34,114-115), nenhuma natureza inferior pode corromper uma superior, o que contudo não o protegeria de "cair" pelo mesmo motivo por que "caiu" o anjo prevaricador. Vejam-se adiante os comentários a 3,24,72,247 "O sábio pecador", e os que vêm em seguida: 3,24,72,249 *et seq.*

como nenhum preceito há onde não se possa observá-lo nem exista liberdade de escolha. Deus impõe o preceito às almas, que são capazes de compreendê-lo e observá-lo; porém lhes dá a liberdade para arbitrar cumpri-lo ou desobedecê--lo, através da vontade livre, ou seja, dá-lhes a capacidade intelectual de escolher o que querem querer e fazer; do que decorre forçosamente a culpa, em havendo transgressão. A moral obviamente nasce com o preceito, que estabelece uma delimitação inaugural entre o "Farás!" e o "Não farás!". Com efeito, quando se diz: "Não comas!", se estabelece não apenas o errado, que é proibido, mas com ele seu contrário, o certo, que é permitido. Assim, tudo o que não está proibido, está permitido. E com a proibição, não apenas a transgressão, mas também a culpa; e com a culpa, necessariamente o castigo; e depois, quando o castigo se torna muito severo e demasiado abrangente, tem-se a mitigação da penitência e a consequente remissão.

## Entre sapiência e estultícia, uma analogia: parte I – a criança

**242.** A – Pois ninguém é assim tão insensato[852], que denomine uma criancinha[853] "estulta", ainda que seja mais absurdo se queira denominá-la "sábia". Logo, assim como[854] uma criancinha não se pode dizer nem "estulta", nem "sábia", ainda que já seja *um homem*[855] – do que se torna aparente que a natureza do *homem* aceita algo médio, que não terás chamado retamente nem "estultícia", nem "sabedoria"...

Nenhuma criança pode dizer-se retamente "estulta", ou "sábia", porque não preenche os requisitos supraestabelecidos para uma tal denominação, a saber: no caso da sabedoria, poder alcançá-la; no caso da estultícia, poder evitá-la. Nenhum dos dois pode a criança, pois não tem compreensão suficiente para saber o que é reto e que deve querê-lo, de onde não poder ser responsabilizada por suas escolhas. Porém esse estado da criança não é penal, pois não se culpa a criança, nem seus pais, muito menos o Criador, pelo fato de que tenha nascido deste modo, assim como ninguém em sã consciência culparia um ovo por não ser galinha. Todavia, no caso da criança, embora não seja nem sábia, tampouco estulta, contudo

---

852 Traduz o latim *desipio* (*de* + *sapio*), liter. "tornar insípido", ou, em sentido derivado, "dessaber".

853 Traduz o latim *infans*, a criancinha que ainda não fala (*in* + *fari*).

854 Traduz a correlativa *ut... ita....* (*ut ergo infans... ita etiam si quisquam...*).

855 Quer dizer, um ser humano. O latim se utiliza do termo *homo*, que tanto se refere ao homem feito, adulto, como ao ser humano em geral, ou seja, à humanidade. No caso, obviamente, seria contraditório se se quisesse dizer que a criancinha é já um homem adulto, pois, se o fosse, não seria criancinha. Ou é *infans*, ou é *adultus*. Logo *homo* não significa aqui *adultus*, e sim "ser humano".

é também um ser humano (*homo*), ninguém se fazendo adulto sem ter sido criança, o que prova, argumenta Agostinho, que é sim possível à natureza humana essa condição média, entre a sabedoria e a estultícia.

## Entre sapiência e estultícia, uma analogia: parte II – o adulto

> **242.** A – [...] assim também, se alguém houvesse sido animado por uma disposição tal, qual possuem aqueles que por causa de sua negligência carecem de sabedoria, ninguém retamente haveria de dizê-lo "estulto", a quem visse de tal modo, não por vício, mas por natureza.

Todavia, se a criança nasce nessa condição média, natural à toda humanidade, incapaz ainda de falar, de pensar e de escolher com a mesma eficácia com que fará essas coisas quando for adulta, no caso do primeiro homem tem-se desafio um tanto maior. De fato, as Escrituras não referem nenhuma primeira criancinha[856], *primus infans*, ou primeiro menino, *primus puer*, permitindo, quando não, forçando supor que Deus tenha criado o primeiro casal em sua forma adulta. Logo seria preciso admitir que um *adultus* pudesse encontrar-se nessa mesma condição média, entre a sabedoria e a estultícia, natural à toda criancinha. E o faz Agostinho, nesta segunda parte da analogia, supondo tenha sido possível um adulto animado pela mesma disposição que na criancinha não se julgou culpável. Porém, como no caso da criancinha, essa disposição devia ser natural, do contrário seria culpável. Logo esse adulto hipotético seria por natureza aquilo que outros são por negligência, pelo que seria inculpável, enquanto os outros, não. Então esse adulto hipotético seria estulto, assim como os que não são sábios por causa de sua negligência, porém seria um estulto sem vício, um estulto natural, por assim dizer. Logo o estado médio entre a sabedoria e a estultícia é um estado natural, como o da criancinha, porém que ocorre nesse adulto hipotético, condição presumida do primeiro homem.

## A estupidez da galinha

Interessante o fato de que Agostinho tenha comparado a condição do primeiro homem à da criancinha, ainda que o conceito de "inocência" não

[856] A infância antiga geralmente compreendia os primeiros sete anos, após o que o *infans*, tendo aprendido a falar, se considerava *puer*, "menino", ou *puella*, "menina", até por volta dos quinze anos, quando entrava na *adulescentia*.

implique de modo algum bondade, santidade ou pureza, mas apenas incapacidade de causar detrimento. Se o estulto é aquele desordenado cuja razão não predomina sobre as inclinações sensuais, como prescreve a Lei divina, constata-se perfeitamente bem como essa descrição se adapta à condição da criancinha, visto não ter condições de ser sábia, isto é, de que suas faculdades racionais exerçam o império sobre suas inclinações sensuais, posto que incipientes e frágeis. Assim sendo, se alguém disser de uma criancinha qualquer que seja "estulta", o estará fazendo apenas de modo impróprio e equivocado, porque ele mesmo não diria que o ovo é uma galinha estúpida que não sabe cacarejar, a não ser que fosse um mentecapto. Contudo o caso do adulto parece ser outro, pois, se não pode ser sábio, deve ter sido criado estulto, ou seja, por natureza é um homem cuja razão não exerce o domínio sobre suas inclinações sensuais. Porém Agostinho diz que se trata de um estado médio, de uma condição entre a sabedoria e a estultícia, que não é nem uma, nem outra. Que é, pois? Estulto, sem dúvida, diz o filósofo, porém o nome não lhe cai bem, uma vez que a estultícia é uma submissão voluntária, não natural, à tirania das inclinações sensuais; e, como se sabe, a vontade nunca vem desacompanhada, trazendo invariavelmente consigo sua comitiva: responsabilidade, culpa, castigo, penitência, remissão. Trata-se, portanto, de um outro tipo de estultícia.

## Estultícia: uma ignorância viciosa

> **243.** A – Pois a estultícia das coisas que se devem perseguir e evitar não é uma ignorância qualquer, mas viciosa. De onde também não dizemos "estulto" o animal irracional, porque não recebeu que pudesse ser sábio. Contudo na maior parte das vezes denominamos algo a partir de uma semelhança[857], não de modo próprio. Com efeito, também a cegueira, conquanto seja o vício máximo dos olhos, contudo nos cachorrinhos que nascem[858] não é um vício, nem se pode dizer propriamente "cegueira".

Pois bem, embora a condição média desse suposto adulto seja equivalente à dos negligentes que se mantêm insipientes por vontade própria, contudo lhe é natural, pois nela teria sido criado. E se é natural, não pode ser

[857] Traduz o latim: *ex similitudine*, que significa também: "por analogia", ou ainda: "a partir de comparações" etc., sempre em referência a um método indireto, que faz apelo às acepções impróprias dos termos, em contraposição às próprias.

[858] Traduz o latim *catŭlus*, que não se refere exclusivamente aos cães, mas às crias de quaisquer animais, especialmente mamíferos; de onde também: "cachorrinhos" ou "filhotinhos nascentes".

simultaneamente antinatural, o que feriria o princípio aristotélico de não contradição; e o que é contra a natureza (*contra naturam*) assim se diz porque em si há vício. Logo essa estultícia, se é natural, não possui em si vício algum. Porém a estultícia negligente é viciosa, porque age contra a natureza, desprezando a sabedoria. Assim sendo há dois gêneros de estultícia, um natural, outro artificial. O primeiro é necessário; o segundo, voluntário. Se esse suposto adulto é estulto por natureza, não o é voluntariamente, do que decorre ser inculpável dessa estultícia. Se não lhe fosse natural, seria certamente culpável de ter desprezado a sabedoria, porque teria escolhido livremente o desprezo. E esse tipo de estultícia, que nada mais é do que afastar-se do Bem comum e imutável para perseguir os bens próprios e mutáveis, quando se faz servo das inclinações sensuais, que agora se denomina "ignorância", é uma estultícia viciosa, ou então uma "ignorância viciosa". Admira Agostinho denominar "ignorância" aquela mesma estultícia que se prendia à vontade, embora não seja de modo nenhum contraditório, somente uma questão de ênfase. De fato, nenhuma vontade (*uoluntas*) há que não seja racional, fruto de deliberação (*arbitrium*) livre, atributo das naturezas que são, vivem e inteligem, pois os animais são movidos apenas pelo apetite (*adpetitus*) do prazer (*uoluptas*) e pelo medo (*metus*) dos incômodos da dor, de que procuram instintivamente fugir. Portanto o desejo dos animais relaciona-se com seus sentidos, ao passo que a vontade humana está associada a seu arbítrio livre, ainda que todo ser que anima um corpo padeça nele as mais diversas sensações, o que não exclui o homem. Porém não se trata aqui de sentir fome ou sede, mas de ignorar a sabedoria, ou de ceder voluntariamente aos movimentos irracionais da alma, mesmo conhecendo racionalmente que eles não levam à plenitude da felicidade. O que importa, pois, para a investigação da natureza com que o primeiro homem foi criado – esse suposto adulto na condição média de não sabedoria –, não é tanto o nome com que se denomine sua condição, diga-se de modo impróprio "estultícia" *simpliciter*, diga-se, ao invés, "estultícia sem vício", ou "ignorância sem pecado", pois, como aduz Agostinho, nenhuma animal é dito "ignorante", muito menos "estulto", porque não lhe foi dado ser "sábio", visto que simplesmente seja e viva, não sendo capaz de intelecção; nem se diz que os cachorrinhos recém-nascidos são cegos, apenas porque seus olhos ainda não se fizeram abrir. Numa palavra, importa saber se o primeiro homem, nesse seu estado, chame-o pelo nome que quiser, era ou não capaz de seguir o preceito divino e esquivar-se da sedução serpentina.

## 3,24,72,244. A sabedoria e a observância do preceito

**244.** A – Logo, se assim foi feito o homem, de modo que, conquanto ainda não fosse sábio, contudo pudesse receber[859] um preceito, a que invariavelmente devesse obedecer...

O primeiro homem, tendo sido animado naturalmente com uma disposição semelhante à dos que se fizeram estultos por negligência viciosa, ainda que não tivesse sido criado sábio, porém possuía capacidade suficiente para receber um preceito, o que o tornava consequentemente apto a ser seduzido e punido por sua desobediência, não podendo inculpar o Criador por seus vícios, nem por sua ruína. De fato, se foi criado com capacidade bastante para receber um preceito e compreendê-lo, além de saber que deveria invariavelmente cumpri-lo, sob pena de morte, como detalha a narrativa bíblica[860], isso significa que foi dotado de razão bastante para ponderar os benefícios e os prejuízos de suas escolhas. Logo sabia o que decorreria de sua observância do preceito, assim como tinha noção suficiente das consequências de sua desobediência. E mesmo que não pudesse conhecer perfeitamente o tipo de vida mortal a que poderia ser conduzido se pecasse, nem a veste de carne pesada e corruptível que seria obrigado a vestir, contudo, por causa da razão suficiente com que foi criado, podia presumir que era uma consequência incômoda, que seria melhor evitar, a partir da experiência de seu contrário, a vida paradisíaca em que repousava feliz. Portanto, se era capaz de receber e compreender um preceito, tendo sido dotado de razão bastante para tanto, podia lhe ser justamente demandada doravante sua observância.

**244.** A – [...] já não é admirável que pôde ser seduzido, nem injusto que, não obedecendo ao preceito, solveu a pena[861], e nem o Criador dele é o autor de seus vícios...

Por outro lado, se foi criado com razão suficiente para receber um preceito, compreendendo-o, depreende-se que essa sua suficiência racional lhe bastasse para elaborar um juízo comparativo, a ver se as contrapropostas da serpente implicavam a observância ou a transgressão do comando divino. Porque, se era capaz de ajuizar do que lhe era permitido fazer e do que não era,

---

859 Traduz o latim *accipio*, que significa, neste contexto, não apenas o ato de receber um comando, mas também de ser capaz de interpretá-lo.

860 Cf. Gn 2,17; 3,1-5; 22-23.

861 Liter.: "solveu as penas" (*poenas luit*). Aquele que sofre a expiação por seu crime, salda sua dívida com a justiça, de onde dizer-se que a "solveu".

era também capaz de ajuizar das propostas sedutoras, quais eram lícitas, quais ilícitas, segundo o metro do preceito. E que é o preceito, senão a própria Lei, instituída pelo Criador? E, como bem observou Paulo[862], com a lei nasce o pecado, que não é senão a transgressão (παράβασις), o "ir além" dos limites impostos pela lei. Logo, se não se houvesse colocado preceito algum, nenhum pecado teria sido cometido, pois não se podem ultrapassar limites inexistentes. Neste sentido, sem dúvida, deve-se dizer que Deus inventou o pecado, ao instaurar a Lei, pois, se não houvesse nenhuma prescrição legal, nada haveria para transgredir. Por outro lado, se é certo que nenhum pecado poderia ser cometido, se nenhuma lei houvesse sido instituída, não menos certo que nenhum bem seria conhecido, pois onde tudo é verdade, verdade nenhuma se pode conceber, e onde tudo está certo, nada pode estar certo. Assim sendo, a Lei não instituiu o pecado, mas o preceito, o qual, por sua vez, não foi instituído pelo pecado, mas pelo dom, ou seja, pela razão que se dispensou a algumas criaturas, porque, não fosse racional a natureza humana, nenhum preceito se lhe imporia justamente, não podendo ela pecar, muito menos ser punida. Logo teria sido melhor se pudesse ser feliz não sendo racional. Porém não pode. Então não teria sido melhor, pois quem não pode pecar tampouco pode a felicidade. Portanto, se pôde ser seduzido, pois possuía razão bastante para ponderar o conteúdo da sedução, com suas vantagens e desvantagens, podia igual e justamente ser punido, se após a ponderação optasse pela transgressão, ciente de suas consequências. Diante do que não se deve nem aventar a hipótese de que o Criador seja responsável, pois não lhe determinou que transgredisse o preceito que ditou, e sim que o observasse, para o que o havia munido com capacidade bastante. Logo, não sendo culpável o Criador, resta que a alma solva suas penas, padecendo o castigo justo e reparador.

**244.** A – [...] porque não possuir a sabedoria ainda não era um vício do homem, se ele ainda não havia recebido que pudesse possuí-la.

E se o sábio é aquele cujas inclinações sensuais estão totalmente sob o domínio de sua razão, não há dúvida de que o primeiro homem não era sábio, do contrário não teria pecado, salvo se quisesse espontaneamente (*sponte sua*) deixar a cidadela da sabedoria e mergulhar no fosso da estultícia. Porém, mesmo sem a sabedoria,

---

[862] Cf. Rm 4,15 "E onde não existe lei, tampouco [existe] transgressão [da lei]." (οὗ δὲ οὐκ ἔστιν νόμος οὐδὲ παράβασις).

como dito, suficiente razão lhe havia sido concedida, a fim de que fosse capaz de observar o preceito e evitar o que pudesse afrontá-lo. Logo não descumpriu o preceito por não ter sido criado sábio, o que não era requisito para sua observância, muito menos um vício, de onde não se inculpa o Criador, nem mesmo a criatura.

## 3,24,72,245. Sabedoria e razão

> **245.** A – Contudo ainda possuía algo, de que, se quisesse usar bem, ascenderia em direção àquilo que não possuía.

Portanto o primeiro homem estava apto a cumprir o preceito, porque lhe havia sido dispensado o instrumento bastante para tal observância, a razão, que lhe permitiria, se quisesse dela fazer bom uso – sua dívida com aquele de quem a recebeu[863] –, ascender àquilo que ainda não possuía, a sabedoria. Logo era necessário, para que fosse sábio, ou seja, para possuir aquilo que não lhe havia sido dado por natureza, fazer bom uso da razão, o que lhe foi dado por natureza, aplicando-a na observância do preceito. Assim sendo, pode depreender-se que, se a razão é um atributo natural e gratuito das almas humanas, a sabedoria não o é, sendo, antes, o salário merecido pelo bom uso do dom recebido, ainda que, em última instância, e não sem paradoxo, tanto o gratuito, como o merecido, ambos são dons divinos.

> **245.** A – [...] Pois uma coisa é ser racional, outra, ser sábio. Por meio da razão alguém se faz capaz de [receber][864] um preceito, no qual deve ter fé[865], para que faça o que é preceituado[866].

E sendo necessária a razão para alcançar a sabedoria, lógico concluir que sejam coisas completamente distintas. Com efeito, se toda alma humana foi dotada de razão, nem toda mereceu a sabedoria. Porém, se a razão instituiu o preceito, por assim dizer, sendo o homem capaz dele apenas por causa dela,

---

[863] Cf. 3,15,44,151; 18,52,178; 22,65,222.

[864] Traduz o latim *capax*, que se refere liter. ao que pode "conter" [*capio*] algo, de onde a ideia de capacidade, aptidão etc. Dizer que o primeiro homem era "capaz" do preceito significa dizer que foi criado numa condição tal que estava suficientemente "capacitado" para compreendê-lo e observá-lo.

[865] Liter.: "ao qual deve fé", ou seja, deve-se depositar confiança no preceito, a fim de que se disponha a cumpri-lo; ou ainda, deve-se confiar que seja um preceito digno de ser obedecido. A palavra *fides* não possuía na origem conotação exclusivamente religiosa, sendo antes a confiança ou fidelidade à palavra dada, fosse a um cidadão qualquer, fosse a uma divindade.

[866] Quer dizer, que cumpra o que lhe foi prescrito.

a sabedoria parece "instaurar" não apenas a fé no preceito, mas também o ato retamente praticado, requisito dela. De fato, assim como nenhum irracional recebe um preceito, sendo incapaz de cumpri-lo, assim também nenhum inobservante do preceito recebe o salário da sabedoria, porque nele não depositou a confiança necessária a que se decidisse observá-lo.

## Equação da sabedoria: razão e vontade

> **245.** A – [...] assim como a natureza da razão capta o preceito, assim também a observância do preceito, a sabedoria.

É próprio da natureza da razão apreender para a alma a inteligência do preceito, sendo para tanto necessária uma operação lógica, cuja complexidade está à altura do instrumento natural concedido pelo Criador. Portanto não se capta o preceito senão pela razão, ação interditada às naturezas irracionais. Por outro lado a alma só alcançará a sabedoria se observá-lo, tarefa que só a razão não satisfaz. Logo, se a razão é o instrumento por excelência da captação do preceito, não o é de sua observância, ou seja, se exclusivamente racional é a tarefa de compreender os ditames da Lei, não o é seu cumprimento. E sendo assim, depreende-se que a obtenção da sabedoria deriva não de uma, mas de duas faculdades anímicas interdependentes, responsáveis por duas ações que lhes correspondem. A primeira é a compreensão do preceito, tarefa exclusiva da razão, sem a qual, contudo, não se põe em prática a segunda, a observância do preceito, para o que a razão é insuficiente. Portanto inteligência e prática, compreensão racional do preceito e observância; e se a razão é necessária para a compreensão do preceito, não basta para sua observância, que, por sua vez, é necessária para a sabedoria, o prêmio a ser alcançado.

> **245.** A – [...] aquilo que é a natureza [da *razão*] para captar o preceito, isto é a *vontade* para observá-lo.

E se a razão é o instrumento para a captação do preceito, sua observância não se dá sem a vontade. Portanto duas faculdades anímicas, razão e vontade, ambas dadas pelo Criador gratuitamente, a fim de que as almas se fizessem capazes não apenas de captar o preceito, mas de cumpri-lo, não contentando-se com apenas ser, viver e inteligir, o que, contudo, as situa no topo da escada ontológica, mas ainda desejando ser sábia, *condicio sine qua non* da felicidade. Logo

o primeiro ser humano foi criado não apenas com condições suficientes para compreender o preceito, mas também para cumpri-lo, o que lhe conquistaria a sabedoria e a suprema felicidade.

E as duas faculdades da alma, razão e vontade, sendo necessárias tanto para a compreensão do preceito, como para seu cumprimento, não por acaso indicam as duas penalidades decorrentes do pecado do primeiro homem, ignorância e dificuldade. De fato, a ignorância é uma deficiência da natureza racional, que se tornou ineficaz para captar o preceito, assim como a dificuldade é uma deficiência da vontade, que se também se tornou ineficaz para observar o preceito. Portanto as capacidades presentes no primeiro homem, de inteligência do preceito e de vontade eficaz para observá-lo, se tornam quase que interditas à descendência de Adão, que não consegue mais nem captar o preceito convenientemente, sendo frequentemente desviada pelo erro, assim como se vê cada vez mais distante da sabedoria, por causa de sua vontade deficiente, ineficaz para cumprir o preceito. Ignorante do bem, portanto, além de cheio de dificuldades para pô-lo em prática.

Interessa notar ainda que, enquanto a razão é o requisito para a ciência das coisas, a sabedoria não prescinde de ambas as faculdades, razão e vontade. Logo não basta ter ciência do bem e do mal para ser sábio, se não se quiser com boa vontade praticar o bem e evitar o mal. Porém, além da razão e da vontade, parece haver um outro requisito para a sabedoria, a fé. De fato, sem ter fé no preceito, que muita vez não se compreende em toda sua profundidade, com todas as suas implicações, não se logrará a força de vontade necessária para cumpri-lo, mantendo-se distante da sabedoria. Portanto depositar confiança no preceito, de par com o esforço racional de compreendê-lo e a vontade de observá-lo, constituem-se os requisitos para a sabedoria.

## 3,24,72,246. Os altos preços do preceito e da sabedoria

**246.** A – E assim como a natureza racional é como se fosse o "mérito" de receber o preceito, assim também a observância do preceito é o "mérito" de receber a sabedoria[867].

[867] Quer dizer, a natureza racional é o *preço* de receber o preceito, assim como a observância do preceito é o *preço* que deve ser pago para receber a sabedoria. Portanto ninguém recebe o preceito se não possuir uma natureza racional, assim como ninguém recebe a sabedoria, se não observar o preceito. Note-se, contudo, que o primeiro preço, o da natureza racional, foi, paradoxalmente, dado gratuitamente por Deus à alma recém-criada, não sendo de modo nenhum fruto de alguma ação meritória.

Para compreender essa passagem ajuda muito ter em mente o étimo do termo (de uso predominantemente jurídico) *meritum*, de que se originou o vernáculo "mérito"[868]. O substantivo *meritum*, do verbo *mereor*, refere-se ao "salário" ou "preço" a que se fez jus por algo, seja uma atividade qualquer cuja remuneração foi acordada por antecipação, a qual, depois de cumprida, torna-se uma dívida que deve ser solvida, seja um comportamento digno de retribuição, boa ou má. Seja o que for a que se fez jus, importa apenas reconhecer que o mérito estabelece uma espécie de dívida, de que aquele que se faz merecedor se constitui credor diante de alguém, que agora se torna devedor[869] dele, por algo que, com toda justiça, o pôs nessa situação. Logo o mérito não tem que ver com Graça, não sendo seu salário fruto de piedade, dó ou bondade desinteressada, mas antes de restituição devida[870]. Pois bem, Agostinho elabora duas comparações sutis, que situam o discurso numa dimensão paralela, em que as palavras são compreendidas numa espécie de segundo nível semântico, afastado do grau zero, isto é, afastado de seu sentido dito próprio. Em ambas se utiliza do termo "mérito". Na primeira diz que a natureza racional é como se fosse o mérito de receber o preceito[871], o que equivale a dizer que, ao receber de Deus, de modo

---

868 Cf. **2**,16,43,170; **3**,15,42,145; 43,149-150; 16,45,154-155.

869 Cf. 3,16,45,154.

870 O que deve ser aplicado com algumas graves ressalvas, no caso divino, que restitui sem nada dever, que devolve o que não emprestou, que paga a dívida que não contraiu etc. Cf. *Conf.* 1,4,4: "Restituis as dívidas, tu, que a ninguém deves" (*reddis debita nulli debens*), "Perdoas as dívidas, tu, que com isso nada perdes" (*donas debita nihil perdens*).

871 Na verdade, se considerada sob a perspectiva da alma, a razão não é meritória, em sentido vulgar, não apenas porque todo dom é por definição absolutamente gratuito, do contrário não seria dom, mas principalmente porque a alma inexistia para que pudesse merecer qualquer coisa. Todavia, sob a perspectiva divina, se se permite dizê-lo, é, sim, meritória a razão, se se considerá-la o preço que a alma recém-criada teve de "pagar" para ser capaz do preceito. E de fato, se não possuísse razão, não poderia receber o preceito. Logo a razão é o preço do preceito, ou seja, o mérito para ser capaz dele. É como se Deus dissesse: "Vou criar uma natureza que será melhor do que as que apenas são, ou que apenas são e vivem, sendo ela capaz também de inteligir. Porém sua intelecção terá consequências, pois com ela a alma se fará capaz de receber meus preceitos, o que as almas irracionais não podem fazer.". Logo o preço a ser pago pela razão recebida é a aceitação do preceito, assim como a aceitação do preceito foi o mérito da razão recebida. Numa palavra, a razão mereceu o preceito, assim como o preceito mereceu a razão, pois ela não foi dada senão em virtude dele, assim como ele, por causa dela. A pergunta que cabe, cuja resposta parece óbvia, é se Deus instituiu o preceito para ordenar as almas racionais potencialmente desordenadas, ou se as criou racionais porque queria que alguém fosse capaz de observar seus preceitos. Mas ainda é possível indagar da utilidade do preceito, se seria necessário, e com ele a própria razão. De fato, se não fosse racional, não seria capaz do preceito, tampouco seria obrigada a observá-lo. E não

gratuito, a dádiva da razão, sem que nada tivesse feito por merecê-la[872], visto que outras naturezas não a receberam, contrai naturalmente a alma humana uma dívida com o Criador, que estipula o dever de restituir o bom uso da faculdade recebida. Recebeu a razão, portanto, assim como a vontade. Logo, se deve o bom uso da vontade, por que não deveria o bom uso da razão? Deve-o, sem dúvida. E que é esse bom uso, senão captar o preceito? Logo o preço da dívida contraída, ou seja, o preço por ter recebido a razão, não é outro senão acolher o preceito. Portanto o preço cobrado por Deus pela natureza racional que deu gratuitamente ao homem é seu bom uso no acolhimento do preceito. Logo a natureza racional pode igualmente ser considerada o mérito de receber o preceito, pois para receber o preceito faz-se necessária uma natureza racional. Ou seja, a alma humana "mereceu" a natureza racional de modo que pudesse receber o preceito, como se ela fosse o preço a pagar para ser apta para o preceito, do contrário não poderia receber o preceito, porque seria irracional[873]. Logo, se ser racional é um dom louvável, receber o preceito, cujo preço é a razão, não pode jamais ser algo ruim. E com efeito, sem o preceito não chega o homem à sabedoria, para a qual faz-se necessário não apenas recebê-lo, mas cumpri-lo.

Por outro lado, invertendo não apenas o espírito, mas também a letra, se se aventasse o exato oposto, supondo que a natureza racional é que fosse o salário merecido, ou preço devido, para receber o preceito, como se se tratasse de restituição por aceitar o preceito, isso seria uma flagrante contradição. Pois nenhum sentido há em imaginar que Deus houvesse antes estabelecido o preceito, para

---

seria isso melhor? Provavelmente não, porque, se não possuísse a razão, é verdade que a alma não pecaria nem seria punida; contudo, sem a razão tampouco faria o bem, nem seria premiada; demais, sem a razão, incapaz de discernir o bem do mal, seria igualmente incapaz de Deus, e com ele de sua Paz beatífica. Logo a razão é um dom, ainda que seja também o preço pago pelo preceito, que igualmente é um dom, visto que se constitui o caminho para a Felicidade em Deus. Do contrário a alma seria apenas um princípio de movimento, neutro, como nas reses.

872 O que é evidente, pois se a natureza recebe a razão ao ser criada, como poderia tê-la recebido por mérito, se nem existia para que pudesse ter merecido ser criada e dotada de razão? De onde, pois, o seu mérito?

873 Vê-se que a natureza humana recebe o ser, a vida e a inteligência, cujo instrumento é a razão, como dons gratuitos de Deus, pois ela não poderia ter feito nada para merecê-los, visto que inexistia. Todavia, para que pudesse estar apta a receber o preceito, precisava de algo, a razão. Recebeu a razão, do que contrai uma dívida com o Criador: o bom uso do dom recebido, que consistia na aceitação do preceito. Logo o primeiro preço, por assim dizê-lo, foi dado por Deus, para que pudesse merecer o preceito. Contudo para que merecesse a sabedoria precisava pagar o preço da observância do preceito, fazendo bom uso dos dois dons recebidos, a razão e a vontade.

que então ele fosse cumprido por uma natureza irracional, que, apenas depois de cumprido, não se sabe como, sem mérito algum, lhe fosse comunicado o salário da racionalidade. Ao contrário, a natureza racional, sendo condição necessária para o recebimento do preceito, ela é que é o "preço" a ser pago para poder receber o preceito, o "mérito" de receber o preceito; o que, se cumprido, garante à alma a Felicidade suprema e eterna.

Na segunda parte da comparação, por sua vez, diz Agostinho que a observação do preceito é o "mérito" de receber a sabedoria, o que claramente significa dizer que o a observância do preceito é o "preço" a ser pago pela alma racional para chegar à sabedoria, pois, como dito antes, "a observância do preceito capta a sabedoria"[874].

Portanto dois são os méritos ou preços a ser pagos pela alma humana, seja para receber o preceito, seja para receber a sabedoria, respectivamente a natureza racional e a observância. A primeira refere-se à razão; a segunda, à vontade. Ambas, pois, "merecem" a devida restituição, seja o preceito, seja a sabedoria. E se ambos são bons – porque são prêmios, sendo o preceito tão fiador da Felicidade quanto a Sabedoria –, o mérito ou preço a ser cobrado por cada um deles será tão mais elevado, quanto mais valiosa a recompensa. E com todo o efeito, a natureza racional é um preço altíssimo pagar, pois foi exatamente por ela que o homem se fez capaz do pecado, afastando-se de Deus e mergulhando na ignorância do bem, ainda que sem ela não poderá recuperar seu primitivo *status quo*. Por outro lado a observância do preceito não constitui preço menos elevado, especialmente depois da queda, quando a vontade, faculdade que lhe é imprescindível, se fez ineficaz e prisioneira da dificuldade.

## A lei, a inteligência e a origem do mal

> **246.** A – [...] a partir do [instante em] que o homem começa a ser capaz do preceito, a partir daí começa a poder pecar.

O preceito inaugura o pecado, diz Agostinho, transparecendo suas leituras paulinas, especialmente a *Carta aos romanos*[875], em que se diz que "onde não há lei, nem transgressão". No entanto a mente especulativa de Agostinho ultrapassa o pensamento epistolar e deveras conciso do apóstolo, que não era um filósofo.

---

[874] Cf. 3,24,72,245: *"praecepti obseruatio sapientiam... capit"*.

[875] Cf. Rm 4,15.

Assim, onde diz o apóstolo "lei", Agostinho compreende a "capacidade do preceito", pois, como explicado acima, nenhuma lei poderia ser instituída com justiça para quem não fosse capaz de compreendê-la; indo além, nenhuma alma seria capaz do preceito, se não tivesse para tanto sido antes dotada de razão. Logo nenhuma "lei", no dizer paulino, implica nenhuma "razão", na especulação agostiniana, e consequentemente nenhuma "capacidade" de preceito. E se assim é, ao dizer Paulo que a lei inaugura a transgressão, equivale a dizer que, ao ser capaz do preceito, o que pressupõe uma natureza racional, a alma se faz capaz igualmente de transgredir o preceito, ou seja, de pecar. Há, por conseguinte, uma relação íntima entre a instituição da Lei ou do preceito, a natureza racional capaz do preceito, e o mal ou pecado, que é a transgressão do preceito. Pois sem Lei não haveria pecado; porém sem razão não haveria Lei, nem transgressão. Do que se poderia levantar a questão, se teria Deus primeiro criado a Lei, para então, vendo que não havia ninguém para cumpri-la, criar seres capacitados a acolhê-la e observá-la, mas que podiam também transgredi-la, ou se teria sido o contrário, depois da criação da alma racional, cuja transgressão previra, ter-lhe-ia instituído sua Lei, a fim de que se mantivesse reta e próxima a ele. Na verdade nenhum dos dois, pois, como visto, em Deus nenhum "antes" há, nenhum "depois", tendo tudo sido criado ao mesmo tempo, sendo ele também a própria Lei que instituiu, assim como sua Eternidade, Bondade, Glória, Sabedoria, Ordem etc. A Lei é eterna, portanto. Porém não o é a alma, que foi criada e dotada de razão; e razão suficiente para cumprir a Lei, de que o preceito é uma expressão circunstancial. E a Lei prescreve o amor do Criador sobre todas as coisas[876], o que interdita a desobediência, que é desamor; e quem desama se afasta do objeto de seu desamor.

## Dois pecados, duas penas

**246.** A – [...] ele peca de dois modos, antes que se faça sábio: se não se acomode[877] para receber o preceito, ou então, uma vez que o recebeu, se não o observe.

Quem não se aparelha para acolher o preceito, por um lado, dá provas de desamor, ou seja, evidencia que ama mais a si mesmo do que o Criador, que

---

876 Cf. Dt 6,5; Mt 22,37: "Amarás o Senhor teu Deus em todo o teu coração e em toda a tua alma e em toda a tua compreensão" (ἀγαπήσεις κύριον τὸν θεόν σου ἐν ὅλῃ τῇ καρδίᾳ σου καὶ ἐν ὅλῃ τῇ ψυχῇ σου καὶ ἐν ὅλῃ τῇ διανοίᾳ σου).

877 No sentido de adaptar-se ou adequar-se para receber o preceito, provavelmente pelo esforço diligente (*studium*) e pela piedade humilde, que o leva a prestar atenção e solicitar ajuda.

deveria amar sobre todas as coisas. Logo, se se ama acima do Criador, não apenas rompe o preceito, mas viola a própria Lei, transgressão que é o próprio pecado, ou mal. Quem, por outro, depois de recebido o preceito, decide não cumpri-lo, dá mostras igualmente de desamor, pecando, ao violar a Lei. Portanto dois são os pecados, correspondentes às duas faculdades atribuídas gratuitamente por Deus para que a alma não pecasse, a inteligência, por que a alma foi feita capaz do preceito, e a vontade, por que se fez capaz de observá-lo e ser sábia. Logo as duas transgressões, conquanto sejam, em última instância, pecados contra a Lei do amor soberano que se deve ao Criador, são também dívidas não pagas, que devem ser restituídas, solvendo as penas devidas. No primeiro pecado a alma devia o bom uso da razão, recebida de modo gratuito no momento de sua criação, bom uso que se devia realizar no esforço racional de receber o preceito. No segundo devia o bom uso da vontade, recebida também gratuitamente, que devia usar bem observando o preceito recebido. Porém, como não se utilizou bem de nenhuma das duas, nem da razão, nem da vontade, contraiu uma dívida com o Credor divino, que deverá agora "solver" por meio das penas merecidas, as quais são a ignorância, ou seja, a incapacidade de compreender plenamente o bem do preceito, permanecendo à mercê do erro; e a dificuldade, que não é senão a ineficácia da vontade para observar o pouco de bem que se faça apta a compreender, permanecendo à mercê das inclinações sensuais.

## 3,24,72,247. O sábio pecador

**247.** A – Porém o sábio peca, se se houver avertido da Sabedoria.

Como pode pecar o sábio, sendo aquele cuja razão exerce o domínio absoluto sobre suas inclinações sensuais, do que decorre sua vontade estar convertida para o Bem comum e imutável e avertida dos bens próprios e mutáveis? Agostinho diz que pecará, se se averter da Sabedoria. E se "aversão", assim como a "conversão", são movimentos da vontade, pecará o sábio, se quiser, ou seja, se averter sua vontade de Deus e convertê-la para si, infringindo a Lei eterna do amor soberano ao Criador. E como ninguém "quer" coisa alguma senão por meio da própria vontade, o pecado do sábio é voluntário, como todo pecado. Do que se conclui que todos os seres dotados de razão estão sujeitos ao pecado, se não voltarem definitiva e indefectivelmente sua vontade para Deus, e ali a mantiverem eternamente, o que não se pode fazer jamais senão através da

vontade. E se a vontade de Deus não é senão o amor de Deus, resta que só não pecará quem amar a Deus eternamente. De onde ter concluído o autor, no final de *Cidade de Deus*[878], como será o glorioso e eterno Sábado da alma, diante de Deus, naquele "fim sem fim", onde, além de descansar, contemplar e louvar, haverá de amar eternamente, sob pena de averter-se de seu Bem.

## A sabedoria e o pecado

> **247.** A – [...] Pois assim como o preceito não existe a partir daquele para o qual é preceituado[879], mas a partir daquele que o preceitua, assim também a Sabedoria não existe a partir daquele que é iluminado [*por ela*], mas a partir daquele que ilumina [*através dela*].

O que se disse acima não sugere nenhuma deficiência da Sabedoria, previne logo Agostinho, evitando deixar brechas aos detratores, porque o sábio não é a sabedoria que possui, nem mesmo lhe dá origem, assim como o juiz não é a lei que impõe, nem a fonte da Justiça ou da Ordem. Ao contrário, assim como o juiz é guiado pela Lei que aplica, ao julgar, assim também o sábio é iluminado pela Sabedoria que demonstra, ao falar e agir. Portanto, ao dizer que o sábio também pode pecar, quando averte sua vontade do Bem supremo, não põe em risco a própria Sabedoria, que não existe a partir do sábio, mas, ao contrário, permite que se tornem sábios os que por ela se fizerem iluminar.

Por trás dessa simples constatação reside uma importante questão que irá fomentar debates tão mais acalorados quanto infatigáveis Medievo adentro. Trata-se da polêmica dos universais, *avant la lettre*, obviamente. Seria a Sabedoria, assim como a Justiça e demais noções, apenas um nome, ou seja, um substantivo abstrato, ou, como queria Platão, para muito além do nome, a própria realidade por detrás das aparências do mundo sensível e transitório? Numa palavra, seria a Sabedoria a iluminar o homem, que por esse contato se faria sábio, sendo ela não apenas independente dele, mas também anterior e a ele sobrevivente? Ou seria essa tão propalada "sabedoria" apenas um conceito abstrato, como outros tantos, nascido da caracterização mais ou menos sistemática das qualidades dos seres considerados "sábios", sem os quais de nenhuma sabedoria se poderia jamais falar? Para Agostinho, herdeiro do platonismo, sem dúvida a primeira alternativa era a preferida, substrato de todas as suas concepções, seja acerca

---

[878] Cf. *Ciu. dei* 22,30.

[879] Isto é, o preceito não deve sua existência àquele que o recebe, mas ao que o dita.

da alma, seja acerca de seu Criador[880]. Portanto, se a Sabedoria, compreendida como a própria Sabedoria incriada de Deus, presidente à criação do mundo, Cristo, é eterna e impecável, muito acima de quaisquer sábios, por que não tecer os mais retumbantes louvores àquele de que ela foi gerada e em cuja Unidade se confunde? Ademais, se Deus é a própria Sabedoria, ele procede de si mesmo, por assim dizer, quando a criatura por ele é iluminada, o que demonstra que jamais poderia estar no sábio, ou dele proceder, mesmo porque, como havia estipulado antes o filósofo, ninguém pode dar o que não possui[881].

## 3,24,72,248. Feliz na Luz eterna da Sabedoria

> **248.** A – Pois o homem é algo bom; e algo melhor do que a rês por isso, porque é capaz do preceito; e algo melhor do que isto, quando já captou o preceito; e algo ainda melhor do que isto, quando atendeu ao preceito; e melhor do que estas coisas todas, quando é feliz na Luz eterna da Sabedoria.

Tudo o que sai das mãos de Deus é bom, como se comprovou ao longo do livro segundo[882], [i] seja um seixo, que apenas existe (*esse*), [ii] seja uma rês, que além de existir também vive (*uiuere*), o que equivale a dizer que uma *anima* sopra vida em seu corpo, [iii] seja o homem, que além de existir e viver também intelige (*intellegere*), isto é, além de possuir um corpo animado por um sopro vital, tem também essa sua *anima* inflamada pelo sopro faiscante da inteligência (*spiritus*). Logo o homem não apenas é bom, mas melhor do que o seixo e a rês, pois possui aquilo que lhe permite captar o preceito, a inteligência. Porém muitos há que não fazem bom uso dela, embora tenham-na recebido intacta e eficaz. Logo o homem que faz bom uso da sua inteligência[883], aceitando o preceito, este é melhor do que o homem que é apenas inteligente, porém recusa o preceito. E ainda melhor será o homem que além de ser capaz e de fato receber o preceito, esforça-se também por observá-lo; observação do preceito cuja prática constante é o passaporte para a Sabedoria, em cuja eterna Luz se fará então um homem feliz, melhor do que todos os outros.

---

880 Na verdade, muito além do platonismo, pelo fato de ter sido associada a Cristo, a Sabedoria adquire estatuto mais divino e menos abstrato do que a ideia platônica; suficientemente distinto, portanto.

881 Cf. 2,17,46,175-177, esp. §176.

882 Cf. 2,16,41,161-17,46,177.

883 Pode-se compreender a razão como sinônimo de inteligência, ou então, como seu instrumento.

**248.** A – [...] Porém o pecado é mau na negligência, seja para receber o preceito, seja para observá-lo, seja para guardar a contemplação da Sabedoria.

Todavia, quando o homem negligencia tudo isso, seja o acolhimento do preceito, seja sua observância, necessários para alcançar a Sabedoria que o fará feliz, negligência que não é senão a negação do acolhimento e da observância, então se dirá que o homem peca, porque se averte da Sabedoria, que é verdadeiramente, convertendo-se para o nada, que não é.

## 3,24,72,249. Sedução consentida

**249.** A – [...] se o primeiro homem foi feito sábio, contudo pôde ser seduzido, porque ao pecado, visto que estava no seu arbítrio livre, seguiu-se uma pena justa, segundo a Lei divina.

Portanto, ainda que tivesse sido criado sábio, o primeiro homem pôde pecar, porque, como se viu, lhe haviam sido dadas a razão e a vontade, faculdades pelas quais se fazia capaz não apenas de receber e observar o preceito, mas também de transgredi-lo. Porém a ideia de pecar não lhe veio do íntimo, mas da sedução alheia, que poderia ter recusado, não por causa da eventualidade de ter sido sábio, mas porque ninguém pode levar outro a pecar sem seu consentimento, que deve ser sempre voluntário, do contrário não haveria pecado, apenas violência. Logo, se houve pecado, houve antes ação voluntária, posto que de autoria ádvena, segundo o mecanismo sedução-consentimento. Do que seguiu-se a justa condenação à mortalidade da carne, a ser solvida em pena dupla: pela ignorância, por causa do mau uso da razão, negligente do preceito; pela dificuldade, por causa do mau uso da vontade, negligente da observância do preceito.

## Sábios presumidos, estultos reconhecidos

**249.** A – [...] Assim diz também o apóstolo Paulo: "Dizendo-se sábios, se fizeram estultos"[884]. Pois a soberba averte da sabedoria; e depois, à aversão segue-se a estultícia.

Que outro nome se poderia dar àquele movimento da vontade, que faz com que a alma se averta da Luz eterna da Sabedoria, aquele Bem comum em que era supremamente feliz, e se converta para as trevas da estultícia, os bens próprios e mutáveis, que, embora sejam bens, contudo ínfimos, conduzem à miserabilidade

---

[884] Cf. Rm 1,22: "φάσκοντες εἶναι σοφοὶ ἐμωράνθησαν".

do nada? Ora, ninguém prefere algo que julga ser pior. Logo, se se averte do comum e se converte ao próprio, isso se dá porque prefere o próprio ao comum, julgando que este seja inferior àquele. E quem prefere o próprio ao comum, considerando a si próprio mais e melhor, não o faz senão por meio de um sentimento egoísta de autoadmiração, cujo nome, desde sempre, é "soberba". E de fato, o soberbo (*superbus*) crê-se melhor que os demais, cuja presumida superioridade se revela claramente pelo prefixo *super-*[885]. Porém o soberbo não se averte da Sabedoria porque desame ser sábio, e sim porque prefere a si mesmo à própria Sabedoria. Na verdade ele quer ser sábio, contudo não através da eterna Sabedoria, que lhe não pode pertencer, mas através de si mesmo, à despeito da própria Sabedoria. Numa palavra, o soberbo quer bastar-se a si mesmo, sendo a sua própria sabedoria, para não ter que humildemente recorrer à nenhuma outra. Logo averte da sabedoria a soberba porque julga que converter-se para si mesma é preferível à ser sábio a partir da Sabedoria eterna. A consequência dessa aversão é a estultícia, pois quem se averte do Bem comum e eterno e se converte para os bens próprios e mutáveis, desordenando-se e fazendo-se súdito voluntário das inclinações sensuais, merece a alcunha de "estulto"[886].

## 3,24,72,249-250. Nas trevas da soberba

> **249.** A – [...] a estultícia é uma certa cegueira, conforme diz o mesmo [apóstolo]: "E obscureceu--se o coração insipiente deles"[887]. **250.** Porém de onde [se origina] este obscurecimento, a não ser da aversão da Luz da Sabedoria?

E se se diz "sábio" quem é iluminado pela Luz eterna da Sabedoria, quem se averte dela, além de precipitar-se na estultícia, a servidão voluntária da mente às inclinações de ordem sensual, adentra a treva espessa da ignorância. E mais, se o sábio é capaz de contemplar a Sabedoria, o estulto mergulha a "visão" intelectual na cegueira da ignorância, que se inicia a partir do momento em que presume ser o que não era, por orgulho. E esse é o primeiro "erro" do antigo sábio, agora estulto: pensar ser algo preferível ao Bem supremo. Do que ter dito o apóstolo Paulo que os soberbos, porque se presumiram sábios, se fizeram estultos. Ora, ninguém que se imagine erradamente melhor do que Deus pode seguir na posse da Sabedoria, em que não há erro algum.

---

885 Cf. gr. ὑπέρ- [cf. ὑπερηφανία].

886 Cf. 1,9,19,66-67.

887 Cf. Rm 1,21: "καὶ ἐσκοτίσθη ἡ ἀσύνετος αὐτῶν καρδία".

## O pecado de Narciso
(O Narciso de Plotino, segundo P. Hadot)

### 3,24,72,250. O pecado de Narciso

**250.** A – [...] de onde esta aversão, a não ser quando aquele, para o qual o Bem é Deus, ele próprio, para si mesmo, quer ser o seu bem, assim como Deus o é para si?[888]

Assim como se deu com o jovem e belo Narciso[889], que, de acordo com o relato do poeta Ovídio, havia sido vaticinado pelo célebre adivinho Tirésias chegar ao avançado da idade – o que, para muitos dos antigos era sinônimo de perpétua felicidade –, desde que nunca se visse[890], isto é, desde que não procurasse conhecer a própria imagem, coisa que, para muitos, naqueles tempos, só se fazia quando em vez pelo reflexo turvo das águas de uma poça ou de um lago, sendo raros os espelhos, ainda que de tosco bronze, assim também se deu com alma racional, prognosticada pela divina Providência que haveria de viver perpétua ventura, desde que não "se visse", isto é, desde que não convertesse seu amor contemplativo para si, avertendo-o de seu verdadeiro Bem, Deus. Porém em nenhum dos dois casos se cumpriu a previsão, por pura desobediência ao preceito. Narciso, depois de se enamorar da própria imagem numa fonte espelhada, em absurdo desprezo das tantas e belíssimas ninfas que dele se acercavam, encantadas com sua beleza, morre insensível aos apelos do amor, afogado em profundas e sombrias águas. A alma racional, por seu turno, negligenciado sua condição de criatura, encanta-se igualmente com sua própria beleza, que julga preferível à de seu verdadeiro Bem, a suprema Beleza, e precipita-se nas águas profundas e lodosas da carne mortal, insensível aos apelos do Amor e obscurecida pela ignorância e dificuldade decorrentes de sua espontânea rebeldia.

Embora seja apenas uma analogia, as semelhanças entre os dois relatos saltam de imediato aos olhos, permitindo imaginar que o amor próprio a muitos tenha seduzido. Narciso não quis o amor de um outro que não ele, preferindo amar-se exclusivamente a si mesmo, assim como a alma racional converteu seu

---

888 Embora Deus seja o seu Bem, ele mesmo quer ser o seu próprio bem.

889 Gr. Νάρκισσος.

890 P. Ovídio Naso (43-1 a.C.), *Metamorfoses* livro 3.°, vv. 346-348: "Tendo sido consultado a respeito disso, / se [ele, Narciso,] haveria de ver os longos tempos de sua madura senectude, / diz [-lhe] o fatídico vate: 'desde que não se conheça'." (*de quo consultus an esset / tempora maturae uisurus longa senectae, / fatidicus uates 'si se non nouerit' inquit.*). Cf. *Met.* 3, 339-510.

amor para si própria, em aversão do amor de seu verdadeiro Bem. Ambos, portanto, desprezaram o amor comum em favor do amor próprio, crendo-o mais proveitoso para si, por pura soberba, que é também egoísmo. Porém o único Bem da alma é Deus, nenhum outro, pois apenas ele é para sempre, a Fonte de todo Ser, de toda Vida, de toda Sabedoria. E assim como Narciso perdeu seu bem mais precioso, a própria vida, a não dizer do amor de uma linda ninfa, assim também a alma, que, ao preferir o mutável ao imutável, trocou o que é pelo que não é, o tudo pelo nada. Isso, porque nenhuma alma, por mais sábia, está imune às oscilações de sua vontade, que, se não se mantiver inconcussa na conversão para o Ser, sempre corre o risco de averter-se, ainda que existam aquelas previstas por Deus nunca pecar.

## Nascida da morte: *Narcissus poeticus*

Por mais feliz a coincidência entre os dois relatos, o bíblico e o poético, não causa espécie, visto o vate romano não ter sido o único a explorar o mito[891], que refere ainda uma vez no quinto livro de seu poema didático, *Os Fastos*, ao dizer da infelicidade de Narciso, porque não era um outro que pudesse ser amado[892]. O *Narcissus poeticus*, ensina Pierre Hadot[893], era uma

---

891 Cf. Pierre Hadot, *op. cit.*, pp. 225-266, "Le mythe de Narcisse et son interprétation chez Plotin".

892 Ovídio, *Fastos* 5, vv. 225-226: "Tu... Narciso... infeliz, porque um e outro não eras" (*Tu... Narcisse... / infelix, quod non alter et alter eras*). De acordo com Pierre Grimal, Narciso é filho do deus Cefiso e da ninfa Niríope. O adivinho Tirésias havia previsto que a criança chegaria à velhice, desde que não olhasse jamais para si mesma. Embora cobiçado ardentemente por inúmeras e belíssimas ninfas, como *Ēkhṓ* (Ἠχώ), ou Eco, cuja dor pelo amor incorrespondido causou que definhasse, restando-lhe apenas o murmúrio, ou "eco", de sua mesta lamentação, o jovem Narciso, impassível como Ártemis, a divindade que só amava caçar, de nenhuma delas se permitia enamorar. Como sói ocorrer – *man kennt das alte Lied* –, nenhum desprezo passa impune. Logo as ninfas ressentidas rogam aos deuses que lhes vingasse o desdém ultrajante, sendo prontamente ouvidas por Némesis (Νέμεσις), divindade responsável pelas terríveis e inevitáveis "retribuições". O resto da lenda é por demais conhecido. Num dia de intenso calor, após cansativa caçada, Narciso inclina-se para saciar sua sede nas águas plácidas de uma fonte, quando depara-se pela primeira vez com sua própria imagem, admiravelmente bela, espelhada na superfície das águas, pela qual cai súbito de amores, tornando-se insensível a tudo o mais à sua volta. Porém, intensamente frustrado pela impossibilidade de satisfazer sua sede amorosa, sendo obviamente inatingível a sua própria imagem, precipita-se, dementado, na obscuridade da plácida fonte, em cujas profundezas irremediavelmente se perde. Cf. Pierre Grimal, *Dicionário de Mitologia grega e romana.* Rio de Janeiro: Bertrand Brasil, 2000, pp. 322-324.

893 P. Hadot, *op. cit.*, pp. 226-227.

flor cuja frieza e umidade buscavam a sombra típica das fontes, evitando a canícula que lhe era fatal, traço esse que repercute alegoricamente no mito, de par com seu uso "fúnebre", decorrente do costume de se confeccionarem com ele as coroas com que se ornavam os mortos. Essa característica se justifica também pelo fato de ter sido associado às divindades ditas "ctônias" (χθόνιοι), quer dizer, que viviam sob a terra, daí também "infernais", como a euleusina Perséfone, que, segundo o erudito francês[894], será atraída ao Hades por causa da flor, tanto mais sedutora quanto mortal. Para Plutarco, diz ainda Hadot, o *Narcissus poeticus* tinha propriedades narcóticas[895], que provocavam um entorpecimento dos nervos, o que o historiador beócio justifica através da etimologia, ao associar a personagem mítica ao termo *nárkē* (νάρκη), "torpor", "dormência", de onde deriva também o adjetivo "narcótico" (ναρκωτικός). Daí sua relação, de par com outras tantas flores, com o tema da morte[896], muito comum na era alexandrina, em virtude sobremodo de sua relação com os mistérios de Elêusis[897]. Todavia o que mais se destaca no mito, segundo o erudito francês, é o tema recorrente da "visão proibida", da desobediência, da transgressão que ultrapassa os limites permitidos, como se vê nos mitos relacionados à descendência de Cadmo, mas também na própria lenda de Tirésias, que teria ficado cego em virtude de ter presenciado a deusa Palas Atena banhando-se. Essa relação, sugere Hadot[898],

---

894 *Id. ibid.*, pp. 228-233. Não foi apenas aos mistérios de Elêusis que se associou o mito de Narciso, pois parece que estava inserido também em todo um contexto dionisíaco, como se constata nas próprias *Metamorfoses* de Ovídio, diz o estudioso francês, onde o mito se enquadra no destino da descendência de Cadmo, o fundador de Tebas, cujo neto, Actéon, filho de Aristeu e da ninfa Cirene, é dilacerado pelos cães, por ter flagrado inadvertidamente a arisca deusa Ártemis banhar-se. A própria filha de Cadmo, Sêmele, é fulminada por Zeus, o que teria dado origem ao deus Dioniso. Outro neto de Cadmo, Penteu, foi pelas bacantes dilacerado, por ter visto os seus mistérios proibidos.

895 *Id. ibid.*, p. 228.

896 Segundo Hadot: *"des fleurs nées de la mort"*.

897 Note-se que os mistérios de Elêusis guardavam relação íntima com o tema da morte, de par com o da fertilidade da terra, estando relacionados também ao mito de Orfeu, que teria retornado do Hades, trazendo de lá os segredos do submundo; mas principalmente ao rapto da filha de Deméter, Perséfone, pelo deus infernal Hades, cuja vivência no submundo lhe conferira conhecimentos dos mistérios da vida além-túmulo, interditos aos mortais. O retorno anual de Perséfone das profundezas do Hades, fazendo a alegria de Deméter, deusa da agricultura e da fertilidade, permitia que a vida vegetal voltasse à sua normalidade, fazendo brotar do íntimo da terra, após os meses de inverno, a verdura dos campos, e com ela, a esperança das colheitas.

898 P. Hadot, *op. cit.*, p. 234.

entre o aspecto narcótico e úmido da flor e as divindades ctônias, é o elo misterioso entre o mito de Narciso e seu contexto dionisíaco. E de fato, Dioniso era o deus da loucura e da ilusão, que parece ter-se abatido sobre o jovem Narciso, fazendo com que insanamente se precipitasse nas águas obscuras e profundas. Mas parece haver também uma certa influência da castidade varonil da arredia Ártemis no desprezo que o jovem votava ao amor, o que teria provocado a ira vingativa das deidades femininas, *sine dubio* inspiradas pela excitação insaciável da hedônica Afrodite.

## O amor de Pigmalião

Pierre Hadot aponta ainda a curiosa coincidência entre o mito de Pigmalião, rei de Chipre, que se enamora de uma estátua[899], e o de Narciso, que se encanta pela própria imagem[900]. Porém, ao contrário de Pigmalião, que se apaixona perdidamente pelo marfim que ele mesmo esculpira na forma de uma belíssima mulher, Narciso, como se disse, enamora-se de sua própria imagem espelhada na superfície das águas. Interessa notar, contudo, que tanto a estátua, obra do engenho de Pigmalião, quanto o autorreflexo de Narciso, ambos constituem meras imagens, apenas sombras da realidade, pelas quais os dois se deixam inadvertidamente seduzir. Para o pensador francês, Pigmalião ama o fruto de sua imaginação, Narciso, o da natureza, ou seja, a obra de Deus. Logo um e outro causam detrimento a si mesmos, ao preterir o verdadeiro criador em lugar de sua obra; porque, ao invés de amar-se, ele que é o criador da estátua, Pigmalião prefere amar sua obra; ao passo que Narciso, ao invés de amar o Criador das naturezas todas, das quais ele é apenas uma pequenina obra, prefere amar apenas a partícula em que se constitui.

## A pseudoliberdade do amor de si

De acordo com a versão de Ovídio, Narciso prefere morrer a ser escravo do amor, tornando-se "posse" da ninfa Eco: "Que antes eu morra, do que tu

899 Numa das versões da lenda, narra Grimal, Pigmalião implora a Afrodite uma mulher igual à estátua de marfim por ele esculpida, no que será atendido, unindo-se depois com a bela mulher (a qual se presume ter sido a sua própria estátua milagrosamente animada pela deusa). Cf. P. Grimal, *op. cit.*, p. 373.

900 P. Hadot, *op. cit.*, p. 235.

possuíres minhas forças"[901]. Numa palavra, ao invés de sentir-se possuído pelo amor da ninfa Eco por ele, ou antes, pelo amor que ele mesmo receia sentir por ela, o que implicaria ser arrebatado pela força incontrolável da paixão, a que não quer de modo nenhum submeter-se[902], prefere o jovem a própria morte, o que lhe permitiria presumível autocontrole, posto que egoísta, de sua própria independência. Porém esse amor da pseudoliberdade, ao contrário de suas expectativas presumidas, haverá de levá-lo à demência mortal (*nouitasque furoris*), segundo canta o poeta elegíaco.

## O castigo de Narciso

Pois bem, a pena que se aplica àquele que despreza o amor é o desprezo do próprio amor. Numa palavra, Narciso autocondena-se a nunca alcançar o objeto de seu amor, tanto mais inatingível quanto ilusório. De fato, quanto mais pensa aproximar-se do objeto de seu amor, na realidade mais dele se afasta; ou, como disse Ovídio[903]: "Que assim ele ame, contudo, de modo que não possua o amado!". Eis a sua maldição: assim como aquelas que o amaram não puderam obter o objeto de seu amor, assim também o que desprezou o amor jamais obterá aquilo que elegeu amar. Pobre Narciso, diz Hadot, "devorado de paixão por uma ilusão inconstante, pela sombra que ele mesmo projeta na água"[904].

## Furor dionisíaco

Por quem se enamora Narciso? Por sua imagem? Por uma ilusão? De modo nenhum, ao menos segundo a leitura do mito que apresenta o historiador francês. Embora iludido, enganado, Narciso se apaixona por algo belíssimo, mas que ele considera real. Hadot sustenta que a bela imagem por que Narciso se apaixona perdidamente, ao menos para ele, não é a sua, mas a de um outro. Isso explica sua demência, sua insanidade, achar que ele mesmo é um outro. E assim o foi, argumenta o pensador francês, pois a tradição toda é unânime em afirmar que Narciso não se apaixona por si mesmo, mas por uma linda imagem que

---

901 Ovídio, *Metamorf.* 3, 391: *"ante, ait, emoriar quam sit tibi copia nostri"*.

902 P. Hadot, *op. cit.*, p. 235: *"Il ne veu pas être possédé"*.

903 Ovídio, *Metamorf.* 3, v. 405: *"sic amet ipse licet sic non potiatur amato"*.

904 P. Hadot, *op. cit.*, pp. 235-236: *"dévoré de passion pour une illusion inconstante, pour l'ombre qu'il projete dans l'eau"*.

pensa ser de outro, sem saber que é seu próprio reflexo. Daí sua loucura: não reconhecer-se a si mesmo; e sua punição: nunca atingir o objeto de seu amor e saciar sua sede de possuí-lo, visto que jamais encontra satisfação quem só ama a si mesmo como a um fim. Para o geógrafo e escritor helênico Pausânias, lembra ainda Hadot[905], Narciso foi tomado de uma "demência dionisíaca", não menos absurda do que a demência das bacantes, que destroçaram Penteu, imaginando que ele era um javali[906]. Essa demência, resume o gaulês com bastante propriedade, conduz Narciso ao estado de animalidade, assim como, *mutatis mutandis*, a ignorância e a dificuldade decorrentes do pecado de origem fizeram com a progênie adâmica. Porém essa suposição do historiador gaulês não encontra confirmação na célebre narrativa de Ovídio, para quem Narciso sabia, sim, que a imagem era de si mesmo, ainda que, de acordo com o que ressalva o erudito gaulês, o poeta elegíaco tenha sido o único a pensar deste modo: "Esse sou eu! E a minha imagem não me engana; estou ardendo de amor por mim mesmo"[907].

Portanto, ao menos segundo Pausânias, parece que a essência do mito está na "demência dionisíaca" de Narciso, que não compreende a impossibilidade de saciar sua paixão, seja por si mesmo, seja pelo outro que imagina estar espelhado na superfície das águas fontinais. Porém, ao contrário do que se poderia supor, ao menos segundo Ovídio, a morte não é um castigo para o jovem (auto-) enamorado, e sim a libertação das incandescentes dores do amor insaciável[908], aquele "fogo que arde sem se ver", como cantará Camões.

## O erro umbrófilo de Narciso

Sob a influência de seu divino herói, Platão, Plotino retoma o itinerário da contemplação do Belo em si a partir das naturezas consideradas inferiores, desde os corpos, passando pela beleza das almas, até chegar à Beleza transcendente, que é o Princípio de toda beleza[909]. O ponto de partida desse itinerário,

---

905 *Id. ibid.*, p. 236.

906 Cf. Ovídio, *Met.* 3, vv. 668; 714. Segundo o mito narrado por Eurípedes, em suas *Bacantes*, Penteu teria sido destroçado a mando do deus Dioniso em virtude de sua insolência (ὕβρις), desrespeitando o seu culto. Logo as bacantes, em seu frenesi dionisíaco, foram divinamente levadas a crer que o miserável Penteu era um Javali.

907 *Id. ibid.* 3, 463-464: *"iste ego sum, nec me mea fallit imago / uror amore mei"*. Liter.: "estou queimando pelo amor de mim".

908 P. Hadot, *ibid.*, p. 240.

909 *En.* 1,6,1-7.

absorvido da doutrina platônica, é a constatação de que toda beleza aparente nos corpos é apenas imagem apagada e fugidia do Belo em si, que transcende a dimensão material própria aos sentidos. Daí a pertinente ponderação de Hadot[910], que faz ver que demência de Narciso consiste precisamente na ignorância desse fato, ao menos para Plotino[911]; numa palavra, na ignorância de que os corpos são apenas imagens, quando não, simples reflexo apagado das realidades transcendentes, e de modo nenhum reais: "Pois, se alguém vê as belezas corpóreas, não convém correr em sua direção, mas saber que elas são imagens, traços e sombras"[912]; e mais, admoesta na sequência o pensador neoplatônico, "deve-se fugir para aquela Beleza de que essas coisas constituem apenas imagens"[913]. Isso, diz Plotino, porque aquele que quiser correr em direção às imagens das coisas, como se fossem reais[914], esse será como aquele jovem – refere-se a Narciso, obviamente –, que quis alcançar a bela imagem refletida sobre as águas[915], como narra um certo mito, alude com dissimulada indiferença o filósofo[916]. De fato, assim como Narciso desaparece na corrente profunda[917], assim ocorrerá com aquele que quiser correr atrás das belezas dos corpos, aderindo a elas com tanto mais tenacidade quanto mais demente for. Porém, nesse caso, adverte Plotino, não será seu corpo que irá submergir nas águas profundas e escuras da fonte, mas sua alma, nas profundezas obscuras e funestas à inteligência[918], em que deambulará, cego, em direção ao Hades[919].

O erro de Narciso, portanto, diz Plotino, é considerar a sombra real, a imagem como se fosse o inteligível; a matéria, como se fosse a ideia; numa palavra: "umbrofilia", o amor da sombra, obviamente em lugar do amor da luz solar que a produz, quando incide sobre alguma árvore copada. Isso, porque aquele que imagina possuir a matéria possui apenas uma sombra, que, nada obstante parecer existir de fato, não é, visto estar em constante transformação,

---

910 P. Hadot, *op. cit.*, p. 243.

911 Cf. *En.* 1,6,8.

912 Plotino, *En.* 1,6,8 6-8: "Ἰδόντα γὰρ δεῖ τὰ ἐν σόμασι καλὰ μήτοι προστρέχειν, ἀλλὰ γνόντα ὥς εἰσιν εἰκόνες καὶ ἴχνη καὶ σκιαί.".

913 *Id. En.* 1,6,8 8: "...φεύγειν πρὸς ἐκεῖνο οὗ ταῦτα εἰκόνες".

914 *Id. En.* 1,6,8 8-9: "Εἰ γάρ τις ἐπιδράμοι λαβεῖν βουλόμενος ὡς ἀληθινόν...".

915 *Id. En.* 1,6,8 9-10: "...οἷα εἰδώλου καλοῦ ἐφ' ὕδατος ὀχουμένου... ".

916 *Id. En.* 1,6,8 10: "ὥς πού τις μῦθος...".

917 *Id. En.* 1,6,8 11-12: "εἰς τὸ κάτω τοῦ ῥεύματος ἀφανὴς ἐγένετο...".

918 *Id. En.* 1,6,8 13-14: "οὐ τῷ σώματι, τῇ δὲ ψυχῇ καταδύσεται εἰς σκοτεινὰ καὶ ἀτερπῆ τῷ νῷ βάθη...".

919 *Id. En.* 1,6,8 15-16: "...ἔνθα τυφλὸς [καὶ] ἐν ᾄδου μένων καὶ ἐνταῦθα κἀκεῖ σκιαῖς συνέσται.".

rumo ao nada. Todavia, para além da doutrina platônica que desposa fervorosamente, Hadot sustenta que a leitura que Plotino faz do mito de Narciso guarda implicações psicológicas ainda mais profundas[920]. Com efeito, diz o erudito gaulês, o grave problema é que Narciso ignora a relação entre si e sua imagem, que é causada por si mesmo, visto espelhar sua própria beleza: *"il ne comprend pas qu'il est lui-même la cause de cette ombre"*[921]. Na verdade Narciso ignora que seu corpo é apenas um reflexo de sua alma, porque se esqueceu da origem do mundo sensível, que é a própria alma, cuja luz os corpos apenas refletem[922]. Pode-se dizer que essa iluminação guarda relação de parentesco, mesmo que distante, com a interessantíssima doutrina da "ornamentação" que Agostinho apresenta e desenvolve no *L.A.*, segundo a qual as almas, por mais pecadoras sejam, ornam, em virtude de sua elevada posição na escada das naturezas, os corpos, naturezas inferiores, que vêm habitar[923]. Plotino, contudo, é contrário à ideia gnóstico-hermética de que a alma caída engendra o mundo sensível que veio habitar; ao contrário, sustenta o filósofo, é precisamente em virtude de sua condição elevada que a alma o faz, não porque caída[924]. Na verdade, ao menos para o neoplatônico, a alma não "desce", ela não vem habitar os corpos, ela simplesmente os ilumina, projetando neles o seu superior reflexo, o qual permite então que o corpo ganhe vida[925].

Pois bem, à parte os detalhes da interessante cosmologia teológica de Plotino, aos propósitos do *L.A* vale apenas destacar que, para o neoplatônico, a alma deve permanecer indiferente ao seu próprio reflexo, isto é, ao mundo dos corpos, sombra da realidade inteligível, ao contrário do que fez Narciso, ou como faz o homem, com seu apego ao mundo das formas sensíveis. Devem as almas, muito ao revés, voltar-se à contemplação das realidades inteligíveis, não das corpóreas[926], sob pena de perder-se nas profundezas obscuras do nada, como Narciso, afogado na corrente lodosa das águas fontinais. Uma anedota ilustra bem

920 P. Hadot, *op. cit.*, p. 244.

921 Cf. Plotino, *En.* 5,8,2 33-35: "Como se alguém, vendo a própria imagem e não sabendo de onde ela provém, procurasse alcançá-la" (ὥσπερ ἂν εἴ τις τὸ εἴδωλον αὑτοῦ βλέπων ἀγνοῶν ὅθεν ἥκει ἐκεῖνο διώκοι). Cf. tb. 5,8,12 34-35.

922 P. Hadot, *op. cit.*, pp. 244-245.

923 Cf. *L.A.* 3,11,32,113-114; 34,118-119; 12,35,120; 122-124; 20,55,186.

924 Cf. *En.* 2,9,4 1-7 (P. Hadot, *op. cit.* p. 246). O que sem dúvida mais se coaduna com a doutrina da ornamentação apresentada por Agostinho, à parte as distinções evidentes entre eles.

925 *En.* 1,1,12 27-28.

926 Cf. P. Hadot, *op. cit.*, p. 246.

essa postura platônica de Plotino, que nesse aspecto se reproduz com muita fidelidade nas obras do próprio pensador de Hipona. Instado por seu discípulo Amélio a que permitisse que um busto seu fosse esculpido para a posteridade, ter-lhe-ia redarguido Plotino, segundo narra seu biógrafo e discípulo Porfírio[927], se já não era bastante o próprio reflexo (referindo-se a seu corpo) de que a natureza havia revestido o homem, ou se acaso seria ainda necessário fazer uma sombra da própria sombra, mais um reflexo do próprio reflexo.

## Do mosaico às pastilhas: Ulisses e Narciso

A grande crítica que Plotino faz da atitude narcisista, aponta Hadot[928], refere-se ao fato de que os homens, esquecendo-se de sua origem, que é espiritual, não corpórea, deixaram de viver segundo a perspectiva do todo, voltando-se para as partes individuais, cada qual à que mais lhe interessa, de modo especial seus corpos e o que lhes toca diretamente, as sensações[929]. Ao contrário, se as almas permanecessem na contemplação do inteligível (ἐν τῷ νοητῷ), no céu (ἐν οὐρανῷ), voltadas para o todo (μετὰ τῆς ὅλης), a universalidade, evitariam elas o sofrimento em que se precipitaram. Porém elas preferiam passar do universal ao particular, do todo às partes (ἐκ τοῦ ὅλου εἰς τὸ μέρος), do mosaico às pastilhas, cada alma preferindo estar consigo mesma, como se estivessem enfastiadas do convívio com outras almas. A consequência disso, aponta Plotino, é a dissipação e fragmentação (διάκρισις) das almas, que se fazem "partes" também (μέρος γενομένη), perdendo sua identidade e destruindo sua integridade, tornando-se incapazes de contemplar o inteligível (μὴ πρὸς τὸ νοητὸν βλήπη). Isso, porque elas aderem com tanta paixão a seus corpos, amando-os e as paixões que eles despertam, as quais elas consideram, lamentavelmente, como se fossem fins em si mesmas, numa palavra, como se elas fossem apenas o que seus próprios corpos desejam. Daí ser fácil compreender como se transformam em fáceis joguetes das paixões, desposando o mesmo destino de seus corpos, que as submetem implacavelmente à lei da necessidade que os rege. E assim como dirá Agostinho décadas mais tarde, para Plotino também as almas se desordenam, quando se deixam fascinar e enamorar por sua própria imagem, natureza

927 Cf. Porfírio, *Vita Plotini.*

928 P. Hadot, *op. cit.*, p. 247.

929 Cf. *En.* 4,8,4.

inferior, em vez de contemplar e amar apenas o inteligível[930]. Olimpiodoro, o Jovem[931], comentador de Aristóteles e Plotino, lembra Hadot, em sua obra, *In Phaedonem*, diz que as almas se deixam dissipar e dilacerar, mas não como Dioniso pelos Titãs[932], e sim por seus próprios desejos materiais. Para Plotino, contudo, assim como o será para o platônico Marsilio Ficino, séculos mais tarde (XV), Narciso é o símbolo da miséria dos homens, que preferem voltar as costas à beleza superior da alma em favor da beleza inferior dos corpos[933]. O que não teria feito o laértida, antípoda de Narciso, que se permitiu afundar irremediavelmente na falsidade da imagem de si espelhada nas águas. Com efeito, Ulisses logrou evadir-se das tentações de natureza corpórea, tanto da cavilosa feiticeira Circe[934], quanto da sedutora ninfa Calipso[935], que lhe prometiam, acima de tudo, a satisfação egoísta dos sentidos. Porém ele as recusa, não sem esforço, preferindo retornar seguro à patria-mãe, sua adorável Ítaca[936], que, para o filósofo neoplatônico, simboliza a pátria da alma, o lugar de onde veio e onde se encontra seu verdadeiro pai (πατὴρ ἐκεῖ)[937].

Pois bem, depois deste breve excurso mítico-filosófico, posto que propedêutico, faz-se necessário regressar agora aos parágrafos derradeiros do *L.A.*, a ver como Agostinho põe fim à obra, especulando acerca da natureza do primeiro homem e das motivações radicais para o pecado inaugural, que, como resta evidente, mantém íntimo comércio com a desdita do jovem Narciso.

---

930 Cf. Hadot, *op. cit.*, p. 248.

931 Olimpiodoro (séc. V-VI) foi o mestre de Simplício da Silícia e de João Filopono, um dos últimos remanescentes da escola de Alexandria.

932 Numa das versões do mito, ainda quando criança, Dioniso teria sido dilacerado pelos Titãs, que o devoraram, com exceção de seu coração, que, ou teria sido comido por Zeus, ou dado a Sêmele. Essa dilaceração do deus servia de incentivo ao frenesi das bacantes, que, ao comer a carne crua dos animais que dilaceravam com as próprias mãos, imaginavam estar homenageando o deus, ou mesmo ingerindo simbolicamente sua carne, ao considerarem o animal sua encarnação.

933 *Id. ibid.*, p. 249.

934 Cf. Homero, *Odisseia*, canto 10. Odisseu passa um ano na ilha da feiticeira Circe, que transformara seus companheiros em porcos, provocando-lhes o esquecimento da pátria, depois de ofertar-lhes comida enfeitiçada.

935 *Id. ibid.*, cantos 1-5. Odisseu (Ulisses) encontra-se prisioneiro na ilha da ninfa Calipso, que, contudo, o trata muito bem, porque o ama, desejando torná-lo imortal, desde que com ela permanecesse.

936 Cf. Plotino, *En.* 1,6,8 18-21.

937 *En.* 1,6,8 21: "πάτρις δὴ ἡμῖν... καὶ πατὴρ ἐκεῖ.".

## O primeiro pecado: impiedade celestial
## (*ou* Tipologia da vontade diabólica)

### 3,24,72,250. A causa da causa do mal: emulação de Deus

**250.** A – [...] E assim, "Em mim mesmo"[938], diz [o salmista], "conturbou-se a minha alma"[939]; e também: "Provai e sereis como deuses!"[940].

Portanto nenhuma outra causa deve ser buscada para o mal fora da própria alma, visto que, como diz o profeta, ela perturbou-se em si mesma, em seu próprio âmago, preferindo à Luz da Sabedoria as trevas de sua estultícia. E com razão é que diz que sua alma "conturbou-se", turbulência que o grego da Septuaginta traduz pelo verbo *tarássō* (ταράσσω), expressando aquela inquietude que tanto afligiu Epicuro, a ponto de ter estabelecido a sua ausência como ideal supremo de sua escola, a célebre *ataraksía* (ἀταραξία), aquela "imperturbabilidade" de espírito que ele e seus amigos do Jardim tanto enalteciam e buscavam. E com efeito, ao averter seu amor da Plenitude estável da Luz, convertendo-o para a instabilidade carente de sua obscuridade, que faz a alma senão turvar as águas de sua nau, causando para si mesma a procela em que periga naufragar? E por que o fez, senão por soberba, aquele amor de si inflado e deletério, de que só o soberbo não se dá conta? Pois a astuta serpente não tardou a perceber essa brecha em sua alma, por onde insinuou-se para perdê-la para si mesma e ganhá-la para o diabo, como deixa claro o fragmento de citação que Agostinho insere no fim do parágrafo, extraído da seguinte passagem do *Gênesis:* [diz a serpente:] "Deus sabe que no dia em que tiverdes comido desse [fruto], vossos olhos serão abertos e sereis como deuses, que conhecem o bem e o mal"[941]. O fruto venenoso, na verdade, não foi a maçã, mas a soberba do primeiro homem, lisonjeada pela perspectiva de ser igual, ou ainda maior, do que o próprio Deus onisciente, conhecendo ele também o bem e o mal. Todavia o Bem já lhe era conhecido, restando apenas ser amado acima de todas as coisas, inclusive de preferência a si mesmo. Contudo, para sua desgraça, quis também conhecer o mal, deliberação

---

[938] O latim diz: *apud me ipsum,* que se pode traduzir como "em minha própria casa", mas também: "diante de mim mesmo", "comigo mesmo", entre tais.

[939] Sl 41,7 (42,6): "πρὸς ἐμαυτὸν ἡ ψυχή μου ἐταράχθη".

[940] Gn 3,5: "e sereis como deuses" (καὶ ἔσεσθε ὡς θεοί).

[941] Gn 3,5 (*iuxta Vulgatam*): *"Scit enim deus quod in quocumque die comederitis ex eo, aperientur oculi uestri et eritis sicut dii, scientes bonum et malum".*

essa voluntária que lhe causou a consequente ignorância do Bem que já conhecia, penalidade a que se fez associar ainda a imensa dificuldade de praticá-lo.

## 3,24,73,251-254. Trânsito de mão dupla: estultícia ⇄ sabedoria

> **251.** A – [...] "Foi pela estultícia que o primeiro homem se afastou de Deus, ou foi ao afastar-se que ele se fez estulto?".

A pergunta a que se refere Agostinho é bastante interessante, ainda que pareça ter sido formulada capciosamente pelos detratores maniqueus, que não pretendiam outra coisa além de inculpar a Deus pelo mal, porque, sendo uma disjuntiva, não deixa ao respondente senão uma de duas alternativas. De fato, neste tipo de argumento não cabe ao que responde nada além de escolher a partir das alternativas que lhe são oferecidas: ou *A*, ou *B*, as quais, contudo, podem ambas estar erradas, o que conduziria forçosamente ao erro como única resposta, a não ser que se optasse pela recusa da própria pergunta.

> **251.** A – [...] se responderes que foi pela estultícia que ele se afastou da Sabedoria, parecerá ter sido estulto antes que se afastasse da Sabedoria, de modo que a estultícia lhe seria a causa do afastar-se.

Na primeira alternativa, se o homem se houvesse afastado da Sabedoria por causa da estultícia que possuía antes de afastar-se, teria sido criado destinado ao afastamento, uma vez que essa estultícia não apenas lhe teria sido natural, mas seria também a própria causa do afastamento. E se a causa do afastamento lhe era natural, então lhe teria sido comunicada por aquele que o criou, o verdadeiro responsável por seu afastamento.

> **251.** A – [...] se responderes que foi ao se afastar que ele se fez estulto, perguntarão se foi estulta ou sabiamente que o fez, [quer dizer,] que se afastou.

Na segunda, se se tivesse afastado sem ser estulto, o que aconteceria apenas depois do afastamento, teria necessariamente de ter sido criado sábio – pois o capcioso autor da disjuntiva não deixa margem para uma terceira alternativa. Porém Agostinho não segue por essa rota, supondo que tenha sido criado sábio, porque não poderia, enquanto sábio fosse, ser seduzido[942],

---

[942] Cf. 1,10,20,73; 16,34,114-115.

a não ser que quisesse, quando de imediato deixaria de ser sábio, tão logo abrigasse a vontade avertida no coração. Logo, enquanto, e apenas enquanto, fosse sábio, não seria capaz de pecar, nem mesmo de ser seduzido. De onde Agostinho ter preferido circunstanciar as possibilidades do pecado, ao supor, em prolepse, a partir da pergunta apresenta no início, que os indagadores poderiam levantar as seguintes tréplicas. Primeiro, se não era estulto (embora não se saiba o que fosse) e se se tornou estulto durante ou depois do afastamento, então ou pecou de modo estulto, ou pecou de modo sábio, ainda que não fosse sábio. A questão surpreende, não porque admita que o estulto possa agir de modo estulto, o que parece lógico, mas porque admite que o estulto possa agir com sabedoria, mesmo sem ser sábio. Independentemente do que estivesse vislumbrando o filósofo, o que importa são as duas novas alternativas que se desdobram da primitiva segunda alternativa: se se tornou estulto depois, ou se isso se deu durante o seu afastamento de Deus. Numa palavra: ou se afastou de modo estulto, ou de modo sábio.

**251.** A – [...] "Pois, se o fez sabiamente, fez retamente[943], e em nada pecou; se estultamente", dizem, "então existia nele a estultícia pela qual foi feito com que se afastasse. Pois estultamente coisa nenhuma poderia ter feito sem estultícia."

Todavia, se não se pode afastar-se sabiamente da Sabedoria, não se pode ter afastado de Deus, a suprema Sabedoria, de modo sábio. Por outro lado, se se afastou de modo estulto, então se afastou por meio de algo que em si já existia, a estultícia, o que reconduz a questão à primeira das alternativas, que era estulto antes de pecar. De onde se é ardilosamente constrangido a admitir que Deus é o culpado pelo pecado, visto que criou almas estultas, destinadas por isso a pecar. Porém essa alternativa já foi recusada, tendo sido dito que a estultícia não é a causa do afastamento, muito menos Deus. Com efeito, se se tivesse afastado por causa de sua estultícia, esta lhe seria anterior e a causa do mal, não ele; por outro lado, se se tivesse tornado estulto ao se afastar de Deus, teria de ter-se afastado por estultícia, pois não seria sabiamente insipiente; porém, se o tivesse feito por estultícia, então a estultícia já lhe seria presente de algum modo, e portanto a causa do afastamento. E mesmo que se saiba por certo que se torna tanto mais estulto quanto mais se afaste de Deus, não se sabe o que era antes de se afastar pela primeira vez, que é precisamente o que se quer descobrir. Com efeito, se não

943 Quer dizer, "agiu de modo (cor-) reto".

se pecou – que equivale ao afastamento de Deus – porque era estulto, mas se se fez estulto porque pecou, resta saber o que era antes de pecar pela primeira vez, porque não pode tê-lo feito, nem com sabedoria, nem com estultícia.

## Nem estulto, nem sábio

**252.** A – Do que se torna aparente existir algo médio pelo qual se transita da Sabedoria para a estultícia, porque nem se pode dizer que [esse trânsito] foi feito estultamente, nem sabiamente...

Pois bem, se não era sábio antes de se afastar de Deus, porque o sábio, enquanto na Sabedoria, não pode se afastar da própria Sabedoria, que é Deus, e se também não era estulto, do contrário seria a estultícia a causa do afastamento e, em última instância, o próprio Criador, que, de modo incoerente teria criado almas para que dele se afastassem, ao dotá-las daquilo mesmo que as faria repugná-lo, a estultícia, a não dizer que seria o autor do próprio mal, e mais, se nem se afastou agindo com sabedoria, nem com estultícia, porque isso implicaria haver nele, quer a sabedoria, com a qual não poderia pecar, quer a estultícia, que seria então a causa do afastamento, resta, por fim, saber de que qualidade era, antes do primeiro pecado; ou então, de que modo pecou, se nele não havia nem sabedoria, nem estultícia.

Portanto, se não pecou nem com a sabedoria que inexistia em si, nem com a estultícia, igualmente ausente, em que condição, afinal, pecou? De modo surpreendente, mas ainda um tanto embrionário, Agostinho elabora um conceito que lhe será da maior importância, quando se dispuser a especular sobre a origem do mundo formado a partir da matéria informe e invisível, segundo a exegese que empreende do livro do *Gênesis*, em *Confissões*[944]. Trata-se do "trânsito", a passagem de um estado qualquer, *A*, a outro, *B*. Neste caso, porém, refere-se à passagem da estultícia à sabedoria e vice-versa, em que o homem deixa de ser sábio (ou de estar mais ou menos próximo da Sabedoria) e passa a tornar-se estulto (ou a aproximar-se da estultícia). Diz-se uma condição "média", não apenas por estar entre duas, mas por ser intermediária, ou melhor, por ser a condição de transição entre as duas, quando não se é mais a primeira, porém ainda não se é a segunda. E se não é nem sábio esse trânsito, nem estulto, nele não se age nem de um, nem de outro modo, numa palavra, nem sábia, nem estultamente.

---

[944] Cf. *Conf.* 12,6,6.

**252.** A – [...] pelos homens constituídos[945] nesta vida não é dado inteligir, a não ser a partir de seu contrário.

Se Agostinho confessava ser imperscrutável aquela matéria informe e invisível, intermediária entre a forma e o nada, chamada igualmente de "trânsito" em *Confissões,* indizível por não ser nem forma, nem nada, que sua retórica silenciosa, tão mais poética quanto sublime, achou por bem "dizer" com os oximoros "nada-alguma coisa" e "é-não é"[946], contudo aqui, alguns anos antes da célebre escrita confessional, limita-se a reconhecer a sua incompreensibilidade. Ou seja, não se pode compreender essa condição média, seja da passagem descendente da Sabedoria para a estultícia, seja em sentido inverso, da estultícia para a Sabedoria. Mas por que não se pode compreendê-lo, a esse estado intermediário, que não é nem a Sabedoria, nem a estultícia? Na verdade, diz o filósofo, um tanto enigmaticamente, pode-se até conhecê-lo, porém apenas a partir de seu contrário.

## A inteligência dos contrários

Seria esse *transitus,* que pode ser compreendido como um movimento de passagem entre dois estados, um mero nada, assim como o movimento de aversão, que no segundo livro se disse ser um movimento defectivo, o próprio mal ou defeito?[947] Neste caso, contudo, apenas o movimento "descendente" de afastamento da Sabedoria à estultícia é que poderia dizer-se "mal", pois o movimento contrário, "ascendente", da estultícia à sabedoria, obviamente não o poderia. Porém Agostinho não está preocupado com a definição do mal em si, o que já foi suficientemente tratado no segundo livro, mas com a sua origem, que depende sobretudo da condição do primeiro homem, quando cometeu o primeiro pecado, segundo se crê a partir do relato do *Gênesis.* Portanto, quando disse antes que essa condição média do homem, entre a Sabedoria e a estultícia, só se poderia conhecer por meio de seu contrário[948], não se referia precisamente à natureza da passagem, enquanto movimento, mas à condição média em si,

---

945 Refere-se os homens de carne que habitam este mundo, obstados pela ignorância e pela dificuldade.

946 *Conf.* 12,6,6: *"nihil aliquid"; "est non est".*

947 Cf. **2**,19,54,204; **3**,5,15,57.

948 §252: *"non nisi ex contrario datur intellegi".*

expressão humana desse trânsito, pois o contrário do nada já se disse que era o ser, assim como o do mal, o bem. E nesta vida, sob as cadeias do tempo e do espaço, onerado pelo peso da carne, que limita os conhecimentos da mente, muita vez fazendo-lhe imaginar não haver nada além do que pode captar pelos sentidos, nada além dos corpos limitados por uma forma visível, o homem não pode realmente conhecer senão a partir de contrários.

**253.** Pois assim como nenhum dos mortais se faz sábio, a não ser que transite da estultícia em direção à Sabedoria...

E de fato, diz Agostinho, não se chega à Sabedoria, a não ser que se parta de seu contrário, a estultícia, ou seja, ninguém pode vir a conhecer aquilo que antes não ignorou, nem possuir aquilo de que antes não carecia; e de modo inverso ninguém desconhece aquilo que não conhecia, ou dessabe ou que nunca soube, ou desama o que não amou.

**253.** A – [...] porém o próprio trânsito[949], se foi feito estultamente, sem dúvida não foi bem feito, o que é a coisa mais dementada de dizer; porém, se foi feito sabiamente, então existia sabedoria no homem, antes que ele houvesse transitado para a Sabedoria, o que não é menos absurdo; do que se intelige existir algo médio, que se pode dizer "neutro"[950].

Todavia, se considerado em seu sentido "ascendente", da estultícia à Sabedoria, o trânsito, considere-o como movimento de passagem entre uma condição inferior a uma superior, ou como a condição da alma, indefinida em si mesma, em que não se é nem estulto, nem sábio, não pode ser modificado nem pelo advérbio "sabiamente", muito menos por seu contrário, "estultamente". No primeiro caso, considerar que a alma se eleva da estultícia para a Sabedoria de modo estulto seria contraditório, a não dizer "dementado", como diz Agostinho, pois seria como se dissesse que melhorar não é melhor, ou que o Bem não é bom. Por outro lado, se tivesse ascendido para a Sabedoria de modo sábio, seria lícito supor que havia em si alguma sabedoria, antes mesmo de que a ela tivesse chegado, o que tampouco seria correto. Portanto, se não ascende nem de modo estulto, nem de modo sábio, é lícito depreender-se que ascenda

949 Traduz o latim *transitus* [*trans* + *ire*], "ir além", "ultrapassar", o que neste caso implica a passagem de um estado a outro, da estultícia à sabedoria, e vice-versa.

950 Traduz o latim *neuter* [*ne* + *uter*], liter. "nem um, nem outro", ou "nem um dos dois". Portanto conclui-se que não tenha sido nem sábio, nem estulto.

à Sabedoria de um modo "neutro", ou seja, nem de um modo, nem de outro, nem sabiamente, nem estultamente.

**253.** A – [...] também da cidadela da Sabedoria, para que o primeiro homem transitasse para a estultícia, aquele trânsito não foi nem estulto, nem sábio.

Em sentido invertido, se se considerasse apenas o movimento "descendente", por assim dizer, da Sabedoria para a estultícia, tampouco se poderia dizer que se tornou estulto com sabedoria, ou que se fez estulto com estultícia, pois, se houvesse em si sabedoria, não se afastaria da própria Sabedoria, fazendo-se estulto; por outro lado, se houvesse em si estultícia, não estaria na cidadela da Sabedoria, de onde desceu, porque não se torna aquilo que se já é. Isso, se não se considerasse esse trânsito enquanto movimento de aversão, o que foi discutido no livro segundo, movimento defectivo que não tem estatuto ontológico. Todavia, como Agostinho está considerando agora apenas a natureza do primeiro homem (*qualis sit*)[951], deixe-se de parte a natureza do movimento, enquanto movimento.

## Entre o sono e a vigília

**254.** A – [...] É como no sono e nas vigílias[952], [onde] dormir não é o mesmo que adormecer[953], nem vigilar o mesmo que despertar[954], mas um certo trânsito de um em direção ao outro.

Assim como fez ao longo de toda obra, o rétor sela seus raciocínios com o argumento do exemplo, extraído de suas penetrantes observações do comportamento humano, que costuma ilustrar com a figura do símile. Neste caso o trânsito entre a Sabedoria e a estultícia se compara à passagem entre o sono profundo e o estado de vigília, ainda que aquele que mergulhe em sono profundo não perceba a transição entre os dois estados, não se dando conta do momento em que adormeceu, de onde a expressão "cair no sono". Porém entre a atenção da vigília e o abismo profundo do sono há o adormecer, aquele entorpecimento gradativo, quando se está como que "pescando", entre rápidos e

951 Cf. 3,24,71,240.

952 Cf. 3,15,44,153, onde Agostinho considera apenas dois estágios: ou se está dormindo, ou desperto.

953 Traduz o latim *obdormisco* (v. incoat.), "começar a dormir".

954 Traduz o latim *expergiscor* (v. dep.), "despertar", "sair do estado de torpor".

intermitentes poentes e levantes, até que se esqueça por completo na escuridão de uma quase-morte. E do mesmo modo quem acorda morosamente do torpor, quando ainda se percebe dormitando, semidesperto, semidormente, sem saber se de fato está sonhando ou não, até que a mente tome ciência de si, evocando o mais completo despertar. Porém quem está adormecendo não está dormindo, assim como quem está despertando não está em estado de vigília, e do mesmo modo aquele que se está afastando da Sabedoria, enquanto se move, ainda não é estulto; e vice-versa, aquele que se aproxima da Sabedoria, procedente da estultícia, ainda não é sábio.

**254.** A – [...] Mas na verdade a diferença está nisto, no fato de que é sem a vontade que a maior parte dessas coisas[955] se fazem, porém aquelas[956], nunca, senão através da vontade, de onde se seguem as justíssimas retribuições.

No entanto o símile não é uma equação, porque dormir e vigilar, assim como adormecer e despertar, não são atos praticados pela vontade, mas naturais. Por outro lado, tanto a estultícia como a sabedoria se alcançam apenas por meio da vontade, porque ninguém se torna sábio naturalmente – o que implica dizer, involuntariamente –, visto ser necessário para tanto não apenas tomar o preceito, mas também cumpri-lo, ou seja, não se prescinde nem da razão, nem da vontade. E do mesmo modo ninguém se faz estulto involuntariamente, visto ser necessária a negligência, seja do bom uso da razão, quando não se aceita o preceito, seja do bom uso da vontade, quando não se esforça por cumpri-lo.

## 3,25,74,255. A causa da causa da vontade

**255.** Mas porque nada alicia a vontade para fazer qualquer coisa, a não ser alguma visão[957].

Não se tendo o primeiro homem afastado da Sabedoria nem sábia, nem estultamente, comprovou-se que o movimento de aversão do Bem comum e

[955] Refere-se a dormir, adormecer, despertar e vigilar, esses quatro estados involuntários, por assim dizer, que a toda gente acometem

[956] Refere-se à estultícia e à sabedoria, que não se adquirem sem o concurso da vontade.

[957] Apenas as "visões" é que têm poder para atrair a vontade para fazer alguma coisa. O vocábulo latino *uisum,* liter. "o que é visto", pode ser relacionado com o grego φαντασία, que significa: [i] uma aparência ou impressão causada nos olhos a partir da percepção visual, que depois é comunicada à mente; [ii] ou as próprias imagens mentais, de vária origem, consideradas em si mesmas. Vejam-se os verbetes *uisus, uisio* e *aspectus* no Léxico T-F.

imutável, que é o próprio mal ou pecado, não teve origem nem na Sabedoria, que ele não possuía, nem na estultícia, que tampouco estava nele, do contrário Deus seria inculpado, mas deu-se de modo neutro, ou seja, nem de um, nem de outro, motivado por alguma causa ignota. Ademais, ao contrário do símile que comparava o trânsito entre vigília e sono, em que, por tratar-se de estados naturais não há concurso da vontade, esse trânsito, contudo, entre Sabedoria e estultícia, é um movimento da própria vontade. Pois bem, se a proposta apresentada acima[958] era conhecer a condição em que o primeiro homem foi criado, pode-se dizer, ao menos, que não era nem sábio, nem estulto, e que por isso não se afastou de Deus nem com sabedoria, que não possuía, nem com estultícia, que não estava nele, mas de um modo intermediário e neutro, que não era nem uma, nem outra coisa, mas um trânsito entre os dois polos antagônicos. E esse modo, que qualifica o trânsito, como dito pelo filósofo, só pode ser conhecido a partir de seu contrário, pois, embora não se saiba o que é, sabe-se que não é nem sábio, nem estulto, o que já é alguma coisa. Logo o que não pertence nem a um polo, nem a outro, está em trânsito entre eles, ascendente ou descendente, não podendo ser conhecido enquanto não estacionar, por assim dizer, definindo-se em um ou outro sentido, pois só seria sábio quando fosse sábio, e estulto, quando estulto, antes do que não era nenhum dos dois.

Esse parece ser o *qualis sit* do primeiro homem, a natureza em que se encontrava quando cometeu o primeiro pecado: nem sábio, nem estulto, uma natureza intermediária, que assim se diz porque transitava entre os dois extremos. Porém o objetivo maior da obra, para o qual era instrumental o conhecimento da natureza do primeiro homem, não era exatamente o modo como foi praticado o primeiro pecado, mas sua causa; contudo, se a causa da vontade não podia estar senão na própria vontade, era necessário conhecer a causa da causa da vontade. Porém Agostinho admite agora um elemento novo, que parece ser estranho à própria vontade. Com efeito, diz o filósofo que apenas alguma "visão" (*uisum*) pode "aliciar" a vontade a fazer seja o que for. Percebe-se que ele foi muito cuidadoso com os termos utilizados, a evitar contradição, pois havia dito antes que nenhuma potência, nem mesmo superior, poderia obrigar a vontade a agir invita. Ora, essa "visão" não coage a vontade, mas apenas a "atrai" para a ação, o que só poderia ser feito livremente, se a vontade se deixasse seduzir pela antevisão dos gozos de que poderia vir a desfrutar. Todavia, se não coage, não

958 Cf. 3,24,71,240.

deixa de exercer algum tipo de influência sobre ela, o que permite supor que exista algo que possa ser relacionado àquela causa da causa da vontade, contudo fora da própria vontade. Mas que é essa "visão" de que fala Agostinho, senão uma impressão causada na alma, seja através da captação dos olhos, pelos quais são "impressos" na retina os reflexos luminosos que atravessaram a pupila, sendo depois enviados ao sentido interior e deste até à mente, seja a partir das imagens mentais armazenadas na memória de fontes as mais variadas? Porém o que importa é antes a origem dessa "visão", que parece ádvena, pois os olhos não se veem a si mesmos, senão através do reflexo de um espelho, nem a mente se tem como objeto natural de percepção, a não ser que adrede se autoconsidere.

**255.** A – [...] porém o que cada um tome para si ou cuspa está em seu poder, mas na visão pela qual ele seja tocado nenhum poder existe...

E de fato, aquilo que cada indivíduo ou mente decida tomar para si, como se fosse a ingestão de um alimento, ou cuspir de si, como se fosse sua rejeição, se depende exclusivamente das escolhas individuais, o mesmo não parece poder dizer-se dessa visão, que, ao modo de uma "impressão", toca os olhos ou a alma independentemente da vontade. E se é verdade que se pode fechar os olhos para não ser impressionado invito por uma visão qualquer, ou bloquear a mente, conquanto isso seja muito mais difícil, para que não seja invadida por imagens que se quer recusar, não menos verdadeiro que essas imagens têm origem externa, que cabe apenas acolher ou rejeitar, mas sobre as quais não se tem nenhum controle, como diz Agostinho.

**255.** A – [...] o espírito é tocado não apenas por visões das coisas superiores, mas também das inferiores, de modo que a substância racional tome de uma e outra aquilo que quiser, e a partir do mérito[959] desse tomar[960] siga-se ou a infelicidade, ou a felicidade.

Pois bem, essas "visões" por que a alma é tocada, passivamente, e que parecem fugir a seu poder, são de natureza superior ou inferior, o que sem dúvida se refere não apenas às imagens impressas nos olhos, oriundas da apreensão sensorial dos objetos corpóreos visíveis, mas também às "imagens" impressas de imediato na mente, oriunda das naturezas invisíveis e eternas, ou suprassensíveis, por assim dizer. As primeiras se dizem inferiores, porque refletem as

---

959 Quer dizer, como preço pela decisão de aceitar alguma visão, seja do inferior, seja do superior.

960 Do mérito daquilo que decidiu tomar para si, quer superior, quer inferior.

naturezas mutáveis e finitas. As demais refletem a Verdade incorpórea e imutável, não estando sujeitas às cadeias do tempo e do espaço. As naturezas racionais que habitam este mundo de carne são tocadas por ambas as visões, superiores e inferiores, cabendo-lhes a prerrogativa de escolher quais acolher, quais rejeitar; prerrogativa que deverão exercer com liberdade proporcional à responsabilidade que lhes pesará nos ombros pela escolha feita. Assim sendo, o preço ou mérito a ser restituído por suas livres escolhas, pelas "visões" que decidirem acolher, será respectivamente a felicidade, decorrente das superiores, ou a infelicidade, fruto amargo das inferiores.

## 3,25,74,256. As duas visões do paraíso

**256.** A – [...] no paraíso[961] o preceito de Deus era a visão das coisas superiores, a sugestão da serpente, a visão das inferiores. E com efeito, nem o que lhe seria preceituado pelo Senhor, nem o que lhe seria sugerido pela serpente esteve em poder do homem.

Dentro da proposta de conhecer a causa do mal, que ficou assente estar situada no arbítrio livre da vontade individual, cuja causa é também vontade, restava especular da causa da causa da vontade do primeiro homem, quando comete o primeiro pecado. Pois bem, se a potência que alicia as vontades é a "visão" (*uisum*) – aquilo que é visto, seja pelos olhos do corpo, seja pelos "olhos" da mente, e que se mantém na alma como a imagem mental de algo conhecido –, decorre disso que ela é, ou a causa ulterior da própria vontade, ou um "atrativo" para a alma, como o mel para as formigas, com a diferença fundamental de que as almas se deixam atrair por livre e espontânea vontade, não por necessidade, do contrário não se poderia falar de sedução, nem de vontade, muito menos de pecado. E se há visões superiores e inferiores, as primeiras merecendo a felicidade, as segundas, infelicidade, no paraíso não teria sido diferente. Contudo ali a visão de cima, o objeto de conhecimento de natureza superior, era o preceito de Deus; ao contrário a visão de baixo, o objeto de conhecimento de natureza inferior, a sugestão da serpe. Com efeito, receber e cumprir o preceito estipulado por Deus era garantia não apenas da felicidade estável e suprema, mas da própria proximidade com ele, a Fonte de todo o Bem, acima de que nada mais

[961] Traduz o latim *paradisus*, a partir do grego παράδεισος, que podia significar tanto um "parque" como um "jardim", via de regra cercados. Trata-se, em verdade, de um termo de origem oriental, utilizado inicialmente por Xenofonte (*Anabase* 1,2,7), segundo Liddell e Scott, para referir os jardins exuberantes dos reis e nobres persas.

havia. Por outra, aceitar a sugestão da serpe significava não apenas a perda da felicidade, da estabilidade e o afastamento do Bem supremo e de sua Fonte inesgotável, mas principalmente o mergulho nos bens de natureza inferior, próprios à mortalidade da carne.

No entanto nenhuma das duas visões, nem o preceito de Deus, nem a sugestão da serpe, estava sob o controle da vontade do primeiro homem. De fato, ele não podia determinar o que Deus haveria de preceituar, proibindo ou permitindo, tampouco o que a serpe haveria de sugerir, seduzindo e incitando. Se não convém dizer que essas duas visões sejam "causas" da vontade, muito menos do próprio pecado, contudo pode-se dizer que sejam "objetos" de maior ou menor desejo, porque nenhuma vontade existe para não querer alguma coisa; e, querendo, seguramente quer alguma coisa. Logo é da natureza da vontade querer; e se quer, deve querer algo, ou seja, deve haver um objeto da vontade, sem o que não pode haver vontade, pois não se diz vontade senão de algo, mesmo que seja vontade de vontade, ou vontade de querer. Assim sendo, pode-se dizer que essas duas visões fossem como que objetos dessa vontade, a fim de que pudesse querer, objetos mais ou menos atraentes, segundo as próprias inclinações dela. Neste caso, ou o primeiro homem tinha vontade do preceito, ou de algo alheio ao preceito. Ora, no paraíso lhe foi ofertada uma alternativa, um não preceito, uma recusa do preceito, que era a sugestão da serpe. Logo havia dois objetos para que pudesse querer: o preceito e a sugestão. Se o primeiro tinha origem no Bem supremo, Deus; o segundo, ao contrário, derivava de sua negação. De fato, Deus instaurou o preceito, porém não determinou nenhum negar, negação cuja origem é exatamente o que se quer descobrir.

Portanto, se nenhum desses objetos, nenhuma dessas visões paradisíacas estava sob controle da vontade, tendo ficado assente que a causa do mal está nela, não se pode dizer que sejam, nem a causa da causa da vontade, nem a causa do mal, mas apenas atrativos, iscas, ou outra coisa qualquer, cujo nome pouco importa, porque essas visões só têm algum poder sobre a alma que por elas se deixa atrair, ou seja, que já tem em si a inclinação para desejá-las, como bem prognosticara Tiago[962], quando assevera que "cada um é tentado, quando arrastado e engodado pela própria inclinação sensual". E assim foi, porque, se o primeiro homem não houvesse abrigado em seu íntimo a soberba e uma secreta

962 Cf. Tg 1,14; *L.A.* 3,10,31,110.

vontade de ser maior do que lhe era permitido, a serpe não teria encontrado brechas em seu coração por onde insinuar-se, instilando seu veneno.

## 3,25,74,257. Na sanidade da Sabedoria

**257.** A – [...] tendo sido constituído na sanidade da Sabedoria, o quanto seja livre e expedito de todos os vínculos da dificuldade não ceder às visões inferiores da sedução pode ser inteligido até mesmo a partir do fato de que também os estultos que hão de transitar para a Sabedoria a superam, mesmo com a moléstia de carecer da doçura pestilenciosa dos costumes perniciosos[963].

Admitindo-se que o homem tenha sido constituído em uma condição saudável da Sabedoria – o que por certo não significa que foi criado "sábio", o que seria suficientemente contrário ao que ficou dito antes[964], que teria sido criado em um estado intermediário entre a Sabedoria e a estultícia –, condição que Agostinho chama agora de "sanidade" da sabedoria, condição salubre em que, supõe-se, embora ainda não estivesse de posse da Sabedoria, tampouco seria estulto, não estando sua mente escravizada pelas inclinações sensuais; enfim, nessa condição de "sábia sanidade" estaria completamente livre e desembaraçado de todos os vínculos da dificuldade, o que lhe possibilitaria resistir às visões de natureza inferior da sedução, não cedendo às suas inclinações de ordem sensual. O que seria possível presumir, acresce Agostinho, pelo fato de que até mesmo os estultos, aqueles cujas mentes estão sujeitas às inclinações de ordem sensual, negligentes tanto da recepção do preceito, quanto de sua observância, enfim, até os estultos, quando se dispõem a transitar da sua estultícia para a Sabedoria, posto que seja uma tarefa muito difícil, conseguem superar e vencer os obstáculos, mesmo diante dos incômodos que padecem pela abstinência dos deleites perversos da carne com que estavam acostumados de modo deletério. Por outro lado essa condição de "sanidade da sabedoria" pode referir-se também àquelas criaturas que estão postas na cidadela da Sabedoria, cujas mentes

963 Passagem de difícil tradução, que pode ser parafraseada do seguinte modo: Porém, tendo sido o homem constituído na cidadela sã da Sabedoria, fica fácil de compreender que não ceder às visões inferiores da sedução lhe seja livre e desimpedido dos vínculos da dificuldade, ou seja, não lhe é proibido nem há impedimento algum para que possa resistir às tentações de ordem inferior. E essa liberdade e esse desimpedimento se comprovam pelo fato de que até mesmo os estultos conseguem vencer as tentações de natureza inferior, quando avançam para a Sabedoria, ainda que não seja nada fácil abrir mão dos incômodos decorrentes dos prazeres pestilentos dos hábitos nocivos da carne.

964 Cf. 3,24,71,241-242.

dominam os movimentos irracionais de suas alma puras, os anjos, em claro contraste com a condição de Adão após o pecado, ou mesmo de toda a sua posteridade, afogada na ignorância e na dificuldade do Bem. Seja como for, é mesmo de um anjo que Agostinho se põe a tratar na sequência.

## 3,25,75,258. A causa do apetite diabólico

**258.** A – [...] se ao homem estiveram disponíveis [no paraíso] as visões de uma e outra parte, uma *visão* do preceito de Deus, a outra da sugestão da serpente, de onde foi sugerido ao próprio diabo o conselho[965] de apetecer[966] a impiedade, pelo qual cairia das sedes sublimes[967].

No paraíso, antes do pecado, os primeiros seres humanos[968], segundo o relato bíblico, estavam diante de si mesmos, do Criador e da serpente, excetuadas as criaturas irracionais, incapazes de preceituar ou sugerir qualquer coisa. Logo estavam sujeitos apenas aos dois gêneros de visões supradescritos: superiores, procedentes do preceito do Senhor, e inferiores, saídas da sugestão da serpe, alegoria óbvia do diabo, quando não, um de seus comparsas disfarçado. Pois bem, diante desse quadro desponta naturalmente a questão da procedência das visões, divinas ou diabólicas, únicas potências que, como se disse logo acima, podiam "aliciar" a vontade humana. Se perscrutar as imagens procedentes de Deus é questão desesperada, contudo pode-se supor com suficiente segurança que dele não emanasse preceito algum nefasto, o que seria no mínimo contraditório, se mandasse desobedecer a si mesmo; numa palavra, se mandasse desobedecer o próprio preceito que antes mandara obedecer. Porém o mesmo não se dá com a voz do anjo caído, que se supõe reverberar através do "aparelho

---

965 Traduz o latim *consilium*, que significa também: "deliberação", "propósito" etc.

966 Quer dizer, o propósito de "desejar" a impiedade. Agostinho se utiliza aqui do verbo *adpeto*, associado ao longo desta obra primordialmente às inclinações apetitivas dos animais, desejos de natureza irracional. Faz sentido, pois não seria coerente imaginar que o propósito do apetite pela impiedade tenha sido fruto de deliberação superior, exclusivamente racional, do contrário não apenas a razão, mas toda a argumentação elaborada antes cairia em contradição inescapável. Com respeito ao vernáculo "apetecer" utilizado na tradução, deve-se reter em mente que a norma culta prescreve também a regência utilizada, em se tratando de verbo transitivo direto.

967 Traduz o latim *sedes*, no sentido de "morada".

968 Refere-se tanto a Adão como a Eva, pois estavam ambos na mesma condição e nenhum deles podia sugerir qualquer maldade ao outro sem que tivessem recebido essa "visão" de algum lugar, que é o que se pretende descobrir.

fonador" da serpe ludibriosa, cujas disposições, solertes, agora convém investigar. De fato, se a sugestão sedutora de comer do fruto proibido veio da mulher, que, por sua vez, a recebeu da serpente, faz-se necessário perscrutar o próprio coração serpentino, a ver de onde lhe tenha advindo o propósito de entretecer o apetite pela impiedade, o desejo nefasto de contrariar os desígnios do Criador, que lhe valeu a expulsão dos palácios da Sublimidade celeste e a consequente precipitação nas trevas da morte. Ora, se a vontade humana foi aliciada pelas visões procedentes da sugestão serpentina, o que de modo nenhum exime a humanidade de responsabilidade, tendo acolhido espontaneamente a sugestão que, por mais sedutora fosse, podia sem dúvida ter repugnado, a vontade da serpe deve ter sido igualmente aliciada por alguma outra ádvena visão, do contrário não teria sido incitada, a partir do mais absoluto nada, como um movimento que não carecesse de ter tido uma origem, ou então, o que seria ainda mais grave, como se tivesse sido deflagrado pelo próprio Criador. Na verdade, visto Agostinho estar considerando a serpente como sendo a voz do anjo caído, quando não, o próprio, dissimulado, e não alguma entidade separada, especular do movimento inicial da vontade ímproba da serpente astuciosa é indagar da aversão da vontade do próprio diabo.

**258.** A – [...] Pois, se o *diabo* não fosse tocado por nenhuma visão, não elegeria fazer o que fez. Com efeito, se nada lhe houvesse chegado à mente, de modo nenhum haveria convertido sua intenção para o *que era* nefasto.

Movido pelo quê, pois, o anjo, que habitava a Jerusalém celeste em paz e felicidade plenas e sem quaisquer carências, teria eleito averter-se de seu Bem supremo? Se o que se disse dos homens se aplica também aos anjos, que nada lhes pode aliciar a vontade a não ser alguma visão (*uisum*) que impressione sua mente, deve-se supor igualmente que algum tipo de visão tenha atraído a vontade do anjo caduco. Do contrário, se nada lhe houvesse chegado à mente, diz Agostinho, não teria avertido suas atenções do Bem que deveria obedecer para o mal que não deveria fazer, praticando o que era ímpio. Essa impiedade, que o latim designa pelo termo *nefas*, que redundou no vernáculo "nefasto", referia-se, na cultura romana, aos dias em que, por motivos religiosos, tribunais e demais magistraturas não se deveriam pronunciar (*ne* + *fari*), o que era considerado de mau agouro e impiedade funesta, ao contrário dos *fasti*, os dias fastos, em que essas jurisdições se permitiam, portanto dias em que não era contrário aos ritos sagrados ou à religião civil pronunciar-se, ou seja, "falar" (φάσκω).

Neste sentido, pois, pode-se considerar que o primeiro pecado, cometido não por Adão, mas pelo anjo "caluniador" (δίαβολος), pelo qual haveria de ser precipitado das sedes celestiais ao averter-se do Criador, foi um pecado nefasto, um pecado de impiedade, que não é senão um pecado contra o próprio Deus.

## 3,25,75,259. Adjacência e subjacência: as duas visões de um anjo caduco

> **259.** A – Portanto de onde lhe veio à mente aquilo, seja lá o que for que lhe veio à mente, para que realizasse aquelas coisas, por meio das quais de anjo bom se fizesse diabo?

Atinge a disputa dialética seu ponto culminante, a última questão que lhe é permitido levantar, agora acerca da origem da "visão" que tocou a mente e aliciou a vontade do anjo caduco, que coincide com questão da origem do mal, reformulada ao longo de toda a obra, sob diversos aspectos, mas que já desde a primeira linha se expressa *ex abrupto* pelo antimodelo maniqueísta, ao indagar Evódio se não seria Deus seu próprio autor. Por fim essa pergunta pode ser respondida, pois nenhuma outra causa ulterior se pode inquirir além dessa, que não inculpe o próprio Criador, porque além dos anjos, dentre os quais se encontrava o caduco, nenhuma outra potência, além do próprio Criador, se pode imaginar habitasse a Jerusalém celeste, para que pudesse criar "visão" suficientemente potente para penetrar mentes tão impolutas e aliciar vontades tão sublimes como a deles. Daí a pergunta: por que objeto de conhecimento aquela mente, que ainda era angelical, foi de algum modo tocada, seja de onde for, com tamanha intensidade, de modo tal que se tenha permitido atrair e seduzir para longe de sua própria ventura? Numa palavra, de onde lhe veio à mente a visão que lhe veio à mente, seja ela qual tenha sido, para que por ela o anjo se deixasse seduzir e derribar de sua cidadela da virtude celeste? E se se dissesse que teria vindo de outro anjo, se faria a mesma pergunta novamente, pois lhe teria de ter chegado de algum lugar a visão que lhe houvesse aliciado a vontade. Porém se não veio de outro anjo, de onde?

> **259.** A – [...] aquele que quer, certamente quer alguma coisa, o que, se não lhe seja admoestado extrinsecamente através de um sentido do corpo, ou lhe venha à mente de modos ocultos, não pode querer.

Nenhuma vontade, ao que parece, pode nascer ou permanecer em si mesma, como se fosse uma Ideia platônica, sem que exista um sujeito qualquer em

que ela se faça querer, porque, sendo uma faculdade do espírito, requer um espírito para que se realize. Todavia, como um verbo transitivo vulgar, não lhe basta um sujeito, alguém que por meio dela queira, sendo-lhe imprescindível também um objeto, pois quem quer não pode simplesmente querer nada, que não existe. E mesmo que o que quisesse não fosse o querer, ainda nesse caso quereria alguma coisa, o próprio não querer. Portanto a vontade quer, mas não pode querer sem ser aliciada por alguma visão (*uisum*), como dito, que a atraia para algo, em direção a algum objeto, o que pode ser realizado de dois modos, extrínseca ou intrinsecamente. No primeiro caso essa incitação da vontade se dá através dos sentidos corpóreos, como, por exemplo, quando se sente por meio do sentido do olfato um odor agradável de determinado alimento e se tem despertado o apetite por ele, ou quando se sente por meio do sentido da visão a imagem de uma fonte caudalosa, num dia de intensa canícula, e se tem provocado o apetite irrefreável por um mergulho refrescante. No segundo caso, a bem dizer, a atração da vontade se dá também de modo intrínseco, por meio de algum mecanismo oculto, talvez a partir das ideias e experiências armazenadas na memória, sobre o que Agostinho prefere não se aprofundar agora[969]. Seja como for, para que uma vontade queira é preciso que seja incitada por alguma "visão", seja por intermédio dos sentidos, externamente, seja por meios secretos, internamente. Do contrário não pode querer, pois não existe em si mesma, como um universal, que se grafasse com inicial maiúscula, ou como uma Ideia eterna de Platão, ou seja o que for que se considere deste modo, como algo autônomo. Ao contrário, resume-se a ser uma faculdade humana, um dom do espírito, conferido pelo próprio Criador de todos os espíritos, a qual faculdade existe no espírito e para o espírito, e apenas enquanto dom do espírito é que se diz que exista como um bem de estatuto ontológico médio, que pode ser convertido seja para o bem, seja para o mal, a não ser que se a esteja considerando impropriamente como um dos atributos de Deus, como tantos outros, como Verdade, Bondade, Sabedoria, Ordem, Justiça, entre tais, que apenas por insuficiência da linguagem humana se consideram vulgarmente como qualidades divinas, sendo, ao invés, o próprio Deus, que é todas elas simultaneamente, visto que não seja possível predicá-lo de coisa alguma.

---

969 Isso, porque entre a visão da água e o refresco proporcionado pelo banho há uma distância que deve ser percorrida pela mente, que imagina os usos que dela pode auferir, segundo suas necessidades mais prementes. Porém o mesmo se pode dizer com respeito aos estímulos motores de outros sentidos, o que, neste momento, é irrelevante para as discussões.

**259.** A – [...] devem ser discernidos os gêneros de visões, dos quais um é o que procede da vontade daquele que persuade, qual é aquele do diabo, consentindo com o qual o homem pecou; o outro, das coisas subjacentes, seja a intenção do espírito, seja os sentidos do corpo.

Portanto, se estavam apenas o anjo caduco e o Criador na sede celestial, ou a visão aliciante da vontade lhe veio do Criador, ou de si mesmo, porque não pode haver senão dois tipos de visões possíveis. De fato, ou aquele estímulo aliciante da vontade que impressiona a mente procede de algum persuasor estrangeiro, como no caso do diabo, representado pela serpente, cuja visão aliciou primeiro a vontade de Eva, de modo imediato, e depois a de Adão, de modo mediato, ou então procede de si mesmo, seja através do próprio espírito, seja através da apreensão sensorial. No primeiro caso, embora Agostinho não se utilize do termo, contudo é lícito dizer, pelo contraste com o segundo, que se trate de uma visão de natureza "adjacente", que não se sujeita ao controle daquele cuja vontade é aliciada pela visão. Com efeito, nenhum poder teve Eva sobre a visão que lhe foi instilada no espírito pela serpente e que lhe atraiu a vontade. No segundo caso pode-se dizer que o estímulo aliciante da vontade proceda de visão "subjacente", ou seja, que subjaza ao controle da vontade, como no caso das apreensões sensoriais e das intenções do espírito, uma vez que seja possível o controle sobre os sentidos e a própria mente. O esquema seguinte ordena essa tipologia das visões (*uisa*) aliciadoras da vontade:

| | | |
|---|---|---|
| I. ADJACENTES: | 1. A sugestão da serpente | |
| Fora do controle da vontade | 2. O preceito de Deus | |
| II. SUBJACENTES: | 1. Extrínsecas | *a.* Os sentidos corpóreos |
| Sujeitas ao controle da vontade | 2. Intrínsecas | *b.* As intenções da alma |

## 3,25,75,260. Sobrelevação trinitária

**260.** A – Subjaz à intenção[970] do espírito – excetuada a absoluta imutabilidade da Trindade, que certamente não lhe subjaz, ao contrário, se lhe sobreleva...

[970] Traduz o latim *intentio*, que pode ser compreendido também como "atenção" ou "aplicação".

Portanto dois eram os gêneros de visões que podiam ter atraído a vontade do anjo caduco para a impiedade: [i] visões adjacentes à sua vontade, que, neste caso, só poderiam ter origem no próprio Criador, pelo que se descartam; e [ii] visões subjacentes à sua vontade, que podiam ser [1] extrínsecas, como os [a] sentidos corpóreos, [2] ou intrínsecas, como [b] as intenções do espírito. Porém, antes de desdobrá-las, Agostinho toca dois pontos por demais interessantes para que deixem de ser mencionados. Primeiro, ao dizer, numa parentética, que a Trindade não se subjaz às intenções do espírito humano, mas se lhe sobreleva, o que implica imediatamente o segundo, posto que apenas subentendido, contudo não menos profundo, que todo o resto da universalidade da criação se lhe subjaza, pois se disse "excetuada a Trindade". Ainda que tenha sido dito apenas *en passant*, esses dois pensamentos, aqui embrionários, permitem entrever o abismo profundo de que se acercava Agostinho, ao especular sobre o mistério trinitário. Que coisa significa dizer que a Trindade não se subjaza às intenções do espírito humano, que nenhuma impressão, ou seja, nenhuma "visão" (*uisum*) dela jamais toque a mente humana imediatamente, como os objetos que aliciam a vontade? Porém Agostinho parece tê-la situado sob a rubrica das visões intrínsecas, as quais são subjacentes. Contudo a Trindade, absolutamente imperscrutável, para além de qualquer inteligibilidade, não pode tocar o espírito intrinsecamente, muito menos extrinsecamente. Ao que parece, Deus não pode ser considerado objeto do pensamento, objeto da mente humana, simplesmente porque não pode ser "visto", ou seja, nenhuma "visão" (*uisum*) dele pode aliciar a vontade, tocando o espírito humano, ao menos não imediatamente, pois sua natureza infinita é ininteligível, de onde também inefável. Logo, se não pode ser compreendido pela inteligência, muito menos dito, como poderia ser objeto do pensamento humano, numa palavra, como poderia ser uma "visão", daquelas que Agostinho diz que aliciam a vontade para fazer algo? E se não se trata de aliciamento intelectual, muito menos sensível, pois se Trindade não pode ser perscrutada, muitíssimo menos sentida pelos instrumentos grosseiros do corpo. Assim sendo, pode-se dizer que a Trindade, como também as criaturas espirituais que lhe são próximas, o que obviamente reduz um pouco o número daquela universalidade da criação que se supôs restar-lhe, não se subsomem às categorias supraelencadas. Ao contrário, se sobrelevam, nem mesmo podendo dizer-se que sejam adjacentes, pois, como dito, estão além de toda e qualquer "visão" que possa tocar a alma. Porém a Trindade será tema de tratamento posterior por parte de Agostinho, que dava apenas os primeiros passos nesse itinerário rumo ao abissal mistério do Inefável.

## 3,25,75,260. Subjacência intrínseca: *intentio animi*

**260.** A – [...] subjaz à intenção do espírito, portanto, primeiro o próprio espírito, de onde nós também sentimos[971] que vivemos, depois o corpo que ele administra, de onde move o que é preciso, quando é preciso, para operar qualquer membro. Por sua vez subjazem aos sentidos do corpo as coisas todas corpóreas.

Portanto, se nenhuma "visão" adjacente poderia ter excitado a vontade do anjo caduco para a impiedade, nem sobrejacente, do contrário teria de ter sido originada em Deus, restava que esta "visão" fosse subjacente, ou seja, que estivesse sob o controle do próprio anjo, visão que podia ser intrínseca ou extrínseca. Ora, que é mais intrínseco ao espírito, e a ele subjacente, que seu próprio espírito? Portanto o que estava sujeito ao espírito do anjo em primeiro lugar era seu próprio espírito, pois não é senão por meio dele que o anjo pode sentir que vive, assim como todo ser humano, como explicado no livro segundo, no início da demonstração racional da existência de Deus[972]. Porém não é apenas o próprio espírito angélico que se encontra sob o poder do anjo, mas também seu corpo, de modo extrínseco, seja este de que natureza for. Com efeito, não é senão por meio de seu espírito que o anjo rege o corpo que possui, movendo-o de um lado a outro, quanto e quando queira, a seu livre comando, como instrumento dócil à sua vontade. No que tange aos objetos corpóreos, estes também subjazem ao poder da vontade, porém de modo mediato, através dos membros do corpo, os quais são imediatamente governados pela mente, subjazendo diretamente a seu comando. Portanto resta investigar se o anjo tenha sido movido por alguma visão subjacente intrínseca, originada em sua própria mente, ou extrínseca, originada em seu corpo, para que se possa enfim conhecer a raiz de todo mal.

## 3,25,76,261. *Causa causarum:* autocontemplação

**261.** A – [...] o espírito, que é completamente mutável, considere[973] a si próprio, e a si ele próprio de certo modo venha à mente, senão com a diferença de que ele não é o que Deus é, e contudo é algo que possa aprazer[974], depois de Deus.

---

[971] Esse "sentir" (*sentio*) refere-se a uma percepção intelectual, obviamente.

[972] Cf. 2,3,7,20 *et seq.*

[973] Traduz o latim *intueor*, liter. "olhar para dentro", do que também "considerar com atenção".

[974] Quer dizer, é algo que causa deleite.

Pois bem, se nenhuma visão adjacente tocou o espírito do anjo, aliciando-lhe a vontade para que se avertesse do Criador, resta descobrir que visão subjacente, extrínseca ou intrínseca, o tenha feito, para que se possa descobrir a raiz de todo mal. Se não lhe adveio nenhuma visão da contemplação de Deus, pondera com acerto Agostinho, nem de outro anjo qualquer, e porque estava na celeste morada, onde cabe apenas naturezas espirituais habitar, certamente também não pode ter sido de alguma natureza corpórea, inferior, que lhe fosse subjacente aos sentidos do corpo. Logo, ou lhe adveio da contemplação de seu corpo celeste, subjacente a seu próprio espírito, ou da contemplação de seu próprio espírito, sem dúvida o que de mais elevado possuía, abaixo apenas do Espírito divino. Porém lhe seria mais depravado ainda, se permutasse a contemplação inefável de Deus pela de seu próprio corpo, assumindo que de fato possuísse um que pudesse ser contemplado, por mais elevada fosse sua natureza espiritual. Logo deve ter avertido seu amor do Criador em favor do amor de si mesmo, a fim de autocontemplar-se, ou seja, contemplar seu próprio espírito, porém em seu próprio detrimento, não no do Criador, que jamais pode sofrer qualquer prejuízo.

No entanto a contemplação do espírito por si mesmo, ou por sua mente, que é mutável, embora seja também possível, porque, depois de Deus, o espírito é também algo digno de causar algum deleite naquele que o contempla, sem dúvida infinitamente inferior ao deleite causado pela contemplação do Bem supremo, enfim, essa contemplação de si não pode dar-se do mesmo modo como a contemplação da Eternidade inefável do Ser, que, ao contrário, além de ser uma natureza imutável, é também infinita. No caso do espírito, contudo, trata-se de uma natureza mutável e finita que é contemplada por outra natureza igualmente mutável e finita, de si por si, da própria mente por si mesma, e não de uma natureza imutável e infinita por uma finita e mutável[975], o que seria impossível, ao menos enquanto a natureza finita e mutável permanecesse presa à qualquer grau, por ínfimo seja, de alguma finitude e de alguma mutabilidade. Assim, para contemplar a própria natureza mutável, basta ao espírito olhar para os objetos corpóreos apreensíveis pelos sentidos à sua volta e para seu corpo, depois, voltando-se para dentro de si, elevar-se, por assim dizer, a partir dos próprios sentidos do corpo que habita, aptos a captá-las, as natureza sensíveis; em

---

975 Dizê-la "finita", neste caso, não significa dizê-la corruptível, apenas limitada, ou seja, dizer que possui um *finis*, uma determinação qualquer, seja de que natureza for, o que a distingue suficientemente da infinitude divina, que não está cerceada por nenhum *finis*.

seguida, aprofundar-se ainda mais, dos sentidos superficiais ao sentido interior, intermediário entre os cinco sentidos e a razão, de onde subirá até chegar à própria mente, que, embora seja mutável, contudo é incorpórea, como se viu na demonstração racional da existência de Deus, no livro segundo[976]. Porém, para contemplar a natureza imutável de Deus, o espírito deve ir além, se puder, elevando-se acima de si mesmo, ou seja, de sua própria mente, pois ambos são uma só natureza excelente, superior a todas as demais, que apenas são, ou que são e vivem; mente que é a responsável pela contemplação de tudo o que lhe é subjacente, o que inclui a si mesma. Todavia isso ainda é insuficiente, porque, enquanto contempla a si mesma, contempla algo mutável, permanecendo mutável como o objeto de sua consideração. Portanto deve empreender esforço ulterior, indo além da própria mente mutável, desprendendo-se de tudo o que nela adira às naturezas mutáveis e que em si própria habite, por assim dizer, e se movimente, como as imagens de todas as coisas quem têm corpos – que são objetos finitos e mutáveis, diferentes da imutabilidade do Ser supremo –, o que não exclui nem as palavras, que também possuem seus corpos circunscritos a limites específicos, com começo, meio e fim, e nem, em última instância, a própria linguagem em si mesma, enquanto sistema que agrupa referências mutáveis e finitas, as quais ordena e reordena, segundo regras determinadas, a fim de tecer seu discurso; enfim, o espírito deve desprender-se de todas essas "imagens" (*uisa*) de natureza inferior por que seja suscetível de ser tocado, seja as oriundas dos sentidos, seja as produzidas ou mantidas internamente, de maneira oculta, para que possa, apenas então, naquele silêncio canoro e facundo da Verdade, no lampejo de um aspecto inapreensível e de algum modo inefável, participar da própria eternidade imutavelmente silenciosa e silenciosamente imutável de Deus, ainda que esse "aspecto" não dure mais do que um mínimo instante, brevíssimo relampejar, visto estar o espírito preso à carne perecível, pois essa não é a contemplação celeste, daquele Sábado, que se diz "eterno"[977]. Com efeito, essa é a contemplação da Natureza imortal pelo espírito encarnado, não pelo anjo caduco. Em seu caso seria lícito supor que prescindisse desse desprendimento carnal, seu corpo tendo sido de natureza espiritual e sublime, antes da queda. Assim, na contemplação da mente do anjo caduco por sua própria mente, admitindo que ele fosse de natureza exclusivamente espiritual, ainda assim sua mente seria mutável, pelo que também convertível, sendo ele livre

---

[976] Cf. 2,3,7,20-15,40,157.

[977] Cf. *Conf.* 7,17,23; 9,10,23-25.

para mantê-la perpetuamente convertida para Deus, o que não quis fazer, ou avertê-la dele, como quis e fez. Porém, se não era mutável, isso nunca significou que não fosse deleitável, posto que não como Deus, contudo algo digno de contemplação, de onde tirou o caduco o móvel de sua própria ruína. De fato, como Narciso autoenamorado, que, depois de ter desprezado o conselho do vate Tirésias de não voltar os olhos para si mesmo, segundo o mito parafraseado por Ovídio em dísticos elegíacos[978], o anjo caduco se descobre, desgraçadamente. E ao fazê-lo, descobre também um gênero de prazer que, por lhe ter sido até então desconhecido, pareceu-lhe erradamente uma fonte inesgotável de deleite, que julgou, de modo errado novamente, não apenas suplantasse a Fonte inesgotável do Deleite, seu Fim último e supremo, mas também que possibilitasse prescindi-la de vez. Esses dois erros, obviamente, não teriam jamais ocorrido, se antes não se tivesse avertido do Criador e mergulhado no reflexo da própria imagem, afogando-se nas águas obscuras e abissais de sua danação. Portanto não caiu porque errou, mas, ao que parece, errou porque se havia afastado da Verdade.

E que significa dizer que volta o olhar para si, senão que averte a própria vontade para si, o querer da alma, que outra coisa não é senão o seu amor? Logo não averteu seus "olhos" de Deus, pois, enquanto espírito, não o via com os olhos, mas através da natureza inteligível de que era constituído; nem averteu seu corpo, com que se teria afastado fisicamente[979], do contrário Deus teria de ter estado em algum lugar, situado, por assim dizer, num recanto que o tornaria obrigatoriamente finito e mutável. Nada disso averteu, senão sua vontade, que é seu amor, preferindo amar a si mesmo em lugar do Criador, pois "contemplar", para a mente, neste caso, é também amar. Deixou de querer Deus, de amá-lo, preferindo querer a si mesmo, o que facultou o erro, que o levou a crer que era fonte de deleite inesgotável e sublime como a Fonte suprema, de onde até então haurira seu deleite todo. Do que ser possível também dizer que na eternidade, onde supostamente estava o anjo caduco, os anjos amam perpetuamente, pois, se deixarem de fazê-lo, de imediato são apostatados de seu Amor, pois seu amor é o que os adere a ele.

Eis, no fim, a *causa causarum*, a causa de todas as causas da vontade, a visão (*uisum*) de si mesmo que o anjo caduco desejou tocasse sua própria mente, aliciando-lhe a própria vontade em direção de si, onde imaginou encontrar seu único e inesgotável deleite, posto que erradamente; vontade tornada

---

978 Cf. 3,24,72,250.

979 Isso, caso se dissesse que o anjo possuísse um corpo, seja da qualidade que for; caso contrário, como frequentemente se supõe, não caberia de modo nenhum dizê-lo.

instantânea e simultaneamente mais suscetível ao aliciamento com o movimento de aversão, que permitiu se insinuasse o erro em sua mente, juntamente com seu afastamento da Verdade e de seu verdadeiro Amor. Porém seria justo indagar da causa desse autocontemplar-se. Seria acaso um despertar de si, como se o anjo tomasse consciência de sua individualidade, o que não lhe fora possível, supondo-se, como ocorreu com Narciso, nunca dantes houvesse visto a própria imagem? Seria esse mergulho em si mesmo algo como o negativo afogamento de Narciso nas profundezas enigmáticas de seu próprio reflexo? Numa palavra, teria o anjo descoberto um universo todo novo nas profundezas de si mesmo, onde poderia ser seu próprio rei? Se assim o fosse, não pareceria ser de todo ruim, nem perverso, nem merecedor da pena capital. E de fato não o é, nem o foi. Porque, na verdade, seu pecado não foi esse, do contrário Agostinho estaria contradizendo tudo que propugnou por dizer ao longo desta obra, como por exemplo que todas as naturezas são boas, sejam as que apenas são, sejam as que são e vivem, sejam as que também inteligem. E mais, que não é senão por meio das criaturas visíveis de Deus, como o próprio Paulo dissera[980], que a criatura racional pode conhecer o Criador. E tampouco se haveria de imaginar que, sendo algo deleitoso em si mesmo, lhe fosse proibido conscientizar-se desse fato, como se o Criador fosse um inenarrável seviciador, que tivesse situado no interior do próprio homem uma grande fonte de deleite, ele mesmo, contudo de que não pudesse fruir, e a que nem mesmo fosse permitido sequer voltar o olhar. De modo nenhum. O pecado do anjo não foi tomar consciência de sua própria mente, que poderia conhecer sem ter de desviar os olhos, visto não tratar-se desse tipo de olhar corpóreo, mas averter a vontade, ou seja, averter o seu amor, que deveria estar voltado tão mais livre quanto arbitrariamente para o seu Criador, em aderência inconcussa, ele que é seu único Fim e supremo Bem, ao invés de preteri-lo, preferindo converter a vontade tão mais espontânea quanto desordenadamente para si mesmo, sua criatura, posto que fosse um grande bem. O conhecimento (*scientia*), como dito no início do primeiro livro, com ênfase bastante para não restarem dúvidas quaisquer, nunca pode ser mau[981]. E se fosse mau, não poderia ser conhecimento, fosse de que objeto fosse. Assim sendo, ter ciência, seja do que for, não constitui um mal. Logo conhecer-se não foi, não é e nunca será um mal, como o próprio Agostinho defendia desde os tempos pré-batismais em Cassicíaco ao seus discípulos, e à metagoge de sua *ratio*, nos

---

980 Cf. Rm 1,20.

981 Cf. 1,1,2,4-3,9.

*Solilóquios*[982], deixando claro que nada além de conhecer a si mesmo e a Deus eram os principais propósitos de sua vida. Portanto a causa do mal, ou do primeiro pecado, não foi uma causa cognoscitiva – ao menos não exclusivamente racional –, senão na medida em que tenha sido um causa causada pela desordem e aversão do arbítrio racional livre da vontade do anjo caduco, vontade que lhe foi aliciada pela própria visão, quando sua mente foi por ela tocada. Se dizer que os demais companheiros angélicos do caduco nunca haviam dantes dado conta de si mesmos, nem de seus companheiros, seria no mínimo esdrúxulo, a não dizer empobrecedor da vida celestial; ao contrário, dizer que ele tenha sido o primeiro a querer-se, avertendo seu amor do seu Fim último e fazendo-se seu próprio fim, isso nada admira.[983]

## 3,25,76,262. Na contravia: a causa do perverso amor de si

**262.** A – Porém ele é melhor quando esquece de si diante da caridade do Deus absolutamente imutável, ou a si próprio despreza completamente, na comparação com ele.

Nenhuma dúvida de que fosse possível ir além ainda uma vez, indagando da causa da autocontemplação, para um espírito que já estava diante de sua própria Felicidade suprema, teoricamente de nada mais carecendo, além do Bem que já possuía, Fonte inesgotável de todo o seu deleite. Qual seria essa causa do amor desordenado de si? Por que motivo o anjo caduco prefere o amor de si à Caridade imutável do Deus imutável? Por que não desprezaria a si mesmo, o que redundaria em seu máximo benefício, a felicidade suprema e eterna, ao invés de desprezar a própria Felicidade, preferindo fruir de si mesmo, bem infinitamente menor e inseguro?

**262.** A – [...] se ele, como se na contravia[984], apraz a si mesmo[985] para imitar a Deus de modo perverso[986], porque queira fruir de seu próprio poder, ele se faz tanto menor quanto maior deseja ser.

---

[982] Cf. *Sol.* 1,2,7: "Desejo conhecer Deus e a alma. Nada além disso? Absolutamente nada!" (*deum et animam scire cupio. nihilne plus? nihil omnino*).

[983] Na verdade o erro do anjo foi inverter as prioridades do amor, ao preferir amar-se como a um fim, quando o único Fim digno desse amor é Deus.

[984] Traduz o latim *obuius* [*ob* + *uia*], liter. "contraviado", por dizê-lo de modo forçado, ou seja, "que está na via contrária" ou "voltado em direção contrária".

[985] Tem prazer em si mesmo, ou seja, se faz de si mesmo o seu deleite, em lugar de Deus, de modo tal que seu bem supremo seja ele mesmo, não o Criador, para que seja maior que Deus, seu próprio fim.

[986] Quer dizer, completamente avertido e contrário ao que deveria ser.

Por um único motivo, diz Agostinho, para imitar Deus. Por que quereria ser seu próprio bem, ao invés de louvar o Bem supremo, seu Criador, uma vez que teria sido incapaz de autocriar-se? Para fruir tanto mais livre quanto autonomamente de suas próprias possibilidades, posto que diminutas. Ora, se não pode criar, ao menos pode amar-se como se pudesse fazê-lo; e se não pode ser Deus, pode amar-se como se deve amar a Deus, o único Fim em si mesmo. Pois, se não pode nem imitar o Bem que Deus é, sendo sua Natureza inacessível, muito menos pode ser igual a ele, simplesmente averte dele seu amor e o converte para si, a única coisa que pode fazer, para o que foi constituído livre, amando-se como se fosse seu próprio deus, do que, por crer-se o que não era, fez-se tanto menor, diz o rétor, quanto maior desejou ser.

## 3,25,76,263. A causa da imitação

**263.** A – E isto é [o que significa:] "O início de todo pecado é a soberba" [987] e "O início da soberba do homem é o apostatar de Deus"[988].

Todo aquele que quer imitar o outro não o quer senão para ser como ele, ou ainda maior. Isto posto, ter-se-ia enfim alcançado a causa de todas as causas do mal, na contravia, a causa da imitação de Deus, que é a causa do amor de si, que é a causa da visão aprazível e aliciadora da vontade que tocou a mente, que é a causa da vontade, que nunca pôde estar fora da própria vontade, a causa do pecado. Logo, se não quer imitar alguém senão para se lhe equiparar ou superá-lo, conclui-se que o caduco anjo não quis senão ser igual ou melhor que Deus, presumindo de si mesmo, perversão execranda cujo nome é "soberba", aquele falso e intumescido conceito de si mesmo, que faz com que se ache mais do que verdadeiramente é e pode vir a ser. O que se corrobora pela palavra inspirada do profeta, que faz as vezes da argumentação pelo exemplo, ou do símile, com os quais costuma o rétor

---

[987] Eclo 10,15 (*Vulg.*); 10,13 (LXX): "... Ἀρχὴ ὑπερηφανίας ἁμαρτία".

[988] Eclo 10,14 (*Vulg.*); 10,12 (LXX): "ἀρχὴ ὑπερηφανίας ἀνθρώπου ἀφίστασθαι ἀπὸ κυρίου...". O latim da versão Vulgata não traduz o grego da Septuaginta ἀφίστημι, que significa "afastar-se", não propriamente em sentido teológico, de abjurar a crença religiosa, como o vernáculo "apostatar" faz supor. Porém o epíteto "apóstata" era muito conhecido e utilizado já no tempo de Agostinho, especialmente depois do imperador Juliano, morto em 363 (quando Agostinho tinha por volta de 9 anos), cognominado "o Apóstata" (ὁ Ἀποστάτης), por ter renunciado à fé cristã e tentado reviver o paganismo.

coroar seus raciocínios: "O início de todo pecado é a soberba", cuja causa, por sua vez, é "o afastamento de Deus". Eis, portanto, *nouissimae,* as duas causas últimas do mal. Quis imitar a Deus, porque foi soberbo; e soberbo foi, porque apostatou de Deus. Todavia essa citação parece precipitar toda a argumentação numa circularidade inescapável, como se verá também no prólogo do primeiro livro de *Confissões,* em relação ao louvor, à invocação, ao conhecimento e à pregação. Logo cabe ainda a pergunta: se se encheu de orgulho por ter apostatado, por que então apostatou? Por que teria tido a vontade de fazê-lo? Só porque teve vontade de fazê-lo? Se, de fato, o orgulho é a causa do mal, pode-se sempre indagar além, da causa do próprio orgulho, tendo o homem sido criado por Deus presumivelmente sem esse vício. Por outro lado, se é a apostasia, o afastamento ímpio de Deus, ressoará sempre a pergunta acerca da causa deste apostatar. Logo não cabe senão concluir que a obra, que se inicia uma *disputatio,* um debate dialético acalorado entre Agostinho e seu pupilo, Evódio, mas que termina como um discurso contínuo (*scriptio continua*), se considerada apenas em sua dimensão racional, parecerá irremediavelmente aporética, se não se quiser dar por encerradas as investigações na própria vontade, como o fez Agostinho no início do livro terceiro, insistindo que nenhuma causa da vontade além da própria vontade poderá jamais ser conhecida[989], pois ela é a causa de si mesma. E de fato assim parece sê-lo: nenhuma causa ulterior à vontade pode de fato ser encontrada, que não seja ainda atribuída à própria vontade. Pois, se se dissesse que era a soberba, poder-se-ia indagar, em contrapartida, de sua causa; se se dissesse que era a invídia, procurar-se-ia com razão a sua causa, e assim sucessivamente. Logo nenhuma causa ulterior à vontade se pode encontrar, que esteja fora da vontade, porque é da natureza da própria vontade ser causa de si mesma, ainda que seja aliciada por alguma visão, que poderia por si mesma recusar. Qualquer causa que se queira estabelecer para a vontade será dependente da escolha da própria vontade, que é livre e arbitrada, ou seja, que é fruto de deliberação espontânea[990]. E se é espontânea, não pode ter outra causa senão a própria espontaneidade, do contrário não seria espontânea, o que Agostinho já apontara muito antes, ao tentar conciliar a liberdade da própria vontade

---

989 Cf. 3,1,2,11.

990 De fato, o orgulhoso quer sentir-se cheio de si e melhor do que os demais porque quer, assim como o ínvido, que, ao desejar o que é do outro, faz uso de sua vontade, pois ninguém quer sem querer.

com a necessidade decorrente da Presciência divina, contudo sem a compreensão de Evódio[991]. Do que havia ficado dito, que nenhuma vontade pode dizer-se de fato "vontade", se não for livre, pois, sendo necessária, não seria livre; e não sendo livre, não seria vontade, porque ninguém pode ser mandado querer, sem que ele mesmo o queira, de livre e espontânea vontade. Logo, se não se pode imaginar uma vontade que não seja livre, como imaginá-la causada? Se é causada por algo, como pode ser livre? Agostinho não diz que ela é causada pela visão (*uisum*), mas que essa visão apenas a alicia, a seduz, o que implica dizer que ela precisa aceitar ser seduzida, ser aliciada, com o que deve consentir, querendo, do contrário não se poderá dizer "vontade", mas coação, o que não pode ser livre. Ora, assim como toda necessidade é coagente, assim também toda causa o é. Por exemplo, se a pedra foi causada a mover-se por alguma força estranha, não se moveu por si só, nem pôde resistir ao movimento. E supondo-se que a vontade fosse movida pela visão, se relutasse, ou não seria movida, ou seria movida à força, deixando de ser vontade, ou seria movida após ter cedido ao movimento contrário, que passaria a ser favorável, de forma consentida. Se dissesse: "Não tive escolha, tive de ceder", estaria mentindo, ou equivocada, pois poderia ter recusado; porém, se não o pudesse, então deixaria de ser vontade, passando a ser necessidade ou constrangimento, não movimento livremente arbitrado. Logo, se não há causa ulterior da vontade, tampouco pode dizer-se haver aporia.

## Malévola conjuntura: *causa sui*

> **263.** A – [...] Porém à soberba do diabo acresceu-se uma invídia malevolentíssima, de modo que persuadisse o homem desta soberba, pela qual [o próprio diabo] sentia[992] que havia sido condenado[993].

Depois de caído, o anjo teria precipitado o homem, por pura inveja, aquele olhar antagônico e malicioso de que se falou antes[994], próprio daquele que quer apenas destruir o outro. Seria interessante indagar da cauda dessa inveja, nada obstante o ditado popular, a rezar que vício algum caminha só. Nenhuma necessidade, neste caso, de raciocínios elaborados, pois o senso comum

---

991 Cf. 3,2,4,14-4,11,41.

992 Ou "sabia".

993 Cf. 3,10,29,105-107.

994 Cf. 3,5,13,46 [*in* + *uidere*].

mais raso do psicologismo vulgar poderia facilmente encontrá-la, ou na solidão obscura do inferno em que o anjo se teria precipitado, ou na própria invídia, que não seria senão a vontade recôndita e raramente assumida de ver aniquilada a felicidade alheia, por não suportar o acúleo da visão (*uisum*) de criaturas, tão mais tíbias quanto rudimentares, os seres humanos, inocentes e felizes no lugar de que o diabo lamentava ter-se autoexilado, e ao qual não poderia mais regressar.

## 3,25,76,264. Imitação da soberba e da humildade

**264.** A – De onde sucedeu que acometesse o homem uma pena reparadora[995], ao invés de exterminadora[996]...

O bom Pastor não deseja que nenhuma de suas ovelhas se perca, consolava Jesus[997], porque não quer a morte do pecador[998], e sim sua conversão. Sua misericórdia se expressa também, de par com sua Justiça, na atenuação da pena que cabia imputar ao homem, em contraste com a que coube ao diabo. De fato, sua condenação à morte carnal, ou carne mortal, seria antes de mais uma pena reparadora para emendar seu coração pecador, dando-lhe a oportunidade de averter-se dos bens inferiores e reconverter-se para ele, seu Bem supremo. Pois podia tê-lo exterminado, condenando-o à morte perpétua, cuja natureza enigmática permite apenas uma certeza, que ali o diabo se encontra tão mais mergulhado nas trevas e na infelicidade, quanto distante da Luz e da Felicidade de que se averteu, por pura maldade, fazendo-se o príncipe deste mundo[999] e o preposto da morte[1000].

**264.** A – [...] [ao pecador] a quem o diabo se havia apresentado para a imitação da soberba, o Senhor se apresentasse para a imitação da humildade.

Por invídia apresentou-se o diabo como modelo de soberba, para que fosse imitado pelo homem, a quem perdeu e precipitou na carne mortal por lhe ter

---

995 Liter.: "emendadora", ou "corretiva".

996 Liter.: "matadora", ou "destrutiva". Paronomásia intraduzível: *emendatoria – interfectoria.*

997 Cf. Mt 18,14; Lc 15,7.

998 Cf. Ez 18,23; 2Pd 3,9.

999 Cf. 3,10,29,105.

1000 Cf. 3,10,29,106.

aceito a sugestão orgulhosa de comer do fruto, não por causa do fruto propriamente dito, mas por causa da desobediência do preceito, e principalmente pelo desejo em si recôndito de ser como Deus[1001], ciente do bem e do mal, fruto ímpio de seu orgulho, fenda de que a serpe apenas se aproveitou para insinuar-se em seu coração e instilar seu veneno, estando já a semente implantada. Por misericórdia apresentou-se Cristo como modelo de humildade, contraponto da soberba diabólica, para que fosse imitado pelo homem, se este o quisesse, resgatando sua carne da morte, desde que se suplicasse humildemente pela ajuda de seu Criador e Adjutor.

**264.** A – [...] tendo o sangue de Cristo resgatado por nós a dívida antecipadamente, depois de labores e infelicidades inefáveis, com caridade tamanha[1002], adiramos ao nosso Libertador, e, por sua claridade tamanha[1003], sejamos arrebatados em direção a ele, para que nenhumas visões das coisas inferiores nos desviem do conspecto[1004] superior.

Se se fizesse humilde imitador de Cristo, ser-lhe-ia transferido o resgate de sua pena capital, dívida cujo título o Libertador crucificado já havia solvido a mérito de sangue, de modo antecipado, a fim de que o espírito do homem pudesse definitivamente aderir-lhe, sendo arrebatado em sua direção por meio de sua Luminosidade, até que, habitante dessa Luz celeste, não mais estivesse suscetível de ser tocado por imagens de naturezas inferiores, nem de ter sua vontade aliciada para amá-las de preferência ao amor do Criador. Nessa cintilante morada celeste, até aonde não deveriam chegar imagens inferiores do tempo e do espaço, repousaria feliz, diante do Conspecto divino, a única "visão" que lhe alcançaria espírito e seduziria o amor. Contudo, mesmo se alguma visão de baixo lhe chegasse à mente de algum modo inaudito e ali intentasse seduzir-lhe o coração, o temor piedoso da danação eterna e das torturas diabólicas seriam acúleos mais que agudos e eficazes para advertir o espírito contra os apetites inferiores de outrora.

---

[1001] Cf. Gn 2,17; 3,1-5; 22-23.

[1002] Essa construção adverbial pode tanto estar modificando o ablativo absoluto anterior, *praerogato... sanguine...*, como o subjuntivo seguinte, *adhaereamus*, pois tanto Cristo derramou seu sangue com grande caridade, como tampouco é sem muita caridade que se deve aderir a ele.

[1003] Outro jogo de palavras: *tanta caritate... tanta... claritate.*

[1004] Agostinho se utiliza do termo *conspectus* para referir-se às visões superiores, que não se alcançam com os olhos do corpo, mas com a visão da mente, em contraste com as visões (*uisa*) de natureza inferior, quer corpóreas, quer mentais.

## 3,25,77,265. Apologia da eterna morada

**265.** A – [...] tamanha é a beleza da Justiça, tamanha a jucundidade da eterna Luz, isto é, da absolutamente imutável Verdade e Sabedoria, que, mesmo que não fosse lícito nela permanecer mais do que a demora de um único dia, somente por causa disto os inumeráveis anos desta vida, plenos de delícias, e a circunfluência[1005] dos bens temporais, seriam reta e merecidamente desprezados.

Talvez seja esse o mais importante dos parágrafos, o louvor mais necessário, porque, para muito além de seu valor escatológico, seu peso como moeda de troca pela fé, esperança e caridade que se devem ao Criador, estabelece os fundamentos de toda a doutrina cristã, constituindo a longarina mestra da nau de cada piedoso navegante. De fato, nada do que se disse, desde os pressupostos "axiomáticos" apoiados sobre o princípio de piedade colocado no início do primeiro livro, sobre os quais as discussões se assentaram e de que partiram, até às hipóteses para a origem das almas, ou acerca das causas das causas da vontade e do mal, sem deixar de parte os valores morais, sobre os quais se alicerçam todas as discussões do livro primeiro, as virtudes cardeais, ou as provas da existência de Deus e a origem dos bens, no livro segundo, enfim, todas elas estão dependuradas, em absoluta dependência, dessas descrições poeticamente antecipadas da morada celeste. E não fosse a crença segura na beleza da Justiça e na perfeição da Ordem, que Agostinho não cita aqui, mas que permeou as discussões desde o início, na jucundidade da eterna Luz, que faz brilhar a Verdade e a Sabedoria em que se constitui, para muito além dos parcos conhecimentos humanos, enfim, não se acreditasse nos quadros pintados dessa Jerusalém dourada, quem iria desprezar, seja os prazeres dos sentidos, seja quaisquer outros bens corpóreos, considerados inferiores, segundo a escada ontológica proposta e defendida pelo filósofo, ou mesmo os prazeres intelectuais, de uma mente racional invariavelmente mutável, sujeita à ignorância, não apenas do bem, mas de quase tudo acerca do mundo que a cerca? E que dizer do padecimento precoce das criancinhas, ou dos animais? Nenhuma dúvida jamais houve de que era nas muitas moradas da casa do Pai, como prometera Cristo[1006], que deveria atracar-se a nau cristã, desde sempre, com todas as esperanças e alegrias do crente, cuja âncora deveria ser cravada com tanto mais profundidade e firmeza quanto maior fosse

[1005] Quer dizer, o transbordamento ou a abundância dos bens temporais.

[1006] Cf. Jo 14,2.

a intensidade da fé; pois quanto mais se considerasse apenas um rápido nauta dos mares deste orbe, com tanto maior nitidez vislumbraria o porto de destino. Se assim não cresse, contudo, nauta nenhum, por mais destemido, se arriscaria em mar alto, fugindo antes à própria embarcação, muito menos acolheria de boa mente a imensa e sobre-humana empresa do filósofo para tentar expressar racionalmente, quanto possível, a fé que acalentava em seu coração, que lhe possibilitava conhecer com maior transparência a si mesmo e de modo menos enigmático os vestígios de seu Criador.

## 3,25,77,266. Um dia de mil dias

**266.** A – Pois não foi com uma disposição falsa ou pequena que se disse: "Porque melhor é um único dia em teus átrios sobre milhares"[1007]. Ainda que também em um outro sentido se possa inteligir *isso*, que é na mutabilidade do tempo que se inteligem "os milhares de dias", porém com a expressão "um único dia" seja referida [ao invés] a imutabilidade absoluta da eternidade.

No eco do que se disse acima resta límpida e cristalina tanto a pertinência como o sentido da palavra profética. Um único dia na mansão do eterno Senhor, para além do sentido literal que a exegese não deixou passar, referência provável à vida litúrgica no templo, onde os ofícios judaicos eram praticados, às sortes, pelos membros de tribos determinadas, o filósofo identifica um sentido ulterior, uma leitura espiritual, por assim dizer, que põe frente a frente o tempo e a eternidade, os dias e o Dia, ou o fim sem fim, no dizer do próprio Agostinho[1008]. Se à letra os milhares de dias são de fato mil dias contados, os quais, fora do serviço do Senhor, têm menor valor do que um só dia no interior de seu santuário, diante da Arca da Aliança, segundo o espírito os milhares de dias representariam a temporalidade dos dias que nascem e morrem, e com eles tudo o que habita sob a tirania do tempo, que se situa muito abaixo da eternidade, o Dia que não terá fim. Isso, precisamente porque o que está no tempo tem um fim, transforma-se, corrompe-se, perde-se, o que talvez seja a maior causa da angústia e insegurança do ser humano sobre a face da terra, sua consciência da finitude. Na eternidade, por sua vez, nenhum corpo se corrompe, nenhuma enfermidade acomete, de nenhuma perda se ressente o coração, nenhuma vicissitude teme a alma, pois ali tudo sempre será como foi, sendo eternamente

---

[1007] Sl 83,11: "ὅτι κρείσσων ἡμέρα μία ἐν ταῖς αὐλαῖς σου ὑπὲρ χιλιάδας". Cf. 2Pd 3,8.

[1008] Cf. *Ciu. dei.* 22,30.

como simplesmente é. Esta a verdadeira morada do Senhor, seu átrio, onde um Dia é mais que todos os outros no tempo, dias que apenas são porque tendem para não ser[1009]. Mas essa leitura nem se admite, muito menos tem qualquer eficácia, sem que se tenha fé na Eternidade do Senhor, onde se há de louvar, amar e viver, diante de sua Face, longe longe desta carne mortal, em que se está sujeito à ignorância e à dificuldade, ao erro e às inclinações de ordem sensual, dois tiranos que hodiernamente mantém cativas a aluvião das almas, que não apenas se submetem espontaneamente a seu talante caprichoso, mas ainda as cultuam como verdadeiras divindades, o que repugnaria a Agostinho, tanto mais quanto mais lhes repugnasse a vida futura por que tão sofregamente ansiava.

## 3,25,77,267. Epílogo

**267.** A – Não sei se deixei alguma coisa passar, que, na nossa resposta, tanto quanto o Senhor dignou-se mostrar-me, esteja faltando às tuas interrogações[1010]. Todavia, mesmo que algo te ocorra, a dimensão[1011] do livro nos compele agora a dar-lhe um fim e a descansar algum tempo[1012] desta disputa.

Não imaginava Agostinho quão pouco tempo poderia descansar dessas questões, tendo os pensamentos que aqui desenvolve sido utilizados de modo bastante polêmico pelos epígonos do monge bretão Pelágio, o que talvez lhe tenha causado a maior contrariedade de toda sua vida, vida de intenso labor intelectual e espiritual.

FIM DOS COMENTÁRIOS AO LIVRO TERCEIRO

PARTE B

[1009] Cf. *Conf.* 11,14,17.

[1010] Referência ao discípulo e interlocutor Evódio, que “sumiu” na segunda metade deste livro terceiro.

[1011] Traduz o latim *modus,* liter. “medida”.

[1012] Ou então: “a descansar, por fim, desta discussão”.

# bibliografia

# brevissima bibliografia de apoio[1]

ADAMS, Marilyn McCord; ADAMS, Robert Merrihew (Ed.). *The Problem of Evil.* Oxford: Oxford University Press, 1990.

ARENDT, Hannah. *The Life of the Mind. One-volume edition: One: Thinking. Two: Willing.* San Diego; New York; London: Harvest, 1978.

ARISTOTLE. *The Complete Works of Aristotle* (The Revised Oxford Translation; Edited by Jonathan Barnes). Sixth Printing, with corrections. Princeton: Princeton University Press, 1995. (Volumes I e II.)

AUGUSTIN. *Confessions.* (Texte établi et traduit par Pierre de Labriolle.) Seizième tirage. Paris: Les Belles Lettres, 2002. (Tome I, livres I-VIII; Tome II, livres VIII-XIII.)

AUGUSTÍN. Enchiridion. In: *Obras Completas de San Augustín. IV. Escritos Apologéticos.* Madrid: BAC, 2011, pp. 390-543.

AUGUSTINE. *Letters.* (Translation by Roland Teske.) Hyde Park, NY: New City Press, 2003. (The Works of Saint Augustine: A translation for the 21st Century.)

AUGUSTINE. *On Christian Doctrine.* (Translated by D.W. Robertson.) New Jersey: Prentice Hall, 1997. (The Library of Liberal Arts.)

AUGUSTINE. *On the Free Choice of the Will, On Grace and Free Choice, and Other Writings.* (Edited and translated by Peter King.) Cambridge; New York: Cambridge University Press, 2010. (Cambridge Texts in the History of Philosophy.)

AUGUSTINE. *The City of God against the Pagans.* (Edited and translated by R. W. Dyson.) Cambridge; New York: Cambridge University Press, 2013.

AVGVSTINI, S. Avrelii. *De diuersis quaestionibus octoginta tribus; De octo Dulcitii quaestionibus.* (Edidit Almut Mutzenbecher.) Turnholti Typographi Brepols Editores Pontifici, MCMLXXV (1975). (CORPVS CHRISTIANORVM SERIES LATINA XLIV A; AVRELII AVGVSTINI OPERA, *PARS XIII*, 2.)

BAGUETTE, Ch. "Une période stoïcienne dans l'évolution de la pensée de saint Augustin." In: *Revues d'Etudes Augustiniennes et Patristiques* (REAug), Paris, v. XVI, Nº 1-2, p. 47-77, 1970.

BERMON, Emmanuel. *Le* Cogito *dans la Pensée de Saint Augustin.* Paris: Vrin, 2001.

BERNARDINO, Angelo Di (Org.). *Dicionário Patrístico e de Antiguidades Cristãs.* São Paulo: Paulus, 2002.

BOETHIUS. *Theological Tractates; The Consolation of Philosophy.* (Translated by H. F. Stewart; E. K. Rand; S. J. Tester.) Cambridge; London: Harvard University Press: 1973. (Loeb Classical Library, 74.)

---

1 As obras desta lista constituem apenas uma indicação inicial e bastante genérica, muito aquém do necessário aos que pretendam aprofundar-se nos inúmeros temas tratados por Agostinho no *L.A.*

BONNER, Gerald. *Freedom and Necessity. St Augustine's Teaching on Divine Power and Human Freedom.* Washington: Catholic University Press, 2007.

BRACHTENDORF, Johannes. "Cicero and Augustine on the Passions." In: *Revue des Études Augustiniennes,* Paris, v. 43, p. 289-308, 1997.

BROWN, Peter. *Augustine of Hippo. A Biography.* Berkeley; Los Angeles: University of California Press, 2000. (Obra disponível em português: *Santo Agostinho. Uma biografia.* (Trad. Vera Ribeiro.) 7.ª ed. Rio de Janeiro; S. Paulo: Record, 2012.)

BRUN, Jean. *O Estoicismo.* Lisboa: Edições 70, 1986. (Biblioteca Básica de Filosofia, 29.)

BRUN, Jean. *O Neoplatonismo.* Lisboa: Edições 70, 1988. (Biblioteca Básica de Filosofia, 40.)

CARY, Phillip. *Augustine's Invention of the Inner Self: The Legacy of a Christian Platonist.* Oxford: Oxford University Press, 2000.

CHADWICK, Henry. *Early Christian Thought and the Classical Tradition.* Oxford: Oxford University Press, 1984.

CHADWICK, Henry. *The Early Church.* London: Penguin, 1993.

CHAPPELL, T. D. J. *Aristotle and Augustine on Freedom: Two Theories of Freedom, Voluntary Action and Akrasia.* New York: St. Martin Press, Inc., 1995.

CICERO. *De finibus bonorum et malorum.* (Translated by H. Rackham.) Cambridge: Harvard University Press, 1999. (Loeb Classical Library, XVII.)

CÍCERO. *Em Defesa do Poeta Árquias.* (Introdução, tradução e notas de Maria Isabel Rebelo Gonçalves.) Edição bilíngue. 3.ª ed. Mem Martins, Sintra: Editorial Inquérito.

CÍCERO. *On Old Age / De senectute; On Friendship / De Amicitia; On Divination / De diuinatione.* (Translated by W. A. Falconer.) Cambridge; London: Harvard University Press, 1923. (Loeb Classical Library, 154.)

CICÉRON. *Tusculanes.* (Texte établi par Georges Fohlen; traduit par Jules Humbert.) Paris: Les Belles Lettres, 2011. (Tome I, Livres I-II; Tome II, Livres III-V.)

CORBETT, E; CONNORS, R. *Classical Rhetoric for the Modern Student,* 4th ed. Oxford: Oxford University Press, 1999.

DU ROY, Olivier. *L'intelligence de la foi en la Trinité selon Saint Augustin. Génèse de sa théologie trinitaire jusqu'en 391.* Paris: Études Augustiniennes, 1966.

ERNOUT, A.; MEILLET, A. *Dictionnaire étymologique de la langue latine.* Paris: Librarie C. Klincksieck, 1939.

FERGUSON, E. *Baptism in the Early Church. History, Theology, and Liturgy in the First Five Centuries.* Grand Rapids, Michigan; Cambridge, UK, Wm. B. Eerdmans Publishing Co., 2009.

FIEDROWICZ, Michael. "Introduction" to *The Advantage of Believing.* In: AUGUSTINE OF HIPPO. *Trilogy on Faith and Happiness.* Trans. Ray Kearny. New York: New City Press, 2010, pp. 81-141.

FOLEY, Michael P. "Cicero, Augustine, and the Philosophical Roots of the Cassiciacum Dialogues." In: *Revue des Études Augustiniennes,* Paris, v. 45, p. 51-77, 1999.

FONTANIER, Pierre. *Les figures du discours.* Paris: Flammarion, 1977.

FRANGIOTTI, Roque. *História das heresias: Séculos I-VII. Conflitos ideológicos dentro do cristianismo.* 5.ª ed. São Paulo: Paulus, 2007.

GILSON, Étienne. *A Filosofia na Idade Média.* São Paulo: Martins Fontes, 2001.

GILSON, Étienne. *Introdução às artes do belo: O que é filosofar sobre a arte?* (Trad. de Érico Nogueira.) São Paulo: Editora É, 2010.

GILSON, Étienne. *Introduction à l'étude de saint Augustin.* Paris: Vrin, 1987.

GRAHAM, Daniel W. (Ed.) *The Texts Of Early Greek Philosophy. The Complete Fragments And Selected Testimonies Of The Major Presocratics. Parts I-II.* (Translated and edited by Daniel W. Graham.) Cambridge: Cambridge University Press, 2010.

GREENOUGH, J. B.; KITTREDGE, G. L.; HOWARD, A. A.; D'OOGE, B. L. (Editors.) *Allen and Greenough's New Latin Grammar. Found on Comparative Grammar.* Newburyport, MA: Focus Publishing, 2001. (Based on the 1903 revision of the 1888 edition by J. B. Greenough and J. H. Allen. Updated for *Focus* by Anne Mahonney.)

GRYSON, R.; WEBER, R. (Ed.) *Biblia sacra iuxta uulgatam uersionem.* Stuttgart: Deutsche Bibelgesellschaft, 1994.

HADOT, Pierre. *Plotin, Porphyre. Études néoplatoniciennes.* Paris: Les Belles Lettres, 2010. (Collection L'Âne d'or.)

HAMMAN, A. G. *Santo Agostinho e seu tempo.* São Paulo: Ed. Paulinas, 1989.

HARDING, Brian. *Augustine and Roman Virtue.* New York; London: Continuum, 2008.

HARRISON, Simon. *Augustine's Way into the Will. The Theological and Philosophical Significance of* De libero arbitrio. Oxford: Oxford University Press, 2006. (Oxford early christian studies.)

HENRY, Paul. *The Path to Transcendence. From Philosophy to Mysticism in Saint Augustin.* (Introduction and translation by Francis F. Burch.) Eugene, OR: Pickwick Publications, 1981. (Pittsburgh Theological Monograph Series, # 37).

JAEGER, Werner. *Cristianismo primitivo e paideia grega.* Lisboa: Edições 70, 2002.

KANE, Robert. *A Contemporary Introduction to Free will.* New York; Oxford: Oxford University Press, 2005.

KING, Peter. Introduction. In: AUGUSTINE. *Against the Academicians and The teacher.* Indianapolis: Hackett Publishing Company, Inc., 1995, p. vi-xxiv.

KRAUT, Richard (*Editor*). *The Cambridge Companion to Plato.* Cambridge: Cambridge University Press, 1993.

LANCEL, Serge. *Saint Augustin.* (Translated by Antonia Nevill). London: SCM Press, 2002.

LEWIS, C.; SHORT, C. *Harper's Latin Dictionary.* (Founded on the translation of Freund's Latin-German Lexicon; edited by E. A. Andrews). New York; Oxford: Harper & Brothers; Clarendon Press, 1891.

LOT, Ferdinand. *O fim do mundo antigo e o princípio da Idade Média.* Lisboa: Edições 70, 1980.

MADEC, Goulven. "Thématique de la Providence." In: *Revue des Études Augustiniennes,* Paris, v. 41, p. 291-308, 1995.

MAHÉ, Jean-Pierre; POIRIER, Paul-Hubert (Édition); CRÉGHEUR, Éric (Index). *Écrits gnostiques: La bibliothèque de Nag Hammadi.* Paris: Gallimard, 2007.

MANDOUZE, André. *Saint Augustin. L'aventure de la raison et de la grâce.* Paris: Études Augustiniennes, 1968.

MANN, William. "Augustine on Evil and Original Sin." In: STUMP, Eleonore; KRETZMAN, Norman (Ed.). *The Cambridge Companion to Augustine.* Cambridge: Cambridge University Press, 2001, p. 40-48.

MARROU, Henri-Irenée. *Décadence Romaine ou Antiquité Tardive? IIIe-VIe siècle.* Paris: Éditions du Seuil, 1977.

MARROU, Henri-Irenée. *Saint Augustin et la fin de la culture antique.* Paris: E. de Boccard Éditeur, 1949.

MARROU, Henri-Irenée. *Santo Agostinho e o agostinismo.* Rio de Janeiro: Agir editora, 1957.

MEYER, Michel. *Philosophy and the Passions.* (Translation by Robert Barsky.) Pennsylvania: The Pennsylvania State University Press, 2000.

MICHON, Cyrille. "Le libre arbitre." In: CARON, Maxence (Dir.). *Saint Augustin.* Paris: Cerf, 2009, pp. 305-341. (Les Cahiers d'Histoire de la Philosophie.)

NOVAES, Moacyr Ayres. *O Livre arbítrio da vontade humana e a presciência divina, segundo Agostinho de Hipona.* 1997. 70f. Tese (Doutorado em Filosofia) — Departamento de Filosofia da Faculdade de Filosofia, Letras e Ciências Humanas da Universidade de São Paulo. São Paulo: FFLCH/USP, 1997.

O'CONNELL, Robert J. *Saint Augustine's Platonism.* Villanova: Villanova University Press, 1981. (Augustinian Institute - The Saint Augustine Lecture Series.)

O'DONNELL, James J. "Augustine: His Times and Lives." In: STUMP, Eleonore; KRETZMAN, Norman (Editors). *The Cambridge Companion to Augustine.* Cambridge: Cambridge University Press, 2001, p. 8-25.

PEREBOOM, Derk (ed.). *Free Will.* 2nd. ed. (Edited and introduced by E. Pereboom.) Indianapolis: Hackett, 2009.

PINK, Thomas. *Free Will. A Very Short Introduction.* Oxford: OUP, 2004.

PLANTINGA, Alvin. *God, Freedom and Evil.* Grand Rapids, Michigan: Eerdmans Publishing Co., 1977.

PLATO. *Complete Works* (Edited, with Introduction and Notes, by J. Cooper). Indianapolis; Cambridge: Hackett Publishing Company, 1997.

PLATON. *Werke in acht Bänden. Griechisch und Deutsch.* (Herausgegeben von Gunther Eigler; Der griechische Text mit Genehmigung der Societé d'Édition „Les Belles Lettres", Paris, aus: Platon, *Œuvres complètes.*) Darmstadt: WBG, 1971.

PLOTIN. *Ennéades I-VI.* (Texte établi et traduit par Émile Bréhier). *4ème tirage.* Paris: Les Belles Lettres, 1976. (Tomes I-VII.)

PRATT, James Bissett. "The ethics of St. Augustine." In: *International Journal of Ethics,* Chicago, v. 13, p. 222-235, jan. 1903.

PRZYWARA, Erich. *Augustin: Passions et Destins de l'Occident.* Paris: Cerf, 1987.

QUINTILIAN. *The Orator's Education.* (Edited and translated by Donald A. Russell.) Cambridge: Harvard University Press, 2001. (Loeb Classical Library, 1-2, v. 124; 3-5, v. 125; 6-8, v. 126; 9-10, v.127; 11-12, v. 494.)

RAMSEY, Boniface. Introduction. In: AUGUSTINE. *The Augustine Catechism: The Enchiridion of Faith, Hope and Charity.* (Translated by Bruce Harbert; Edited with an introduction by Boniface Ramsey). Hyde Park, NY: New City Press, 2011, pp. 9-28.

REBOUL, Olivier. *Introdução à retórica.* São Paulo: Martins Fontes, 2000.

REICHENBACH, Bruce R. *Evil and a Good God.* New York: Fordham University Press, 1982.

RICOEUR, Paul. *Fallible Man.* (Revised translation by C. Kelbley. Introduction by W. Lowe.) New York: Fordham University Press, 2002.

RICOEUR, Paul. *Le mal. Un défi à la philosophie et à la theologie.* Troisième éd. Genève: Labor et Fides, 2004. // Obra disponível em inglês: *Evil. A Challange to Philosophy and Theology.* (Translated by J. Bowden; Introd. by G. Ward.). Gosport, Hampshire: Continuum, 2007.

RICOEUR, Paul. *Sobre a tradução.* (Trad. e prefácio de Patrícia Lavelle.) Belo Horizonte: Editora UFMG, 2011.

RICOEUR, Paul. *The Symbolism of Evil.* (Translated from the French by Emerson Buchanan.) Boston: Beacon Press, 1967.

RIST, John M. *Augustine. Ancient Thought Baptized.* Cambridge: Cambridge University Press, 1994.

RIST, John. "Faith and Reason." In: STUMP, Eleonore; KRETZMAN, Norman (Editors). *The Cambridge Companion to Augustine.* Cambridge: Cambridge University Press, 2001, p. 26-39.

ROCHA PEREIRA, Maria Helena da. *Estudos de história da cultura clássica. II volume: Cultura romana.* Lisboa: Calouste Gulbenkian, 2002.

RUCH, Michel. *L'Hortensius de Cicéron: histoire et reconstituition.* Paris: Belles Lettres, 1958.

RUSSELL, Bertrand. *The History of Western Philosophy.* New York, London etc.: Simon & Schuster, s.d. [orig. 1945].

RUSSELL, Jeffrey Burton, *Satan. The Early Christian Tradition.* Ithaca, New York; London: Cornell University Press, 1987 (b).

RUSSELL, Jeffrey Burton. *The Devil. Perceptions of Evil from Antiquity to Primitive Christianity.* Ithaca, New York; London: Cornell University Press: 1987 (a).

SÉNECA, Lúcio Aneu. *Cartas a Lucílio.* (Tradução, prefácio e notas de J. A. Segurado e Campos.) 4.ª ed. Lisboa: Fundação Calouste Gulbenkian, 2009.

SÊNECA; SALÚSTIO. *Tratado sobre a clemência.* (Introdução, tradução e notas de Ingeborg Braren.) *A conjuração de Catilina.* (Introdução e tradução de Antônio da Silveira Mendonça.) Petrópolis: Vozes, 1990.

SLOANE, Thomas O. (Editor in Chief). *Encyclopedia of Rhetoric.* Oxford: Oxford University Press, 2001.

SPENCER, W. Wylie. "St. Augustine and the Influence of Religion on Philosophy." *International Journal of Ethics,* Chicago, v. 41, n. 4, p. 461-479, Jul. 1931.

STUMP, Eleonore. "Augustine on Free Will." In: STUMP, Eleonore; KRETZMAN, Norman. *The Cambridge Companion to Augustine.* Cambridge: Cambridge University Press, 2001, p. 124-147.

STUMP, Eleonore; MECONI, David Vincent (Ed.). *The Cambridge Companion to Augustine. Second Edition.* Cambridge: Cambridge University Press, 2014.

TAURISANO, Ricardo Reali. *O Enigma do espelho. A retórica do silêncio nas Confissões de Agostinho de Hipona.* São Paulo, 2014. 387 ff. Tese (Doutorado em Filosofia). Faculdade de Filosofia, Letras e Ciências Humanas, Universidade de São Paulo.

TESKE, Roland J. *To Know God and the Soul. Essays on the Thought of St. Augustine.* Washington: The Catholic University of America Press, 2008.

TOUBOULIC, Anne-Isabelle. "Les valeurs d'ordo chez saint Augustin." In: *Revue des Études Augustiniennes,* Paris, n. 45, p. 295-334, 1999.

VESSEY, Mark (Editor). *A Companion to Augustine.* West Sussex, UK: Blackwell, 2012.

WATSON, Gary (ed.). *Free Will.* 2nd. ed. Oxford: OUP, 2013.

WATTS, Allan. *The Two Hands of God. The Myths of Polarity.* New York: Collier, 1963.

WETZEL, James. *Augustine and the Limits of Virtue.* Cambridge: Cambridge University Press, 2008.

Conheça mais livros da coleção:

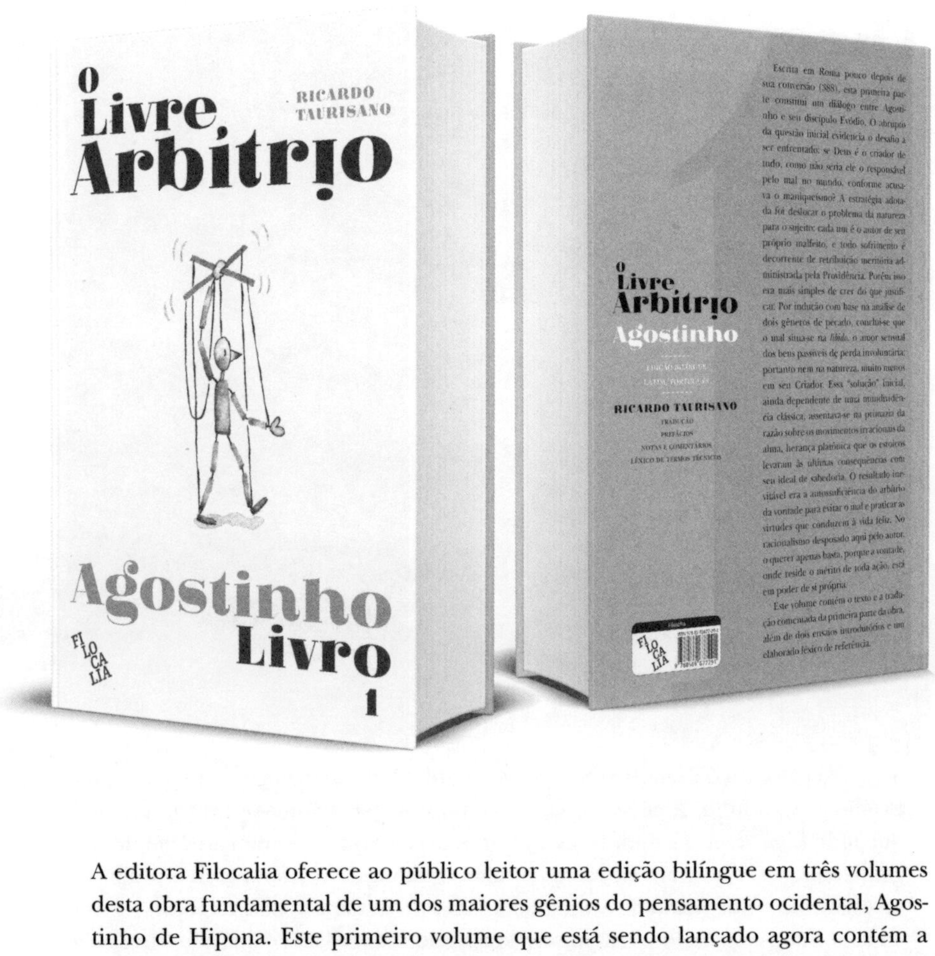

A editora Filocalia oferece ao público leitor uma edição bilíngue em três volumes desta obra fundamental de um dos maiores gênios do pensamento ocidental, Agostinho de Hipona. Este primeiro volume que está sendo lançado agora contém a tradução da primeira parte da obra, acompanhada de notas explicativas e de extensos comentários para cada parágrafo, além de dois ensaios introdutórios e de um léxico de referência com centenas de verbetes. Os volumes restantes contendo as respectivas traduções anotadas e comentadas das segunda e terceira partes da obra serão lançados logo na sequência.

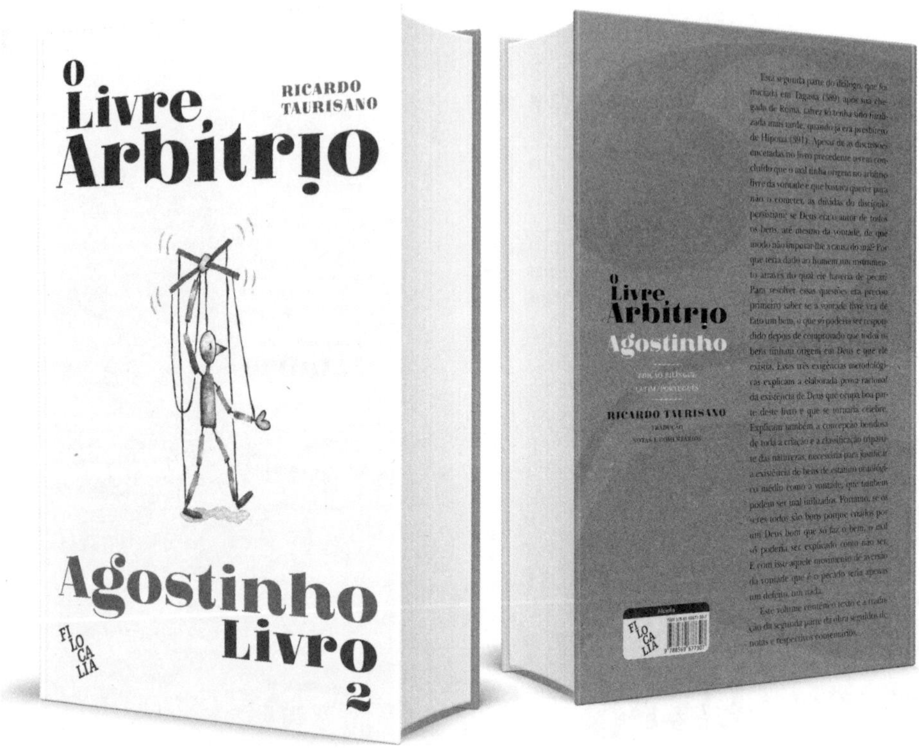


Segunda parte de *O Livre Arbítrio*, que dá continuidade ao diálogo entre o discípulo Evódio e Agostinho. Aqui se procura demonstrar que a vontade livre é um bem, que todo bem se origina em Deus e (com especial destaque, num argumento que ganharia fama) que Deus existe. Cada uma dessas teses colabora com o propósito de estabelecer que o fato de a vontade, portadora da capacidade de pecar, ter sido dada por Deus não faz dele responsável pelo mal. Na verdade, o mal não é mais que um não ser; o conjunto das coisas que são é bom, e abriga naturezas de diferentes graus – sendo a própria vontade, passível de má utilização, uma natureza de nível médio. Além do texto em latim e da tradução, o volume, como os demais, traz notas e comentários, igualmente assinados por Ricardo Taurisano.

O Livre Arbítrio

Agostinho